JARDINS & PLANTES D'INTÉRIEUR

ENCYCLOPÉDIE **TRUFFAUT**

BORDAS

Ouvrage collectif placé sous la direction de
Patrick Mioulane

Réalisation de l'ouvrage
ÉDITIONS PROTEA

Rédacteurs
Alain Delavie : 246 à 253, 276 à 283, 304-305
Catherine Delvaux : 192 à 197, 220-221, 254 à 275, 284 à 301, 312 à 367, 420 à 425, 428 à 435, 472 à 475
Valérie Garnaud-d'Ersu : 202 à 217, 224 à 241, 478 à 495
Marie-Hélène Loaëc : 370 à 373, 376 à 399, 402 à 409, 412 à 417
Patrick Mioulane : 3, 7, 8, 10 à 191, 198 à 201, 218-219, 223, 243-244, 302, 306 à 311, 368, 374, 400, 410, 418, 426, 436, 448-449, 477, 496 à 499, 511
Didier Willery : 438 à 447, 450 à 471

Mise en pages
Aris Lapeyre et **Nadine Grosvalet**
Illustrations
Photos : © **Agence MAP/MISE AU POINT**
Stylisme des photos d'intérieur : **Marie Berthelot, Nicole Mioulane** et **Anne Valery**
Dessins : **Nicole Colin**

TRUFFAUT
Conseillers de la rédaction
Catherine Hébert-Bion et **Marc Gueguen**
Coordination et relecture
Céline Charpiat et **Frédérique Vergne-Bosch**

Conception et coordination éditoriales
BORDAS
Directrice éditoriale : **Catherine Delprat**
Édition et coordination : **Agnès Dumoussaud**
Conception graphique : **Marie-Astrid Bailly-Maître**
Index : **Catherine Maillet**
Couverture : **Marie-Astrid Bailly-Maître** avec la collaboration de **Véronique Laporte**
Relecture et correction : **Jacqueline Menanteau** et **Cécile Beaucourt**
Fabrication : **Isabelle Goulhot**

Photogravure
Nord Compo

N° Éditeur 100 66 142-(II)-50-CSBTS 100°
ISBN 2-04027250-X
Dépôt légal septembre 1999
Impression et reliure Mohn Media Mohndruck GmbH

S'évader autour du monde en passant de la forêt amazonienne aux steppes d'Afrique, puis au désert mexicain, sans quitter son fauteuil. Rêver d'escalades sur des cimes vertigineuses pour contempler de rares orchidées. Imaginer une expédition au plus profond de la jungle à la découverte des plantes carnivores… Toutes ces aventures se vivent au quotidien, en observant les plantes qui décorent la maison. La plupart de ces végétaux, dont les formes et les couleurs ravissent notre sens de l'esthétique, sont originaires de lointaines contrées. Contraintes de pousser à l'étroit dans des pots et de s'accommoder des conditions assez particulières de nos intérieurs, ces belles exotiques nécessitent toute notre diligence et des attentions bien spécifiques pour nous gratifier de leur fascinante beauté. Fruit de longues années d'expériences et d'observations, chaque page de ce livre vous dévoile quelques secrets pour que vous puissiez savourer avec passion la compagnie des plantes, dans l'intimité paisible et confortable de votre intérieur…

S O M M

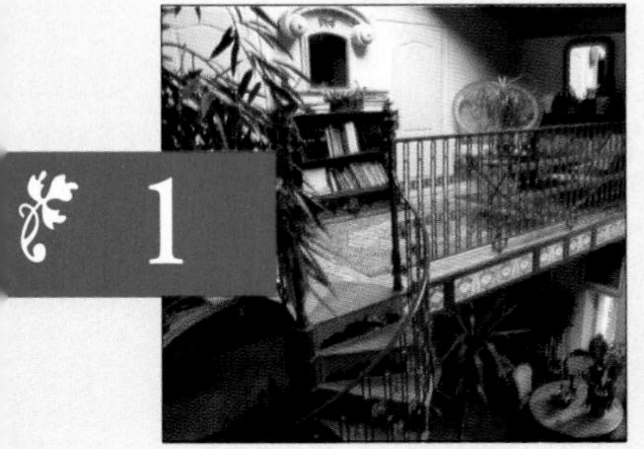

A I R E

LES PLANTES DANS LA MAISON

LES PLANTES DANS LA MAISON

Douillettement abrité derrière les murs de la maison, nous nous protégeons des affres du climat et des rudesses de la nature. Mais, très vite, l'ambiance minérale et inerte de la construction nous paraît artificielle et dépersonnalisée. ✻ Il faut embellir le décor, le faire revivre, lui donner une âme. Et c'est dans cette nature que nous avons fuie, que va se nourrir notre inspiration. ✻ Des motifs floraux s'affichent aux murs sur les papiers peints ou les tentures, parent les tissus d'ameublement et le linge de toilette. Des fleurs toutes fraîches vont même jusqu'à pénétrer nos intérieurs, hôtes éphémères mais condamnés, arrangés selon le code mystérieux d'une sensibilité qualifiée d'artistique, mais souvent factice. ✻ Mais il suffit d'une plante, toute pimpante dans son pot, fière de ses bourgeons gorgés de sève et prêts à donner la vie, pour que la maison prenne un air nouveau. ✻ Gage d'amour ou d'amitié, de passion ou d'affection, expression simple et spontanée de nos sentiments, la plante destinée au décor de la maison symbolise par sa généreuse nature toutes les meilleures intentions. ✻ Elle va faire l'objet de tous nos égards, car elle incarne celui ou celle qui l'a offerte. On la respecte parce qu'elle est vivante. ✻ On l'aime parce qu'elle est délicatesse et distinction. On la soigne avec sollicitude parce qu'elle embellit notre quotidien. ✻ C'est une amie, une compagne, mais aussi une présence nécessaire à notre épanouissement, qui équilibre notre comportement et enjolive notre environnement. ✻ De par leurs origines lointaines et souvent mystérieuses, les plantes qui décorent nos intérieurs sont une invite à l'évasion. Les plus étonnantes entraînent notre imagination dans des voyages qui nous font oublier la banalité du quotidien. Moiteur des jungles inextricables peuplées d'orchidées et de lianes géantes, immensité graphique des déserts où cactus et plantes grasses luttent contre la sécheresse ; C'est tout un monde d'aventures qui s'offre à vous, dans un décor que vous pouvez composer, transformer et modeler, à l'infini de votre inspiration. ✻

Entrez, c'est tout vert

LES PLANTES POUR RÉUSSIR

1 **Lotier *(Lotus berthelotii),*** une suspension aux fleurs étranges.

2 **Aréca *(Chrysalidocarpus lutescens),*** un palmier très fourni.

3 ***Begonia elatior,*** des fleurs aux couleurs très chaleureuses.

4 **Lierre *(Hedera helix),*** une suspension aux feuilles panachées.

5 ***Dracaena deremensis* 'Janet Craig',** des feuilles vert très foncé.

6 **Pothos *(Epipremnum aureum),*** une plante très solide.

7 **Croton *(Codiaeum variegatum),*** un effet lumineux.

Ambiance accueillante dans cette fermette au charme rustique. Dès les beaux jours, la porte d'entrée reste grande ouverte pour laisser pénétrer le soleil, ce qui profite aux plantes. C'est une collection riche et variée qui habille ce long couloir au sol superbement dallé. La disposition des végétaux sur plusieurs niveaux donne un effet de rythme souple et agréable. Le regard « danse » en passant du sol au plafond pour apprécier chaque espèce l'une après l'autre. On crée ainsi l'impression d'un volume plus important, tout en renforçant la présence sympathique du décor végétal. Le choix d'espèces aux silhouettes variées et dont les couleurs contrastent les unes avec les autres a un effet lumineux. Un décor sans cesse renouvelé car il doit toujours paraître impeccable.

À ESSAYER AUSSI

Clivia miniata

Très solide, il a besoin d'une pièce fraîche et d'une forte lumière pour bien fleurir.
Le clivia apprécie des arrosages assez espacés.

***Aspidistra elatior* 'Variegata'**

Le feuillage panaché donne un aspect plus lumineux à cette plante qui résiste vraiment à tout.

D'autres idées

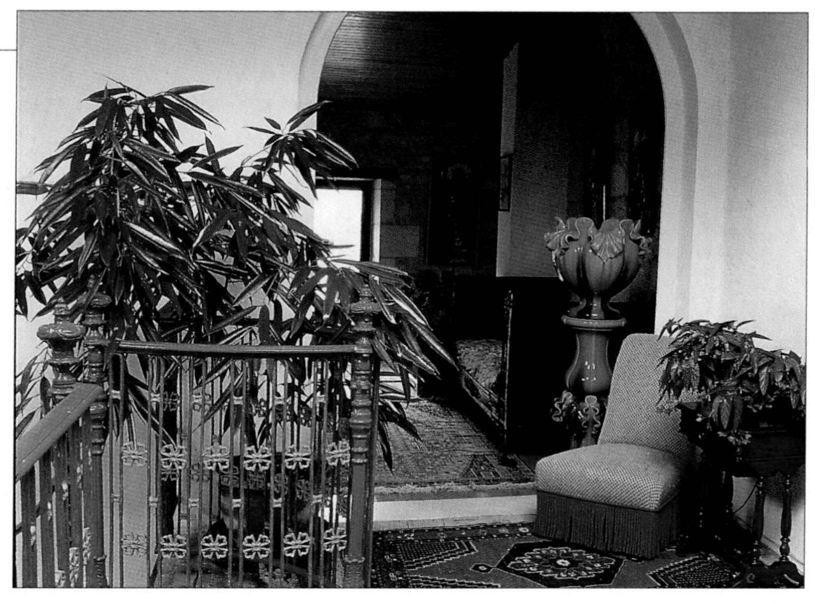

▶ Accueil en mezzanine

Avec juste ce qu'il faut de sophistication pour affirmer un goût du luxe tout en évitant de sombrer dans le pompeux, ce passage en mezzanine est à la fois chaleureux et délicat. Il exprime bien le caractère hospitalier de la propriétaire du lieu. Les végétaux sont présents sans dominer, assez opulents, mais jamais gênants. Un *Ficus longifolia* profite de l'éclairage généreux provenant d'une fenêtre de toiture pour bien se ramifier. Le *Begonia glaucophylla* apprécie l'ambiance et manifeste son contentement par une floraison quasi continue. La température s'abaisse régulièrement durant la nuit, ce qui profite aussi aux plantes.

◀ D'un jardin à l'autre...

Transition entre l'intérieur douillet et cossu de la maison et un jardin aux plantations généreuses, cette entrée dispose d'une abondante lumière presque toute la journée. Ainsi, les plantes y prospèrent-elles, bénéficiant aussi d'un renouvellement d'air permanent car la porte reste ouverte dès que le temps le permet. Une certaine fraîcheur règne dans la pièce ce qui permet de limiter les arrosages et d'éviter bien des déboires. L'assortiment de plantes d'intérieur est très varié avec tout près de l'entrée un *Ficus longifolia*, puis un présentoir dominé par un pothos et où sont groupés un bégonia à fleur et des fougères. Dans l'encadrement de la porte, un *Ficus benghalensis* (banyan).

LES BONS GESTES

La réussite d'une décoration à base de plantes est liée à l'aspect impeccable des végétaux utilisés. Il est tout à fait normal qu'une feuille s'abîme ou sèche de temps en temps. Intervenez immédiatement pour l'éliminer, en la coupant le plus près possible de son point de naissance, ou s'il s'agit d'une espèce à feuilles composées en supprimant seulement la foliole abîmée. Dans le même temps, vérifiez s'il n'y a pas de présence parasitaire sur la plante en examinant la face inférieure des feuilles et assurez-vous que la terre n'est pas détrempée ou que la base du pot ne trempe pas en permanence dans l'eau.

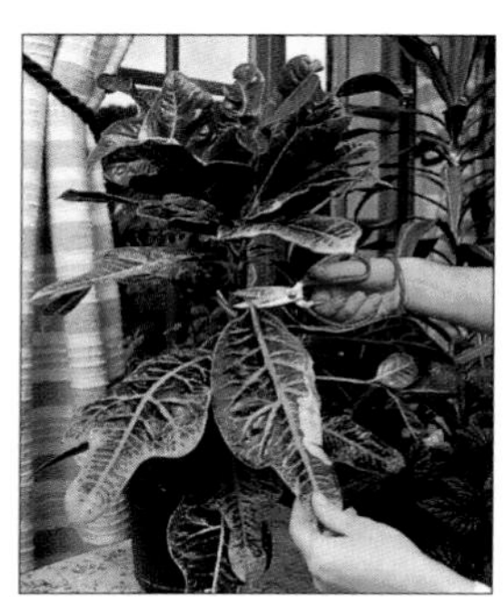

astuce Truffaut **À l'extrémité d'un long couloir, l'intensité lumineuse est très faible et les plantes poussent mal. Installez des luminaires munis de lampes type « lumière du jour » que vous laisserez fonctionner au moins 6 h par jour. Vous constaterez très rapidement une amélioration de la croissance des plantes.**

L'antichambre du confort

LES PLANTES POUR RÉUSSIR

1 ***Dracaena fragrans* 'Lindenii',** un petit arbre étagé.

2 ***Asplenium bulbiferum*,** de longues frondes souples, dentelées.

3 ***Dieffenbachia* 'Reflector',** un feuillage ample et tout en contraste.

4 **Impatiens de Nouvelle-Guinée *(Impatiens* x *hawkeri)*.**

5 ***Begonia masoniana*,** des feuilles gaufrées à ne pas mouiller.

6 **Violette du Cap *(Saintpaulia ionantha)*,** une collection variée.

Généreusement éclairé par une grande porte d'entrée vitrée, ce vestibule accueille le visiteur dans une ambiance fleurie. Le ton est donné par les voilages aux teintes vives, dont les motifs de fleurs et de feuillages exotiques rappellent les plantes. La pièce gagne en élégance avec l'épais tapis chinois et le mobilier ancien, tout en restant pratique grâce au carrelage d'un entretien facile. Les plantes, très présentes et variées, contribuent à l'animation de ce lieu de passage très fréquenté. Le choix des espèces est conditionné par une volonté de pérennité, chaque plante bénéficiant d'un éclairage idéal. En hiver, certaines potées seront déplacées pour éviter les effets néfastes de l'air froid qui pénètre dès que s'ouvre la porte.

À ESSAYER AUSSI

Dracaena hookeriana
Une espèce aux feuilles larges et assez rigides, portées en panache au bout d'un tronc souple, ramifié et ridé.

Primula auricula
Une petite plante aux feuilles charnues qui porte au début du printemps des fleurs aux coloris exceptionnels.

D'autres idées

◀ À petits pas feutrés…

En pénétrant dans ce hall qui s'ouvre sur un salon cossu, on découvre un cocon douillet où chaque objet raconte une histoire. C'est la délicieuse impression d'avoir accès à un jardin secret, invité privilégié d'une famille où l'on cultive la passion des plantes. Le moindre interstice parmi les bibelots accueille une espèce choisie dans une réelle volonté d'originalité : fougère « patte de lapin » *(Davallia mariesii)* et *Callisia repens* sur la commode; capillaire *(Adiantum venustum)*, *Polyscias balfouriana* 'Pennockii' et gloxinia *(Sinningia* hybride*)* sur l'étagère; corne d'élan *(Platycerium alcicorne)* en suspension, ne sont qu'un échantillon de cette superbe collection…

▶ Délicats entrelacs

Dans cette entrée aux murs habillés de rayures aux teintes chaleureuses, un escalier s'habille d'une rampe aux motifs ouvragés. Les entrelacs de fer forgé servent de support aux tiges volubiles de deux plantes grimpantes qui s'emmêlent dans un joyeux fouillis; un *Cissus rhombifolia* 'Ellen Danica', aux feuilles vert foncé très découpées, et une vigne vierge d'intérieur (*Ampelopsis brevipedunculata* 'Maximowiczii Elegans'), très joliment marbrée de rose et de blanc. Ces deux plantes reçoivent un éclairage indirect de la pièce voisine. L'entrée étant peu chauffée, les conditions sont tout à fait favorables pour leur bon développement. Il faudra toutefois prévoir un dépoussiérage régulier.

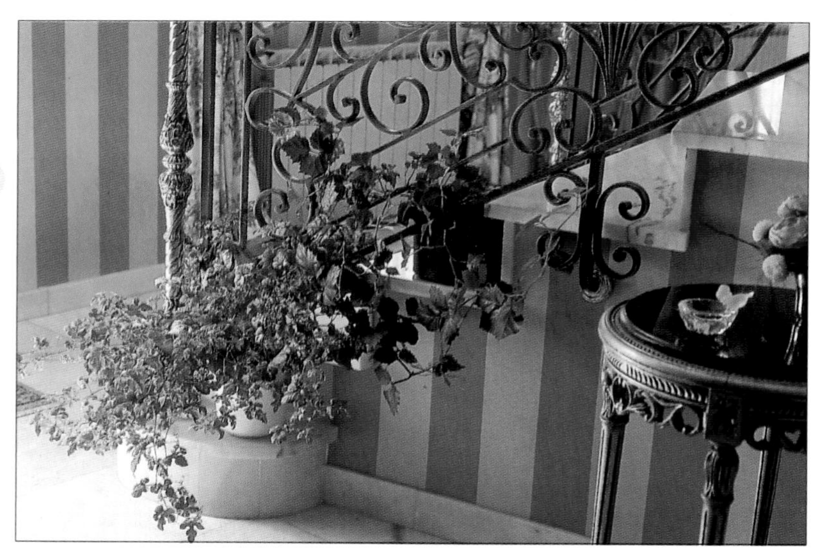

IDÉES DÉCO

Un grand miroir placé dans l'axe de l'entrée pour jouer les trompe-l'œil fait paraître la pièce plus grande. Il reflète aussi les lumières, créant une ambiance intimiste et chaleureuse. Installez une jolie console (table étroite) le long du miroir et placez dessus de beaux objets et une plante exceptionnelle. Ici, un *Sageretia theezans* de 30 ans, formé en bonsaï de style Sokan (arbre à double tronc). Mais une belle orchidée, un cactus aux cristations étranges, voire même une simple amaryllis aux trompettes généreuses pourraient aussi bien convenir dans cette ambiance. Un moyen de personnaliser un endroit trop souvent négligé à tort.

astuce Truffaut

Dans une entrée, il ne faut pas disposer de plante juste en face du panneau mobile de la porte. En hiver, de l'air froid s'engouffre dans la pièce lors de chaque ouverture. La brutale sensation de fraîcheur provoque un jaunissement. Placez donc les plantes sur les côtés ou éloignez-les d'au moins 3 m.

Bienvenue en pleine nature

LES PLANTES POUR RÉUSSIR

1 **Lis** ***(Lilium candidum* x),** des fleurs au parfum très intense.

2 ***Fuchsia* hybride,** une floraison ininterrompue durant tout l'été.

3 ***Isoloma grandiflora,*** des étoiles bleues en été, à mi-ombre.

4 **Calamondin** ***(Citrus mitis),*** il fleurit en été et fructifie en hiver.

5 **Hortensia** ***(Hydrangea macrophylla),*** des fleurs précoces.

6 ***Gloriosa rotschildiana,*** une liane aux fleurs très spectaculaires.

7 **Passiflore** ***(Passiflora coerulea),*** une végétation délirante.

À ESSAYER AUSSI

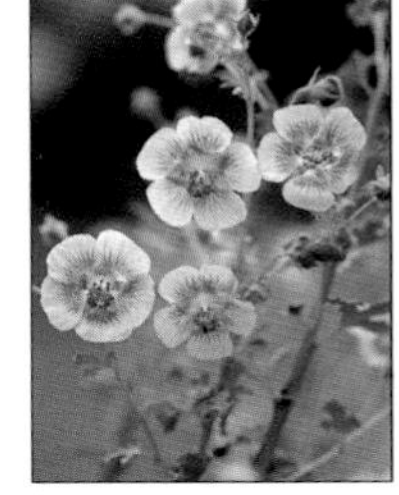

Anizodontea capensis
Des petites fleurs de mai à octobre. Hivernez dans la véranda au soleil.

***Abutilon* hybride**
Un bel arbuste qui fleurit tout l'été dehors ou dans la véranda, mais qui doit passer l'hiver à l'abri du gel. Attention aux pucerons, très friands des jeunes pousses.

Quand l'entrée de la maison est couverte par une verrière, on se trouve dans la configuration idéale d'un conservatoire pour plantes de climat méditerranéen. Il suffit de maintenir une température hivernale minimale de 5 à 7 °C pour que se développent à merveille toutes les plantes qui enchantent nos étés de leurs floraisons ininterrompues. C'est aussi l'occasion de réussir le forçage de très nombreuses espèces, à commencer par les bulbes à fleurs, mais aussi l'hortensia, qui sous cet abri providentiel peut épanouir ses généreux corymbes dès avril. En été, un store ombrage partiellement la verrière et la porte d'entrée reste grande ouverte afin d'entretenir une température supportable par les habitants (hommes et plantes). Un sas d'accueil, mais aussi un coin détente fort agréable.

D'autres idées

astuce Truffaut **Avant d'entreposer les plantes en automne pour un hivernage au frais, mais hors gel, taillez assez sévèrement toutes les espèces dont la floraison est terminée. Elles prendront moins de place, mais aussi et surtout leur conservation sera meilleure, avec un fort redémarrage de la végétation au printemps. Ne serrez pas trop les pots afin que l'air puisse bien circuler autour, ce qui évite les pourritures.**

▼ Vestibule végétal

Véritable plaque tournante de la maison, cette entrée offre trois options d'orientation : tout droit au bout du couloir, la salle à manger et la cuisine, à droite le grand salon très lumineux et à gauche l'escalier qui monte vers les chambres. Animer ce « point stratégique » avec des plantes est la moindre des choses. Le côté escalier étant très sombre, on se contente de fleurs coupées. Le salon accueille de grandes plantes vertes *(Ficus benjamina* et *Dracaena fragrans)* et les pièces du fond s'animent aussi de végétaux.

▲ La galerie des plantes

Dans cette maison d'architecture très contemporaine, une grande partie de l'entrée est couverte par une verrière, ce qui en fait une pièce exceptionnellement lumineuse, où les plantes prolifèrent. On pénètre dans la maison par une petite porte-fenêtre qui donne sur un salon d'accueil. La présence végétale y est forte, avec un grand *Ficus benjamina* posé sur le coffrage en bois où s'adosse le canapé. En pénétrant plus avant dans la pièce, on découvre la verrière et son ambiance de jardin d'hiver. Un tilleul d'appartement *(Sparmannia africana)* accompagne un *Ficus rubiginosa* qui plie sous le poids de sa ramure et nécessiterait un bon tuteurage. Les murs sont tapissés par un *Cissus antartica* qui prolifère avec la force délirante d'une liane, tandis qu'un généreux philo *(Monstera deliciosa)* forme de nouvelles feuilles toujours plus grandes et parfaitement découpées.

IDÉES DÉCO

Une « entrée jardin » se doit d'offrir un spectacle permanent de floraisons. L'offre de plantes saisonnières proposées en pots se développe. Elle évolue toute l'année et vous permet de composer au gré de votre fantaisie de jolies potées qui enchanteront la pièce pendant quelques semaines. Sous une verrière, vous conserverez beaucoup plus longtemps azalées, cyclamens, cinéraires, primevères, campanules, bégonias, poinsettias et autres petites plantes très colorées.

Rencontres végétales
La circulation entre le couloir d'entrée et la cuisine est ponctuée de plantes qui viennent donner de la vie au décor et mettre en valeur les beaux meubles rustiques. Le grand philo *(Monstera deliciosa)* est habillé d'un superbe cache-pot ancien, en céramique, pour apporter une note supplémentaire de raffinement. À gauche, des saintpaulias, au fond, une potée de bégonias à fleurs *(Begonia* x 'Rieger'*)*.

En toute sobriété
L'élégance luxueuse de ce bel appartement se dégage dès l'entrée avec la présence discrète mais très raffinée, d'un *Ficus benjamina* qui accueille les visiteurs et le bégonia à fleurs *(Begonia* x 'Rieger'*)* qui, dans son cache-pot très sophistiqué, vient juste souligner la beauté de la commode Empire. C'est une potée éphémère, qui est régulièrement remplacée.

PAGE DE DROITE
Opulente fraîcheur
Le seuil à peine franchi, le visiteur est plongé dans un univers enchanteur. Une verrière sert de sas à une entrée, sorte de conservatoire pour les plantes frileuses, notamment une superbe collection de fuchsias, mais aussi des lis et des agrumes. Une ambiance dépaysante qui contribue à nous mettre à l'aise et à nous ravir.

Harmonie en clair-obscur

LES PLANTES POUR RÉUSSIR

1 **Plante bouteille** ***(Beaucarnea recurvata),*** une forme originale.

2 **Bouquet de pivoines,** des fleurs opulentes et parfumées.

3 **Tilleul d'appartement** ***(Sparmannia africana),*** ramifié.

4 ***Gloriosa rotschildiana,*** des fleurs estivales couleur de feu.

5 **Hortensia** ***(Hydrangea paniculata),*** de bonnes grosses têtes.

Laissant percer une pointe de mystère par son éclairage savamment dosé, ce salon évoque l'ambiance feutrée, délicieusement désuète d'un roman d'Agatha Christie. Les zones d'ombre et de lumière créent une ambiance distinguée que renforcent l'ameublement et les bibelots, propice à la lecture ou à la conversation. Volontairement choisies pour leur originalité ou leur non-conformisme, les plantes sont volontiers provocantes. Elles interpellent le visiteur et l'informent de la passion que leur voue la maîtresse de maison. Elles sont regroupées près de la fenêtre afin de disposer de toute la lumière qui leur convient. Cette pièce est peu chauffée durant l'hiver.

À ESSAYER AUSSI

Crassula arborescens

En remplacement du *Beaucarnea*, un arbuste aux feuilles succulentes, qui se couvre durant l'hiver de fleurs vieux rose. Il dépasse 1 m de haut et d'envergure dans la maison.

Araucaria heterophylla

Ce conifère aux branches horizontales accepte des conditions de culture similaires à celles du *Sparmannia.* Il atteint 2 m.

D'autres idées

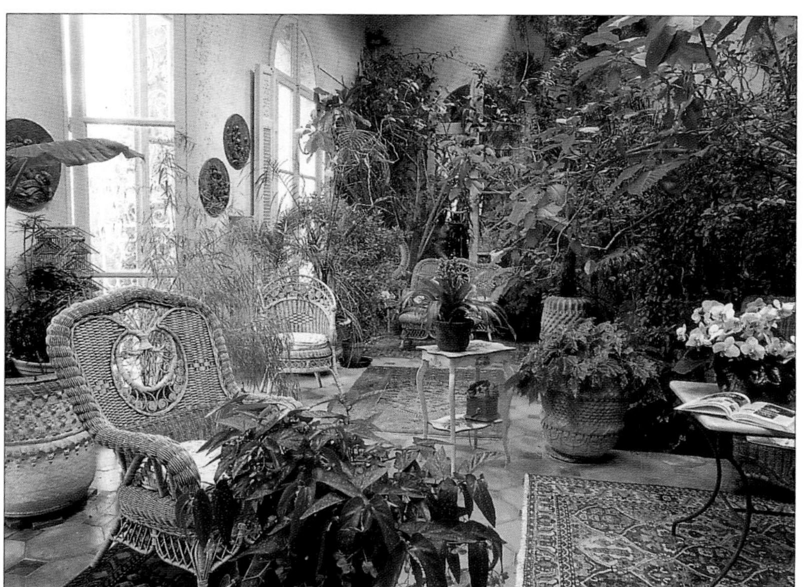

◀ Atmosphère exotique

Cet immense séjour éclairé par de larges baies vitrées évoque une hacienda ou une maison coloniale du XIXe siècle. Tout respire l'exotisme et pourtant nous sommes dans le Bordelais, à deux pas des meilleures vignes du monde. Profitant du plafond très haut et d'une situation de plain-pied, on a installé *Brugmansia*, bougainvillée, et autres plantes méditerranéennes en pleine terre pour qu'elles se développent à loisir, d'où cette impression de « jungle » apprivoisée. Le décor est complété par de très grosses potées où prospèrent *Alocasia, Begonia,* asparagus, palmiers et cycas.

▶ Devisons sous les palmes

En utilisant de grandes plantes vertes comme « claustras vivants », on a réussi à compartimenter un très grand salon, sans donner l'impression de le cloisonner : il a suffi de réunir fauteuils et canapés pour composer un petit coin d'intimité, idéal pour bavarder entre amis.

Les plantes bénéficient d'un bon éclairage et d'une température constante de 18 à 19 °C toute l'année, ce qui leur convient bien. On reconnaît en arrière-plan *Ficus longifolia* et *Ficus benjamina* et sur le devant *Rhapis exelsa* et *Howea forsteriana* (kentia). Sur la table, une petite collection de *Begonia rex*. Placés au sol, *Ctenanthe* et *Calathea* apprécient la lumière plus tamisée.

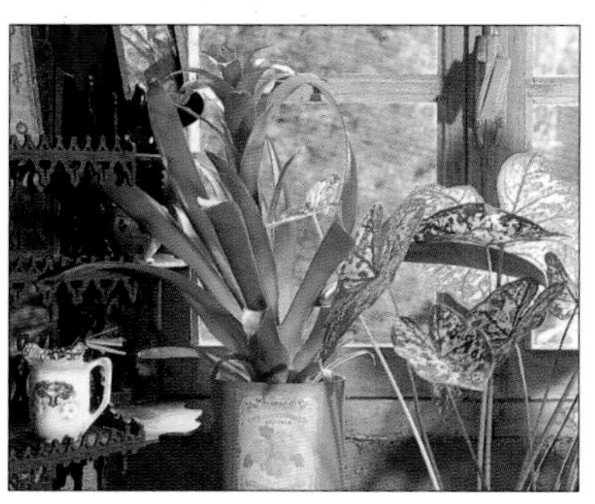

L'IDÉE DÉCO

Retrouvez dans les brocantes de vieilles boîtes métalliques décorées et utilisez-les comme cache-pot. Avec leur patine et leurs inscriptions désuètes, les boîtes de graines, de thé, de café, courantes au début du siècle, vont s'inscrire en toute subtilité dans une ambiance rustique ou romantique.

Notez que les cactus apprécient beaucoup d'être directement cultivés dans ces boîtes métalliques, à condition, bien sûr, de percer plusieurs trous au fond.

astuce Truffaut

N'hésitez pas à ouvrir en grand les portes-fenêtres dès que la température extérieure dépasse 20 °C, mais traitez préventivement avec une bombe totale les plantes exposées à l'air libre, afin d'éviter que des insectes ou des maladies ne les contaminent. Une pulvérisation tous les 15 jours suffit.

La convivialité contemporaine

Ambiance chaleureuse, décoration élégante mais fonctionnelle, ce coin détente qui offre un bel effet de perspective donne une impression d'aisance et de bien-être. L'atmosphère raffinée, mais sans luxe ostentatoire, révèle le goût des propriétaires qui aiment recevoir. En témoignent la flambée bienveillante et la présence généreuse des plantes qui animent la pièce sans l'embarrasser. La disposition en triangle de trois sujets d'importance quasi égale n'est pas due au hasard. Où que l'on se trouve dans la pièce, la végétation vous accompagne. La mezzanine offrant une importante hauteur de dégagement, les plantes dépassent les 2 m. Le dosage du volume de la végétation dans une pièce nécessite de réfléchir autant que pour le choix d'un meuble. Quand les masses sont bien réparties, la maison « respire », tout en donnant l'impression que tout l'espace est occupé. C'est ce qui fait de ce salon un lieu d'exception.

LES PLANTES POUR RÉUSSIR

1 ***Ficus benjamina,*** le plus populaire des arbres d'intérieur peut dépasser 3 m de haut en pot.

2 ***Schefflera actinophylla,*** un sujet déjà adulte, à feuilles larges.

3 **Kentia *(Howea forsteriana),*** le palmier le plus accommodant pour la culture dans la maison.

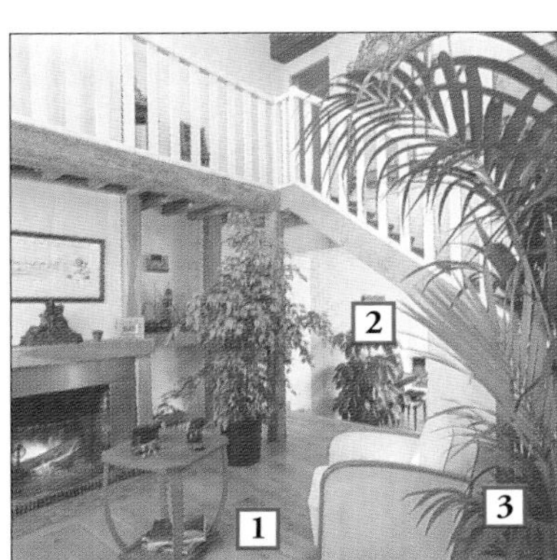

À ESSAYER AUSSI

***Philodendron* 'Medusae'**
Un hybride de *Philodendron erubescens* aux feuilles jaunes plus ou moins lavées de vert. Une variété nouvelle très originale, qui réclame un emplacement lumineux, mais sans soleil direct.

Hyophorbe lagenicaulis
C'est le palmier bouteille, originaire de l'île Maurice, une très belle espèce dont la base du tronc finement striée s'arrondit au fur et à mesure que la plante grandit. La croissance est lente et il faut une très forte hygrométrie pour éviter le dessèchement des palmes.

***Ficus* 'Alii'**
Une variété récente dérivée du *Ficus longifolia*, mais à port plus ramifié et moins touffu. La plante forme un bel arbre dont le tronc s'étoffe lentement. Il peut former des racines aériennes qu'il faut vaporiser.

D'autres idées

◀ L'art du dépouillement

Dessinant des formes géométriques simples et utilisant pour le mobilier des matériaux industriels (stratifié, métal, verre, plastique), le style « design » joue sur la perfection des lignes et sait exprimer l'essentiel. Dans ce contexte, les plantes jouent la fantaisie, tout en s'inscrivant dans un bon équilibre visuel. Yucca et cocos *(Lytocaryum weddellianum)* s'associent dans un bac à réserve d'eau et font admirer leur architecture légère, en opposition avec la masse du *Dracaena fragrans* 'Massangeana'. Une pièce agréable, très facile à vivre.

▼ Le camp des totems

Cerné par une collection de plantes sur tronc, que l'on désigne aussi sous le nom de « plantes totems », le petit déjeuner prend l'allure d'une aventure exotique. *Dracaena fragrans* 'Massangeana', *Yucca aloifolia, Yucca elephantipes* et un très original *Dracaena deremensis* 'Compacta' aux tiges tressées constituent un ensemble à la fois étonnant et harmonieux. L'idée d'associer des espèces aux silhouettes similaires est ingénieuse. C'est un clin d'œil sympathique, facile à réaliser.

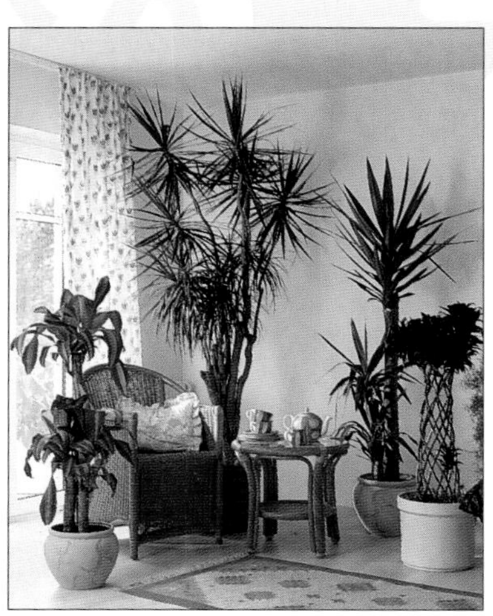

LES BONS GESTES

Étant donné que l'air chaud s'élève, la température est toujours plus importante près du plafond qu'au niveau du sol. Si vous cultivez des plantes de grande taille, vous risquez de voir les feuilles du sommet jaunir ou se dessécher rapidement. Pour éviter ce problème, il est nécessaire de les rafraîchir par une vaporisation, au moins une fois par jour, dès que la température de la pièce dépasse 20 °C. Utilisez de l'eau non calcaire pour éviter les taches sur les feuilles.

astuce Truffaut

Les très grandes plantes étant difficiles à déplacer en raison de leur volume, cultivez-les de préférence dans des pots en plastique d'un maniement plus aisé que les grandes jarres en terre cuite. N'utilisez pas de cache-pot.

◀ Aller à l'essentiel

Ce grand salon d'une sobre élégance trouve son inspiration dans les années cinquante, avec des meubles aux lignes débarrassées de tout détail superflu, mais qui respectent encore une certaine tradition avec l'emploi du bois. Le résultat est une ambiance confortable et sympathique qui pourrait paraître guindée sans la présence d'un remarquable spécimen d'un dattier nain *(Phoenix roebelenii)*, un gracieux palmier originaire du Laos dont les feuilles de plus de 1 m de long sont très finement découpées. Cette plante est de plus en plus prisée, en raison de sa faculté à former des troncs bien ciselés, très décoratifs. Sur la table, un *Neoregelia carolinae* 'Tricolor' laisse apprécier sa rosette étoilée parée de rayures d'or. Subtil et beau !

Le jardin entre dans la maison

LES PLANTES POUR RÉUSSIR

1 ***Ctenanthe oppenheimiana* 'Variegata',** pour la pleine lumière.

2 **Panier composé,** chaque plante sera vite rempotée individuellement.

3 ***Dieffenbachia seguine,*** deux variétés pour un contraste de couleurs.

4 **Impatiens de Nouvelle-Guinée *(Impatiens hawkeri* x*),*** très florifère.

5 ***Caladium bicolor,*** un étonnant feuillage qui laisse filtrer la lumière.

6 ***Dracaena fragrans* 'Lindenii',** une plante « totem » à panache.

7 ***Polyscias balfouriana* 'Marginata',** il aime bien la chaleur.

8 **Bégonia tubéreux hybride,** une nouvelle variété à feuilles laciniées.

9 ***Saintpaulia ionantha,*** une coupe contenant plusieurs variétés.

Baigné d'une lumière délicatement filtrée par le feuillage d'un arbre tout proche, ce petit salon de lecture sert de refuge à une collection de plantes installées dans de jolis cache-pots en céramique ou en faïence. Ici, pas de thème ni de mise en scène sophistiquée, la spontanéité est de mise et seul compte l'amour des plantes. Cette générosité se retrouve dans le décor, très chargé. Peu importe qu'il faille déplacer une plante ou un objet pour accéder à un livre ou à un siège ! En hiver, la pièce est peu chauffée, afin de ne pas dépasser 18 °C durant la journée et 15 °C la nuit. L'arbre dépouillé de ses feuilles laisse passer la pleine lumière et les plantes en profitent, appréciant dans le même temps qu'on les « oublie un peu » côté arrosage.

À ESSAYER AUSSI

Philodendron verrucosum
Une belle espèce brésilienne à port grimpant dont il faudra attacher les jeunes pousses sur un tuteur recouvert de mousse, afin de leur offrir une humidité maximale. Les feuilles ondulées sont translucides et légèrement tachetées de rouge.

***Begonia* 'Lucerna'**
Un cultivar de *Begonia corallina* dont les tiges en forme de canes, portent à leur extrémité des panicules de 20 à 30 cm de long, composées de fleurs simples rose vif. Les feuilles, de 20 cm de long sont tachetées de points blancs.

D'autres idées

▼ Un souper de roi

Se griser de grand luxe en dégustant un menu royal, accueillir des invités de marque dans un décor somptueux, vivre le temps d'un dîner les fastes de Versailles, cette salle à manger met les petits plats dans les grands avec son lustre de cristal, sa cheminée sculptée et le baldaquin en trompe l'œil qui habille le mur. C'est une pièce de parade, qui sans la présence des plantes pourrait presque indisposer. Le *Ficus benjamina* apporte une note de légèreté, et l'étonnant *Medinilla magnifica* sera un prétexte pour entamer la conversation.

▲ Coup de cœur en contre-jour

L'aspect des plantes change en fonction de la lumière qu'elles reçoivent, d'où l'importance de leur emplacement dans la pièce. Ici, la fenêtre exposée plein ouest permet de bénéficier des rayons rasants du soleil couchant, qui se diffractent très peu en traversant le verre. Les plantes sont baignées de lumière par l'arrière, ce qui fait ressortir la texture diaphane du feuillage du poinsettia *(Euphorbia pulcherrima)* et rehausse l'intensité des coloris du *Neoregelia* hybride. L'impression est chaleureuse, tonique et gaie, renforcée par le naturel des meubles en rotin. Inutile dans ces conditions d'alourdir le décor avec de multiples accessoires. Le petit amour en bronze en dit suffisamment long.

◀ Rêve d'antiquaire

Sans la fenêtre qui laisse « respirer le regard » en lui permettant de s'évader vers le jardin, ce coin de salon paraîtrait bien étouffant. Entre les bibelots, les meubles et les tableaux, les plantes se frayent tant bien que mal une petite place, recherchant avidement la lumière. Misère, croton, *Acalypha pendula*, *Schefflera actinophylla*, corne d'élan composent cet ensemble. Il faudra les déplacer pour l'arrosage et ne pas les vaporiser sur place, pour respecter le mobilier.

astuce Truffaut

Le fait de réunir un grand nombre de plantes sur une petite surface facilite leur entretien. Il importe toutefois de les espacer suffisamment pour que leurs feuillages ne se mêlent pas. Il suffit parfois que deux plantes se touchent pour que l'une d'elles réagisse négativement et flétrisse ou se nécrose. Laissez l'air circuler.

LES BONS GESTES

Les bégonias à feuillage se multiplient par bouturage de feuilles. Cette méthode est un bon moyen pour renouveler votre culture, ces plantes ayant tendance à perdre de leur beauté après 3 ou 4 ans. Détachez une feuille (en parfaite santé) et réduisez la longueur du pétiole à 5 cm. Piquez-le dans une terrine contenant un mélange de sable et de tourbe humide.

Dans un bain de lumière

LES PLANTES POUR RÉUSSIR

1 ***Tetrastigma voinerianum,*** cette vigne asiatique à la croissance très impressionnante dépasse 5 m.

2 ***Hibiscus rosa-sinensis,*** un sujet âgé, qui a besoin d'être taillé.

3 **Philo *(Monstera deliciosa),*** il pourra recouvrir tout le pilier.

4 ***Cissus rhombifolia,*** cultivé en suspension dans un panier.

5 **Caféier *(Coffea arabica),*** un grand sujet qui fleurit et fructifie grâce à la luminosité de la pièce.

La partie centrale de cet immense salon est dominée par une pyramide vitrée, qui transforme la pièce en verrière. Les plantes baignées de lumière y prospèrent, la configuration architecturale ressemblant à celle d'une véranda. C'est une pièce conçue pour la détente, avec l'immense canapé qui habille la rotonde vitrée. Cette partie se situe légèrement en contrebas, de plain-pied avec le jardin, d'où l'impression délicieuse de vivre sans contrainte dedans et dehors. On privilégie l'espace au détriment de la décoration, et les rares objets (cage à oiseaux, tapis, miroir) évoquent le Moyen-Orient. Les plantes sont cultivées dans des bacs à réserve d'eau, afin de réduire l'entretien. Seul le dépoussiérage prend un peu de temps.

À ESSAYER AUSSI

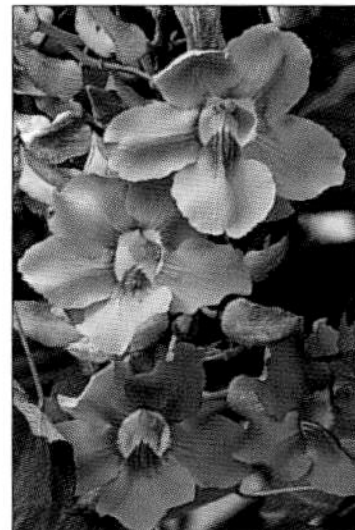

Thunbergia grandiflora
Cette grimpante vigoureuse aux feuilles persistantes de 10 à 20 cm de long porte des fleurs en trompettes bleues l'été.

Acalypha pendula
Idéal pour la culture en panier suspendu, il porte de la fin du printemps au milieu de l'été des épis rouges duveteux.

D'autres idées

▶ Derrière les persiennes

Voir sans être vu pourrait être la devise des propriétaires de cet appartement, dont les très larges baies vitrées sont doublées de stores à lattes orientables. On peut à volonté admirer le panorama extérieur, tout en profitant d'une totale intimité. L'inclinaison des lattes permet de faire pénétrer plus ou moins de soleil dans la pièce, pour créer de très jolis effets lumineux. Dans cette ambiance claire, les plantes prospèrent sans problème. Spathiphyllum, impatiens, pothos, *Philodendron selloum,* anthurium, papyrus, etc., ont été regroupées afin de bénéficier d'un effet de masse, indispensable dans une pièce de cette dimension.

◀ Un jardin dans la maison

Dans ce magnifique appartement meublé dans un style très contemporain, une alcôve a été aménagée pour accueillir un étonnant jardin d'intérieur où trône une statue inspirée de l'Antiquité. Le toit entièrement vitré assure une parfaite luminosité. Les murs garnis de treillage sont couverts de différentes plantes grimpantes. Le jardin de moins de 10 m² sert d'écrin à une petite collection de bonsaïs, soignés comme des bijoux. Le sol en béton a été couvert de gravillons, ce qui permet de l'arroser lors des fortes chaleurs, afin de réduire la température ambiante. Dans la pièce principale trônent deux superbes kentias *(Howea forsteriana)*, plantés dans des jarres d'Anduze.

astuce Truffaut **Pour palisser de grandes lianes d'intérieur avec le maximum de discrétion, la meilleure solution consiste à tendre des fils métalliques le long des murs ou des colonnes de soutènement et d'y accrocher les plantes avec des liens fins, qui ne seront pas trop serrés afin de ne pas étrangler les tiges.**

LES BONS GESTES

Les plantes à grandes feuilles lustrées comme les philodendrons attirent irrésistiblement la poussière par un phénomène électrostatique. Il est important de nettoyer les feuilles une à une avec un chiffon humide ou une éponge, car la couche poussiéreuse gêne le bon déroulement de la photosynthèse. Vous pouvez ajouter à l'eau 50 % de bière ou 30 % d'alcool à 60°, ce qui éliminera les éventuelles cochenilles en train de s'installer et donnera aux feuilles des reflets brillants.

Les plantes font le décor

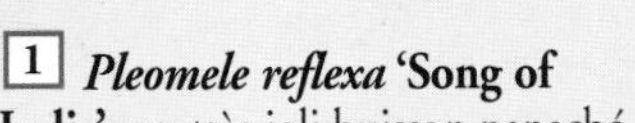

À ESSAYER AUSSI

Murraya paniculata
Un bel arbuste venu de l'Inde qui a besoin d'une forte humidité ambiante pour conserver en permanence son feuillage vert foncé. Il porte au printemps des fleurs blanches parfumées et de jolies baies rouges en automne.

Corynocarpus laevigatus
On l'appelle aussi « laurier de Nouvelle-Zélande ». Cet arbuste bien ramifié ressemble à un ficus.

En choisissant volontairement des plantes à la personnalité bien marquée et en les intégrant dans la décoration de la pièce, les propriétaires ont voulu manifester leur passion pour les végétaux et se démarquer des mises en scène traditionnelles. Le salon communique sans transition avec la cuisine et la salle à manger, ce qui crée une impression d'espace et permet de profiter d'une ambiance très lumineuse, bénéfique aux plantes. Toute l'astuce consiste à utiliser des supports de hauteurs différentes, afin de présenter les diverses espèces avec un effet de mouvement ondulant qui satisfait l'œil. Le secrétaire d'inspiration provençale personnalise la pièce mais reste discret, car il est dans la tonalité de la tenture murale.

LES PLANTES POUR RÉUSSIR

1 ***Pleomele reflexa* 'Song of India'**, un très joli buisson panaché.

2 **Palmier nain *(Chamaedorea elegans)***, compact et gracieux.

3 **Nolina *(Beaucarnea recurvata)***, une plante originale.

4 **Lierre *(Hedera helix)***, il est palissé autour d'un bougeoir.

5 ***Schefflera actinophylla***, un sujet trapu qui deviendra un bonsaï.

6 ***Alocasia macrorrhiza***, des feuilles géantes en fer de lance.

D'autres idées

◀ La bonne partition

Le monde paisible des végétaux s'accorde parfaitement à salon de musique ; on soupçonne d'ailleurs les plantes d'apprécier les mélodies romantiques… Ici, l'ambiance est à la fois sereine et inspirée avec en point d'orgue un superbe bonsaï de 30 ans *(Eugenia cauliflora)* qui fait apprécier sa silhouette élégante et son écorce claire. Au premier plan, un *Pleomele reflexa* 'Song of India' l'accompagne, tandis que près de la fenêtre, un *Alocasia macrorrhiza* renforce la note exotique. Sur le piano, la symphonie florale se poursuit, avec un bouquet d'iris hollandais encadré par des hybrides de *Guzmania* et de *Paphiopedilum*.

▶ Un rempart tropical

Dans un appartement parisien, un long canapé en cuir, moelleux à souhait, fait oublier ses lignes un peu strictes grâce à un spectaculaire fouillis de feuillage où s'associent de grands kentias *(Howea forsteriana)*, un *Dracaena deremensis* de plus de 2 m de haut et un croton *(Codiaeum variegatum)*. L'effet est dû à l'ampleur des plantes, espèces banales au demeurant, mais d'entretien facile. Nuance délicate et symbolique, un magnifique bouddha en cuivre est en partie dissimulé par les palmes. Il accentue l'idée d'exotisme, tout en incitant au repos et à la méditation. Les grandes baies vitrées sont voilées par des stores en lattes de bois, en parfaite harmonie avec le reste du décor.

L'idée déco

Deux tendances s'opposent pour le choix d'un cache-pot. Des lignes sobres, discrètes et classiques dans des tonalités pastel ou neutres, ont pour but de mettre la plante en valeur, en faisant oublier les artifices nécessaires à sa croissance. Des cache-pots originaux, sculptés, stylisés ou décorés de motifs hauts en couleur font passer la plante au second plan. Elle sert de faire-valoir à l'objet, dont le rôle décoratif devient primordial. C'est ce qui s'exprime ici avec une superbe homochromie très chaleureuse, qui gomme la présence des palmiers *(Chamaedorea* et *Caryota)*.

astuce Truffaut

Dans un salon où l'on se déplace beaucoup dans la journée, mais où l'on se détend le soir, les plantes doivent être disposées sur plusieurs niveaux. Les potées surélevées seront appréciées lorsque l'on se se trouve debout, alors qu'une fois assis, on profitera mieux des plantes disposées au sol.

Terroir et tradition

LES PLANTES POUR RÉUSSIR

1 ***Asparagus densiflorus* 'Sprengeri',** aux rameaux souples.

2 ***Guzmania* x,** une floraison très colorée pendant plusieurs mois.

3 ***Caladium bicolor,*** des feuilles en fer de lance aux couleurs vives.

4 ***Dracaena deremensis* 'Janet Craig',** un arbre pour la maison.

5 ***Cordyline terminalis,*** des feuilles colorées de pourpre et d'or.

6 **Misère *(Tradescantia fluminensis),*** tout en souplesse.

7 **Croton *(Codiaeum variegatum),*** feuilles sang et or.

8 ***Acalypha pendula,*** de mignons épis veloutés rouge vif.

9 **Corne d'élan *(Platycerium bifurcatum),*** une fougère épiphyte.

Au cœur de la Bourgogne, cette maison du XVIIIe fleure bon le terroir avec ses meubles de campagne patinés par le temps et son plafond aux lourdes poutres de chêne. Comme dans toutes les constructions anciennes, l'intérieur est un refuge, un lieu intime et secret où la vie se déroule dans la discrétion. L'ambiance est donc souvent sombre. Mais ici, deux grandes fenêtres exposées plein sud laissent pénétrer le soleil, ce qui permet aux plantes de prospérer. C'est une collection importante et variée qu'ont rassemblée les propriétaires, utilisant les végétaux en alternance avec les bibelots et animant le décor avec des espèces aux couleurs vives ou aux formes originales. Le grand dracaena s'impose comme pièce maîtresse, avec un effet architectural bien marqué.

À ESSAYER AUSSI

Polyscias balfouriana
La pleine lumière est indispensable à cet arbuste asiatique pour qu'il conserve son feuillage panaché en toutes saisons. Vaporisez par temps chaud et sec.

Zebrina pendula
Un autre genre de misère, dont les feuilles se parent de rouge, de rose et de pourpre. Une plante idéale en suspension.

Sinningia speciosa
C'est le classique « gloxinia » qui en dépit de sa floraison aux coloris exceptionnels et de son feuillage velouté est un peu passé de mode de nos jours. Une plante à redécouvrir absolument.

D'autres idées

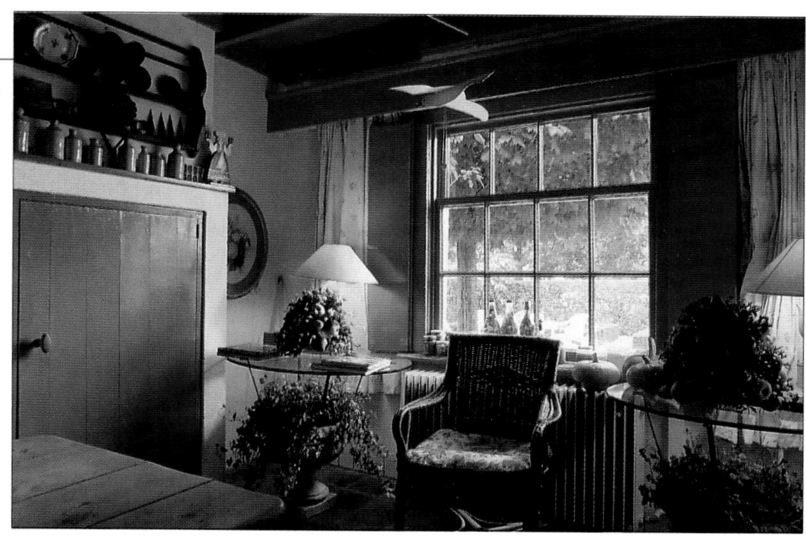

▶ Home sweet home

C'est une sensation de grande douceur et de bien-être qu'exprime cette salle à manger, par l'harmonie chaleureuse de ses couleurs. Sans gommer le caractère authentiquement champêtre de la pièce, les propriétaires ont réussi la gageure de la moderniser, simplement par l'emploi d'une peinture de couleur brique, teinte très prisée de nos jours, mais qui respecte les harmonies traditionnelles. Dans cette ambiance tamisée, peu de plantes peuvent prospérer. Seuls les lierres semblent s'y plaire, profitant de la climatisation naturelle des murs en pierre.

◀ Le goût de l'authentique

Accrochée au plafond dans un fouillis savamment ordonné, une collection de paniers symbolise la manne généreuse de la campagne. C'est aussi la promesse d'être bien reçu, dans une ambiance accueillante où le partage fait partie du quotidien. La fenêtre avec son appui en pierre, légèrement creux, est l'emplacement idéal pour une collection d'orchidées (*Miltonia* et *Zygopetalum*) qui profitent de la relative fraîcheur de l'endroit et de son bon éclairage. Elles sont accompagnées par un caoutchouc et un lierre. En suspension, un maranta et une phalangère.

L'IDÉE DÉCO

Une composition de plantes variées disposée sur un petit meuble (console, étagère, guéridon) est souvent le meilleur moyen d'attirer le regard. Optez de préférence pour des plantes fleuries. Elles seront renouvelées régulièrement, ce qui évitera toute monotonie. Cette solution s'inspire de l'art floral, mais avec des plantes qui durent plus longtemps, pour un investissement similaire à celui des fleurs coupées.

astuce Truffaut **Quand vous réalisez une composition avec des plantes à feuillage, jouez sur les couleurs des pots et des cache-pots pour apporter un peu de tonus à la présence végétale. Faites l'inverse avec les espèces à fleurs pour éviter la cacophonie. Si l'uniformité est souvent un gage de bon goût, elle peut, trop extrême, conduire à l'ennui.**

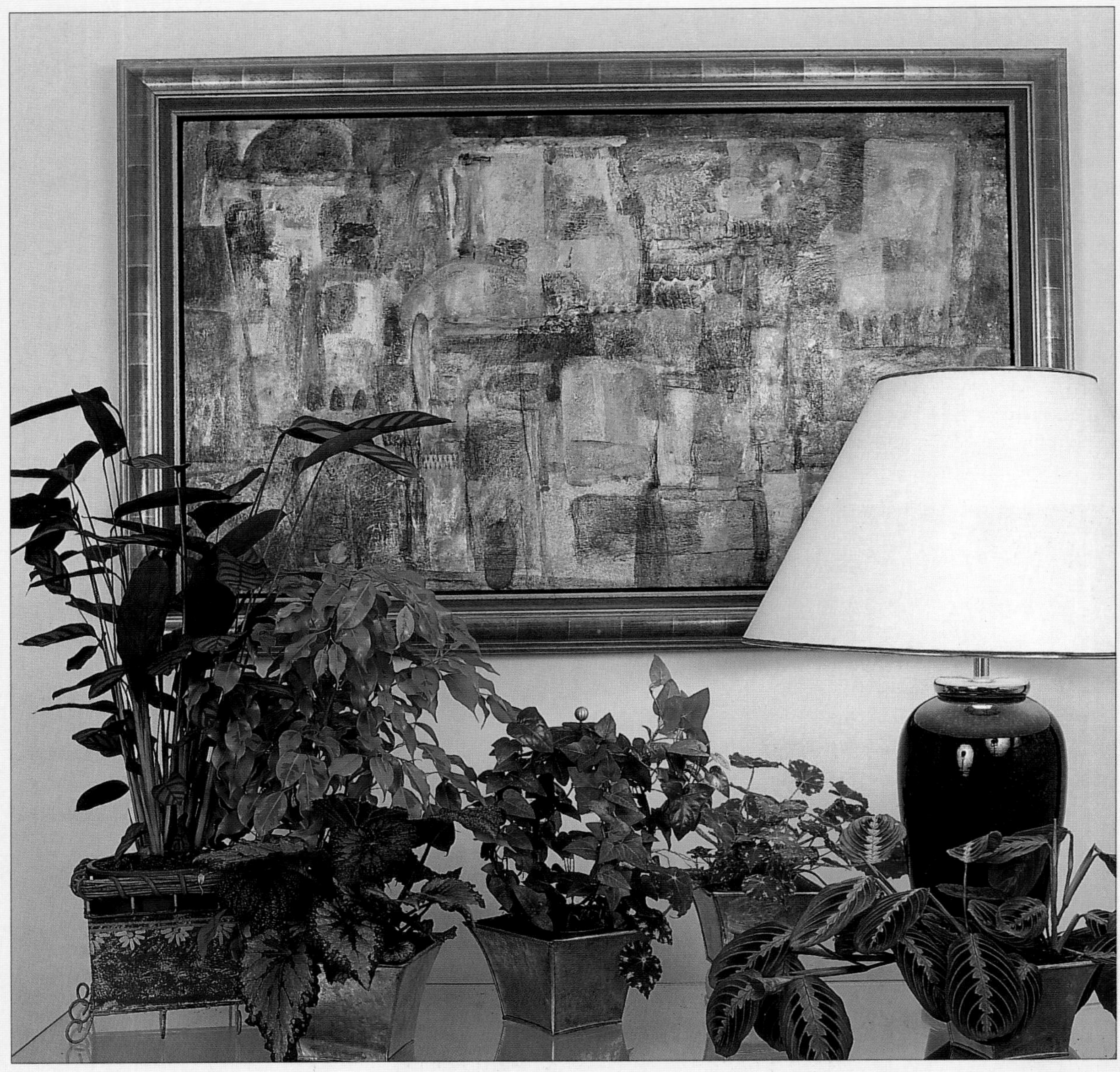

La sobriété de l'ultramoderne
Dominée par une toile de Réginald Pavamani, qui évoque une ville de Tunisie, une console en verre accueille un groupe élégant de plantes vertes. On reconnaît de gauche à droite : *Ctenanthe oppenheimiana* 'Variegata', *Ficus benjamina*, *Begonia* x 'Rex', lierre palissé sur une armature métallique *(Hedera helix)*, *Begonia* 'Norah Bedson', *Maranta leuconeura* 'Fascinator'. Ces plantes de formes et de teintes variées, créent un décor très élégant, construit en dégradés vers la lampe. Cette dernière est munie d'une ampoule type « lumière du jour » afin d'offrir des rayons bénéfiques au développement des plantes. Toute la subtilité du décor vient de l'utilisation de cache-pots en zinc, dernier cri de la création contemporaine et très à la mode actuellement.

La sérénité d'un arbre vénérable
Dans un décor résolument raffiné, un bonsaï est posé sur une table basse comme un objet précieux que l'on met en scène respectueusement, avec tous les égards dus à un être d'exception. Il s'agit d'un prunier de Java de 30 ans *(Eugenia cauliflora* ou *Syzygium cauliflorum)*, un arbre à feuilles persistantes, très décoratif par l'harmonie de sa ramure et par son écorce brun-rouge. La note exotique et orientale est renforcée par le masque de bouddha birman en bois, dont le visage paisible exprime un calme absolu. La pièce est éclairée, sur le côté gauche, par une grande baie qui apporte la lumière indispensable à la bonne croissance du prunier de Java.

Détente sous les tropiques
En choisissant du mobilier en rotin pour décorer ce grand salon superbement éclairé par une immense baie vitrée, les propriétaires du lieu ont joué le dépaysement en toute simplicité. L'ambiance est très chaleureuse de par les couleurs orangées qui dominent. La composition végétale privilégie les palmiers avec notamment un kentia *(Howeia forsteriana)*, un palmier nain *(Chamaedorea elegans* ou *Neanthe bella)* et de jeunes palmiers sago *(Caryota urens)*. Ces plantes ont toutes besoin d'une forte humidité atmosphérique pour prospérer.

Symphonie tropicale
Dans ce salon de musique très lumineux, l'inspiration mélodique est assurée au milieu d'une végétation qui joue des gammes joyeuses, en une luxuriance où il fait bon s'évader. Deux grands *Ficus benjamina* dominent, courbant leur ramure pour habiller le plafond d'une frondaison vert foncé. Le décor est complété par un *Ficus benjamina* 'Israël' à feuilles plus claires, par un schefflera, un *Cyperus alternifolius* et un *Ficus lyrata*. Des plantes qui acceptent une température assez basse durant l'hiver (15 °C) et en moyenne un arrosage par semaine.

L'arbre du bonheur
Dans ce coin de salon, tout près d'une fenêtre lumineuse, un grand *Ficus benjamina* 'Noami' a été taillé et palissé sur une armature en bambou qui lui fait prendre la forme d'un cœur. Petit clin d'œil aux jours heureux, cette silhouette pour le moins originale apporte une note romantique dans un décor d'une grande simplicité. Au pied du fauteuil en rotin : un aralia *(Fatsia japonica)*. Devant le vaisselier en pin : un *Ficus lanceolata*. Toutes les plantes sont installées dans des cache-pots décoratifs, les pots étant posés sur un lit de billes d'argile pour éviter le contact permanent avec l'eau d'arrosage qui stagne au fond.

Farniente à la belle étoile

En laissant la véranda prolonger le grand séjour sans aucune transition, on obtient une luminosité maximale dans la pièce et l'impression unique de vivre dehors, avec tout le confort douillet d'un intérieur moderne. La décoration simple mais raffinée s'inspire du style des années 50 avec des lignes sobres très contemporaines, mais des bois nobles et chaleureux. Le parquet en lattes larges et très longues donne un résultat plus homogène qui confère à l'ensemble une grande élégance. Les plantes profitent bien sûr de cette manne lumineuse pour prendre des proportions importantes comme l'aréca *(Chrysalidocarpus lutescens)*, qui dépasse 2,50 m de haut, ou le scheffléra *(Brassaia actinophylla)*, au feuillage opulent. Sur la table, dans la véranda, une fougère vivipare *(Asplenium bulbiferum)*, dans le salon, un *Spathiphyllum wallisii.*

L'alchimie des fleurs précieuses

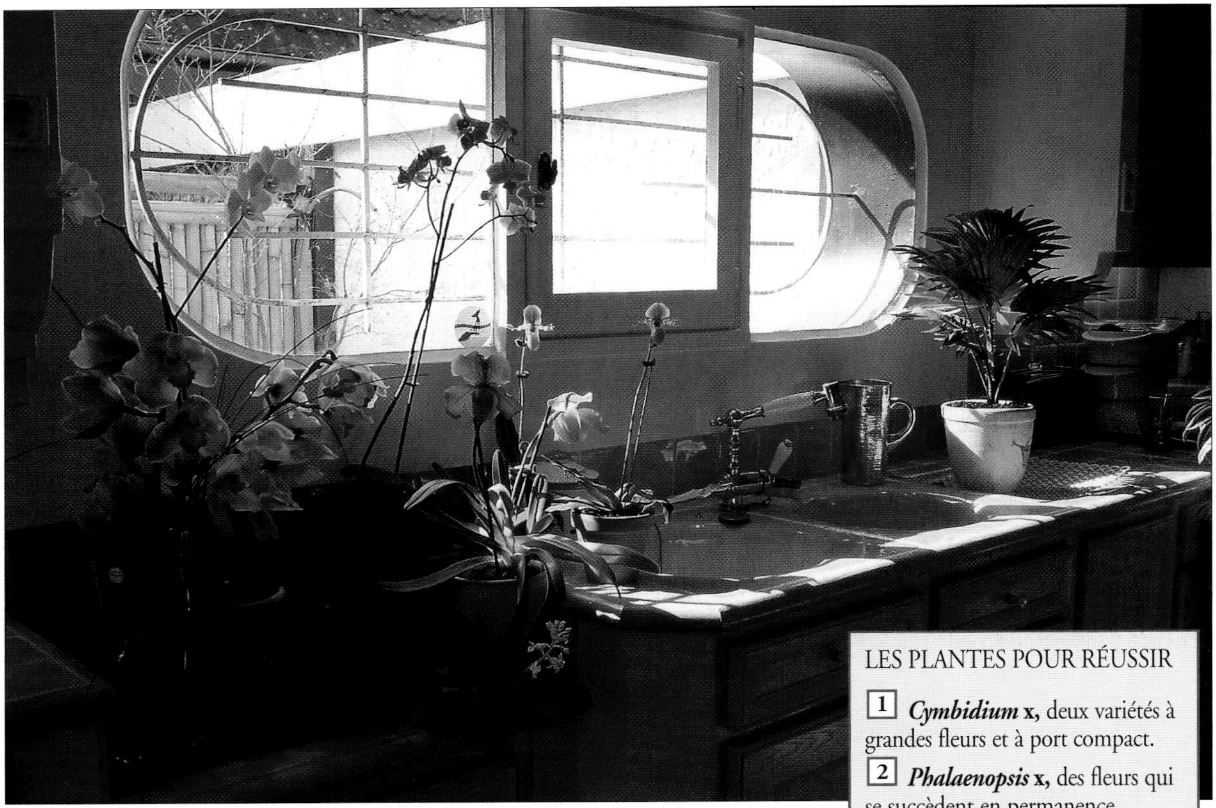

LES PLANTES POUR RÉUSSIR

1 ***Cymbidium* x,** deux variétés à grandes fleurs et à port compact.

2 ***Phalaenopsis* x,** des fleurs qui se succèdent en permanence.

3 **Sabot de Vénus *(Paphiopedilum* x*)*,** des fleurs aux formes très étranges, qui aiment la mi-ombre.

4 ***Ludisia discolor*,** une orchidée asiatique rampante, qui supporte des températures assez basses.

5 **Palmier *(Livistona chinensis)*,** une croissance lente, équilibrée.

À ESSAYER AUSSI

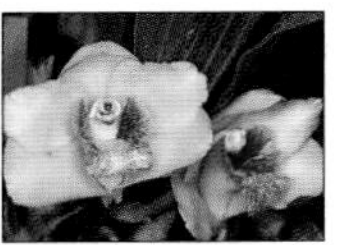

Bifrenaria harrisoniae
Cette orchidée brésilienne forme des pseudobulbes ovoïdes comme ceux des cymbidiums. Les fleurs apparaissent au printemps. Sortez la plante durant l'été.

***Catasetum pileatum* 'Imperial'**
Une grappe pendante très parfumée en été. À cultiver de préférence en suspension, à 18 °C minimum.

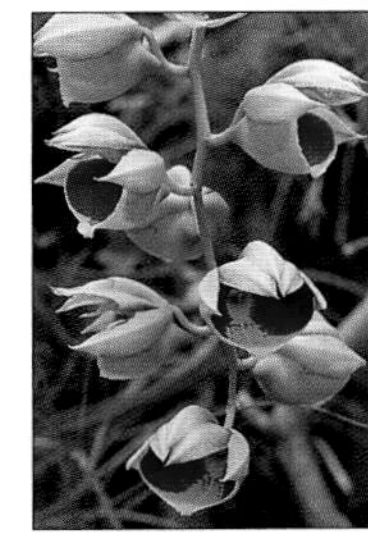

Une large fenêtre tamise juste ce qu'il faut de la lumière du soleil, pour simuler l'ambiance en demi-teinte du couvert tropical. La vapeur d'eau émise par les autocuiseurs et l'humidité permanente générée par la proximité immédiate de l'évier est tout à fait propice au bon développement des orchidées. La petite collection prospère sur un grand plateau en plastique, rempli de gravillons qui sont humidifiés lors de chaque arrosage, l'eau traversant presque immédiatement le substrat très filtrant des orchidées. Dans cette ambiance tempérée, où la température s'abaisse doucement durant la nuit, les orchidées fleurissent très longtemps, certains phalaenopsis portent des fleurs durant plus de six mois sans discontinuer.

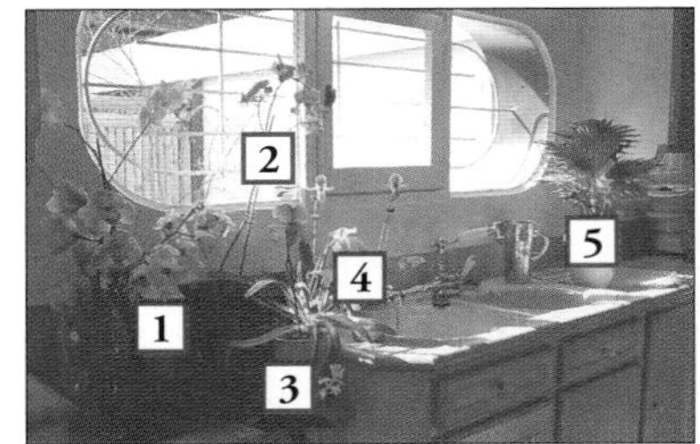

D'autres idées

◀ Des panaches de fougères

Réputées difficiles à réussir dans la maison parce qu'elles sont avides d'humidité, les fougères apprécient l'ambiance souvent moite de la cuisine. La fenêtre de toiture exposée plein nord apporte juste ce qu'il faut de lumière, sans risque d'insolation. Durant les chaudes journées estivales, la fenêtre est entrouverte afin d'obtenir une aération bénéfique. On reconnaît de gauche à droite : *Asplenium undulatum*, *Asparagus densiflorus* 'Meyeri', *Nephrolepis exaltata*, *Adiantum venustum* (capillaire), *Asplenium nidus*. Les petites fleurs mauves sont des *Campanula isophylla* (étoile du marin).

▶ Charme et simplicité

Une cuisine sans sophistication avec ses placards et son plan de travail en stratifié joue les romantiques avec ses rideaux « bonne femme » gracieusement ondulés. Mais c'est la présence végétale qui personnalise tout le décor et lui donne un aspect convivial et charmant. Une jolie poterie vernissée accueille deux grands lis hybrides dont les fleurs spectaculaires exhalent un parfum divin, surtout en fin de journée. Il est prudent de supprimer les étamines, dont le pollen brun-orangé tache aussi bien les meubles que les vêtements. Après une quinzaine de jours d'enchantement, les lis vont se faner, laissant la place pour le développement de la phalangère *(Chlorophytum comosum)*. Si elle n'est pas trop arrosée, cette plante peut rapidement prendre des proportions généreuses avec un joli port retombant. À ses côtés, un *Polyscias balfouriana* développe sa curieuse ramure contournée, profitant de l'humidité ambiante et de la forte luminosité qui lui sont indispensables.

astuce Truffaut

Récupérez l'eau du sèche-linge pour arroser vos orchidées. Elle est en effet complètement pure et sera beaucoup mieux tolérée que l'eau du robinet, dont le calcaire est nuisible. Ne contenant pas d'éléments minéraux, cette eau doit être enrichie d'un engrais liquide pour orchidées que vous diluerez à raison d'un bouchon pour 5 litres. Stockez l'eau dans un récipient opaque que vous placerez à l'abri de la lumière. Évitez de mouiller le centre des feuilles au moment de l'arrosage.

LE BON GESTE

Si vous vous absentez de six à huit jours, remplissez l'évier avec de l'eau et plongez dedans l'extrémité d'un feutre sur lequel vous aurez placé vos plantes. Arrosez bien ces dernières pour que la motte soit saturée d'eau. Ensuite, par capillarité, les pots s'abreuveront automatiquement.

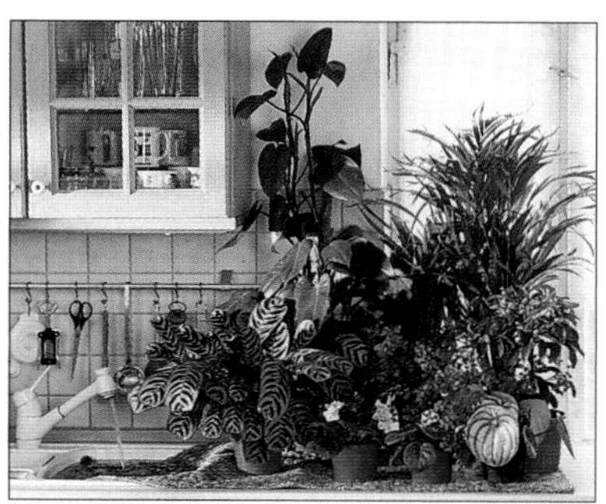

Une cuisine qui fleure bon la campagne

LES PLANTES POUR RÉUSSIR

1 **Dormeuse** ***(Maranta leuconeura*** **'Kerchoveana'*)*,** port étalé, les feuilles se replient la nuit.

2 **Caoutchouc** ***(Ficus elastica),*** résiste à tout si on l'arrose peu.

3 **Orchidée** ***(Miltonia*** **x*)*,** une floraison généreuse au printemps.

4 **Orchidée** ***(Zygopetalum spp.),*** elle apprécie une certaine fraîcheur.

5 **Lierre** ***(Hedera helix),*** laissez retomber ses longs rameaux souples.

6 **Phalangère** ***(Chlorophytum comosum),*** une solide suspension.

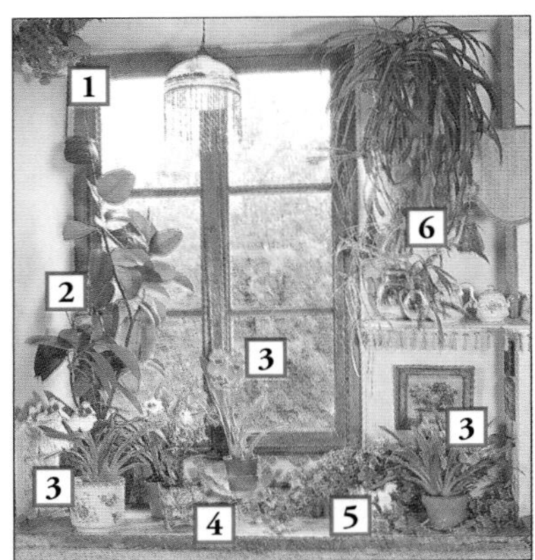

En Bourgogne dans une ancienne ferme, cette cuisine conserve le charme champêtre et l'authenticité du lieu avec ses matériaux patinés par le temps. La fenêtre, idéalement orientée à l'est, reçoit le doux soleil de la matinée, qui profite aux plantes sans les brûler. Cette fenêtre, à simple vitrage, laisse échapper la chaleur durant la nuit, procurant la fraîcheur indispensable à la floraison des orchidées. Les très jolis cache-pots en céramique s'harmonisent en beauté avec la collection de théières. Un endroit où il fait bon vivre…

À ESSAYER AUSSI

Gardenia jasminoides

Une plante un peu délicate et casanière, mais dont les fleurs au parfum envoûtant et suave excusent tous les caprices.

Streptocarpus grandis

Une plante extraordinaire avec son énorme feuille unique toute crevassée et des fleurs qui durent très longtemps.

Pisonia umbellifera **'Variegata'**

Appelé aussi parfois *Heimerliodendron brunonianum,* ce grand arbuste dont les feuilles peuvent atteindre 40 cm de long peut dépasser 1,50 m de haut en pot. Une taille assez sévère au début du printemps lui permettra de prendre un port buissonnant.

D'autres idées

◀ **COMME AU BON VIEUX TEMPS**

En choisissant des contenants en zinc pour accueillir romarin, cyclamen, helxine *(Soleirolia soleirolii)* et caféier *(Coffea arabica)*, on a d'abord voulu créer une unité, mais aussi et surtout donner un ton rustique au décor, qui s'harmonise avec l'arrosoir traditionnel. La note campagnarde, avec juste ce qu'il faut de rétro, est apportée par le vieux moulin à café qui vient souligner, comme un clin d'œil, la présence du caféier. Toutes les plantes réunies ici apprécient la lumière directe de la fenêtre, ainsi que la température modérée qui règne dans son environnement immédiat, surtout durant la nuit. Une idée toute simple, mais à retenir, est l'utilisation de coquetiers en céramique comme cache-pots pour des violettes du Cap miniatures (*Saintpaulia* x).

▶ **UN RAVISSANT CLAIR-OBSCUR**

Exposée plein sud, cette cuisine deviendrait vite invivable en été si ses deux grandes baies n'étaient pas joliment parées de voilages translucides assez épais. Les rideaux sont froncés dans un subtil négligé, en les coinçant en partie sur la crémone de la fenêtre. Une idée simple et facile à mettre en œuvre, qui personnalise joliment le décor et lui donne une petite inspiration campagnarde. Dans un esprit de collection, on a disposé différents ficus tout le long de l'évier. On reconnaît de gauche à droite : *Ficus benjamina* 'Variegata', un jeune sujet taillé court pour rester buissonnant, *F. benjamina* 'Danielle', trapu, compact, à feuillage vert très sombre, *F. longifolia*, *F.* 'Trinova', une variété nouvelle aux étonnantes feuilles en éventail et *F. deltoidea* (ou *F. diversifolia*), au port irrégulier, qui porte toute l'année des petits fruits verts ou jaunes. Un arrosage une fois par semaine sera suffisant, les plantes profitant de l'ambiance naturellement humide de la cuisine.

astuce Truffaut **Les orchidées nécessitant une forte hygrométrie pour prospérer, pensez à remplir les interstices entre le pot et le cache-pot avec du sphagnum (mousse) que vous maintiendrez bien humide. Cette solution est souvent préférable à la vaporisation qui n'est pas appréciée durant la floraison, car les fleurs tachées par les gouttelettes d'eau ont tendance à se faner plus rapidement.**

L'IDÉE DÉCO

Recherchez des contenants dont les motifs s'harmoniseront bien dans le décor de votre intérieur. Il existe de nombreux modèles en céramique qui se déclinent dans tous les styles. Ici, les lignes géométriques très contemporaines prennent un certain cachet avec la mise en couleurs.

Les senteurs de la Provence

LES PLANTES POUR RÉUSSIR

1 ***Ardisia crenata***, des baies écarlates durant plusieurs mois.

2 **Primevère *(Primula obconica)***, des couleurs très tendres.

3 ***Nephrolepis exaltata***, cette fougère aime l'humidité ambiante.

4 **Lierre *(Hedera helix)***, il est palissé sur un arceau métallique.

5 ***Jasminum polyanthum***, un parfum envoûtant durant l'hiver.

6 ***Dracaena marginata***, il supporte les conditions difficiles.

Créée par Henri de Tonge, cette très grande cuisine associe classicisme et rusticité, dans une ambiance provençale évoquée par les niches arrondies dans les murs et les moulures soulignées de vert. Très « bon chic bon genre », c'est un décor étudié pour être sans paraître. L'esthétique ne nuit pas à la fonctionnalité et tout a été pensé pour être immédiatement disponible ou accessible. Dans cette ambiance à l'ordonnancement un peu rigide, les plantes apportent une note de fantaisie et de convivialité. La cuisine prend vie, elle perd son côté un peu théâtral. Elle s'anime avec la note colorée des primevères et des baies de l'ardisia. Elle s'encanaille à l'occasion avec le parfum sensuel du jasmin.

À ESSAYER AUSSI

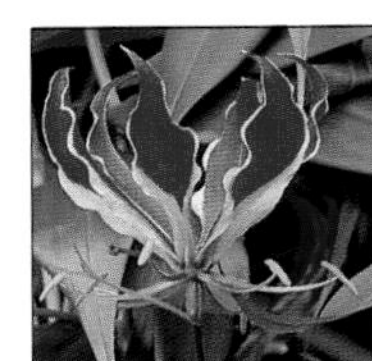

Gloriosa rotschildiana
Pour remplacer le jasmin durant l'été, une grimpante de forte croissance, dont les fleurs en forme de flammes sont d'une beauté inimitable.

Serissa japonica
Ce bonsaï aux formes très tortueuses porte de nombreuses petites fleurs blanches. Il se plaira bien dans une cuisine, en raison de l'ambiance assez moite qui y règne.

D'autres idées

▶ La douce patine du bois

Pour une ambiance chaleureuse et raffinée, on a privilégié les matériaux naturels et surtout le bois. Une frisette de chêne simple, mais élégante, couvre le mur. De facture contemporaine, l'habillage des appareils électroménagers se pare de moulures en « chapeau de gendarme ». La pièce maîtresse reste le vaisselier XIXe s. en merisier, à la patine exceptionnelle. Il accueille une collection de carafes mais aussi un lierre, une fougère (*Pteris cretica* 'Alexandrae') et une dormeuse (*Maranta leuconeura* 'Kerchoveana'). Sur l'étagère à gauche, un *Lotus berthelotii* et un lierre panaché.

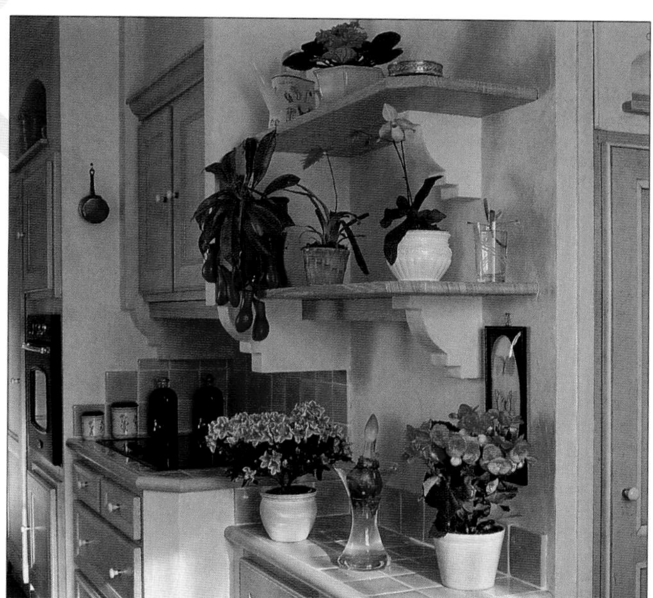

▲ Le jardin secret du passionné

Dans cette cuisine en chêne cérusé, une étagère accueille une collection de plantes variées. La partie supérieure est occupée par une violette du Cap *(Saintpaulia ionantha)*. Dessous, une plante carnivore (*Nepenthes* x) apprécie l'ambiance humide de la cuisine. Elle est accompagnée d'un étonnant *Tillandsia dyeriana* dans son cache-pot en bambou et d'un très joli sabot de Vénus (*Paphiopedilum* x). Une bouture de dracaena est en passe de prendre racine dans un verre d'eau. En bas, azalée et bégonia jouent les décors temporaires, en attendant la floraison de l'amaryllis (*Hippeastrum* x).

LE BON GESTE

Les plantes miniatures connaissant un succès croissant, l'offre est de plus en plus variée. Elles sont idéales dans une cuisine pour décorer un joli présentoir ou un plateau. Ici un *Muehlenbeckia adpressa*, petite grimpante à feuilles foncées, un *Asparagus plumosus* fin comme de la mousse et un kalanchoe à la longue durée de floraison dominent une coupe de petites cucurbitacées (citrouilles naines, courge du Siam et kiwano) avec, au premier plan, un *Callisia fragrans*, sorte de misère à petites feuilles, et un *Exacum affine* aux mignonnes fleurs bleues à œil jaune. Une composition très recherchée, mais très facile à réaliser et que l'on renouvellera en permanence, car les petites plantes vivent rarement plus de quelques mois dans la maison.

astuce Truffaut

Pour permettre un développement maximal d'une plante grimpante, reliez le tuteur principal à des fils synthétiques transparents (type fils de pêche) tendus verticalement depuis le plafond. Il suffit ensuite d'enrouler les tiges souples tout autour (par exemple celles du jasmin), en les attachant tous les 30 cm environ avec un lien discret. Laissez ensuite retomber l'extrémité des plus longues branches pour un effet très spectaculaire.

Le péché de gourmandise

LES PLANTES POUR RÉUSSIR

1 ***Begonia x* 'Rieger',** ne mouillez surtout pas les fleurs.

2 ***Exacum affine*,** il fleurit d'avril à septembre.

3 **Persil,** la potée se conserve bien dans un intérieur frais.

4 **Caféier *(Coffea arabica)*,** les sujets adultes fleurissent blanc.

5 **Bélopérone *(Justicia brandegeana)*,** fleurit tout le temps.

6 **Romarin,** formant un arbuste, il demande un grand pot (30 cm).

7 **Thym,** le plein soleil et des arrosages faibles et c'est le succès.

Marier sur le plan de travail de la cuisine des herbes condimentaires et des plantes d'intérieur est une idée amusante, tout à fait possible dès que l'on dispose d'une fenêtre très lumineuse. L'idée est de composer un petit jardin amusant par la variété des plantes utilisées et coloré par le choix d'espèces à floraison spectaculaire.

Chaque plante est installée dans un cache-pot différent afin de contribuer à la fantaisie générale. Toutefois, on conserve une dominante de couleur (le bleu) pour une indispensable note de raffinement. L'erreur serait de créer une cacophonie de couleurs qui donnerait une impression de fouillis banal. Pour que les plantes condimentaires tiennent bien, il faut aérer le plus possible.

À ESSAYER AUSSI

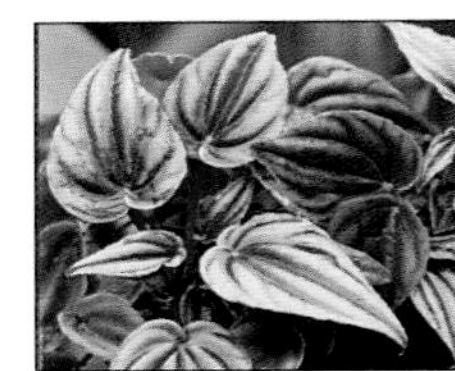

***Peperomia marmorata* 'Silver heart'**
Une plante compacte et bien équilibrée qui réussit bien si on évite de l'arroser trop souvent. La pleine lumière conserve la teinte du feuillage.

Justicia rizzinii
Proche de la bélopérone, on l'appelle aussi *Jacobinia pauciflora*. La floraison, très abondante, s'étend d'octobre à mars.

D'autres idées

▶ La fête des fleurs

Dans un angle d'une cuisine très lumineuse, une table en pin vernis accueille une collection à dominante de plantes fleuries. Il n'y a pas de volonté décorative particulière autre que de profiter de la beauté naturelle des végétaux. On reconnaît de gauche à droite : une orchidée (*Miltonia* x), un abutilon hybride à fleurs jaunes, un gerbéra rouge et, au premier plan, différents chrysanthèmes nains, une campanule (*Campanula* 'G.F. Wilson') et une fougère *(Nephrolepis exaltata).* Au fond sur l'étagère, un *Asparagus falcatus.* À droite, un *Pachira macrocarpa.* La température doit nécessairement descendre autour de 15 °C durant la nuit, afin de prolonger la durée des floraisons.

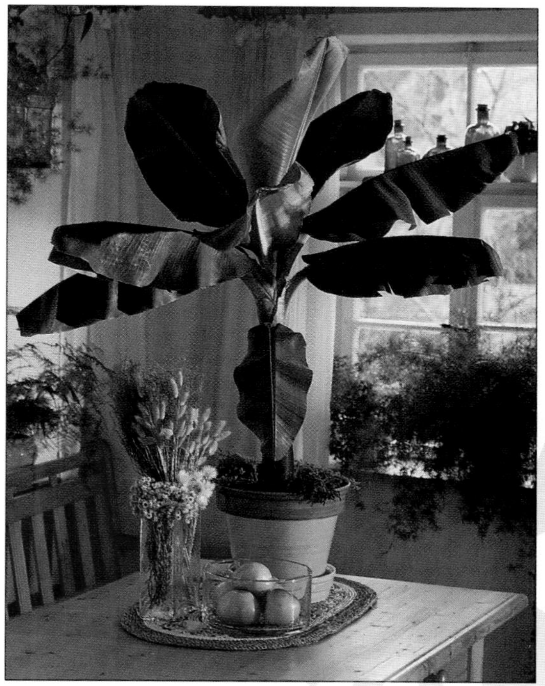

◀ Au régime sous le bananier

Sur une table de cuisine en pin massif, une généreuse potée de bananier *(Musa acuminata)* va former comme un parasol au-dessus des convives. La disposition dominante de cette plante généreuse évoque un arbre sous lequel on pique-niquerait dans une ambiance sympathique et décontractée. De foisonnantes potées d'*Asparagus setaceus* (ou *A. plumosus*) complètent un décor végétal bien fourni, qui se contente d'une ambiance assez fraîche.

▲ Un potager dans la maison

Cette variante du décor présenté sur la page précédente associe uniquement des plantes potagères et condimentaires, excepté, à droite, le *Polyscias balfouriana* panaché et le *Billbergia nutans* à longues feuilles. On dispose ainsi en permanence d'un assortiment de plantes condimentaires toutes fraîches, dont on prend un savoureux plaisir à user et à abuser, pour aromatiser la moindre recette. Les plants doivent être renouvelés au moins deux fois par an, car leur tenue est limitée, mais quel délice !

astuce Truffaut **Une bonne aération est la clé du succès. Ouvrez la fenêtre dès que la température extérieure dépasse 18 °C. Par temps plus frais, faites fonctionner la hotte du plan de cuisson au ralenti, au moins trois heures par jour. Il est également valable de prévoir une ventilation mécanique contrôlée afin que l'air de la cuisine soit renouvelé au moins une fois par heure, ce qui évite une ambiance trop moite.**

La maison des filles de l'air

À ESSAYER AUSSI

***Schlumbergera* hybride**

C'est le cactus de Noël, une espèce épiphyte, qui

porte une profusion de fleurs dans le courant de l'hiver. Les tiges grêles de 30 à 40 cm de long se prêtent fort bien à la culture en suspension. Pleine lumière.

x *Fatshedera lizei* 'Variegata'

Une grande plante à la végétation rigide et dressée,

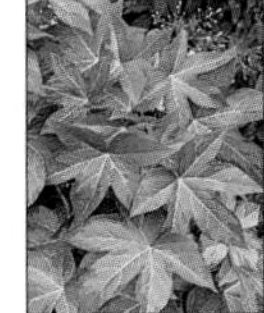

qui a besoin d'une exposition claire pour conserver la coloration dorée de ses feuilles.

Aeschynanthus lobbianus

Retombante, cette plante originaire d'Indonésie se prête à la culture en suspension. Ses rameaux velus atteignent 90 cm de long.

Un décor végétal d'une rare opulence donne à cette cuisine un petit air de jardin d'hiver. Toute l'astuce a été de donner une impression de profusion avec des plantes de dimensions relativement modestes. L'idée d'aligner plusieurs suspensions variées a fait la différence. Les touffes retombantes aux longs rameaux grêles jouent les trompe-l'œil en occupant un espace rarement dévolu aux végétaux. Résultat, on a l'impression que les plantes ont colonisé toute la pièce et qu'elles se sont installées sur plusieurs étages, comme elles le font dans la nature. Un arrosage hebdomadaire suffit en moyenne, sans oublier un engrais mensuel.

LES PLANTES POUR RÉUSSIR

1. **Queue-de-chat *(Acalypha pendula),*** un ami de la chaleur.
2. **Banyan *(Ficus bengalensis),*** il peut devenir vraiment énorme.
3. **Orchidée *(Miltonia* x*),*** ses fleurs ressemblent à des pensées.
4. **Lierre *(Hedera helix),*** de longs rameaux très souples.
5. **Lotier *(Lotus berthelotii),*** des fleurs en forme de crochets.
6. **Composition de plantes vertes,** dans une bassine en cuivre.
7. **Misère *(Tradescantia fluminensis),*** des pousses fragiles.
8. **Phalangère *(Chlorophytum comosum),*** des tiges stolonifères.

D'autres idées

▶ Vivre avec les plantes

Cette cuisine-salle à manger est la pièce la plus fréquentée de la maison. C'est pourquoi les propriétaires des lieux y ont rassemblé leurs plantes préférées et les sujets les plus spectaculaires de leur collection d'orchidées. Ils profitent ainsi en permanence des plus belles floraisons, les plantes retrouvant l'ambiance humide et bienfaisante de la véranda dès qu'elles sont défleuries. L'excellente intensité lumineuse qui règne dans cette cuisine ainsi que la proximité de l'évier garantissent une hygrométrie élevée, permettant aux orchidées *(Cymbidium, Paphiopedilum, Phalaenopsis, Ludisia)* de fleurir sans discontinuer durant plusieurs mois. L'arrosage à l'eau de pluie est de rigueur.

▲ Un raffinement sans sophistication

Située près du coin repas, cette fenêtre de cuisine se pare de magnifiques double-rideaux, qui créent une ambiance cossue et chaleureuse. La fenêtre décorée de dentelle est exposée à l'est, ce qui rend inutile le moindre voilage. Les plantes : misère (*Tradescantia fluminensis* 'Albovittata'), dizygothéca *(Schefflera elegantissima)*, fougère (*Pteris quadriaurita* 'Argyreia') et queue-de-chat *(Acalypha pendula)* profitent d'une lumière directe, mais assez douce sans risque de brûlure. Dans un panier sur l'étagère : *Pteris cretica* 'Wimsettii'.

LE BON GESTE

Le rempotage des orchidées se pratique au printemps, seulement quand les plantes se trouvent vraiment trop à l'étroit dans leur pot, c'est-à-dire environ tous les trois ou quatre ans. Utilisez du substrat spécial pour orchidées, comprenant des morceaux (fins) d'écorce de pin, de polystyrène expansé, de mousse de polyuréthanne et de racines de fougères. Utilisez de préférence des paniers à suspendre. N'enterrez pas les pseudobulbes trop profondément, manipulez les racines avec précaution et attendez de huit à dix

Les suspensions s'accrochent facilement sur les poutres des plafonds. Utilisez des crochets à vis, qui offrent une bien meilleure solidité que ceux que l'on fixe avec des pointes. Pour faciliter la mise en place du crochet, forez un avant-trou de faible diamètre avec une perceuse. Si vous déplacez la suspension, retirez le crochet et bouchez le trou avec de la pâte à bois de la couleur de la poutre.

À l'heure du thé

Une jolie table ou un guéridon dans un angle bien éclairé ou un coin repas qui jouxte la cuisine, les conditions sont réunies pour un moment de détente devant une tasse de thé. Faites-vous plaisir, en profitant de votre plus jolie vaisselle, que vous associerez, comme ici, à quelques lumineuses potées fleuries. Les bégonias et autres plantes éclatantes, mais de courte durée, ont l'avantage de permettre un changement fréquent du décor et par conséquent d'éviter la monotonie. C'est aussi l'occasion de chercher à composer de jolies ambiances, avec des éléments insolites, des physalis par exemple.

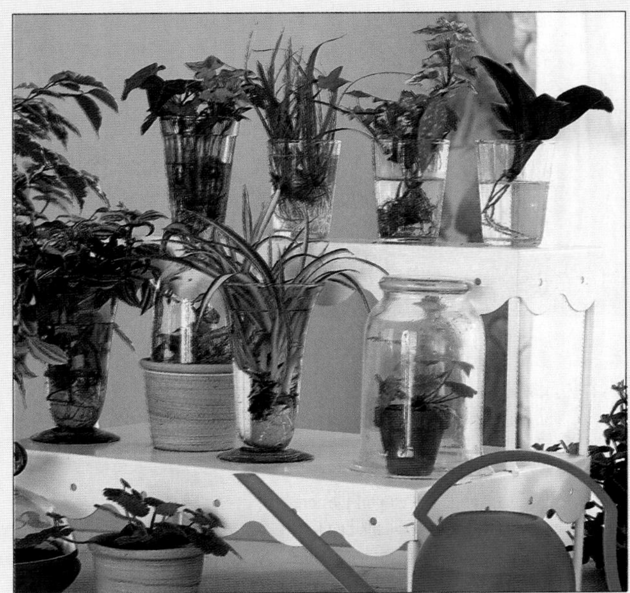

Un laboratoire d'expériences passionnantes

Souvent très lumineuse, toujours à température constante et dotée d'une ambiance assez humide, la cuisine est un lieu de prédilection pour donner libre cours à votre passion du jardinage d'intérieur. Expérimentez le bouturage de toutes les plantes que vous aimez, en essayant d'abord dans l'eau (on obtient souvent des surprises fort agréables). Jouez comme sur cet exemple avec la diversité des récipients, que vous disposerez sur une étagère décorative, et vous ferez de votre terrain d'expérience un lieu des plus séduisants qui attirera la curiosité des visiteurs et vous enchantera à chaque réussite.

Les fruits défendus

Sur une table dans un coin de cuisine, cette jolie collection de plantes d'intérieur à fruits décoratifs s'habille de cache-pots variés pour éviter toute monotonie. On reconnaît un calamondin *(x Citrofortunella microcarpa)* dont les fruits très amers sont inconsommables, un mandarinier *(Citrus reticulata)* au port plus arbustif, des *Ardisia crispa* avec leurs fruits rouge brillant non comestibles et une plante bonbon *(Nertera granadensis)*, qui forme un mignon tapis de mousse couvert de baies orange. Toutes ces plantes sont surtout décoratives en hiver et apprécient une ambiance plutôt fraîche (maximum 15 °C) et très lumineuse.

Éloge de la paresse

À ESSAYER AUSSI

***Campanula isophylla* 'Alba'**
Une jolie potée qui se couvre d'étoiles blanches dans le courant du printemps. La fraîcheur d'une chambre sera très profitable à sa croissance.

Yucca elephantipes
Une plante de culture facile et très résistante à la sécheresse, qui vit de longues années dans la maison, s'il est possible de la placer en pleine lumière, même durant l'été.

Cyclamen persicum
Une potée souvent éphémère, qui vit plus longtemps dans une pièce fraîche (15 °C). Une chambre convient très bien.

Baignée de la lumière délicate du matin, cette chambre exposée à l'est n'est que douceur et sérénité. On a envie d'y pénétrer sur la pointe des pieds, pour ne surtout pas faire de bruit et respecter l'atmosphère paisible que l'on ressent dans l'instant. La décoration toute simple, avec un dessus-de-lit fleuri, s'harmonise bien avec les grands rideaux « à l'ancienne ». Les lignes sobres du bureau complètent l'ambiance discrète et subtilement britannique. Les plantes ajoutent la note fleurie et animent la pièce, car elles sont régulièrement renouvelées, présences fugaces, mais si précieuses…

LES PLANTES POUR RÉUSSIR

1 ***Dracaena fragrans* 'Lindenii'**, présenté avec un tronc. Une plante de croissance lente.

2 **Impatiens de Nouvelle-Guinée,** elle supporte le soleil.

3 **Corne d'élan *(Platycerium alcicorne)*,** pour un coin ombré.

4 **Violette du Cap *(Saintpaulia ionantha)*,** une longue floraison.

5 **Gloxinia *(Sinningia* x*)*,** ne surtout pas mouiller les feuilles.

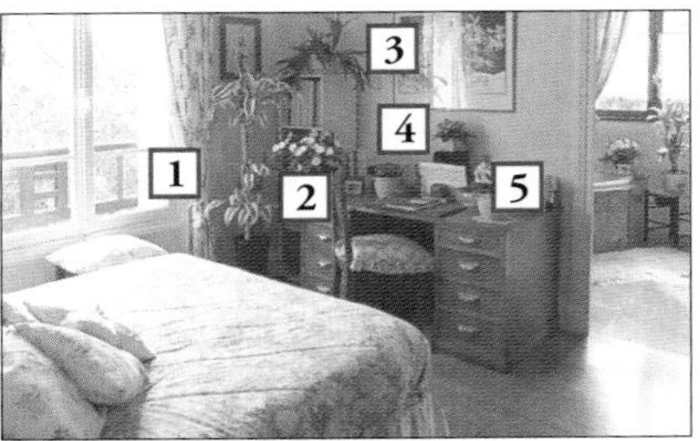

D'autres idées

◀ Rêves d'antan

Avec son imposante armoire en chêne, que l'on trouve souvent dans les vieilles maisons, et son lit aux solides montants métalliques, cette chambre accorde beaucoup de place à l'espace. Le décor ne manque toutefois pas de poésie, grâce au mannequin de couturière, habillé d'un kimono japonais qui, avec les rideaux en toile de Jouy et les plantes, apporte une petite touche pastorale. En vedette, un superbe aréca *(Chrysalidocarpus lutescens)* dont le pied est habillé de lierre et des orchidées *(Miltonia* x*)* pour agrémenter la table de chevet et le rebord de fenêtre. La pièce manquant de lumière, les orchidées restent en place le temps de la floraison, puis retournent dans la véranda.

LES BONS GESTES

Inspectez régulièrement le dessous des feuilles de vos plantes d'intérieur, surtout les espèces à feuillage lisse, épais et coriace, afin de déceler la présence éventuelle de cochenilles *(sur la photo, des cochenilles farineuses)*. Ces insectes protégés par une carapace piquent les feuilles et sucent la sève, affaiblissant les plantes et favorisant le développement d'une sorte de suie noire (fumagine). Commencez par éliminer les cochenilles en les frottant avec une éponge imbibée d'eau et d'alcool à 60°, puis traitez avec un insecticide.

astuce Truffaut **Installez les plantes en fonction de la lumière qu'elles reçoivent. Les espèces dites « de pleine lumière » seront placées juste derrière la fenêtre, tamisée au besoin par un voile. Les plantes « de mi-ombre » entre 1 et 2 m de la fenêtre. Éloignez les plantes dites « d'ombre » de 2 à 4 m.**

L'IDÉE DÉCO

À moins d'utiliser des cache-pots décorés ou colorés pour créer un effet visuel particulier, mieux vaut privilégier les plantes et, autant que possible, éviter que le regard soit trop attiré par le contenant. Il suffit pour cela de disposer à la périphérie du récipient des plantes à port retombant qui vont dissimuler partiellement le pot. Ici, un palmier *(Livistona chinensis)* est accompagné d'un streptocarpus et d'un bégonia. Laissez retomber les branches en souplesse le long de la façade du meuble, en veillant à les démêler régulièrement, pour obtenir un effet plus élégant.

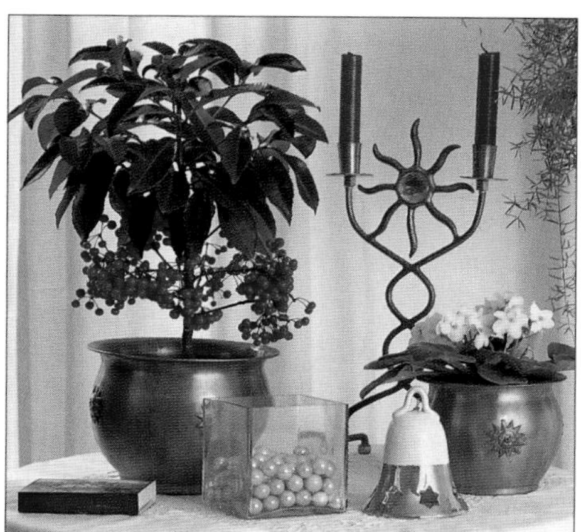

▲ Un décor en or

L'utilisation d'accessoires qui se déclinent dans un ensemble cohérent est la base d'une décoration réussie. Ici, une table de chevet accueille un *Ardisia crenata* aux bouquets de baies écarlates et une violette du Cap *(Saintpaulia ionantha)*. Les plantes sont installées dans des cache-pots en laiton brillant comme de l'or, pour générer une ambiance joyeuse qui évoque les fastes de Noël. La subtilité de l'harmonie se retrouve dans les petits détails comme la couleur des bougies identique à celle des fruits de l'ardisia et les fleurs d'une blancheur aussi parfaite que celle de la nappe. Une mise en scène raffinée, mais très facile à réaliser.

Songes d'une nuit fleurie

LES PLANTES POUR RÉUSSIR

1 **Cyclamen *(Cyclamen* x *persicum)*,** des fleurs à renouveler.

2 **Pothos *(Epipremnum aureum)*,** grimpant, très résistant.

3 **Primevère *(Primula obconica)*,** gracieuse, éphémère.

4 ***Dracaena marginata*,** il supporte une lumière assez faible.

Le style à la fois classique et contemporain de ce décor est dû au mobilier d'inspiration Empire. Mais les enluminures dorées ont disparu pour privilégier la sobriété des lignes et l'authentique douceur du bois de chêne peint avec discrétion. La toile de Jouy du dessus de lit vient renforcer l'atmosphère câline et paisible qui se prête bien à la présence d'un décor végétal très sobre. Des potées fleuries (cyclamen et primevère) remplacent avec bonheur le traditionnel bouquet. Les plantes sont remplacées régulièrement, dès qu'elles sont défleuries et changent selon les saisons. Les plantes vertes solides sont permanentes.

À ESSAYER AUSSI

Calcéolaire hybride
Cette plante charmante aux coloris toniques remplacera les primevères durant l'été. Elle a besoin de beaucoup d'eau.

Jatropha podagrica
Une plante succulente qui se contente de soins minimes et peut supporter de longs oublis. Pleine lumière.

D'autres idées

▶ Une touche de romantisme

Cette chambre convient parfaitement pour une maison de campagne. Ce joli décor « féminin » donne avant tout le sentiment que les meubles et les objets ont été rassemblés là depuis toujours. La dominante en bois du mobilier conforte l'impression de bien-être et permet aux plantes de s'intégrer sans difficulté dans le décor. L'utilisation d'espèces très graphiques, comme le *Neoregelia carolinae* (à gauche) et le *Zamioculcas zamiifolia* (à droite), apporte une touche de modernité. Le décor végétal est complété par des potées éphémères : un pommier d'amour *(Solanum pseudocapsicum),* dont la symbolique du nom n'a pas échappé aux propriétaires, et par deux *Nertera granadensis.*

◀ Une rusticité cossue

Le décor de cette ravissante chambre à l'ambiance feutrée est dominé par un lit ancien, dont l'armature métallique s'orne de parements aux motifs de lierre, plante qui est le symbole de l'opulence. L'authenticité des matériaux utilisés, avec les moellons du mur laissés apparents et les meubles de campagne en bois joliment patiné confèrent à cet endroit un charme cossu. Le décor végétal est assez minimaliste, mais suffisamment présent pour donner une impression de vie. Sur la coiffeuse, deux potées de primevères *(Primula obconica)* dureront quelques semaines, puis seront remplacées par d'autres fleurs de saison, renouvelant agréablement le décor. Près de la fenêtre, une orchidée *(Odontoglossum* x*)* et un *Clerodendron thomsoniae* prospèrent dans la lumière.

astuce Truffaut

Les plantes se trouvant assez éloignées de la fenêtre, il suffit de remplacer les ampoules classiques des lampes et des luminaires par des modèles « lumière du jour » pour améliorer très sensiblement les conditions de vie des plantes. Utilisez un système de minuterie pour programmer un complément d'éclairage de 4 à 6 heures par jour, surtout d'octobre à mars.

L'idée déco

Plutôt que de vous limiter à une simple potée fleurie sur la table de chevet ou la coiffeuse, n'hésitez pas à composer des ensembles, associant différentes plantes, comme ici des narcisses forcés et des primevères. De nombreux récipients peuvent servir de jardinière, notamment des coupes et des saladiers, comme ce très joli modèle en porcelaine. Utilisez de préférence des contenants étanches afin de ne pas tacher les meubles lors de l'arrosage, mais ayez la main légère !

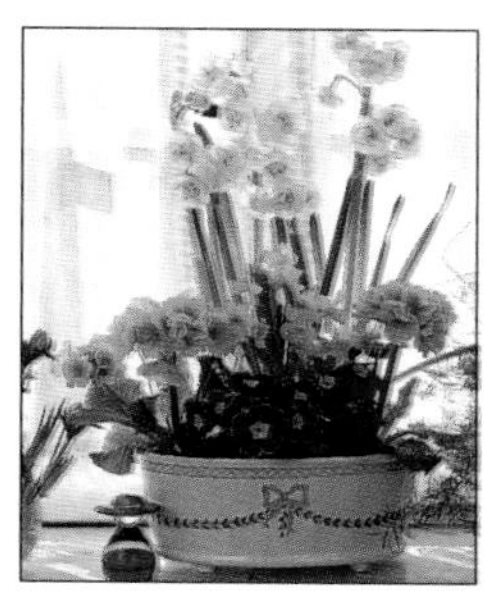

Repos dans la mansarde

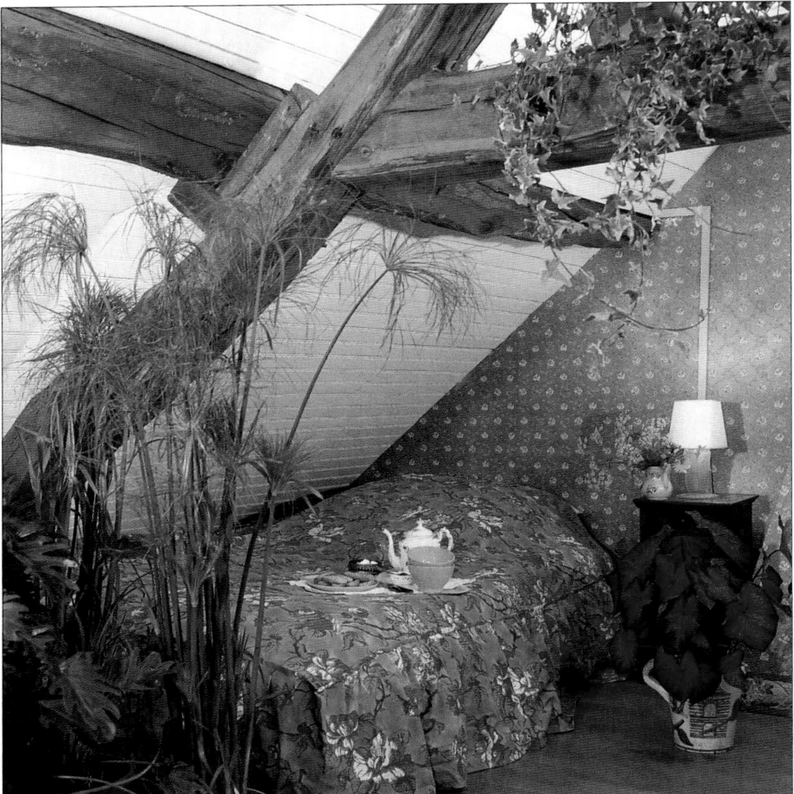

LES PLANTES POUR RÉUSSIR

1 ***Philodendron bipinnatifidum* 'German Selloum',** aux feuilles très lobées.

2 ***Cyperus papyrus,*** il ne doit jamais manquer d'eau.

3 **Lierre *(Hedera helix* 'Glacier'),** les branches souples retombent naturellement.

4 ***Caladium bicolor,*** des feuilles fines, translucides et très colorées.

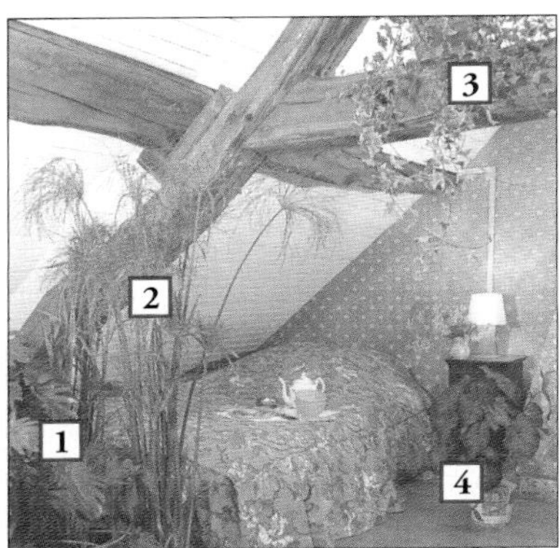

Joliment décorée par des poutres maîtresses, cette chambre en soupente joue la couleur et les contrastes. En partie dissimulé derrière un généreux rideau de feuillage, le lit est recouvert d'une courtepointe aux motifs floraux très contrastés. Ils sont renforcés par la présence proche d'une potée de caladium, qui a été choisi avec soin pour se décliner dans les mêmes nuances de rouge. Un grand lierre laisse ses branches pendre en toute décontraction. Elles sont simplement taillées de temps en temps, afin de ne pas gêner le passage. C'est une pièce toute simple, qui offre une ambiance jeune et agréable, idéale pour une chambre d'amis. L'éclairage provient d'une fenêtre de toiture, apprécié par les plantes.

À ESSAYER AUSSI

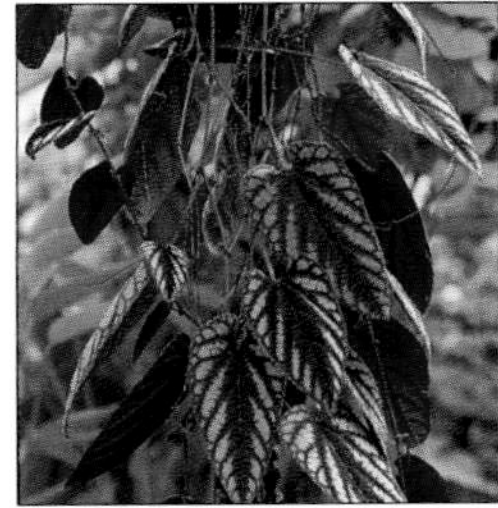

Cissus discolor
Une plante grimpante venue du Sud-Est asiatique, dont les feuilles marbrées d'argent peuvent atteindre 25 cm de long. Une chambre fraîche convient bien (minimum 10 °C).

***Ctenanthe lubbersiana* 'Variegata'**
Cette plante brésilienne bien ramifiée porte des feuilles de 20 à 30 cm de long, joliment tachetées de jaune. Des épis de fleurs blanches se forment à toute époque de l'année. Placez le pot près d'une fenêtre et arrosez souvent, sinon les feuilles se replient.

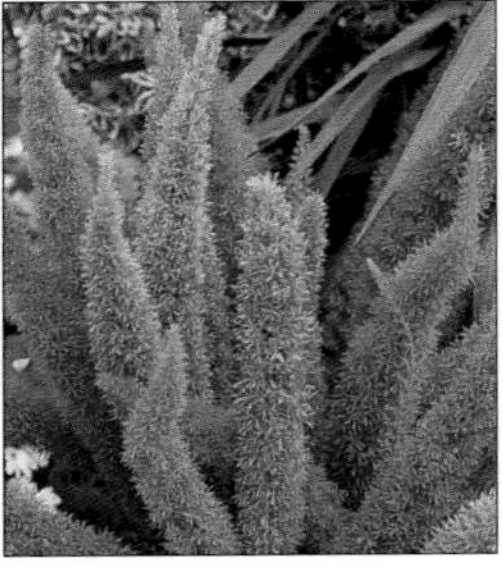

Asparagus densiflorus* 'Myersii' *(A. meyeri)
Une végétation dense et buissonnante. Les tiges sont recouvertes de feuilles fines, disposées en spirale, comme sur un goupillon.

D'autres idées

▶ Ciel de nuit

Dans une dominante bleue soulignée de nuances vertes, cette chambre est une symphonie reposante, composée de petits détails qui valorisent l'ambiance, sans chercher à « en faire trop ». Il règne une discrète intimité et une douce quiétude. On sent que c'est une pièce à vivre, plutôt qu'à se prélasser. Le bleu, couleur reposante et apaisante, est présent partout, même sur les tableaux. La literie joue la note végétale, en harmonie avec la dominante du rideau. C'est l'occasion d'éclairer un peu le décor et de le rendre plus vivant, avec les plantes comme ornement discret, mais présent. Il s'agit uniquement d'espèces à fleurs (*Phalaenopsis*, saintpaulia, bégonia) avec juste ce qu'il faut de fantaisie pour se sentir bien.

IDÉES DÉCO

Le bleu est une des couleurs de prédilection pour la décoration des chambres, lorsqu'on souhaite rester discret et reposant. Jouez l'harmonie dans les plus petits détails.

Sur l'exemple ci-contre, les rayures de la tenture murale, les motifs de la lampe, l'abat-jour et le fond de la literie se déclinent dans des bleus très proches, dont la dominante est rappelée par les fleurs du saintpaulia.

Le deuxième exemple est tout en blanc ou crème, il allie l'élégance à la discrétion. Mélange de simplicité et de raffinement, les petits pots peints à la main reprennent les motifs classiques de la nappe. Des azalées aux teintes chair accompagnent un arum *(Zantedeschia aethiopica)* et une campanule rampante.

Le dernier exemple exprime beaucoup d'élégance. Les *Paphiopedilum* x, avec leur sophistication un peu apprêtée, sont les hôtes parfaits d'une chambre, car ces séductrices nées ne dévoilent leurs charmes secrets qu'après s'être laissé longuement « courtiser ».

LES BONS GESTES

Le papyrus est une plante qui a besoin d'être rajeunie régulièrement, car ses tiges ont tendance à jaunir et les touffes à se clairsemer en vieillissant. On pratique le bouturage de feuilles (en réalité des bractées) uniquement avec le *Cyperus alternifolius*, qui est la plus courante. Le papyrus véritable *(Cyperus papyrus)* ne s'enracine pas et il doit être semé. La technique de bouturage consiste d'abord à couper une longue tige munie de son verticille de bractées. Puis réduisez la longueur de la tige à 10 cm environ. Raccourcissez toutes les bractées à 3 cm et plongez-les dans l'eau (la queue en l'air). Des racines se forment en un petit mois et une pousse apparaît. La bouture est empotée quand les racines atteignent 5 cm de long.

astuce Truffaut

Dans une composition où dominent les plantes vertes, apportez toujours une note de couleur très vive avec une potée fleurie ou un feuillage très coloré. La plante doit être de taille moyenne, pour attirer le regard et flatter l'œil. Si tout est monochrome, l'impression est souvent triste.

Une douce odeur de résine

LES PLANTES POUR RÉUSSIR

1 ***Dieffenbachia seguine* x,** une variété au feuillage gaufré.

2 ***Dracaena fragrans* 'Lindenii',** un joli totem à trois panaches.

3 ***Hypocyrta glabra,*** des petites fleurs jaune orangé toute l'année.

4 ***Dieffenbachia* 'Rudolf Roehrs',** un feuillage très lumineux.

5 ***Saintpaulia* x,** des variétés miniatures, petits bijoux vivants.

Habillée d'une jolie frisette de pin, cette chambre mansardée exhale subtilement une délicieuse odeur de résine. Dans la même tonalité, le mobilier s'inscrit dans une volonté d'unité, qui renforce l'impression de confort voluptueux. La pièce est bien éclairée, ce qui permet à une jolie collection de plantes vertes de prospérer. Pour respecter la monochromie générale, les plantes à feuillage dominent, mais elles ont été choisies parmi des variétés marbrées et panachées, afin d'affirmer une certaine originalité. Petit détail raffiné : la présence de saintpaulias miniatures sur la table de chevet, adorables violettes veloutées que l'on admire, avant d'éteindre la lumière.

À ESSAYER AUSSI

Nephrolepis exaltata
Avec son port souple et gracieux, cette fougère convient bien au décor d'une chambre recevant un soleil adouci par un voile translucide. Fertilisez généreusement.

***Codiaeum* 'Miss Iceton'**

Pour une chambre, une variété de croton très richement colorée, qui associe les teintes les plus vives sur la même plante.

D'autres idées

▶ Douces fragrances

Dans l'intimité d'une chambre tout en bois, on a créé avec quelques potées un petit jardin secret. Subtilement embaumée par l'effluve de rose qu'exhalent les feuilles du *Pelargonium graveolens*, la pièce se pare aussi de senteurs florales avec la couronne de lavande et les pots-pourris. Le mélange des parfums a un effet apaisant, presque relaxant. On dort détendu, heureux. S'ajoutent dans cette note végétale deux potées d'*Exacum affine*, dont les petites fleurs aux yeux d'or sont vraiment ravissantes.

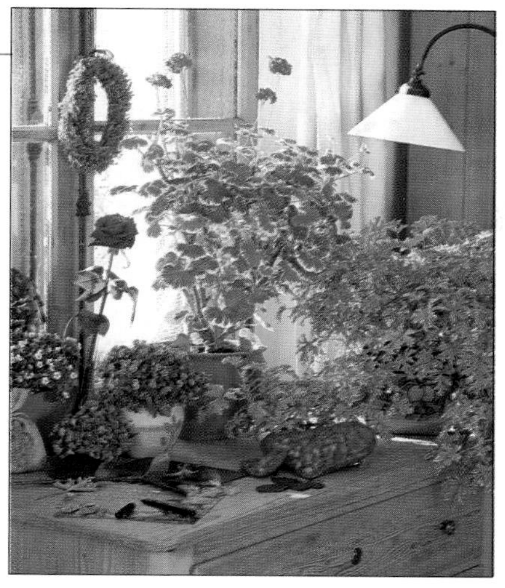

L'IDÉE DÉCO

Pour accentuer le caractère gai, sympathique et dynamique d'une chambre à coucher d'adolescent, osez un décor multicolore avec des plantes à fleurs. L'idée est d'associer des couleurs primaires fortes, de manière à composer un ensemble tonifiant sans être criard. En pratique, vous utiliserez des cache-pots en céramique ornés de motifs de préférence non figuratifs, aux couleurs vives. Il suffira d'y installer des plantes, dont la tonalité des fleurs contraste bien.

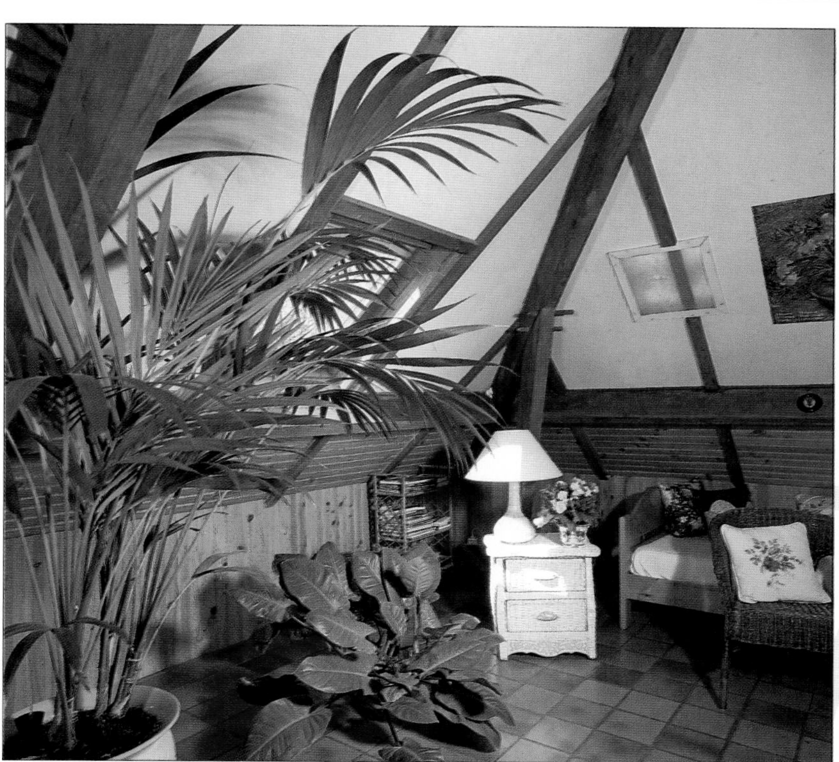

◀ Des géants dans l'espace

Cette pièce spacieuse et généreuse installée dans les combles sert plus souvent de pièce de détente et de relaxation que de chambre d'appoint. Le mobilier y est simple et discret, plus fonctionnel que décoratif. Dans un tel contexte, seules des plantes sont capables pour éviter la banalité. Sans rechercher à tout prix le sujet d'exception, seuls des végétaux à la personnalité affirmée peuvent contribuer par leur seule présence à transformer la physionomie de la pièce et lui donner du cachet. Un grand kentia *(Howea forsteriana)* a été choisi pour sa silhouette à la fois ample et légère. Il est accompagné par un *Philodendron domesticum,* appelé aussi « oreille d'éléphant ». Non tuteuré, il reste ici buissonnant, étalé, laissant apprécier la forme sagittée de ses feuilles qui pourront atteindre 60 cm de long chez la plante adulte. Au fond, un bégonia.

LES BONS GESTES

Les dieffenbachias seront réservés aux chambres d'adultes en raison de leur toxicité. Ces plantes ont tendance à former naturellement un tronc qui se dégarnit de la base. Elles deviennent donc inesthétiques après quelques années. Le bouturage dans l'eau de tiges dégarnies est une bonne solution pour « récupérer » les plantes. Coupez une pousse de 30 cm de long environ et plongez la base dans un verre à jacinthe contenant de l'eau et trois gouttes d'engrais organique. Enracinement en deux mois environ.

En été, utilisez un diffuseur électrique d'insecticide. Il vous protégera des moustiques, tout en évitant la prolifération des pucerons et des thrips.

Détente dans une ambiance cosy

Un raffinement tout britannique, avec juste ce qu'il faut de désuet pour ressentir un petit pincement de nostalgie et de tendresse. Cette chambre d'une chaleureuse simplicité joue sur la subtilité des tissus et l'harmonie des couleurs pour créer une ambiance reposante et intime. Le décor végétal est dans le même ton, présent sans ostentation, justement dosé pour animer sans dominer. La potée fleurie de bégonia *(Begonia* x 'Rieger'*)* dans un joli cache-pot en céramique attire le regard par la puissance colorée de ses fleurs écarlates. Ce décor saisonnier est utilisé dès que le radiateur cesse de fonctionner. Au premier plan, un *Dracaena fragrans* 'Victoria' harmonise subtilement ses panachures avec la tenture.

Un chevet de plantes originales

À proximité immédiate du lit, une table de chevet en bois accueille un petit jardin composé d'un *Zamioculcas zamiifolia*, cette remarquable aracée aux tiges renflées et aux feuilles coriaces, un pommier d'amour *(Solanum pseudocapsicum)* et deux plantes bonbon *(Nertera granadensis)* étonnantes avec leurs petits fruits orangés. Ce décor prend un ton très contemporain grâce aux cache-pots en céramique unie dans les coloris orangés, pour un effet très lumineux.

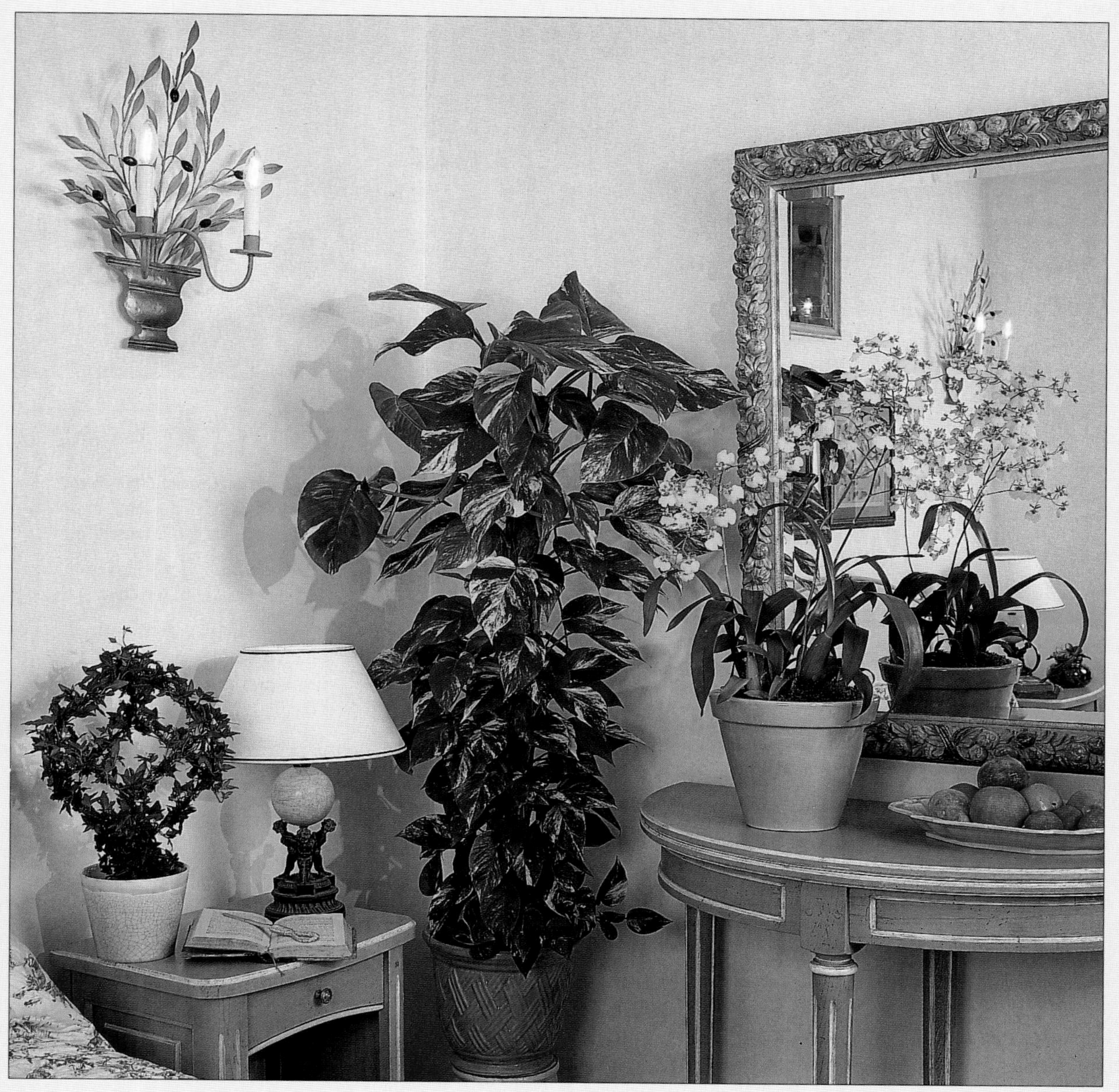

Un luxe très raffiné

En empruntant les lignes un peu strictes et les moulures ouvragées des meubles d'antan, ce décor joue le prestige et l'élégance. Mais on a « modernisé » l'ambiance : l'original coloris gris-vert dont s'habillent la console et la table de chevet est là pour allier tradition et modernité. C'est une chambre au charme sophistiqué, un décor raffiné que le grand miroir démultiplie. Par leur choix très réfléchi, les végétaux, renforcent l'impression de sophistication, notamment la grande orchidée *(Oncidium* x*)* et le lierre palissé sur une sphère métallique, qui s'harmonise subtilement avec la lampe de chevet. Le pothos *(Epipremnum aureum)* habille avec élégance l'angle du mur, qui paraîtrait nu sans sa généreuse présence.

Un soupçon de nostalgie

LES PLANTES POUR RÉUSSIR

1 **Kentia *(Howea forsteriana)*,** un grand palmier aux longues feuilles souples, qui dépasse 2 m.

2 ***Caladium bicolor*,** une touffe de feuilles aux couleurs étonnantes.

3 ***Begonia elatior* hybride,** il vit plus longtemps dans la salle de bains que dans les autres pièces.

4 ***Dracaena fragrans* 'Massangeana',** une plante solide.

Soulignant en toute simplicité le dessin original de cette baignoire encastrée, les quelques plantes apportent une note vivante et chaleureuse, qui renforce la sensation apaisante du bain. Le choix s'est porté sur des espèces aux dimensions raisonnables afin de conserver l'ambiance élégante et sobre. Seul le kentia *(Howea forsteriana)* joue l'opulence, invitant à l'évasion lorsqu'on se prélasse paresseusement dans l'eau chaude sous ses palmes. Toutes les plantes ont été installées dans des cache-pots ce qui permet de maintenir une indispensable propreté. Il serait tout à fait judicieux dans le cas présent d'utiliser des végétaux cultivés en hydroculture, le terreau étant alors remplacé par des billes d'argile expansée. L'arrosage est directement réalisé dans la baignoire.

À ESSAYER AUSSI

Asparagus falcatus

Une grande touffe échevelée qui apprécie les expositions ombragées. Après quelques années, la plante adopte un comportement grimpant et peut être palissée sur un treillage. Bien fertiliser.

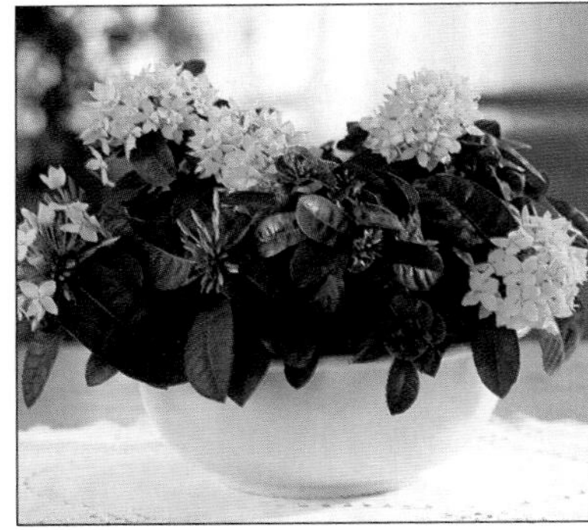

Ixora coccinea

Un buisson tropical très florifère, qui se plaira beaucoup mieux dans l'ambiance humide de la salle de bains que dans toute autre pièce de la maison. Arrosez si possible avec de l'eau non calcaire et taillez sévèrement les tiges en automne.

D'autres idées

▶ Souvenirs d'enfance...

Ce décor tout simple de style rustique évoque les vieilles maisons de campagne, où toute la famille se retrouvait pour les vacances, dans une ambiance au charme désuet et au confort précaire. Souvenir d'une époque révolue, mais encore proche, où le tout-à-l'égout était un luxe, la cuvette de l'évier en faïence ornée de motifs floraux bascule pour se vider dans une bassine dissimulée dans le meuble. Les plantes *(Tillandsia, Begonia, Saintpaulia)* sont mises en valeur par de jolis cache-pots en céramique. Elles jouent un rôle discret mais, sans leur présence, cet endroit intime et discret perdrait beaucoup de son atmosphère romantique.

◀ Bain de soleil

Profitant d'une grande fenêtre bien exposée à la lumière dont le cadre bascule à volonté pour aérer, ce petit coin toilette évoque la vie tranquille du siècle dernier. Le meuble en bois massif se pare de multiples tiroirs, élégants et pratiques. Il sert de support à une paillasse en marbre, soulignée d'une très jolie étagère. Le grand miroir dans son encadrement de bois sculpté vient renforcer l'ambiance rustique de la pièce. Pas de doute, nous sommes à la campagne, mais dans un univers raffiné comme en témoigne l'élégance des objets répartis avec goût. Deux plantes seulement : une primevère pour célébrer le printemps et un *Begonia coccinea* qui, baigné de lumière, s'étoffe.

astuce Truffaut

Dans une salle de bains, veillez à disposer les plantes à la périphérie de la pièce afin qu'elles libèrent au maximum l'espace, toujours assez limité. Les éclaboussures étant monnaie courante, ne placez pas de plantes à feuillage duveteux à proximité immédiate de la baignoire. Vérifiez aussi quotidiennement que les cache-pots ne contiennent pas d'eau, ce qui serait très préjudiciable aux plantes. Enfin, ne cherchez pas à conserver indéfiniment les mêmes végétaux dans ce décor exigu. Utilisez des espèces éphémères mais spectaculaires, vous ne vous en lasserez pas.

LE BON GESTE

Au fur et à mesure qu'il développe son stipe (faux tronc), le kentia perd naturellement les palmes de la base qui brunissent et se dessèchent. Supprimez-les dès les premiers symptômes, en les coupant le plus près possible de leur point de naissance. Si le brunissement apparaît sur des palmes jeunes, c'est que la plante a trop d'eau. N'arrosez pas plus d'une fois par semaine.

Chaleureux comme un chalet

LES PLANTES POUR RÉUSSIR

1 ***Pleomele reflexa* 'Song of India',** un bel arbre d'intérieur au port buissonnant. Jusqu'à 1,50 m.

Niché dans la soupente, un discret cabinet de toilette est généreusement éclairé par une fenêtre, qui occupe presque toute la largeur de la pièce. La lumière entre directement, profitant à un *Pleomele reflexa* 'Song of India' dont le feuillage panaché très tonique renforce l'ambiance lumineuse de l'endroit. Le décor d'une grande sobriété fait ressortir le port de la plante, dont l'aspect exotique est mis en évidence par le choix d'un cache-pot en laque de Chine. Tout est conçu ici pour que l'on se sente bien. Le cadre est très contemporain, mais il privilégie toutefois l'authenticité des matériaux, avec le fauteuil en rotin et le meuble en bois massif. C'est l'illustration évidente qu'en matière de décoration, élégance rime souvent avec discrétion.

À ESSAYER AUSSI

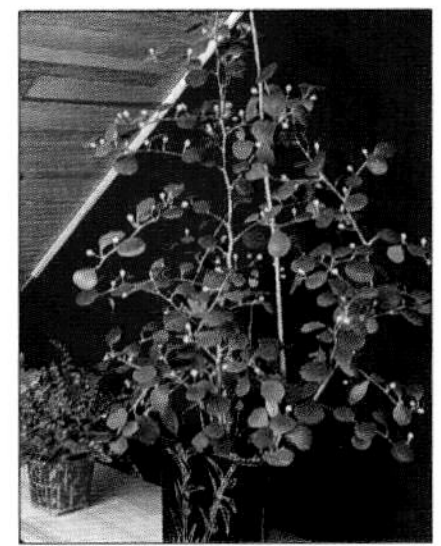

Ficus deltoidea
Généralement proposé en jeunes sujets bien ramifiés, sous le nom de *Ficus diversifolia,* ce bel arbuste persistant originaire de l'Asie du Sud-Est trouve dans la salle de bains la moiteur de son habitat naturel où il vit souvent en épiphyte. Il pousse lentement, mais peut dépasser 1,50 m dans un grand pot. Il porte presque toute l'année des figues miniatures jaunâtres. Il apprécie un sol fibreux et une température minimale de 15 °C.

Beaucarnea recurvata
La pleine lumière convient fort bien à cet « arbre bouteille » qui forme en vieillissant un tronc très élargi à la base, d'une grande originalité. Une plante à ne pas trop arroser, mais qui aime l'air assez humide.

D'autres idées

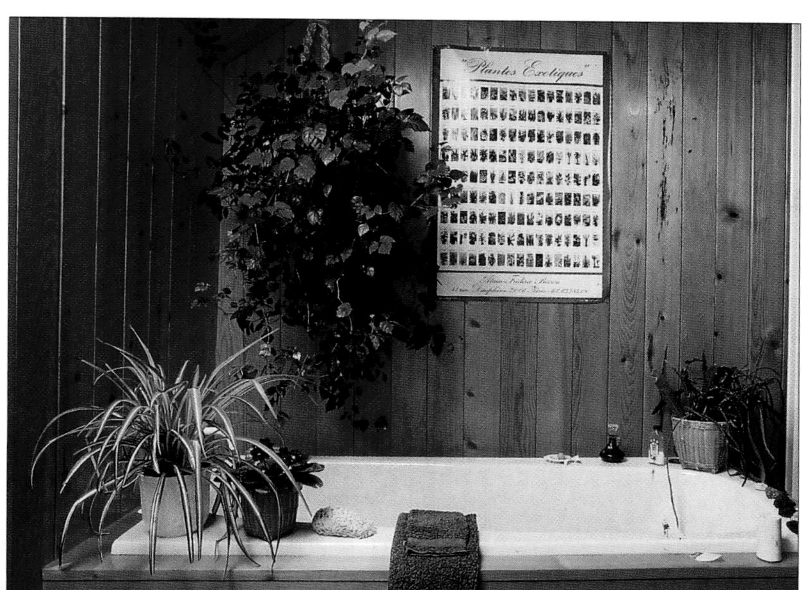

◀ Chaud et froid

Réduite à la largeur de la baignoire sabot, la salle de bains à dominante bois se pare de lambris, dans une impression confinée de sauna. Face à la modernité très dépouillée du décor, la présence des plantes était indispensable. Clin d'œil tropical dans une composition scandinave, la végétation invite à prendre son temps et à profiter de la douceur ambiante. Cette impression est surtout due à la généreuse suspension de *Cissus antartica*. La phalangère *(Chlorophytum)*, le saintpaulia et à droite un *Epiphyllum* complètent l'ambiance végétale, animée par le poster qui fait rêver à d'autres essences plus rares. La pièce est éclairée par une fenêtre de toiture.

▶ Tout en bois

Dans le pur style « design » des années 70-80, ce bel ensemble très homogène et monochrome est réalisé en pin. Tout s'intègre dans une harmonie parfaite, peut-être un peu rigide, mais la chaleur du bois rend l'endroit très agréable. Les plantes *(Impatiens, Saintpaulia, Dracaena, Chlorophytum)* sont bien présentes, mais sans excès, afin de ne pas briser la géométrie des lignes. Elles sont placées dans des cache-pots en rotin, dont l'intérieur a été tapissé d'un film plastique étanche. Le meuble et les lambris sont recouverts d'un vernis marine qui les fait résister à l'humidité. Les lampes de type « lumière du jour », améliorent l'éclairage des plantes.

astuce Truffaut

Habillez les arbres d'intérieur dont la base est dégarnie en couvrant la surface des grands pots avec un tapis de mousse naturelle. En dissimulant la terre, vous renforcez l'effet décoratif de la plante. La mousse retenant beaucoup d'humidité, elle permet à la plante de mieux supporter l'insolation directe. Tenez compte de la propriété absorbante de la mousse et arrosez davantage en augmentant les quantités de 20 %, mais en espaçant les apports de 1 ou 2 jours supplémentaires. La mousse restant vivante quelques mois seulement, renouvelez-la dès qu'elle prend un aspect desséché.

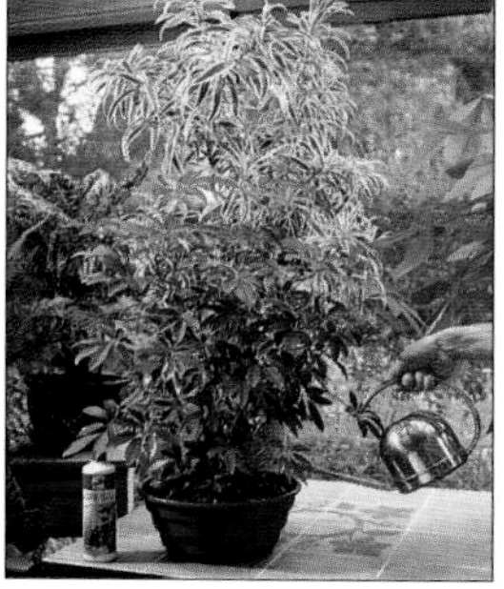

LE BON GESTE

Le *Pleomele* 'Song of India' est une plante vigoureuse dont il faut soutenir le rythme de croissance assez rapide par des apports réguliers d'engrais pour plantes vertes. Optez pour un produit contenant des oligo-éléments afin qu'aucun déséquilibre ne se traduise par l'apparition de pousses vertes parmi le feuillage panaché. Fertilisez d'avril à octobre, en moyenne deux fois par mois.

Une parure végétale

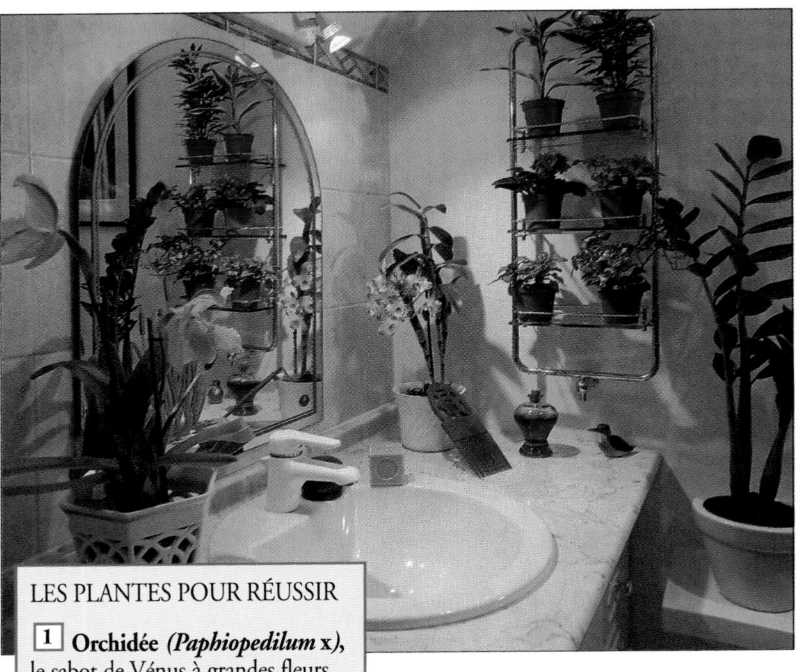

La passion pour les plantes « a des raisons que la raison ignore ». On peut oublier l'aspect pratique du quotidien pour s'offrir une petite « folie » comme ce coin de salle de bains, où toute la décoration est végétale. Sur l'étagère, eau de toilette et crème de beauté ont cédé la place à de jeunes boutures, qui accentuent délibérément « l'effet collection ». Ces jeunes plantes sont simplement de passage pour quelques semaines. Elles seront rempotées dès qu'elles se sentiront trop à l'étroit. L'ambiance chaude et humide de l'endroit est propice au bon épanouissement des orchidées. Le sabot-de-Vénus est placé en retrait par rapport à l'axe central, pour ne pas recevoir la lumière directe de la fenêtre de toiture. En revanche, Le *Dendrobium* est plus exposé, car il nécessite un fort éclairage. Le *Zamioculcas* est une plante cousine des philodendrons, qu'il faut « oublier d'arroser ».

LES PLANTES POUR RÉUSSIR

1 **Orchidée *(Paphiopedilum* x*)***, le sabot de Vénus à grandes fleurs.

2 **Orchidée *(Dendrobium nobile* x*)***, elle aime la chaleur.

3 ***Dracaena deremensis* 'Warneckii'**, très résistant.

4 **Dizygothéca *(Schefflera elegantissima)***, à feuillage découpé.

5 **Violette du Cap *(Saintpaulia ionantha)***, fleurit plusieurs mois.

6 ***Hypoestes phyllostachya***, un étonnant feuillage coloré de rose.

7 **Lierre *(Hedera helix* 'Jubilee'*)***, il retombe ou grimpe à volonté.

8 ***Zamioculcas zamiifolia***, très résistant à la sécheresse, vigoureux.

À ESSAYER AUSSI

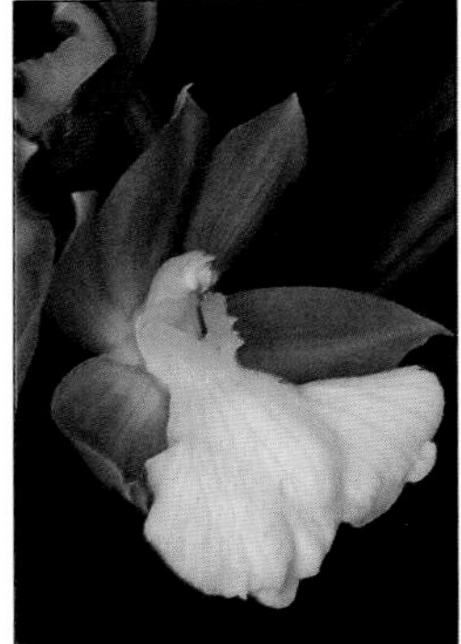

***Zygopetalum* 'Helen Kim'**
Une orchidée de culture facile, qui apprécie une bonne luminosité et une certaine fraîcheur durant la nuit. La floraison aux couleurs étonnantes dure très longtemps. Arrosez à l'eau tiède, non calcaire.

***Selaginella martensii* 'Variegata'**
Seule l'ambiance très humide de la salle de bains permet de conserver cette plante originaire des forêts tropicales. Elle apprécie les endroits ombragés et une température minimale de 15 °C. Arrosez la potée par trempage en hiver.

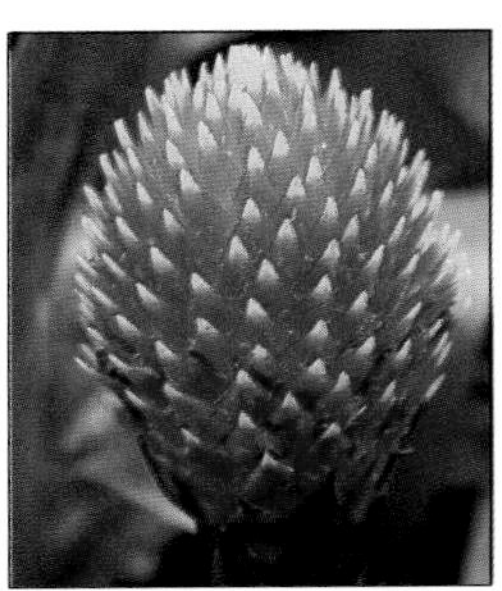

Guzmania conifera
Cette magnifique broméliacée est une petite merveille de collection qui apprécie la moiteur de la salle de bains. En été, il faut maintenir de l'eau en permanence au cœur de la rosette de feuilles.

D'autres idées

◀ Souplesse et raffinement

Dans une ambiance cossue de marbre, de cuivre et de cristal, deux plantes jouent les élégantes, habillées de sobres cache-pots en céramique. Cocos *(Lytocaryum weddelianum)* et capillaire *(Adiantum tenerum)* s'associent joliment par la finesse et la souplesse de leur feuillage. Ils apprécient une forte humidité ambiante et se complaisent donc dans la salle de bains. Il faudra simplement veiller à ce que le cache-pot ne contienne pas d'eau en permanence, pour éviter les risques d'asphyxie des racines. Une luminosité moyenne, voire tamisée convient bien à ces deux plantes, qui acceptent une température minimum de 13 °C en hiver.

LES BONS GESTES

Les orchidées nécessitent des soins réguliers, tout à fait accessibles au débutant. Il faut dépoussiérer le feuillage (sans utiliser de lustrant) une fois par mois.

L'utilisation de serviettes imbibées d'un liquide à la fois nettoyant et insecticide est recommandée. Cela éviter le jaunissement du feuillage et prévenir des invasions de cochenilles.

Avec leurs racines charnues, les orchidées sont très sensibles aux excès de sels minéraux dans le substrat. Pour les fertiliser il faut épandre à la surface du pot quelques granulés d'engrais à décomposition lente et progressive. Efficacité : 1 an.

astuce Truffaut **L'utilisation de cache-pots (ou même de pots) ajourés, voire de paniers lattés, est tout à fait propice au bon développement des orchidées. En effet, la plupart de ces plantes étant épiphytes, elles développent des racines aériennes et apprécient une bonne aération au niveau de leur système racinaire. Il est conseillé d'installer l'orchidée dans son récipient ajouré sans conserver son pot d'origine. Tapissez les parois du nouveau contenant avec du sphagnum (mousse fibreuse) ou de la fibre de coco, puis installez l'orchidée dans son substrat. Vaporisez régulièrement.**

▲ Baignade dans la jungle

Pour savourer l'effet relaxant du bain, rien de tel qu'un environnement végétal qui vous entraîne par l'esprit dans des aventures exotiques dignes d'*Indiana Jones*. Le souci de la mise en scène exotique a été poussé à l'extrême, avec l'aquarium en boule, contenant une laitue d'eau *(Pistia stratiotes)*, plante caractéristique des cours d'eau tropicaux. Le massif est composé d'un petit *Fittonia verschaffeltii* 'Pearcei', aux nervures rouges, d'un étonnant *Alocasia sanderiana* aux feuilles lobées et aux nervures argentées, d'un papyrus, d'un pothos, d'une fougère *(Nephrolepis)* et d'un cocos *(Lytocaryum weddelianum)*.

Sous le palmier
Un aréca *(Chrysalidocarpus lutescens)* touffu à souhait, un *Phoenix roebelenii* qui prend des allures de cocotier miniature ou comme ici un grand kentia *(Howea forsteriana)* aux longues palmes souples et la salle de bains prend un aspect exotique très dépaysant. L'ambiance humide qui règne en permanence dans cette pièce permet aux palmiers de prospérer et surtout de ne plus se dessécher à la pointe des feuilles comme c'est trop souvent le cas dans les autres parties de la maison. Inutile de vaporiser le feuillage, mais arrosez généreusement dès que la température dépasse 20 °C.

Sophistiquer les accessoires
Il suffit parfois de peu pour créer une ambiance originale. Ici, des cache-pots « faits maison » avec carreaux de céramique, qui se déclinent comme une mosaïque contemporaine, renforcent la présence de ces plantes vertes qui autrement paraîtraient bien banales. On reconnaît : *Asplenium nidus, Pellaea rotundifolia* et pothos *(Epipremnum aureum)*. Des espèces de culture facile, surtout dans cette salle de bains très bien éclairée.

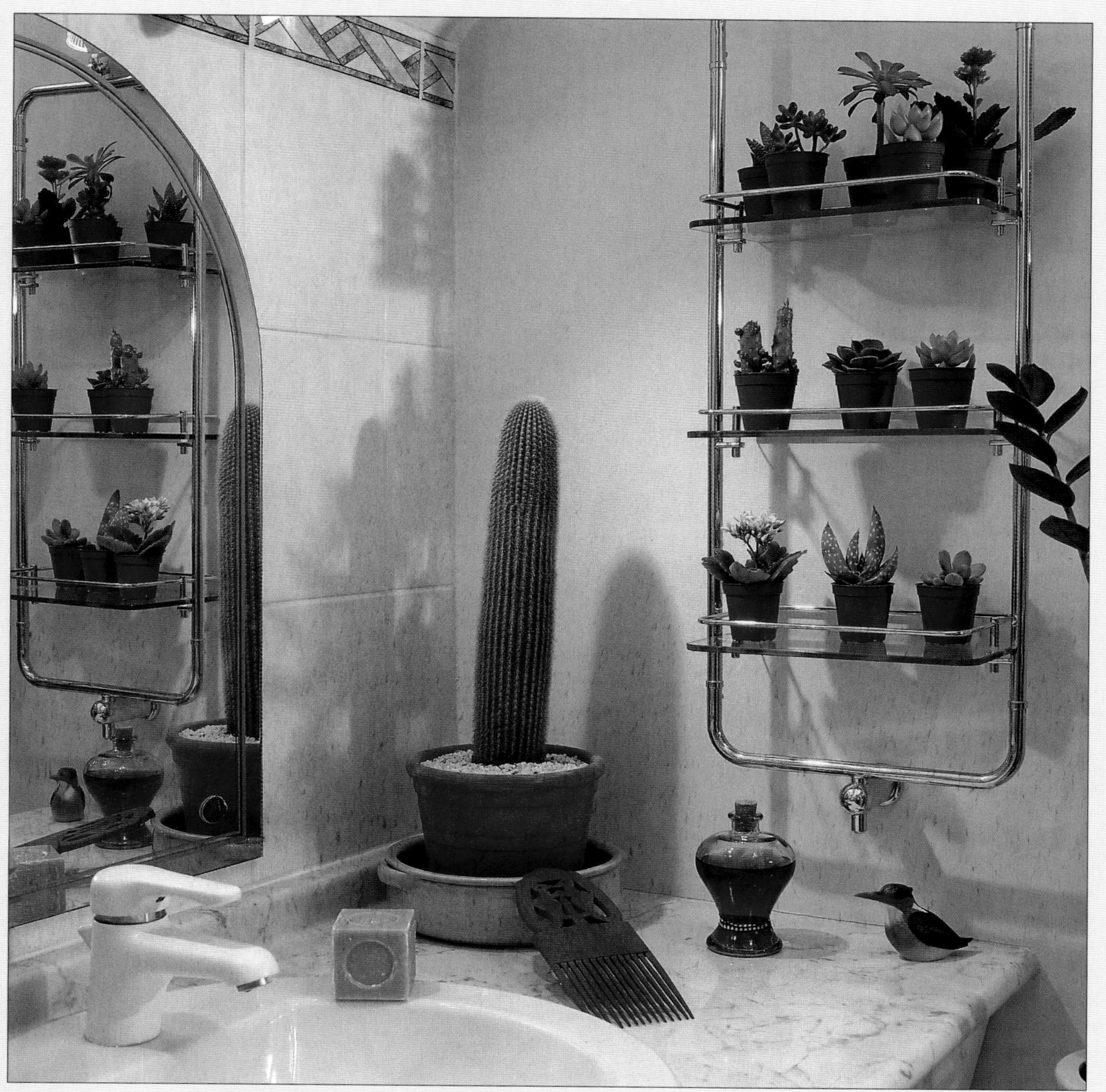

Dans ma vie, il y a des cactus

Variante du décor de la page 60, on a remplacé les plantes vertes et les orchidées par des cactées et des plantes grasses. La salle de bains n'est pas *a priori* le lieu de prédilection pour les plantes du désert ; toutefois, elles se développeront sans problème, à condition d'être fort peu arrosées (l'humidité ambiante leur suffira) et de bénéficier de la présence proche d'une fenêtre pour un éclairage très intense. L'emploi de pots identiques pour chaque plante contribue à l'harmonie de l'ensemble. Une idée qui sera très prisée des enfants.

Ablutions tropicales

LES PLANTES POUR RÉUSSIR

1 **Kentia** ***(Howea forsteriana),*** un palmier ample et souple.

2 **Aréca** ***(Chrysalidocarpus lutescens),*** une touffe bien fournie.

3 ***Dendrobium nobile*** **x,** une orchidée formant de longues canes.

4 ***Livistona chinensis,*** un palmier aux feuilles en éventail.

5 ***Cattleya*** **x,** des fleurs joliment dentelées et bien parfumées.

6 ***Spathiphyllum wallisii,*** des spathes blanches toute l'année.

7 ***Anthurium andreanum*** **x,** des fleurs cireuses qui durent longtemps.

7 ***Dieffenbachia seguine*** **'Tropic',** un feuillage bien coloré.

Un bain au milieu de ce foisonnement végétal est une invite à la paresse. Étendez-vous et goûtez ce moment de relaxation intense où tout vous semble loin de vos tracasseries quotidiennes... Laissez le parfum des orchidées vous enivrer juste ce qu'il faut pour somnoler ; une délicieuse langueur vous parcourt, c'est le meilleur moment de la journée. Les plantes, qui profitent de la forte évaporation du bain chaud pour retrouver l'ambiance moite de leurs contrées d'origine. Tout pousse, y compris les espèces les plus rares. La seule exigence est une luminosité maximale.

À ESSAYER AUSSI

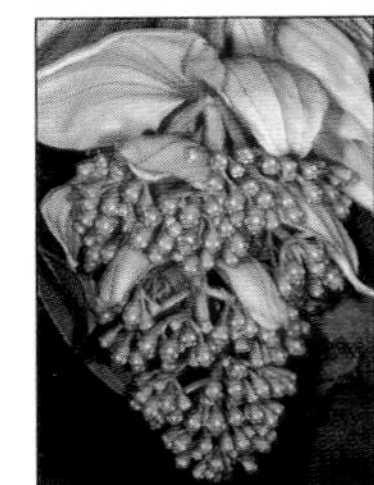

Medinilla
L'ambiance moite et la chaleur de la salle de bains permettent de garder cette plante plusieurs années dans la maison.

Streptocarpus
Même si la salle de bains manque de lumière, cette jolie gesnériacée va beaucoup s'y plaire. Attention ! sa végétation est annuelle.

D'autres idées

▶ FOISONNEMENT DE FOUGÈRES

L'abondance végétale rappelle l'exemple de la page précédente, mais la baignoire se trouve ici dans un endroit plus sombre. L'utilisation de fougères est donc la solution idéale, surtout que ces plantes ont toutes les peines du monde à prospérer dans les autres pièces du fait de leur faiblesse chronique en matière d'hygrométrie. Toutes les espèces de fougères peuvent réussir dans cette salle de bains où l'on reconnaît *Nephrolepis exaltata* 'Bostoniensis', *Asparagus densiflorus* 'Myersii', capillaire *(Adiantum tenerum)* et *Asplenium nidus*, accompagnés d'un superbe *Anthurium andreanum* hybride, qui dans cette ambiance fleurira pratiquement sans discontinuer durant toute l'année. N'hésitez pas à doucher régulièrement les fougères, et à bien les fertiliser, elles adorent !

▲ MOITEUR TROPICALE

Quelques coquillages, une robinetterie élégante, des voilages tout en finesse et une touffe de *Pogonatherum paniceum* qui symbolise la végétation de graminées couvre-sol du bord de mer, ce petit coin de salle de bains se décline dans une subtile harmonie.

La plante, que l'on appelle aussi « bambou nain d'appartement », est une espèce assez récemment introduite dans l'assortiment des végétaux d'intérieur. C'est une graminée tropicale qui apprécie une forte humidité atmosphérique et des arrosages fréquents. Sa culture dans la salle de bains, où elle reçoit une lumière filtrée, est idéale.

L'IDÉE DÉCO

La capillaire *(Adiantum tenerum)* trouve des conditions de développement idéales dans une salle de bains. N'hésitez pas à l'accueillir, en lui offrant comme ici un joli cache-pot, en harmonie avec les divers produits et accessoires. En raison des dimensions généralement assez réduites des salles d'eau, il est bon de simplifier le décor sans le dépouiller et surtout de jouer les ambiances monochromes et les camaïeux. Les teintes doivent être pastel afin de renforcer l'aspect calme et reposant de l'endroit.

astuce Truffaut

Utilisez la salle de bains comme « clinique des plantes » en y rassemblant toutes les potées qui font grise mine dans les autres pièces. La chaleur et l'humidité agiront comme une cure de jouvence pour la majorité des espèces et la plupart retrouveront une nouvelle jeunesse après un séjour de 3 à 6 mois. Notez que dans cette pièce il faut tempérer les arrosages car les racines profitent aussi de la moiteur générale. Veillez à aérer régulièrement dès que le temps le permet, afin de ne pas créer une ambiance confinée propice aux maladies.

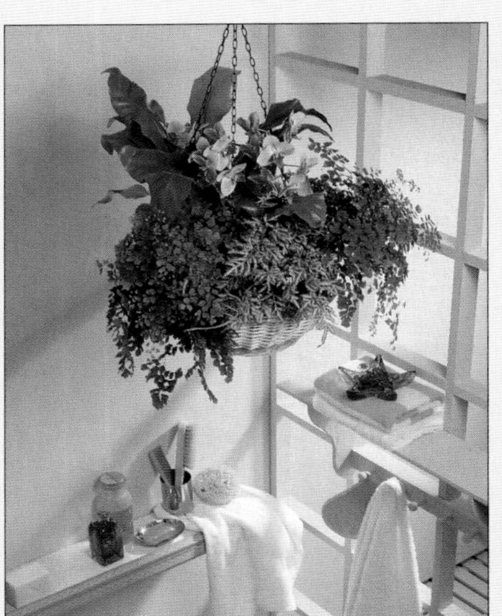

Ballet aérien
Excellente idée que ce panier suspendu qui vient joliment habiller les étagères dans l'angle de la salle de bains. Les plantes sont essentiellement des fougères (*Asplenium nidus*, capillaire, *Pteris ensiformis* 'Evergemiensis') rehaussées par la floraison colorée d'un *Phalaenopsis* hybride. Une composition qu'il faut arroser très souvent par immersion, car le volume de terre y est réduit.

Fantaisie bleue
Le bleu est une des couleurs les plus utilisées pour la salle de bains, car elle est reposante et calmante. Selon les nuances, les bleus évoquent le ciel, la mer, l'eau et expriment une douce nostalgie. Ici, tout près de la fenêtre, un joli decrescendo de plantes se décline en camaïeu. Les cache-pots en parfaite harmonie sont en faïence, un matériau qui évoque les salles de bains d'autrefois. Le décor végétal s'inscrit comme une parure éphémère avec une dominante de plantes à fleurs peu durables (primevère, hortensia, muscari), mais dont l'éclat enchantera les derniers jours de l'hiver. La présence végétale permanente est assurée par un *Asparagus densiflorus* 'Sprengeri' et un *Saintpaulia ionantha* 'Zoja'.

Minijardin en duplex

Une petite étagère métallique à deux étages, laquée de blanc, se fond discrètement avec le carrelage. Elle permet de créer une véritable composition, grâce au volume en dégradé qu'occupent les plantes. Sur la partie supérieure : une phalangère *(Chlorophytum comosum)* et un cyclamen hybride. Au premier plan : un *Peperomia rotundifolia* et un jasmin blanc (*Jasminum officinale* 'Grandiflorum') qui crée une ambiance parfumée incomparable. Cette composition réussira dans une salle de bains fraîche, dont le chauffage n'est mis en route que ponctuellement.

Lectures exotiques

LES PLANTES POUR RÉUSSIR

1 **Banyan** *(Ficus benghalensis)*, l'arbre sacré des bouddhistes.

2 **Coupe de plantes (dizygotheca, asparagus, kalanchoe).**

3 **Philo** *(Monstera deliciosa)*, une jeune plante qui va prospérer.

4 **Lotier** *(Lotus berthelotii)*, des fleurs élégantes, très originales.

5 **Dizygotheca** *(Schefflera elegantissima)*, un feuillage très fin.

6 **Lierre** *(Hedera helix* **'Glacier'***)*, une suspension solide.

Un groupe de plantes rassemblées autour d'une fenêtre anime une bibliothèque qui accueille une belle série de livres anciens. L'ambiance est résolument rustique avec la prédominance du bois patiné. On pourrait ressentir une certaine mélancolie sans la présence végétale généreuse et spontanée. La disposition des pots sur plusieurs niveaux permet de composer un décor au volume intéressant. Il y a du rythme dans cette mise en scène qui parvient à mélanger avec beaucoup de justesse la souplesse et la rigidité. Cette dernière est apportée par le jeune banyan qui lance tout droit ses pousses aux feuilles oblongues et coriaces. Il faudra pincer les tiges principales pour provoquer des ramifications et faire buissonner la plante.

À ESSAYER AUSSI

Calibanus hookeri
Cette plante grasse venue du Mexique forme un caudex sphérique de 20 à 30 cm de diamètre, couvert d'une écorce épaisse et liégeuse. Feuilles très fines en touffe. Jolies fleurs roses en été.

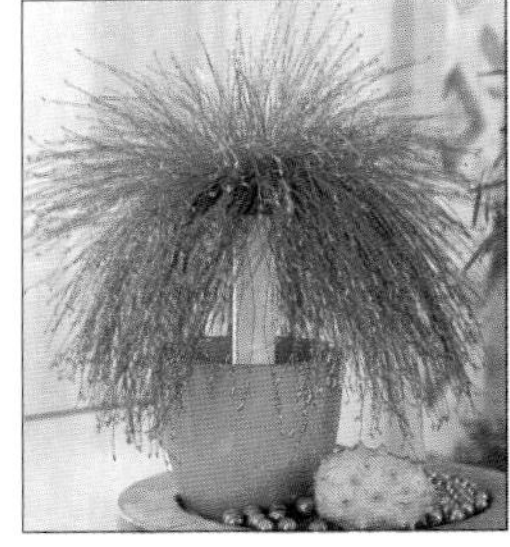

Pogonatherum paniceum
Très proche des bambous, cette graminée forme une touffe compacte de tiges herbacées à port souple. Une pièce lumineuse et une relative fraîcheur lui sont profitables. Fertilisez.

Scirpus cernuus
Appréciant les lieux assez frais (maximum 18 °C) et une exposition mi-ombragée, cette plante proche des joncs a besoin d'un sol humide en permanence. Feuillage très fin, souple, original.

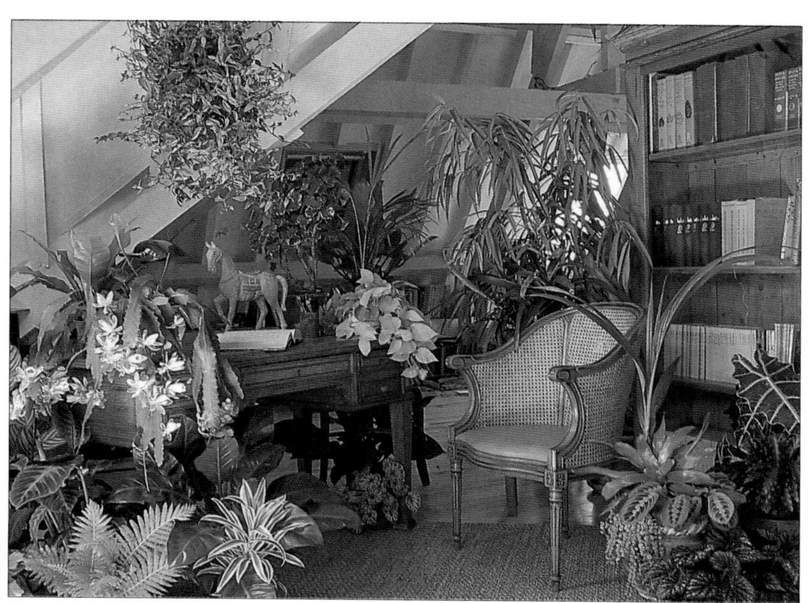

D'autres idées

◀ Invasion végétale

Il faut se faufiler entre les plantes pour atteindre le fauteuil noyé dans la végétation. Ce bureau bibliothèque de style Empire a été transformé en jardin tropical, signe de la passion des propriétaires pour les plantes. La pièce située dans les combles bénéficie du fort éclairage de deux grandes fenêtres de toiture. La disposition de ces ouvertures permet aux rayons solaires de se répartir de façon plus homogène sur toute la surface. Résultat, les plantes trouvent des conditions favorables à leur développement. Parmi la vingtaine d'espèces présentes, on remarque surtout l'éclatante floraison d'un *Schlumbergera truncata* (cactus de Noël).

▶ Souvenirs d'Orient

Dans une bibliothèque débordant d'ouvrages variés, des tapis d'Orient sur le sol et les murs affirment un petit côté exotique, renforcé par la présence généreuse des plantations. Un *Phoenix roebelenii* s'intègre bien dans le contexte, rappelant le panache ample et fin d'un palmier dattier. À ses pieds, un jeune *Syngonium podophyllum.* En vis-à-vis, un palmier « queue de poisson » *(Caryota mitis)* apporte une note originale et exotique. Il en est de même pour le grand caféier *(Coffea arabica).* Ici, les plantes prennent des proportions assez exceptionnelles du fait de la présence d'une grande baie vitrée sur le côté. La température est maintenue en permanence au-dessus de 18 °C.

astuce Truffaut **Vaporisez au moins une fois par jour le banyan en insistant sur les tiges, car une forte humidité peut être l'occasion d'assister à l'apparition de racines aériennes qui donnent à la plante beaucoup d'originalité. Sinon, il faut souvent attendre près de 5 ans, le temps que l'arbre s'étoffe un peu plus.**

LES BONS GESTES

Le rempotage des plantes doit intervenir lorsque les racines se trouvent trop à l'étroit dans le contenant. Cela se manifeste souvent par un ralentissement de la croissance, mais aussi par la présence d'un réseau de racines à la périphérie de la motte. Il est indispensable de démêler ces racines et même de les retailler partiellement, sinon elles restent dans leur position spiralée qui les empêche de se développer. Attendez au moins deux mois avant de fertiliser après le rempotage.

Miniplantes et mégaoctets

Installées sur la table de travail, à proximité d'un ordinateur, les plantes sont des compagnes agréables dont la présence reposante stimule l'inspiration, encourage à l'effort et améliore la performance de l'activité intellectuelle. On se concentre plus efficacement en fixant un feuillage, car la couleur verte est perçue comme assez neutre, ce qui évite toute distraction. Quand l'œil contemple une fleur, le cerveau gomme l'environnement, pour se focaliser sur la beauté pure et les couleurs vives. Il est alors plus facile de réfléchir et de faire preuve d'esprit de synthèse. Inutile de composer des associations sophistiquées, la simple présence végétale suffit. Des anthuriums côté plantes à fleurs, pour leur originalité et la durée de leur épanouissement, un papyrus au feuillage souple et léger pour ajouter une note de fantaisie. Pour l'entretien, mieux vaudra transporter les plantes jusqu'à la cuisine ou la salle de bains afin de les arroser et de les fertiliser sans risquer de tacher ou de mouiller le matériel informatique.

LES PLANTES POUR RÉUSSIR

1 **Vigne d'appartement *(Cissus rhombifolia* 'Ellen Danica'*)*,** une grimpante vigoureuse et facile.

2 **Flamant rose *(Anthurium andreanum* x*)*,** des feuilles coriaces et un spadice bien droit.

3 **Langue de feu *(Anthurium scherzerianum)*,** reconnaissable à son spadice en tire-bouchon.

4 **Papyrus *(Cyperus alternifolius)*,** une touffe élégante qui nécessite un arrosage fréquent.

À ESSAYER AUSSI

Hedera helix
Le lierre conduit sur des arceaux ou des formes métalliques fait une très jolie plante à poser sur le bureau.

Zamioculcas zamiifolia
Ressemblant à la fois à une fougère, à un cycas et à un palmier, c'est un parent proche des philos. Il faut bien l'éclairer et surtout ne pas trop l'arroser durant l'hiver.

D'autres idées

▶ Réflexions épineuses

Il peut paraître un peu incongru d'installer des cactées tout près d'un ordinateur en raison du caractère épineux de ces plantes. Mais en réalité, leur présence permet d'adopter une attitude plus posée, de mesurer nos gestes, de mieux maîtriser nos réactions et surtout de ranger avec plus de soin papiers et accessoires. En raison de la grande solidité de ces plantes, ici un *Cereus peruvianus* et un jeune coussin de belle-mère *(Echinocactus grusonii)*, l'entretien est limité et la longévité assurée, à condition de ne pas trop arroser. Pour éviter les risques de souillure par le terreau, recouvrez la surface du pot avec des petits gravillons ou de la pouzzolane, les cactées apprécieront aussi l'attention.

▲ Mystères de la nature

Pour exciter votre curiosité et stimuler votre sens de l'observation (ou celui de vos enfants), rien de tel que des plantes carnivores dont le comportement est vraiment passionnant. Installées sur un vieux bureau d'écolier, *Pinguicula vulgaris* et *Dionaea muscipula* sont bien exposées à la lumière, mais ne reçoivent pas de soleil trop brûlant. Les plantes carnivores poussant naturellement dans les zones de tourbière, on a installé les pots dans des coupelles profondes, afin de pouvoir les remplir partiellement d'eau dès que la température dépasse 20 °C. Une alternance de très forte humidité et de quelques jours de sécheresse est une des conditions de la réussite de ces pièges vivants.

astuce Truffaut **Sur les meubles en bois comme les bureaux, disposez toujours les potées sur un support épais et absorbant. En effet, même si elles sont installées dans des cache-pots étanches, de l'humidité peut apparaître, sécrétée par les plantes elles-mêmes ou en raison d'un contenant mouillé.**

IDÉES DÉCO

L'ambiance studieuse d'un bureau est tout à fait propice à la réalisation d'expériences diverses avec les plantes. Des essais variés de multiplication peuvent associer le plaisir de voir pousser de nouvelles plantes et un certain aspect décoratif. Verres, vases, pots, coupes, godets, cloches, soucoupes sont autant d'éléments à l'aspect insolite, qui vont contribuer à créer une ambiance originale et sympathique. Réunissez toutes vos plantations sur une étagère ou un retour de bureau, à condition que l'emplacement soit assez lumineux, mais ne recevant pas en direct les plus forts rayons du soleil. Tentez les boutures les plus variées dans l'eau ou dans un mélange de sable et de tourbe et n'hésitez pas à entreprendre des semis, c'est vraiment passionnant !

Un certain goût pour le luxe

LES PLANTES POUR RÉUSSIR

1 **Kentia *(Howea forsteriana),*** le plus solide des palmiers d'intérieur dépasse 2,50 m en pot.

2 **Orchidée (*Dendrobium* x),** un grand besoin de lumière, de chaleur et de vaporisations fréquentes du feuillage à l'eau tiède.

3 ***Alocasia sanderiana,*** une plante rhizomateuse originaire des Philippines, qui aime l'humidité.

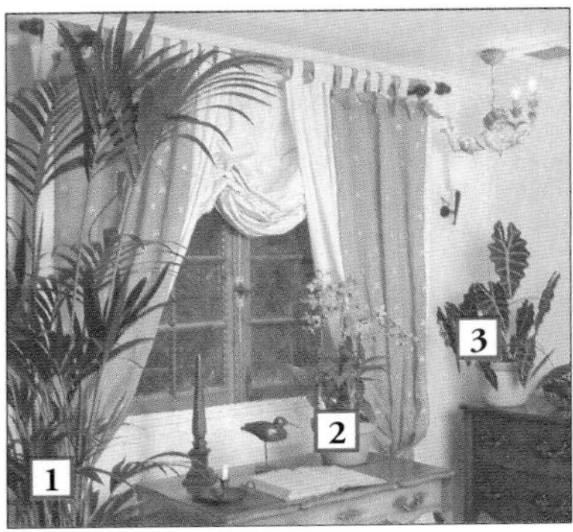

Sans être ostentatoire, le chic de ce bureau style Empire est indéniable. L'ambiance raffinée est due à la qualité des meubles façonnés dans des bois rares pour imiter parfaitement la patine du temps et respecter toute la finesse de l'ébénisterie d'art. L'effet décoratif est savamment dosé avec une recherche du détail qui frise la perfection. Par exemple, le tissu des rideaux est ponctué des mêmes dessins d'abeilles que ceux qui ornaient les documents personnels de Napoléon. Dans ce contexte, il était normal d'opter pour des plantes assez sophistiquées comme l'orchidée et l'alocasia qui soulignent avec élégance l'originalité de l'endroit. Un bureau d'apparat où le moindre objet est mis en place avec un souci méticuleux d'esthétisme.

À ESSAYER AUSSI

Xanthosoma lindenii
Cette plante colombienne aux feuilles en fer de lance apprécie une exposition plutôt ombragée, une forte température et beaucoup d'humidité dans l'air. Utilisez un substrat tourbeux.

Dendrobium thyrsiflorum
Cette orchidée épiphyte se cultive de préférence dans un panier suspendu car ses inflorescences forment des grappes pendantes, de 30 à 40 cm de long. Température minimale : 15 °C.

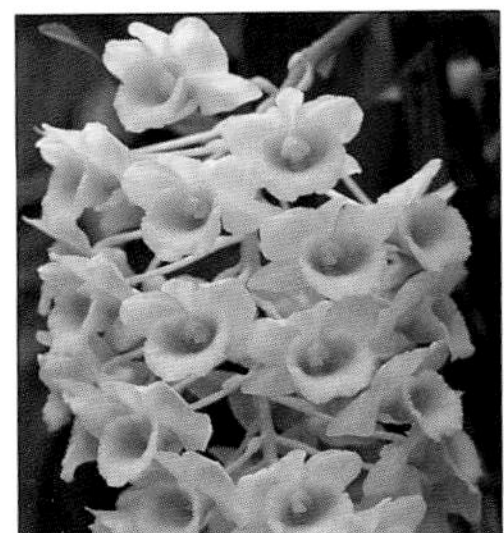

Ficus cyathistipula
Une espèce introduite récemment dans les collections de plantes pour la maison. Son port droit mais touffu peut conduire à l'utiliser à la place du palmier. La croissance est assez rapide et la plante peut atteindre 2 m en pot.

D'autres idées

◀ Vue imprenable

Profitant d'une vue dégagée sur les toits de la ville, ce bureau est un lieu de contemplation et de méditation. L'ambiance « zen » est accentuée par les lignes très sobres et contemporaines du mobilier. Tout est propre, net, dépouillé. Ce n'est pas un endroit d'action, mais de réflexion.
Baigné par la lumière que procure généreusement l'immense baie vitrée, un *Ficus benjamina* atteint un développement spectaculaire. Sa hauteur dépassant celle du plafond, la tige principale s'est naturellement dirigée vers la cage d'escalier où elle dispose de plus d'espace. C'est ce qui donne cet aspect faussement déséquilibré à la plante.

▶ Souvenir de Dickens

L'ambiance très britannique de ce bureau est due au meuble lui-même et au rideau, apprêté avec juste ce qu'il faut de délicatesse pour laisser flotter dans l'air un léger parfum de romantisme. L'atmosphère est cosy, chaleureuse, vivante et gaie, bien que très sobre. Dans ce contexte, le *Pachira macrocarpa* apporte une note de séduction supplémentaire par son port étonnant. Il s'agit de plusieurs pieds dont les tiges principales ont été tressées jeunes. Aujourd'hui lignifiées, elles forment un tronc qui donne l'impression d'être sculpté. La plante profite pleinement de la forte luminosité apportée par la fenêtre toute proche. Elle apprécie aussi la température modérée de la pièce.

astuce Truffaut **Dans un contexte décoratif assez sophistiqué, ne surchargez pas vos plantes avec des cache-pots trop voyants. Optez plutôt pour la sobriété de la terre cuite. Les orchidées ayant un substrat très filtrant, il faut placer le pot d'origine dans un plus grand dont le fond n'est pas percé, mais tapissé de gravillons.**

LES BONS GESTES

Les dendrobiums sont des orchidées monopodiales qui développent de longues tiges en forme de cannes qu'il est possible de bouturer. Les boutures sont toujours prélevées dans la partie supérieure de la tige (la plus jeune) et coupées au-dessus d'une feuille. Elles doivent mesurer une vingtaine de centimètres de longueur. Après les avoir laissées sécher durant une journée, plantez les boutures dans une miniserre chauffante, contenant du substrat pour orchidées préalablement bien humidifié. Vaporisez et fermez la serre pour entretenir une atmosphère confinée. La température intérieure doit être supérieure à 25 °C. Enracinement en 1 mois environ.

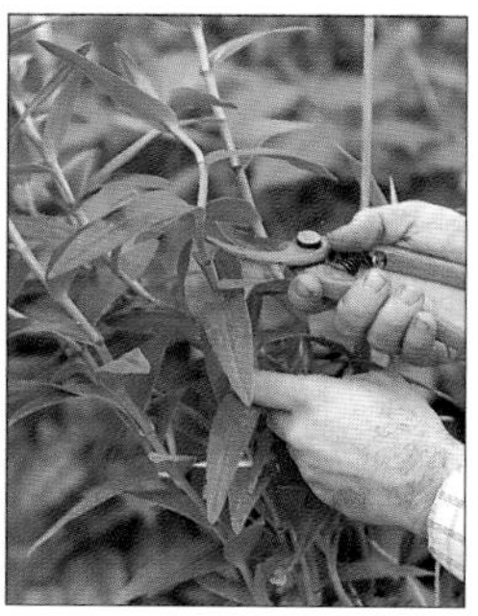

Lecture tout confort

LES PLANTES POUR RÉUSSIR

1 **Kentia *(Howea forsteriana)*,** un grand palmier aux longues palmes souples et arquées.

2 ***Ficus benjamina*,** un sujet de plus de 2 m de haut, qui apprécie la fraîcheur devant la fenêtre.

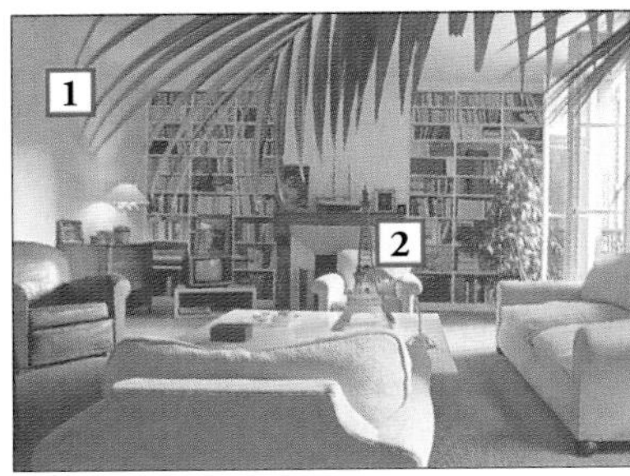

Résolument contemporaine, cette grande pièce avec ses canapés confortables sert de bibliothèque et de salon de lecture. Le mobilier est simple et sobre, afin de libérer un maximum de place et de dégager les volumes. La bonne perception de l'espace incite à la détente. Les plantes à la fois présentes mais discrètes renforcent cette impression de bien-être. Ce sont de grands sujets cultivés dans des bacs à réserve d'eau pour limiter l'entretien et placés tout près des grandes baies vitrées, pour profiter d'un maximum de lumière. La pièce est généreusement aérée dès que le temps le permet, afin de créer une sensation vivifiante très appréciée par les plantes et par les occupants. Une pièce conviviale, claire, reposante où il fait bon lire.

À ESSAYER AUSSI

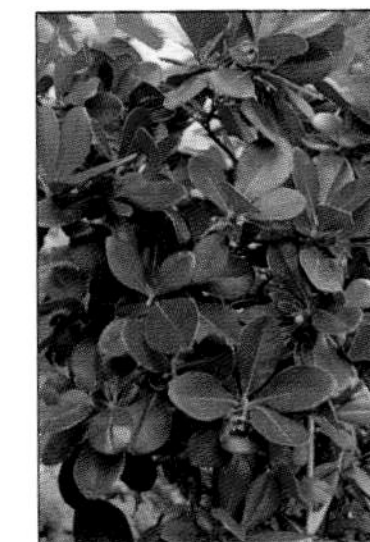

Clusia major
Ce petit arbre semi-épiphyte est originaire des Antilles. Ses feuilles ressemblent à celles du caoutchouc. Il dépasse 2 m.

Cycas revoluta
Dans une ambiance fraîche, ce « faux palmier » peut atteindre 2 m de haut et former un superbe panache de feuilles.

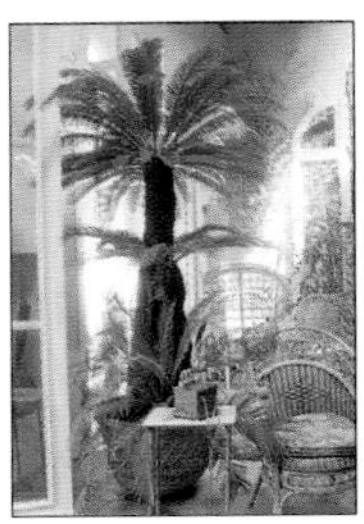

D'autres idées

▶ Tout en élégance...

Coin secret où l'on aime se réfugier, le bureau s'inspire de notre personnalité profonde et en dévoile toute la sensibilité. C'est une pièce où l'éclairage joue un rôle primordial, avec des lumières souvent tamisées ou indirectes. Ici, un clair-obscur où se profilent les ombres de chaque objet incite l'esprit à s'évader dans une évocation poétique et créative. C'est un lieu où l'on philosophe volontiers, inspiré par la forme torturée d'un bonsaï d'intérieur *(Ficus retusa)*. Encore jeune, mais déjà prometteur par sa silhouette faussement déséquilibrée, le petit arbre en pot s'avère un compagnon attachant auquel on confie ses états d'âme. Symbole d'harmonie et de longévité, le bonsaï est une plante qui s'exprime de façon exacerbée, réagissant rapidement et brutalement aux moindres erreurs de culture. C'est ce qui en fait un être aussi passionnant qu'exceptionnel, qui enrichira votre connaissance des plantes beaucoup plus vite et plus efficacement qu'un sujet « normal ».

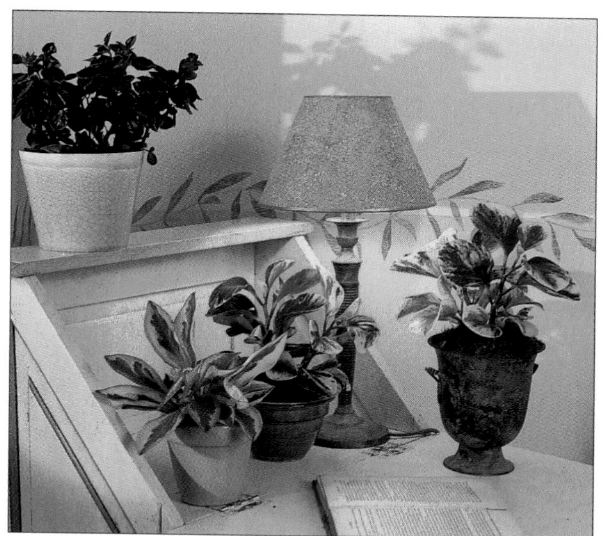

◀ Le coin du collectionneur

En matière de décoration, les grands espaces sont souvent bien plus difficiles à personnaliser que les petits emplacements, plus intimes, plus discrets. Ici, un joli secrétaire en bois de chêne patiné à l'ancienne sert de coin lecture, éclairé par une discrète lampe de chevet. L'ambiance est sereine, paisible, clandestine. On aime se retirer dans cet endroit pour y retrouver les plantes que l'on aime et ressentir leur présence toute proche. Cette partie de la pièce recevant un éclairage assez faible, il fallait choisir des espèces très résistantes et peu exigeantes. Le choix s'est porté sur un bel assortiment de pépéromias aux dimensions assez réduites et qui acceptent un minimum d'entretien et des arrosages assez épisodiques. On reconnaît *Peperomia obtusiifolia* 'Variegata' aux feuilles arrondies et panachées, *Peperomia clusiifolia* 'Variegata' aux feuilles oblongues et tricolores et sur le dessus du meuble *Peperomia bicolor* var *peduncularis*, aux feuilles d'un pourpre foncé presque noir, marquées de bandes argentées. Des plantes à maintenir entre 18 et 20 °C toute l'année dans un terreau assez fibreux.

astuce Truffaut **Dès que vous ouvrez la fenêtre dans une pièce, pensez à en fermer la porte afin d'éviter les courants d'air. Les plantes de la maison craignent la sensation de froid vif et brutal que génère un violent souffle de vent. Attendez pour aérer que la température extérieure atteigne au moins 15 °C.**

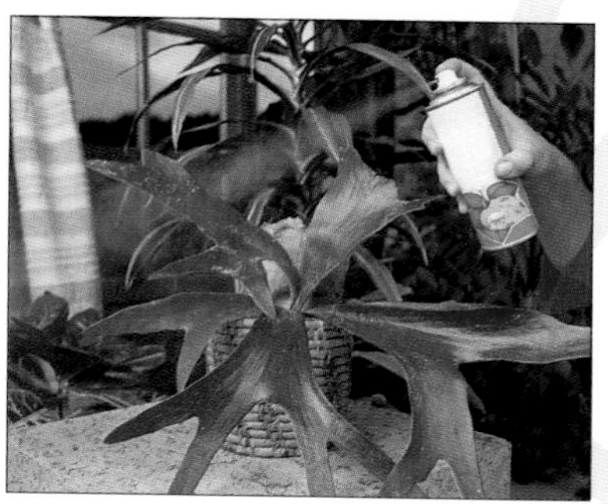

LES BONS GESTES

Les traitements insecticides proposés en bombe offrent l'avantage d'une diffusion très fine, ce qui les rend économiques et peu polluants (moins de matière active utilisée). Ils se diffusent bien sur la plante, parvenant à entrer en contact avec les insectes les mieux dissimulés (sous le feuillage par exemple). Toutefois, la détente du gaz sous pression entraîne une sensation de froid qui peut être préjudiciable à la plante. Pendant le traitement, tenez la bombe aérosol à 40 cm de la plante.

Un instant d'étonnement
Disposées sur une petite table de bureau en bois, quelques plantes à la silhouette originale composent un ensemble dynamique et plaisant. Les plantes sont cultivées en hydroculture dans des contenants en faïence, dont la forme carrée s'intègre bien dans un intérieur de style moderne. Deux spathiphyllums nains accompagnent une plante bouteille *(Beaucarnea recurvata)* et un *Alocasia sanderiana*. Les feuilles de ce dernier seront régulièrement nettoyées avec une éponge humide afin de les dépoussiérer et d'offrir à la plante l'ambiance moite qu'elle apprécie par-dessus tout. Exposition à la lumière vive, mais tamisée. Température moyenne de 20 °C.

Fantaisie de feuillages

À proximité des rayonnages de la bibliothèque, un *Calathea zebrina* 'Humilior' domine un *Begonia rex* x, un *Maranta leuconeura* 'Fascinator' , avec à l'arrière-plan un *Ctenanthe lubbersiana*. Ce décor de conception toute simple donne une impression d'élégance et de raffinement, grâce au choix judicieux des variétés. Chaque plante utilisée possède un feuillage original et les teintes s'harmonisent parfaitement. Toute l'astuce vient de la présence du bégonia aux feuilles argentées, qui crée un effet lumineux mettant toutes les autres plantes en valeur.

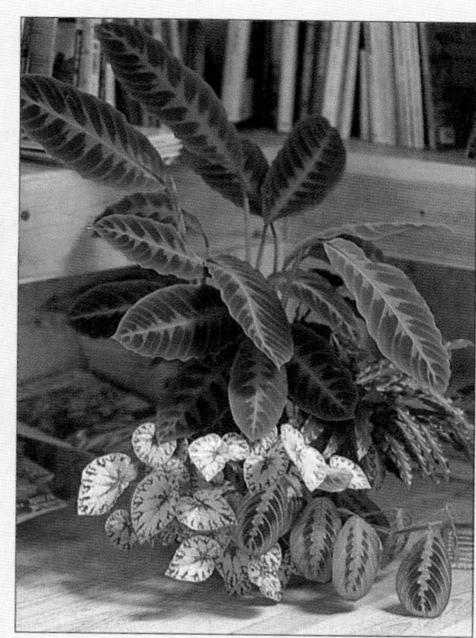

La magie des fleurs

Les plantes à fleurs sont incomparables pour attirer le regard et donner un air de fête dans la maison. Sur ce bureau en bois, une orchidée (*Miltonia* x), un *Streptocarpus* x et une violette du Cap *(Saintpaulia ionantha)* rivalisent de beauté dans un subtil contraste de couleurs. Stars éphémères, les plantes à fleurs doivent être régulièrement renouvelées car le décor de la maison mérite la perfection. Une occasion d'entretenir une ambiance végétale dont on ne se lasse jamais.

Un fourmillement végétal

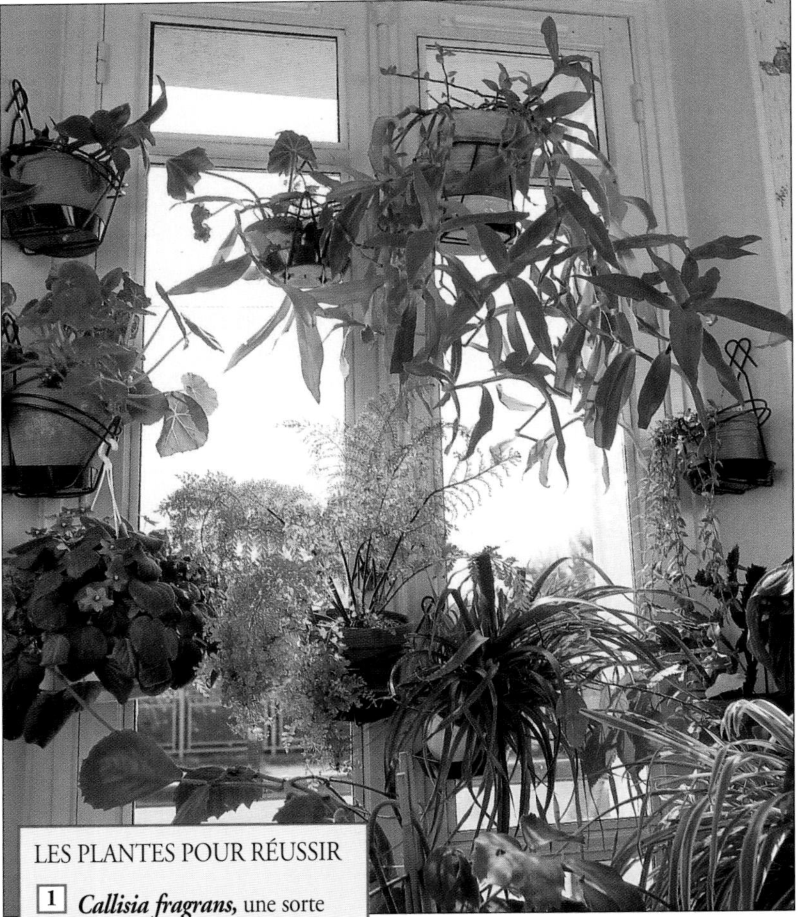

Une fenêtre exposée à l'est a été condamnée, afin de transformer un coin de salon en serre improvisée. Ici, pas d'artifice décoratif, ce sont les plantes qui assurent la mise en scène et l'effet attractif. De simples porte-pots métalliques servent de support. Ils sont disposés dans l'encadrement, pour que les plantes occupent tout le volume. L'important, c'est l'abondance et la diversité, de façon à éviter une impression monotone. Cette ornementation qui affiche clairement un amour immodéré pour le végétal nécessite des interventions d'entretien très fréquentes. Il faudra vaporiser souvent et ne pas hésiter à fertiliser régulièrement toutes les potées, car la croissance est fortement stimulée par l'abondance de lumière. Un décor qui se renouvelle en permanence.

astuce Truffaut **Contrairement à ce qui est conseillé d'ordinaire, les plantes en suspension gagnent à être arrosées en remplissant la soucoupe. Cela évite de mouiller le feuillage et surtout le sol. Vérifiez que la plante absorbe toute l'eau dans l'heure qui suit l'apport, sinon éliminez l'excédent (très important en hiver).**

LES PLANTES POUR RÉUSSIR

1 ***Callisia fragrans,*** une sorte de misère à grandes feuilles.

2 ***Begonia*** **'Erythrophylla',** porte des fleurs roses en fin d'hiver.

3 **Violette du Cap *(Saintpaulia ionantha),*** floraison longue durée.

4 ***Asplenium bulbiferum,*** forme des petits rejets sur les frondes.

5 ***Codonanthe gracilis,*** à port retombant, fleurs blanches en été.

6 ***Billbergia nutans,*** une broméliacée épiphyte très touffue.

7 **Phalangère *(Chlorophytum comosum),*** forme de longs stolons.

LES BONS GESTES

Dès que la température ambiante atteint 20 °C, augmentez l'humidité atmosphérique au voisinage des plantes par des vaporisations d'eau claire à la température de la pièce. Les fougères (ici un *Nephrolepis* et un *Polypodium*) apprécient cette intervention.

D'autres idées

▶ Une généreuse corbeille

Exemple caractéristique du cadeau que l'on reçoit pour une fête ou un anniversaire, la corbeille de plantes associe plusieurs sujets choisis uniquement pour leur esthétique. Ils sont plantés le plus serré possible, pour créer un ensemble qui flatte le regard. Il est possible de profiter de cette composition durant un mois ou deux, mais ensuite les plantes vont se gêner et surtout manifester une réelle désapprobation de leurs conditions de vie. Jaunissement, brunissement, chute des feuilles, dessèchement vont inévitablement apparaître. Il convient donc d'envisager un rempotage individuel de chaque plante ou de les intégrer dans un bac d'ensemble qui dispose de plus de place. Veillez à rassembler uniquement des espèces dont les exigences culturales sont similaires. Ici, la corbeille regroupe : gloxinia *(Sinningia speciosa), Plectranthus, Forsteri* 'Marginatus' et *Begonia massangeana*, des plantes qui s'accordent bien sur le plan de la luminosité, de la température et de l'arrosage.

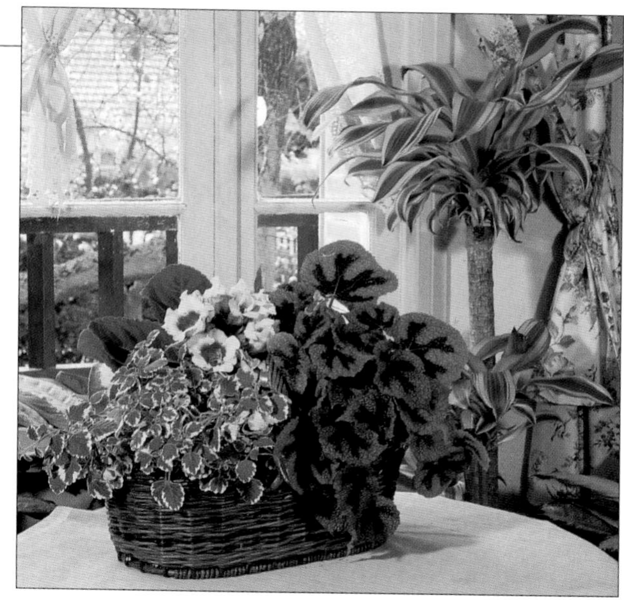

◀ Massif hétéroclite

Rassembler les plantes de la maison dans un même endroit et de préférence devant une fenêtre est une excellente chose. La communauté crée par son volume de transpiration un microclimat bénéfique pour chaque individu qui la compose. La lumière vive, qui peut être tamisée par un voilage, garantit une bonne croissance. L'entretien est facilité et l'on ne risque pas d'oublier une plante isolée. Même le regroupement décousu de plantes aux formes variées génère un fort effet décoratif. La collection se compose ici de *Calathea, Callisia, Nephrolepis, Ctenanthe* et *Pelargonium graveolens* pour la rangée supérieure et de *Scirpus, Peperomia, Guzmania, Nertera, Cyperus, Adiantum,* pour le premier rang.

▶ Devancer le printemps

Le rebord de fenêtre est bien souvent l'endroit le plus frais de la pièce, surtout si les carreaux sont en simple vitrage. On peut constater une différence de température d'au moins 5 °C, notamment durant la nuit. Cela est dû à la perte rapide de calories en raison des ponts thermiques que provoque la cohabitation de matériaux à conductibilité de chaleur différente. Résultat, on peut installer dans cet endroit des plantes qui apprécient une certaine fraîcheur. C'est le cas ici, avec une jolie collection de bulbes printaniers forcés (*Puschkinia* 'Ruby Giant' à fleurs roses, *Tulipa tarda, Puschkinia scilloides*) qui enchantent la maison durant une douzaine de jours, bien avant que le soleil printanier ne permette à ces plantes de s'épanouir dans le jardin.

Candeur et pureté

*B*lancheur éclatante des fleurs et des accessoires, symbole de jeunesse, de féminité, de délicatesse, de fraîcheur et d'innocence, cette décoration marque une volonté de séduire avec discrétion et distinction. L'idée d'une composition monochrome n'est pas nouvelle, mais quand on la réussit, on est certain d'obtenir un franc succès. Ici, la fenêtre apporte un éclairage latéral de fin d'après-midi, qui en projetant de longues ombres, a tendance à assombrir la pièce. Mais sous la caresse des rayons très doux, les fleurs prennent un éclat incomparable et illuminent la scène. Pour accentuer l'effet exotique, des grandes palmes de kentia *(Howea forsteriana)* et des feuilles bien ciselées d'un *Pachira macrocarpa* occupent l'arrière-plan. Une composition tout en finesse, jusque dans les accessoires.

IDÉES DÉCO

Placés devant une fenêtre, des verres de formes et de contenances différentes s'admirent en contre-jour. Cet éclairage particulier met en valeur les racines encore translucides des boutures et en fait apprécier toute l'architecture graphique. Ici, phalangère, lierre et papyrus ont parfaitement repris et commencent à pousser. Vous pouvez conserver ces nouvelles plantes durant plusieurs mois, à condition de changer l'eau une fois par semaine et d'y ajouter une goutte d'engrais.

LES PLANTES POUR RÉUSSIR

1 **Lierre** ***(Hedera helix),*** une variété à petites feuilles panachées.

2 **Orchidée** ***(Phalaenopsis* x),** des fleurs en forme de papillon.

3 **Bégonia** ***(Begonia elatior),*** un bel hybride à fleurs très doubles.

4 **Violette du Cap** ***(Saintpaulia ionantha),*** une forme naine.

5 **Jasmin de Madagascar** ***(Stephanotis floribunda),*** parfumé.

6 ***Spathiphyllum wallisii,*** une variété compacte très florifère.

D'autres idées

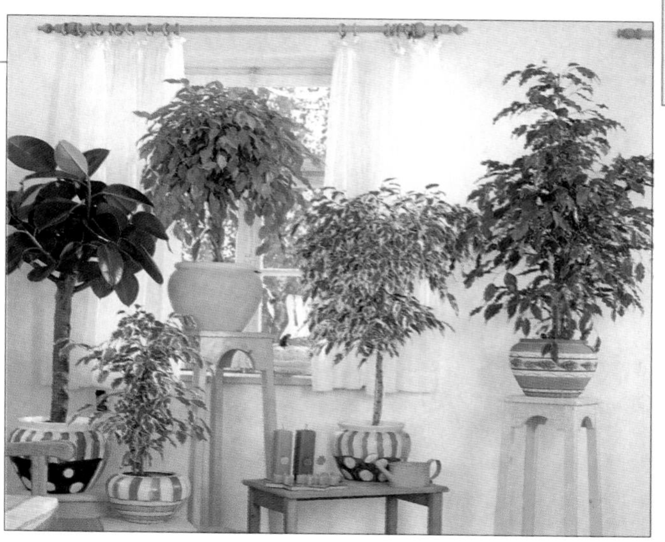

▶ Les ficus en famille

Comptant quelque 800 espèces, le genre *Ficus* est un des plus diversifiés parmi les plantes cultivées dans la maison. Il est donc tout à fait possible de composer un décor rien qu'avec des formes différentes du même genre. C'est ce qui a été réalisé ici. Mais l'inspiration du décorateur a été beaucoup plus loin… Partant du principe que la seule dénomination commune des plantes était insuffisante pour engendrer une idée d'unité, les accessoires sont utilisés pour créer un lien visuel, tout en apportant une note de fantaisie. Des tabourets de bar ont été peints de différentes couleurs. De diverse hauteur, ils constituent des supports simples, astucieux et variés pour les plantes. Ces dernières sont habillées de cache-pots aux couleurs très vives qui animent et renforcent la scène.

◀ Harmonie totale

Le fin du fin en matière de décoration avec les plantes consiste, comme ici, à retrouver les mêmes couleurs sur le contenant que dans les fleurs. Les orchidées (*Phalaenopsis* x) d'un jaune diaphane sont associées à des violettes du Cap *(Saintpaulia ionantha)* dans une jardinière aux jolis motifs géométriques du même ton que les fleurs.

▼ Passion géranium

Le genre *Pelargonium* est loin de se limiter aux seuls géraniums de nos balcons. Il se décline en 230 espèces, la plupart sud-africaines, qui apprécient de séjourner dans la maison, hormis en été. Ici, un ensemble de variétés originales est cultivé dans des cache-pots aux dimensions et aux teintes variées, pour une très belle composition.

astuce Truffaut

Une composition monochrome doit obligatoirement s'intégrer dans un environnement qui la met en valeur. Pour cela, mieux vaut utiliser un arrière-plan dont les teintes s'opposent afin de créer un contraste. Bleu et jaune, blanc et noir, orange et violet, rouge et vert, rose et blanc, sont les plus toniques. Mais vous pouvez jouer de plus de subtilité avec rose et mauve, rouge et jaune, etc.

LA VÉRANDA ET LE JARDIN D'HIVER

Alangui par une douce moiteur qui évoque des îles paradisiaques aux noms qui fleurent bon les vacances, laissez-vous emporter jusqu'au bout de vos rêves. ❀ *La porte de la verrière tout juste franchie, vous êtes immédiatement transporté à des milliers de kilomètres de votre quotidien. La luxuriance des plantes vous ravit, l'opulence des feuillages vous étonne, le parfum subtil des fleurs vous enchante, c'est un autre monde, et il vous appartient.* ❀ *Au cœur de sa bulle de verre, l'heureux propriétaire d'une serre ou d'une véranda s'isole dans un microcosme où les plantes sont reines. Tout y pousse en un grand élan généreux, grâce à la merveilleuse alchimie qui mêle la lumière, la chaleur et l'humidité.* ❀ *Les conditions climatiques quasi parfaites que l'on rencontre sous une verrière vous transforment d'un coup de baguette magique en excellent jardinier.* ❀ *L'orchidée qui se refusait à fleurir va de nouveau épanouir ses corolles merveilleuses. Un ficus tout flapi se redresse et se remet à pousser avec entrain. Un philo dont les feuilles, de moins en moins découpées, s'amenuisaient comme peau de chagrin retrouve de sa superbe et s'orne à nouveau de dentelle.* ❀ *Sous l'écrin de verre, toutes les ambitions se concrétisent. Vous amadouez les plantes les plus revêches, vous acclimatez des raretés que chacun admire, et vous faites des heureux dans votre entourage avec de jolies plantes de votre production.* ❀ *Conservatoire hivernal des espèces frileuses, oasis de verdure où s'épanouissent des beautés exotiques, lieu privilégié d'expériences passionnantes ou simple pièce de farniente et de méditation, la véranda, la serre ou le jardin d'hiver, comme il vous plaira de l'appeler, n'a en fait qu'un seul nom : le paradis de l'amoureux des plantes.* ❀

Détente dans la fraîcheur

LES PLANTES POUR RÉUSSIR

1 ***Solanum jasminoides,*** souple, grimpant ou retombant, parfumé.

2 **Citronnier *(Citrus limon),*** persistant, fleurs odorantes.

3 ***Anthemis cupaniana,*** une boule de marguerites estivales.

4 ***Bougainvillea glabra,*** une profusion de bractées écarlates.

5 **Néflier du Japon *(Eriobotrya japonica),*** persistant, fleurs blanches en hiver, fruits comestibles, jaunes.

6 ***Aeonium,*** succulente arbustive.

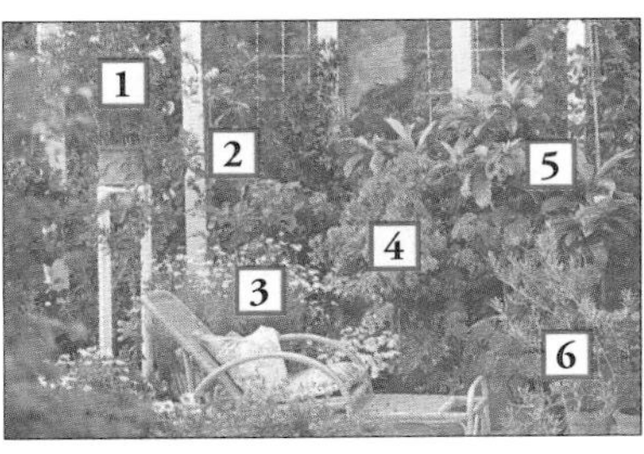

Une ambiance très méditerranéenne pour cette véranda qui accueille, d'octobre à mai, des plantes rappelant les douces heures de farniente estival sur la Côte d'Azur. Généreuses et prolifiques, elles pourront décorer le balcon ou le jardin durant la belle saison. Dans une véranda bien aérée, toute cette collection de « belles à l'accent du Midi » pourra être maintenue toute l'année sous la verrière. Le secret de la réussite vient d'un arrosage modéré et surtout d'écarts de température importants (de 4 à 6 °C) entre le jour et la nuit, qui garantissent une floraison abondante et quasi permanente de ces plantes amoureuses du grand soleil. Et un petit truc en plus : n'hésitez surtout pas à tailler.

À ESSAYER AUSSI

Passiflora* x *alatocaerulea

Une grimpante aux fleurs merveilleuses qui ne durent qu'une journée, mais se succèdent en permanence tout l'été. Fertilisez très généreusement avec un engrais liquide.

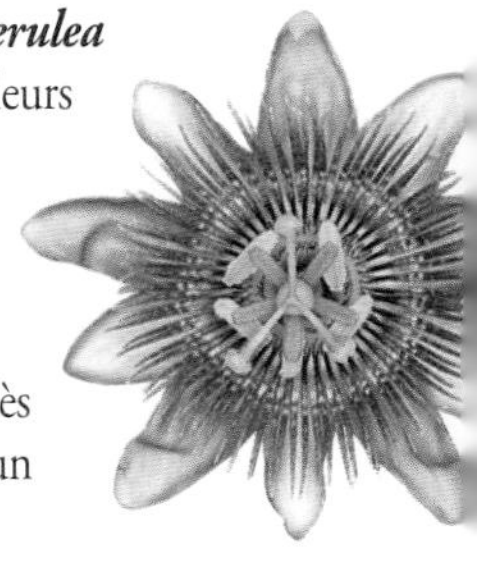

Datura en arbre *(Brugmansia sanguinea)*

Un superbe arbuste dont les fleurs en trompette peuvent dépasser 20 cm de long. Attention, toute la plante est toxique.

D'autres idées

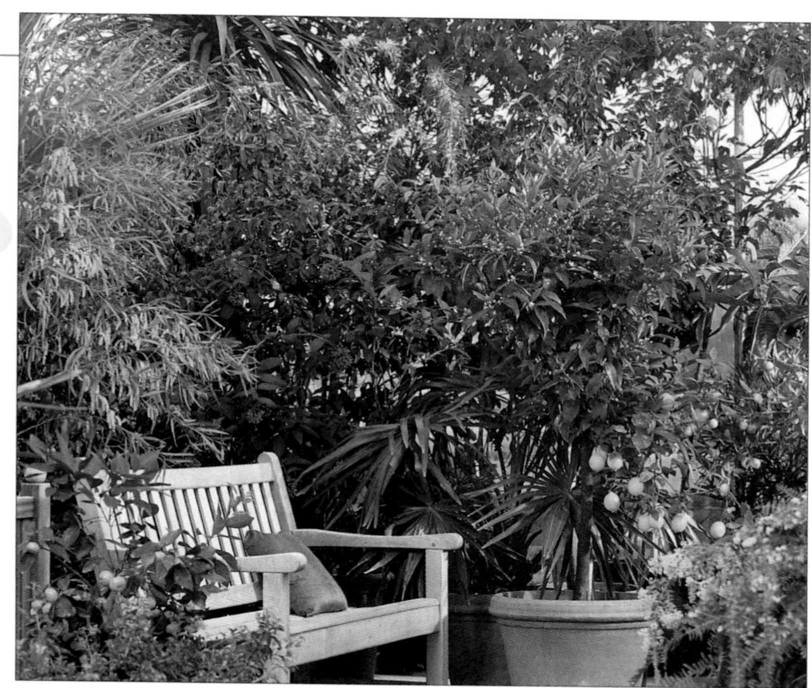

▶ Rêver de la grande bleue

Installez-vous confortablement sur le banc, étirez les bras et les jambes, détendez tous les muscles et fermez les yeux… Vous êtes sur la Croisette, dans un spectaculaire environnement végétal, il ne manque plus que les stars du Festival et la Méditerranée.
Un grand *Acacia longifolia* embaume de ses épis parfumés. C'est un cousin du mimosa, qui exige les mêmes conditions de culture. À sa droite, un *Cestrum elegans* porte ses grappes écarlates à l'extrémité de longues tiges arquées. Il contraste élégamment avec la floraison blanche du bigaradier (*Citrus aurantium*) et le jaune d'or des citrons. À l'arrière-plan, de grands abutilons et une *Cordyline australis*. Toutes ces plantes peuvent passer l'été en plein air et nécessitent une exposition très ensoleillée pour prospérer.

◀ La voûte enivrante d'une treille

De facture très contemporaine avec ses montants en aluminium laqué, cette véranda sert à la fois de conservatoire pour les plantes frileuses et de salle à manger. On peut y goûter, par tous les temps, la délicieuse impression de festoyer dehors, sans être gêné par le vent, la pluie ou les insectes.
Tout le charme du lieu vient de la magnifique treille, qui habille de verdure la toiture transparente de la construction. Très en vogue en Grande-Bretagne au XIXe siècle, quasi oubliée de nos jours, la culture sous verre de la vigne garantit une récolte généreuse sous tous les climats en mettant la floraison à l'abri des gelées printanières. Cette situation privilégiée expose aussi les sarments et le feuillage à une insolation maximale, ce qui renforce la teneur en sucre du raisin. Stimulée par cette ambiance favorable, la vigne se montre alors plus résistante à ses ennemis naturels et aux maladies.

astuce Truffaut

Ajoutez 1/4 de sable dans le substrat des plantes méditerranéennes en pot. En rendant le sol plus filtrant, vous éviterez les risques de pourriture des racines, surtout en hiver, où ces plantes doivent être conservées presque au sec et au frais.

LE BON GESTE

Durant la période de croissance, les agrumes apprécient des arrosages copieux mais bien espacés, le substrat devant sécher sur 2 à 3 cm en surface entre 2 apports d'eau. Utilisez de préférence de l'eau de pluie afin d'éviter tous les risques de chlorose ou bien ajoutez un produit décalcairisant, qui neutralisera le calcaire contenu dans l'eau de ville. Un apport d'engrais liquide est apprécié tous les 3 arrosages, le fertilisant étant toujours apporté sur la motte de terre bien humidifiée.

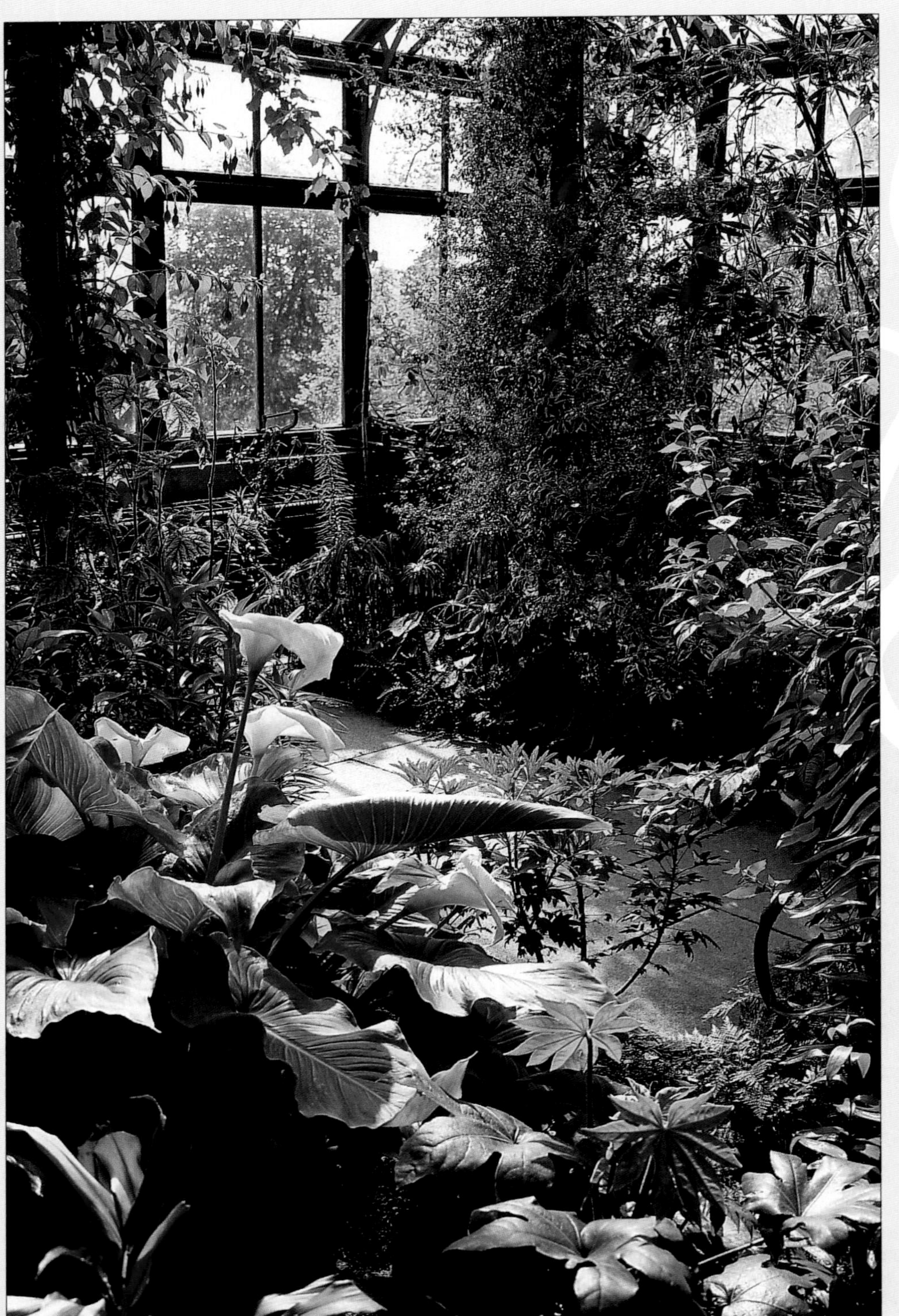

PAGE DE DROITE
Évasion subtropicale
Sous son élégante armature en cèdre rouge, cette serre véranda accueille une végétation foisonnante qui se contente d'être maintenue hors gel durant l'hiver. À droite, un magnifique *Coprosma baueri* 'Marginata', arbuste néo-zélandais. À gauche, la « fleur oiseau » du *Strelitzia reginae*, dominée par les branchages d'un *Tibouchina urvilleana*. Sur le mur, une passiflore.

Le jardin des mille plaisirs
Attenante à la maison et communiquant directement avec le salon, cette imposante serre en bois sert de sas entre l'habitation et le jardin. Quelle que soit la saison, l'opulence végétale reste la même, car les plantes y sont cultivées directement en pleine terre, du fait de la situation de plain-pied de la construction.
On reconnaît au premier plan un magnifique arum (*Zantedeschia aethiopica*). Un superbe fuchsia part à l'assaut du pilier de gauche, accompagné d'un bégonia. En vis-à-vis, le *Callistemon laevis* se pare de mai à juillet d'éclatants goupillons écarlates.

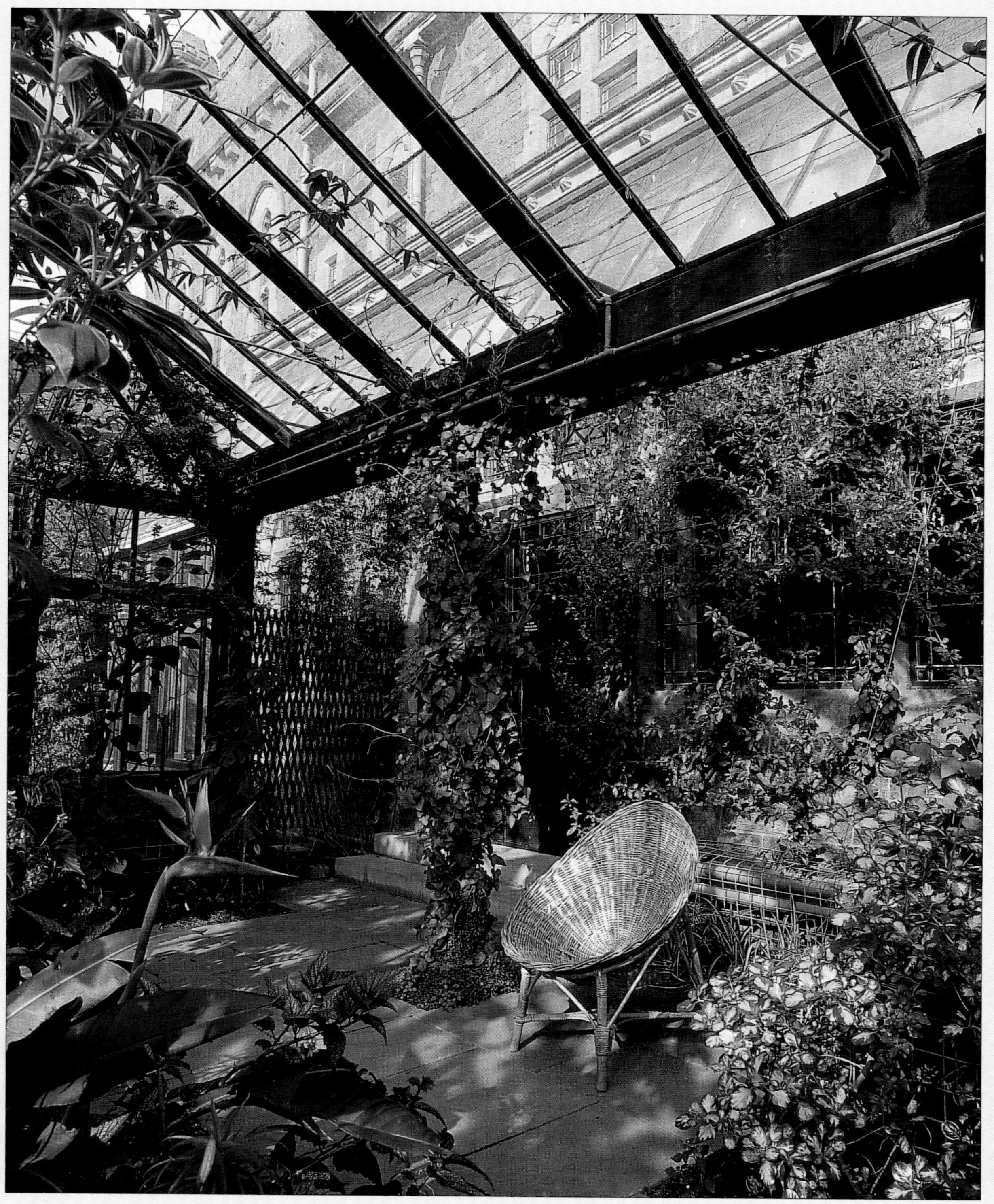

Une jungle apprivoisée

LES PLANTES POUR RÉUSSIR

1 **Kentia *(Howea belmoreana)*,** un palmier qui atteint 3 m.

2 ***Cymbidium* hybride,** une orchidée pour la pleine lumière.

3 ***Tetrastigma voinerianum*,** une liane de 3-5 m de long.

4 ***Heliconia stricta*,** des feuilles de 1,50 m de long. Fleurs superbes.

5 ***Yucca elephantipes*,** buisson aux feuilles semi-rigides. 2-4 m.

6 ***Alocasia macrorrhiza*,** des feuilles de 1 m, en fer de lance.

7 ***Dracaena marginata*,** une solidité à toute épreuve. 2-3 m.

8 ***Euphorbia tirucalli*,** plante grasse très ramifiée. 2-3 m.

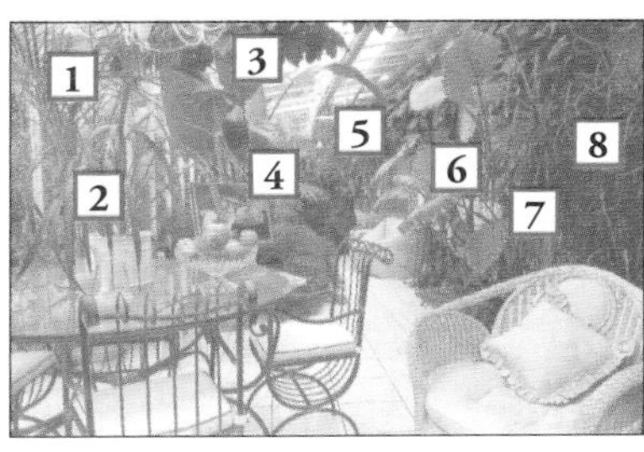

Une ambiance de jungle tropicale bien apprivoisée, c'est un rêve qui se concrétise, un lieu d'évasion et de détente où la végétation se fait accueillante. Profitant de l'effet de serre du toit vitré, cette pièce laisse s'exprimer toute la luxuriance des plantes, qui deviennent géantes quand elles sont plantées directement en pleine terre. Le créateur J.-P. Benet a en effet « oublié » des dalles à certains endroits, afin de disposer de jardinières « naturelles » tout à fait propices à le développement libre des racines. En hiver, la pièce est maintenue entre 14 et 16 °C au minimum par le chauffage central. Un système automatique assure une aération importante au moindre rayon du soleil. Des vaporisations régulières du feuillage entretiennent une ambiance bénéfique aux plantes.

À ESSAYER AUSSI

Ficus longifolia
Un bel arbre d'intérieur encore assez peu connu, mais de plus en plus souvent proposé dans les Jardineries. Ses feuilles ressemblent à celles du laurier-rose. Port fastigié. 2-4 m.

Heliconia rostrata
Un petit bijou de collection, aux feuilles ressemblant à celles du bananier et aux longues grappes retombantes, protégées par des bractées charnues. 2 m.

D'autres idées

◀ **À L'HEURE DU THÉ...**

En dépit de sa superficie assez limitée, cette véranda accueille une jolie collection de plantes. L'astuce a été de les superposer sur une grande étagère en rotin et de créer différentes variations de niveau, grâce à des colonnes qui supportent les spécimens les plus amples. On oublie trop souvent de mettre l'accent sur les volumes dans un jardin d'intérieur. C'est dommage, car c'est le moyen le plus simple pour donner une impression de générosité et de foisonnement végétal. Ici, on remarque trois sujets assez exceptionnels : l'Asparagus densiflorus à gauche, l'Alocasia macrorrhiza aux grandes feuilles en fer de lance au centre et, à droite, une retombée opulente de Cissus rhomboidea 'Ellen Danica'. Appréciez les jolis cache-pots.

▶ **UN PETIT COIN DE PARADIS**

Dans une ambiance végétale foisonnante, on déguste la sensation unique de prendre un repas en plein air, quelles que soient les conditions climatiques extérieures. La verrière donne directement sur le jardin et permet d'en apprécier les plantations et de rêver aux beaux jours devant le bleu de la piscine. C'est un lieu d'une grande intimité, qui donne l'impression d'un nid douillet grâce à la préséance généreuse du grand aréca à gauche *(Chrysalidocarpus lutescens)* et d'un *Yucca elephantipes* à droite, associé à un ficus et habillé d'une touffe d'asparagus.

astuce Truffaut

Pour éviter que le vitrage ne se tache de calcaire, utilisez de l'eau déminéralisée ou de l'eau de pluie pour toutes les vaporisations dans les verrières. Vous pouvez également ajouter du « décalcairisant » à l'eau du pulvérisateur et de l'arrosoir, ce qui est très bénéfique aux plantes, la plupart des espèces tropicales étant plutôt acidophiles.

UN BON CONSEIL

L'effet de serre, c'est-à-dire la faculté que présentent les surfaces transparentes de se laisser traverser par les calories du rayonnement solaire, mais de les retenir ensuite à l'intérieur de la verrière, oblige à prévoir un ombrage pour toutes les serres et les vérandas. Il existe de nombreux modèles de stores qui peuvent être tirés selon les besoins, ou qui se déroulent automatiquement, en fonction de la luminosité ambiante (programmation par une cellule photoélectrique). Il est préférable de les installer à l'intérieur afin qu'ils ne soient pas soumis aux intempéries, ce qui garantit une meilleure longévité. L'ombrage rafraîchit aussi l'ambiance.

Sous les palmiers

Ce tout petit jardin d'hiver qui sert d'entrée à la maison crée une ambiance sympathique et décontractée grâce au choix de plantes exotiques qui dépaysent immédiatement. La touffe généreuse d'aréca donne le ton. Dans ces conditions très favorables de température et de luminosité, elle dépassera 2 m de haut d'ici quelques années et viendra renforcer l'impression dépaysante de l'endroit. Les plantes les moins frileuses (lotier, grenadier, abutilon, arum, cordyline) pourront séjourner dans le jardin de mai à octobre, à condition de bénéficier d'une situation bien ensoleillée. Si ces espèces sont maintenues sous verre, une forte aération devra être assurée. En hiver, la température peut descendre sans problème entre 13 et 15 °C, en évitant les écarts trop importants.

LES PLANTES POUR RÉUSSIR

1 **Aréca *(Chrysalidocarpus lutescens)*,** un palmier en touffe.

2 **Rhapis *(Rhapis exelsa)*,** un palmier nain à tiges de bambou.

3 **Grenadier *(Punica granatum)*,** de jolies fleurs rouges.

4 **Lotier *(Lotus berthelotii)*,** un port gracieux, souple, retombant.

5 **Tilleul d'appartement *(Sparmannia africana)*,** velouté.

6 **Cordyline *(Cordyline australis* 'Variegata'*)*,** un beau panache.

7 **Arum *(Zantedeschia aethiopica)*,** des spathes colorées.

À ESSAYER AUSSI

Licuala grandis
Un palmier aux feuilles en éventails arrondis d'une grande élégance, qui demande une très forte humidité atmosphérique, avec des vaporisations matin et soir toute l'année.

Chamaedorea metallica
Un palmier très compact, dont le tronc unique est terminé par un généreux bouquet vert foncé lustré.

D'autres idées

◀ Retour vers le futur

Plantes inchangées depuis la préhistoire, les cycas et les fougères arborescentes (ici un *Dicksonia antartica*) confèrent à ce petit coin de jardin d'hiver une ambiance très originale, à la fois séduisante et mystérieuse. Une fois assis sur le très joli canapé en rotin, on peut s'imaginer revivre les aventures de *Jurassic Park*... Pour compléter l'aspect fort dépaysant de l'endroit, un imposant *Begonia heracleifolia* nous gratifie de son feuillage inhabituel et de sa floraison généreuse. Les bambous sont plantés en pleine terre, afin de constituer un fond végétal qui renforce l'impression de jungle, presque apprivoisée.

▶ En direct du bout du monde

Essentiellement décorée de fougères arborescentes originaires de Nouvelle-Zélande *(Dicksonia antartica)*, cette véranda se pare de ferronneries inspirées des verrières du siècle dernier. Le résultat est d'un surprenant modernisme où tout se joue dans les lignes sobres, élégantes et graphiques des plantes, de la construction et du mobilier.

Une orientation nord est nécessaire pour conserver les fougères qui ne supportent pas d'insolation directe. Il suffit de maintenir la température hivernale entre 7 et 12 °C pour que les plantes prospèrent. En revanche, plusieurs brumisations quotidiennes sont indispensables dès que la température dépasse 18 °C. Il faut aussi mouiller les troncs.

astuce Truffaut **La température ayant tendance à s'élever rapidement dans une véranda, n'hésitez pas à mouiller le sol chaque matin afin de rafraîchir l'ambiance. L'eau va s'évaporer et augmenter l'hygrométrie, ce qui est très bénéfique pour les plantes. Il est donc important que le sol de la véranda soit carrelé.**

L'IDÉE DÉCO

L'association d'une cage à oiseau (ici un perroquet amazone) avec des plantes tropicales renforce l'impression d'exotisme que peuvent apporter les palmiers, comme ce kentia *(Howea forsteriana)*. La cage elle-même peut servir d'élément décoratif par son architecture aux lignes souvent très élégantes. Quant au perroquet, il anime agréablement l'endroit par ses vocalises et son joli plumage. Notez aussi sur cet exemple l'utilisation d'un cache-pot en vannerie, qui se marie à la perfection avec le fauteuil en rotin. En utilisant des accessoires et des objets venus des pays d'origine des plantes, vous valorisez le décor et lui donnez une authenticité.

Un élégant jardin d'intérieur

Joliment habillés de moulures décoratives, les murs de cette grande verrière apportent une note cossue et accueillante. Il n'en faut pas plus pour mettre les plantations en valeur et leur permettre de s'exprimer avec un maximum de raffinement. L'utilisation de contreplaqué marine insensible à l'humidité et d'une peinture imperméabilisante assure la longévité de la structure et limite l'entretien à un simple dépoussiérage. Les plantes font partie de l'assortiment classique avec un grand *Ficus benjamina* qui domine et de gracieuses suspensions de suzanne-aux-yeux-noirs *(Thunbergia alata)*.

PAGE DE DROITE

Un salon en plein ciel

Sur les toits de Paris, cette grande verrière d'architecture contemporaine se veut un havre de lumière et de tranquillité. Sur une idée du paysagiste Alain Charles, la véranda crée une subtile transition entre l'appartement et la terrasse jardin. Meublé confortablement, l'endroit est accueillant et convivial. Le luxe n'est jamais ostentatoire. Il y a juste ce qu'il faut pour que l'on se sente bien. Les végétaux resplendissent dans cette ambiance : au premier plan, un *Spathiphyllum* 'Sensation', aux feuilles géantes, et, plus loin, un caladium ombragé par un ficus.

Du soleil dans les voiles

Exposée plein sud, cette véranda en bois serait invivable sans la présence des voilages, habilement drapés par temps gris et couvert. Construite dans une région aux hivers rigoureux, elle est maintenue à 12 °C minimum, quelles que soient les conditions extérieures, grâce à un très long radiateur. La dimension importante de la source de chauffage permet de la maintenir à faible température, pour ne gêner en rien les plantes disposées à proximité. On reconnaît de gauche à droite : *Abutilon* hybride, *Cissus* 'Ellen Danica', *Crassula arborea* et un *Stephanotis floribunda*. Les conditions très lumineuses permettent aux plantes de prospérer avec un minimum d'entretien. Une pièce toute simple réservée à la lecture et à la rêverie, agrémentée du chant d'un canari installé dans une jolie cage ancienne.

Un paradis de collectionneur

LES PLANTES POUR RÉUSSIR

1 **Plante carnivore *(Nepenthes* hybride*)*,** de beaux pièges en urnes.

2 ***Corynocarpus laevigatus*,** un arbuste venu de Nouvelle-Zélande.

3 ***Aechmea fasciata*,** cette broméliacée fleurit plusieurs mois.

4 **Orchidée *(Odontoglossum* hybride*)*,** elle apprécie la fraîcheur.

5 **Orchidée *(Cymbidium* hybride*)*,** à sortir au jardin en été.

6 **Orchidée *(Phalaenopsis* hybride*)*,** une année de floraison.

7 ***Araucaria heterophylla*,** un sapin de Noël pour l'intérieur.

Cette véranda de facture très classique est constituée d'une structure en aluminium à double vitrage, habillée d'un parement en bois exotique. L'immense baie coulissante permet d'obtenir une aération bienvenue en été et assure une transition directe vers le jardin. Le carrelage en pierre reconstituée est régulièrement humidifié afin d'entretenir une forte hygrométrie, bénéfique aux orchidées et aux plantes carnivores. Cela permet aussi de réduire la température ambiante par temps très chaud et de limiter l'entretien. La collection très éclectique de plantes tropicales est soumise en hiver à des températures assez basses (de 8 à 10 °C), qui garantissent de belles floraisons par la suite.

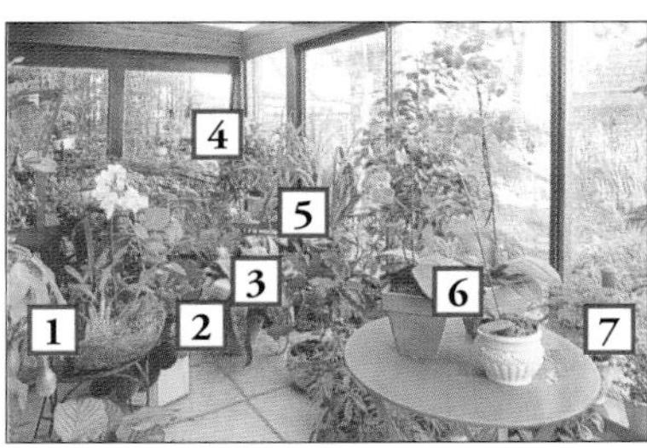

À ESSAYER AUSSI

Angraecum* x *veitchii 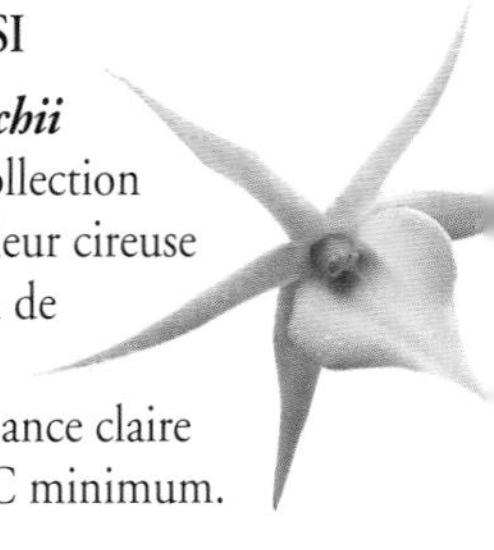
Pour enrichir la collection d'orchidées, une fleur cireuse qui dépasse 15 cm de diamètre. À cultiver dans une ambiance claire et humide, à 16 °C minimum.

Laelia jongheana
Un petit bijou pour orchidophile dont la fleur, très aérienne, s'épanouit durant un mois dans le courant du printemps. Culture à 13 °C minimum.

D'autres idées

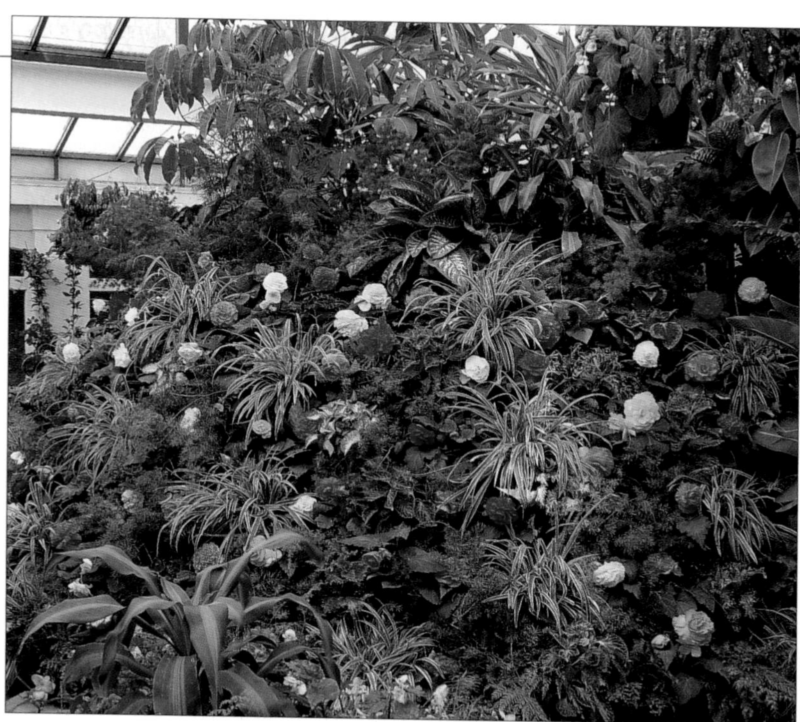

▶ Un spectacle permanent

Composé en dégradé, comme un massif de jardin, ce décor de véranda donne l'impression d'un tapis parsemé de joyaux. Des bégonias tubéreux hybrides constituent la base de la décoration. Ils sont disposés à intervalles réguliers sur des étagères, en veillant à bien mélanger les couleurs. Entre les bégonias viennent se glisser des pots d'asparagus, de phalangère *(Chlorophytum comosum)*, et de coléus *(Solenostemon scutellarioides)*, qui créent une jolie impression d'unité. Le décor est dominé par des plantes plus volumineuses (scheffléra, dieffenbachia, dracaena, ficus), qui renforcent l'opulence de cette présentation de prestige. Cette réalisation est accessible à tous. Il suffit de cultiver les bégonias à partir des bulbes, de semer les asparagus et de diviser ou de marcotter les phalangères.

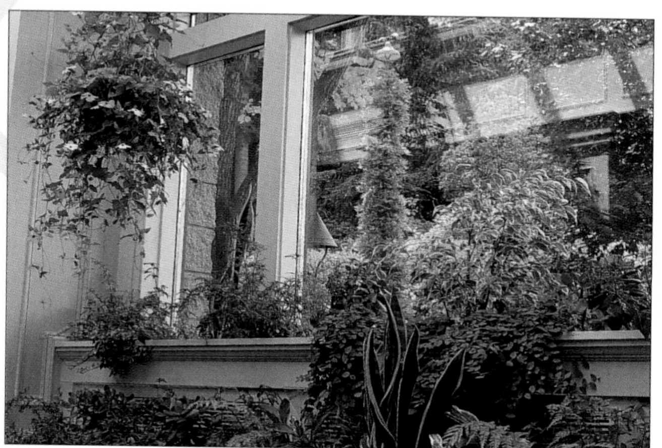

▲ Une douce lumière filtrée

Ce grand jardin d'hiver joue sur l'harmonie, la subtilité et le choix de plantes originales. La couleur est apportée par les fleurs rouges des *Cuphea ignea* et les suzanne-aux-yeux-noirs (*Thunbergia alata*), qui volettent autour de la suspension. Au premier plan, le pied d'un *Ficus benjamina* panaché est habillé par un *Ficus pumila*, qui s'étale devant un *Pseuderanthemum atropurpureum* 'Tricolor' et un sansévièria. L'ambiance assez fraîche en hiver et bien aérée en été est idéale. La seule difficulté consiste à bien doser les arrosages, les besoins des plantes utilisées ici étant assez différents.

LE BON GESTE

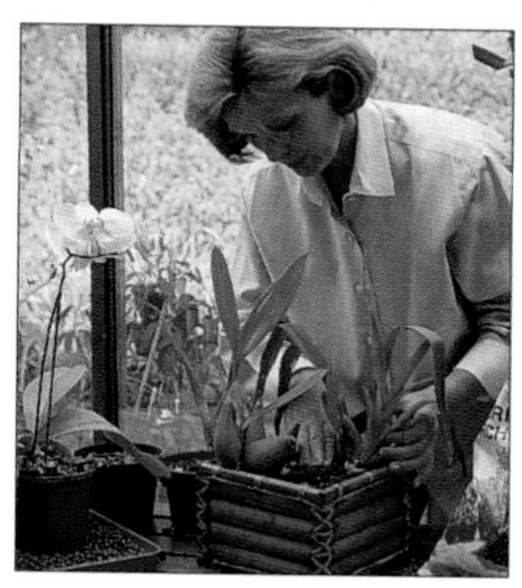

Le rempotage des orchidées est une opération à effectuer le moins souvent possible, les racines charnues de ces plantes supportant mal d'être dérangées. Attendez que le pot soit franchement trop étroit pour procéder, après la floraison ou au départ de la végétation, à un changement de pot. De très nombreuses orchidées vivant en épiphytes sur les arbres, elles apprécient d'être cultivées dans des paniers suspendus. Utilisez uniquement du substrat spécial pour orchidées, contenant des éléments de 1 à 2 cm de diamètre au maximum. Après le rempotage, attendez 10 jours avant d'arroser.

astuce Truffaut

N'utilisez jamais de cache-pots étanches pour y placer une orchidée. Le substrat étant très filtrant, il se laisse traverser lors des arrosages. Si l'eau ne peut s'évacuer, les racines vont rester immergées et s'asphyxier très rapidement. La pourriture s'installera et il sera alors très difficile de sauver la plante. N'hésitez pas à forer vous-même des trous à la perceuse, en utilisant une vitesse lente pour ne pas risquer de casser la céramique.

Invitation au dépaysement

LES PLANTES POUR RÉUSSIR

1 ***Cycas revoluta,*** une plante « préhistorique » de croissance lente.

2 **Géraniums *(Pelargonium* x*),*** des pieds mères hivernés à l'abri.

3 ***Anthurium andreanum* x,** des fleurs presque toute l'année.

4 **Barbe de vieillard *(Tillandsia usnoides)*** pousse sans terre.

5 ***Livistona chinensis,*** les feuilles dépassent 1 m de diamètre.

6 **Kentia *(Howea forsteriana),*** un palmier de culture très facile.

La luxuriance de la végétation évoque les contrées tropicales et des îles de rêve où l'on se languit sous les caresses du soleil… Des plantes aux exigences quasi opposées sont associées dans la même composition et prospèrent comme par magie. Ce « miracle » est dû à l'utilisation d'un système de chauffage par résistances électriques étanches enfouies dans le sol. Les plantes les plus frileuses, comme les anthuriums et le *Philodendron selloum,* sont installées directement en pleine terre dans la fosse qui a été spécialement aménagée à leur intention. Les autres, comme les palmiers, le cycas ou les géraniums, sont laissées en pots. La température ne descend pas en dessous de 10 °C en hiver.

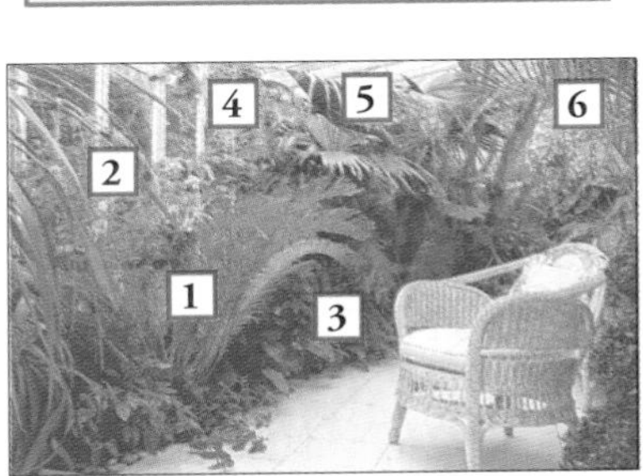

À ESSAYER AUSSI

Calathea orbifolia

Assez nouvelle parmi les plantes d'intérieur, cette espèce apprécie les zones ombragées du jardin d'hiver et la fraîcheur en hiver.

***Pleomele* x 'Song of India'**

Un arbuste très ramifié, de culture facile et d'une couleur très lumineuse, qui s'associe bien avec les palmiers. Arrosez peu.

D'autres idées

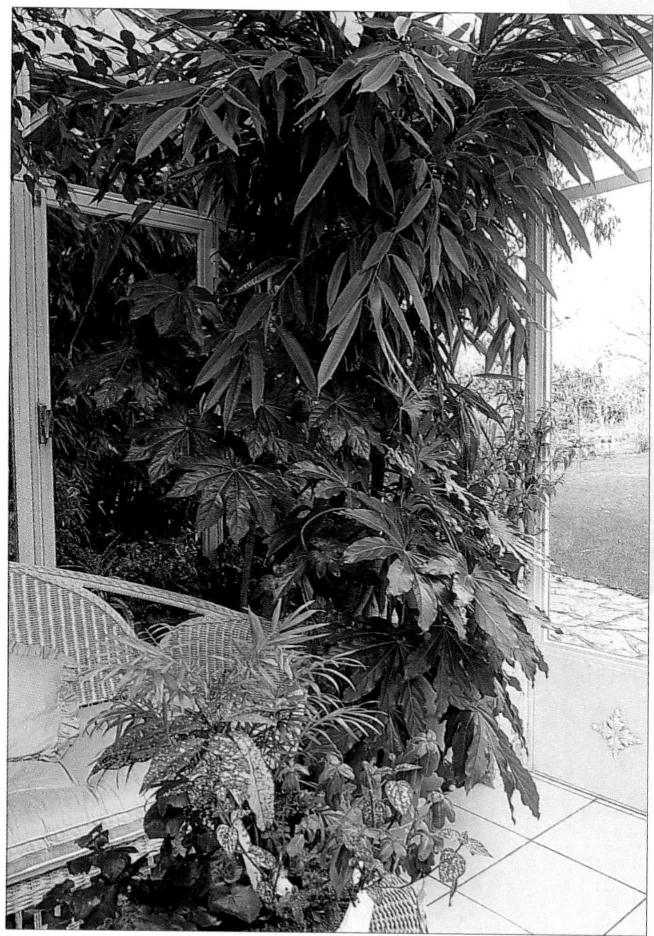

▲ UNE TRANSITION AVEC LE JARDIN

À la fois simple et très spectaculaire, cette association d'un *Ficus longifolia* avec un aralia *(Fatsia japonica)* vaut surtout par la dimension des plantes qui prospèrent grâce à une ambiance assez fraîche et très lumineuse. La masse de verdure est renforcée par la présence toute proche d'une touffe de bambous plantée dans le jardin qui donne une impression de continuité. Le jardin entre dans la maison et c'est très agréable en toutes saisons.

astuce Truffaut **Une plantation très dense augmente sensiblement les risques d'apparition de la redoutable pourriture grise *(Botrytis cinerea)*. Il est très important d'aérer le jardin d'hiver dès que la température extérieure le permet, afin d'éviter une sensation de moiteur permanente. En hiver, réduisez sensiblement les arrosages (jamais plus d'une fois par semaine) et ne vaporisez plus.**

LES BONS GESTES

Les plantes formant un tronc comme les cordylines, les dracaenas, les yuccas et les dieffenbachias perdent de leur attrait quand elles sont très dégarnies. Un marcottage aérien récupérera leur beau panache de feuilles. Incisez l'écorce et retirez-la en anneau sur 1 cm de haut. Badigeonnez la plaie avec de la poudre d'hormones. Attachez une feuille de plastique, à 10 cm sous l'incision. Faites-en un cornet que vous remplissez de mousse ou de tourbe fibreuse humide. Refermez le plastique. Attendez de deux à trois mois que des racines apparaissent...

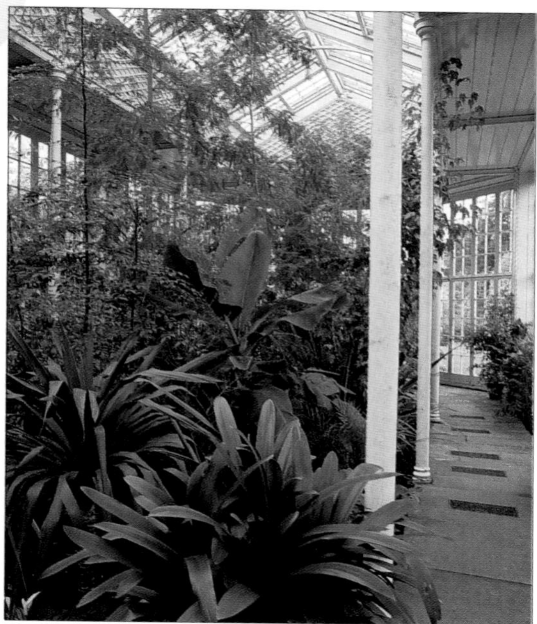

▲ UNE ORANGERIE CONTEMPORAINE

Ce magnifique jardin d'hiver se caractérise par un faîtage à 3,50 m de hauteur, qui permet le développement généreux des mimosas *(Acacia dealbata)* et d'un immense *Abutilon pictum* qui fleurit en permanence toute l'année. Cet endroit est maintenu entre 5 et 7 °C minimum en hiver, ce qui est très propice à la floraison des mimosas et du clivia (premier plan).

Une subtile luxuriance

La moiteur du jardin d'hiver est favorable à la prolifération de mousses qui vont joliment patiner les pierres des murs ou du sol. Ici, on a même laissé des fougères et des sélaginelles se propager naturellement et s'incruster où bon leur semble. Le lieu étant assez exigu, les plantes sont réparties sur plusieurs niveaux afin de mieux occuper l'espace. Outre l'énorme poinsettia *(Euphorbia pulcherrima)* qui n'en finit pas de rougir, l'effet de couleur est apporté par des orchidées *(Dendrobium* x*)*. La partie supérieure du mur est complètement recouverte par les branches retombantes des *Asparagus densiflorus* 'Sprengeri', qui, en une composition très réussie, font pendant au capillaire *(Adiantum tenerum)*.

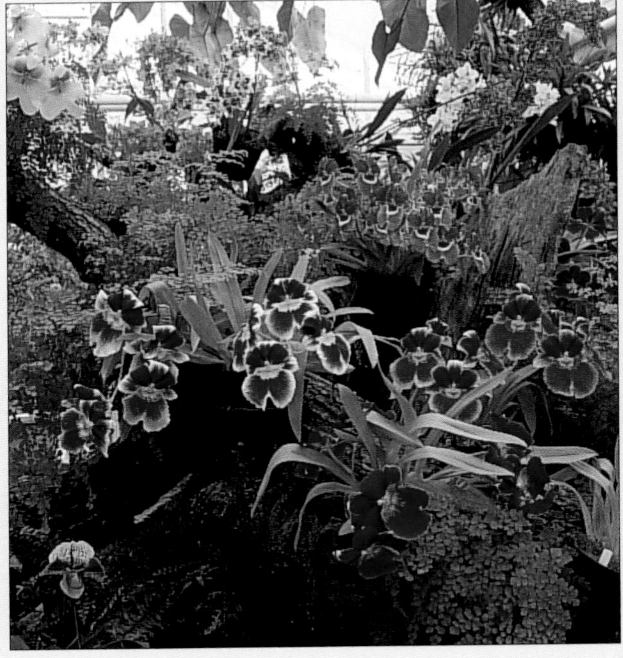

Une folie de miltonias

Découverte chez un orchidophile passionné de Jersey, cette magnifique présentation met en scène différents *Miltonia* x, dont les pots sont accrochés sur des souches et des branches avec de simples liens de fil de fer. Le résultat est non seulement spectaculaire, mais surtout surprenant, car les orchidées prennent, une fois suspendues, une opulence exceptionnelle. L'effet de volume créé par la disposition sur plusieurs niveaux donne une ampleur inégalée au décor, agrémenté des frondes graciles et tremblantes des capillaires *(Adiantum raddianum* 'Goldelse'*)*.

Une jungle bien apprivoisée
En matière de décoration végétale d'intérieur, pourquoi ne pas appliquer les principes qui réussissent au jardin ? Sur cet exemple, on a joué avec les effets de masse, en limitant le nombre des espèces utilisées, mais en groupant plusieurs sujets pour créer un impact visuel plus fort. Les *Dieffenbachia seguine* x du premier plan apportent la note d'opulence, indispensable dans un décor exotique. Aériennes, gracieuses, subtiles, les orchidées *(Dendrobium phalaenopsis* x*)* donnent l'éclat lumineux et coloré qui attire le regard. L'arrière-plan est constitué de palmiers *(Licuala grandis)* aux magnifiques éventails.

La jungle enchantée

Avec une température qui ne descend jamais en dessous de 15 °C et une hygrométrie qui dépasse 70 %, vous reconstituez des conditions environnementales parfaites pour que prospèrent toutes les plantes tropicales. Les espèces les plus délicates comme les anthuriums à grandes feuilles et les alocasias vont prospérer, tandis que les plantes les plus vigoureuses comme les philodendrons, les schefflèras, les dracaenas ou les ficus prendront des allures de géants. Le secret de la réussite réside dans une plantation en pleine terre afin que les plantes puissent prendre leurs aises. Il faut décaisser le sol d'origine sur 60 à 80 cm de profondeur et tapisser le fond du trou d'un feutre en non-tissé. 10 cm de cailloux non calcaires ou de mâchefer vont assurer le drainage. On remplit ensuite la fosse de plantation d'un mélange à parts égales de terre de jardin sableuse, de tourbe blonde et de terreau de feuilles. Les plantes sont disposées en massif en installant les plus grandes à l'arrière et en prévoyant leur développement rapide. Un espacement de 1 m entre chaque grand sujet est idéal afin que les branches s'imbriquent les unes dans les autres, comme dans une jungle naturelle. Tout en jouant comme ici sur l'opposition des formes des feuillages et des silhouettes on n'hésitera pas à compléter le décor de quelques épiphytes (orchidées et broméliacées) qui seront accrochés ici et là.

À ESSAYER AUSSI

***Alocasia* hybride 'Black Velvet'**
Une nouvelle plante proposée par les jardineries, qui réclame une forte hygrométrie pour bien se développer. Température en hiver : 15 °C minimum. Lumière bien filtrée.

LES PLANTES POUR RÉUSSIR

1 **Schefflèra *(Brassaia actinophylla)*,** un véritable arbre aux feuilles de 30 cm de long.

2 ***Philodendron melanochrysum*,** des feuilles de 1 m de long.

3 ***Dracaena fragrans* 'Massangeana',** une grande longévité.

4 ***Anthurium cordifolium*,** des feuilles énormes en forme de cœur.

5 ***Anthurium hookeri*,** une espèce pour collectionneur, aux longues feuilles en rosette.

D'autres idées

▶ Or et argent

C'est ce qu'évoque cette ambiance, centrée sur une barbe de vieillard *(Tillandsia usnoides)* appelée aussi « fille de l'air », car cette plante épiphyte s'accroche sur n'importe quel support, sans la moindre once de terre. Ses feuilles couvertes de fines écailles se gorgent de l'humidité atmosphérique et y puisent leur subsistance. Le contraste du fin feuillage argenté avec l'or des fleurs de l'orchidée *(Cymbidium* x 'Rozel Bay'*)* est superbe. Au second plan, un *Philodendron scandens* grimpe sur un tuteur en mousse, tandis qu'à l'arrière, une énorme suspension de misère *(Tradescantia zebrina* 'Purpusii'*)* vient renforcer l'effet de couleur. Lumière, température minimale de 10 °C et forte humidité estivale sont les clés du succès.

▶ Un sentier dans la jungle

Cette grande serre d'amateur aux montants métalliques accueille une profusion de plantes tropicales qui doivent leur luxuriance à une plantation directement en pleine terre. Le décor a été composé comme un jardin avec des massifs séparés par un petit sentier qui court dans la végétation.

Au premier plan à gauche, un jeune *Phoenix roebelinii* aux palmes gracieuses s'associe au feuillage en fer de lance d'un anthurium. Il est dominé par une touffe de *Dracaena deremensis* 'Warneckii' et par une suspension de *Philodendron scandens* 'Variegatum'. Le sentier est bordé d'un joli tapis d'helxine *(Soleirolia soleirolii)* qui retient la végétation généreuse des impatiens. Au fond, une suspension de *Nephrolepis exaltata.* La brumisation en été est automatique et programmée.

LES BONS GESTES

Les plantes cultivées en pot épuisent très rapidement le peu de réserves nutritives contenues dans le substrat. Quand les feuilles jaunissent au niveau des nervures comme chez ce *Rhoicissus capensis*, c'est le signe d'une carence en sels minéraux, et notamment en azote. Il faudra donc apporter de l'engrais. Ne confondez pas ces symptômes avec la chlorose (carence en fer due au calcaire), dont les effets sont inverses : les feuilles sont jaunes et les nervures restent vertes.

astuce Truffaut **Tuteurez les philodendrons, qui sont des lianes très vigoureuses dans la nature. Utilisez de préférence des bambous ou des tuteurs de mousse qui ne dépareront pas le décor. Pour une bonne solidité, enfoncez-les dans le sol sur un tiers de leur hauteur. Il peut être nécessaire pour les grands sujets, comme les *Monstera deliciosa*, de renforcer la solidité des tuteurs en les disposant en triangle et en les liant entre eux.**

Un rêve inaccessible

Ce magnifique bassin de nénuphars géants *(Victoria amazonica)*, entouré d'opulentes queues de renard *(Acalypha hispida)* ne se rencontrera pas dans la nature, les plantes aquatiques étant originaires de l'Amazonie, et les queues de renard de Malaisie et de Papouasie-Nouvelle-Guinée. Il faut des serres d'une ampleur exceptionnelle, comme celles du jardin botanique de Nancy, où a été prise cette photo, pour réussir le nénuphar géant, que l'on appelle aussi « Lis d'eau royal ». Le bassin doit mesurer au moins 1 m de profondeur et la température de l'eau ne doit jamais descendre au-dessous de 22 °C, avec un idéal de 25 °C. Les feuilles caractéristiques en forme de moule à tarte peuvent dépasser 2 m de diamètre. La fleur blanche, qui ressemble à un nénuphar de nos jardins *(Nyphaea)*, atteint 30 cm. Derrière cette beauté éclatante se cache une plante redoutable, dont toute la partie immergée est garnie d'épines acérées.

Un contraste très réussi

L'opulence, ainsi que la grâce, des *Medinilla magnifica* est nettement soulignée par la rangée de plantes zèbre *(Aphelandra squarrosa)* dont le feuillage éclatant attire irrésistiblement le regard. Seule une serre à l'air très humide permet de conserver longtemps en fleurs ces deux plantes, qu'il faut maintenir à 15 °C minimum en hiver. Offrez-leur une forte lumière, en évitant le soleil direct trop ardent.

L'arbre de vie
Cette belle serre du jardin botanique de Montréal rend hommage à l'arbre géant de la forêt tropicale, être vénérable et majestueux qui domine toute végétation, mais joue les hôtes bienveillants et magnanimes en se laissant envahir d'épiphytes. La végétation touffue des dieffenbachias représente la première strate végétale de la forêt primaire, cependant qu'une structure métallique habilement couverte de liège offre sa ramure en support à une collection riche et variée de broméliacées *(Aechmea, Guzmania, Vriesea* et *Tillandsia)*. Les « filles de l'air » accrochent leurs racines dans les replis complexes de l'écorce du liège.

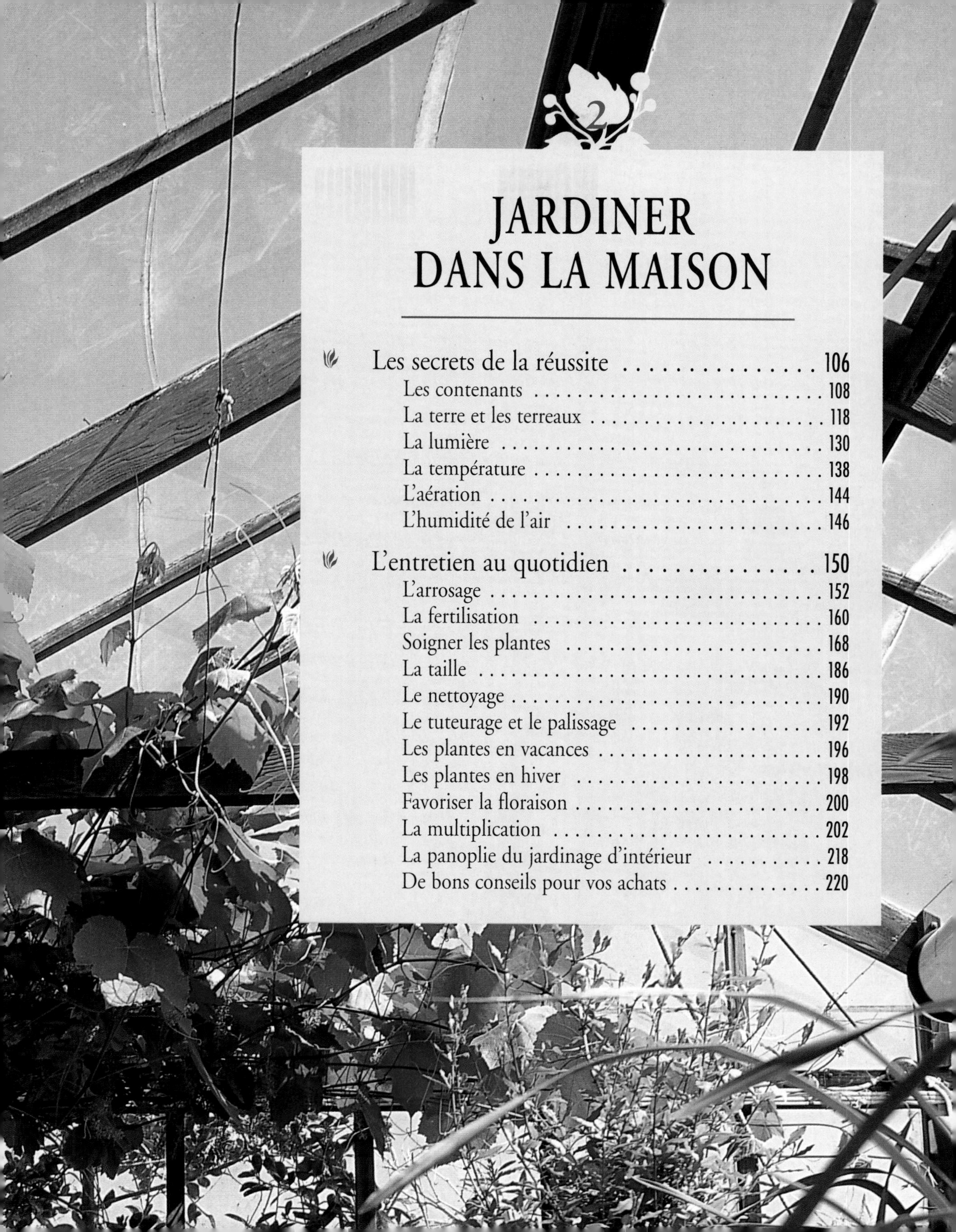

2

JARDINER DANS LA MAISON

LES SECRETS DE LA RÉUSSITE

Avoir la main verte n'est pas un don du ciel. ✻ *Cultiver avec succès des plantes dans la maison est avant tout une question d'investissement personnel, d'observation et d'expérience.* ✻ *Le respect à la lettre de toutes les exigences vitales des plantes dites d'intérieur n'est pas toujours compatible avec les critères du confort moderne. Ces végétaux d'origine lointaine ont quelques raisons de se sentir désorientés. Les conditions d'éclairage, d'aération et de chauffage, complètement artificielles, qui conviennent au bien-être de l'humain du* XXIe *siècle, ne prennent pas du tout en compte l'exception végétale.* ✻ *Si nous estimons la clarté d'une pièce suffisante à partir du moment où il nous est possible de lire sans avoir recours à une lampe d'appoint, cette luminosité s'avère loin d'être acceptable par la majorité des plantes, qui ont besoin d'une grande clarté pour réaliser leur photosynthèse, c'est-à-dire tout simplement pour se nourrir. La moiteur tropicale, qui nous paraît étouffante et plutôt pénible, est en revanche une aubaine pour la plupart des plantes.* ✻ *Face à ces besoins antinomiques, l'amateur de belles plantes se doit de composer. Et c'est là qu'intervient toute la sensibilité du jardinier.* ✻ *La faculté de « dialoguer » avec les plantes, d'interpréter leurs discrets appels, avant qu'ils se transforment en signaux de détresse, de savoir devancer leurs besoins, de doser avec justesse l'arrosage, la fertilisation, la lumière, la température devient, avec l'expérience, une seconde nature.* ✻ *Car chaque plante est unique et c'est à vous de la comprendre. Voici nos meilleures recettes pour réussir, mais à vous de les « assaisonner » à votre façon pour qu'elles prennent cette saveur incomparable qui en fera le succès.* ✻

LES CONTENANTS

Servant de « maison pour la plante », le pot, la vasque, la jardinière, la coupe ou le bac jouent un rôle capital dans le comportement de la plante. Un pot doit être stable, bien proportionné, mais aussi esthétique, car sa forme, sa couleur, sa finition entrent pour une bonne part dans la fonction décorative de la plante.

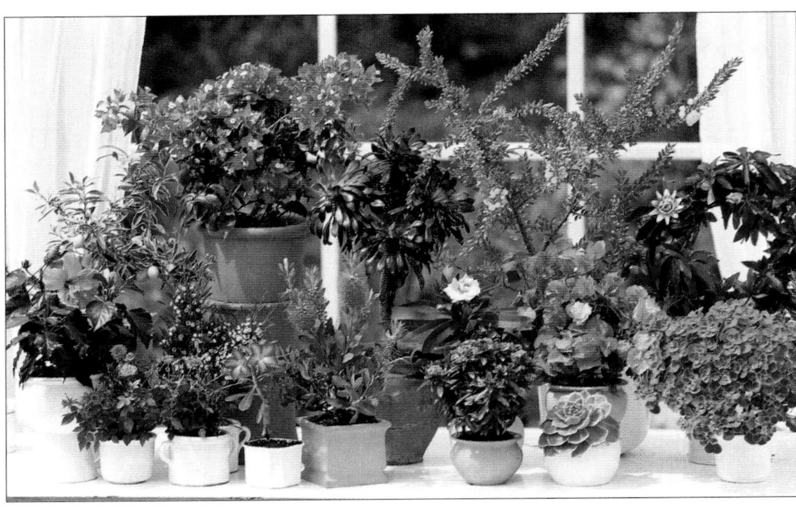

▲ Les matériaux, les motifs et les couleurs des pots jouent un rôle primordial dans l'aspect décoratif final des plantes.

astuce Truffaut **Achetez systématiquement avec toute nouvelle plante un pot ou un cache-pot, afin de trouver le modèle dont les dimensions correspondent bien au diamètre et à la hauteur de la motte de terre. En effet, il n'y a pas de mesures standard dans ce domaine.**

On désigne sous le terme générique de « contenants » tous les récipients : pots, cache-pots, coupes, vasques, bacs, jardinières, terrines, vases, paniers, etc., susceptibles d'accueillir une plante. Il faut bien distinguer les « contenants de culture », qui doivent obligatoirement présenter au moins un orifice dans la partie inférieure des « contenants à but décoratif », qui, sont totalement étanches et permettent de poser une plante sur un meuble, sans crainte qu'un écoulement d'eau le tache. On désigne plus communément ces derniers sous le terme générique de « cache-pots ». Ils présentent le gros inconvénient de stocker l'eau d'arrosage en excès. Ils doivent, par conséquent, être vidés après chaque apport d'eau, faute de quoi les racines de la plante risquent de se trouver en permanence dans un milieu humide, ce qui entraîne obligatoirement leur asphyxie, puis l'apparition de champignons, qui développent une pourriture noire. La plante traduira ce problème grave par un brunissement des feuilles, suivi d'un ramollissement général de la partie aérienne.

Les contenants de culture jouent un rôle décoratif non négligeable par leur texture (une terre au grain fin, un joli vernissé, un motif peint ou sculpté, etc.) mais ils doivent toujours être associés à une soucoupe (qu'il faudra vider), car ils laissent s'évacuer l'eau d'arrosage en excédent.

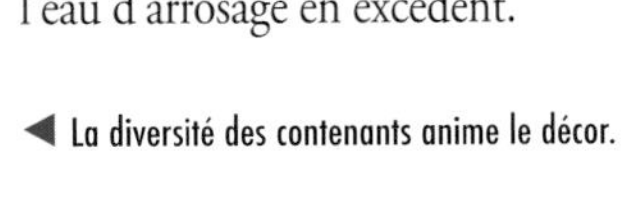

◀ La diversité des contenants anime le décor.

Les pots sont indispensables

Quels que soient sa forme ou son volume, le contenant sert avant tout de soutien et de protection pour les racines de la plante. La paroi du pot, aussi fine soit-elle, évite aux racines d'entrer en contact direct avec l'extérieur, ce qui provoquerait leur dessèchement systématique. Les pots contiennent la terre qui retient l'eau et les éléments nutritifs. Tous les contenants doivent donc être considérés comme des « jardins miniatures » autonomes dans lesquels chaque plante se développe et prospère.

Par tradition les pots ont longtemps été en terre cuite, matériau poreux, réputé pour laisser respirer les racines. L'expérience montre que les plantes se plaisent tout aussi bien dans des récipients en matériaux étanches : plastique, céramique, métal, etc. L'important à ce niveau est le substrat et le fameux trou de drainage sur lequel nous avons insisté précédemment.

Les avantages des différents matériaux constituant les pots seront développés dans les pages suivantes. Mais il est un point sur lequel il faut particulièrement insister, car il est trop souvent négligé, c'est la stabilité du contenant. Les plantes étant soumises aux caprices et aux fantaisies de la nature, leur symétrie est souvent imparfaite et leur développement franchement anarchique, surtout quand il est stimulé par des apports d'engrais. De plus, attirée par la lumière, la plante a tendance à s'orienter en direction des fenêtres ou des sources lumineuses. Résultat, elle prend une silhouette déséquilibrée. S'il s'agit d'une petite touffe herbacée ou en rosette, pas de problème. En revanche, dès que l'on a affaire à un arbuste ou à un buisson, les risques de chute sont importants. Vous devez donc vous assurer que le pot est non seulement stable (le diamètre de la base sera au moins égal au tiers de la hauteur), mais aussi suffisamment lourd pour contrecarrer le déséquilibre naturel du végétal. Vous pouvez légèrement tricher sur ce point, en incorporant une bonne proportion de sable dans le substrat : il s'agit du matériau le plus lourd dont vous puissiez disposer (environ trois fois plus qu'un terreau de tourbe). Dans l'idéal, le poids du végétal lui-même ne doit pas excéder le tiers de celui du pot rempli de son substrat, le rapport idéal étant même de un quart.

LES BONNES DIMENSIONS

La plupart des plantes de la maison se plaisent dans des récipients assez étroits. Leurs racines s'ancrent solidement autour de la motte. Les plantes grasses, les palmiers apprécieront des pots assez profonds, tandis que les pépéromias, les hypoestes, les saintpaulias, les fittonias et la plupart des petites plantes formant une touffe seront bien en coupe ou en terrine (plus large que haute).

En pratique, la hauteur du pot doit représenter entre le quart et le tiers de la hauteur totale (partie aérienne et racines) pour une plante de moins de 1,50 m de hauteur et environ le cinquième pour une plante plus grande. Dans le commerce, les pots sont classés selon leur diamètre. Ce dernier équivaut en moyenne aux deux tiers de la hauteur du contenant. Par exemple, un pot de 18 ou de 20 cm de diamètre accueillera une plante de 80 cm à 1,20 m de hauteur. Plus la plante est ample et plus le pot doit être large.

Une coupe très bien équilibrée. ▶

Style et harmonie

Les contenants entrent pour une part importante dans l'impression décorative produite par les plantes. Il y a des effets de mode certains et chaque année de nouvelles collections de pots et de cache-pots font leur apparition. Vous n'êtes pas obligé de jouer l'unité, même si elle vous garantit une parfaite harmonie. La subtile opposition du bois et de la poterie, le contraste du métal et du plastique peuvent générer des effets créatifs du meilleur effet. La règle d'or reste la discrétion et la sobriété. Hormis des plantes isolées et très architecturales dans leur silhouette (notamment les cactées), mieux vaut éviter les fantaisies, car on peut s'en lasser très vite.

▲ Un ensemble de contenants en céramique et en résine.

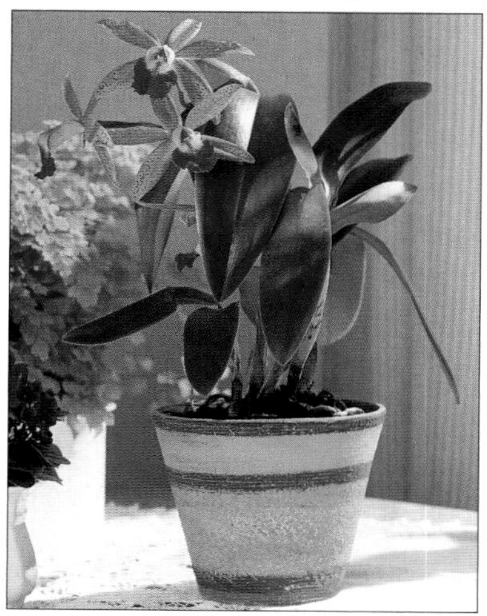

Un *Cattleya* hybride dans un pot de terre au décor naturel. ▶

De la poterie à la résine synthétique en passant par le bois, la céramique et même le métal, de très nombreux types de récipients peuvent convenir pour la culture des plantes d'intérieur. L'aspect décoratif doit primer.

astuce Truffaut

Tout contenant recevant une plante doit avoir un ou plusieurs trous dans le fond, destinés à l'évacuation de l'eau en excès. Si les trous sont absents, forez-les avec une perceuse munie d'un foret au carbure, que vous ferez tourner à petite vitesse, sans jamais forcer.

NETTOYER UN POT

Avant de réutiliser n'importe quel type de contenant, il est impératif de procéder à un nettoyage complet. L'idéal consiste à plonger le pot durant toute une nuit dans une solution d'eau de Javel à 15 %. Ensuite frottez soigneusement l'intérieur et l'extérieur à l'eau savonneuse, avec une brosse à poils durs, puis rincez à l'eau claire plusieurs fois.

▼ *Nettoyage des pots en terre cuite. Brossage.*

▲ Ambiance avec différents styles de cache-pots.

Le choix d'un matériau pour un contenant dépend essentiellement de son aspect esthétique (forme, couleur, texture) et de la cohérence avec le style de votre intérieur. Vient ensuite la notion de prix, très variable d'un modèle à un autre.

La terre cuite

C'est la poterie traditionnelle, dont l'aspect varie en fonction des « terroirs », des modes de cuisson et de fabrication. Pour les plantes d'intérieur, inutile de rechercher une poterie épaisse non gélive, toujours plus onéreuse. L'avantage de ce matériau est sa porosité, qui permet de bien contrôler les besoins en arrosage, et son aspect esthétique, tout à fait indiqué dans les intérieurs rustiques ou de style. Les formes et les dimensions se déclinent quasiment à l'infini. Beaucoup de poteries étant tournées à la main, il convient de vérifier la présence éventuelle de défauts et surtout leur bonne stabilité.

La résine synthétique

On désigne le plus souvent ce matériau sous le nom générique de « plastique ». Toutefois, ce terme à consonance péjorative ne peut pas s'appliquer à tous les modèles de contenants en résine. La plupart sont munis d'un système de réserve d'eau, ce qui présente des avantages certains en cas d'absences fréquentes. En revanche, il faut avoir la main légère pour

VIDER LA SOUCOUPE

▲ *Éliminez l'excédent d'eau dans la soucoupe.*

Hormis le papyrus *(Cyperus)* et la laîche *(Carex)* qui acceptent de pousser « les pieds dans l'eau », toutes les plantes de la maison redoutent une humidité permanente. Des cactus ou des orchidées pourriront en quelques jours si vous laissez la base du pot tremper dans l'eau. À moins que la température dans la maison ne dépasse 24 °C, videz la soucoupe de 10 à 15 mn après l'arrosage.

ce qui concerne les arrosages. Les contenants en résine présentent des formes géométriques simples : cubes, cylindres ou parallélépipèdes. Les lignes sont sobres, souvent élégantes, tout à fait adaptées aux intérieurs modernes. Il existe d'excellentes copies de la poterie, notamment les modèles fabriqués selon le système « rotomoulé ». Ils peuvent s'avérer très utiles dans les grandes dimensions, en raison de leur poids très léger. Côté prix, la résine est généralement moins chère que la terre cuite, mais souvent beaucoup moins durable.

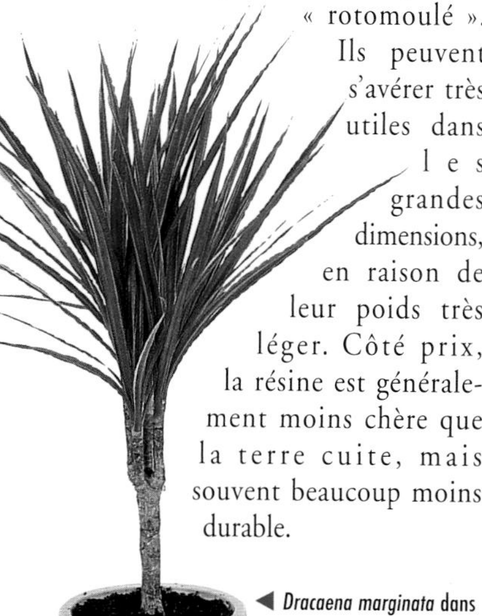

◀ *Dracaena marginata* dans un pot décoratif en plastique.

Le bois

Très prisé jadis pour les grands bacs des plantes d'orangerie, le bois est un peu passé de mode pour les plantes d'intérieur. La plupart des modèles proposés sur le marché sont en teck. Ils présentent une ligne très épurée, plus agréable sur un balcon ou une terrasse. La plupart sont de grande taille. Le principal défaut du bois est sa sensibilité à l'humidité, même pour les résines réputées imputrescibles. Rares sont les modèles qui présentent des orifices d'évacuation de l'eau. Certains bacs en bois servent seulement de parement à un contenant en résine. C'est une solution pratique, qui fait oublier les inconvénients du bois. Ce matériau est surtout destiné aux décors rustiques ou aux intérieurs de style scandinave ou montagnard où le bois est roi.

Les céramiques et les « laqués »

Très à la mode aujourd'hui, les pots en céramique permettent toutes les fantaisies décoratives, en se parant de motifs hauts en couleur ou, pour les poteries laquées, de nuances en dégradés du plus bel effet. Attention, beaucoup de ces contenants sont proposés sans trous d'aération et se positionnent alors comme des cache-pots. Les céramiques sont limitées à des dimensions moyennes (rarement plus de 40 cm de diamètre) et leur prix grimpe très vite avec leur taille. Ce sont des contenants lourds, mais d'une grande valeur décorative. Mais, attention, la céramique s'ébrèche très facilement. Les poteries laquées ou vernissées se déclinent en une infinité de modèles, les plus recherchés étant travaillés individuellement à la main, ce qui leur procure une patine inimitable. Ces contenants peuvent être laissés à l'extérieur jusqu'à la fin de l'été, mais ils seront rentrés pour l'hiver.

▲ Dieffenbachia dans un pot en terre cuite.

▲ *Medinilla magnifica* dans un pot doublé de bois.

Poterie vernissée avec une patine à l'ancienne. ▶

▲ Assortiment de bacs d'intérieur à réserve d'eau.

Les bacs à réserve d'eau

On a tendance à désigner ce type de contenant sous le nom de la marque qui en a été l'inventeur, mais, depuis de nombreuses années, beaucoup d'autres fabricants sont apparus sur le marché, utilisant des techniques diverses, mais dont le principe fondamental est le même.

Un bac étanche dispose d'une grille de séparation interne associée à une toile ou à des mèches qui plongent dans l'eau. Le tissu s'imbibe d'eau, qui remonte vers le terreau par capillarité. Le principe fonctionne tant que la terre n'est pas complètement saturée. C'est pourquoi il est impératif de ne pas utiliser la réserve en permanence (voir encadré ci-contre).

Dans un bac à réserve d'eau alimenté en permanence, le terreau se trouvant au voisinage de la grille se transforme vite en une boue compacte. Les racines, attirées par l'humidité, plongent rapidement dans ce magma et ne tardent pas à s'asphyxier. Résultat, la plante ramollit, se tache ou même pourrit.

Le principal avantage du bac à réserve d'eau est de permettre une absence de trois semaines sans aucun risque de dessèchement pour les plantes.

Les arrosages sont moins fréquents, ce qui est un avantage certain pour les personnes pressées ou peu enclines à s'occuper régulièrement de leurs plantes.

On trouve dans la gamme des bacs à réserve d'eau un très large choix de modèles, dont certains, très décoratifs, se parent de sérigraphies élégantes ou sont très joliment laqués. À l'inverse, il faut se méfier de certaines fabrications de piètre qualité, que l'on reconnaît le plus souvent à la faible épaisseur de leur paroi. Une fois remplis de terreau et sous la pression des racines, ces bacs ont souvent tendance à se déformer de façon inesthétique.

La qualité du système de réserve d'eau lui-même est aussi très variable. Certains modèles se limitent à une simple soucoupe à remplir, l'eau étant absorbée par des trous situés à la base du bac. Autant dire que cette technique s'apparente au fait de laisser un pot standard tremper dans une soucoupe pleine d'eau, ce qui, pour beaucoup de plantes, signifie une mort rapide. Les bacs les plus élaborés disposent d'une large surface d'humidification, ce qui permet de répartir l'eau de façon homogène. On reproche en effet aux systèmes à mèche simple d'alimenter seulement une fraction du terreau.

Il est également important d'opter pour un bac muni d'un témoin bien visible de remplissage de la réserve. Sans cette précieuse indication de niveau, il n'est pas possible de surveiller la consommation des plantes et de savoir à quel moment intervenir pour le remplissage. Sachez enfin que toutes les plantes n'acceptent pas d'être cultivées dans un bac à réserve d'eau, cactus et orchidées entre autres.

BIEN UTILISER UN BAC À RÉSERVE D'EAU

Lorsqu'on parle de « faire des réserves », on sous-entend une utilisation exceptionnelle ou épisodique en cas de nécessité. Dans le cas des bacs à plantes, le principe doit être le même. Utilisez la réserve seulement quand vous vous absentez plus de trois ou quatre jours. Dans ce cas, remplissez-la complètement, en employant de préférence une solution d'engrais très diluée (un bouchon pour toute la réserve). Laissez la plante consommer entièrement l'eau et attendez de six à dix jours avant d'arroser de nouveau. Au quotidien, vous arroserez de façon classique (sur le terreau), mais plus fréquemment et à faible dose, de manière que toute l'eau soit absorbée.

▼ *Remplissage de la réserve.*

▼ *Vérification du niveau de l'eau.*

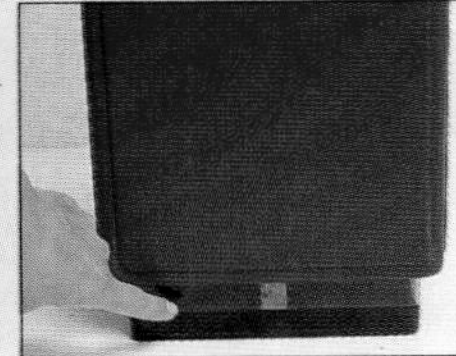

▼ *Mise en place de la grille.*

Les suspensions

Longtemps réservés aux seules orchidées, les paniers de culture sont maintenant généralisés à toutes les plantes à port souple ou plus ou moins retombant *(voir encadré)*. De plus en plus d'espèces sont d'ailleurs proposées en suspensions dans les Jardineries. C'est l'occasion de créer des décors différents et surtout de mieux occuper l'espace dans un intérieur, en évitant les dispositions sur un plan trop linéaire. Les suspensions peuvent être accrochées à différents types de supports, notamment des tringles à rideaux, des potences, le dessous d'une console. On les utilise aussi beaucoup posées sur une colonne ou un support en hauteur.

Les paniers ajourés en bois, fabriqués à partir de lattes, sont essentiellement réservés aux orchidées et à certaines broméliacées épiphytes. Cela permet aux racines aériennes de prospérer librement à la recherche de l'humidité vitale. Certaines espèces d'orchidées comme les *Stanhopea*, les *Masdevallia*, doivent impérativement être cultivées dans ce type de panier, les hampes florales ayant tendance à traverser la motte de racines pour ressortir sous le pot et former une grappe retombante.

Les suspensions présentent l'inconvénient d'être tapissées d'un revêtement poreux (fibre de coco, tourbe compressée, grillage habillé de sphagnum, etc.), ce qui limite la rétention de l'eau. Par conséquent, les arrosages doivent être plus fréquents et dans une quantité plus réduite.

Les macramés, ces tressages de ficelle, de cordelette ou de coton grossier qui ont fait fureur dans les années 80, ne sont plus tellement au goût du jour. On préfère les paniers en grillage ou en armature métallique soudée, bien plus discrets, surtout quand ils sont tapissés de mousse. Quant aux systèmes d'accrochage, les chaînettes, dont les mailles peuvent donner une réelle impression d'élégance, sont en vogue.

▲ Dans un joli jardin d'hiver, une orchidée (*Cymbidium sp.*) est cultivée en suspension dans un panier en lattes de bois.

Les suspensions du commerce, constituées d'un pot en plastique (proposé de plus en plus souvent avec une soucoupe incorporée) et d'un système d'accrochage rigide du même matériau, ne sont pas destinées à être utilisées telles quelles dans la maison. Il faut donc prévoir, dès l'achat de la plante, un ensemble de rempotage et d'accrochage. Optez pour des dimensions légèrement supérieures à votre modèle, afin que la plante se développe bien.

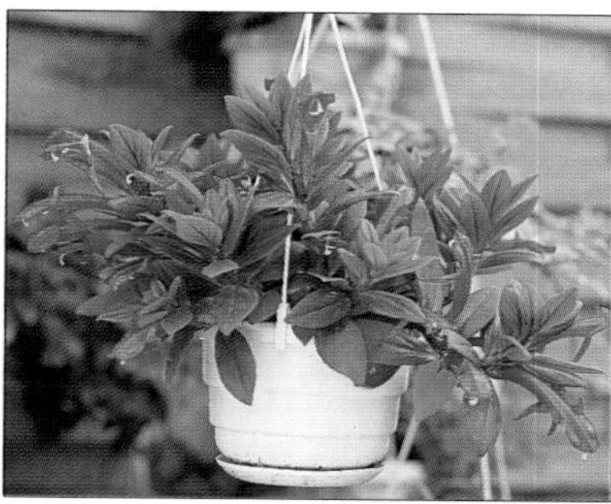

▲ *Columnea* x *banksii* dans une suspension en plastique.

LES PLANTES À SUSPENDRE

Dans l'offre très large des plantes destinées à la culture d'intérieur, les espèces suivantes conviennent bien à la culture en panier suspendu : *Aeschynanthus*, *Ampelopsis*, *Aporocactus*, *Asparagus*, *Begonia corallina*, *Begonia limminghеiana*, *Callisia*, *Campanula isophylla*, *Ceropegia*, *Chlorophytum*, *Cissus* 'Ellen Danica', *Clerodendron ugandense*, *Codonanthe*, *Columnea*, *Epiphyllum*, *Epipremnum* (pothos), *Ficus pumila*, *Gynura*, *Hedera* (lierre), *Mikania*, *Mandevilla* (dipladénia), *Maranta*, *Masdevallia*, *Oncidium*, *Oplismenus*, *Pellaea*, *Pellionia*, *Phalaenopsis*, *Platycerium*, *Rhipsalidopsis*, *Scirpus*, *Senecio mikanoides*, *Setcreasea*, *Soleirolia* (helxine), *Stanhopea*, *Syngonium*, *Thunbergia alata* (suzanne-aux-yeux-noirs), *Tradescantia* (misère), *Zebrina*, etc.

Un pothos en suspension. ▶

LES CACHE-POTS

Habillant avec élégance les contenants, le cache-pot est la petite touche de raffinement qui souvent vient tout changer dans un décor de plantes d'intérieur. Il donne le ton et unifie la présentation, tout en créant une transition de bon goût avec le mobilier. D'innombrables modèles se déclinent dans des matériaux variés pour s'adapter à tous les styles et à tous les goûts.

▲ Bégonia, capillaire, helxine, ardisia, davallia, spathiphyllum, ficus, dans une harmonie de cache-pots en céramique.

astuce Truffaut

Achetez un cache-pot avec toute nouvelle plante, afin d'être certain de l'adapter idéalement à la dimension du pot. En effet, il n'existe rien de standard dans ce domaine et le plus facile reste encore d'effectuer vos essais directement dans le magasin. Vous éviterez ainsi les erreurs d'appréciation.

La distinction première entre un pot et un cache-pot vient de la présence de trous de drainage dans le premier, alors que le cache-pot est toujours étanche. Cette particularité est destinée à permettre l'arrosage des plantes n'importe où dans la maison, même sur les meubles les plus précieux, sans risquer de les tacher avec un ruissellement d'eau souillée de terre. Cet aspect pratique du cache-pot entraîne l'obligation absolue de vider l'excédent d'eau, entre dix minutes et un quart d'heure après l'arrosage. Sans cette précaution, les racines des plantes vont s'asphyxier et pourrir. Notez toutefois que par temps très chaud (lorsque la température dans la maison dépasse les 23 °C), il est possible de laisser l'eau dans le cache-pot. L'évaporation étant alors très rapide, il n'y aura pas de dommages pour la plante.

Sur le plan techniques, les cache-pots sont parfois utilisée en hiver pour favoriser l'augmentation de l'humidité de l'air au niveau des plantes. Il suffit d'acheter un cache-pot d'un diamètre supérieur d'au moins 3 cm à celui du pot. Vous pouvez alors placer ce dernier sur un lit de billes d'argile expansée maintenu humide en permanence, ou bien insérer de la mousse humide (sphagnum) entre la paroi interne du cache-pot et le pot lui-même, pour améliorer l'hygrométrie.

◀ *Nephrolepis exaltata* dans un cache-pot en vannerie.

Quelques idées pratiques

Au quotidien, le cache-pot est surtout utilisé dans l'acception première que sous-entend son nom. En effet, il est logique de placer une potée fleurie éphémère (primevère, cyclamen, bégonia, azalée) dans un cache-pot, plutôt que de la rempoter dans un contenant décoratif, sachant que la plante sera jetée après quelques semaines seulement. On gagne du temps et un achat inutile de terreau.

Il revient souvent moins cher de maintenir une plante (surtout de grande taille) dans son récipient plastique d'origine habillé dans un joli cache-pot.

Ce dernier va également jouer un rôle important pour la bonne stabilité de la plante. Il permet également de mettre en place un petit treillage ornemental pour les plantes grimpantes, sans avoir à l'enfoncer directement dans le pot.

Un habillage décoratif

Le cache-pot est surtout considéré comme un élément de pure décoration. Son choix doit en premier lieu être esthétique. Mais attention, les cache-pots ne doivent pas être considérés de manière individuelle, mais globalement dans la décoration de la pièce.

• **Les cache-pots en céramique** sont très à la mode, car ils se déclinent dans des formes et des motifs de la plus grande fantaisie. Le plus simple consiste à utiliser des modèles en céramique blanche, dont vous pourrez faire varier les formes à l'infini tout en conservant une parfaite unité dans l'ambiance globale. L'avantage est la simplicité sans aucune erreur de goût et la possibilité de marier les cache-pots avec tous les types de plantes et presque tous les styles de meubles, surtout modernes. Les céramiques avec motifs colorés ou en relief peuvent atteindre des prix élevés.

• **Les cache-pots en vannerie** ont eu leurs heures de gloire au début des années 90, quand les magasins d'articles exotiques avaient le vent en poupe. Rotin, bambou et raphia tressé offrent l'avantage d'un prix avantageux et d'un aspect esthétique certain, bien en phase avec un mobilier rustique. En revanche, ils n'offrent aucune garantie d'étanchéité, leur stabilité est moyenne en raison d'un faible poids et ils s'abîment vite car le matériau craint l'humidité et la fabrication laisse souvent à désirer.

• **Les cache-pots en métal** sont les dernières créations en vogue. Pour les intérieurs modernes on apprécie surtout le zinc. Pour les décors rustiques, on retrouve les vertus du fer travaillé, souvent peint ou martelé. L'avantage est de pouvoir disposer de lignes variées, souvent très novatrices. En revanche, ces cache-pots sont sensibles à la corrosion, qui parfois leur procure une patine très esthétique, mais peut aussi les enlaidir. Dans le même esprit, on trouve aussi différents récipients en verre coloré, très jolis.

▲ Des cache-pots très modernes en verre coloré.

▲ Les cache-pots peints prennent une grande personnalité.

Les cache-pots en zinc sont très à la mode. ▶

COUPELLES ET TERRINES À BONSAÏS

On a trop souvent tendance à réserver les jolies terre cuite laquées d'origine chinoise ou japonaise à la seule culture des bonsaïs. Il est vrai que leurs dimensions assez réduites et leur fond plat a été prévu pour recevoir des petits arbres. Mais beaucoup de plantes d'intérieur, notamment des cactées et des plantes grasses s'adaptent fort bien dans ces récipients. Il s'agit pour la plupart de véritables contenants de culture, car ils disposent de bons trous de drainage. On trouve toutefois des céramiques, dont les formes et les dimension s'inspirent de ces coupes à bonsaï. On les utilisera alors comme cache-pots.

Notez que les terrines et les coupelles à bonsaïs constituent d'excellents contenants pour la réalisation des semis d'intérieur et des petites boutures. On les remplit alors d'un mélange à parts égales de sable et de tourbe blonde, en veillant à ce que les éléments les plus grossiers se trouvent répartis au fond, sur environ un tiers de la hauteur totale du récipient.

Les bonsaïs d'intérieur seront bien sûr rempotés dans ce type de coupes, en harmonisant le modèle à la forme particulière de l'arbre.

▲ *Un bel ensemble de coupes et de pots pour bonsaïs.*

LES BONBONNES ET LES MINISERRES

Pour réussir les semis et les boutures délicates, rien de tel qu'une mini serre, qui permettra d'entretenir une forte humidité et même de chauffer le terreau. Il existe aussi des modèles décoratifs, destinés à accueillir les espèces les plus capricieuses ou certaines petites merveilles qui feront toute votre fierté…

astuce Truffaut

En matière de mini serre, ne voyez pas trop « mini » et choisissez un modèle aussi volumineux que possible. En effet, les plantes vont bien se plaire sous verre ou sous plastique et prospérer rapidement. Mais il ne faut surtout pas que leur feuillage touche la paroi transparente sous peine de risquer une attaque fatale de pourriture grise.

▲ Il existe de très nombreux modèles de miniserres, destinés pour la plupart à la multiplication des espèces délicates.

Si vous n'avez pas la chance de posséder une serre ou une véranda, ne désespérez pas de réussir la culture des plantes les plus délicates, notamment les orchidées, les broméliacées, certaines fougères et les plantes carnivores. Toutes ces espèces manquent cruellement d'hygrométrie (humidité atmosphérique) dans nos maisons et c'est la cause principale des échecs. Il suffit de les enfermer dans une « prison de verre » pour que tout change. En effet, l'eau contenue dans le substrat va s'évaporer, mais rester prisonnière de la paroi de verre (ou de plastique), créant la moiteur que recherchent les plantes citées plus haut. De par l'effet de serre, qui emprisonne les calories apportées par la lumière, la température à l'intérieur d'une miniserre s'élève, ce qui provoque une meilleure croissance des plantes et favorise la germination des graines ou l'enracinement des boutures.

◀ Composition dans une bonbonne en forme de poire.

La miniserre décorative

C'est à la fois un écrin esthétique et une « bulle écologique » qui bénéficie du microclimat bien spécifique que nous venons de décrire plus haut. On trouve en premier lieu dans cette catégorie les « bonbonnes » et autres grands contenants en verre, que l'on peut transformer en petit jardin tropical *(voir encadré ci-contre)*. Le décor peut prospérer plusieurs années, à condition de ne pas trop arroser (le récipient est étanche) et d'éviter de l'exposer à la lumière directe. En effet, la paroi transparente produit l'effet d'une loupe pour les rayons lumineux, ce qui peut provoquer des brûlures graves du feuillage.

Plus onéreuses, mais souvent véritables petits objets d'art, les reproductions en miniature des verrières à l'ancienne se caractérisent par une structure métallique qui supporte les vitres. Les différents modèles sont pratiquement réalisés sur

JARDINER SOUS VERRE

La réalisation d'un décor dans une bonbonne ou une mini serre est un vrai plaisir. La difficulté vient essentiellement du diamètre de l'orifice. Si vous ne pouvez pas y passer la main, utilisez des baguettes en bambou qui vous serviront de plantoir. Il faut bien sûr choisir des plantes suffisamment petites pour qu'elles glissent dans l'ouverture sans s'abîmer.
N'utilisez pas de terreau. En raison de la forte humidité ambiante, il risquerait d'entraîner l'apparition de pourriture. Du sable grossier, des cailloux, des billes d'argile expansée conviennent mieux. Vous pouvez même réaliser des couches de matériaux différents pour accroître l'aspect décoratif de la composition.
Les plantes à utiliser sont : fittonia, piléa, pépéromia, sélaginelle, hypoestes, saintpaulia miniature, petites fougères pour les plantations périphériques. Pour le centre, un jeune plant de : chamaedorea, cordyline, pléomèle, croton.
Vous arroserez parcimonieusement, en utilisant une solution nutritive (un bouchon d'engrais liquide dilué dans 10 litres d'eau).

◀ *Remplissez le quart inférieur du récipient avec des billes d'argile expansée ou des petits cailloux blancs, que vous aurez nettoyés très soigneusement. Inutile d'utiliser du terreau.*

◀ *Utilisez de très jeunes plantes, que vous dépotez en veillant à ne pas abîmer les racines. Compactez la motte au creux de la main, afin de faciliter la plantation dans la bonbonne.*

◀ *Installez les plantes basses sur la périphérie du récipient. Disposez au centre une espèce à port vertical. Arrosez, puis fermez la bonbonne pour obtenir une forte hygrométrie à l'intérieur.*

mesure par des artisans spécialisés. Cette miniserre fera partie intégrante du décor de la pièce, créant même un pôle d'attraction. Il faut veiller avant l'achat à ce que les différents éléments soient faciles à démonter et à assembler, afin que l'entretien ne se transforme pas en corvée.
L'orchidarium est une sorte de vitrine ou de serre en miniature, qui comprend non seulement la structure, mais aussi les accessoires avec chauffage, éclairage, humidificateur, ventilateur et thermostat. C'est une fabrication artisanale onéreuse, mais qui est la seule à garantir des résultats à 100 %.

La miniserre à multiplication

On peut attribuer ce qualificatif à l'ensemble des petites fabrications plus larges que hautes. Il est en effet impossible d'y cultiver des végétaux, hormis quelques petites carnivores, des plantes cailloux et des micro-orchidées.
Ces miniserres en plastique se composent d'un bac qui reçoit le terreau et d'un dôme transparent qui s'applique dessus, permettant une fermeture étanche. On crée une ambiance « à l'étouffée », propice à l'enracinement des boutures. Vous obtiendrez de meilleurs résultats avec les modèles qui disposent d'une résistance chauffante. Vous la placez au fond du bac et, une fois branchée, elle fait monter la température du terreau jusqu'à 20 °C. On regrettera qu'il ne soit pas proposé de modèles avec thermostat, permettant de réguler le « chauffage de fond ». Il serait possible de moduler avec précision la température en fonction des espèces semées ou bouturées.
Attention, la plupart des miniserres à multiplication ne disposent pas d'orifices d'évacuation de l'eau en excès. Il est donc nécessaire de prévoir une couche drainante et d'utiliser un substrat très léger.

▲ Dans un bonbonne, les plantes prospèrent très vite.

▲ Idéale pour une orchidée, la miniserre verticale.

Un style contemporain pour cette miniserre hexagonale. ▶

Élément vital pour les plantes, qui y puisent leur subsistance, la terre prend une importance accrue pour toute culture en pot. Il faut que, dans un volume restreint, les racines puissent s'accrocher solidement, se nourrir, boire sans se noyer et respirer.

▲ Échantillon des différents éléments entrant dans la composition des terreaux pour les plantes d'intérieur.

astuce Truffaut **Les professionnels produisent les plantes en pots dans des conditions très contrôlées d'humidité, de fertilisation, d'arrosage. Ils utilisent des substrats à base de tourbe blonde, matériau souple, poreux, léger, mais difficile à maîtriser pour un amateur. Rempotez donc toute plante sitôt après l'avoir achetée.**

◄ Rempotage d'un *Dracaena marginata* dans un mélange par tiers de sable, de tourbe blonde et de terreau d'écorces.

Les jardiniers désignent sous le terme de « terre » la partie cultivable du sol, où se mêlent différents composants minéraux : le sable, l'argile et le calcaire et des éléments organiques désignés sous le terme générique d'humus. La terre est une structure complexe et instable, soumise à l'agression permanente des intempéries, des climats et des micro-organismes. Dans un pot, le milieu extérieur n'intervenant pas sur le comportement et la qualité de la terre, il faut bien définir sa composition. La compacité doit être suffisante pour soutenir toute la plante, avec des racines bien accrochées. La capacité de rétention en eau est capitale pour la fertilité, les racines puisant leur nourriture sous forme de sels minéraux dilués. Toutefois, la terre ne doit pas se transformer en bourbier, l'aération étant nécessaire à l'oxygénation des racines.

La terre de jardin

Dans sa composition idéale théorique, la bonne terre de jardin comprend 60 % de sable, 25 % d'argile, 10 % de calcaire et 5 % d'humus. Quand elle se rapproche de cette formule, on la qualifie de « terre franche ». Attention, le terme « terre végétale », que l'on emploie à tort et à travers, correspond souvent à des terres de récupération ou de remblai, d'une qualité agronomique tout à fait médiocre.

La terre de jardin ne s'utilise pas pure dans les pots, car elle présente une structure trop compacte ou tend à se tasser au fur et à mesure que les arrosages la ravinent. La terre de jardin s'utilisera dans les mélanges pour les grandes plantes (palmiers, agrumes, ficus, philos, yuccas, dracaenas), dans une proportion de 20 à 50 %.

Le terreau

On devrait plutôt dire « les terreaux », car, dans son acception première, ce terme désigne le produit de la décomposition d'une matière organique simple. Il existe donc des terreaux de feuilles, de fumier, d'écorces, de tourbe, etc.
Si l'on se réfère à la définition du *Petit Larousse,* le terreau est *« une terre mélangée à des matières animales ou végétales décomposées »*, c'est-à-dire ce que les jardiniers désignent aujourd'hui sous le terme de compost, ce dernier étant quant à lui défini comme un *« mélange fermenté de résidus organiques et minéraux, de chaux et de terre qui se transforme en terreau »*. La seule nuance se retrouve donc au niveau du degré de décomposition des matières organiques.
En pratique, le terreau est un mélange de différents composants minéraux et organiques, dans lequel poussent les plantes. On le désigne sous le terme générique de support de culture, ce qui signifie que le terreau peut s'utiliser pur pour la culture des plantes en pot. C'est ce qui le différencie des amendements (les composts de fumier, la chaux par exemple), qui peuvent entrer dans la composition des terreaux, mais sont trop riches ou trop mal équilibrés pour servir de support de culture.
On désigne par le terme « substrat » un mélange de différents types de terres, de minéraux et de terreaux, adapté spécifiquement à la culture d'un type de plantes ou d'un groupe végétal.

▼ Le terreau pour bacs à réserve d'eau est bien aéré.

▶ Le terreau orchidées : écorces, polystyrène et tourbe fibreuse.

Les terreaux du commerce

Les produits « prêts à l'emploi » proposés en sacs sont de plus en plus spécialisés, afin de vous faciliter la tâche lors des rempotages, tout en vous garantissant le succès.
Le terreau plantes vertes : c'est le mélange basique, proposé souvent à prix promotionnel. Sa qualité n'est pas toujours excellente. Les formules lourdes et qui forment des mottes seront allégées avec du sable. Les produits trop souples et tourbeux seront renforcés avec de la terre de jardin.
Le terreau cactées : il est destiné aux plantes grasses et aux cactus, mais aussi aux sansévièria, beaucarnéa, yucca. C'est souvent un mélange de sable et de diverses tourbes, contenant aussi de la pouzzolane, qui joue le rôle aérateur des gravillons.
Le terreau bonsaïs : il doit contenir de la terre argileuse pour offrir une bonne structure. Il est allégé par de la tourbe, des écorces compostées et de la pouzzolane. Vous pouvez lui ajouter 10 % de sable.
Le terreau agrumes : il convient aux oranger, citronnier, calamondin, kumquat, mais aussi aux olivier, palmier, bougainvillée et plantes ligneuses méditerranéennes. Riche et compact, il associe de la terre argileuse, du sable, de la tourbe, des écorces.
Le terreau orchidées : il ne doit pas contenir de terre. Un produit de bonne qualité est composé d'éléments fins : écorces, mousse synthétique, billes de polystyrène.
Le terreau bacs à réserve d'eau : il intègre des billes d'argile dans un mélange poreux où la tourbe ne doit pas dépasser 50 %.

▼ Le terreau plantes d'intérieur pour les plantes faciles.

▼ Le terreau à cactées contient une majorité de sable.

▼ Le terreau pour agrumes est riche et compact.

On utilise des éléments d'origine très variée pour constituer les terreaux et les substrats dans lesquels on cultive les plantes de la maison. Chacun apporte des qualités bien particulières, qui, combinées avec celles des autres composants, créent un milieu favorable à la croissance.

astuce Truffaut

Pour être certain d'acheter un terreau de bonne qualité, vérifiez la composition, qui doit obligatoirement figurer au dos du sac. Le mélange doit comporter au moins trois matières premières différentes : l'une assurant une bonne structure, l'autre la rétention en eau et la troisième l'aération. Il est préférable aussi que la proportion de tourbe ne dépasse pas les 50 %, sinon il y a de fortes chances pour que le terreau soit assez pauvre. Vérifiez aussi la présence du logo losangique indiquant : « production certifiée conforme à la charte des professionnels ». Une assurance de qualité.

Différentes matières premières d'origine naturelle sont mélangées en proportions variables par les professionnels pour constituer les terreaux du commerce. On peut aussi parfois les trouver sous forme brute, ce qui permet de composer des substrats soi-même selon ses recettes personnelles.

La terre de jardin

Bien travaillée, régulièrement amendée et fertilisée, la terre de votre propre jardin constitue, en raison de sa richesse, un élément de choix pour la culture des plantes de la maison. Prélevez-la de préférence en surface, plutôt dans le potager, sur une parcelle non cultivée et qui aura été soigneusement désherbée manuellement au préalable. N'utilisez pas de terre ayant reçu un traitement herbicide (même non rémanent), les risques étant importants pour les plantes en pots. Un pH plutôt acide étant préféré par la quasi-totalité des plantes, évitez d'employer des terres calcaires ou qui ont été récemment chaulées.
Retirez les cailloux et les racines de mauvaises herbes. Vérifiez bien l'absence totale de vers (lombrics, noctuelles, taupins, hannetons). La terre de jardin s'utilise dans une proportion de 25 à 50 % selon les plantes. On l'emploie surtout pour les plantes à grand développement qui nécessitent une assise solide et un sol très nutritif.

Le sable

On utilise principalement du sable de rivière, une roche sédimentaire souple, formée principalement de grains de quartz dont le diamètre maximal est de 2 mm pour le sable fin et de 5 mm pour le sable grossier. Le sable de carrière (ou sable à lapin) est formé de limons souvent alcalins, dont les particules ultra-fines s'agglutinent facilement entre elles. Il est déconseillé pour la culture des plantes d'intérieur. Le sable de quartz ne se tassant pas, il joue essentiellement un rôle drainant (écoulement de l'eau et aération).
La proportion de sable dans un substrat peut atteindre 50 % pour les terreaux destinés aux semis, aux boutures et aux cactées. Totalement inerte, le sable n'apporte aucun élément minéral bénéfique à la plante. Le sable de quartz en sac est le plus souvent proposé au rayon aquariophilie.

La tourbe blonde

C'est le matériau préféré des horticulteurs professionnels, car la tourbe blonde joue le rôle d'éponge naturelle, retenant jusqu'à trois cents fois son volume d'eau, mais aussi de bon aérateur des substrats en raison de son incapacité à se décomposer. De réaction très acide (pH 4 ou 5), la tourbe blonde permet de retarder l'effet chlorosant

▼ Terre de jardin (terre franche).

▼ Sable de rivière fin.

▼ Tourbe blonde tamisée (humide).

des arrosages à l'eau de ville très calcaire. Formée à partir de mousses (sphaignes) ou de sortes de joncs, les laîches *(Carex)*, la tourbe blonde présente l'inconvénient de se réhumidifier très difficilement quand elle est bien sèche (l'eau ruisselle dessus). En revanche, elle est totalement indemne de germes de maladies. La tourbe blonde est bien tolérée par toutes les plantes.

On la rencontre dans pratiquement tous les terreaux du commerce, car c'est un matériau encore bon marché, facile à stocker, à mélanger et surtout totalement inerte. On peut s'interroger sur l'avenir de la tourbe pour la culture, les sites exploitables se raréfiant et l'extraction de la tourbe engendrant des problèmes écologiques importants dans certaines régions du nord de l'Europe (destruction de l'écosystème et d'une végétation unique).

La tourbe blonde s'utilise dans une proportion de 25 à 35 % dans les différents substrats. Sa présence peut atteindre 50 % pour les terreaux de semis et de bouturage.

La tourbe noire

Si la tourbe blonde est la formation la plus récente (de 300 à 1 500 ans selon les sites d'exploitation) que l'on extrait dans les couches superficielles, plus la strate est profonde, donc âgée, et plus la couleur de la tourbe fonce. La tourbe brune est un matériau âgé de 1 000 à 5 000 ans qui, le plus souvent, a été produit dans un milieu anaérobie (sans oxygène). Encore légèrement fibreuse, elle est très spongieuse, riche en matière organique et joue un rôle très efficace pour la rétention en eau (jusqu'à 500 fois son volume). Encore plus ancienne (jusqu'à 30 000 ans), la tourbe noire se présente sous la forme d'un matériau léger, fin, humide qui est souvent commercialisé sous l'appellation « terreau » après broyage, et mélange avec un peu de tourbe blonde. Le produit est assez compact et forme des mottes. Il a tendance à se gorger d'eau et à libérer difficilement le liquide au profit des plantes, d'où des risques évidents d'asphyxie des racines. Ces terreaux de tourbe, qui portent souvent la banale appellation de « terreau horticole », donnent d'assez mauvais résultats pour la culture d'amateur des plantes de la maison. Il ne faudrait pas dépasser une proportion de un quart de tourbe brune ou noire dans tout type de substrat. Une fertilisation est indispensable, car le matériau est très pauvre.

La tourbe fibreuse

C'est une présentation particulière de la tourbe blonde, qui, au lieu d'être broyée finement, puis compactée comme c'est le cas le plus fréquent, est juste concassée en grosses mottes qui conservent bien la structure fibreuse du matériau. Il s'agit uniquement de tourbe de sphaignes, en général très jeunes, dont la structure est encore plus aérée. Il est d'ailleurs fréquent que l'on retrouve des fragments végétaux encore intacts. La tourbe fibreuse n'est pas très répandue sur le marché des jardiniers amateurs. On la trouve le plus souvent dans certains substrats pour orchidées assez bas de gamme, où elle est même parfois utilisée quasiment pure. Son rôle est surtout d'éviter le compactage des terreaux. On l'emploie dans les mélanges destinés aux broméliacées, aux fougères et pour les orchidées terrestres *(Cymbidium)*.

La terre de bruyère

Résultant de la décomposition des racines et des tiges des vieilles bruyères dans les landes et les sous-bois, la véritable terre de bruyère est une sorte de terreau fibreux comportant une forte proportion de sable. On l'apprécie surtout pour son bon équilibre physique et son pH très acide (5,5) qui en font le substrat de prédilection pour la culture des plantes calcifuges. Milieu très pauvre en sels minéraux, la terre de bruyère ne s'utilise pure que pour les azalées. Elle entre toutefois dans la composition de nombreux mélanges, notamment pour les fougères, les bégonias, les gardénias, les fleurs à bulbes, etc.

Les sites d'exploitation naturelle étant de plus en plus restreints, la terre de bruyère véritable est souvent remplacée par un mélange de sable et de tourbe blonde, vendu sous l'appellation « terre dite de bruyère ». En pratique, ce produit s'avère souvent trop finement tamisé, d'où des risques de compactage néfastes pour les racines. Un mélange avec du mulch d'écorces de pin ou de la fibre de coco *(voir pages 122 - 123)* permettra de bien se rapprocher de la terre de bruyère « sauvage ».

▼ Tourbe noire non tamisée.

▼ Tourbe concassée fibreuse.

▼ Terre de bruyère véritable, non tamisée.

Le compost ménager

C'est une sorte de terre grasse et bien noire, obtenue par la décomposition, durant six à douze mois, de tous les déchets organiques d'origine végétale que produisent la maison et le jardin. Les tontes de gazon, les feuilles mortes, les branchages broyés, les épluchures de légumes, les vieux chiffons déchiquetés, les fruits abîmés, les coquilles d'œufs, le marc de café ou de thé, la cendre de bois sont autant d'éléments qui peuvent composer ce produit hétéroclite, mais riche en matière organique et en éléments fertilisants. Le compost ménager doit être tamisé avant d'être utilisé. Sa texture assez grasse ne permet pas de l'employer pur pour la culture en pot, mais il peut remplacer la terre de jardin ou le terreau de feuilles dans les différents mélanges.

Les écorces

L'utilisation d'écorces de pin pour la composition des substrats date de moins de vingt ans. Auparavant, ce résidu des scieries était tout simplement brûlé. Aujourd'hui, l'écorce est en passe de détrôner doucement la tourbe, car c'est un matériau aisément renouvelable, prélevé sur des arbres faisant partie de cultures planifiées. Son utilisation ne crée donc aucun impact négatif sur l'environnement, puisque les forêts spontanées ne sont pas concernées.
Les écorces de pin broyées, puis compostées entrent dans la fabrication de nombreux terreaux. Elles donnent un produit souple, bien aéré, léger, mais qui retient assez mal l'eau et présente une forte acidité (pH 4 ou 5). Un terreau uniquement composé d'écorce à différents stades de décomposition est un produit bas de gamme qu'il faut enrichir avec de la terre de jardin ou du compost ménager pour qu'il donne satisfaction. Un simple mélange de tourbe et d'écorce n'est pas non plus très satisfaisant, car il est pauvre et manque d'assise.
Les écorces non compostées, de petit calibre (10 à 15 mm), constituent la base des substrats pour les orchidées et les broméliacées épiphytes. Il faut choisir une qualité sans liber (couche inférieure du bois) pour éviter la décomposition des parties fibreuses, qui pourrait entraîner le développement de diverses pourritures.
Les écorces d'arbres feuillus ne sont pas utilisées dans les substrats en raison de leur forte teneur en tanins, qui joue un rôle inhibiteur sur la croissance des plantes.

Le mulch d'écorces

C'est le produit le moins noble de l'exploitation des écorces de pin. Il se présente sous forme de lamelles fibreuses de dimensions très variables. On les utilise surtout comme paillis (d'où l'emploi du nom anglais « mulch »). Toutefois, après un passage dans un broyeur pour en réduire les dimensions à de simples copeaux, il est possible de les utiliser pour alléger les terreaux de tourbe noire ou une terre de jardin un peu trop argileuse. Les fougères apprécient bien la présence de ce matériau.

Le fumier

Souvent considéré (à tort) comme la panacée du jardinier, ce mélange de matières fécales animales avec diverses litières organiques (paille ou tourbe principalement) ne s'utilise qu'après un long compostage (au moins 6 mois, au mieux de 8 à 12 mois). Une fois complètement décomposé, on obtient un produit assez lourd, gras, bien noir que l'on appelait jadis : terreau de fumier, mais que l'on préfère désigner aujourd'hui comme : compost de fumier. La qualité intrinsèque varie beaucoup selon l'origine animale, les fumiers de chevaux et de bovins étant plutôt meilleurs, avec une bonne richesse en matières fertilisantes et une texture fibreuse intéressante. Les fumiers de moutons et de lapins sont plus secs et plus pauvres. La fiente de volaille est peu utilisée. La technique de compostage est importante. La récupération du purin, que l'on ajoute régulièrement sur le tas, car il est riche en azote, améliore l'activité microbienne, de même qu'un retournement régulier. Le fumier peut être mélangé au compost ménager dans une proportion de 30 à 50 %. Il est important de connaître l'origine du fumier que vous utilisez afin d'être certain que les pailles ne contenaient pas d'herbicides. Certains produits ont une rémanence si longue qu'il pourraient subsister à l'état de traces dans les substrats.
Dans la même optique, méfiez-vous de tous les produits animaux (sang, os, cuir, fientes, plumes, etc.) dont l'origine vous est inconnue. Il est parfaitement possible de les

▼ Le compost ménager doit rester un petit peu fibreux.

▼ Les écorces de petit calibre : pour les orchidées.

▼ Le fumier composté s'emploie en mélange.

composter, mais on y retrouve souvent des substances suspectes qui peuvent s'avérer nuisibles pour vos plantes, pour l'environnement ou pour votre propre santé.
On trouve dans le commerce des composts de fumiers (souvent proposés sous le qualificatif de « fertilisants »). La plupart sont enrichis d'algues qui ont elles-mêmes été compostées et dont l'avantage est l'apport d'oligo-éléments et d'hormones utiles.
Pour les plantes de la maison, les fumiers seront surtout utilisés pour enrichir, dans une proportion de 10 à 20 %, les substrats des plantes à croissance rapide ou forte.

Les coques de cacao

L'enveloppe cellulosique qui recouvre la fève de cacao est depuis quelques années récupérée, nettoyée, séchée et mise en sacs pour une utilisation horticole (souvent sous le nom de mulcao). Sa destination première est surtout le paillage, comme substitut des écorces de pin. Toutefois, on peut aussi l'intégrer dans les substrats pour les plantes en pots. Bien que très fine, la coque de cacao ne se décompose pas très vite, ce qui lui permet de jouer un rôle allégeant dans un terreau ou en mélange avec de la terre de jardin. Il suffit de l'émietter un peu entre les doigts et de l'incorporer de façon homogène, dans une proportion de 10 % en moyenne. On appréciera aussi la coque de cacao dans les substrats destinés aux bacs à réserve d'eau, pour remplacer de façon plus économique les billes d'argile expansée. Dans ce cas, on l'utilise entière.

La fibre de coco

L'enveloppe fibreuse qui recouvre la noix de coco s'avère intéressante. Broyée ou hachée, la matière conserve sa texture et va servir à aérer les tourbes brunes, les composts ménagers ou les terres de jardin un peu lourdes. Il est également possible de l'incorporer dans les substrats pour fougères, broméliacées et orchidées terrestres, dans une proportion de 10 à 20 %. Finement pulvérisée, séchée, puis compactée sous forme de brique à réhydrater, la fibre de coco est proposée comme un succédané de la tourbe, avec un pouvoir de rétention en eau tout à fait comparable. Certains fabricants lui donnent même le nom de « terreau », mais c'est se montrer un peu optimiste sur les vertus de ce matériau qui ne doit pas être utilisé seul.

Le sphagnum

Cette mousse de structure spongieuse et fibreuse était jadis fort répandue dans les zones marécageuses de nos régions. Elle est même le constituant principal des tourbières d'Allemagne du Nord et d'Irlande. Considéré comme la providence des orchidophiles, le sphagnum a été surexploité au point de quasiment disparaître. Devenu denrée rare et chère, il a été abandonné au profit de la mousse de polyuréthanne qui retient bien l'eau, mais ne la restitue pas aux plantes cultivées de façon aussi régulière. Depuis peu, on trouve de nouveau du sphagnum, en provenance du Chili.

Les racines de fougères

Ce matériau naturel fait partie de la composition classique du substrat pour les orchidées épiphytes. On utilisait surtout de la racine de polypode pour sa structure fibreuse qui apporte une qualité filtrante au substrat. L'exploitation des fougères devenant délicate sur le plan économique, mais aussi écologique, elles ont été petit à petit remplacées par les écorces de pin. Il est toutefois possible de s'en procurer chez les spécialistes des orchidées et de les incorporer dans une proportion de 30 % environ dans le substrat des espèces de petites dimensions, qui apprécieront la finesse de ce support. Par ailleurs, on utilise aussi des plaques de stipe (tronc) de fougères arborescentes, profitant de leur structure fibreuse, pour y accrocher des broméliacées épiphytes (surtout les tillandsias) et des petites orchidées à suspendre.

Les déchets de laine

C'est un tout nouveau matériau de récupération provenant des usines de filage. Il s'agit de déchets de laine présentés sous forme de granules compactés d'environ 0,5 cm de diamètre. Incorporés au terreau, dans une proportion de 10 à 15 %, les granules jouent un double rôle de rétention d'eau et d'allégement du substrat. La fréquence des arrosages est sensiblement réduite. Le produit se décompose lentement (environ un an), en libérant des composants azotés et des oligoéléments.

▼ Légères, les coques de fèves de cacao, ou mulcao.

▼ Les fibres de coco hachées allègent bien la terre.

▼ Le sphagnum : une mousse appréciée des orchidées.

LES MATÉRIAUX SYNTHÉTIQUES

Les éléments constituant la terre et les composts n'étant pas toujours très stables ni très fiables, les professionnels ajoutent dans leurs substrats des matériaux, naturels ou industriels, aux propriétés stables et facilement contrôlables. On les rencontre de plus en plus dans les terreaux destinés aux amateurs.

Pour éviter tout problème de pourriture avec les boutures et les semis, utilisez des matériaux synthétiques. Ils offrent l'avantage d'être parfaitement inertes et surtout de ne pas présenter une structure favorable au développement des champignons de la fonte des semis *(Botrytis, Pythium)*. La perlite et la vermiculite donnent de très bons résultats. Elles peuvent être utilisées pures ou mélangées. Vous pouvez aussi les associer à du sable de rivière ou à de la pouzzolane pour augmenter l'effet drainant.

La composition des terreaux du commerce fait aujourd'hui appel à des matériaux naturels ou synthétiques qui ne font pas partie de la composition normale ou habituelle des sols. Il s'agit souvent de produits industriels dont la vocation première était éloignée de l'horticulture, mais qui, avec l'expérience, se sont montrés d'une grande valeur. Ces différents matériaux sont parfois disponibles séparément. Ils vont vous permettre de sophistiquer la composition de vos propres mélanges, tout en vous permettant d'apprécier leur facilité d'utilisation, leur texture souple et agréable et leur propreté. S'ils ne sont pas plus diffusés aujourd'hui, c'est que leur prix reste encore assez élevé. Toutefois, la plupart de ses produits pouvant être fabriqués à volonté, sans interaction néfaste sur l'environnement, ils représentent des matières de grand avenir.

La perlite

Cette silice expansée se présente sous forme de petites perles blanches ou grises, très légères (de 60 à 100 g/l). En raison de son faible poids, la perlite est de plus en plus utilisée pour remplacer le sable dans les terreaux du commerce. Le produit est en effet plus facile à manipuler et à stocker, et il coûte moins cher à transporter.

La perlite joue essentiellement un rôle d'aération dans le substrat. On peut l'utiliser pure ou en mélange avec du sable ou de la vermiculite pour les semis et les boutures. Dans les terreaux contenant de la terre de jardin ou de la tourbe noire assez compacte, incorporez de 10 à 20 % de perlite et vous obtiendrez d'excellents résultats.

La pouzzolane

C'est une roche volcanique siliceuse à structure alvéolaire que l'on broie en particules de 2 à 5 mm de diamètre, aux contours très irréguliers. La pouzzolane se caractérise par des propriétés hygroscopiques fortes (elle retient l'eau). On l'utilise pour aérer les substrats, comme succédané des cailloux que l'on trouve naturellement dans une terre de jardin. Incompressible, elle limite le tassement du substrat. Dans sa granulométrie la plus forte, on l'incorpore aux terreaux des bacs à réserve d'eau, où son aspect rugueux crée une aération plus efficace que les traditionnelles billes d'argile expansée bien rondes, sur lesquelles la terre humide a tendance à adhérer rapidement. La pouzzolane peut également être utilisée pour constituer un lit de drainage au fond des pots. Enfin, on l'emploie aussi pour tapisser les soucoupes ou les plateaux sur lesquels on pose les pots après avoir bien imbibé la pouzzolane d'eau. Les plantes bénéficient ainsi d'une ambiance humide, sans risquer l'asphyxie des racines.

▼ Perlite : un matériau très léger pour aérer le substrat.

▼ Pouzzolane : hygroscopique, mais très poreuse.

▼ Vermiculite : on peut l'utiliser pure pour les semis.

La vermiculite

Fabriquée à partir d'argile que l'on chauffe à très haute température, la vermiculite ressemble à des petits copeaux de liège ou de bois. Elle est formée de minéraux qui s'agglutinent les uns aux autres sous forme de lamelles. Très légère, la vermiculite pèse environ 100 g/l. C'est un matériau totalement inerte, qui n'a aucune interaction avec la plante. On l'utilise souvent pour les semis ou les boutures à la place du sable, les jeunes racines se formant bien dans ce milieu léger et aéré. Dans les substrats, c'est un excellent élément d'aération et de drainage, car la vermiculite ne retient pas l'eau.

L'argile expansée

Obtenu par cuisson, ce matériau se présente sous la forme de billes de texture alvéolaire, dont le calibre varie de 0,5 à 3 cm de diamètre environ. Dotées d'une très faible capacité de rétention en eau, les billes d'argile sont surtout utilisées pour le drainage ou incorporées dans les terreaux pour les bacs à réserve d'eau. Dans ce dernier cas, il est préférable de les casser pour qu'elles prennent une forme irrégulière, au pouvoir d'aération plus efficace.

L'agrosil

Produit de synthèse fabriqué à base de silice, il contient aussi de l'azote et de l'acide phosphorique, ce qui lui permet de jouer un rôle stimulant sur le développement racinaire. L'agrosil augmente la capacité de rétention en eau des terreaux. Il se comporte aussi comme un régulateur de la fertilisation, fixant les excédents de sels minéraux, ce qui évite les brûlures des racines. On l'incorpore directement au substrat.

La laine de roche

Ce matériau fibreux, proche de la laine de verre, mais compacté, se présente sous forme de petits cubes que l'on incorpore dans certains substrats. La bonne rétention en eau du matériau, ainsi que son aspect solide permettent un bon équilibre entre l'humidité et le drainage. Notez qu'il est possible de cultiver des plantes uniquement dans de la laine de roche, en apportant une fertilisation goutte à goutte.

La dolomie

Cette roche sédimentaire est constituée par du carbonate de calcium et de magnésium mêlé à de la calcite. On l'utilise après broyage pour réduire l'acidité des substrats riches en tourbe ou pour apporter une alcalinité volontaire. Par exemple, on ajoute toujours un peu de dolomie dans les substrats des sabots-de-Vénus *(Paphiopedilum)* qui sont parmi les rares orchidées à préférer un milieu non acide.

Le charbon de bois

Connu pour ses vertus antiseptiques, on en incorpore souvent un petit morceau dans l'eau où s'enracine les boutures. Sa seule présence empêche le liquide de croupir. La poudre de charbon de bois peut être mélangée aux substrats des plantes à racines charnues (orchidées et cactées surtout) afin d'éviter les risques de pourriture.

▼ Billes d'argile : pour aérer un substrat trop compact.

▼ Agrosil : il évite les excès de sels minéraux dans le sol.

LE DRAINAGE

Dans le jardin, l'eau de pluie ou de l'arrosage pénètre dans le sol, puis elle est partiellement absorbée par les racines. Une fraction du surplus est stockée par le sol, le reste s'infiltre en profondeur. Dans un pot, le même phénomène se produit, mais si l'excès d'eau ne peut pas être évacué par l'orifice situé sous le pot, on court à la catastrophe. En effet, les racines, attirées par l'humidité permanente, vont s'enfoncer et finir par plonger dans l'eau stagnante, où elles s'asphyxieront. Profitant du milieu confiné, humide et compact, des bactéries et des champignons vont attaquer les racines affaiblies et c'est la pourriture assurée. À ce stade, la plante a peu de chance de survie. Vous devez donc prévoir l'évacuation de l'eau en installant une couche drainante au fond du pot. Constituée de 3 à 5 cm de billes d'argile ou de gravillons, elle va empêcher les racines de former un bouchon risquant d'obstruer l'orifice du pot. Le drainage isolera le terreau de l'eau pouvant stagner dans la soucoupe, ce qui l'empêchera de remonter vers la plante par capillarité.

Placez une couche drainante au fond des pots. ▶

NOS RECETTES DE SUBSTRATS

Même si les terreaux de marque proposés dans le commerce sont de plus en plus élaborés, avec des formules intégrant un nombre important de matières premières, on peut considérer que chaque plante devrait faire l'objet d'un mélange spécifique pour répondre avec précision à ses besoins particuliers. C'est ce que font d'ailleurs les horticulteurs, qui élaborent avec les professionnels du terreau des « recettes » dont ils conservent jalousement le secret. Nous vous en livrons ici quelques-unes, adaptées aux besoins particuliers du jardinage dans la maison.

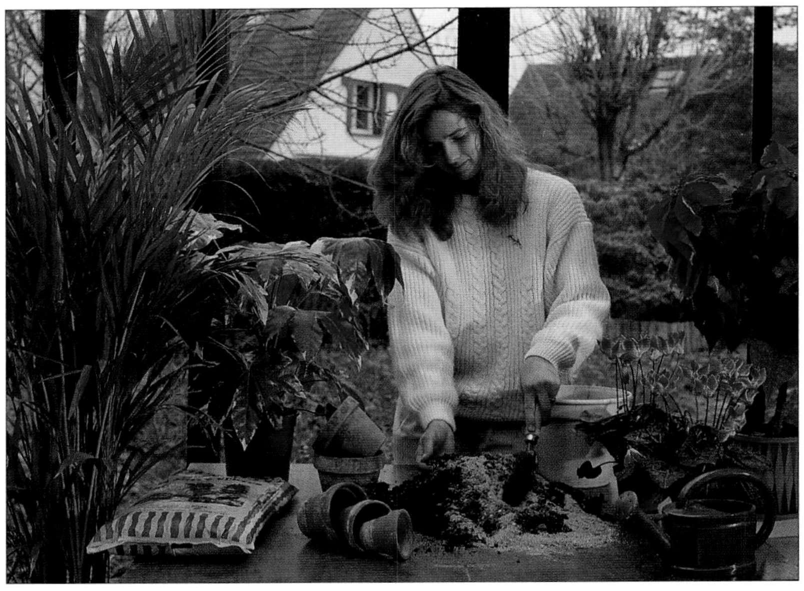

▲ Rempotage d'un *Fastia japonica*. Préparation du substrat dans une ambiance de véranda.

astuce Truffaut

Pour les plantes de culture facile, faites confiance aux terreaux du commerce. Ils ont l'avantage d'être fabriqués avec des matières premières dont l'origine et la qualité sont contrôlées. Les bons produits sont également garantis indemnes de germes pathogènes (maladies) et de mauvaises herbes. C'est un avantage certain par rapport aux mélanges « maison », où interviennent de la terre de jardin et du compost.

L'expérience montre que l'on obtient d'excellents résultats en utilisant tels quels les meilleurs terreaux du commerce. On peut toutefois reprocher à beaucoup de ces substrats d'être l'émanation des terreaux professionnels et de présenter une richesse excessive en tourbe, ce qui contribue à un dessèchement rapide ou au contraire à un excès néfaste d'humidité, selon que l'on arrose peu ou trop. Si vous n'avez pas la possibilité de disposer d'un large assortiment de matières premières pour réaliser vos propres mélanges, n'hésitez pas à associer deux terreaux de texture opposée, par exemple un mélange lourd comme le terreau agrumes ou bonsaïs avec un mélange léger comme le terreau plantes fleuries ou cactées. Vous obtiendrez alors un bon compromis pour cultiver avec succès les plantes courantes. Mais, si vous préférez les recettes « maison » aux « plats cuisinés », essayez les compositions suivantes. Nous les avons éprouvées depuis longtemps avec succès.

Le substrat classique : destiné aux plantes courantes (ficus, philo, croton, dracaena, cordyline, pothos, dieffenbachia, etc.), c'est un mélange à parts égales de terreau de feuilles (ou d'écorces), de sable de rivière, de tourbe blonde et de terre de jardin.

Bacs à réserve d'eau : utilisez le mélange classique composé d'éléments grossiers (ne pas tamiser) additionnés de 15 % de billes d'argile ou de pouzzolane.

Fougères : la moitié de terre de bruyère fibreuse, un quart de terreau de feuilles, un quart de fertilisant organique (fumier).

Broméliacées : terreau de feuilles, terre de bruyère fibreuse, mulch d'écorces de pin, vermiculite et tourbe blonde à parts égales. Variante : la moitié de terre de bruyère non tamisée, un quart de fibres de coco, un quart d'écorces de pin (15 mm).

Plantes grasses : un tiers de sable de rivière grossier, un tiers de terreau de feuilles (ou d'écorces), un sixième de perlite ou de vermiculite, un sixième de tourbe blonde.

Cactées : moitié de sable de rivière assez fin, un quart de terreau de feuilles et un quart de tourbe blonde, mélange auquel vous ajoutez 20 % de petits cailloux.

Orchidées épiphytes : écorce de pin en petits copeaux (10 à 15 mm), polystyrène expansé, mousse de polyuréthane ou laine de roche (cubes de 1 cm de côté), racines de fougères et sphagnum. La proportion entre les différents ingrédients peut varier d'une espèce à une autre. L'important est d'obtenir un mélange très granuleux, filtrant, mais où les racines s'ancrent bien.

Orchidées terrestres : tourbe blonde concassée et substrat pour les orchidées épiphytes en mélange par moitié.

Bulbes et tubercules : terre de jardin, sable, tourbe brune et terreau d'écorces en mélange à parts égales.

Plantes fleuries : un quart de terre de jardin, la moitié de terreau d'écorces ou de terre de bruyère, un quart de tourbe blonde. Notez que, pour les plantes éphémères, l'utilisation d'un terreau « géraniums » souple et poreux, est suffisante.

Agrumes : la moitié de terre de jardin, un quart de sable, un quart de tourbe blonde. Ajoutez 10 % de fertilisant organique (fumier) composté et d'algues.

Palmiers : sable de rivière fin, terre de jardin, terreau d'écorces, tourbe brune, tourbe blonde et fumier décomposé à parts égales. Une variante plus simple associe par tiers : terreau de tourbe, sable et terre de jardin. Ces mélanges conviennent également pour les cycadacées *(Cycas, Encephalartos).*

Bonsaïs : terre de bruyère, terreau de feuilles (ou d'écorces), sable de rivière et terre de jardin en mélanges à parts égales.

Suspensions : terre de jardin, terre de bruyère sableuse, non tamisée et terreau d'écorces en mélange à parts égales.

Zingibéracées (alpinia, curcuma, hedychium, etc.) : la moitié de terre de jardin argileuse, un quart de tourbe blonde et un quart de terreau d'écorces. Ajoutez à ce mélange 20 % de fertilisant organique à base de fumier composté et d'algues.

Plantes méditerranéennes (olivier, laurier-rose, bougainvillée, mimosa, etc.) : terre de jardin, sable, tourbe blonde et terreau d'écorces en mélange à parts égales.

Notez que la plupart des mélanges contenant de la terre de jardin peuvent être allégés en y ajoutant environ 10 % de pouzzolane ou de perlite. Dans les mélanges fibreux, vous pouvez alléger avec de la vermiculite.

▼ Mélange classique : sable, tourbe et terreau.

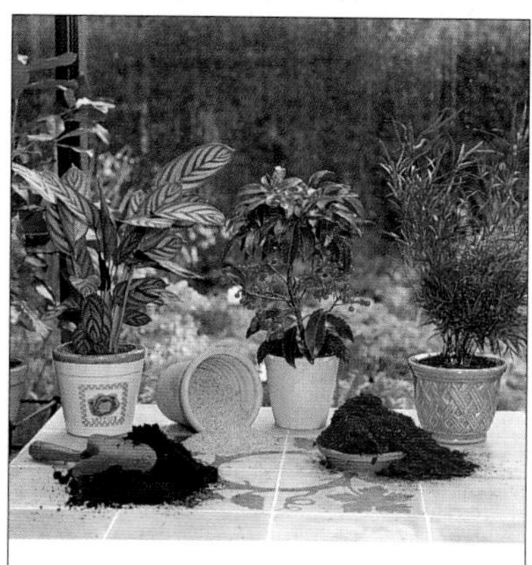

▼ Fougères : terreau, terre de bruyère et fumier.

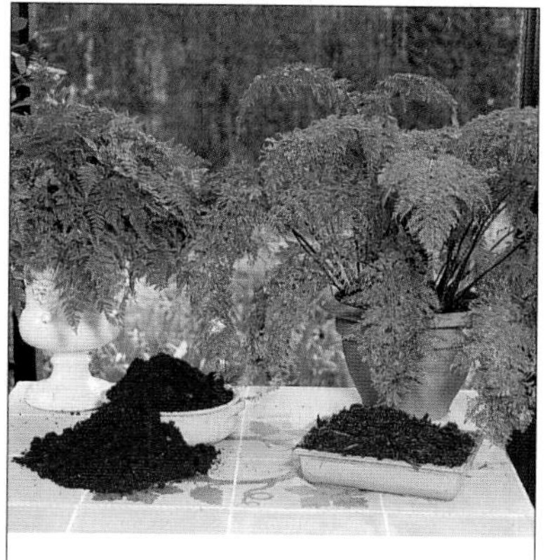

▼ Broméliacées : fibres de coco, terre de bruyère, écorces.

▼ Cactées : gravillons, sable, terreau et perlite.

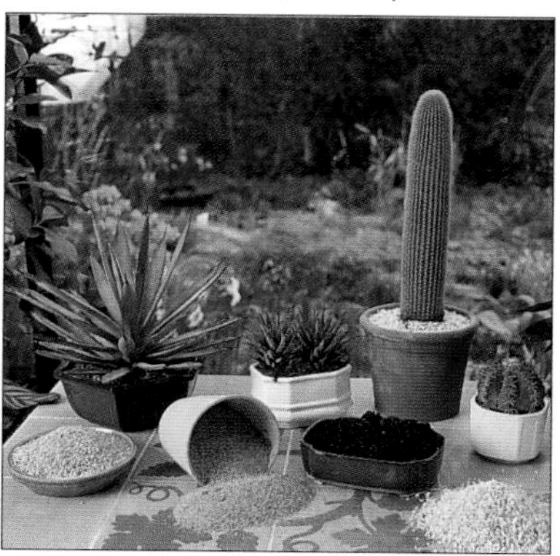

▼ Orchidées : écorces, polystyrène et tourbe fibreuse.

▼ Cycas et palmiers : terreau, sable et terre de jardin.

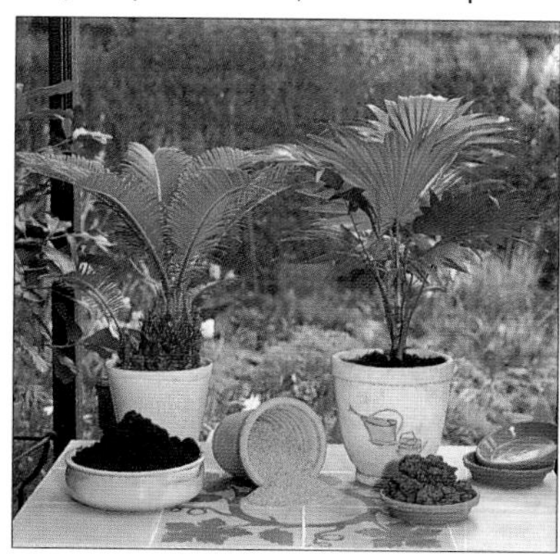

LE REMPOTAGE

Souvent vécu comme une opération délicate par les jardiniers débutants, le rempotage est pourtant une intervention fort simple qui fait partie des opérations d'entretien classiques des plantes de la maison. Réalisé dans de bonnes conditions, un rempotage entraîne un stress très limité chez la plante et lui permet de prospérer de plus belle…

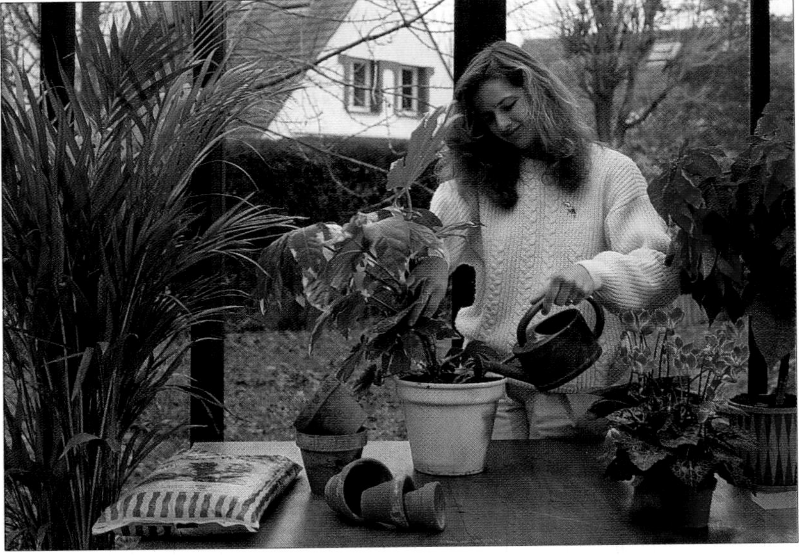

▲ Le rempotage d'un *Fatsia japonica* dans une véranda. On termine par un arrosage (sauf pour les cactées et les orchidées).

astuce Truffaut

Lorsque vous achetez une plante dans un magasin, demandez au vendeur qu'il vérifie si elle n'a pas besoin d'être rempotée. Dans la majorité des cas, les plantes provenant des serres de production ont développé beaucoup de racines qui ont « consommé » presque tout le terreau. Choisissez alors un joli pot et demandez que l'on vous rempote votre plante sur place. De cette manière, vous serez tranquille pendant au moins un an.

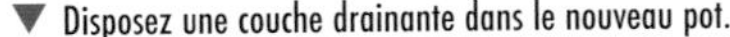

Le rempotage consiste à transférer une plante d'un pot dans un autre, en changeant la totalité de son substrat, ou à se contenter de cette dernière opération si le pot est d'une dimension suffisante.

La bonne époque

Le rempotage s'effectue de préférence au démarrage de la végétation, c'est-à-dire du 15 février à fin mars. Sachez toutefois qu'il est possible de rempoter toute l'année, chaque fois que la plante en manifeste le besoin. Si le travail a été bien réalisé, la plante ne montre aucun signe d'affaiblissement après un rempotage. On évite toutefois d'intervenir en fin de saison (à partir de septembre) sur les plantes qui exigent un net repos végétatif en hiver. En effet, la présence d'un nouveau substrat a tendance à stimuler la croissance, tout simplement parce qu'il contient des éléments fertilisants.

Des signes qui ne trompent pas

Toutes les plantes n'ont pas besoin d'être rempotées chaque année. Cela dépend de leur vitesse de croissance et du rapport qui

▼ Disposez une couche drainante dans le nouveau pot.

▼ Remplissez un quart du pot avec le substrat.

▼ Dépotez la plante sans abîmer les racines.

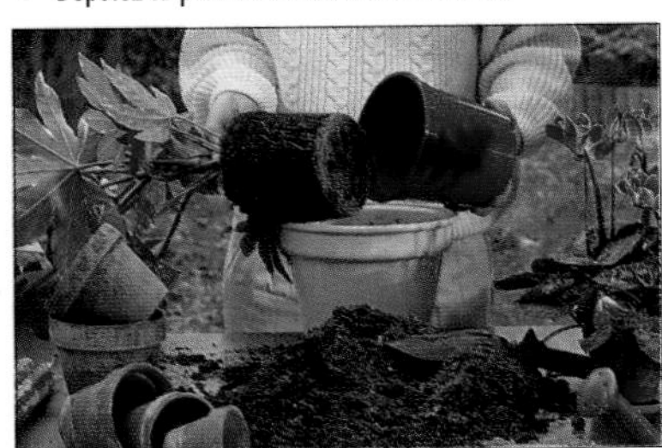

existe entre leur propre volume et celui du pot. Vous devez impérativement rempoter dès que la plante manque de stabilité parce que l'ampleur de sa ramure entraîne un déséquilibre du pot.

Les plantes qui débordent de leur pot, laissant pousser des rejets à l'extérieur, ou celles qui occupent tout le volume au point de ne pas permettre un arrosage par le dessus sont bonnes à rempoter. Une croissance chétive ou nulle, des feuilles qui pâlissent au niveau des nervures vous indiquent aussi qu'il est temps de rempoter.

Tailler les racines

Le développement des racines est proportionnel à la croissance de la partie aérienne. Le volume réduit du pot entraîne une croissance en spirale des racines, qui forment une sorte de chignon à la base de la motte. Cet enchevêtrement ne permet pas à la plante de bien se nourrir. Il faut donc démêler les racines et ne pas hésiter à éliminer totalement le chignon. En effectuant cette « taille », vous provoquerez la formation de radicelles, qui sont les parties les plus efficaces pour absorber les éléments nutritifs contenus dans le sol.

Les étapes pas à pas

Commencez par observer le pot. S'il semble trop petit par rapport à la plante, changez-le. On utilise en général un récipient offrant de 2 à 4 cm de diamètre de plus, les plantes préférant, pour une grande majorité, se trouver à l'étroit.

▼ Démêlez et supprimez le chignon de racines.

Placez un tesson de poterie ou un morceau de grillage en plastique sur le trou pour qu'il ne s'obstrue pas. Disposez ensuite une couche drainante (billes d'argile, gravillons, pouzzolane) de 3 à 5 cm d'épaisseur. Remplissez entre le quart et le tiers du volume avec le terreau. Dépotez la plante en heurtant le bord du pot sur un coin de table (il est préférable de ne pas avoir arrosé dans la semaine précédant le rempotage). Taillez les racines, puis installez la motte sur le nouveau terreau, en plaçant la plante au centre dans un pot rond, et légèrement décentrée dans un bac rectangulaire. Le haut de la motte doit se trouver enterré de 1 à 2 cm environ. Faites pénétrer le terreau dans le pot et entre les racines. Tassez avec les doigts ou avec un petit tuteur en bambou. Terminez par un copieux arrosage.

▼ Faites pénétrer la terre au plus profond du pot.

L'HYDROCULTURE

Partant du principe que, dans un pot, la terre joue un rôle de support pour les racines, et que les plantes s'alimentent sous forme liquide, on a imaginé il y a pas loin d'un demi-siècle de remplacer le substrat par des matériaux inertes alimentés en permanence par une solution nutritive. Cette technique appelée « hydroponie » ou « hydroculture » est très utilisée par les professionnels pour la production de certains légumes en serre (tomates, concombres) et des fleurs coupées. Elle est aussi applicable aux plantes de la maison et fait fureur en Allemagne et dans les pays scandinaves. L'avantage est l'absence de terre au profit d'un matériau propre qui ne tache pas (des billes d'argile ou de la pouzzolane). L'entretien est moindre, puisque les plantes bénéficient d'eau et d'engrais en permanence. Les résultats sont généralement excellents, avec une croissance spectaculaire. On trouve aujourd'hui dans les Jardineries des kits pour la culture hydroponique (bacs spéciaux, engrais, billes). Rempotez-y de jeunes plantes après avoir parfaitement lavé leurs racines.

Un jeune Murraya prêt à être placé en hydroculture. ▶

LE SURFAÇAGE

Quand les plantes deviennent trop volumineuses pour être manipulées ou que les pots atteignent déjà une taille importante (au moins 40 cm de diamètre), le rempotage complet devient difficile sinon impossible. Contentez-vous alors d'un surfaçage. Cela consiste à éliminer le plus possible de terreau à la surface du pot et à le remplacer par un nouveau substrat. Cette opération peut être réalisée deux fois par an : au début du printemps et à la fin de l'été. Surfacez aussi en septembre les plantes qui ont « consommé » du terreau durant la saison.

▼ *Surfaçage d'un oranger.*

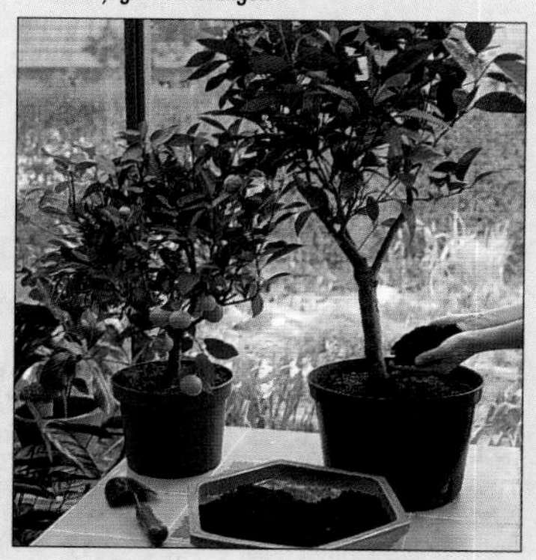

LA LUMIÈRE

Intimement liées dans leurs fonctions vitales à la présence de lumière, les plantes utilisent les rayons solaires pour élaborer leurs substances nutritives. Il est donc normal d'associer la clarté d'une pièce à la bonne croissance des végétaux. Mais attention ! notre perception humaine de la lumière ne correspond pas forcément aux besoins exprimés par les plantes.

astuce Truffaut

Pour simplifier la répartition des plantes dans la maison, considérez que les espèces à feuilles vertes supportent de recevoir moins de lumière que les plantes à fleurs et les formes à feuillage panaché. Toutefois, plus le tissu végétal est clair et fin et plus il se montre sensible aux brûlures. N'exposez en plein soleil que les plantes épaisses, coriaces ou succulentes (grasses).

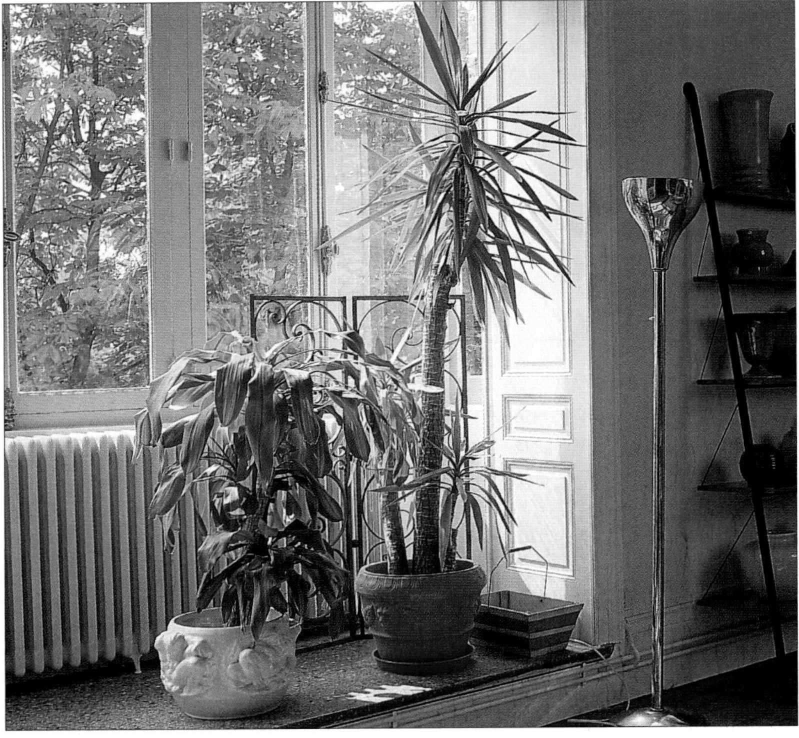

▲ Dans la mesure du possible, rapprochez les plantes près de la fenêtre et laissez le radiateur fermé.

La lumière est constituée par des ondes électromagnétiques très courtes (ou des particules d'énergie dépourvues de masse, que l'on nomme les photons) qui se propagent dans le vide interstellaire selon un mouvement ondulatoire, à la vitesse fabuleuse de 300 000 km/s (exactement 299 792,5 km/s). La lumière est émise par une puissante source d'énergie (le soleil, le feu, un métal porté à incandescence) ou par le rayonnement de certains corps (on parle alors de luminescence). L'énergie lumineuse se traduit par une émission de chaleur, ce qui explique pourquoi la température nocturne est toujours inférieure.

Si notre œil perçoit la lumière du jour comme blanche, c'est qu'il n'est pas capable d'individualiser les différents rayons qui la composent. Ils sont seulement mis en évidence par les arcs-en-ciel dus à la réfraction des rayons par des gouttelettes d'eau. On distingue alors : le rouge, l'orangé, le jaune, le vert, le bleu, l'indigo et le violet. Si l'on pouvait traduire ces teintes par des longueurs d'onde, on se rendrait compte que les plus longues correspondent à des couleurs chaudes (rouge, orangé, jaune) et les plus courtes à des couleurs froides (bleu, violet, indigo). Cette notion est importante, car les plantes ne « voient » pas du tout comme nous. Elles se montrent très sensibles aux bleus et aux rouges qu'elles absorbent, alors que nos yeux sont stimulés par le jaune et le vert qu'elles réfléchissent.

◄ L'hibiscus ne s'épanouit qu'en pleine lumière.

L'intensité lumineuse

La quantité de lumière que reçoit une plante est mesurable. On l'exprime en lux (lx), unité de valeur équivalant à un flux lumineux homogène de 1 lumen (lm) par mètre carré. L'été, en plein soleil, juste derrière une fenêtre exposée au sud, l'intensité lumineuse peut atteindre 100 000 lx, ce qui est considérable, la plupart des plantes se contentant de 5 000 à 10 000 lx pour bien se développer. Mais la lumière doit être disponible de façon constante durant 6 à 8 h minimum, pour que le processus de croissance soit bien stimulé. Or, deux phénomènes posent des problèmes. La luminosité n'est jamais constante au cours de la journée, un nuage suffit à la faire chuter de moitié. L'intensité varie aussi en fonction de la position relative du soleil, qui se modifie sans cesse en raison de la rotation de la Terre. La force des rayons solaires étant plus faible le matin que le soir, vous gagnerez à orienter à l'est ou au nord-est les plantes qui apprécient une luminosité moyenne, et à l'ouest ou au sud-ouest, celles qui ont besoin d'un fort éclairage.

La position des plantes dans la pièce est aussi déterminante. En effet, en traversant le filtre que constituent les fenêtres, la lumière subit un effet de diffraction, qui réduit l'angle d'incidence de ses rayons. Résultat, elle perd de sa force et son intensité décroît très vite au fur et à mesure que l'on pénètre dans la pièce. Cette perte de luminosité est proportionnelle au carré de la distance d'éloignement. Ainsi, la plante bénéficie du maximum de lumière dans un rayon de 1 m autour de la fenêtre. À 2 m de distance, elle en reçoit quatre fois moins et à 3 m neuf fois moins. Cette petite précision mathématique met en évidence le manque chronique de lumière qui règne dans nos intérieurs. Et si nous nous habituons fort bien à ces ambiances de pénombre, les plantes en souffrent et le manifestent par une mauvaise croissance.

LA PHOTOSYNTHÈSE

En présence de lumière, les plantes à feuilles vertes ou colorées (dont les tissus contiennent de la chlorophylle) sont capables de synthétiser des hydrates de carbone (des sucres) à partir de l'eau puisée par les racines et du gaz carbonique (dioxyde de carbone) contenu dans l'air. Ce phénomène fort complexe sur le plan chimique est appelé photosynthèse ou assimilation chlorophyllienne. Au cours du processus, les sels minéraux puisés dans le sol par les racines sont transformés en éléments organiques assimilables par la plante. Durant la photosynthèse, la plante utilise le gaz carbonique (qui pour nous est toxique) et rejette de l'oxygène dans l'atmosphère. On peut donc affirmer que les végétaux jouent un rôle primordial dans le développement de la vie animale et humaine, notre métabolisme fonctionnant selon le principe inverse (absorption d'oxygène et rejet de gaz carbonique). Nous sommes donc complémentaires avec le monde végétal et c'est pourquoi il faut le respecter, le protéger et le développer.

▲ Archontophoenix alexandrae : *à la conquête du soleil*

▼ Dans une pièce, l'intensité lumineuse décroît selon une valeur égale au carré de la distance. Une plante placée à 3 m de la fenêtre reçoit donc 9 fois moins de lumière que celle se trouvant tout près.

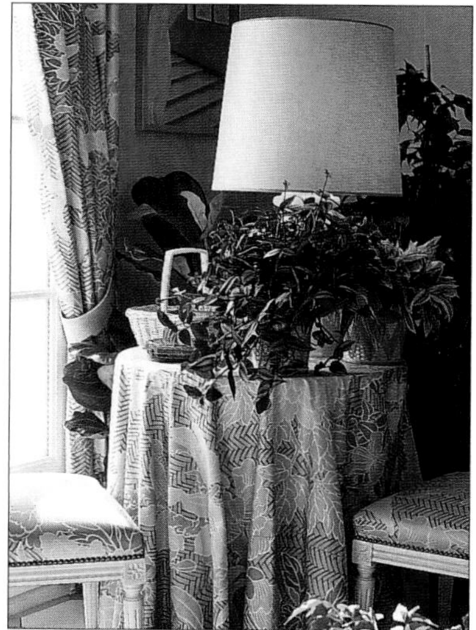

▼ Un éclairage d'appoint est souvent nécessaire en hiver.

Les plantes et la lumière

Dans la nature, les plantes se livrent une guerre sans merci pour la conquête du terrain et de l'espace. La recherche de la lumière est une bataille vitale qui conduit les différentes espèces à s'adapter à des conditions d'éclairage précises. Dans la forêt tropicale, les grands arbres dressent leurs frondaisons à plusieurs dizaines de mètres de hauteur, capturant l'essentiel des rayons du soleil. Les plantes épiphytes jouent les « passagers clandestins » en venant s'accrocher sur les branches bien exposées. Des lianes partent à l'assaut des arbres, les enserrant dans leurs tiges volubiles, jusqu'à trouver la manne lumineuse dont elles ne peuvent se passer. Les rares trous de lumière qui percent les ramures géantes sont très vite occupés par une végétation buissonnante, où les plus forts font la loi. Profitant de la moiteur permanente qui règne au pied des arbres et de l'épaisse couche d'humus qu'engendre la décomposition des feuilles mortes, des petites plantes couvre-sol, des fougères, s'installent. Leur feuillage est souvent très sombre, signe qu'elles ne supportent pas le manque de lumière.

Dans la maison, il faut chercher à respecter le biotope de vos pensionnaires, sous peine de les voir péricliter. Le tableau de la page de droite est une aide précieuse. Les plantes d'ombre ne doivent pas être exposées à la lumière directe. Cela ne veut pas dire qu'elles peuvent prospérer dans un endroit obscur. Un éloignement de 4 m d'une fenêtre (soit seize fois moins de lumière qu'à proximité) est un maximum. Cela vous permet toutefois d'envisager une décoration végétale pour les angles de pièce. En hiver, il faudra impérativement rapprocher les plantes de la lumière ou leur offrir un éclairage d'appoint.

Les espèces dites de « mi-ombre » ont besoin d'une plus grande quantité de lumière, mais toujours bien filtrée et indirecte. Beaucoup sont des plantes qui apprécient une certaine fraîcheur, d'où la nécessité de les éloigner des sources lumineuses. Il est possible aussi de les exposer (de préférence le matin) à un fort éclairage et de les maintenir dans une douce pénombre le reste de la journée. En règle générale, c'est dans les deux catégories qui viennent d'être présentées que l'on rencontre les plantes les plus faciles à réussir dans la maison.

▲ D'une manière générale, les plantes à fleurs apprécient une exposition à la lumière vive.

Les plantes « de lumière » sont les plus nombreuses. Elles apprécient un éclairage assez intense, mais sans soleil direct aux heures chaudes. En hiver, il est possible de les exposer à une insolation complète.

Enfin, les plantes « de soleil » sont celles qui demandent des conditions lumineuses extrêmes. Beaucoup sont d'origine désertique ou méditerranéenne.

PLANTES DE JOURS LONGS ET DE JOURS COURTS

La longueur du jour et l'intensité lumineuse jouent un rôle capital pour l'induction de la floraison. Certaines plantes dites de jours courts forment leurs boutons quand elles sont exposées à moins de 10 h de lumière par jour (azalée, bégonia, chrysanthème, cactus de Noël *(Schlumbergera)*, kalanchoe, poinsettia, etc.). Il suffira de les recouvrir d'un film opaque ou de les placer dans une pièce sombre pour que les fleurs apparaissent.

À l'inverse, les plantes de jours longs exigent au moins 12 h de forte lumière au quotidien (allamanda, bougainvillée, campanule, pélargonium, gloxinia, jasmin de Madagascar, saintpaulia, etc.).

▼ Kalanchoe *plante de jour court.*

▼ Saintpaulia *plante de jour long.*

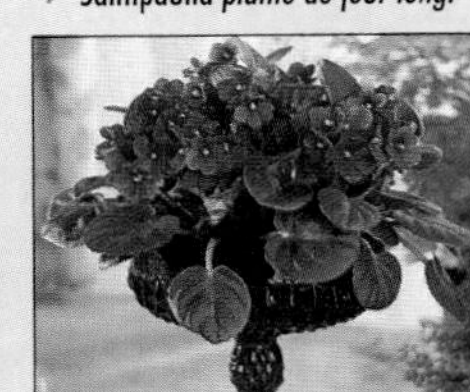

Choix de plantes selon l'intensité lumineuse

Nous vous proposons dans ce tableau des listes de plantes, classées en fonction de la quantité de lumière qu'elles supportent dans la maison. Vous pourrez ainsi mieux les disposer dans les pièces.

OMBRE (plantes pouvant être placées à 3-4 m d'une fenêtre)	*Adiantum, Aglaonema commutatum, Angraecum sesquipedale, Anthurium crystallinum, Asparagus falcatus, Aspidistra, Asplenium bulbiferum, Begonia albopicta, maculata, metallica* et x *margaritae, Blechnum, Campanula isophylla, Cissus rhombifolia, Cyrtomium, Darlingtonia, Davallia, Dionaea, Disa, Dracaena marginata, Dryopteris, Epipremnum, Episcia reptans,* x *Fatshedera, Fatsia, Ficus pumila* et *sagittata, Fittonia, Hedera* (à feuilles vertes), *Lycaste, Microlepia, Miltonia, Neoregelia, Nephrolepis, Nidularium,* x *Odontioda, Odontoglossum bictoniense, Oncidium papilio, Ophiopogon, Pellaea, Peperomia, Platycerium, Pleione, Polystichum, Pteris, Selaginella, Tolmiea.*
MI-OMBRE (plantes pouvant être placées à 2-3 m d'une fenêtre)	*Aglaonema costatum, Anthurium, Ardisia, Asparagus densiflorus, Asplenium nidus, Begonia boweri, elatior, heracleifolia, rex, rotundifolia,* x *tuberhybrida* et *venosa. Billbergia, Calathea, Callisia, Cissus antartica* et *discolor, Clivia, Clusia, Codonanthe, Columnea* hybride, *Cryptanthus, Cupressus macrocarpa* 'Goldcrest', *Drosera, Episcia dianthiflora, Fuchsia, Glechoma, Gynura, Hedera* (feuilles panachées), *Impatiens* hybride, *Kohleria, Ludisia, Mimosa pudica, Nepenthes, Nertera, Odontoglossum Paphiopedilum, Pellionia, Philodendron scandens, Pilea, Pinguicula, Polyscias, Rhipsalidopsis, Rhipsalis, Rhododendron* (azalée), *Rhoicissus, Schlumbergera, Scirpus, Soleirolia* (helxine), *Streptocarpus, Syngonium* (à feuilles vertes), *Tillandsia cyanea, Tradescantia* (à feuilles foncées).
LUMIÈRE (plantes pouvant être placées à 1-2 m d'une fenêtre)	*Abutilon, Acalypha, Achimenes, Acorus, Aglaonema crispum, Allamanda, Alocasia, Alpinia, Ampelopsis, Ananas, Angraecum eburneum, Anigozanthos, Aphelandra, Aporocactus, Araucaria, Asparagus setaceus, Astrophytum, Begonia* 'Cleopatra', *coccinea, imperialis* et *masoniana. Brassia, Breynia, Browallia, Brunfelsia, Bulbophyllum, Caladium, Calanthe, Calceolaria, Calliandra, Caryota, Cattleya, Chamaecereus, Chlorophytum, Chrysalidocarpus* (aréca), x *Citrofortunella* (calamondin), *Clerodendrum, Cocos, Codiaeum, Coelogyne, Coffea, Coleus, Columnea microphylla, Cordyline, Corynocarpus, Ctenanthe, Cuphea, Cycas, Cyclamen, Cymbidium, Cyperus, Dendrobium, Dicksonia, Dieffenbachia, Dipladenia, Dracaena, Drosera, Encyclia, Epidendrum, Euphorbia fulgens* et *pulcherrima, Exacum, Ficus, Gardenia, Gloriosa, Grevillea, Guzmania, Gymnocalycium, Haemanthus, Ixora, Jacaranda, Justicia* (belopérone), *Laelia, Lilium, Livistona, Manettia, Maranta, Mascarena, Masdevallia, Medinilla, Microcoelum, Mikania, Monstera, Murraya, Musa, Mussaenda, Oncidium, Pachira, Pachystachys, Pandanus, Parthenocissus, Passiflora, Persea, Phalaenopsis, Philodendron, Phoenix, Pisonia, Plectranthus, Primula, Radermachera, Rhoeo, Saintpaulia, Sanchezia, Sarracenia, Saxifraga, Schefflera, Senecio, Serissa, Sinningia, Sparmannia, Spathiphyllum, Stephanotis, Syngonium, Tetrastigma, Thunbergia, Tibouchina, Tillandsia* (à feuilles grises), *Vanda,* x *Vuylstekeara, Washingtonia, Zamia, Zamioculcas, Zantedeschia, Zygopetalum.*
SOLEIL (plantes pouvant être placées à 0-1 m d'une fenêtre)	*Acacia, Acca, Adenium, Aeonium, Agave, Aloe, Anisodontea, Asclepias, Beaucarnea, Bougainvillea, Bowiea, Brugmansia, Caesalpinia, Callistemon, Capsicum, Caralluma, Carex, Carnegia, Cassia, Catharanthus, Cephalocereus, Cereus, Ceropegia, Cestrum, Citrus, Cleistocactus, Clianthus, Cordyline australis, Cotyledon, Crassula, Dasylirion, Echeveria, Echinocactus, Echinocereus, Echinopsis, Ensete, Erythrina, Espostoa, Eucomis, Euphorbia, Faucaria, Fortunella, Gasteria, Hibiscus, Justicia* (jacobinia), *Jasminum, Jatropha, Kalanchoe, Lithops, Lobivia, Malvaviscus, Mammilaria, Mandevilla, Metrosideros, Neoporteria, Nerium, Notocactus, Opuntia, Pachyphytum, Pachypodium, Parodia, Pelargonium, Puya, Rebutia, Strelitzia, Streptosolen, Tecoma, Yucca.*

L'ÉCLAIRAGE

Les conditions de luminosité étant rarement optimales dans la maison, il convient de pallier les problèmes soit en intensifiant la luminosité par un éclairage d'appoint, soit au contraire en tempérant les ardeurs du soleil par un ombrage approprié.

astuce Truffaut

Si les plantes de la maison disposent d'une aération suffisante et d'une forte humidité atmosphérique, vous pouvez, pour la plupart, les exposer en pleine lumière, sans risquer des dégâts notables. Vous constaterez simplement un éclaircissement du feuillage. Commencez cette acclimatation durant la période hivernale, les résultats seront bien meilleurs.

▲ Éclairage artificiel de boutures avec une lampe à incandescence de type « lumière du jour ».

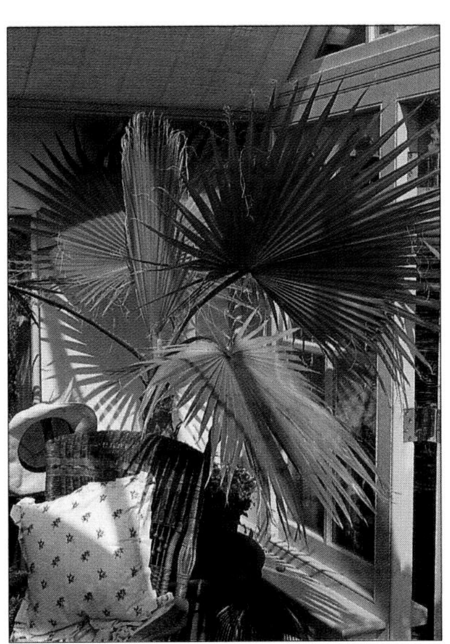

◀ Un ombrage dans la véranda pour le *Washingtonia*.

Dans la maison, il est rare que les plantes souffrent d'une lumière excessive, mais plutôt d'un manque de lumière. On cherche donc à renforcer au maximum l'intensité lumineuse. Les dimensions des fenêtres jouent un rôle essentiel, mais il suffit parfois de peindre les murs en blanc pour réfléchir la lumière et obtenir une ambiance plus claire. Vous pouvez aussi renforcer l'éclairage individuel d'une plante, en plaçant une plaque de carton blanc derrière le pot, en direction de la fenêtre. En hiver, l'éclairage d'appoint est quasi indispensable pour toutes les plantes à fleurs et pour les potées se trouvant éloignées de plus de 1 m de la fenêtre. Utilisez des ampoules ou des tubes fluorescents type « lumière du jour » qui sont très riches en ultraviolets. On les trouve généralement au rayon aquariophilie des Jardineries.

L'ombre bienfaisante

Aux heures chaudes de l'été, quand le soleil est très haut dans le ciel, la violence de l'intensité lumineuse est mal supportée par les plantes. La mise en place d'un voile translucide derrière la fenêtre est la moindre des précautions. Il serait même bon de prévoir un store, afin de faire barrage aux rayons qui ont aussi tendance à trop réchauffer l'atmosphère. Dans la serre ou la véranda, l'installation d'un système d'ombrage automatique doit être sérieusement envisagée.

Des plantes pour chaque orientation

Nous vous proposons dans ce tableau de découvrir les conditions que l'on rencontre à l'intérieur de la maison en fonction des quatre points cardinaux, chacun étant accompagné d'une liste de plantes.

	CONDITIONS PARTICULIÈRES	LES PLANTES À CHOISIR
AU NORD	Recevant peu de soleil direct, les pièces orientées au nord sont assez sombres. Les plantes ne doivent jamais y être placées à plus de 2 m d'une fenêtre. Une bonne isolation et un double vitrage doivent être prévus pour limiter les écarts de température. L'exposition nord est très favorable à l'installation d'une véranda (surtout de type serre froide ou conservatoire), car on évite les chaleurs torrides en été sous la verrière.	*Adiantum* (capillaire), *Aglaonema, Anthurium, Asparagus falcatus, Aspidistra, Asplenium bulbiferum, Blechnum, Campanula isophylla* (étoile du marin), *Cissus, Clivia, Cyrtomium, Darlingtonia, Davallia, Dionaea, Disa, Dracaena marginata, Epipremnum* (pothos à feuilles vertes), *Episcia, Ficus pumila, Fittonia, Hedera,* (lierre, variétés à feuilles vertes), *Microlepia, Miltonia, Paphiopedilum, Pellaea, Selaginella.*
AU SUD	Les fenêtres exposées au sud reçoivent un maximum de lumière, avec une moyenne annuelle de 9 h par jour. C'est l'exposition idéale pour les plantes de la maison, dans les régions situées au nord de la Loire. Dans le Midi, prévoyez une forte aération et des voilages efficaces. Un humidificateur électrique est aussi très valable, une forte hygrométrie est nécessaire.	*Abutilon, Ananas, Beaucarnea, Bougainvillée, Brugmansia,* cactées, *Callistemon, Catharanthus, Ceropegia, Chlorophytum, Citrus, Cordyline, Ficus benjamina, Gloriosa, Haemanthus, Hibiscus, Hoya, Jasminum, Justicia (belopérone), Mikania, Musa, Pachystachys, Passiflora, Persea* (avocatier), *Phoenix,* plantes grasses, *Setcreasea, Solanum, Strelitzia, Thunbergia, Yucca, Zantedeschia.*
À L'EST	La pièce bénéficie du soleil direct le matin, une lumière douce, très profitable aux plantes. On réussit la plupart des plantes d'intérieur au nord-est dans les régions chaudes et au sud-est dans la moitié septentrionale de l'Hexagone. Le seul défaut d'une pièce à l'est vient de sa tendance à se rafraîchir assez rapidement.	*Achimenes, Aechmea, Aeschynanthus, Alocasia, Aphelandra, Araucaria, Asparagus, Begonia, Caladium, Calathea, Clerodendrum, Coffea, Columnea, Crossandra, Dieffenbachia, Dracaena,* x *Fatshedera, Fatsia, Gardenia, Howea* (kentia), *Maranta, Nepenthes, Nephrolepis, Philodendron,* poinsettia, *Rhoicissus, Syngonium, Tolmiea.*
À L'OUEST	L'insolation directe se produit en fin de journée dans une pièce à l'ouest. C'est parfait dans les régions aux étés très chauds, car on y entretient assez aisément une ambiance tempérée. Les vents dominants soufflant souvent de l'ouest, une grande attention sera apportée à l'isolation des fenêtres et à l'aération naturelle de la pièce, cette dernière devant rester fermée tout le temps.	*Acalypha, Allamanda, Brunfelsia, Cattleya, Cocos, Codiaeum, Cycas, Cyperus, Dendrobium, Ficus elastica, Grevillea, Guzmania, Jacaranda, Justicia* (jacobinia), *Mandevilla, Medinilla, Montera, Neoregelia, Odontoglossum, Oncidium, Pandanus, Phalaenopsis, Pisonia, Plumbago, Polyscias, Rhoeo, Saintpaulia, Schefflera, Senecio, Sparmannia, Spathiphyllum, Stephanotis, Tillandsia, Vriesea.*

Les réactions à la lumière

Les plantes sont irrésistiblement attirées par la lumière. Dans la nature, la croissance normale est verticale, car les rayons solaires atteignent toujours les feuilles pardessus. On rencontre toutefois certaines exceptions qui démontrent le besoin irrésistible des plantes de s'exposer à la lumière. Observons par exemple une graine d'arbre transportée par le vent qui atterrit malencontreusement dans un éboulis rocheux. Elle trouve le peu de terre nécessaire à sa germination, mais un gros bloc en surplomb lui masque partiellement la lumière. Par un phénomène étonnant que l'on nomme le phototropisme, la plantule va se diriger systématiquement vers le peu de lumière qu'elle perçoit et trouver le chemin de l'air libre. Une fois « sauvée », elle se mettra à pousser bien droit. Ce comportement s'observe aussi dans la maison chez les plantes trop éloignées des fenêtres et dont les tiges s'inclinent vers la source lumineuse. Quand la lumière est franchement insuffisante, ce comportement est complété par un étiolement, c'est-à-dire la formation de tiges grêles et décolorées, signe infaillible d'un déséquilibre physiologique dû à un éclairage trop faible.

Tant que le comportement phototropique de la plante est limité à une inclinaison des tiges, rien de grave. Il suffit de faire pivoter le pot d'un quart de tour chaque mois, pour que la plante conserve une position verticale plus esthétique. Limitez cette intervention aux espèces à feuillage, car des variations de luminosité, même très faibles, peuvent avoir un effet désastreux sur les plantes à fleurs. C'est ainsi par exemple que s'expliquent en grande partie les chutes brutales et apparemment sans raison des boutons floraux sur les gardénias, les hibiscus, les hoyas et de nombreuses orchidées. Pour ces plantes délicates, on veillera bien à conserver l'orientation du pot. Si vous devez le déplacer, à l'occasion du nettoyage de la pièce par exemple, expérimentez le « truc de l'allumette ». Cela consiste à enfoncer dans

▲ Un éclairage latéral permet d'apprécier les feuillages avec des nuances plus subtiles et de jolies transparences.

◀ Déplacez les pots d'un quart de tour chaque mois.

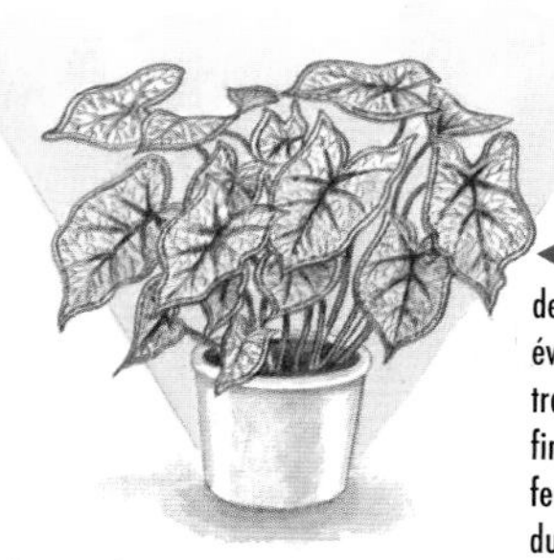

▼ Un spot placé de face et dirigé de bas en haut renforce l'aspect architectural d'une plante et crée des effets d'ombre et de lumière contrastés, qui génèrent une ambiance assez étrange.

◀ Un éclairage par derrière met en évidence la transparence et la finesse de certains feuillages comme celui du caladium.

▼ Se rapprochant de l'effet de la lumière naturelle, l'éclairage vertical par-dessus est surtout destiné à stimuler les floraisons, avec des lampes type « lumière du jour ».

▲ Un éclairage latéral engendre une forte ombre portée et met en évidence la structure de la plante, tout en donnant du relief à certaines couleurs.

◀ Deux spots placés latéralement créent un effet majestueux, les plantes sont baignées de lumière.

▲ Selon la disposition des spots, les effets de lumière peuvent être très variés. Adaptez les différentes solutions en fonction de l'ambiance à créer et de la silhouette des plantes.

le pot une allumette, de telle façon qu'elle se trouve dans l'axe d'un élément fixe (un des montants de la fenêtre par exemple). Vous pourrez sans problème déplacer la plante, vaquer à vos occupations et la remettre en place dans la position exacte qu'elle occupait précédemment, en alignant l'allumette avec le point de repère. Et n'oubliez pas une règle d'or : une plante qui prospère dans un lieu donné doit y rester, les végétaux montrant pour la plupart un tempérament très casanier.

Éclairage d'ambiance

La mise en valeur des plantes de la maison passe aussi par l'éclairage qu'elles reçoivent. Selon l'angle et la position des rayons lumineux, les potées vont s'exprimer différemment. Les « arbres » et les grands sujets gagnent à être éclairés depuis la base avec un faisceau dirigé vers le haut. Cette orientation contre nature de la lumière engendre une impression curieuse, assez théâtrale dont vous pourrez tirer parti dans les jardins d'hiver pour « dramatiser l'ambiance ». Il en est de même pour un éclairage latéral avec une seule source lumineuse, qui projette une ombre portée longue et intense sur les plantes situées à l'opposé de la source lumineuse. Les plantes à tiges fines et translucides ou à feuillage fin et coloré comme les impatiens, les coléus, les caladiums, certains bégonias, etc., sont magnifiquement mises en valeur par un éclairage en contre-jour qu'il est plus subtil d'installer légèrement sur le côté.

« MISE EN LUMIÈRE » DES PLANTES

Il existe depuis peu des kits d'éclairage pour plantes d'intérieur prêt à l'emploi. Le système se compose d'un transformateur qui permet d'alimenter les deux spots de 10 W sous une tension de 24 V pour une parfaite sécurité. Les petits luminaires sont étanches et ils se piquent directement dans la terre du pot, créant un flux lumineux vertical qui met bien les feuillages en valeur.
Le but est décoratif, les lampes halogènes diffusant une lumière jaune, agréablement perçue par le regard humain, mais guère profitable pour les plantes. L'avantage est la réalisation d'un éclairage d'ambiance esthétique, modulable, qui ne risque pas de brûler les plantes, en raison de sa très faible puissance.

Un bel effet lumineux. ▶

LA TEMPÉRATURE

Les plantes cultivées dans la maison se trouvent dans un contexte climatique très particulier. L'influence des saisons est inexistant sur le plan de la température, que l'on maintient à peu près constante toute l'année. La luminosité varie, ce qui pose des problèmes…

astuce Truffaut

Pour éviter bien des déboires avec les plantes de la maison, il suffit de maintenir une température ambiante inférieure ou égale à 20 °C en hiver et à 23 °C en été. Dans le premier cas, il suffit d'utiliser des robinets thermostatiques pour réguler le fonctionnement des radiateurs. Durant la période estivale, c'est l'aération qui créera une climatisation naturelle.

▲ Dans une véranda, rapprochez les plantes frileuses du radiateur et placez-les en hauteur, près du mur de la maison.

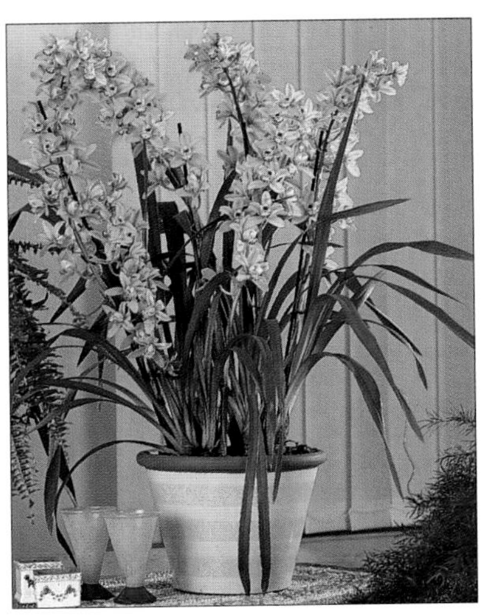

◀ Le cymbidium est une orchidée qui aime la fraîcheur.

Disons-le tout de suite : il est faux de croire qu'en raison de leur origine souvent tropicale les plantes de la maison se complaisent dans des ambiances surchauffées. Nous pouvons même établir un axiome : *les risques d'échecs avec les plantes sont proportionnels à l'élévation de la température.* En effet, température et hygrométrie sont intimement liées dans le métabolisme végétal. Plus une plante a chaud et plus elle a besoin d'un air humide. D'abord pour compenser sa transpiration naturelle, ensuite pour mieux supporter les fortes températures, l'humidité étant un excellent régulateur naturel.

Il faut aussi noter qu'une grande majorité de plantes sont capables de « s'endurcir », c'est-à-dire de s'adapter à des conditions de chaleur moindre que dans leur biotope. Il suffit pour cela de les acclimater progressivement en les soumettant à des températures de plus en plus basses. Régulez le chauffage de manière à ce que la température descende de 2 °C durant la nuit le premier mois, puis abaissez de 1 °C par période de 30 jours jusqu'à obtenir une différence de 5 °C entre le jour et la nuit. Cet écart est bien supporté par toutes les plantes et contribue largement à leur bonne santé dans la maison.

Le cycle des saisons

Si vous avez la chance de voyager de temps en temps dans les contrées tropicales, vous constaterez le plus souvent que le climat se résume à deux grandes périodes : la saison des pluies et la saison sèche. C'est ce cycle qu'il faut essayer de recréer dans la maison. Nous allons simplifier de la manière suivante : la « saison des pluies » (donc des arrosages réguliers et fréquents) va correspondre à la période de croissance de la plante et à des moyennes de température plus élevées. En pratique, considérez que cette époque de végétation s'étend du 15 mars à la fin de septembre.

La « saison sèche » se déroulera de début octobre à la première quinzaine de mars. Pour affiner ces données au niveau de la température, il faut tenir compte de nos propres saisons. En effet, l'activité de croissance des végétaux est encore plus fortement liée à la lumière qu'à la température. De mars à fin avril, les jours rallongent, mais le soleil est encore assez bas, souvent voilé et d'une intensité assez faible. La température doit donc rester modérée (dans l'idéal, de 16 à 18 °C) et ne s'élever que très lentement. De mai à fin août, l'Europe bénéficie d'un ensoleillement maximal et de températures ambiantes élevées, les jours sont longs, les plantes de la maison peuvent résister sans problème à des moments de canicule si elles sont copieusement humidifiées, arrosées et peuvent profiter d'une relative fraîcheur nocturne. En septembre, les jours raccourcissant nettement, la température devra décroître progressivement.

Notre automne et notre hiver voient la longueur des jours raccourcir très fortement, au point de provoquer des désordres métaboliques chez les plantes habituées à bénéficier toute l'année, dans les contrées tropicales, d'une alternance bien réglée de 12 heures de jour et 12 heures de nuit (avec une variable de plus ou moins une heure). Dans ces périodes critiques, la température devra être réduite afin que la plante ne soit plus sollicitée dans sa croissance. Il sera également bon de prévoir un complément d'éclairage artificiel (surtout dans les régions et les pays les plus au nord) afin que la plante dispose quotidiennement d'une bonne luminosité pendant au moins 8 heures.

Cette nécessité d'adapter les plantes aux conditions particulières de notre climat et à l'ambiance de la maison est à l'origine de comportements très différents en fonction des espèces. On notera entre autres qu'il est beaucoup plus difficile d'adapter les végétaux originaires de régions climatiquement bien marquées de l'hémisphère Sud. Les saisons étant inversées, les plantes sont complètement « déboussolées », forcées de fleurir à contre-saison et surtout ne profitant jamais d'un bon repos végétatif durant notre période estivale (trop chaude), qui correspond naturellement à leur hiver.

C'est ainsi que les bulbeuses d'origine sud-américaine, dont les amaryllis *(Hippeastrum)* sont les représentants les plus populaires dans nos intérieurs, bénéficient d'un arrêt végétatif l'été (estivation) et doivent être soumises à une culture forcée avec chaleur et éclairage artificiel durant l'hiver, qui correspond à leur époque normale de floraison.

LE REPOS VÉGÉTATIF

Hormis les espèces originaires des régions tropicales, à climat équatorial chaud et humide toute l'année, la plupart des plantes de la maison ont besoin d'une période d'interruption de la croissance. Ce repos végétatif ou dormance est mis à profit par la plante pour constituer des réserves et surtout pour amorcer le processus de la floraison. Il faut souvent des conditions de survie un peu difficiles pour que se forment les fleurs, la plante qui « se sent en péril » manifestant rapidement la nécessité de se multiplier.

Le repos végétatif correspond généralement à la période hivernale, propice par la baisse de la température ambiante, le raccourcissement des jours et la réduction de l'intensité lumineuse. Les arrosages sont réduits et espacés, les apports d'engrais interrompus. Par expérience, signalons qu'un très grand nombre de plantes se comportent bien jusqu'à des températures nocturnes de 8 à 10 °C, si elles bénéficient de 15 °C dans la journée, et qu'elles sont très peu arrosées.

Passiflore et plantes du Midi hivernent en serre froide. ▶

Il faut absolument éloigner les plantes de la cheminée. ▶

Élever la température

Sur un plan purement théorique, cela ne pose vraiment aucun problème, les sources de chauffage étant légion. En pratique, c'est moins évident, car les plantes ne doivent jamais être exposées face à une source de chaleur et il y a bien sûr des impératifs économiques à respecter.

N'oubliez pas que nous bénéficions toute l'année (ou presque) d'une source de chauffage gratuite, qui est notre étoile. Le Soleil a beau être distant de 150 millions de kilomètres de la Terre, les rayons qu'il darde sur notre planète apportent des calories substantielles. Il est d'ailleurs possible de les capturer, grâce au phénomène de l'effet de serre. Par conséquent, en augmentant la surface vitrée dans une pièce, on entraîne une élévation importante de sa température dès que le soleil brille. C'est ce qui se produit dans les serres et les vérandas.

L'action du soleil étant soumise aux caprices des saisons mais aussi entravée par les nombreuses perturbations atmosphériques auxquelles sont exposées nos régions tempérées, une source complémentaire de chauffage est indispensable. Pour les plantes, ce sont les radiateurs électriques à induction (en particulier les modèles en vitrocéramique) qui donnent les meilleurs résultats, car ils diffusent la chaleur de manière très homogène et ne constituent pas des sources brûlantes. Les radiateurs classiques à eau chaude donnent aussi de bons résultats. En revanche, il faut éviter les modèles soufflants parce qu'ils augmentent l'effet desséchant. Les appareils émettant des flammes sont potentiellement dangereux et il faut évacuer les fumées. Attention aux radiateurs d'appoint qui laissent apparaître les résistances chauffées au rouge, car la chaleur rayonne dans un trop faible périmètre, avec une température bien trop élevée au voisinage immédiat de l'appareil. Pour les mêmes raisons, il faut absolument éloigner les plantes des cheminées.

Si vous adoptez le principe du chauffage central (peu importe la source d'énergie), l'idéal pour les plantes (mais cela coûte plus cher) est de choisir des radiateurs aussi grands que possible. Cela permettra d'abaisser la température de la source de chauffage et d'obtenir une répartition plus homogène dans la pièce. En appartement, sachez que les systèmes de chauffage par le sol (hormis ceux qui fonctionnent selon une diffusion à basse température) sont incompatibles avec la bonne tenue de plantes d'intérieur (l'air est beaucoup trop sec).

▲ Le gardénia ne supporte pas les écarts de température.

▲ L'aération est un moyen simple et très efficace d'abaisser la température dans une pièce. À éviter durant l'hiver.

Abaisser la température

Il est beaucoup plus difficile de rafraîchir une pièce que de la chauffer et il est vrai que le climat tempéré de nos régions incite peu à rechercher la réfrigération des lieux. Sachez toutefois qu'au-dessus de 22 à 24 °C, il devient très difficile de contrôler le comportement des plantes et même de les maintenir en bon état dans la maison.

Les climatiseurs d'appoint, dont la vente commence à se généraliser, présentent le même défaut majeur que les appareils de chauffage : ils assèchent l'air. Peut-être plus encore les climatiseurs qui disposent d'un bac de récupération d'eau intégré, ce qui en dit long sur leur effet de « pompe à humidité ». Vous pouvez toutefois les utiliser ponctuellement, si vous compensez par de fréquentes brumisations des plantes. Veillez à ne pas placer la source d'air frais trop près des végétaux sous peine d'engendrer des crispations du feuillage.

La meilleure façon d'obtenir un rafraîchissement est bien sûr d'aérer, mais par temps très chaud et orageux c'est assez inefficace. Il serait bon aussi d'augmenter l'isolation des pièces, afin de réduire et de ralentir sensiblement les variations de la température.

Les plantes d'intérieur amies de la fraîcheur

Nous vous proposons dans ce tableau une liste de plantes qui apprécient une température hivernale comprise entre 0 et 12 °C et doivent donc être cultivées de préférence en serre froide ou en véranda.

DE 0 À 5 °C	*Acacia* (mimosa), *Acca sellowiana* (feijoa), *Acorus, Agave americana* et *parviflora, Ampelopsis brevipedunculata* (vigne vierge d'intérieur), *Bomarea, Calceolaria, Chamaecereus, Chamaerops, Cordyline australis, Corokia, Cupressus macrocarpa, Darlingtonia, Dasylirion, Delosperma, Eucomis* (fleur ananas), *Fatsia japonica* (aralia), *Gasteria, Glechoma hederacea* (lierre terrestre), *Hyacinthus* (jacinthe), *Hydrangea* (hortensia), *Jasminum, Kalanchoe tubiflora, Lagerstroemia, Leptospermum, Nerium* (laurier-rose), *Opuntia* (figuier de Barbarie), *Phoenix canariensis, Pittosporum, Podocarpus, Polystichum, Rosa* (mini-rosier), *Sarracenia, Trachycarpus, Weingartia.*
DE 0 À 5 °C	*Abutilon hybride, Adenium obesum* (pied-d'éléphant), *Aeonium, Aloe (*aloès), *Anisodontea, Aporocactus, Araucaria, Ardisia, Ariocarpus, Asclepias, Aspidistra, Astrophytum, Bouvardia, Browallia, Brugmansia* (datura), *Callistemon, Campanula isophylla* (étoile du marin), *Caralluma, Carex, Carnegia, Cassia, Cereus, Cestrum, Chlorophytum, Cissus antartica,* x *Citrofortunella* (calamondin), *Citrus* (oranger, citronnier), *Cleistocactus, Clivia, Corynocarpus, Cotyledon, Crassula, Cuphea, Cussonia, Cycas, Cymbidium, Cyrtomium, Cytisus* x *racemosus, Dicksonia, Dionaea* (attrape-mouches), *Dolichotele, Drosera, Dryopteris, Dyckia, Echeveria, Echinocactus, Echinocereus, Ensete* (bananier nain), *Erica gracilis* et x *willmorei* (bruyère), *Erythrina crista-galli* (crête-de-coq), *Faucaria, Ferocactus, Ficus pumila, Fortunella* (kumquat), *Fuchsia, Hedera* (lierre), *Isoplexis, Lachenalia, Lantana, Lilium* (lis), *Lobivia, Lophophora, Lotus berthelotii* (lotier), *Mammilaria, Matucana, Myrtus, Neoporteria, Ophiopogon, Oroya, Pachycereus, Pachyphytum, Parodia, Passiflora, Pelargonium, Phoenix dactylifera* (dattier), *Plumbago, Punica* (grenadier), *Puya, Rebutia, Rehmannia, Rhapis, Rhodochiton, Sedum, Serissa, Sparmannia* (tilleul d'appartement), *Tecomaria, Trichocereus, Washingtonia, Yucca.*
DE 8 À 12 °C	*Abutilon megapotamicum* et *pictum, Achimenes, Agave victoriae-reginae, Anigozanthos* (plante kangourou), *Anguloa, Angulocaste, Asparagus, Asplenium bulbiferum, Beaucarnea, Begonia elatior, Bougainvillea, Brunfelsia, Bulbophyllum, Caesalpinia, Catharanthus* (pervenche de Madagascar), *Cephalocereus, Ceropegia, Chamaedorea, Cissus* 'Ellen Danica', *Coelogyne, Cyclamen, Cyperus alternifolius, Davallia, Echinopsis, Espostoa, Euphorbia pulcherrima* (poinsettia), *Euphorbia milii, resinifera, quadrangularis* et *tirucalli,* x *Fatshedera, Fenestraria, Ficus benjamina* (vert). *Gerbera, Gloriosa, Grevillea, Gymnocalycium, Haemanthus, Haworthia, Heterocentron, Hippeastrum* (amaryllis), *Homalocladium, Huernia, Hypocyrta, Impatiens hawkeri* (impatiens de Nouvelle-Guinée), *Iresine, Justicia carnea* et *pauciflora* (jacobinia), *Jatropha, Kalanchoe beharensis, manginii* et *tomentosa. Lithops, Lycaste, Mandevilla* (dipladénia), *Manettia, Melocactus, Mikania, Murraya, Nertera, Polystichum, Notocactus, Oplismenus, Orbea* (stapélia), *Pachypodium, Pavonia, Persea* (avocatier), *Primula, Radermachera, Reinwardtia, Rhipsalidopsis* (cactus de Pâques), *Rhipsalis, Rhododendron simsii, Rhoicissus, Sandersonia, Saxifraga stolonifera, Schefflera, Scirpus, Selenicereus, Senecio cruentus* (cinéraire), *Strelitzia, Streptosolen, Tetrastigma, Thunbergia, Tibouchina, Tillandsia usnoides, Tolmiea, Veltheimia,* x *Vuylstekeara, Zamia, Zamioculcas, Zantedeschia, Zebrina,*

Les erreurs de température

Des plantes cultivées dans une ambiance trop chaude ou trop froide se comportent mal. Un excès de chaleur se traduit par un jaunissement du feuillage, qui se dégarnit rapidement, même encore vert. Les boutons floraux se flétrissent et tombent avant de s'ouvrir. On peut aussi noter un dessèchement de l'extrémité des rameaux. La cause directe des problèmes n'est pas l'excès de chaleur lui-même, mais la forte baisse d'hygrométrie qu'il provoque. Pour éviter tout problème, il convient de vaporiser (matin et soir si nécesaire) les plantes dès que la température dépasse les 20 °C.

En revanche, une plante d'origine tropicale peut fort bien mourir de froid. Les tableaux des pages 141 et 143 listent de façon assez exhaustive les plantes en fonction des températures minimales qu'elles supportent. Notez toutefois que toute plante est capable de supporter des températures plus faibles que la normale sous deux conditions : une diminution lente de la température (pas plus de 0,7 °C par heure) et le maintien des racines dans un sol sec. Par exemple, un croton bien au sec « tiendra » jusqu'à 12 °C s'il n'a pas été arrosé depuis une bonne semaine, alors qu'il commencera à présenter des symptômes de dépérissement à partir de 15 °C dans une ambiance humide. Une plante qui a souffert du froid a tendance à s'affaisser, son feuillage se décolore (il blanchit ou devient gris argenté), et en présence d'humidité la pourriture se propage à grande vitesse.

▲ Brumisation rafraîchissante d'un *Dracaena marginata.*

Contrôler la température

Il est très important de connaître en permanence la température qui règne dans chaque pièce de la maison. Cela vous permet de vérifier le bon fonctionnement des appareils de chauffage et de les réguler en cas de besoin. Pour les plantes, l'idéal est de pouvoir connaître les variations de température. Un thermomètre à maxima et minima souligne les extrêmes de température. Il s'avère suffisant pour la maison, mais il faut le remettre à zéro chaque jour, afin que l'indication des variations soit significative. Les thermomètres électroniques de nouvelle génération sont multifonctions. Ils affichent la température intérieure et extérieure, le taux d'hygrométrie et jouent même les météorologues, en indiquant une tendance (avec des icônes) pour l'évolution du temps dans les prochaines heures. Placez toujours l'appareil de mesure dans un endroit sec et ne recevant pas le soleil direct, afin d'obtenir des mesures aussi précises que possible.

▼ Placé devant un radiateur, un syngonium souffre.

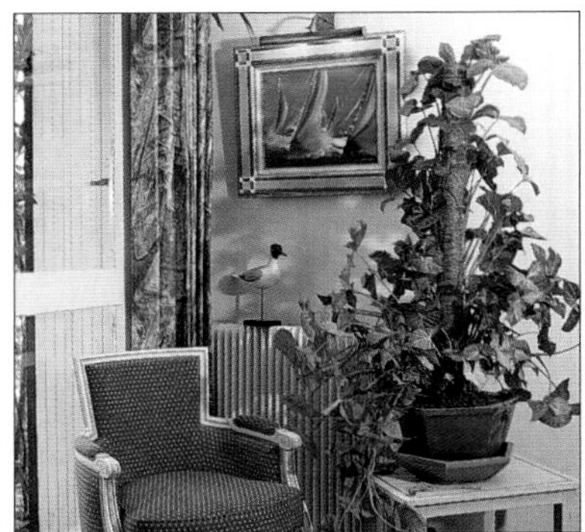

▼ Les thermomètres d'intérieur se déclinent en divers modèles décoratifs, à choisir selon le style du mobilier. Les modèles électroniques ont des fonctions variées.

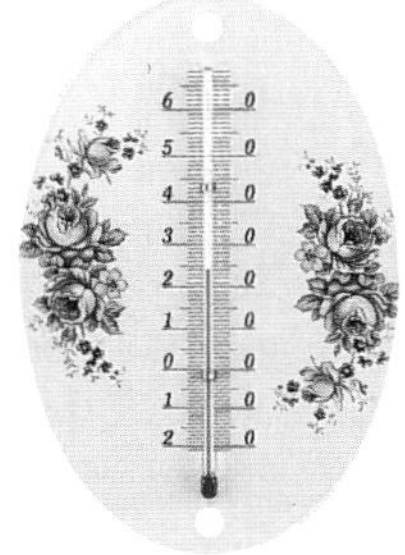

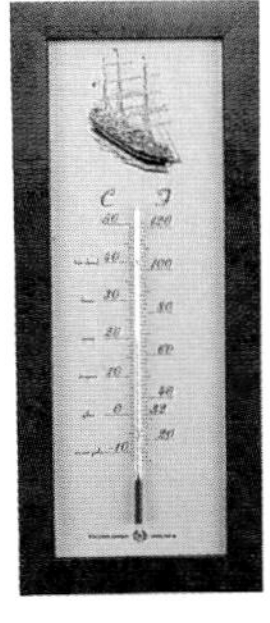

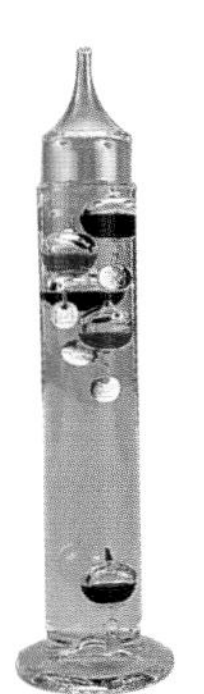

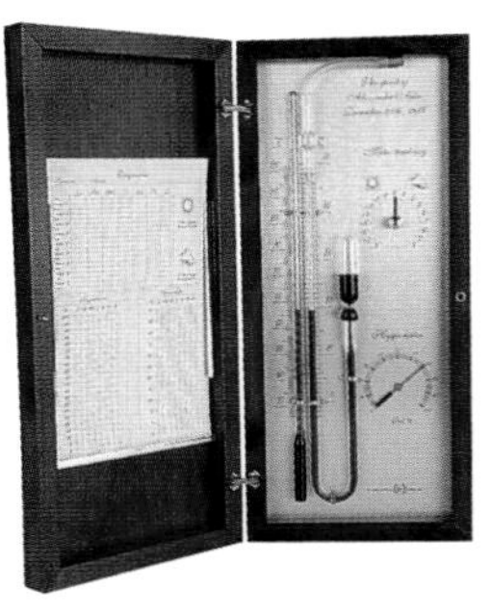

Les plantes d'intérieur amies de la chaleur

Nous vous proposons dans ce tableau une liste de plantes qui doivent être hivernées à une température supérieure à 12 °C. On y trouve les espèces les plus solides pour l'intérieur.

De 12 à 15 °C	*Acalypha hispida* (queue-de-renard), *Acalypha pendula* (queue-de-chat), *Acokanthera, Adiantum raddianum* (capillaire), *Aechmea, Aerangis, Aeschynanthus, Aglaonema, Amorphophallus, Ananas, Anthurium* hybride, *Aphelandra* (plante zèbre), *Asplenium nidus* (nid-d'oiseau), *Begonia boweri, Begonia masoniana, Begonia rex, Bifrenia, Blechnum gibbum, Bowiea, Brassavola, Brassia, Caladium, Calathea, Calliandra, Cattleya* hybride, *Callisia, Catasetum, Clerodendrum, Coffea* (caféier), *Cordyline fruticosa, Crossandra, Ctenanthe, Cyperus papyrus, Dendrobium, Doryopteris, Dracaena marginata* et *deremensis, Dracula, Elettaria* (cardamome), *Encyclia, Epidendrum, Epipremnum* (pothos), *Episcia, Erythrina indica, Euphorbia fulgens, Exacum affine* (plante bonbon), *Gardenia, Justicia brandegeana* (belopérone), *Ficus benjamina* (à feuillage panaché), *Ficus elastica* (caoutchouc), *Ficus longifolia* et *rubiginosa. Gloxinia* (seemania), *Hedychium, Hibiscus rosa-sinensis, Howea forsteriana* (kentia), *Hoya bella* (fleur de porcelaine), *Ipomoea batatas* (patate douce), *Jacaranda, Kalanchoe blossfeldiana, Livistona, Ludisia discolor, Malvaviscus, Maranta, Masdevallia, Maxillaria, Microlepia, Miltonia, Musa* (bananier), *Nepenthes,* x *Odontioda,* x *Odontocidium, Odontoglossum, Oncidium, Pachira, Pachystachys, Pandanus, Paphiopedilum* (sabot-de-Vénus), *Pellaea, Pellionia, Pentas, Peperomia, Pereskia, Pilea, Piper* (poivrier), *Platycerium* (corne-d'élan), *Plectranthus, Pteris, Rhoeo, Saintpaulia, Sansevieria, Schlumbergera* (cactus de Noël), *Scutellaria, Senecio macroglossus* (lierre du Cap), *Sinningia* hybride (gloxinia), *Smithiantha, Solandra, Sophronitis, Spathiphyllum, Stanhopea, Stephanotis* (jasmin de Madagascar), *Streptocarpus, Thevetia, Tradescantia* (misère), *Zygopetalum.*
Plus de 15 °C	*Acalypha wilkesiana, Adiantum hispidulum, Adiantum peruvianum, Aerides, Allamanda, Alloplectus, Alocasia, Alpinia, Anastatica* (rose de Jéricho), *Angraecum, Ansellia, Anthurium crystallinum, Asarina, Begonia corallina* et *heracleifolia, Bertolonia, Breynia, Calanthe, Caryota* (palmier queue-de-poisson), *Chrysalidocarpus* (aréca), *Chrysothemis, Cissus discolor, Clusia, Cocos* (cocotier), *Codiaeum* (croton), *Codonanthe, Columnea, Costus, Cryptanthus, Dichorisandra, Dieffenbachia, Dipteracanthus, Schefflera elegantissima* (dizygotheca), x *Doritaenopsis, Doritis, Dorstenia, Dracaena deremensis, fragrans* et *reflexa, Euphorbia obesa, Euterpe, Ficus benghalensis, lyrata, religiosa, retusa* et *stricta. Fittonia, Globba, Goethea, Guzmania, Gynura, Habenaria, Hemigraphis, Hemionitis, Hibiscus schizopetalus, Hoffmannia, Hoodia, Hymenocallis* (ismène), *Hyophorbe, Hypoestes, Ixora, Kohleria, Leea, Medinilla, Microcoelum, Mimosa pudica* (sensitive), *Monstera deliciosa* (philo), *Mussaenda, Nautilocalyx, Neoregelia, Nephrolepis, Nidularium, Pedilanthus, Peripelta, Phaius, Phalaenopsis, Philodendron, Phlebodium, Phoenix roebelenii, Pisonia, Polyscias, Pseuderanthemum, Rhaphidophora* (philo), *Rhynchostylis, Sanchezia, Schismatoglottis, Setcreasea, Siderasis, Sonerila, Stromanthe, Syagrus, Syngonium, Tacca, Testudinaria, Tillandsia cyanea, Vanda, Veitchia, Vriesea, Xanthosoma, Xeranthemum.*

Le renouvellement régulier de l'air des pièces de la maison est indispensable à la bonne santé de ses occupants, humains ou plantes. L'aération est un excellent régulateur de la température intérieure, la méthode de climatisation la plus naturelle qui soit. Elle doit être réalisée en douceur, sans provoquer de courants d'air frais qui agressent les végétaux.

astuce Truffaut

Dans les pièces où sont réunies les plantes, munissez les fenêtres de systèmes qui permettent le maintien d'une faible ouverture en toute sécurité. Il suffit en effet d'un simple filet d'air pour que les conditions climatiques de la pièce évoluent favorablement. Si les plantes sont éloignées d'au moins 1 m de la fenêtre, vous pouvez la laisser entrouverte toute l'année et la fermer seulement durant les périodes de gel.

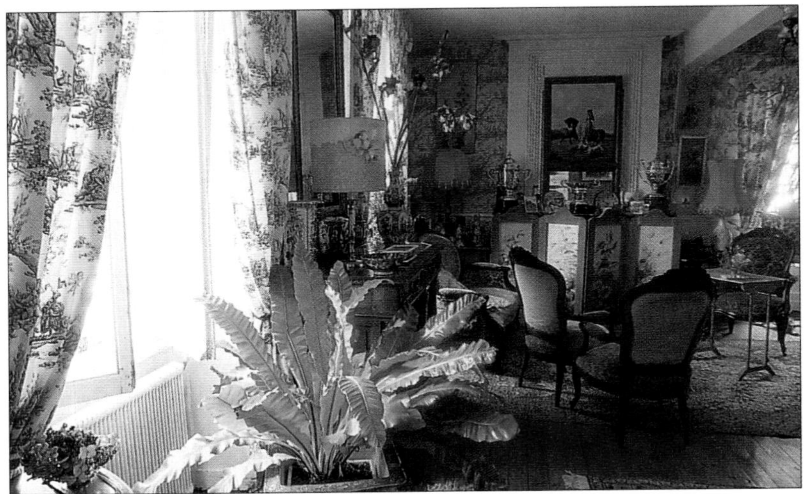

▲ Une fenêtre entrouverte assure une climatisation naturelle de la pièce, rafraîchissant un *Asplenium nidus avis.*

Comme tous les êtres vivants, les plantes respirent, utilisant l'oxygène comme « carburant » pour leurs tissus. Chez les végétaux, la respiration est liée à la consommation de glucides, sucres élaborés par la plante lors de la photosynthèse. Si, en raison d'une température excessive et d'un manque de lumière, l'activité respiratoire prend le pas sur la photosynthèse (la synthèse des éléments nutritifs par la chlorophylle, sous l'action du soleil, avec absorption de gaz carbonique et rejet d'oxygène), la plante dépérit. Il est donc important de renouveler l'air régulièrement dans une pièce. Les maisons contemporaines sont munies de systèmes de ventilation statiques (de discrètes petites persiennes) qui permettent à l'air frais de pénétrer dans les pièces au niveau du sol et à l'air chaud (qui se détend et devient plus léger) de s'échapper par l'évacuation haute, près du plafond. Un tel système permet un renouvellement total de l'air de la pièce environ une fois par heure. C'est généralement suffisant pour entretenir une bonne impression de confort dans la maison et surtout de ne ressentir aucun des mouvements de l'air en circulation. Cet aspect est très important, car une masse d'air en déplacement génère toujours une sensation de fraîcheur. On peut obtenir une aération plus efficace de la maison avec les systèmes de ventilation mécanique contrôlée, dans lesquels un extracteur muni d'un régulateur fait varier la quantité d'air renouvelé, en fonction de la température ambiante. Par temps chaud, on parvient à quatre remplacements complets de l'air des pièces par heure, sans que cela reste perceptible.

◀ Un ventilateur est apprécié par les plantes délicates.

Pourquoi aérer ?

Outre qu'elle fournit l'oxygène que respirent les êtres vivants occupant la maison, l'aération évite la formation d'humidité sur les murs et sur le sol, car l'air qui traverse les pièces se charge d'humidité. L'aération assainit la maison en éliminant naturellement des poussières et surtout une quantité impressionnante d'acariens.

L'aération régule aussi la température, ce qui permet aux plantes de mieux supporter les conditions parfois difficiles qu'elles rencontrent dans la maison.
Enfin, en évitant la formation d'une atmosphère confinée, propice au développement des maladies cryptogamiques, l'aération contribue à la bonne santé des plantes.

▲ La ventilation mécanique contrôlée est le système idéal qui assure une circulation fluide, discrète et efficace de l'air en toute saison.

Gare aux courants d'air

Pour être bénéfique, le mouvement d'air doit être quasi imperceptible. Vérifiez par exemple que les feuilles ne bougent pas. Si elles frémissent, la plante risque de manifester tôt ou tard les symptômes d'un coup de froid, avec décoloration du feuillage ou chute brutale des boutons floraux, avant même leur ouverture.
Une des causes d'échec les plus fréquentes avec les plantes d'intérieur est l'exposition aux courants d'air. Quand la température au dehors est au moins égale à celle de la maison, il n'y a rien à craindre. Au contraire, le courant d'air est même souvent la seule solution pour améliorer l'atmosphère de la maison par temps de canicule. En revanche, il suffit d'un écart de 3 °C entre l'intérieur et l'extérieur pour qu'un vif mouvement d'air entraîne une sensation de froid que les plantes ne supportent vraiment pas. Veillez donc à n'ouvrir les fenêtres que une par une pour éviter tout problème.
Dans le même esprit, il est très important de ne pas installer de plantes dans une entrée durant la période hivernale : l'entrée brutale et fréquente de l'air frais du dehors leur serait fatale. Pensez aussi à prendre quelques précautions lorsque vous faites le ménage. Si « faire de l'air » dans les pièces semble ragaillardir les occupants humains, l'abaissement quasi instantané de plusieurs degrés de la température ambiante peut être fatal à beaucoup de plantes.
Tenez compte également de ce phénomène lors de vos achats en hiver. Ne choisissez jamais de plantes qui ont été exposées en plein air dans les marchés (c'est même déconseillé en toute saison), il est certain qu'elles seront fragilisées par les mauvaises conditions de stockage qu'elles ont subies. Dans les Jardineries, les plantes sont bien à l'abri dans des serres chauffées. Inutile de leur faire subir une « douche écossaise » en les exposant au froid à la sortie. Exigez que chaque plante soit soigneusement emballée, complètement enveloppée dans au moins deux épaisseurs de papier.

LA CLIMATISATION

Jadis réservés aux climats chauds, les climatiseurs font leur entrée en force dans nos maisons, avec des modèles transportables, faciles à installer et d'une grande efficacité. Ils assurent à la fois une ventilation et une réfrigération en pulsant de l'air frais. Le principe est l'extraction des calories contenues dans l'air, en quelque sorte l'inverse de la technique du réfrigérateur. Le climatiseur est muni d'un tuyau annelé qui doit être orienté vers l'extérieur afin d'évacuer l'air chaud.
Il ne faut surtout pas orienter le flux de fraîcheur vers les plantes, sous peine de provoquer une réaction qui peut s'apparenter aux symptômes des brûlures, les feuilles montrant des décolorations qui se nécrosent. Les climatiseurs soufflant de l'air sec (ils disposent d'un bac récupérateur d'eau dont vous pouvez utiliser le contenu pour l'arrosage des orchidées et des plantes délicates, elle est pure), il convient de relever l'hygrométrie par des vaporisations sur et sous le feuillage, matin et soir.

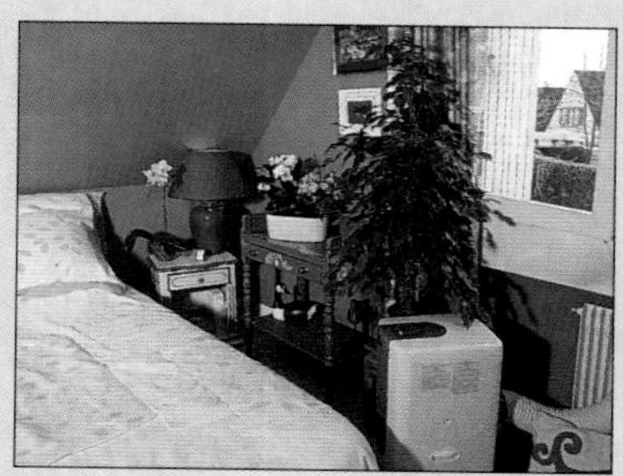

◀ *Climatiseur dans une chambre, près d'un Ficus.*

L'utilité du ventilateur

Beaucoup d'espèces délicates comme les orchidées, les plantes carnivores, et la plupart des formes à feuilles duveteuses ou gaufrées, apprécient la présence proche d'un ventilateur tournant à petite vitesse. Le brassage de l'air évite la stagnation de l'humidité, ce qui réduit très sensiblement les risques de maladies et de pourriture.

L'HUMIDITÉ DE L'AIR

L'étonnante sensation de moiteur qui saisit le visiteur qui arrive pour la première fois dans un pays tropical fait irrésistiblement penser à une serre. C'est grâce à cette atmosphère lourdement chargée en humidité que les plantes de la jungle prennent des proportions gigantesques. À la maison, il est assez difficile de reconstituer cette ambiance.

astuce Truffaut

Pour augmenter l'humidité atmosphérique au voisinage des plantes, installez chaque sujet dans un cache-pot d'un diamètre supérieur de 5 cm au contenant de la plante. Versez au fond du cache-pot un lit de 3 à 5 cm de billes d'argile et posez la plante dessus. Arrosez normalement et laissez l'eau en surplus stagner sous les billes d'argile, pour qu'elle s'évapore, sans jamais se trouver en contact direct avec les racines.

▲ La vaporisation d'eau sur le feuillage (ici un *Syngonium podophyllum*) augmente efficacement l'hygrométrie.

Dans la nature, l'air est plus ou moins chargé d'humidité, qu'il absorbe sous forme de vapeur d'eau. La mesure de cette humidité atmosphérique se nomme l'hygrométrie (ou hygroscopie). Elle s'effectue à l'aide d'un hygromètre ou d'un psychromètre et s'exprime en pourcentage ; un taux hygrométrique de 100 % indique un état de saturation. À ce stade, cela ne signifie pas que l'eau coule, mais que l'air n'est plus capable d'en absorber davantage. C'est alors une ambiance de brume qui règne, avec une sensation très forte de moiteur.

De façon systématique, l'air se charge d'humidité au fur et à mesure que la température augmente ; c'est un principe physique. À 5 °C, un air saturé contient 6,8 g d'eau par mètre cube, valeur qui atteint 17,4 g à 20 °C.

◀ Ne pas mouiller les feuilles duveteuses du saintpaulia.

ELLES AIMENT LA SÉCHERESSE

D'une manière générale, toutes les plantes dites « grasses », qui présentent des tissus épais et charnus, d'où leur dénomination plus juste de « succulentes », sont adaptées à des conditions de vie difficile dans des atmosphères sèches. Elles supportent bien l'ambiance de la maison. C'est aussi le cas des espèces à feuillage coriace ou lustré. Essayez : *Aeonium, Agave, Aglaonema, Aloe, Aspidistra, Beaucarnea, Ceropegia, Chlorophytum, Corynocarpus, Crassula, Dasylirion, Dracaena, Echeveria, Euphorbia,* x *Fatshedera, Haworthia, Jatropha, Kalanchoe, Lithops, Pachypodium, Pachyphytum, Sansevieria, Sedum, Senecio,* mais aussi tous les cactus.

Sansevieria trifasciata *'Laurentii'*. ▶

Si l'on constate un abaissement assez brutal du thermomètre, l'air libère de l'eau et apparaît un phénomène de condensation, c'est-à-dire de liquéfaction du gaz, avec la formation de gouttelettes. C'est ce qui se produit dans le jardin avec la rosée, mais aussi souvent sur les vitres de la maison (et plus encore de la véranda) durant la nuit.

L'humidité idéale

L'important n'est pas l'humidité absolue (la quantité d'eau exacte contenue dans l'air), mais sa valeur relative, c'est-à-dire le pourcentage exprimé par rapport à la valeur 100 (saturation), à une température donnée. Pour les êtres humains, l'impression « d'air sec » est ressentie en dessous de 40 % d'humidité relative, celle de moiteur à partir de 70 %. On exprime un certain bien-être avec une valeur hygrométrique comprise entre 50 et 60 %. Les plantes tropicales sont plus exigeantes, avec une moyenne idéale variant de 70 à 90 %. Un compromis acceptable pour la culture dans la maison se situe autour de 65 à 70 %, valeurs données pour une température constante de 20 °C.

En pratique, le problème est que pour ressentir une impression de confort chez soi, il faut que l'hygrométrie diminue avec la chaleur. C'est ainsi que nous supportons beaucoup mieux une température supérieure à 25 °C, quand l'humidité ne dépasse pas 55 %. Le problème, c'est que les plantes tropicales réagissent de façon opposée, les pores (stomates) qui se trouvent sur l'épiderme des feuilles s'ouvrant d'autant plus généreusement que la température augmente. Ce phénomène n'est pas contrôlable ni modulable et seule l'augmentation de l'hygrométrie, proportionnellement à la température, permet d'acclimater ces végétaux *(voir liste ci-contre)*. Malheureusement, les systèmes de chauffage utilisés dans la maison entraînent un dessèchement de l'air.

Les plantes et l'air sec

En augmentant leur activité de transpiration au fur et à mesure que la température s'élève, les plantes de la maison souffrent dès que les 20 °C sont dépassés. En été, ce n'est pas trop grave, car la possibilité d'aérer la pièce fait pénétrer de l'air extérieur, généralement bien chargé en humidité. L'hiver, en revanche, il faut impérativement élever l'hygrométrie par différents artifices, pour éviter le jaunissement du feuillage.

▼ Le jaunissement du monstera est dû à un air trop sec.

▼ Ce *Philodendron fragrantissimum* sèche sur les bords.

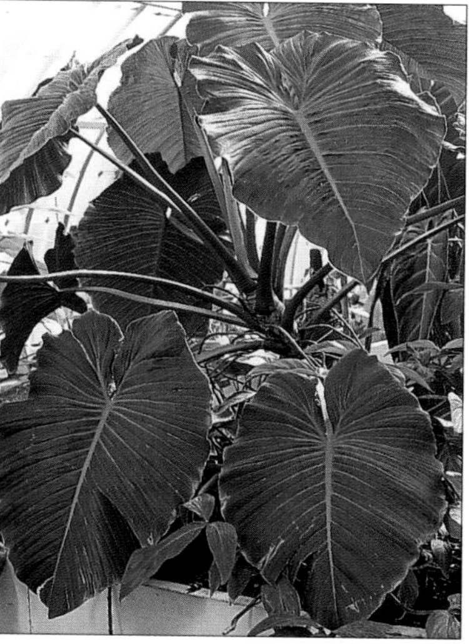

ELLES AIMENT L'HUMIDITÉ

Les plantes avides d'une forte hygrométrie proviennent des contrées tropicales soumises à des pluies fréquentes mais brèves et à des moyennes de température élevées. Les plus exigeantes (difficiles à conserver longtemps dans la maison, mais qui réussissent en serre) sont : *Acalypha, Achimenes, Adiantum, Aeschynanthus Alocasia, Ananas, Anthurium, Aphelandra, Asplenium, Breynia, Bromelia, Brunfelsia, Caladium, Calathea, Clerodendrum, Cocos, Codiaeum, Columnea, Costus, Crossandra, Ctenanthe, Darlingtonia, Dichorisandra, Dieffenbachia, Dipladenia, Episcia, Fittonia, Gloriosa, Guzmania, Heliconia, Hemigraphis, Hoffmannia, Hypoestes, Ixora, Jacaranda, Justicia (jacobinia), Kohleria, Licuala, Maranta, Medinilla, Microcoelum, Microlepia, Mikania, Monstera, Murraya, Musa, Nautilocalyx, Neoregelia, Nepenthes, Nephrolepis, Pachystachys, Pandanus, Passiflora, Pavonia, Pellionia, Pentas, Peripelta, Philodendron, Phoenix roebelenii, Pilea, Piper, Pisonia, Plectranthus, Polyscias, Pseuderanthemum, Pteris, Rhipsalidopsis, Saintpaulia, Sandersonia, Scindapsus, Selaginella, Siderasis, Sinningia, Smithiantha, Sonerila, Spathiphyllum, Stromanthe, Tetrastigma, Tillandsia, Vriesea, Xanthosoma, Zebrina* ainsi que la plupart des orchidées (*Aerides, Angraecum, Brassavola, Calanthe, Catasetum, Cattleya, Dendrobium, Epidendrum, Laelia, Lycaste, Masdevallia, Odontoglossum, Oncidium, Paphiopedilum, Phalaenopsis, Stanhopea, Vanda*, etc.). Ces plantes se comporteront bien dans une pièce où l'humidité de l'air ne descend pas sous les 60 %. Notez toutefois que dans certains genres (*Anthurium, Spathiphyllum* notamment), on rencontre de nouveaux hybrides beaucoup mieux adaptés aux conditions de vie de nos intérieurs et qui se satisfont d'une hygrométrie de 50 %.

▲ *Cattleya x (orchidée).*

▲ Humidification d'un tuteur en mousse *(Syngonium)*.

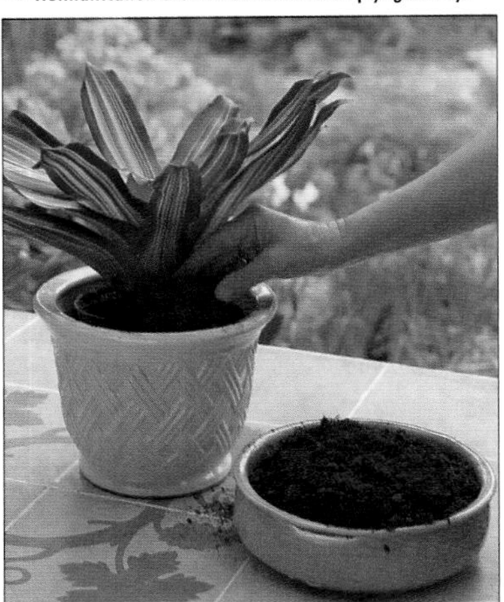

▲ Insertion de tourbe humide entre le pot et le cache-pot.

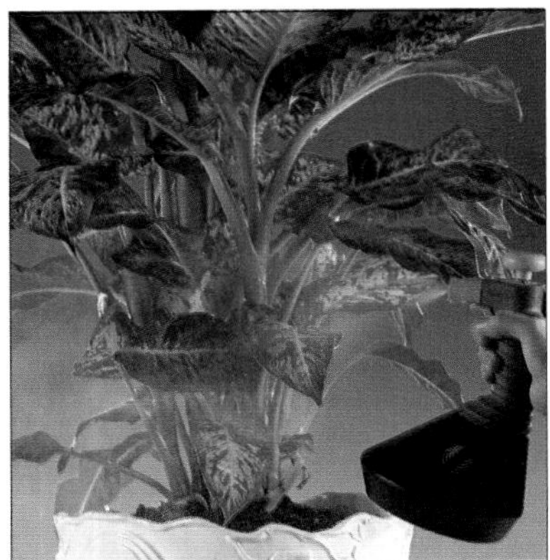

◀ Brumisation fine du feuillage *(Dieffenbachia)*.

Les matières hygroscopiques

Les racines aériennes des grimpantes tropicales – certaines orchidées, les philodendrons, le pothos, le syngonium, par exemple – recherchent avidement l'humidité dans l'air et la puisent au bénéfice de la plante. Elles apprécient par conséquent de se trouver au contact d'une matière humide. Palissez-les sur un tuteur recouvert de mousse naturelle ou synthétique ou bien de fibres de coco, matériaux qui retiennent bien l'humidité. Il suffit de vaporiser souvent le support pour entretenir un niveau hygrométrique favorable au bon développement des plantes. Pour les espèces formant une touffe, vous obtiendrez un résultat similaire, en plaçant la plante dans un cache-pot d'un diamètre supérieur d'au moins 5 cm à celui du pot. Comblez le vide entre les deux récipients avec de la mousse (sphagnum) ou de la tourbe blonde fibreuse que vous maintiendrez en permanence très humide, mais non détrempée. En vous inspirant du même principe, il est possible de composer une jardinière avec différentes plantes d'intérieur qui seront laissées dans leur pot d'origine, les vides étant comblés par de la tourbe ou du sphagnum.

La brumisation du feuillage

Désignée aussi par les termes de vaporisation ou de bassinage, la brumisation consiste à vaporiser de fines gouttelettes d'eau pure sur et sous les feuilles ; c'est la méthode d'humidification de l'air la plus couramment utilisée pour les plantes de la maison. Elle est malheureusement limitée aux espèces à feuilles lisses et coriaces. Il faut en effet éviter de mouiller les feuillages duveteux, très fins ou translucides qui sont plus sensibles aux attaques des maladies cryptogamiques, ces dernières trouvant dans les fines gouttelettes stagnantes un milieu favorable pour se développer. La vaporisation présente aussi le défaut de tacher les meubles. Elle doit donc être réalisée sur un évier ou dans la douche, ce qui nécessite le déplacement fréquent des plantes. Si vous utilisez de l'eau de ville, le plus souvent calcaire, vous constaterez rapidement que des dépôts blanchâtres apparaissent sur le feuillage. Vous les éliminerez en les essuyant avec une éponge humide.

Pour être efficace, la brumisation doit être effectuée au moins deux fois par jour (le matin et en fin d'après-midi), car l'eau, concentrée comme de la rosée, va s'évaporer très vite. Attention ! une vaporisation trop abondante entraîne un ruissellement sur le feuillage, qui s'égoutte sur le terreau et entretient une humidité permanente du sol, défavorable aux racines. Il est donc très important de doser avec justesse la vaporisation, ce qui n'est pas toujours très évident pour un débutant. L'essentiel est de disposer d'un bon pulvérisateur et de régler la buse sur le jet le plus fin. Insistez bien sur la partie inférieure des feuilles, là où se trouvent les stomates (les pores de la plante) et où se produit l'évaporation la plus importante.

Dans les pièces où la température baisse sensiblement durant la nuit, il est très important que les feuilles des plantes restent sèches le soir, ce dans le but de ne pas favoriser le développement d'une maladie cryptogamique. Notez aussi que la vaporisation renforce la sensation de fraîcheur, ce qui peut se traduire par des crispations du feuillage ou des décolorations. Côté bénéfique, la brumisation permet un dépoussiérage rapide des feuilles et constitue un moyen de freiner la pullulation des araignées rouges, car les acariens se développent surtout sur des feuilles sèches.

La brumisation peut être effectuée sans risque durant les périodes de forte chaleur, car il est alors possible d'aérer les pièces. On pourra aussi la pratiquer couramment sous les verrières, où l'évaporation est très forte.

LES HUMIDIFICATEURS

Outre les différentes méthodes culturales, ainsi que les multiples interventions et astuces qui sont présentées dans ces pages, il existe des appareils destinés à améliorer les conditions hygrométriques dans nos intérieurs. Le plus répandu est le saturateur, qui devrait être installé sur chaque radiateur de la maison. Il s'agit tout simplement d'un récipient accroché sur la source de chauffage, et que l'on remplit d'eau afin de provoquer une évaporation. Le saturateur va surtout empêcher la diminution de l'hygrométrie, en évitant à l'air frais venu de l'extérieur (par le système de ventilation de la pièce) de se dessécher au fur et à mesure qu'il se réchauffe. La présence de saturateurs permet aussi de cultiver avec succès des plantes frileuses, en les posant sur la plaque protectrice du radiateur. Placées à proximité de ce « générateur de vapeur d'eau », et posées sur des gravillons, des billes d'argile ou de la pouzzolane humide, les plantes bénéficient d'une plus forte hygrométrie que partout ailleurs dans la pièce.

Les humidificateurs électriques sont des appareils très performants qui permettent d'entretenir une hygrométrie contrôlée. Ils fonctionnent selon le principe de « l'ébullition pelliculaire ». L'eau stockée dans un ou plusieurs réservoirs, s'écoule lentement et se diffuse en fine épaisseur sur un plateau chauffant. Un ventilateur à turbine aspire l'air humide à travers un filtre et le souffle dans le compartiment de vaporisation, d'où il est expulsé à travers une grille. L'air humide est stérile et exempt de minéraux, d'où l'absence de dépôts inesthétiques. Un hygrostat permet de contrôler automatiquement le degré hygrométrique voulu (maximum 80 %). Dans une serre ou une véranda, vous pouvez aussi adopter les systèmes de brumisation de brouillard (ou fog), idéales pour les orchidées.

▼ *L'humidificateur : efficace, mais cher.*

▼ *Le saturateur : simple et pratique.*

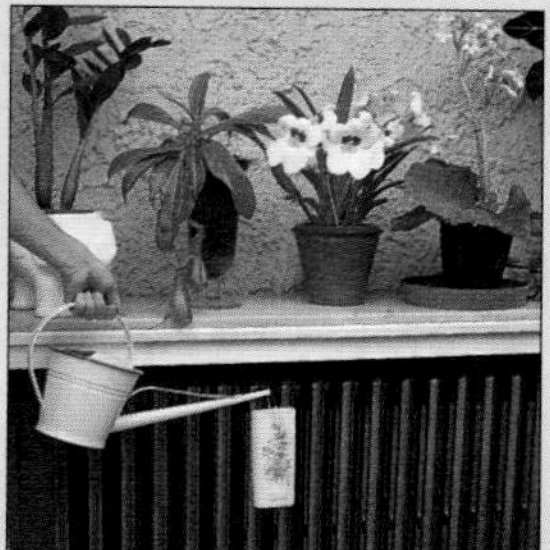

Les gravillons humides

Pour créer sans risque une ambiance humide au voisinage des plantes, la meilleure solution consiste à installer les pots sur un lit de gravillons, de billes d'argile expansée ou de pouzzolane, maintenu humide en permanence. En pratique, il suffit de disposer d'un plateau de 3 à 5 cm d'épaisseur, de le combler aux trois quarts avec les matériaux cités ci-dessus et de verser de l'eau, jusqu'à ce que le liquide affleure à la surface, mais sans recouvrir complètement les gravillons. L'eau va s'évaporer, environnant les plantes d'une moiteur bénéfique. La base des pots ne se trouvant jamais en contact direct avec l'eau, il n'y a aucun risque de saturation du substrat et de pourriture des racines. Pour une bonne efficacité, le plateau doit couvrir une surface au moins égale à celle du feuillage de la plante.

Dans le même esprit, il est possible d'installer le pot dans un cache-pot contenant au fond une bonne épaisseur de gravillons, une cale en bois, une coupelle retournée ou tout autre élément qui surélève la plante, afin qu'elle ne soit jamais plongée dans l'eau.

Quelques idées à essayer

Le fait de regrouper des plantes différentes génère un microclimat bénéfique, car l'évaporation des feuilles varie d'une espèce à l'autre, celles qui transpirent le plus profitant aux autres. Éloignez vos cultures des sources de chauffage, à moins qu'elles ne soient munies de saturateurs efficaces. Si vous faites fonctionner une cheminée, placez toujours à proximité une grande marmite remplie d'eau, car un feu ouvert assèche terriblement l'air *(voir encadré).*

Pensez aussi à la fontaine d'intérieur, élément de décoration de premier ordre, qui alimente sans cesse l'air en humidité.

Dans la serre ou la véranda, asperger le sol avec de l'eau par temps très chaud reste très efficace. Cela améliore l'hygrométrie et apporte aux plantes une sensation de fraîcheur bienfaisante. Il faut bien entendu que le sol soit carrelé ou dallé. Pour éviter à la longue la formation de mousse, il suffira de laver le dallage une fois par mois avec une solution d'eau de Javel.

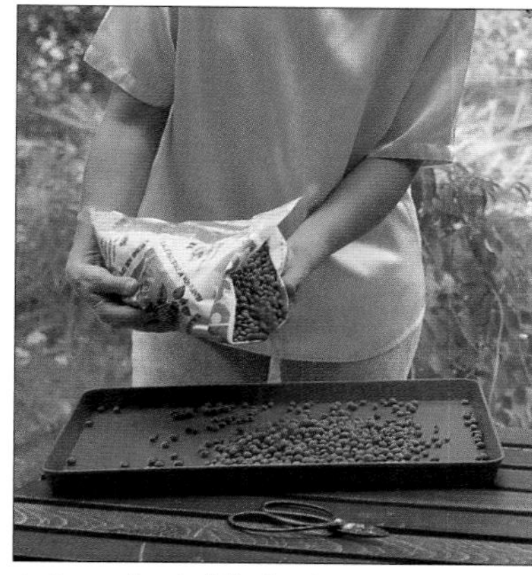

▲ Mise en place des billes d'argile sur un plateau.

Les billes d'argile sont humidifiées en permanence. ▶

L'ENTRETIEN AU QUOTIDIEN

Invitées à prospérer dans des conditions très éloignées de celles qu'elles rencontrent dans la nature, les plantes de la maison se trouvent souvent dans des situations précaires. ❦ *Lumière insuffisante, air desséché, température hivernale trop élevée, terre inadaptée, arrosages oubliés ou trop généreux sont autant d'éléments qui font souffrir nos pensionnaires et réduisent anormalement leur durée de vie.* ❦ *Et n'oublions pas que le fait de les cultiver en pot entraîne forcément une perturbation dans le développement racinaire. Pour mieux permettre à nos compagnes feuillues de supporter tous ces désagréments et compenser l'inconfort de leur situation, la moindre des choses est bien de leur offrir un minimum de soins et d'attentions.* ❦ *Le jardinage d'intérieur se résume souvent à du « secourisme pour plantes », qui rend fiers et heureux ceux qui en réussissent les délicates opérations. Rien n'est plus enthousiasmant que de sentir une plante, hier triste et mal en point, se ragaillardir et nous manifester sa reconnaissance par une discrète petite pousse, symbole de vie et promesse d'avenir.* ❦ *Et quelle fierté de voir se renouveler une floraison, dont le lumineux panache vient couronner avec succès nos efforts et notre patience !* ❦ *Jardiner à la maison est intrinsèquement plus confortable qu'entretenir massifs, rocaille, verger ou potager.* ❦ *Pas d'autre effort que de déplacer quelques pots, mais de l'observation, de l'inspiration, du bon sens, qui se transforment petit à petit en dialogue quotidien avec vos plantes.* ❦ *Et, pour parfaire tout cela, tracer le chemin, partir du bon pied, les pages suivantes vous dévoilent quelques bonnes recettes et des techniques avérées que vous pourrez adapter à votre guise, avec votre propre sensibilité.* ❦

L'ARROSAGE

Les tissus végétaux sont constitués de 80 à 90 % d'eau, qui assurent le transport des éléments nutritifs et donne de la rigidité aux cellules. Une perte de 10 % du liquide entraîne en général un dépérissement irréversible. Dans la maison, les plantes sont tributaires de votre sollicitude. Leur survie dépend de vous…

▲ Arrosage des plantes de la maison : *Pentas lanceolata,* kalanchoe, dipladénia.

astuce Truffaut

Pour vous assurer qu'une plante a besoin ou non d'être arrosée, faites le « test du bambou ». Plongez un fin tuteur en bambou jusqu'au plus profond du pot, laissez-le en place une minute, puis retirez-le. Si de la terre adhère ou que vous observiez des taches, inutile d'arroser.

◀ Les poils absorbants d'une racine de bananier.

L'expression « l'eau source de vie » est beaucoup moins banale qu'il n'y paraît. Dans le métabolisme des plantes, tout est lié à la présence d'eau, tant dans l'air que dans le sol. Les racines sont de véritables « pompes à eau » qui, par l'intermédiaire de leurs poils absorbants, aspirent l'eau qu'elles trouvent dans la terre. Le mécanisme physique de la capillarité permet ensuite que le liquide soit véhiculé dans tous les organes du végétal. L'eau puisée par les racines est plus ou moins chargée de sels minéraux, qui vont être transformés en éléments organiques par le phénomène complexe et fabuleux de la photosynthèse.

L'eau contenue dans l'air sous forme de vapeur d'eau joue aussi un rôle très important. Elle évite la dessiccation des organes aériens (tiges et feuilles) et les rafraîchit par temps très chaud. L'humidité de l'air est aussi pompée par les racines aériennes.

Réservoirs souterrains

Soumises aux caprices du ciel et des saisons, les plantes ont « inventé » de nombreuses méthodes, souvent très astucieuses, pour conserver au mieux l'eau dont elles ont besoin. Les espèces qui vivent dans les zones de faible pluviométrie ou dont les saisons, très marquées, font alterner des périodes de sécheresse et d'humidité disposent souvent de tissus épais et charnus. Les racines sont rarement concernées, car elles ne jouent guère le rôle d'organe de réserve. En revanche, certaines tiges se sont fortement gorgées de liquide, leurs tissus se sont renflés. Elles se sont mises à l'abri dans le sol, pour échapper aux forts rayons du soleil : elles sont devenues des bulbes, des tubercules ou des rhizomes des candex. Bien souvent, la plante ne survit à la saison sèche que par ces organes de réserve, qui bourgeonnent à la première pluie pour former une nouvelle plante prête à propager l'espèce.

Réservoirs aériens

La lutte contre les pertes d'eau semble souvent aussi importante pour les plantes que la reproduction, qui est pourtant, dans la nature, le but final de tout être vivant.
Il suffit d'observer un végétal pour imaginer la place qu'il occupe dans son écosystème. Les plantes exposées au soleil dans les régions tropicales portent des feuilles épaisses, coriaces, lustrées. On les retrouve chez les palmiers, les ficus, les philodendrons et autres grands sujets. Ce sont des plantes qui peuvent supporter quelques jours de sécheresse. En revanche, les petites feuilles fines, tendres et veloutées signalent le plus souvent des espèces qui se développent sous le couvert des grands arbres et qui, ne recevant pas le soleil direct, n'ont pas besoin de se protéger de ses ardeurs. Elles vivent dans une ambiance assez moite et devront par conséquent être arrosées à un rythme régulier et soutenu, pour que leur substrat ne se dessèche jamais.
Les feuilles amples des palmiers et des philos indiquent aussi que ces plantes poussent dans des contrées soumises à de fréquentes précipitations et où l'humidité atmosphérique est forte. La surface importante de ces feuilles les rend sensibles à l'évaporation. En pratique, il faudra compenser par des brumisations fréquentes.
Les troncs renflés et charnus des yuccas et des beaucarnéas sont gorgés d'eau et servent de véritables réservoirs. Il en est de même pour les pseudobulbes de certaines orchidées. Des plantes qui présentent de tels organes doivent être arrosées de manière plus épisodique que les espèces à tiges tendres et fines ou acaules (sans tige).

Rondeurs du désert

Les plantes des régions arides prennent un aspect globuleux, car la sphère offre, à volume égal, la surface la plus faible. C'est ainsi que les cactées se sont arrondies et que leurs feuilles se sont transformées en épines. Les tissus des végétaux du désert se sont gorgés d'eau, devenant épais et charnus, d'où l'appellation « plantes grasses », que l'on préfère aujourd'hui remplacer par « succulentes », c'est-à-dire « gorgées de suc », ce qui est scientifiquement plus juste. L'exemple extrême est celui des « plantes cailloux » mimétiques avec les pierres du désert et qui supportent plusieurs mois sans la moindre goutte d'eau.

Les racines aériennes absorbent l'humidité de l'air. ▶

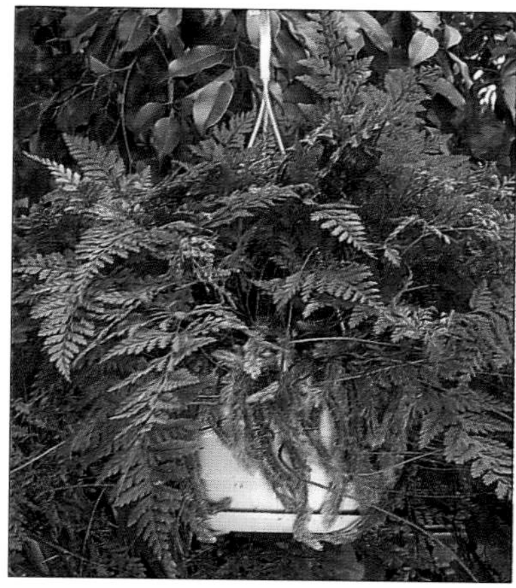

▼ Le pseudobulbe de l'orchidée est un organe de réserve.

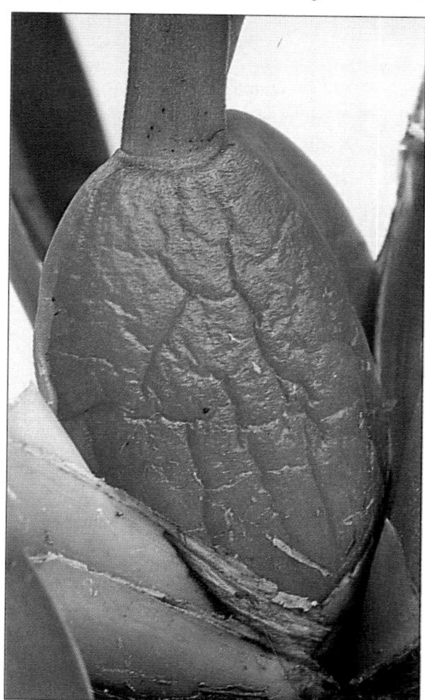

▼ *Lithops fulleri*, la plante caillou est gorgée d'eau.

RECONNAÎTRE UNE PLANTE QUI A SOIF

Quand la plante ne trouve plus dans le sol l'eau dont elle a besoin pour assurer sa subsistance, elle commence à puiser sur ses réserves. Les espèces qui disposent d'organes épais ou solides (tronc, bulbe, pseudobulbe, rhizome, tubercule, écorce, caudex, tiges ou feuilles charnues, etc.) peuvent résister à des périodes de sécheresse qui peuvent atteindre plusieurs mois chez les cactées et certaines succulentes (plantes cailloux). En revanche, les plantes à tiges grêles ou très tendres, les espèces à grandes feuilles souples et fines souffrent beaucoup plus vite d'un manque d'eau. Lorsque les cellules cèdent une partie du liquide qu'elles contiennent, elles perdent de leur rigidité et les tissus s'affaissent ou se flétrissent. C'est le signe le plus évident d'un manque d'eau. Dans la majorité des cas, il suffira de bien imbiber la motte pour que la plante reprenne sa turgescence.
Attention, le flétrissement épuise la plante et nuit à sa bonne croissance. Sachez intervenir à temps, mais modérément, pour alimenter la plante en eau.

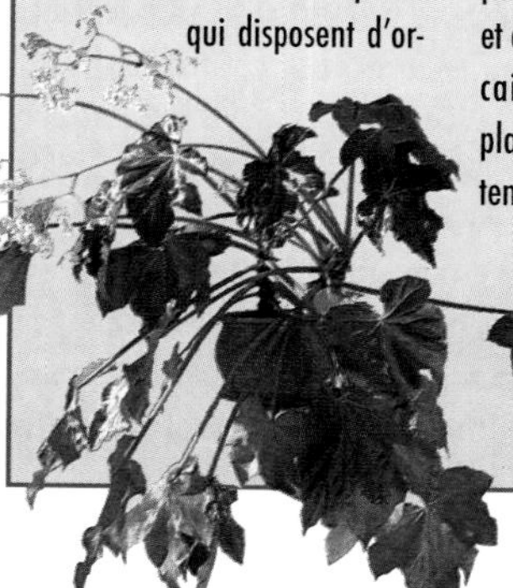

◀ Begonia heracleifolia *assoiffé.*

▲ Arrosage d'un Crassula (plante grasse).

La qualité de l'eau

Les problèmes liés à l'arrosage viennent souvent d'une fréquence inadaptée, mais aussi et surtout à de l'eau inadéquate. Il faut savoir que la nature assez spongieuse des substrats utilisés pour la culture des plantes d'appartement (sauf exception comme les orchidées) entraîne une forte rétention en eau du mélange nutritif. Le volume de terre contenu dans le pot étant assez faible, si l'eau est trop chargée en éléments minéraux (calcaire) ou en substances toxiques (comme le chlore de l'eau de ville par exemple), la répétition des arrosages va entraîner une concentration excessive des produits néfastes et la plante réagira par un dépérissement. L'eau de pluie récoltée hors des villes est la meilleure, parce qu'elle est neutre et pure. On trouve dans le commerce de nombreux systèmes de récupération qui se fixent sur les gouttières. Ils sont pratiques et économiques. Veillez toutefois que la toiture soit bien propre et attendez 24 h que les impuretés se précipitent avant d'utiliser l'eau récupérée. Dans les villes, ne récupérez pas l'eau de pluie souvent chargée de matières polluantes.

L'eau du robinet est le plus fréquemment utilisée. Sa qualité intrinsèque est généralement bonne, mais elle contient deux éléments que les plantes n'apprécient guère : le calcaire et le chlore. La plupart des plantes cultivées dans la maison étant acidophiles, un arrosage régulier à l'eau de ville entraîne l'apparition d'un jaunissement (chlorose). Il suffit d'ajouter un produit décalcairisant à l'eau d'arrosage ou le jus d'un demi-citron dans un arrosoir de 10 litres pour pallier ce problème. Le chlore se précipitant naturellement en quelques heures, si vous puisez l'eau le soir et la laissez reposer toute la nuit dans un arrosoir, elle ne contiendra plus de chlore actif le matin lorsque vous arroserez. Ce temps de repos aura également permis à l'eau d'équilibrer sa température avec celle de la pièce, ce qui est très important.

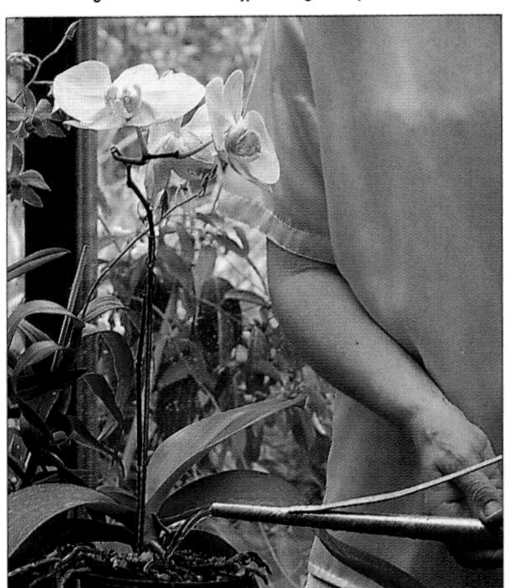

◀ Arrosage d'un *Phalaenopsis*.

Un arrosage réussi

Lorsque vous mouillez la terre, la plante ne pompe pas goulûment l'eau dans les secondes qui suivent. Il faut d'abord que le substrat s'imprègne de liquide jusqu'à saturation pour que les racines puissent ensuite commencer leur travail d'aspiration. Cette notion est importante, car les substrats à base de tourbe qu'utilisent les professionnels présentent la fâcheuse propriété de s'imbiber très difficilement lorsqu'ils sont bien secs. Résultat, vous arrosez, mais l'eau traverse rapidement la motte, sans être retenue par le pouvoir absorbant du sol.

Si vous observez ce phénomène, c'est que la plante a été mal arrosée (excepté pour les orchidées). Il faut donc plonger le pot dans l'eau (il lui arrive même de flotter, ce qui prouve l'extrême sécheresse du terreau) pendant au moins une demi-heure, le temps que la tourbe retrouve sa consistance spongieuse et se sature en liquide. En pratique, arrosez généreusement, mais de façon épisodique plutôt que souvent et en faible quantité. Font exception les bacs à réserve d'eau ou les pots sans trous d'évacuation, dont il faut concentrer l'eau au niveau des racines sans qu'elle filtre à travers le substrat (risque d'asphyxie des racines).

LES CACHE-POTS, DES RÉSERVES D'EAU

Indispensables pour valoriser l'aspect décoratif des plantes, les cache-pots ont l'inconvénient de ne pas disposer de trous d'évacuation de l'eau. Lors des arrosages, ils récoltent donc l'excès d'eau qui filtre à travers le pot dont la base trempe. Si vous ne prenez pas la précaution de vider les cache-pots au maximum une heure après avoir arrosé, l'eau va remonter par capillarité et saturer le terreau en permanence, provoquant rapidement l'asphyxie des racines. Toutefois, durant les fortes chaleurs, vous pouvez utiliser le cache-pot comme réserve d'eau, en laissant le soin à l'évaporation naturelle de la vider.

Ambiance de véranda. ▶

La bonne fréquence d'arrosage

	De début octobre à fin février	De début mars à fin septembre
1 fois par jour	Aucune plante ne doit être arrosée aussi fréquemment en cette saison, excepté les azalées si la température ambiante dépasse les 20 °C.	Les plantes fleuries, les espèces à tiges fines, les fougères, les plantes carnivores, quand la température ambiante dépasse les 24 °C.
Tous les 2 ou 3 jours	Bégonias, cyclamens, cinéraires, primevères, quand la température ambiante dépasse les 20 °C, mais aussi sélaginelle, fittonia, tolmiéa, nertéra, capsicum, pommier d'amour, etc.	Les mêmes espèces qu'en hiver et toutes les plantes à fleurs, excepté les orchidées, les cactées, les broméliacées. Les plantes charnues, et celles à feuilles et à tiges duveteuses. Le papyrus.
1 ou 2 fois par semaine	Toutes les plantes en fleurs, les poinsettias, les orchidées, les fougères, le spathiphyllum, les plantes carnivores, les calatheas, si la température de la pièce est comprise entre 18 et 20 °C.	Les plantes herbacées et à tiges molles ou souples : misère, gynura, fittonia, piléa, pépéromia, columnéa, crossandra, broméliacées, plantes carnivores, dipladénia, médinilla, etc.
1 fois par semaine	La majorité des plantes herbacées et fleuries, les broméliacées, anthurium, bananier, bégonias à feuillage, quand la température ambiante est comprise entre 15 et 18 °C.	Asparagus, bégonias à feuillage, cissus, cymbidium, lierre, hibiscus, syngonium, pachystachys, acalypha, alocasia, bananier, si la température ambiante est inférieure à 22 °C.
Tous les 8 à 10 jours	Lierre, cissus, poinsettia défleuri, syngonium, chlorophytum, asparagus, polyscias, etc. Les agrumes et les plantes du Midi, quand la température est comprise entre 12 et 15 °C.	Palmiers, scheffléra, ficus, philodendron, pothos, aspidistra, dieffenbachia, dracaena, cordyline, beaucarnéa, pachira, yucca, kalanchoe, clivia, si la température ambiante est inférieure à 22 °C.
Tous les 10 à 15 jours	Palmiers, scheffléra, ficus, philodendron, pothos, aspidistra, croton, dracaena, cordyline, etc. Les agrumes et les plantes du Midi, quand la température est comprise entre 8 et 12 °C.	Cactus, agave, aloe, crassula, sansévièria, aeonium, céropégia, échévéria, euphorbe, hoya, jatropha, sédum, pachypodium, etc., si la température ne dépasse pas 22 °C.
Tous les 15 à 20 jours	Plantes grasses, cactées, bulbes à fleurs en repos végétatif, beaucarnéa, sansévièria, pélargoniums, fuchsias, si la température ne dépasse pas 12 °C.	Il faut obligatoirement arroser les plantes plus souvent durant la végétation, hormis les bulbes à fleurs en repos végétatif, qui se conservent totalement au sec.
Tous les 20 à 30 jours	Plantes grasses, cactées, bulbes à fleurs en repos végétatif, pélargoniums, fuchsias, quand la température est comprise entre 5 et 8 °C.	Il faut obligatoirement arroser les plantes plus souvent durant la végétation, hormis les bulbes à fleurs en repos végétatif, qui se conservent totalement au sec.

LES TECHNIQUES D'ARROSAGE

Dans son principe, l'arrosage est une opération très simple, mais les plantes de la maison se montrent d'un comportement inégal face aux besoins en eau. C'est souvent l'arrosage qui va faire la différence quant à la longévité de vos pensionnaires. Le principe de base est : mouiller abondamment la terre en profondeur, mais surtout éviter la stagnation de l'eau.

astuce Truffaut

Disposez vos plantes pour qu'elles soient toutes bien visibles et accessibles. Ne tenez pas simplement compte de l'esthétique, mais aussi de la disposition des pots, que l'arrosoir doit obligatoirement pouvoir atteindre. L'idéal consiste à placer les plantes en dégradés sur des étagères ou des escabeaux, et à ne jamais cacher les petits pots avec les grands.

▲ Les très nombreux modèles d'arrosoirs disponibles dans le commerce permettent de s'adapter à toutes les cultures.

Si, pour des questions pratiques, l'arrosage des plantes de la maison est toujours exprimé par sa fréquence, on omet un point important qui est la quantité d'eau à distribuer. Cette notion n'est pas toujours très facile à appréhender sur le plan pratique, car elle dépend de la plante, du volume du pot, de la qualité du substrat, de la température ambiante et de la saison. Durant la période de croissance (de début mars à fin septembre), il est toujours préférable d'arroser en abondance et de façon épisodique, plutôt qu'en faible quantité et très souvent. Font exception à ce principe les bacs à réserve d'eau que l'on utilise dans des conditions normales pendant les périodes de présence. Pour éviter que l'eau en excès ne vienne remplir la réserve et n'entraîne le processus de la saturation par capillarité, on arrosera peu mais plus souvent. Par temps très chaud, on sera aussi amené à distribuer une petite quantité d'eau presque chaque jour, afin de

ÉLIMINER LE CALCAIRE

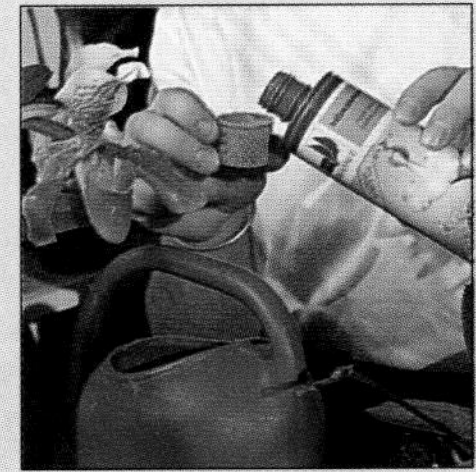

◀ *Dosage du décalcairisant.*

L'eau de ville présente souvent un pH voisin de 8, qui traduit la présence de calcaire actif dilué. C'est ce calcaire qui provoque la formation d'auréoles blanchâtres sur les feuilles au fur et à mesure des brumisations. Il a aussi tendance à être fixé dans le substrat et à en faire évoluer le pH. Pour les plantes que l'on rempote chaque année, ce n'est pas un problème. En revanche, pour les orchidées, et plantes acidophiles qui restent de 2 à 4 ans dans leur pot, il est impératif d'utiliser un produit décalcairisant du commerce pour éliminer le calcaire contenu dans l'eau.

rafraîchir un peu les plantes, sans toutefois les maintenir dans un substrat détrempé.
Durant la période de repos végétatif (d'octobre à fin février), la grande majorité des plantes recevront juste assez d'eau pour éviter le flétrissement, soit des quantités faibles et des apports bien espacés.

L'arrosage par-dessus

C'est la méthode classique, qui s'inspire du phénomène naturel de l'humidification du sol par les précipitations. L'eau est versée à la surface du pot et s'infiltre dans la motte, qu'elle imbibe. Un bon arrosage se traduit par un écoulement abondant de l'eau par le trou de drainage du pot et par une réelle absorption de l'eau par le substrat (elle ne doit pas stagner en surface). La quantité d'eau correcte pour un bon arrosage correspond à 10% du volume de la terre, soit 1 litre d'eau pour 10 litres de terreau. Versez lentement, en utilisant de préférence un arrosoir à long bec qui se glissera bien entre les feuilles.

L'arrosage par trempage

C'est la méthode à utiliser pour toutes les plantes qui n'apprécient pas d'avoir le feuillage mouillé (feuilles duveteuses, gaufrées ou translucides), les espèces formant une rosette (sauf les broméliacées), les plantes à souche tubéreuse ou à tiges très tendres et charnues et les formes très opulentes comme certaines fougères, dont la végétation déborde du pot. La technique consiste à plonger dans l'eau les deux tiers ou les trois quarts du pot, durant une demi-heure en moyenne. Il est très important, pour s'assurer que la motte a été bien imbibée, de vérifier qu'aucune bulle d'air ne s'échappe du substrat lorsque l'on immerge complètement le pot.
Avant de replacer la plante dans son élément de décor, laissez la terre se débarrasser de l'excédent d'eau (c'est le ressuyage) pendant une quinzaine de minutes. Ainsi, vous n'aurez pas besoin de vider la soucoupe un peu plus tard.
L'arrosage par vaporisation est une méthode utilisée surtout pour les plantes épiphytes poussant accrochées à un support de liège ou de fibre. On l'emploie aussi pour les semis et les boutures, afin de ne pas bouleverser la surface du sol.

GARE AUX EXCÈS D'EAU !

▲ Un dieffenbachia *trop arrosé.*

Quand une plante présente un feuillage mou, on pense immédiatement à un manque d'eau. Avant d'arroser, prenez soin de vérifier que le terreau n'est pas déjà bien humide. En effet, une plante trop arrosée commence par présenter des symptômes similaires à ceux de la soif : elle s'affaisse, ses tissus trop gorgés d'eau manquent de rigidité. Quelques jours plus tard, des taches brunes apparaissent sur le bord ou au milieu des feuilles. Elles évoluent en se noircissant et en formant des nécroses. À ce stade, la plante est déjà attaquée par des champignons qui font pourrir les racines. Il est impératif de cesser immédiatement les arrosages et de maintenir la plante complètement au sec, dans un endroit bien aéré, au moins quinze jours. Ensuite, il serait souhaitable de procéder à un rempotage, en utilisant un substrat très léger et en n'oubliant pas de placer une importante couche drainante au fond du pot. Inspectez bien les racines et éliminez toutes celles qui présentent des parties molles ou des marques brunes. Contrairement à la méthode habituelle, n'arrosez pas tout de suite la plante que vous venez de rempoter, mais attendez une dizaine de jours.
Quand les taches du feuillage se propagent aux pétioles et au cœur de la plante, il est malheureusement trop tard pour espérer la sauver.

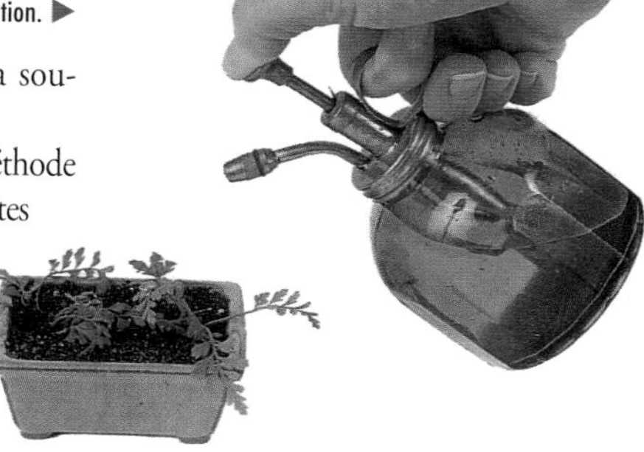
Les jeunes semis s'arrosent plutôt par vaporisation. ▶

Une bouteille d'eau renversée dont le bouchon a été percé alimente la plante durant deux semaines. ▶

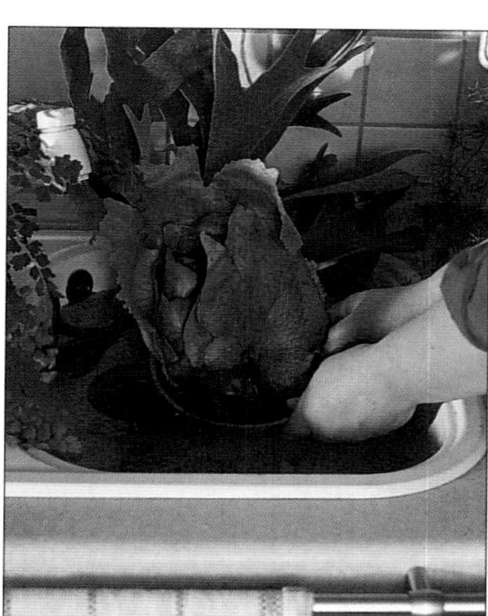
▼ Trempez le pot des fougères durant une demi-heure.

Trop de facteurs entrent en jeu dans l'arrosage pour qu'il existe des recettes infaillibles. Dans le principe, on arrose d'autant plus que la température ambiante est forte et que les plantes se trouvent dans des pots étroits et dans des substrats poreux. Ensuite, il faut moduler en fonction des plantes elles-mêmes.

astuce Truffaut

L'observation et la bonne connaissance des plantes permettent d'arroser au moment idéal, avec la quantité optimale. Pour disposer d'un bon repère, utilisez un spathiphyllum. C'est une plante qui réagit rapidement à la sécheresse, par une inclinaison assez spectaculaire du feuillage. Dès que le spathiphyllum a soif, vérifiez l'état des autres plantes.

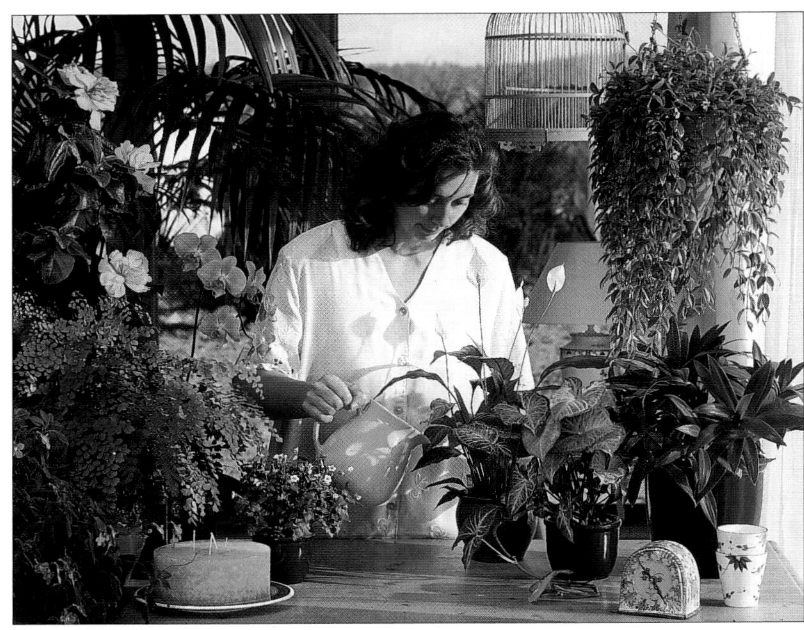

▲ Arrosage des plantes d'intérieur : *Adiantum, Phalaenopsis, Hibiscus, Exacum, Spathiphyllum, Syngonium, Dracaena.*

La grande diversité des plantes dans leur aspect, leur structure et leur origine géographique empêche de proposer des recettes mathématiques garanties, au niveau de la fréquence et du volume des arrosages. La seule bonne réponse à la question « quand dois-je arroser ma plante ? » devrait être : quand elle en a besoin ! Si vous prenez l'habitude de bien observer vos pensionnaires, vous décèlerez au premier coup d'œil leurs besoins. Mais, en attendant que vous deveniez des experts en « psychologie végétale », voici quelques conseils pratiques…

Tenir compte des saisons

C'est durant la croissance (on dit aussi époque de végétation), soit entre mi-mars et fin septembre, que les plantes nécessitent les arrosages les plus copieux et les plus fréquents. D'une manière générale, on arrose deux fois plus en fréquence et trois à quatre fois plus en volume durant la période de croissance que durant le repos végétatif (de mi-octobre à fin février). Durant les périodes de transition, le rythme des arrosages varie avec la température ambiante, sachant qu'à partir de 24 °C un arrosage quasi quotidien s'impose.

LES ASSOIFFÉES

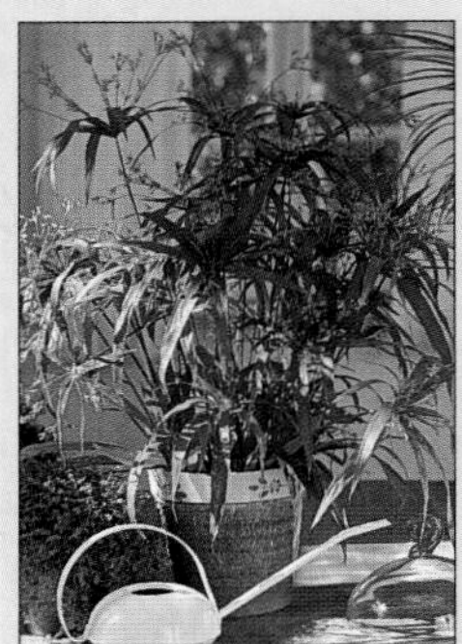

◀ Cyperus alternifolius : *aquatique.*

Certaines plantes ne supportent pas de manquer d'eau et elles fanent ou sèchent dès que le terreau se déshydrate. Une fois fanées, elles ont souvent du mal à reprendre leur turgescence normale. Il s'agit des : adiantum (capillaire), azalée, browallie, calathea, calcéolaire, campanule, crossandra, cyclamen, cyperus (papyrus), darlingtonia, dionée, épiscia, exacum, *Ficus pumila*, fittonia, hémigraphis, nepenthès, néphrolepis, nertéra, pellaea, pellionia, pilea, primevère, sarracénia, sélaginelle, scirpus, spathiphyllum, streptocarpus, etc. Pour la plupart, ces plantes doivent être cultivées dans un substrat retenant bien l'eau (ajoutez de la tourbe noire). Dès que la température dépasse 18 °C, vérifiez que le terreau reste humide, mais pas détrempé.

LES PLANTES « CHAMEAU »

On peut considérer que la fréquence moyenne de l'arrosage des plantes de la maison est de une à deux fois par semaine durant la période de croissance. Certaines espèces apprécient toutefois des apports d'eau plus épisodiques. Il s'agit essentiellement des cactées et des plantes grasses (succulentes) et de tous les végétaux formant un tronc épais et solide ou possédant des feuilles coriaces ou vernissées.

Bon nombre de ces plantes peuvent supporter un « oubli » d'arrosage de deux semaines, voire trois semaines pour les cactus et les plantes grasses. Dans des conditions de sécheresse, leur croissance est interrompue. À l'inverse, quand ces plantes sont régulièrement arrosées, leur développement est plus rapide et plus spectaculaire.

Tout dépend aussi de la température ambiante. Un cactus peut supporter un hiver complet au sec, s'il se trouve dans une véranda ou dans une serre entre 5 et 8 °C. Il résistera également à l'absence d'arrosage par temps très chaud, mais, si vous l'arrosez une fois par semaine quand il fait entre 20 et 23 °C et tous les 3 jours quand la température est encore plus forte, vous le verrez bourgeonner de façon vigoureuse.

La palme de la résistance à la sécheresse revient aux plantes cailloux (*Lithops* par exemple) qui résistent près de un an sans la moindre goutte d'eau, même en pot.

Parmi les plantes de la maison, les moins exigeantes en eau sont : agave, aloès, aporocactus, aspidistra, astrophytum, beaucarnéa, céréus, céropégia, chamaecéréus, cleistocactus, crassula, cycas, echévéria, échinocactus, échinocéréus, espostoa, euphorbes, ferocactus, gymnocalycium, hoya, jatropha, lithops, mammillaria, notocactus, opuntia, pachyphytum, pachypodium, parodia, rebutia, sansévièria, sedum, testudinaria, yucca, etc.

Certaines plantes d'aspect herbacé : asparagus et chlorophytum, résistent à la sécheresse, car elles disposent d'organes de réserve sous forme de bulbilles.

▼ *Vider la soucoupe pleine d'eau.*

▼ *Suspension de chlorophytum.*

Arroser les plantes ligneuses

Dans des conditions normales de température (de 18 à 22 °C dans la maison), les plantes qui forment un tronc rigide ou présentent une souche dure (bois), ainsi que les espèces à feuilles épaisses, s'arrosent en moyenne une fois par semaine durant la croissance et tous les dix ou quinze jours en hiver (repos végétatif). On les arrose de préférence sur le dessus de la motte.

Arroser les plantes herbacées

Les plantes acaules (sans tiges), celles qui forment une rosette ou une touffe de tiges souples ou fines et toutes les espèces à la texture de l'herbe seront arrosées en moyenne deux fois par semaine durant la croissance et une fois par semaine en hiver. Un arrosage par trempage est préférable.

Arroser les orchidées

Les formes portant des pseudobulbes ou développant des cannes s'arrosent en moyenne une fois par semaine toute l'année, mais tous les trois ou quatre jours durant la floraison. Les orchidées à tiges fines ou formant une rosette s'arrosent deux fois par semaine durant la végétation et une fois par semaine en hiver. Utilisez de l'eau non calcaire, ne mouillez pas le cœur de la plante et videz bien la soucoupe.

Arroser cactus et succulentes

Comptez un arrosage tous les six à dix jours durant la croissance, et selon la température ambiante, et pas plus d'un apport d'eau tous les quinze ou vingt jours en hiver. Si la température est fraîche, laissez-les au sec.

Arroser les broméliacées

Ananas, aechmea, guzmania et compagnie s'arrosent en moyenne une fois par semaine durant toute l'année. Pendant la croissance, laissez de l'eau (non calcaire) stagner au cœur de la rosette de feuilles.

▲ Le *Beaucarnea recurvata* demande très peu d'eau.

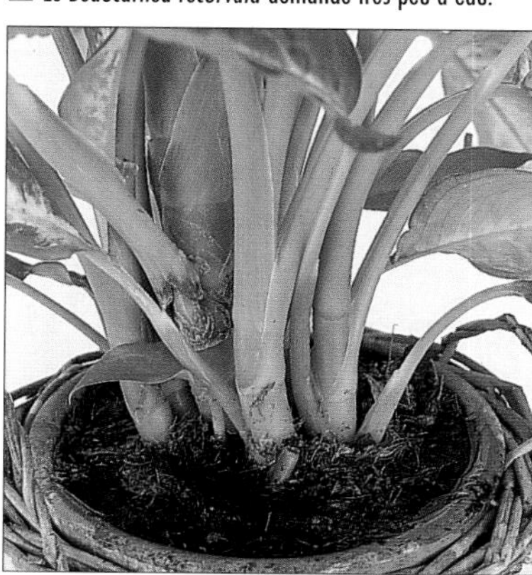

Sur un substrat trop sec, l'eau ne pénètre pas. ▶

LES PRINCIPES DE LA FERTILISATION

Comme tous les êtres vivants, les plantes ont besoin d'énergie pour se développer. Elles utilisent comme « aliments de base » les minéraux que leurs racines absorbent dans le sol, puis les transforment en substances organiques sous l'action de la lumière solaire. Chaque élément agissant de façon spécifique, il est intéressant de les connaître…

astuce Truffaut

Les plantes que vous achetez sont produites dans des serres, où tous les paramètres de culture sont soigneusement contrôlés. Les professionnels les cultivent dans des substrats quasiment inertes, et les alimentent avec des solutions nutritives dosées avec la plus grande précision. Les conditions étant bien différentes dans la maison, il serait souhaitable de rempoter au plus vite les plantes nouvelles, dans un terreau plus riche et mieux adapté à la culture à l'intérieur.

▲ Les plantes absorbent le carbone contenu dans l'air et l'utilisent comme élément nutritif, tout en rejetant de l'oxygène.

La plante est une véritable usine chimique au fonctionnement complexe, dont voici les grands principes de comportement.
Les racines servent à pomper les sels minéraux qu'elles trouvent dans le sol sous forme dissoute. Elles ne sont pas capables d'absorber le moindre élément sous forme organique et solide. Cela signifie qu'il est important que le sol renferme une certaine quantité d'eau, mais aussi des micro-organismes qui se chargent de dégrader la matière organique pour qu'elle libère les éléments minéraux (donc chimiques) qui la composent. Les tissus végétaux absorbent ensuite les sels minéraux par osmose, et échanges d'ions à travers la paroi cellulaire.

◀ L'hibiscus apprécie le phosphore.

LES OLIGOÉLÉMENTS

Hormis les trois éléments principaux NPK, la plante « consomme » : magnésium, fer, bore, cuivre, molybdène, etc. Ces substances absorbées en quantités infinitésimales sont appelées « oligoéléments ». Leur insuffisance ou l'impossibilité pour la plante de les utiliser provoque les phénomènes de carences. La plus fréquente chez les plantes de la maison est la « chlorose », une carence en fer due à la présence de calcaire. Par exemple, c'est pour résoudre des problèmes de carence que certaines plantes comme ici la dionée sont devenues carnivores.

La photosynthèse

Les stomates (pores) situés sous la feuille pompent de grandes quantités d'air atmosphérique et fixent une partie du gaz carbonique (CO_2) qu'il contient. En présence de lumière, la chlorophylle (la substance qui donne leur couleur verte aux feuilles), permet de séparer les atomes des molécules de gaz carbonique absorbées par la feuille et celles d'eau (H_2O). L'oxygène est libéré par la plante, qui retient le carbone et l'hydrogène, pour synthétiser des hydrates de carbone (glucides) dont de l'amidon et des sucres. Ces matières énergétiques sont alors brûlées au contact de l'oxygène pour permettre la croissance de la plante. L'ensemble de ces phénomènes très complexes est appelé photosynthèse ou assimilation chlorophyllienne.

L'azote : feuilles et tiges

Le liquide pompé par les racines (la sève brute, ou sève montante) contient essentiellement trois éléments : N (azote) (phosphore) et K (potassium) mais aussi des oligo-éléments *(voir encadré).*
L'azote du sol provient en grande partie de la décomposition de la matière organique par des bactéries, qui le transforment en nitrate. C'est sous cette seule forme que les racines peuvent assimiler l'azote. La sève brute le transporte jusqu'aux feuilles, qui par le procédé de la photosynthèse et sous l'action d'enzymes, font évoluer l'azote en acides aminés, puis en protéines.
L'azote entre dans la composition des tissus végétaux et joue un rôle important sur la croissance. Il stimule le développement du feuillage et des tiges herbacées
L'air que nous respirons contient 79 % d'azote, le plus souvent inutilisable. Seules les plantes de la famille des légumineuses ou Fabacées (chez les plantes d'intérieur *Acacia, Cassia, Caesalpinia, Erythrina,* etc.) parviennent à le fixer, grâce aux bactéries *(Rhizobium)* qui vivent sur leurs racines.

Le phosphore : fleurs et racines

Cet élément qui vient toujours en seconde position dans la présentation des compositions d'engrais, est désigné sur les emballages par son symbole chimique : P. C'est sous forme d'acide phosphorique ou anhydride phosphorique (P_2O_5) que les plantes utilisent le phosphore, un corps chimique simple, qui stimule le développement racinaire et contribue par conséquent de façon importante au bon équilibre de la plante.
En hâtant la précocité de l'épanouissement, et en favorisant le processus de la fécondation, le phosphore joue un rôle majeur dans le déroulement de la floraison. Il accroît aussi la résistance naturelle de la plante aux maladies.
Pour devenir soluble et donc assimilable, le phosphore doit être attaqué par des acides organiques que l'on trouve dans l'humus, d'où l'importance d'un substrat riche en matière organique.

Le potassium : fruits et réserves

Terminant la trilogie des matières fertilisante de base, le potassium est désigné sur les engrais par son symbole chimique (K). Les plantes l'assimilent sous la forme d'hydroxyde de potassium (KOH) ou potasse.
La formation des fruits et leur qualité intrinsèque est liée à la bonne assimilation de la potasse. Cet élément joue un rôle essentiel sur la migrations des sucres et la formation des organes de réserve, en accumulant l'amidon dans les tubercules, les rhizomes, les graines et les racines. Il agit aussi sur la rigidité des tissus et par conséquent la solidité des tiges.
Sans la présence de potasse, la plante ne peut utiliser correctement l'azote. Les sols trop acides sont presque tous carencés en potasse. D'une manière générale, il faudra toujours utiliser un engrais riche en cet élément pour les plantes de la maison.

▲ L'azote favorise le développement des feuilles *(Cycas)*.

▲ Le phosphore stimule la floraison *(Hoya bandaensis)*.

La potasse améliore la fructification (kumquat). ▶

LES DIFFÉRENTS TYPES D'ENGRAIS

Disposant d'un volume de terre limité par la contenance du pot, les plantes de la maison ont tôt fait d'épuiser les substances nutritives que leur apporte le substrat. Sans une fertilisation régulière et judicieuse, les plantes en pot ne se développent guère et fleurissent difficilement. Une très large palette d'engrais est disponible dans le commerce.

astuce Truffaut **Les plantes doivent utiliser tous les sels minéraux que leur apportent les engrais, sous peine d'entraîner des concentrations trop importantes dans le sol et des brûlures. Un bouchon d'engrais liquide dilué dans 5 à 10 litres d'eau vous garantit une fertilisation sans risque.**

▲ L'engrais bâtonnet convient bien aux plantes cultivées dans un bac à réserve d'eau ou nouvellement rempotées.

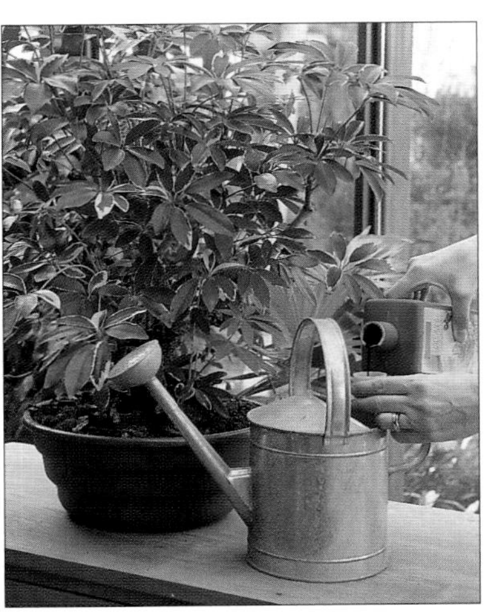

◀ L'engrais liquide organique agit tout en douceur.

Le terme « engrais » est la dénomination officielle des produits fertilisants destinés à stimuler la croissance des plantes. Dans le langage courant, il a pris ces dernières années une certaine connotation péjorative qui sous-entend stimulation artificielle des fonctions vitales et qui fait même penser au dopage. Si l'on s'exprimait comme il se doit avec les termes « nourriture » ou « aliment » pour plantes, il n'y aurait plus d'ambiguïté. En fait, tout dépend de la façon dont on apporte l'engrais et de la quantité donnée à la plante. Dans les cultures industrielles, on peut dire que les plantes « sont à l'engrais » : la rapidité de production et l'aspect du végétal au moment de sa mise en vente sont privilégiés. Mais une fois arrivée chez nous, la plante se retrouve dans un tout autre contexte et elle va de nouveau pouvoir être alimentée normalement.

Les engrais liquides

C'est la présentation la plus couramment proposée pour les plantes de la maison. Les substances nutritives sont dissoutes de façon homogène, mais restent encore trop concentrées pour une utilisation directe du produit. Il est donc nécessaire de le diluer. Les engrais liquides se divisent en deux catégories : organiques et minéraux.

- **Les engrais organiques** sont issus de matières naturelles (betterave, vinasse, cuir, guano, etc.). Ils offrent l'avantage d'agir en douceur et de ne pas risquer de brûler les racines. Ce sont des produits bien équilibrés, dont l'action est plutôt lente et soutenue. On leur reprochera une odeur assez forte et une propension à tacher les tissus et les objets.
- **Les engrais minéraux** sont ceux que l'on qualifie habituellement de « chimiques ». Fabriqués de façon synthétique, il sont dosés avec la plus grande précision. Immé-

diatement assimilables par les plantes, ils agissent vite et donnent des résultats visibles en quelques jours. Ce sont des produits souvent inodores, incolores et qui ne tachent pas, hormis les risques de cristallisation des sels minéraux sur le feuillage ou sur le sol (en cas de surdosage). On reprochera aux engrais minéraux de ne pas renfermer d'hormones et d'auxines qui sont des agents essentiels pour une fertilisation équilibrée. Une mauvaise utilisation de ces produits peut provoquer des brûlures.

Depuis peu sont apparus sur le marché des engrais liquides prêts à l'emploi présentés en applicateur automatique. Il suffit de casser l'opercule de l'emballage pour que le produit se diffuse au goutte-à-goutte pour la plante, assurant une fertilisation efficace pendant quelques semaines.

Les engrais solubles

Ce sont des poudres fortement dosées, que l'on dissout dans l'eau afin d'obtenir une solution fertilisante qui s'utilise comme de l'engrais liquide. L'avantage est que vous achetez uniquement de l'engrais (et pas de l'eau fertilisée). En revanche, la concentration est toujours forte et le produit a du mal à bien se conserver (il durcit). Certains engrais solubles sont proposés avec des diffuseurs qui se branchent sur un tuyau d'arrosage. Ce système peut s'avérer pratique dans une serre ou une véranda contenant de nombreuses plantes. Beaucoup d'engrais solubles ont une efficacité foliaire *(voir page suivante)*. On peut leur reprocher la nécessaire précision du dosage bien que certains produits soient vendus en sachets doses très pratiques (pour un litre).

Les engrais bâtonnets

Dans ces produits, la matière fertilisante (minérale) est intégrée dans un support solide. Après compression par une machine, on obtient, selon leur aspect, des « cachets », des « clous », des « cônes » ou des « bâtonnets », que l'on enfonce dans le sol, à la périphérie du pot. Le produit se dissout avec les arrosages, d'où une efficacité d'environ deux mois. On peut reprocher à cette présentation un manque de régularité dans la qualité des bâtonnets. Certains sont trop friables et se désagrègent au moment de la mise en place. Les puristes estimeront (à raison) que l'engrais n'est pas très bien réparti, surtout dans les petits pots où l'on n'utilise qu'un seul bâtonnet. Préférez les bâtonnets pour les plantes cultivées dans des grands bacs ou celles qui ont été récemment rempotées, afin d'éviter que le produit n'entre pas en contact direct avec les racines.

Les engrais granulés

Ce type de formulation est très utilisé au jardin, mais pour les plantes de la maison, on préfère les nouvelles générations de « billes » ou de « perles » à diffusion lente et progressive. L'engrais est enfermé dans une sorte de capsule poreuse et se libère à travers la membrane, en fonction de l'humidité du substrat. Une seule application annuelle à la surface du pot est suffisante. C'est sans doute un produit d'avenir en raison de la simplicité d'utilisation. Le seul défaut est qu'il est impossible de contrôler le moment où les granulés sont épuisés : les membranes ne se délitant pas, le produit conserve en permanence son aspect.

Les engrais foliaires

Il s'agit d'engrais liquides ou solubles, au pouvoir pénétrant, qui peuvent être appliqués sur le feuillage par pulvérisation. La matière fertilisante est absorbée par les stomates de la feuille et plus rapidement transformée par la photosynthèse. Ce type d'engrais est apprécié par les orchidées et par les plantes aux racines charnues et fragiles.

▲ La poudre soluble est souvent très concentrée.

▲ Les bâtonnets d'engrais sont piqués au bord du pot.

▲ Une application par an de perles d'engrais suffit.

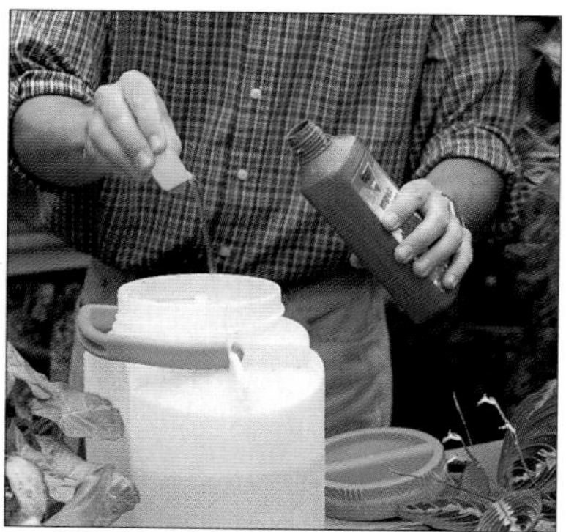

L'engrais type foliaire a un effet immédiat. ▶

LES SPÉCIALITÉS D'ENGRAIS

Sans être aussi large que l'offre destinée au jardin, la gamme d'engrais pour les plantes de la maison s'est étoffée ces dernières années. Il est bien sûr plus commode d'utiliser des produits spécifiques aux différents groupes de plantes qui présentent des exigences particulières. Faites confiance aux spécialistes !

astuce Truffaut

Les engrais utilisés pour le jardin ne sont pas du tout incompatibles avec les plantes de la maison. Vous pouvez par exemple utiliser un engrais « rhododendrons » ou « hortensias » pour toutes les plantes arbustives et un engrais « géraniums » pour les plantes à fleurs.

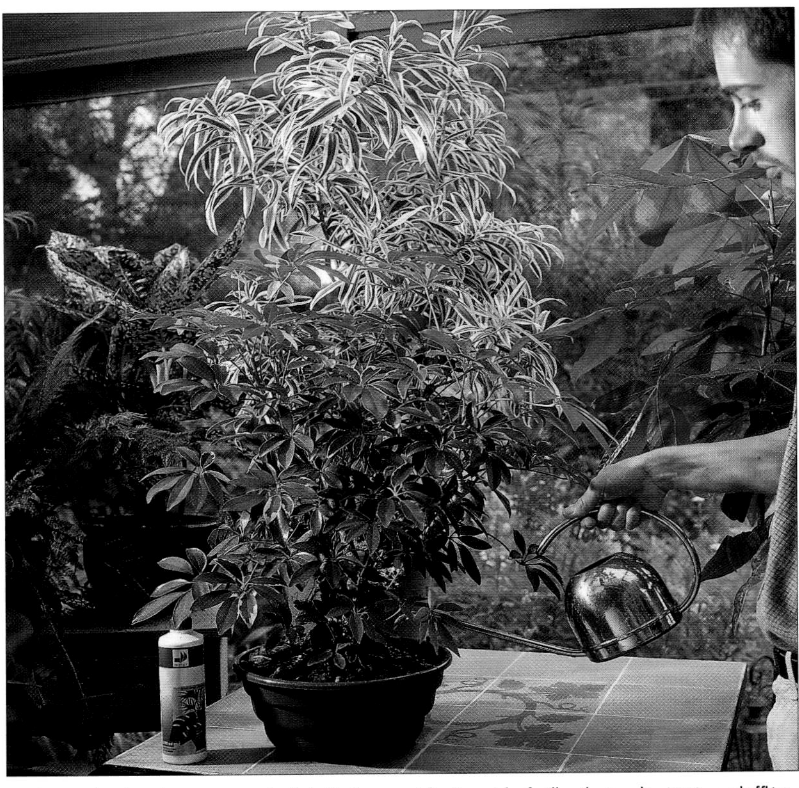

▲ L'engrais liquide « plantes vertes » stimule le développement des tiges et des feuilles. Il est appliqué ici à un scheffléra.

Dans l'absolu, il faudrait que chaque plante bénéficie d'un programme de fertilisation spécifique, en fonction de ses particularités métaboliques propres et de son mode de vie. Des études très approfondies ont été conduites sur les espèces les plus couramment cultivées et les professionnels connaissent d'une façon précise la « diététique » des végétaux qu'ils produisent. Ils composent en conséquence un menu « à la carte » pour leurs pensionnaires, l'ordinateur se chargeant d'alimenter les plantes avec une solution nutritive appropriée.

◀ Utilisez un engrais « plantes vertes » pour le *Murraya*.

C'est ce qui explique en partie pourquoi la majorité des plantes d'intérieur que vous achetez se trouvent dans un substrat de tourbe presque pure. Ce matériau étant inerte, mais retenant bien l'eau et les sels minéraux, les résultats sont spectaculaires. Malheureusement, dans la maison, vous ne contrôlez guère que la température. La luminosité dépend des caprices du ciel et des saisons, l'humidité de votre bon vouloir, de même que l'arrosage. Résultat, il faut opérer de manière empirique. C'est pourquoi, dans un premier temps, il convient de rempoter les nouvelles plantes en utilisant un substrat plus équilibré et surtout plus riche que celui d'origine. Trois mois plus tard, l'engrais devient nécessaire.

Comprendre les engrais

Pratiquement tous les engrais du commerce proposés pour les plantes de la maison sont des produits dits « complets », c'est-à-dire qu'ils associent les trois éléments principaux : – azote, phosphore et potassium – sous la symbolique : NPK *(voir page 161)*. La formulation peut être complétée par de la magnésie, qui agit favorablement sur la floraison, des vitamines et des oligoéléments qui équilibrent la croissance. La composition du produit est toujours exprimée par trois nombres, qui expriment le pourcentage de chaque élément principal (dans l'ordre NPK) que renferme l'engrais.

Les engrais universels

Ce sont en général des produits équilibrés dont chacun des éléments est dosé en proportion identique ou similaire. Les engrais universels peuvent être comparés à des produits génériques et standard. Ils conviennent bien aux plantes courantes dans un seul but d'entretien. Toutefois, mieux vaut utiliser des engrais plus spécifiques.

PARLONS « BIO »

Un engrais ne peut être absorbé par les plantes sous forme organique. Un engrais « naturel » doit forcément être minéralisé dans la terre sous l'action de bactéries. Ces dernières sont très présentes dans les terreaux et les composts provenant de la décomposition de matières végétales et animales (feuilles, gazon, déchets de taille, fumier, écorces compostées, guano, algues, etc.). En revanche, l'activité microbienne est quasi nulle dans la tourbe, une matière naturelle, mais presque inerte et totalement absente dans les supports du type vermiculite, pouzzolane, perlite, laine de roche, etc. Dans ce type de substrat, l'utilisation d'engrais « chimiques » est indispensable.

▲ Un engrais « plantes fleuries » convient à l'hibiscus.

Les engrais génériques

Ces produits très répandus se déclinent en deux références : engrais « plantes vertes » et engrais « plantes fleuries ». C'est une manière simple, mais efficace, d'aborder la fertilisation des plantes de la maison, chaque espèce pouvant entrer dans l'une ou l'autre des deux catégories. Pour simplifier, l'engrais « plantes vertes » stimule la croissance et le développement des tiges et des feuilles, tandis que l'engrais « plantes fleuries » favorise le processus complexe de la mise à fleurs.

Les engrais spécialisés

Ces produits bénéficient d'une formulation spécifiquement adaptée aux besoins d'un groupe de plantes. Par souci de simplification, les fabricants ont focalisé leur appellation sur une catégorie très connue. Un engrais « agrumes » convient aussi bien à toutes les plantes portant des fruits *(Ardisia, Capsicum)* qu'aux palmiers. Un engrais « orchidées » est parfait pour les broméliacées et la plupart des plantes acidophiles comme le gardénia ou les fougères. L'engrais « bonsaïs » convient bien à tous les arbres et autres plantes ligneuses. L'engrais « cactées » est apprécié des *Jatropha* et des *Beaucarnea*.

Les engrais « orchidées » ne renferment pas de calcaire. ▶

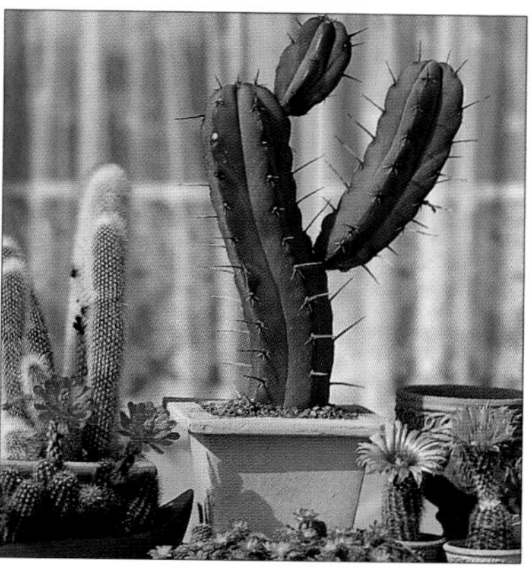

▲ Les engrais pour cactées sont très peu concentrés.

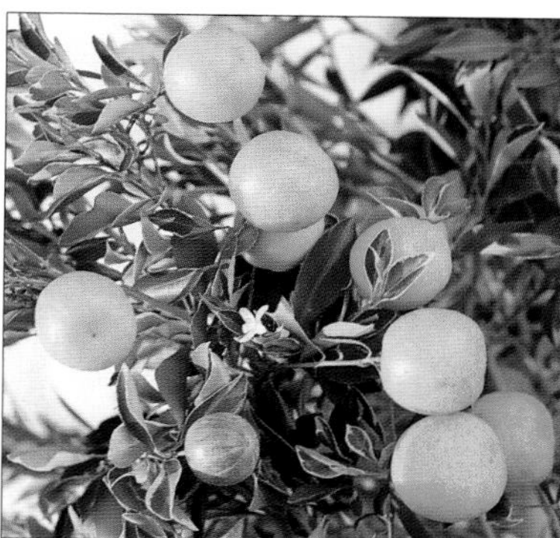

▲ Les engrais « agrumes » sont renforcés en potasse.

▲ Les bonsaïs apprécient les engrais à action lente.

Bien fertiliser les plantes de la maison commence par une observation attentive de leur comportement et un respect de leur rythme de vie. Ensuite, il est important de les nourrir « en douceur » pour leur permettre un développement raisonnable et bien équilibré. C'est l'un des secrets qui assurent la longévité de vos pensionnaires.

▲ Le dosage de l'engrais ne doit jamais dépasser la concentration préconisée par le fabricant sur les emballages.

astuce Truffaut

Une plante bien alimentée et en forte croissance est plus à même de résister efficacement aux attaques des parasites et des maladies. Dès que vous entamez un traitement parasitaire, apportez un engrais très peu concentré, environ 3 jours après la pulvérisation et soutenez régulièrement la plante avec une fertilisation adaptée à ses besoins. Elle guérira plus vite.

La bonne fertilisation est, en théorie, la dose nutritive exacte dont la plante a besoin pour assurer sa croissance, quantité apportée au moment idéal qui permettra d'obtenir un résultat aussi efficace que possible. Dans la pratique, et surtout pour nos cultures d'amateur, l'apport d'engrais est toujours empirique. On ne sait pas mesurer les besoins du végétal et encore moins contrôler la présence des éléments nutritifs stockés dans le sol. Il faut même savoir qu'un terreau déséquilibré peut « capturer » l'engrais et ne pas permettre à la plante d'en disposer. Certaines carences gênent aussi l'assimilation des matières nutritives. On a donc tendance à appliquer des règles simples, fruit de l'observation et de l'expérience.

LA PLANTE AFFAMÉE

Quand elle n'est pas fertilisée, une plante en pot commence par voir sa croissance ralentie et même complètement stoppée. Mais c'est la décoloration du feuillage qui prend une teinte jaune pâle tirant sur le blanc qui doit vous alerter sérieusement. Au début des symptômes, il est possible de confondre avec une chlorose (carence en fer), mais la teinte de la feuille est moins jaune et le limbe a tendance aussi à onduler.
Dans le cas d'une carence en azote seule, on observe le phénomène inverse de la chlorose, à savoir un jaunissement au niveau des nervures avec le limbe qui reste bien vert.

Bougainvillée carencée en azote. ▶

Fertiliser au bon moment

L'expérience a montré que la période la plus favorable pour apporter de l'engrais aux plantes d'intérieur (ou du moins celle qui donnait des résultats visibles) se situait entre le début avril et la mi-juillet puis en septembre. Sur le plan alimentaire, il semble que bon nombre de plantes « prennent des vacances d'été », avec une croissance ralentie durant les journées les plus chaudes de l'année. On constate ensuite un redémarrage en septembre, puis une entrée progressive en dormance dans le courant octobre et un arrêt végétatif total de novembre à mi-février ou début mars. Ce rythme végétatif est plus ou moins marqué selon les espèces et il peut être contrôlé ou même perturbé par les techniques culturales (variation de la température, éclairage artificiel, rythme d'arrosage et de fertilisation, etc.). D'une manière générale, on peut dire que la fertilisation doit être plus forte au début de la période de croissance, puis connaître un léger ralentissement en juin pour reprendre en septembre et diminuer en octobre. Hormis les plantes en pleine floraison, la période hivernale doit être marquée par un arrêt total des apports d'engrais.

La fréquence des apports

Tout va dépendre du type d'engrais utilisé. Les « perles » à diffusion lente nécessitent une seule application par an. Les bâtonnets sont actifs pendant 8 à 10 semaines. Les engrais foliaires ont une efficacité immédiate, mais courte. Toutefois, ils seront appliqués une fois par semaine en moyenne. Pour les engrais liquides, la règle est d'un apport d'engrais tous les trois arrosages durant la forte période de croissance (d'avril à juillet), ce qui équivaut en fonction de la température ambiante à une fertilisation hebdomadaire ou bimensuelle. En mars et en septembre, un seul apport sera suffisant. Chez les plantes actives durant la période hivernale, ne dépassez pas une fertilisation tous les 15 jours.
Tout cela vaut bien sûr pour un emploi classique des engrais, dosés à la concentration préconisée sur les emballages.

Quelques conseils particuliers

En fonction du type d'engrais que vous utilisez, prenez les précautions suivantes :

• **L'application de l'engrais liquide** se fait toujours sur un substrat humide, afin que les racines ne pompent pas brutalement un excès de sels minéraux. L'expérience nous a prouvé que la meilleure méthode (quelle que soit la spécialité du produit utilisé) consistait à diluer un bouchon d'engrais liquide dans un grand arrosoir (minimum 5 litres) et d'utiliser cette solution très déconcentrée pour chaque arrosage, lorsque l'intervalle entre les apports d'eau est supérieur ou égal à 3 jours et tous les deux arrosages par temps de forte chaleur. Avec cette technique, les plantes sont fertilisées en douceur, sans risque de brûlure et bénéficient surtout d'une croissance plus régulière, ce qui au final est très positif. Dans les bacs à réserve d'eau, l'engrais sera versé directement dans la réserve, mais à la moitié de la concentration habituellement conseillée pour éviter le surdosage.

• **Les engrais en granulés** sont répartis uniformément à la surface du terreau, en considérant que la dose conseillée par le fabricant est un maximum. Ils peuvent être légèrement enfouis par un griffage avec une fourchette ou un petit râteau.

• **Les engrais en bâtonnets** sont toujours plantés verticalement sur le pourtour du pot (jamais au cœur de la motte pour éviter le contact direct du produit avec les racines). Enterrez-les de 3 cm environ. Disposez un bâtonnet tous les 10 à 15 cm.

• **Les engrais foliaires** sont appliqués en fine brumisation, en insistant sous le feuillage, afin qu'ils pénètrent par les stomates (pores). Le produit ne doit surtout pas ruisseler. Les plantes à feuillage duveteux ou très fin ne seront pas fertilisées de cette manière (risque de taches).

EXCÈS D'ENGRAIS

Plusieurs erreurs peuvent entraîner une assimilation excessive d'engrais par la plante : le non-respect de la concentration de l'engrais liquide (surdosage), des apports trop fréquents, la fertilisation d'une plante assoiffée, un produit inadapté, etc.
Il faut également tenir compte de la capacité de rétention par les composants du substrat. D'une manière générale, on peut considérer que plus un terreau est spongieux, plus il est capable de stocker des sels minéraux. Ces derniers vont à la longue atteindre une proportion néfaste pour la plante (indigestion). L'excès d'engrais ne se manifeste pas par une croissance délirante, mais plutôt par un comportement souffreteux. La plante est indisposée, sa croissance ralentit et c'est ce qui est trompeur. Dans un premier temps, on peut avoir l'impression qu'elle a besoin d'un bon « coup de fouet »; cette erreur peut être fatale. Les symptômes de réaction violente se manifestent par des brûlures sur le feuillage dont des parties centrales se dessèchent. Arroser très abondamment pour diluer.

▲ *Brûlures d'engrais sur un ficus.*

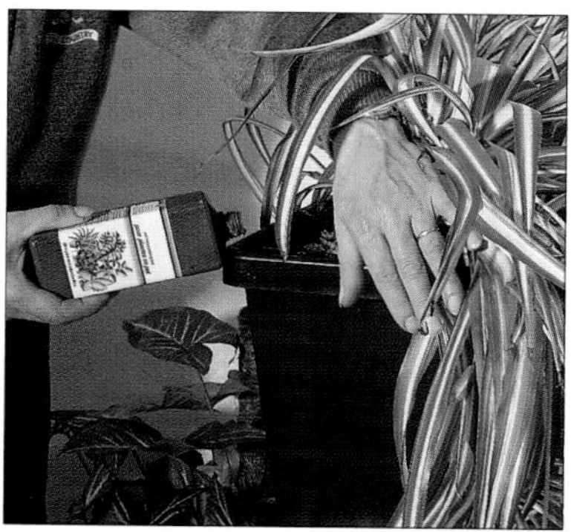
▲ L'engrais est versé directement dans la réserve d'eau.

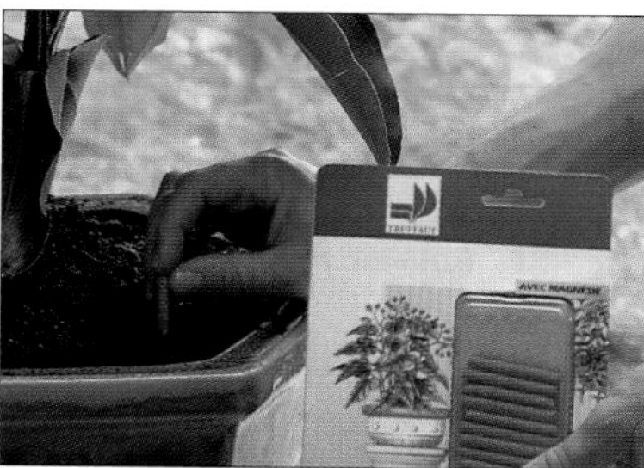
▲ Plantez le bâtonnet d'engrais à la périphérie du pot.

Il est impératif de diluer l'engrais liquide. ▶

Comme tous les êtres vivants, les plantes sont menacées par différents ravageurs et maladies. Dans la maison, une attaque parasitaire doit être enrayée très rapidement, car les plantes cultivées en pots montrent une moindre résistance naturelle à leurs ennemis que celles qui poussent en pleine terre.

▲ Attention à pas trop serrer les plantes, car cela favorise l'apparition et la propagation des maladies.

astuce Truffaut

Dès qu'une plante présente le moindre symptôme anormal (taches, décoloration, arrêt de la croissance, présence d'insectes sur les tiges et les feuilles) placez-la en quarantaine dans une pièce bien éclairée et peu chauffée, où elle sera seule. Vous éviterez ainsi la contamination et pourrez mieux la surveiller.

◀ *Aspidistra elatior* : une des plantes d'intérieur les plus résistantes.

Cultivées en pot, dans un univers artificiel pas toujours très bien adapté à leurs besoins, soumises à un rythme saisonnier différent de celui de leurs contrées d'origine, les plantes de la maison sont fragilisées en permanence. Dans des conditions de culture défavorables, notamment un manque de lumière, une trop faible humidité de l'air, une exposition aux courants d'air, des arrosages excessifs, un substrat épuisé ou inadapté, les plantes ne disposent plus de l'énergie nécessaire pour résister aux attaques des parasites.

À l'inverse, les ennemis de vos cultures trouvent dans la maison des conditions très favorables à leur développement. Ils échappent à la morsure mortelle du froid hivernal et restent donc actifs toute l'année. Ils profitent de l'humidité stagnante (dans les pots ou sur les plantes) pour proliférer, sans compter que leurs prédateurs ou leurs parasites naturels sont pratiquement toujours absents de nos intérieurs.

Une résistance naturelle

Tout comme l'ensemble des êtres vivants, les plantes disposent d'un système de défense naturel contre les agressions extérieures. Le mécanisme de son fonctionnement est encore très mal connu, mais des

LES PLANTES JAMAIS MALADES

Certaines plantes d'intérieur se montrent résistantes à la plupart des ravageurs et des maladies. Voici celles que l'on ne traite presque jamais : Adenium, Alpinia, Amorphophallus, Ardisia, Aspidistra, Caladium, Clusia, Colletia, Cyanotis, Cyperus, Exacum, Fittonia, Glechoma, Haemanthus, Hymenocallis (ismène), Jatropha, Microlepia, Neoregelia, Nidularium, Ophiopogon, Oplismenus, Pachyphytum, Pellaea, Pellionia (Elatostema), Pinguicula, Plectranthus, Puya, Rehmannia, Sansevieria, Scirpus, Siderasis, Sonerila, Stenocarpus, Veltheimia, etc.

expériences ont montré par exemple qu'une maladie ne se propageait pas forcément sur tous les individus, les plantes les plus vigoureuses, cultivées dans d'excellentes conditions, disposant de moyens internes pour faire barrage à l'agression. Il est quasi certain que ce « système immunitaire » est d'ordre chimique, la plante étant capable de sécréter des substances qui découragent ou même nuisent à son adversaire. On peut d'ailleurs observer ce phénomène de façon très spectaculaire chez les euphorbes par exemple dont la sève laiteuse (le latex) est toxique, ce qui protège la plante de l'appétit des herbivores. En revanche, certaines espèces de cochenilles et de pucerons se montrent insensibles à cette défense naturelle de la plante et viennent la parasiter.

Prévenir et guérir

Tout étant question d'équilibre dans la nature, il n'est pas question de chercher à exterminer « les méchants », mais de limiter leur action pour qu'elle reste « supportable » pour les plantes. Si l'on prend des exemples dans notre vie quotidienne, nous tolérons quelques piqûres de moustiques les soirs d'été, sans avoir l'impression de vivre un moment pénible. En revanche, si nous subissons les assauts en règle d'un nuage de ces insectes « suceurs de sang », la « barbecue party » devient vite infernale. L'important est le seuil de tolérance au-delà duquel tout bascule : le bouton qui devient phlegmon, la toux qui évolue en bronchite, etc. Chez la plante, c'est la même chose. Quelques feuilles dévorées par les chenilles sont sans conséquence autre qu'esthétique. En revanche, une attaque généralisée d'araignées rouges peut éliminer tout le feuillage en quelques jours et entraîner la mort rapide de la plante.

C'est avant tout votre sens de l'observation et la rapidité de l'intervention qui feront la différence. Toutes les affections ne sont pas aussi spectaculaires que des attaques de pucerons. L'ennemi est parfois insidieux et le « temps d'incubation » de la maladie souvent assez long. Toute modification de l'aspect et du comportement de la plante doit vous alerter et vous inciter à passer à l'action, en commençant par améliorer les conditions de culture.

Votre but doit être d'offrir à la plante les moyens de résister au problème, de la débarrasser des ravageurs ou des agents vecteurs de la maladie, puis d'agir de telle façon que de nouvelles attaques ne se produisent pas et que d'autres ennemis ne profitent pas de la faiblesse passagère de la plante pour passer à leur tour à l'action. En aucun cas, l'idée majeure est l'éradication des parasites, cette « guerre totale » étant perdue d'avance et assurément désastreuse pour l'environnement.

Ravageurs et maladies

Les plantes sont menacées par plusieurs catégories d'ennemis. On désigne comme « ravageurs » les espèces qui prolifèrent sur les plantes et s'en nourrissent directement : insectes, acariens, limaces, rongeurs. Les « maladies » sont la réaction de la plante par des taches, des nécroses, des décolorations, à la présence d'un hôte indésirable : champignon, bactérie ou virus.

Dans le premier cas, il est toujours possible d'agir directement en supprimant manuellement les organes où se concentrent les ravageurs. Le traitement qui suivra aura pour but de protéger le végétal contre une nouvelle attaque. Pour ce qui concerne les maladies, les soins consistent essentiellement à empêcher l'extension du problème et à limiter les dégâts sur la plante. Il faut savoir en revanche que tout organe taché, déformé, nécrosé, décoloré ne retrouvera jamais son aspect initial. Il est donc nécessaire de couper les parties malades ou même d'éliminer totalement la plante dans le cas d'une trop forte attaque.

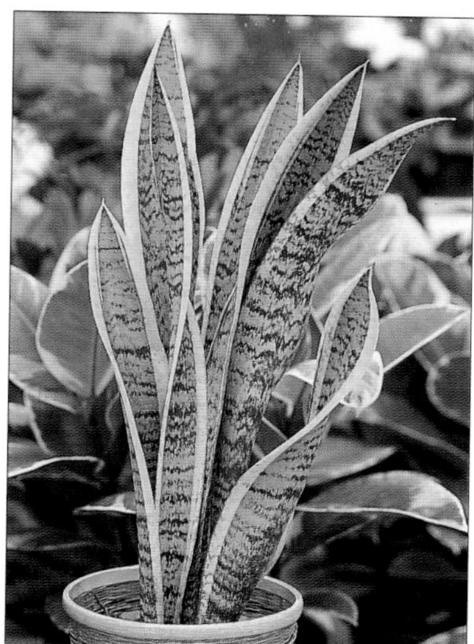

▲ Le sansevieria ne craint que les excès d'arrosage.

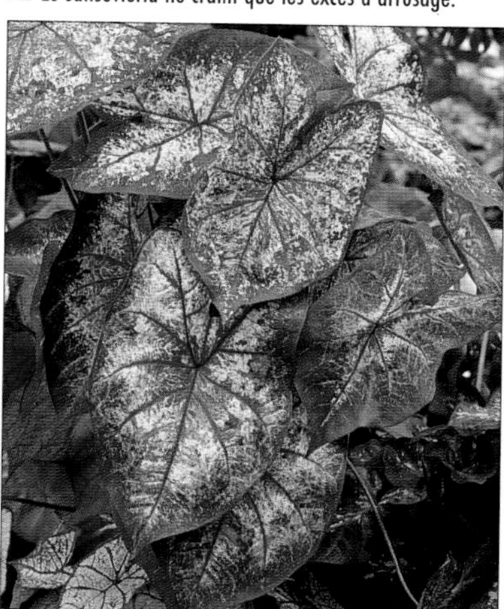

▲ Le caladium redoute surtout les courants d'air froid.

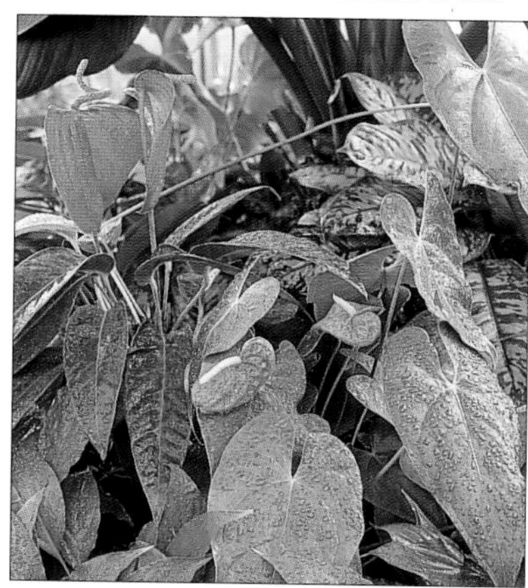

Cochenilles, pucerons et thrips attaquent l'anthurium. ▶

On qualifie « d'ennemis des plantes » ou de « ravageurs » l'ensemble des animaux : insectes, acariens, gastéropodes, oiseaux, rongeurs, qui se nourrissent des plantes cultivées. Dans la maison, leur nombre est limité, mais leurs actions souvent très rapides et violentes les font redouter à juste titre. Sachez les identifier pour mieux les combattre et les empêcher de proliférer.

astuce Truffaut

La douche du feuillage au moins une fois par mois est une bonne méthode pour prévenir l'invasion des ravageurs, tout en dépoussiérant les plantes. Utilisez un jet fin et assez puissant afin de décoller les pontes et les larves. Insistez surtout sur la partie inférieure des feuilles. Vous pouvez compléter efficacement l'intervention par un traitement préventif.

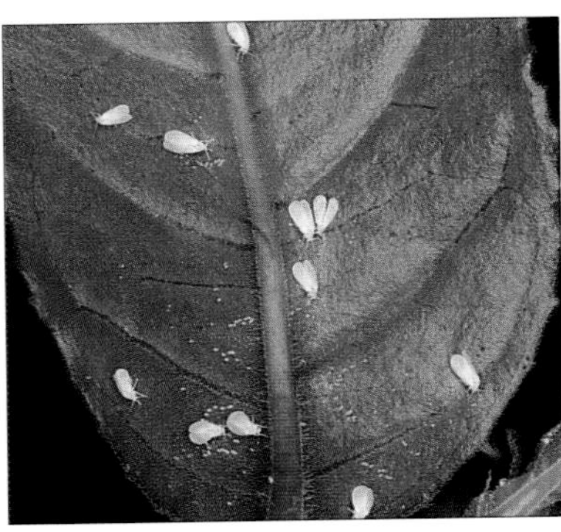

◀ Aleurodes ou « mouches blanches » sur un fuchsia.

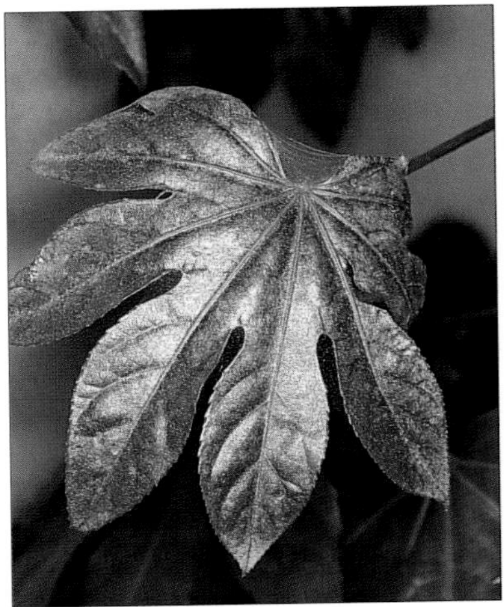

▲ Attaque d'araignées rouges sur un *Fatsia japonica*.

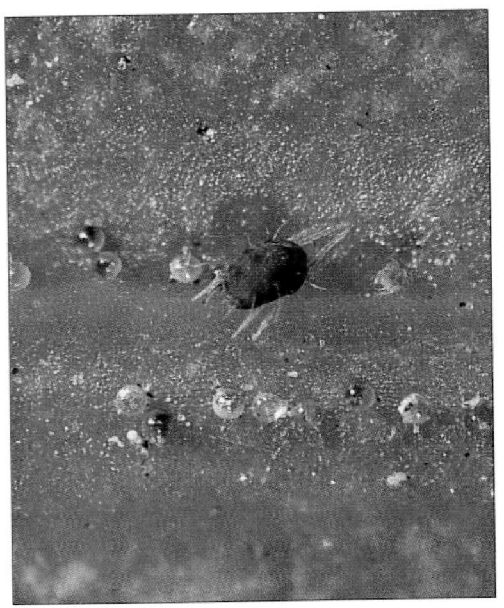

▲ Acariens des agrumes (*Panonychus citri*).

Les acariens

On désigne sous cette appellation générique tous les « huit pattes », c'est-à-dire les araignées rouges ou jaunes qu'il ne faut pas confondre avec des insectes (six pattes) et qu'il faut traiter avec des produits spécifiques (acaricides). Mesurant moins de 1 mm de long, les acariens sont difficiles à déceler individuellement. On les repère toutefois aux toiles très fines qu'ils tendent entre les feuilles. Ces ravageurs dévorent l'épiderme des feuilles. La plante réagit par des décolorations, le limbe virant au gris argenté, avec un aspect plombé. On peut aussi observer des taches minuscules, ressamblant à des piqûres, sur face inférieure des feuilles. Les boutons floraux peuvent noircir et tomber avant de s'ouvrir. Les acariens prolifèrent par temps chaud et sec. Les attaques sont souvent violentes et peuvent conduire à la mort rapide de la plante.

• **Plantes sensibles :** *Aeonium, Anigozanthos, Asparagus,* bananiers (*Ensete* et *Musa*) *Brugmansia* (datura), *Brunfelsia,* cactées, *Callisia, Citrus* (agrumes), *Codiaeum* (croton), *Cordyline, Crossandra, Cupressus macrocarpa, Cyperus, Dichorisandra, Dieffenbachia,* x *Fatshedera, Fatsia, Ficus, Fortunella* (kumquat), *Fuchsia, Grevillea, Gynura, Hedera* (lierre), *Heliconia, Hibbertia, Hibiscus, Hippeastrum* (amaryllis) attaqué par l'acarien des bulbes, *Hoffmannia, Impatiens, Ipomoea* (patate douce), *Jacaranda, Medinilla,* orchidées, palmiers, *Passiflora, Peperomia obtusifolia, Persea* (avocatier), *Pilea, Rhoicissus, Saintpaulia, Tecoma, Thunbergia, Tradescantia, Zantedeschia.*

• **Méthode de lutte :** l'entretien d'une forte humidité ambiante est le meilleur moyen de prévention. Vaporisez souvent le feuillage. Les acaricides spécifiques à base de Dicofol sont les seuls produits curatifs efficaces à utiliser pour circonscrire l'attaque. Les bombes totales en contiennent.

• **Notre conseil :** enveloppez totalement la plante attaquée dans un film plastique afin de l'isoler et de provoquer une forte élévation de l'hygrométrie qui sera néfaste aux acariens. S'il s'agit de petites plantes, vous pouvez les plonger entièrement dans une solution acaricide déconcentrée à 50 %.

Les aleurodes

Souvent désignés sous l'appellation de « mouches blanches », les aleurodes sont des sortes de pucerons ailés de 3 mm de long, qui prolifèrent sur la face inférieure des feuilles dont ils sucent la sève. Leurs déjections collantes (miellat) favorisent l'apparition de la fumagine (sorte de charbon).

• **Plantes sensibles :** toutes les espèces à feuilles tendres et les plantes à fleurs, notamment : azalée, calcéolaire, cinéraire, *Crossandra, Erythrina, Fuchsia, Hibiscus,* poinsettia, *Pelargonium,* primevère.

• **Méthode de lutte :** une action préventive insecticide avec des pulvérisations mensuelles ou la mise en place dans le pot de bâtonnets doit être entreprise. En cas d'attaques, des plaques jaune vif enduites de glu constituent des pièges attractifs efficaces. Les insecticides disponibles en Jardineries se montrent peu efficaces à titre curatif contre les aleurodes, en raison de la prolifération rapide de ces ravageurs.

• **Notre conseil :** les aleurodes sont des insectes tropicaux qui ont besoin de chaleur pour se développer. Réduisez la température de la pièce, aérez bien et renforcez la défense naturelle des plantes attaquées, avec des apports d'engrais dilué.

Les charançons

Ces insectes coléoptères, qui peuvent atteindre 2 cm de long, dévorent le bord des feuilles et les boutons floraux. Les dégâts ont souvent lieu durant la nuit, ce qui rend l'observation des « ennemis » assez difficile. Les larves qui ressemblent à des petits vers blanchâtres ou crème se développent dans les pots et grignotent les racines, affaiblissant les plantes. Les attaques sont en général d'une virulence limitée et assez localisées.

• **Plantes sensibles :** toutes les espèces à feuilles tendres, surtout azalée et bégonia.

• **Méthode de lutte :** pulvérisez un insecticide de contact sur le feuillage, dès l'apparition des premiers dégâts. Pour une bonne efficacité, renouvelez le traitement quatre fois à 1 semaine d'intervalle.

• **Notre conseil :** utilisez des substrats du commerce pour vos rempotages. Ils sont garantis indemnes de tous parasites.

Les chenilles

On désigne par « chenille » la larve de tous les papillons. Le plus souvent vertes, brunes ou jaunes, elles se nourrissent des parties charnues du feuillage, épargnant les nervures. Dotées d'un appétit féroce, les chenilles peuvent défolier totalement une plante en quelques jours.

• **Plantes sensibles :** toutes les espèces à feuilles tendres et lisses.

• **Méthode de lutte :** éliminez manuellement les chenilles que vous découvrez sur vos plantes. Les traitements insecticides préventifs sont aussi très efficaces.

• **Notre conseil :** sur les plantes de la maison, les attaques de chenilles surviennent surtout lors d'un séjour estival dans le jardin ou chez les plantes nouvellement acquises. Une observation régulière permet d'éviter les très graves attaques.

Les cicadelles

Ce sont des « minicigales » de 1 à 3 cm de long, joliment colorées de vert, de brun, de jaune et de rouge, qui sont localisées sur la face inférieure des feuilles dont elles sucent la sève. Il est facile de repérer ces insectes aux bonds qu'ils font lorsqu'on touche le feuillage. La plante réagit à l'attaque des cicadelles par des ponctuations blanches, qui se forment sur les endroits mordus.

• **Plantes sensibles :** toutes les espèces à feuilles tendres et surtout les azalées.

• **Méthode de lutte :** supprimez les feuilles rongées, douchez toute la plante.

• **Notre conseil :** l'attaque des cicadelles est rarement grave, inutile de traiter.

▲ Charançon *(Phyllobius urticae).*

▲ Feuilles d'acalypha dévorées par des chenilles.

Cicadelles *(Graphocephala fennshi).* ▶

▲ Le cloporte (*Oniscus asellus*) est un crustacé.

▲ Cochenilles noires de l'olivier sur un laurier-rose.

◀ Cochenille sur l'inflorescence d'un *Chamaedorea*.

Les cloportes

Ce sont des arthropodes, une famille zoologique, qui regroupe des invertébrés présentant un squelette externe aux éléments articulés, comme les insectes, les arachnides, les myriapodes et les crustacés. Les cloportes font d'ailleurs partie de cette dernière catégorie, et sont donc apparentés aux langoustes et aux crevettes, mais ils vivent sur le sol, préférant les endroits humides et se dissimulant souvent sous les pots ou dans les zones sombres de la serre ou de la véranda. Gris, plats, munis de nombreuses pattes, les cloportes (ou isopodes) ont une activité nocturne durant laquelle ils rongent les racines des plantes. En règle générale, les dégâts sont très limités, car les pullulations de cloportes sont très faciles à déceler et l'élimination manuelle ne pose guère de problème.

• **Plantes sensibles :** toutes les espèces à racines fines et qui apprécient les lieux humides et les atmosphères confinées.

• **Méthode de lutte :** inutile de traiter, de toute façon les insecticides ont une action quasiment nulle, les cloportes faisant partie d'une autre catégorie d'arthropodes. On constate toutefois une certaine action de la part des pyréthrines. Le piégeage est une méthode très simple. Il suffit de creuser une pomme de terre pour que les cloportes viennent s'agglutiner à l'intérieur.

• **Notre conseil :** nettoyez très régulièrement la serre et la véranda pour débarrasser le sol des débris organiques (feuilles, particules de terreau) qui attirent les cloportes. Soulevez régulièrement les pots et nettoyez la partie inférieure qui ne doit pas être souillée de terre en permanence.

Les cochenilles

Ces insectes primitifs assez proches des pucerons (ce sont des homoptères) se déclinent en de très nombreuses espèces d'aspect fort différent. Les cochenilles sont une véritable plaie pour les plantes de la maison, car il est assez difficile de les combattre efficacement et elles se propagent très rapidement, comptant plusieurs générations par an. On distingue : les cochenilles à bouclier, les cochenilles farineuses et les cochenilles des racines.

Les cochenilles à bouclier se caractérisent par la protection d'une carapace cireuse sous laquelle l'insecte est bien abrité. Elles peuvent être divisées en trois groupes.

Les diaspines ou « poux collants » s'agglutinent en colonies immobiles sur les tiges et sous les feuilles. Elles sont protégées par un bouclier cireux indépendant de leur corps, qui ressemble un peu à une coquille de moule miniature (3 mm).

Les lécanines sont particulièrement virulentes sur les plantes d'intérieur et de serre. D'une longueur de 2 à 6 mm, elles ne disposent pas d'un véritable bouclier, mais sont couvertes d'une « peau » cireuse, épaisse et dure qui joue le même rôle. Leur forme est plutôt arrondie.

La cochenille australienne est très friande d'agrumes *(Citrus)* et de mimosas *(Acacia)*. C'est une « cochenille géante » de 1 cm de long, au bouclier rouge-brun, souvent cannelé, qui pullule très rapidement.

Les cochenilles piquent les tissus de la plante et pompent la sève avec leur rostre.

Les cochenilles farineuses ou pseudococcines se caractérisent par leurs possibilités de déplacement, les cochenilles à bouclier étant immobiles. Couvertes d'une sorte de farine blanchâtre, elles mesurent de 3 à 7 mm de long et ressemblent à des cloportes miniatures. Elles sont très virulentes dans la maison, car leur développement optimal demande une température de 22 °C.

Les cochenilles des racines sont beaucoup plus petites, mais ressemblent aux cochenilles farineuses, avec leur feutrage blanchâtre et laineux. Elles se montrent particulièrement redoutables chez les plantes grasses et les cactées dont elles provoquent la crispation des tissus et la mort certaine.

Les cochenilles sécrètent un miellat collant très sucré et concentré, qui peut provoquer des brûlures de l'épiderme et sur lequel vient se développer la fumagine. En raison de leur prolifération, ces insectes provoquent des dégâts sévères : chute des feuilles, formation de crevasses sur les tiges, mort des rameaux, diminution très sensible de la croissance, aspect général déplorable, crispation générale de la végétation et mort.

• **Plantes sensibles :** la grande majorité des végétaux cultivés dans nos intérieurs est susceptible d'être attaquée par des cochenilles. Toutefois, certaines plantes sont plus menacées : agrumes, *Asparagus, Anthurium,* bananier, broméliacées, cactées, cycadacées, *Ficus,* fougères, *Monstera,* palmiers, plantes grasses (succulentes), *Philodendron,* orchidées, etc.

• **Méthode de lutte :** il convient dans un premier temps de décoller manuellement les cochenilles, car leur bouclier protecteur les met à l'abri des insecticides. Frottez les parties envahies avec un coton imbibé d'une solution d'alcool à 60° (1/3 d'alcool pour 2/3 d'eau). Une demi-heure après, il est plus facile de détacher les cochenilles avec une petite brosse ou une éponge. Une fois ce nettoyage effectué, appliquez un insecticide à base de pyréthrinoïdes de synthèse (surtout la Cyperméthrine et la Deltaméthrine). Les produits à base d'Imidaclopride que l'on trouve aussi sous forme d'aérosols donnent de bons résultats.

Sur les plantes de la maison, il faut en revanche éviter toute application de produit anticochenille classique à base d'huile de paraffine. Non seulement le produit risque de provoquer des dégâts sur le mobilier, mais il est très mal supporté par une grande majorité de plantes d'intérieur.

Contre les cochenilles des racines, il faut commencer par un dépotage de la plante avec lavage des racines à grande eau et changement total du substrat; ensuite, arrosez tous les 10 jours pendant 3 mois avec une solution contenant un insecticide dilué à la moitié de la concentration conseillée.

Certaines coccinelles *(Novius, Chilocorus, Cryptolaemus)* se nourrissent de cochenilles, de même que des microhyménoptères, parfois proposés dans le cadre de programmes spécifiques de lutte biologique (par exemple le *Panonychus* pour la cochenille noire de l'olivier, le *Prospatella* pour le pou de San José), mais ces solutions appréciées des professionnels ne sont pas adaptées aux soins des plantes de la maison.

• **Notre conseil :** effectuez une taille sévère des plantes attaquées en éliminant les parties recouvertes de cochenilles. Traitez ensuite pour éviter une nouvelle infestation et stimulez la croissance de la plante par des apports réguliers d'engrais faiblement dosé.

Les mille-pattes

Ces arthropodes sont si nombreux et diversifiés qu'ils forment la classe zoologique des myriapodes où l'on retrouve les iules, les scolopendres, les géophiles, les symphiles, etc. Leur corps serpentiforme est formé d'anneaux munis de petites pattes. Quand ils sont au repos, les mille-pattes ont tendance à s'enrouler en spirale sur eux-mêmes. Lors du rempotage, on découvre assez souvent dans les pots un ou plusieurs mille-pattes qui se nourrissent en grignotant les racines. Quand l'invasion est limitée à quelques individus, ce qui est le cas le plus fréquent, l'attaque est sans gravité. En revanche, si plus de cinq mille-pattes sévissent dans le même pot, la plante peut cesser de croître et présenter des flétrissements.

• **Plantes sensibles :** surtout les jeunes cultures (boutures, semis) et toutes les espèces aux racines fines et tendres.

• **Méthode de lutte :** il suffit de dépoter la plante qui présente des symptômes alarmants et d'éliminer manuellement les mille-pattes qui logent dans le terreau.

• **Notre conseil :** il est souhaitable de changer totalement la terre, car il est possible qu'elle contienne des pontes.

▲ Cochenilles à bouclier sur un *Phœnix canariensis.*

▲ Cochenilles farineuses sur une tige de *Crassula.*

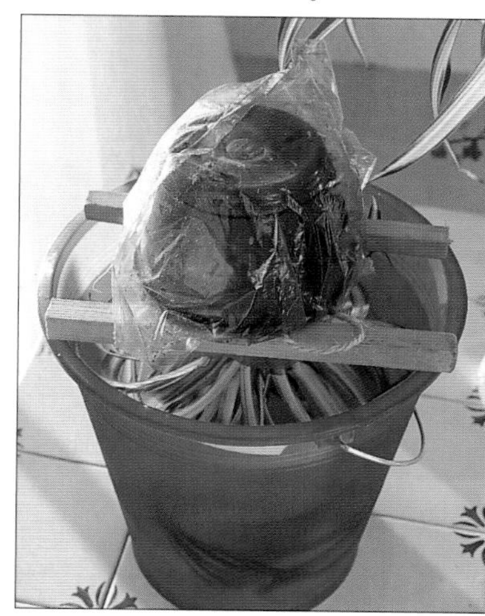

▲ Lutte contre les cochenilles : trempage de la plante.

Le mille-pattes : indésirable dans les pots. ▶

▲ Dégâts de mineuse sur une feuille de lierre.

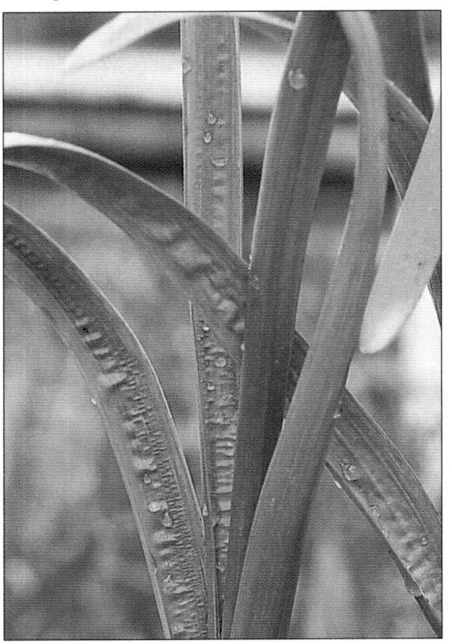

▲ Attaque de nématodes (anguillules) sur des narcisses.

Les mineuses

On désigne sous le nom de « mineuses » les chenilles de certains microelépidoptères, qui se développent à l'intérieur du limbe des feuilles, forant des galeries qui deviennent visibles par transparence. De dimensions et de formes très variables, les « mines » sont plus spectaculaires que véritablement dangereuses. Elles donnent toutefois un aspect assez inesthétique à la plante. En cas de forte attaque, on peut observer un ralentissement de la croissance, du fait de la destruction de la chlorophylle qui réduit l'activité de la photosynthèse.

• **Plantes sensibles :** surtout les feuillages assez épais et coriaces ne formant pas de latex : aralia, x *Fatshedera*, lierre, *Senecio macroglossus,* mais aussi les chrysanthèmes, les cinéraires, les *Pelargonium.*

• **Méthode de lutte :** supprimez les feuilles atteintes, dès l'apparition des dégâts. Il est inutile d'entreprendre un traitement spécifique, car les attaques sont rarement graves sur les plantes de la maison.

• **Notre conseil :** il suffit d'effectuer un traitement total préventif une fois par mois pour éviter toute attaque des mineuses.

Les nématodes

Connus aussi sous la dénomination : d'« anguillules », ces vers souvent microscopiques se nourrissent aux dépens des racines, ce qui provoque des réactions sur la partie aérienne qui se crispe, flétrit et ne se développe plus. Les nécroses sur les racines favorisent le développement de pourritures et la plante périclite rapidement. Les attaques sont surtout redoutables dans les serres de production. Elles sont beaucoup plus rares à la maison, à moins d'utiliser de la terre de jardin dans les substrats.

• **Plantes sensibles :** *Asparagus, Begonia,* cactées, chrysanthème, cinéraire, *Cyclamen, Fatsia, Ficus,* lis, *Philodendron.*

◀ Une fleur de *Paphiopedilum* envahie par les pucerons.

• **Méthode de lutte :** les quelques traitements efficaces sont incompatibles avec les plantes de la maison. Toutefois, l'immersion des pots dans de l'eau à 50 °C pendant 1 heure donne de bons résultats, mais seuls les ficus et les philos le supportent.

• **Notre conseil :** l'utilisation de terreaux du commerce, dont l'absence de germes pathogènes est normalement garantie, évite tout risque d'infestation par les nématodes.

Les pucerons

Ce sont certainement les ravageurs les plus communs, et les plus faciles à déceler. Ces petits insectes homoptères s'agglutinent en colonies à l'extrémité des jeunes pousses. On peut aussi les observer sur la face inférieure des feuilles. Munis d'un rostre pointu, ils piquent la feuille et pompent avidement la sève. Les pucerons peuvent être gris, verts ou noirs. Il en existe des centaines d'espèces dont certaines sont plus ou moins spécifiques de plantes précises et d'autres très polyphages. Dans une colonie, on rencontre une majorité de pucerons aptères (sans ailes) et quelques formes ailées qui sont souvent les fondatrices de la colonie ou de futures colonies. Dans une population de pucerons, on compte essentiellement des femelles, ces insectes présentant la faculté de pouvoir se reproduire durant une certaine période sans nécessiter la présence de mâles (parthénogenèse). La prolifération est très rapide et 7 à 10 générations peuvent se succéder dans l'année.

En raison de leur nombre important et de la répétition de leurs piqûres, les pucerons provoquent la déformation des organes attaqués. Les plantes s'épuisent et leur croissance est ralentie. La floraison est très sensiblement réduite. Il existe aussi des pucerons qui attaquent les bulbes et les racines. Ils sont généralement plus redoutables, car ils entraînent l'apparition de la pourriture. Les pucerons sont aussi vecteurs de maladies à virus et leur miellat collant qui provoque par ailleurs des brûlures sur les feuilles constitue un milieu favorable à la prolifération de la fumagine.

• **Plantes sensibles :** pratiquement toutes les plantes de la maison sont susceptibles d'être attaquées par les pucerons. *Abutilon*, chrysanthème sont les plus menacés. Les espèces à feuillage très épais ou dur comme les broméliacées et les plantes à latex comme les *Ficus* et les euphorbes sont généralement épargnées.

• **Méthode de lutte :** coupez les pousses recouvertes de chapelets de pucerons et jetez-les. Vous pouvez aussi éviter la prolifération en pulvérisant de l'eau finement, mais sous une forte pression, afin de décoller les petits insectes et de les noyer.

Les insecticides naturels extraits de végétaux (Roténone, Pyrèthre) sont sans danger pour les humains et les animaux domestiques (sauf les poissons). Ils donnent d'excellents résultats sur les pucerons, en détruisant leur système nerveux.

Les coccinelles sont les prédateurs naturels des pucerons et peuvent en dévorer jusqu'à cent par jour ! S'il semble difficile d'entreprendre une lutte biologique dans la maison, elle est en revanche tout à fait possible en serre ou même dans la véranda.

• **Notre conseil :** une pulvérisation mensuelle d'un insecticide en bombe ou la mise en place de bâtonnets insecticide dans les pots assurera une bonne protection.

Les thrips

Ces insectes minuscules, qui ne dépassent pas 1 mm de long, se développent essentiellement sous abri car ils sont frileux. Ils se développent idéalement entre 20 et 28 °C, et sont inactifs au-dessous de 10 °C. Bien que portant deux paires d'ailes munies de longs poils fins, les thrips sont peu actifs. Les larves sont dépourvues d'ailes (aptères), de la même longueur que les adultes, mais plus claires. Les larves déchirent l'épiderme des feuilles avec leurs mandibules et se nourrissent du liquide contenu dans les cellules, provoquant de fortes réactions de la plante qui se décolore et se dessèche. On peut confondre une attaque de thrips avec une invasion d'acariens, car la teinte grise que prend la feuille est commune, mais il n'y a pas de formation de toile. Les thrips attaquent aussi les fleurs qui présentent alors des marques blanches et se déforment. La plante pousse mal et semble souffreteuse.

• **Plantes sensibles :** amaryllis, *Anthurium*, azalée, *Begonia, Bomarea, Callisia,* campanule, chrysanthème, cinéraire, *Cyclamen, Dieffenbachia, Eucomis, Ficus, Fuchsia, Monstera,* orchidées, palmiers. Notez que le thrips du glaïeul attaque aussi les tubercules de *Sinningia* (gloxinia).

• **Méthode de lutte :** intervenez avec un insecticide antipucerons, dès l'apparition des premiers dégâts et renouvelez l'intervention quatre fois de suite à huit jours d'intervalle. Coupez les feuilles attaquées.

• **Notre conseil :** il semble que la naphtaline ait un bon pouvoir répulsif sur les thrips. Vous pouvez en placer quelques boules près des plantes les plus sensibles.

Les vers de terre

Le lombric n'a pas d'action directement négative sur les plantes d'intérieur, mais sa présence dans les pots entraîne un bouleversement des racines qui est mal supporté par les plantes. Ne le confondez pas avec d'autres vers (larves de noctuelles ou de charançons) qui se nourrissent des racines.

• **Plantes sensibles :** toutes.

• **Méthode de lutte :** éliminez le ver quand il apparaît à la surface ou si vous constatez sa présence lors d'un rempotage. Une plante qui paraît mal en point sans raison apparente peut être dérangée par un lombric. N'hésitez pas à la dépoter pour vérifier.

• **Notre conseil :** si vous n'incorporez pas de terre de jardin dans le substrat de vos plantes d'intérieur, vous ne devriez jamais y rencontrer un lombric.

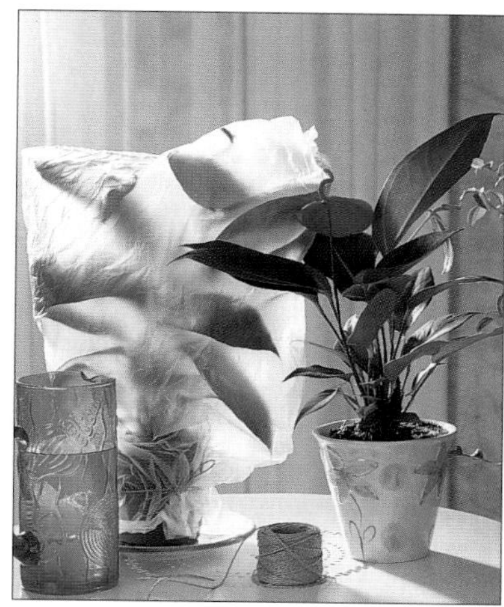

▲ Isolation d'une plante attaquée par les thrips.

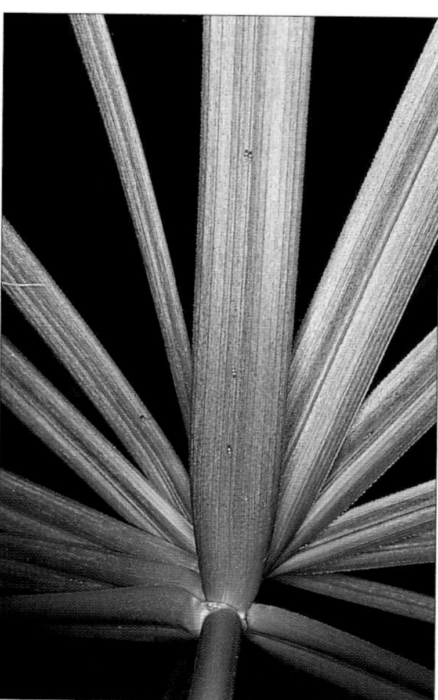

▲ Dégâts de thrips sur une feuilles de *Cyperus* (papyrus).

Le ver de terre (lombric) est indésirable dans les pots. ▶

Beaucoup plus insidieuses que les ravageurs qu'il est toujours possible de localiser, les maladies sont transmises par des champignons microscopiques (maladies cryptogamiques), des bactéries (bactérioses) ou des virus (viroses). Elles apparaissent toujours sur des plantes affaiblies et se manifestent par la présence de taches, de décolorations ou de déformations qui se propagent très vite sur toute la plante.

astuce Truffaut

Évitez absolument l'humidité stagnante, en aérant régulièrement les pièces ou en entretenant une bonne ventilation à proximité des cultures. Après une brumisation du feuillage, les gouttelettes d'eau doivent s'être évaporées dans la demi-heure qui suit. Veillez aussi à moduler les arrosages en fonction de la chaleur ambiante, sans hésiter à maintenir les plantes au sec, dès que la température descend sous les 15 °C.

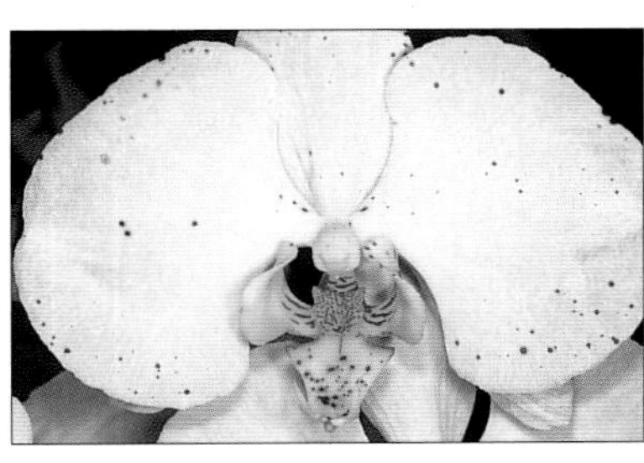

◄ Taches de botrytis sur une fleur de *Phalaenopsis*.

▲ Fonte des semis de coléus après le repiquage.

▲ Fumagine (charbon) sur une feuille de camélia.

Le botrytis

Ce redoutable champignon prend des formes très variées selon les plantes qu'il envahit. Il donne tout à la fois la pourriture noble des raisins de Sauternes, la pourriture grise *(voir page 178)*, la maladie de la toile ou forme des petites taches, que l'on nomme « picotes » sur les feuilles ou les fleurs.

- **Plantes sensibles :** amaryllis, *Aphelandra, Begonia,* calcéolaire, chrysanthème, cinéraire, *Cyclamen, Ficus,* fougères, *Freesia, Gerbera,* gloxinia, *Hibiscus,* lis, *Pelargonium, Phalaenopsis,* primevère.
- **Méthode de lutte :** il faut éviter d'entretenir une atmosphère confinée. Ne vaporisez pas les fleurs, réduisez la température de la pièce. Les fongicides proposés à l'amateur sont peu efficaces, surtout à la maison.
- **Notre conseil :** attention, certaines autres maladies cryptogamiques, notamment le corynéum et l'anthracnose, peuvent provoquer des symptômes similaires, mais les traitements sont différents.

La fonte des semis

Le plus souvent due à un champignon du genre *Pythium,* cette maladie destructrice est aussi le fait des *Botrytis,* des *Phoma,* des *Sclerotinia* et des *Fusarium.* C'est une pourriture qui apparaît au niveau de la graine (dans ce cas pas de levée) ou sur le collet des plantules qui noircissent, et prennent une consistance grasse. Les boutures sont aussi attaquées de la même façon. La fonte des semis apparaît dans les substrats trop compacts et en présence d'une humidité importante, surtout quand la température est comprise entre 15 et 18 °C.

- **Plantes sensibles :** toutes, mais surtout les espèces charnues ou gorgées d'eau.
- **Méthode de lutte :** il n'est pas possible d'enrayer l'attaque. Il faut rassembler les bonnes conditions culturales pour éviter le développement du champignon.
- **Notre conseil :** utilisez une miniserre chauffante pour vos semis et vos boutures délicates et surtout un substrat composé de matériaux inertes (vermiculite, perlite, sable de rivière, tourbe blonde).

La fumagine

Appelée souvent « charbon » en raison de son aspect de suie noire, cette affection très fréquente est due à plusieurs champignons : *Cladosporium, Torula, Triposporium,* qui se développent essentiellement sur le miellat des insectes suceurs (pucerons, thrips, cochenilles). La fumagine ne nuit pas directement à la plante, mais elle lui confère un aspect peu engageant et surtout elle gêne la photosynthèse en recouvrant la totalité du limbe d'une sorte de poudre noire qui forme vite une croûte.

• **Plantes sensibles :** toutes, mais surtout azalée, agrumes, camélia, palmiers.

• **Méthode de lutte :** le nettoyage feuille à feuille ou une douche à jet puissant est la seule méthode efficace pour éliminer la « suie ». Inutile d'utiliser un fongicide, mais traitez plutôt les insectes obligatoirement présents sur la plante couverte de fumagine.

• **Notre conseil :** diluez 50 % d'alcool à 60° dans l'eau de nettoyage, afin d'agir aussi sur les insectes. La bière pure donne aussi de bons résultats, tout en lustrant.

Le flétrissement cryptogamique

On désigne aussi cette maladie due à l'attaque de champignons des genres *Cephalosporium, Fusarium* et *Verticillium* sous l'appellation de « dépérissement ». Une partie bien localisée du feuillage se met brutalement à flétrir et à brunir, puis le mal s'étend à la plante entière qui meurt.

• **Plantes sensibles :** *Abutilon, Aphelandra,* aralia, calcéolaire, chrysanthème, fougères, *Gerbera, Impatiens,* orchidées, palmiers, *Pelargonium, Tibouchina.*

• **Méthode de lutte :** la seule solution consiste à détruire rapidement les plantes malades afin d'éviter une contamination plus globale. Inutile de traiter.

• **Notre conseil :** utilisez des engrais faiblement dosés en azote, car cet élément attendrit les tissus, ce qui est propice à l'apparition du flétrissement cryptogamique.

Les moisissures

On désigne sous l'appellation de « moisissure » des fructifications pulvérulentes, filamenteuses ou formant un feutrage, que produisent divers champignons, notamment les mildious et les botrytis. Les moisissures sont souvent le signe précurseur du développement de pourritures.

• **Plantes sensibles :** toutes, mais principalement les fleurs et les fruits, ainsi que les feuilles et les tiges fines et translucides.

• **Méthode de lutte :** il faut impérativement couper l'organe malade et procéder aussi rapidement que possible à un traitement cryptogamique afin d'enrayer le développement du champignon.

• **Notre conseil :** ne vaporisez ni les fleurs ni les fruits que forment les plantes de la maison, la présence permanente d'eau étant propice à l'apparition des moisissures.

L'oïdium

On désigne souvent cette maladie comme « le blanc » en raison du développement caractéristique d'un feutrage blanc grisâtre qui recouvre feuilles, tiges et fleurs. De nombreux champignons provoquent l'oïdium, beaucoup étant spécifiques de certaines plantes. En perturbant la photosynthèse, l'oïdium ralentit sensiblement la croissance des plantes et les affaiblit. Il existe des formes perforantes qui déforment les tissus et trouent le feuillage.

• **Plantes sensibles :** avocat, bégonia, chrysanthème, cinéraire, cissus, cyclamen, étoile du marin, kalanchoe, etc.

• **Méthode de lutte :** il existe de nombreux fongicides de synthèse très efficaces, qu'il faut appliquer dès l'apparition des premiers symptômes. Renouvelez le traitement au moins trois fois à 10 jours d'intervalle.

• **Notre conseil :** le traditionnel soufre est à proscrire dans la maison du fait de sa toxicité sur les voies respiratoires.

▲ Flétrissement sur une fronde de fougère *(Blechnum).*

▲ Moisissure des fruits de Calamondin (x *Citrofortunella).*

Attaque d'oïdium (blanc) sur un *Cissus* 'Ellen Danica'. ▶

▲ Attaque de pourriture grise sur un cyclamen.

▲ Pourriture noire : attaque de mildiou sur un cactus.

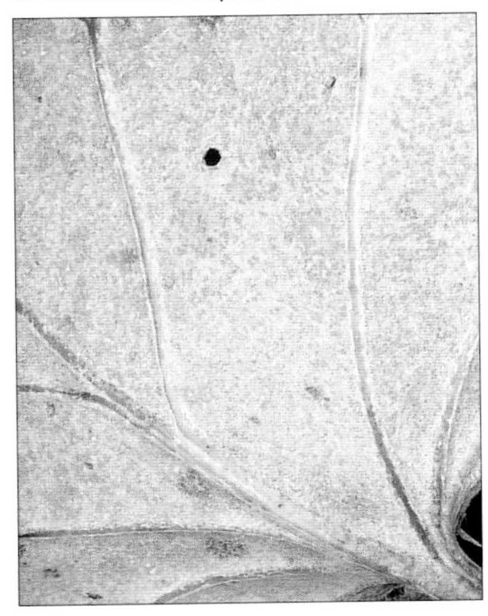

◀ Les amas orangés très reconnaissables de la rouille.

La pourriture grise

Cette maladie due au champignon *Botrytis cinerea* est une des formes de l'affection que nous avons présentée *page 176* sous l'appellation « botrytis ». Dans le cas présent, le champignon développe un feutrage gris pulvérulent sur les tiges charnues, les pétioles des feuilles ou les pédoncules floraux, qui pourrissent rapidement. La plante prend un aspect avachi et le mal s'étend rapidement à toute la touffe. Une atmosphère confinée et une humidité stagnante sur le feuillage favorisent l'apparition de la pourriture grise.

• **Plantes sensibles :** toutes les espèces formant des tissus tendres et gorgés de sève, notamment : bégonias, cyclamens, impatiens, les cactus et les succulentes et les plantes veloutées ou duveteuses.

• **Méthode de lutte :** l'important est d'empêcher le développement du champignon en cultivant les plantes dans un milieu sain. Incorporez du sable, de la vermiculite ou de la perlite dans les substrats pour les aérer. Arrosez modérément et veillez à ce que la base des pots ne stagne pas en permanence dans l'eau. Ne serrez pas trop les pots de façon à ce que l'air puisse circuler. Comme il n'existe pas de traitement efficace, les plantes atteintes doivent être détruites.

• **Notre conseil :** les courants d'air sont très favorables à la dissémination des spores de la pourriture grise. En revanche, une bonne aération avec un renouvellement d'air régulier est prophylactique.

La pourriture noire

Cette très grave affection est due à un champignon proche des mildious *(Phytophtora cactorum).* Les parties aériennes commencent par présenter des taches brun violacé qui évoluent vers le noir, puis la plante pourrit au niveau du collet. On observe aussi une pourriture molle à la base des jeunes tiges qui se creusent, puis se nécrosent. La plante s'affaisse et meurt. Cette maladie cryptogamique est essentiellement due à des excès d'arrosage ou à l'utilisation de substrats trop compacts.

• **Plantes sensibles :** beaucoup d'espèces peuvent être attaquées, surtout les azalées, cactées, orchidées, succulentes. Une maladie voisine, la pourriture des tiges et des racines *(Phytophtora cinnamomi)* est souvent observée sur les azalées et les bruyères cultivées en pots.

• **Méthode de lutte :** comme il n'existe pas de traitement curatif, les plantes malades doivent être immédiatement détruites et jetées avec leur pot, car le champignon se conserve dans le sol. Utilisez des substrats ne contenant pas de terre de jardin. Évitez de brumiser le feuillage.

• **Notre conseil :** durant l'hiver, période où la maladie est la plus virulente, maintenez une température assez basse, ce qui vous permettra de réduire les arrosages ou même de les interrompre complètement pour les cactées et les plantes grasses.

La rouille

Cette maladie cryptogamique est due à divers champignons (*Melampsora, Puccinia, Uromyces,* etc.) qui provoquent tous les mêmes symptômes, à savoir l'apparition de pustules jaunes, orange ou brunes, à la face inférieure du feuillage, qui se dessèche. La plupart des rouilles sont bien spécifiques à certaines plantes ou familles botaniques, mais toutes se combattent de manière identique. La dissémination de la maladie se produit dans une ambiance humide, à une température comprise entre 10 et 20 °C.

• **Plantes sensibles :** *Anizodontea*, chrysanthème, euphorbe, hibiscus, pélargonium.

• **Méthode de lutte :** commencez par éliminer les feuilles tachées, quand la maladie est encore très localisée. Vous pouvez aussi isoler la plante malade et la placer sous un sac plastique transparent, afin qu'elle se trouve dans une atmosphère chaude et confinée. En effet, à partir de 30 °C, l'activité des champignons vecteurs de la rouille est arrêtée. La pulvérisation de fongicides de synthèse (antimaladies), que vous pouvez trouver sous forme de vaporisateurs prêts à l'emploi, fort pratiques, donne de très bons résultats. Renouvelez le traitement chaque semaine pendant au moins 1 mois. Il est souhaitable de ne pas conserver en fin de saison les pieds mères des plantes qui ont été attaquées et de ne pas y prélever de boutures.

• **Notre conseil :** ne vaporisez surtout pas le feuillage des plantes sensibles à la rouille, car la germination des spores nécessite la présence de gouttes d'eau sur les feuilles. Arrosez aussi avec précaution, en évitant de mouiller la partie aérienne des plantes.

Les taches foliaires

De très nombreux champignons parasites provoquent une réaction épidermique sous forme de taches brunes ou noirâtres. Ces maladies – anthracnose, cercosporiose, tavelure – ont des symptômes voisins, et un traitement identique. Les feuilles qui se tachent durant la période de croissance tombent prématurément. Il est très rare que les plantes soient gravement affectées : les fongicides modernes sont très efficaces et enrayent rapidement l'extension de la maladie. Il faut intervenir dès les premiers symptômes, car si la maladie s'étend aux rameaux, elle est beaucoup plus difficile à combattre et les dégâts s'avèrent plus importants.

Lorsque les taches évoluent en nécroses, il s'agit le plus souvent d'attaques bactériennes contre lesquelles il est malheureusement très difficile de lutter.

• **Plantes sensibles :** toutes les espèces couramment cultivées dans la maison peuvent présenter des taches foliaires. Notez que les agaves, dracænas et yuccas sont attaqués par un champignon spécifique, le *Conothrium concentricum,* qui provoque des taches ovales gris foncé qui évoluent en formant une couronne noire. Cette maladie assez grave peut entraîner le dessèchement des plantes attaquées.

• **Méthode de lutte :** des températures élevées et une forte humidité favorisent le développement des champignons vecteurs des taches foliaires. Dès que la température atteint 20 °C dans la pièce, effectuez un traitement préventif avec un antimaladies (fongicide) pour plantes de la maison ou pour rosiers. Une bonne prophylaxie consiste aussi à couper les feuilles tachées et à les jeter.

• **Notre conseil :** la bouillie bordelaise, fongicide traditionnel est très efficace pour ces maladies. Il est toutefois fortement déconseillé de l'utiliser sur les plantes de la maison car c'est un produit qui tache beaucoup (le sulfate de cuivre colore le feuillage en bleu-vert) et surtout qui est mal supporté par les plantes au feuillage fin, charnu ou duveteux.

Les viroses

Les attaques de virus provoquent des décolorations (mosaïques, panachures) ou des déformations (frisures) du feuillage. Les plantes attaquées sont rabougries et ont tendance à dégénérer.

• **Plantes sensibles :** agrumes, *Brugmansia,* campanules, chrysanthèmes, lis, orchidées, *Pelargonium, Peperomia, Solanum.*

• **Méthode de lutte :** aucun produit n'est efficace, il faut éliminer les plantes malades afin qu'elles ne contaminent pas leurs voisines. La multiplication par bouturage de méristèmes *(in vitro)* garantit l'absence de virus chez les plantes (surtout les orchidées). Désinfectez les outils de coupe.

• **Notre conseil :** luttez contre les pucerons et les thrips qui sont de redoutables agents de transmission des maladies à virus.

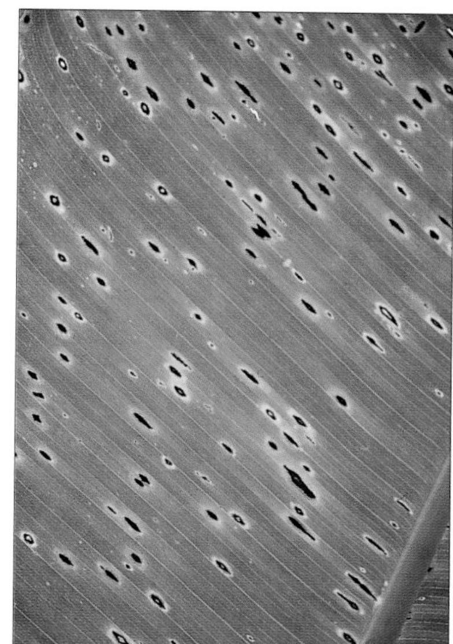

▲ Feuille de bananier tachée par la cercosporiose.

▲ Taches d'origine bactérienne sur une feuille d'orchidée.

Une fleur de cattleya décolorée par une virose. ▶

Beaucoup d'affections présentées par les plantes sont dues à des conditions de culture mal adaptées. Flétrissements, taches, décolorations, jaunissements, ne traduisent pas toujours un problème parasitaire, mais un « mal de vivre » de la plante, qui l'on désigne par l'expression « maladie physiologique ».

astuce Truffaut

Ne vous précipitez pas sur votre pulvérisateur au moindre symptôme anormal que présente une plante. Une feuille qui jaunit ou qui tombe n'a rien de dramatique. Placez en observation la plante « suspecte » en l'isolant dans une pièce lumineuse, mais fraîche, en réduisant les arrosages et en cessant les apports d'engrais.

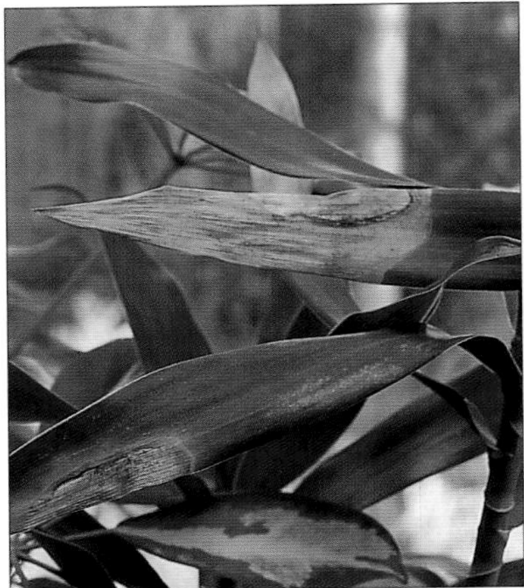

▲ Ce yucca dont les feuilles brunissent a été trop arrosé.

Tout signe anormal qui apparaît brutalement et de façon assez généralisée sur une plante d'intérieur traduit presque toujours un problème d'ordre non parasitaire. En effet, une maladie se localise d'abord sur un organe, puis évolue doucement, ce qui doit vous inciter à observer le comportement de la plante durant quelques jours avant de passer au traitement.

Les brûlures du feuillage

Cela commence par une décoloration, puis des brunissements apparaissent sur le bord du limbe ou au niveau de la nervure principale. La partie « malade » devient sèche et cassante, le reste de la feuille ondule ou se crispe.

• **Les causes :** une exposition au soleil direct trop ardent, des apports d'engrais trop fréquents ou trop concentrés. Eau d'arrosage polluée ou trop chlorée.

• **Les remèdes :** ne jamais exposer les plantes en pleine lumière aux heures les plus chaudes de l'été. Ne plus apportez d'engrais pendant au moins deux mois.

◀ Brûlure de la feuille due à un excès d'engrais.

▲ La manifestation d'une carence chez un palmier.

Utilisez des compositions assez pauvres en azote. Fertilisez au maximum une fois tous les 3 arrosages et réduisez la concentration de la solution à un bouchon d'engrais pour 6 à 8 litres d'eau. Utilisez l'engrais en granulés ou en bâtonnet uniquement sur une plante qui vient d'être rempotée.

• **Notre conseil :** ne vaporisez jamais une plante exposée au soleil direct. Les gouttelettes déposées sur les feuilles jouant le rôle de loupe, cela provoque des brûlures.

Le brunissement du feuillage

La pointe des feuilles se dessèche et brunit. Le bord du limbe présente de larges plages marron qui se ramollissent et flétrissent. L'ensemble de la plante finit par prendre un aspect avachi puis par pourrir.

• **Les causes :** le brunissement sec est dû à une hygrométrie insuffisante ou à un coup de froid. Il peut aussi être la conséquence d'une brûlure. Le brunissement « mou » signale une plante trop arrosée ou dont le substrat mal aéré ou trop fortement tassé provoque une asphyxie des racinaires.

• **Les remèdes :** vaporisez le feuillage et cultivez les plantes sur des billes d'argile ou des gravillons maintenus humides en permanence. Dans le cas d'un brunissement avec ramollissement, cessez les arrosages durant au moins 10 jours, puis effectuez un rempotage en éliminant tout le vieux substrat. Taillez les racines si elles présentent des marques molles ou flétries.

• **Notre conseil :** la terre contenue dans les pots se compactant sous l'effet du ruissellement de l'eau d'arrosage, il convient de ne jamais laisser une plante plus de deux ans dans un contenant sans changer le substrat.

Les carences

Le limbe des feuilles pâlit et jaunit, mais les nervures restent vertes (carence en fer ou chlorose). Un jaunissement se manifeste en halo autour des nervures (carence en azote). Des taches jaunes ponctuent les feuilles adultes (carence en potasse). La croissance et la floraison sont réduites.

• **Les causes :** la plante souffre d'un déséquilibre nutritif, dû à la non-assimilation ou à l'insuffisance d'un élément minéral dont elle a besoin.

• **Les remèdes :** utilisez régulièrement des engrais équilibrés, évitez d'arroser les plantes d'intérieur avec de l'eau trop calcaire qui favorise l'apparition de la chlorose.

• **Notre conseil :** selon les plantes, ajoutez de 5 à 20 % de fertilisant organique à base de fumier et d'algues dans le substrat.

La chute des boutons floraux

Sans raisons apparentes, une plante qui allait fleurir perd ses boutons qui tombent après avoir ou non flétri. Le gardénia et le stéphanotis y sont vraiment très sensibles.

• **Les causes :** la plante est exposée à des courants d'air frais. L'eau d'arrosage est trop froide. La plante nouvellement achetée a été transportée dans de mauvaises conditions. Un rempotage a été effectué alors que les boutons étaient déjà formés. Une différence de température trop brutale se produit entre le jour et la nuit.

• **Les remèdes :** maintenez la plante en instance de fleurir dans une ambiance très douce (environ 18 °C) avec une humidité atmosphérique de 60 % minimum. Augmentez la fréquence des arrosages et diminuez la concentration de l'engrais.

• **Notre conseil :** dès qu'une plante s'est couverte de boutons floraux, il ne faut surtout plus la déplacer, même pour l'arroser.

La chute des fleurs épanouies

Une plante qui semblait fleurir généreusement perd ses corolles sans symptômes apparents et avant qu'elles ne soient fanées.

• **Les causes :** la température de la pièce est trop élevée et l'air trop sec. La plante a été exposée à des courants d'air. Elle peut aussi avoir souffert d'un manque d'eau.

• **Les remèdes :** veillez à ce que la température ambiante ne dépasse pas 20 °C et qu'elle descende aux alentours de 15 °C durant la nuit. Les espèces « froides » – azalées, campanules, cinéraires, cyclamens, primevères – fleurissent plus longtemps si elles sont conservées entre 12 et 15 °C.

• **Notre conseil :** ne vaporisez jamais les plantes en fleurs, car les gouttes d'eau, même très fines, agressent les pétales qui se tachent et tombent très rapidement.

La chute des feuilles

La plante perd une partie importante de son feuillage qui reste pourtant vert, mais peut présenter quelques crispations.

• **Les causes :** une hygrométrie insuffisante, des arrosages inadaptés (trop faibles ou trop abondants), un substrat pauvre.

• **Les remèdes :** vaporisez la plante quotidiennement et placez le pot sur des gravillons maintenus humides en permanence. Régulez les arrosages et rempotez.

• **Notre conseil :** n'hésitez pas à tailler les plantes qui ont perdu des feuilles, surtout en hiver, elles repartiront bien ensuite.

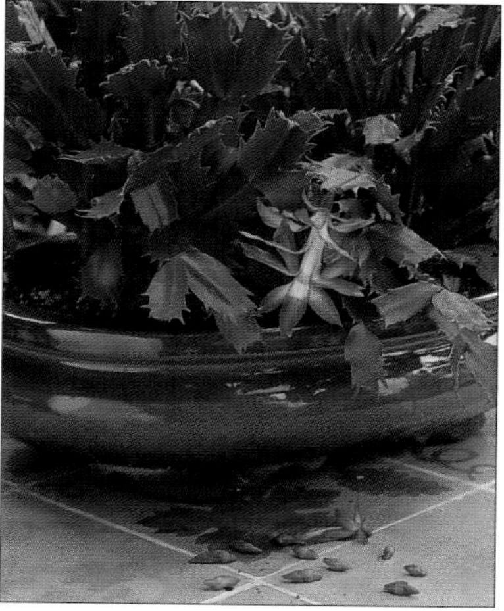

▲ Chute des boutons floraux due à un courant d'air froid.

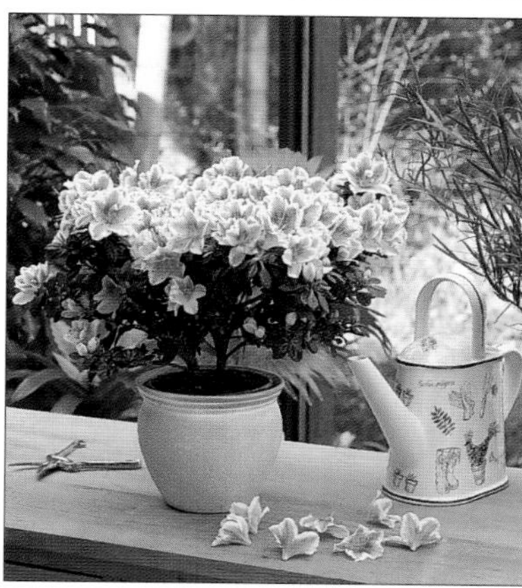

▲ La chute des fleurs signale une trop forte chaleur.

La chute des feuilles indique que l'air est trop sec. ▶

▲ Décoloration d'une feuille de philodendron.

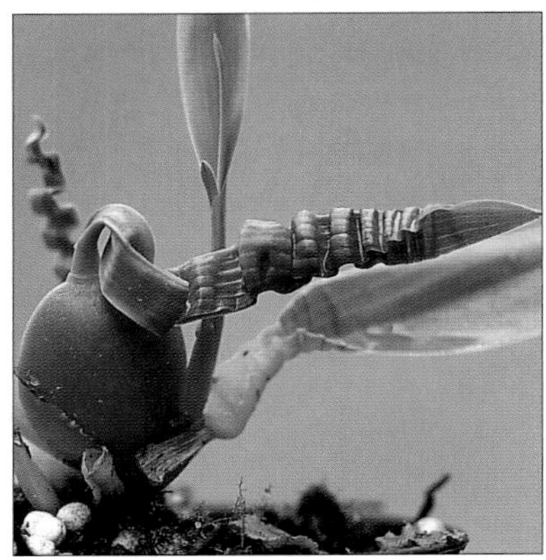

▲ Déformation des feuilles d'orchidées due au froid.

Les décolorations du feuillage

Une ou plusieurs feuilles changent de couleur ou pâlissent localement. Le symptôme, d'abord ponctuel, gagne ensuite toute la feuille qui tombe.

• **Les causes :** une exposition aux courants d'air, une température inadaptée (souvent trop froide) ou marquée par des chutes brutales et importantes, un substrat épuisé peuvent provoquer des décolorations.

• **Les remèdes :** placez la plante en observation et contentez-vous de suivre son évolution pendant une dizaine de jours. Réduisez les arrosages, cessez les apports d'engrais, évitez l'exposition au soleil direct.

• **Notre conseil :** une décoloration est souvent le signe avant-coureur d'un problème plus grave exprimant une forte détresse de la plante. Assurez-vous que les conditions de culture sont bien compatibles avec les exigences de l'espèce concernée.

Les déformations diverses

Les feuilles d'abord, puis les tiges ondulent, se crispent, s'enroulent ou frisent. Les feuilles nouvellement écloses présentent des malformations ou des déchirures.

• **Les causes :** des maladies à virus peuvent provoquer ce type de symptômes, mais elles apparaissent plutôt dans les serres de production. Une température trop basse, un engrais inapproprié (trop riche en potasse) peuvent aussi provoquer la déformation des tissus.

• **Les remèdes :** replacez la plante dans des conditions de culture idéales. Si le phénomène continue de s'étendre après un mois, il s'agit sans doute d'une affection virale. La plante doit alors être éliminée.

• **Notre conseil :** évitez, en hiver, que les feuilles touchent les vitres de la fenêtre, les chocs thermiques étant inévitables. Pour l'arrosage, utilisez toujours de l'eau à température ambiante.

◀ Dessèchement d'un jasmin de Madagascar.

Le dessèchement

Une feuille tout entière ou simplement son extrémité prend la consistance du papier, brunit et meurt.

• **Les causes :** il s'agit le plus souvent d'une réaction à un air trop sec ou à une atmosphère enfumée (les plantes apprécient peu les pièces où l'on fume). On enregistre aussi ce phénomène chez les plantes qui ont été sorties trop tôt au printemps et qui souffrent d'une différence de température excessive entre l'extérieur et la maison. Une eau d'arrosage trop riche en chlore entraîne aussi des dessèchements.

• **Les remèdes :** équilibrez les arrosages, aérez bien les pièces, sans provoquer de courant d'air. Vaporisez le feuillage chaque jour dès que la température atteint ou dépasse 20 °C. Placez des saturateurs d'humidité sur les radiateurs. Installez les plantes sur un lit de billes d'argile ou de gravillons, maintenus humides en permanence.

• **Notre conseil :** tirez toujours la veille l'eau destinée aux plantes de la maison. Elle aura le temps d'équilibrer sa température au contact de l'air ambiant, et le chlore qu'elle contient se s'éliminera naturellement.

Le flétrissement

Les feuilles commencent par perdre de leur rigidité, elles adoptent un port pleureur, la plante s'affaisse, puis se dessèche.

• **Les causes :** arrosage insuffisant ou trop épisodique, le substrat ne retient pas suffisamment l'eau ou ne lui permet pas de pénétrer correctement jusqu'aux racines.

• **Les remèdes :** arrosez plus souvent si la température ambiante s'élève. Trempez les pots durant une demi-heure, tous les 10 jours, pour que le terreau soit imprégné.

• **Notre conseil :** la proportion de tourbe blonde dans un substrat ne doit pas dépasser 50% (un tiers est l'idéal). La tourbe noire ou la terre de jardin sont de bons éléments régulateurs de l'humidité du sol.

Le jaunissement

Une ou plusieurs feuilles prennent brutalement une coloration jaune assez vif. Elles finissent par se détacher naturellement de la plante qui se dégarnit.

• **Les causes :** quand il concerne des feuilles situées à la base des tiges, le jaunissement est un phénomène naturel. En effet, la lignification (formation de bois) entraîne le développement de tissus morts subéreux (écorce) qui ne peuvent plus alimenter les feuilles attachées directement sur ces parties. C'est ce que l'on constate par exemple chez les caoutchoucs, qui, en formant un tronc, se dégarnissent du bas.

Un jaunissement et une chute hivernale du feuillage sont normaux si la quantité de feuilles tombées est inférieure au tiers de leur nombre total. En revanche, tout jaunissement plus conséquent ou localisé sur des jeunes feuilles à l'extrémité de la ramure doit être considéré comme un signal d'alarme. La plante réagit à un problème. Elle se sent mal et le manifeste à sa manière, surtout quand il s'agit d'erreurs d'arrosage, de mauvaise fertilisation ou de problèmes de sécheresse de l'air.

• **Les remèdes :** en hiver, réduisez la température ambiante et la fréquence des arrosages. Augmentez l'hygrométrie par des bassinages. En été, vérifiez que la plante ne subit pas une attaque d'araignées rouges.

• **Notre conseil :** ne vous alarmez pas outre mesure si le problème se limite à une ou deux feuilles. Ces organes ne sont pas éternels et il est normal que la plante en perde de temps en temps. Certaines espèces de plantes d'intérieur étant caduques (en général les plantes à bulbes ou à rhizomes comme les *Caladium, Hippeastrum, Sinningia*), le jaunissement et la chute des feuilles sont donc un phénomène normal. Il en est de même pour les broméliacées dont la plante mère disparaît naturellement quelques mois après avoir porté des fleurs.

La croissance ralentie

La plante ne pousse plus ou de manière très lente ; elle offre un aspect souffreteux et peut présenter des décolorations. Les entre-nœuds (intervalle entre deux feuilles) sont très courts, il n'y a pas de floraison.

• **Les causes :** il s'agit en général d'une plante qui n'a pas été rempotée depuis longtemps et dont le terreau est épuisé, ou d'un sujet nouvellement acheté qui se trouve dans un substrat totalement inerte.

• **Les remèdes :** rempotez immédiatement la plante dans un mélange riche en éléments nutritifs (ajoutez de 10 à 20 % de fertilisant organique à base de fumier et d'algues). Arrosez avec une solution fertilisante diluée s'il n'est pas possible de rempoter.

• **Notre conseil :** d'une manière générale, il serait souhaitable de prévoir le rempotage immédiat de toutes les plantes vertes que vous achetez. Pour les espèces à fleurs, attendez la fin de l'épanouissement.

Le reverdissement

Sur une plante à feuillage panaché ou coloré apparaît une pousse verte.

• **Les causes :** c'est le « retour au type », une sorte de dégénérescence qui fait ressortir les caractères génétiques de l'espèce botanique au détriment de ceux de la variété. On peut aussi observer un phénomène identique sur les plantes colorées qui manquent de lumière. Il arrive aussi que se développent des rejets à feuillage vert plus vigoureux que la variété.

• **Les remèdes :** éliminez la partie verte, car elle sera toujours plus vigoureuse que les pousses à feuillage coloré ou panaché.

• **Notre conseil :** le phénomène inverse peut aussi se produire, à savoir l'apparition d'une petite pousse colorée ou panachée sur une plante verte. Dans ce cas, essayez de la bouturer, vous avez peut-être découvert une nouvelle variété !

▲ Flétrissement des feuilles du *Chlorophytum*.

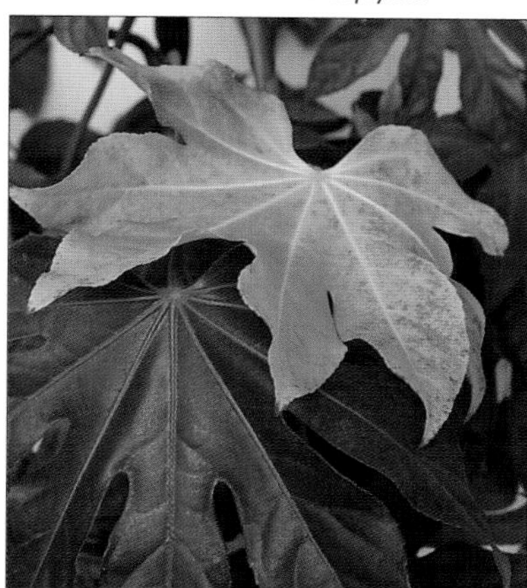

▲ Jaunissement d'une feuille de *Fatsia japonica*.

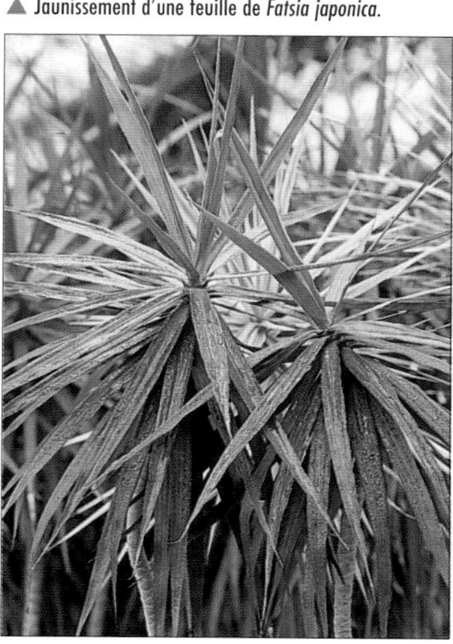

Retour du feuillage vert chez un *Dracaena marginata*. ▶

Les conditions particulières rencontrées dans la maison, avec notamment la présence des meubles, des tentures et des objets de décoration, limitent les possibilités d'intervention pour soigner les plantes. Il faut donc s'orienter vers une prévention destinée à empêcher l'apparition des maladies.

astuce Truffaut

Les pesticides n'étant jamais anodins, ne traitez pas directement les plantes installées sur de beaux meubles. Sortez-les sur le balcon ou dans le jardin si la température le permet (minimum 15 °C) ou effectuez la pulvérisation dans la baignoire, que vous laverez ensuite à grande eau.

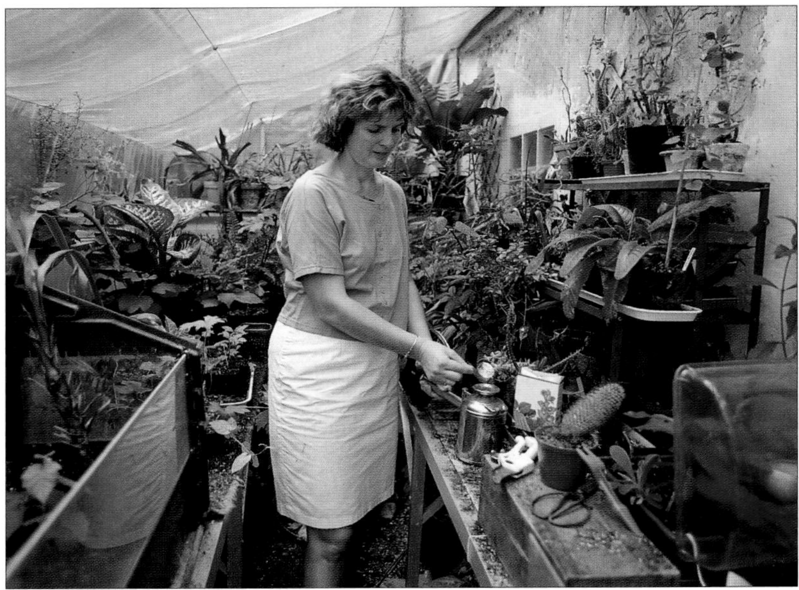

▲ La serre étant un lieu confiné, effectuez de façon systématique des traitements préventifs une fois par mois.

Imaginer que l'on peut éradiquer tous les ravageurs et les maladies est non seulement utopique mais déraisonnable. Il faudrait pour cela déverser de telles doses de pesticides que notre propre survie en serait menacée. Cela vaut aussi bien pour les plantes du jardin que pour celles de la maison. Il convient donc de limiter les risques et les affections à un seuil tolérable à la fois par les hommes et par les plantes. Une sorte de « liberté surveillée », où votre vigilance ne doit jamais faire défaut.

Les moyens mécaniques

On désigne sous ce terme toutes les interventions manuelles visant à éliminer les problèmes ou à freiner leur extension. Par exemple, il suffit de couper les jeunes pousses couvertes de pucerons, les tiges où s'agglutinent les cochenilles, les feuilles qui

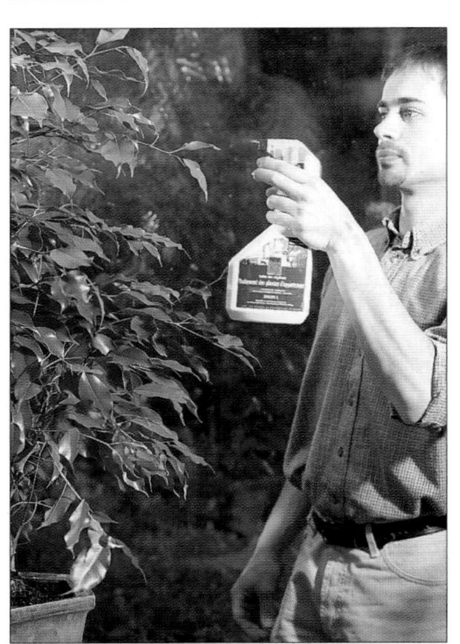

◀ Les produits prêts à l'emploi sont vraiment pratiques.

PIÈGE ÉCOLOGIQUE

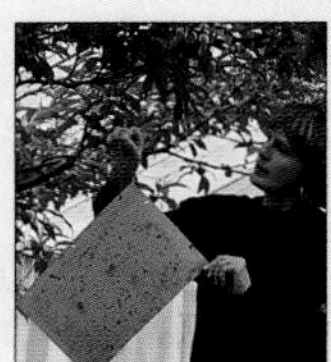

Les aleurodes, mais aussi les thrips sont irrésistiblement attirés par les objets de couleur jaune vif. La lutte chimique contre ces insectes étant assez difficile et même souvent inefficace, il suffit de confectionner un piège tout simple, pour limiter leur présence. Collez avec un adhésif double face une feuille de papier à dessin jaune vif sur les deux côtés d'une plaque de polystyrène expansé ou de lamellé-collé. Enduisez le papier de glu, en l'appliquant en couche mince. Accrochez ensuite votre piège dans la serre ou dans la véranda et des centaines d'insectes viendront s'y coller. Quand les feuilles jaunes seront souillées, il suffira de les remplacer, l'adhésif double face facilitant l'opération.

hébergent les colonies de thrips ou qui présentent des taches suspectes. Vous pouvez aussi dans le même esprit doucher les plantes parasitées sous un jet puissant afin de les débarrasser de leurs hôtes indésirables. Des vaporisations régulières qui créent une ambiance humide nuisent aussi au développement des araignées rouges.

Les traitements « bio »

Utilisant des matières d'origine naturelle ou réputées non toxiques, ces méthodes de soins plutôt empiriques ne doivent pas être confondues avec la lutte biologique proprement dite. Cette dernière consiste surtout à utiliser des insectes auxiliaires qui parasitent les ennemis des plantes. Il existe des solutions efficaces contre les pucerons (avec les coccinelles) et contre les cochenilles et les aleurodes (avec des micro-hyménoptères), mais elles ne sont pas applicables dans la maison. En revanche, on les utilise avec succès dans les serres de production. Pour un amateur, les moyens dits « bio » se limitent au nettoyage des feuilles avec du savon noir liquide, de l'alcool à 60 ° dilué à 50 % ou de la bière pour limiter les pullulations d'insectes. La prèle (150 g de feuilles sèches infusées 24 h dans 10 litres d'eau) aurait une efficacité fongicide contre la rouille et l'oïdium. Quant au fameux purin d'orties auquel on prête toutes les vertus, il sent vraiment trop mauvais pour être utilisé dans la maison.

Les produits du commerce

La panoplie des traitements pour les plantes de la maison est assez limitée. Les insecticides sont souvent des pyrèthres naturels ou leurs dérivés (pyréthrinoïdes) dont l'action de choc est efficace sur une grande quantité de ravageurs. Les fongicides (contre les maladies cryptogamiques) utilisent essentiellement des produits de synthèse le plus souvent systémiques, c'est-à-dire que le traitement pénètre dans la plante et va traiter le champignon qui la contamine. Il existe aussi des produits dits « totaux » qui associent fongicides et insecticides. Ils sont à préconiser pour toutes les interventions préventives.

Vous avez le choix entre les bombes, dont le produit est associé à un gaz sous pression (en général du CO_2), les aérosols (ou sprays), des préparations prêtes à l'emploi, présentées dans des flacons vaporisateurs et que l'on disperse sur la plante en pressant sur une gâchette. Ou bien des bâtonnets, à effet insecticide, le plus souvent couplés à un engrais et que l'on plante dans les pots.

Quelques précautions d'emploi

Avant tout traitement, lisez bien les conseils d'utilisation qui figurent obligatoirement au dos de chaque produit. Choisissez uniquement des préparations destinées aux plantes de la maison. Avec les bombes, respectez une distance d'au moins 40 cm, afin d'éviter toute concentration du produit. Renouvelez toujours un traitement trois fois, à 8 ou 10 jours d'intervalle.

▲ Chaque mois, traitez préventivement toutes les plantes.

Très pratique, le bâtonnet d'engrais avec insecticide. ▶

LA PRÉVENTION AVANT TOUT

Cet adage de bon sens est à respecter avec les plantes de la maison : « Mieux vaut prévenir que guérir.» Une attaque parasitaire prend vite des proportions dramatiques à l'intérieur. Les ravageurs et les maladies y trouvent une ambiance confortable, propice à leur développement. Ils ne sont pas soumis au rythme des saisons et se montrent donc actifs toute l'année. Les ennemis naturels étant bien évidemment absents, leur prolifération n'est pas du tout régulée comme cela se passe au-dehors. Vous devez donc vous montrer très vigilant et procéder à une observation systématique des plantes au moins une fois par semaine. Profitez d'un dépoussiérage ou d'une brumisation pour inspecter une à une chacune de vos pensionnaires. Soulevez les feuilles pour déceler la présence de parasites et mettez immédiatement en quarantaine toute plante présentant des symptômes suspects. Elle sera isolée sous un grand film plastique transparent, ce qui permettra de suivre l'évolution d'une éventuelle maladie, sans risque de contamination. Procédez à l'élimination manuelle des pucerons et effectuez un traitement préventif mensuel avec un produit total.

◀ *Élimination manuelle des parasites sur un* Begonia rex.

LA TAILLE

Intervention consistant à supprimer des pousses ou des rameaux, la taille a pour but d'équilibrer une plante, de stimuler sa croissance, de lui donner une forme, de provoquer un rajeunissement ou tout simplement d'effectuer une action de nettoyage, en retirant par exemple les parties abîmées.

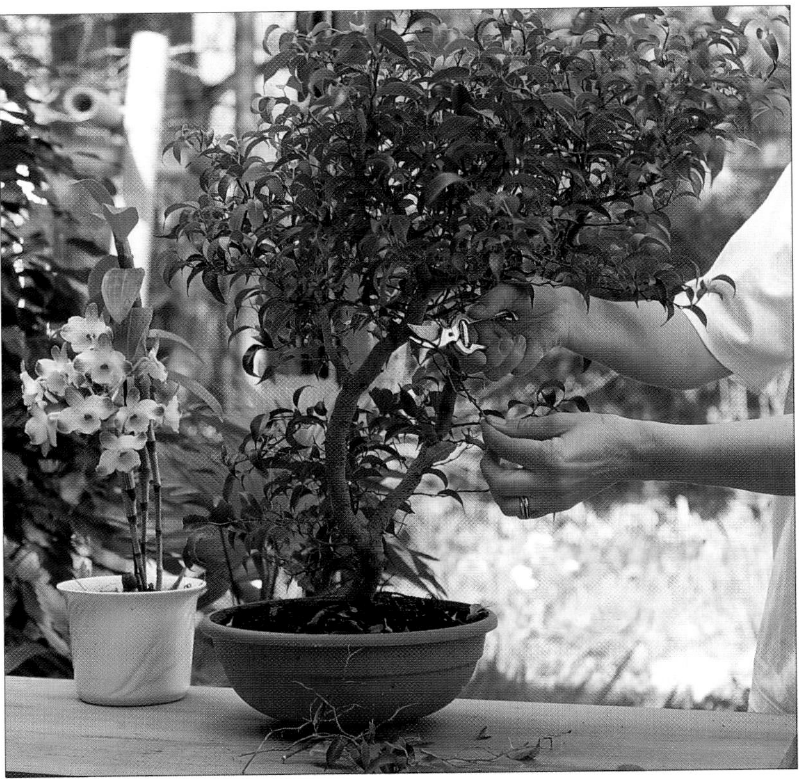

▲ Taille d'un ficus 'Natasha' : on élimine les pousses en surnombre ou mal placées pour équilibrer la forme.

astuce Truffaut

Tant que vous n'intervenez pas sur la structure même de la plante (branches charpentières), la taille ne présente aucun risque. Vous pouvez donc à tout moment de l'année couper une jeune pousse trop longue ou mal placée sans provoquer la moindre réaction négative du végétal.

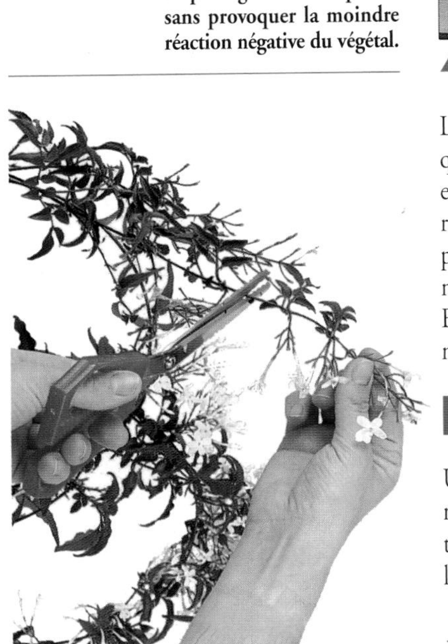

◀ Taille des pousses fanées de *Jasminum polyanthum*.

La taille n'est pas une intervention très fréquente sur les plantes de la maison. Les espèces formant une touffe herbacée, une rosette ou une tige unique ne nécessitent pas d'autre intervention de taille que l'élimination des feuilles ou des fleurs fanées. En revanche, les espèces buissonnantes méritent d'être taillées.

Le rôle de la taille

Une taille est en apparence une action réductrice. Tailler, c'est couper tout ou partie d'un rameau. On intervient en premier lieu pour éliminer les parties mortes, malades, fanées, abîmées. La taille va consister aussi à limiter la longueur de certains rameaux, qui deviennent encombrants ou dont la croissance est démesurée par rapport au reste de la plante. Cette intervention est surtout fréquente chez les plantes à végétation grimpante ou volubile. Une taille importante consiste à éliminer les pousses en surnombre ou mal placées, afin de permettre à la plante d'acquérir une silhouette esthétiquement agréable et de continuer à se développer de façon harmonieuse. La taille a aussi un effet stimulant, la plante réagissant le plus souvent avec vigueur à une mutilation. On taille donc pour provoquer un redémarrage de la croissance chez les plantes malingres.

Quand tailler

Les plantes d'intérieur sont plus influencées par les saisons que celles du jardin. On peut considérer que la période de mi-mars à fin septembre correspond à la « végétation » ou « période de croissance ». D'octobre à début mars, la plante est en « repos » ou en « dormance ». D'une manière générale, seules les tailles douces, intervenant sur les jeunes pousses tendres, se dérouleront durant la période de croissance, alors que l'on attendra la fin de la dormance pour intervenir de façon plus sévère sur la structure ou la silhouette du végétal. Les yeux commençant alors à bourgeonner, la plante va donc plus facilement redémarrer après la taille.
Pour les espèces intéressantes par leur floraison, la taille s'effectue toujours à la fin de l'épanouissement, période qui correspond le plus souvent à l'entrée en dormance.

Les réactions de la plante

La circulation de la sève élaborée étant ascendante, le suc nourricier afflue à l'extrémité des pousses, ce qui stimule la croissance de la plante. Après une taille, la partie qui vient d'être coupée se retrouve en position terminale et reçoit donc de la sève en abondance. Le résultat est une vive stimulation de la croissance et un regain de vigueur au niveau de la partie qui a été taillée. Pour simplifier, on a tendance à dire que plus on taille et plus la plante repousse avec force. Il faut toutefois tempérer cette observation avec les plantes de la maison, sachant qu'elles poussent en pot dans des conditions environnementales parfois défavorables. Une taille devra donc s'accompagner de soins attentifs, notamment d'arrosages plus copieux, d'un apport d'engrais (faiblement concentré), d'une bonne exposition à la lumière et d'une température ambiante assez forte, associée à une élévation sensible de l'humidité de l'air.

La taille de formation

On la pratique sur les plantes dont on désire obtenir une silhouette particulière, notamment les bonsaïs. C'est une taille de structure qui consiste à privilégier certains rameaux en éliminant les pousses mal placées ou en surnombre. La taille de formation consiste en des pincements (étêtages) répétés destinés à provoquer des ramifications. Le but est d'obtenir une silhouette plus compacte ou de stimuler la floraison.

La taille d'entretien

C'est une intervention au quotidien qui fait surtout appel au bon sens et consiste en premier lieu à éliminer les parties inesthétiques ou abîmées afin que la plante conserve un aspect sain. Éliminez les fleurs fanées afin de favoriser le développement des boutons. Limitez la croissance de certains rameaux afin de conserver une silhouette élégante et bien équilibrée à la plante. Coupez très court en fin de saison les rameaux qui ont porté des fleurs.

▲ Sur la bougainvillée : coupez les pousses trop longues.

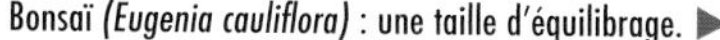

Bonsaï *(Eugenia cauliflora)* : une taille d'équilibrage. ▶

OÙ TAILLER ?

▲ *Coupez toujours au-dessus d'une feuille.*

La taille est une affaire d'observation et de bon sens. Le but d'une intervention étant de provoquer la formation d'une pousse à l'endroit où l'on a coupé, l'idéal consiste à tailler au-dessus d'une feuille pour les interventions estivales ou sur les plantes à feuillage persistant. Pour les espèces caduques sur lesquelles on intervient en hiver, la taille s'effectuera au niveau d'un bourgeon. Les feuilles sont toujours accompagnées d'un œil latent (bourgeon axillaire). Après une taille, cet œil va recevoir un afflux de sève qui va provoquer « le réveil » du bourgeon et son développement en jeune pousse. Les tailles de formation ou d'équilibrage sont plus sévères. Dans ce cas, on coupe au-dessus d'une branche ou d'un rameau bien placé, qui assurera la continuité du développement ou permettra à la plante de s'orienter dans la direction voulue. Pour certaines tailles de structure, on peut être amené à trancher sur une partie dénudée. Dans ce cas, il est préférable de couper au niveau d'un « nœud », c'est-à-dire un renflement sur l'écorce qui marque l'ancien emplacement d'une feuille ou d'une tige. Un recépage consiste à éliminer toute la partie aérienne.

Le défourchage

C'est le principe à appliquer pour les tailles visant à alléger une silhouette. On considère que deux pousses ne doivent jamais se développer à partir du même point. Par extension, on évite aussi qu'une branche forme une double ramification. Le défourchage consiste donc à simplifier la ramure, en éliminant chez les pousses double, la moins vigoureuse ou la moins bien orientée, qui sera coupée le plus près possible de son point de naissance. Une pince à bonsaï est l'outil le plus efficace et le plus précis, car elle ne laisse pas de moignon.

Le rajeunissement

C'est un principe basique dans toutes les interventions de taille. Il s'agit d'éliminer des vieilles branches dégarnies ou inesthétiques, au profit de jeunes pousses vigoureuses. Chez les plantes de la maison, la taille de rajeunissement se pratique essentiellement avec les plantes ligneuses buissonnantes et avec certaines succulentes. L'intervention consiste simplement à couper au-dessus de la nouvelle pousse que vous avez sélectionnée. Abutilon, acalypha, aphélandra, avocatier, bougainvillée, agrumes, bélopérone, brunfelsia, croton, dizygothéca, fatshedera, ficus, grenadier, hibiscus, ixora, laurier-rose, pachystachys, polyscias, scheffléra, sparmannia, etc., peuvent bénéficier d'une taille de rajeunissement. Coupez avec un bon sécateur et mastiquez la plaie si elle est importante.

▼ Taille du poinsettia : il faut tout rabattre sévèrement.

Le rabattage

C'est une taille sévère, qui consiste à éliminer toutes les pousses jeunes et tendres, en ne conservant que la ramure. Le but est d'empêcher que la plante ne développe une structure lignifiée trop importante, afin de conserver une touffe compacte. En effet, dès que la tige passe de l'état herbacé (tendre) au stade ligneux (bois), elle se dénude naturellement. On pratique le rabattage sur les plantes qui fleurissent sur des pousses de l'année : abutilon, datura *(Brugmansia)*, fuchsia, impatiens, lantana, pélargonium, pervenche de Madagascar, poinsettia, etc. L'intervention est pratiquée dès la fin de la floraison, en coupant toutes les tiges qui ont fleuri à 5 cm de leur point de naissance. Après cette taille, les plantes sont mises en repos végétatif, dans un endroit plus frais et au sec.

La défoliation

C'est une intervention très spectaculaire qui se pratique sur les plantes cultivées en bonsaïs, le but étant de provoquer un ralentissement de la croissance et surtout la formation de feuilles plus petites, donc plus esthétiques. Il s'agit d'éliminer en mai ou en juin toutes les feuilles qui couvrent la plante, en les coupant délicatement à la base du pétiole, avec de petits ciseaux. Après une ou deux semaines durant lesquelles la plante accuse le contrecoup de cette intervention, les yeux axillaires vont rapidement se développer et donner de nouvelles feuilles, 2 ou 3 fois plus petites que les premières. En raison de la rudesse de cette taille, qui mobilise toute l'énergie de la plante pour former un second feuillage, il ne faut pratiquer la défoliation que tous les 3 ou 4 ans. Les ficus et les scheffléras sont les deux espèces de bonsaïs d'intérieur les plus concernées par cette technique. Maintenez la plante dans une ambiance chaude et humide afin qu'elle dispose des meilleures conditions pour assurer une repousse.

▼ Rémy Samson effeuille un bonsaï de *Ficus retusa*.

Le recépage

C'est la solution extrême, puisqu'il s'agit de couper quasiment toute la plante, afin de provoquer l'apparition de nouvelles pousses à la base du tronc ou à partir de la souche. Le recépage s'emploie pour les plantes trop grandes dont la ramure n'est plus adaptée aux dimensions de la pièce (tiges qui touchent le plafond par exemple) ou au contraire quand l'ensemble de la partie aérienne a jauni et semble malingre. Dans ce dernier cas, il s'agit un peu d'une « opération survie », qui espère une stimulation nouvelle de la croissance. Un recépage est parfois pratiqué sur les plantes grimpantes qui se sont trop dégarnies de la base et que l'on désire voir redémarrer sous une forme plus compacte (bougainvillée, cissus, jasmin, lierre, etc.). On peut également assimiler à un recépage le fait d'éliminer complètement la partie aérienne d'une plante bulbeuse en fin de saison (amaryllis, caladium, ismène, par exemple).

▼ La plante est entièrement dénudée au printemps.

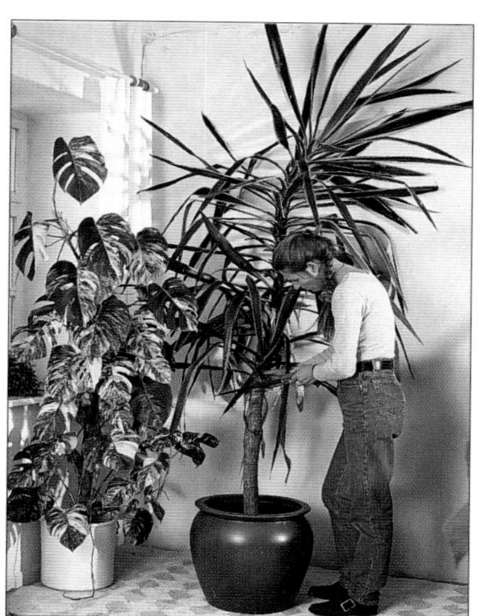

▲ Taille d'un *Yucca elephantipes* devenu trop grand.

Pour les plantes ligneuses, le recépage consiste à couper le tronc entre 10 et 20 cm de la base. On pratique cette intervention sur les acacia (mimosa), cordyline, dracaena, fatsia, ficus, pléomèle, polyscias, schefflèra, sparmannia, yucca. Le recépage est aussi valable pour les plantes dégarnies de la base et qui n'ont pas produit de ramification permettant un rajeunissement.

Pour les plantes herbacées, le recépage est une sorte de cure de jouvence qui permet de produire une nouvelle génération de tiges et de feuilles, à partir de la souche même. On le pratique sur les asparagus, dieffenbachia, étoile du marin, papyrus, etc.

▲ La plante a été entièrement recépée.

Le pincement

Cette technique est essentiellement utilisée sur les plantes herbacées que l'on désire voir se ramifier pour favoriser la formation des boutons floraux ou dans le but qu'elles adoptent une forme plus compacte. Le pincement consiste à couper au-dessus d'une feuille l'extrémité d'une jeune tige encore tendre. On peut intervenir avec les doigts (d'où le nom de « pincement »), mais il est préférable d'utiliser de petits ciseaux afin de réaliser une coupe plus franche. Le pincement peut être pratiqué plusieurs fois durant la période de végétation. Pratiquez-le avec les bélopérone, fittonia, fuchsia, gynura, hypoestes, impatiens, solanum, etc. Il sert aussi à empêcher le développement des fleurs chez les espèces à feuillage décoratif (coléus par exemple) ou à réduire les dimensions de tiges rampantes ou retombantes (céropégia, columnéa, etc.).

▲ De jeunes pousses apparaissent au niveau des nœuds.

L'étêtage

C'est le pendant du pincement, réalisé sur les plantes ligneuses ou sur les végétaux déjà bien développés, mais qui ne parviennent pas à se ramifier, comme les avocatiers, caoutchoucs, *Ficus lyrata*, etc. On peut aussi effectuer un étêtage sur les plantes trop hautes, sur lesquelles il est impossible de pratiquer un recépage parce que cela mettrait en danger la survie de la plante : acalypha, aphélandra, croton, etc.

Pincement d'une tige d'impatiens. ▶

LES PLANTES QUI NE SE TAILLENT PAS

▲ *Ne taillez pas le bananier.*

Hormis la suppression des feuilles mortes et des fleurs fanées, n'intervenez jamais sur les plantes acaules (sans tige) ou formant une rosette : achimenès, alocasia, amaryllis, aspidistra, broméliacées, calcéolaire, clivia, gloxinia, pépéromia, primevères, saintpaulia, sansevière, streptocarpus, etc.

Ne taillez pas les cactées, les bananiers, les fougères (sauf pour un recépage de rajeunissement), les plantes carnivores, les orchidées (hormis les espèces poussant sur de longues canes comme certains dendrobiums ou vandas).

Ne taillez surtout pas les palmiers, car toute la croissance de la plante s'effectue par l'intermédiaire d'un bourgeon situé au milieu de la touffe de feuilles (phytphore).

LE NETTOYAGE

La poussière est un ennemi insidieux pour les plantes de la maison. Des particules quasi invisibles à l'œil nu se déposent en permanence sur le feuillage, pouvant gêner à la longue les fonctions vitales de la plante. Un nettoyage n'a donc pas qu'une vocation esthétique.

astuce Truffaut

Pour le nettoyage des feuilles, utilisez uniquement de l'eau déminéralisée ou dans laquelle vous aurez ajouté un produit décalcairisant. En effet, l'eau de ville calcaire laisse en séchant des auréoles qui peuvent donner un aspect encore plus « sale » que la poussière.

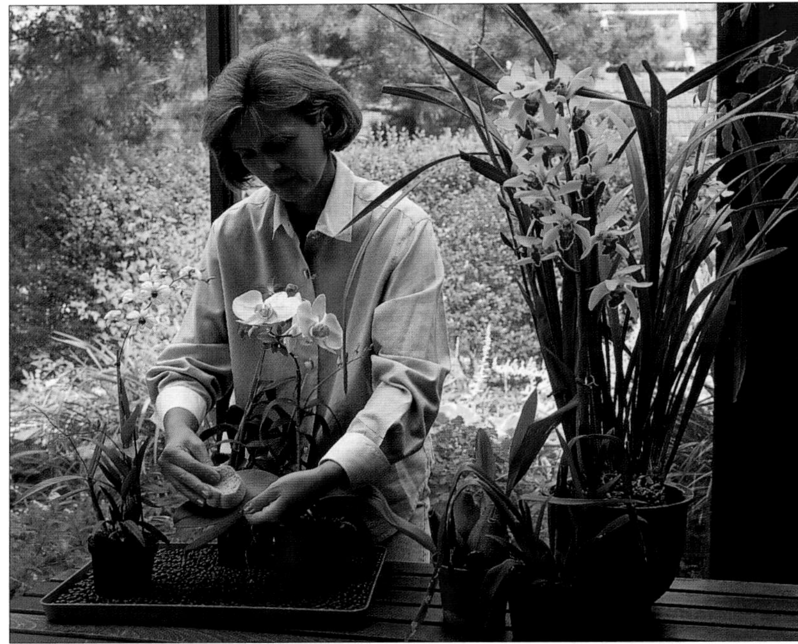

▲ Le nettoyage des feuilles épaisses d'un *Phalaenopsis* effectué une fois par mois contribue à la bonne santé de la plante.

Pour remplir leur rôle décoratif, les plantes de la maison doivent paraître « propres ». Cette notion est une appréciation purement humaine, liée à notre perception personnelle de l'esthétique, influencée par les règles de l'éducation que nous avons reçue. Ainsi, des feuilles jaunes ou sèches, des fleurs fanées, un rameau mort vont nous apparaître comme « sales », alors qu'ils font partie intégrante de la plante dans son milieu naturel. Les végétaux savent d'ailleurs se « nettoyer » eux-mêmes ou grâce à la complicité de la pluie ou du vent. Les feuilles qui meurent, les fleurs qui fanent tombent à terre, où elles sont agressées par les micro-organismes du sol qui les décomposent et en recyclent les éléments organiques qui seront à nouveau utilisés par la plante. Dans la maison, le processus ne se réalise pas et tous les déchets produits par la plante sont perçus logiquement comme une altération de sa beauté. La première intervention de nettoyage consiste donc à débarrasser les plantes de la maison de toutes les parties abîmées, malades ou mortes. Cela concerne l'entretien quotidien, basé sur la seule observation de nos pensionnaires.

◀ Certaines serviettes sont imbibées d'un insecticide.

Le dépoussiérage

Dans la maison, les mouvements d'air sont insuffisants pour assurer le transport de la poussière. Du fait de la gravité, elle se dépose sur le sol, sur les meubles, mais aussi sur les plantes. Ces fines particules ont même tendance à se concentrer sur les

LES LUSTRANTS

▲ *Lustrage à la bombe d'un* Fatsia japonica.

Les produits lustrants ont une triple action : ils dépoussièrent, font briller les feuilles et assurent une prévention contre l'apparition des insectes parasites (surtout les cochenilles). Très pratiques, les lustrants sont présentés en aérosol. Ils doivent être utilisés uniquement sur les plantes à feuilles larges et coriaces : ficus, philo, croton, aralia, fatshedéra, dracaena, kentia, sansevière, syngonium, yucca, etc. Les feuillages duveteux et fins ne seront pas lustrés.

feuilles, du fait du fort pouvoir électrostatique des végétaux. Dans la nature, la pluie se charge de laver régulièrement les plantes. Mais dans la maison, la poussière s'accumule et forme petit à petit une couche opaque sur les feuilles. Cela réduit sensiblement la quantité de lumière dont bénéficie la plante. La chlorophylle ne se forme plus ou disparaît, les feuilles jaunissent et la croissance se ralentit.

Il est donc indispensable de procéder à un dépoussiérage régulier de toutes vos plantes d'intérieur. Une fois par semaine est la fréquence idéale, une fois par mois constitue un minimum. Les plantes à feuilles lisses pourront être douchées (à l'eau tiède), ce qui a pour autre effet bénéfique d'augmenter l'ambiance humide. Sinon, essuyez le dessus et le dessous des feuilles avec une éponge humide ou une serviette nettoyante du commerce. N'utilisez pas de coton qui a tendance à faire des peluches. Vous pouvez remplacer l'eau par une solution alcoolisée (moitié bière, moitié eau) qui aura un bon effet insecticide préventif.

▲ Très pratique : la pince éponge nettoie recto verso.

La douche du feuillage est le meilleur dépoussiérage. ▶

LA SUPPRESSION DES FLEURS FANÉES

En apparence logique et banale, cette intervention ne se limite pas à un seul but esthétique. Sur les plantes dont la floraison se prolonge plusieurs semaines – azalée, bégonia, fuchsia, gardénia, orchidées, etc. – la suppression des fleurs fanées stimule la formation et l'épanouissement de nouveaux boutons. L'explication est très simple : la plante fleurit pour se reproduire. Les fleurs une fois fécondées produisent des fruits qui contiennent les graines. Si vous empêchez la formation des fruits en éliminant les fleurs fanées, la plante est « obligée » de produire de nouvelles corolles puisque son but (assurer la pérennité de l'espèce) n'est pas atteint. Ne vous contentez pas de retirer les pétales fanés. Coupez toute la fleur avec son pédoncule, car c'est l'ovaire protégé par le calice (les sépales) qui se transforme en fruit. Chez les espèces qui forment une inflorescence unique, il faut couper la hampe le plus près possible de son point de naissance. Utilisez des ciseaux afin de réaliser une coupe bien nette et propre. Avant d'intervenir, examinez bien la tige florale. Il est possible qu'elle présente un ou plusieurs renflements assez discrets (surtout chez les orchidées). Il s'agit de bourgeons latents, capables de produire de nouvelles fleurs. Pour stimuler le phénomène, il suffit de couper au-dessus de la partie renflée. Chez les plantes dont les fleurs sont accompagnées de bractées décoratives, comme la plupart des broméliacées, éliminez les fleurs fanées (souvent minuscules) à la main, juste pour débarrasser l'inflorescence des parties abîmées. Attendez ensuite (souvent plusieurs mois) que les bractées commencent à flétrir ou à se dessécher avant de couper à la base de la hampe.

◀ *La suppression de l'inflorescence du Vriesea.*

Clivia : ne laissez pas se former les fruits. ▶

◀ *Azalée. Effleurez à la main.*

LE TUTEURAGE ET LE PALISSAGE

Les plantes volubiles, grimpantes, sarmenteuses, ou dont les tiges manquent de rigidité pour supporter le poids du feuillage, les espèces envahissantes ou aux rameaux grêles demandent à être palissées sur un support. Il existe de nombreux modèles adaptés aux différents types de végétaux, l'important étant l'efficacité et la discrétion…

▲ Il existe de très nombreux modèles de tuteurs dans le commerce. Certains peuvent être rallongés à volonté.

astuce Truffaut

Pour éviter que les liens ne blessent ou n'étranglent les tiges, attachez-les d'abord sur le tuteur, en serrant bien, avec deux nœuds, puis faites passer l'attache en forme de huit autour de la tige de la plante, sans serrer. Nouez l'extrémité du lien sur le tuteur. Ainsi, la tige de la plante est maintenue avec souplesse, ce qui va lui permettre de s'épaissir en toute décontraction.

On parle de « tuteurage » lorsque la plante est maintenue par un ou plusieurs piquets droits, en arceaux ou en spirale. On emploie plutôt le terme de « palissage » lorsque la plante se développe en largeur contre un treillage, un grillage, une échelle ou qu'elle prend appui sur des fils tendus contre un mur. Dans tous les cas, le support doit rester discret et stable. Il est préférable de l'installer ou de le remplacer lorsque la plante est jeune, ou à l'occasion d'un rempotage, afin de ne pas risquer de blesser les racines.

Le bambou, solide, naturel

Les tuteurs en bambou se fondent dans le feuillage. Les modèles courants, qui ne dépassent pas 1 m de long, sont parfaits pour les jeunes plantes ou celles à moyen

▼ Une forme décorative en fil de fer.

▼ Le tuteur en mousse, pour le philo.

▼ Des bambous pour le *Ficus lyrata*.

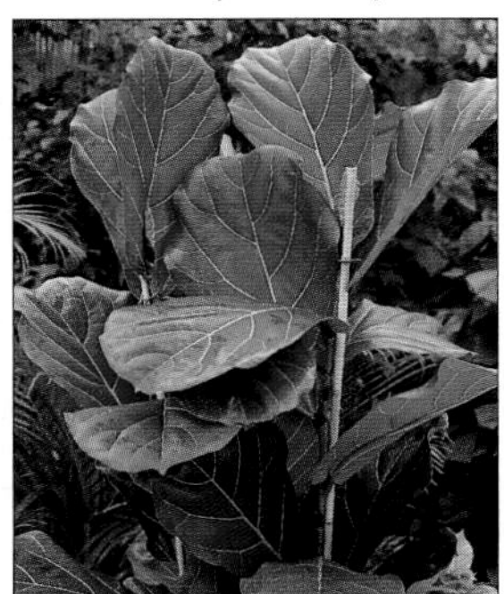

▼ Une échelle en bois, très esthétique.

> **LES PLANTES À TUTEURER**
>
> ❒ **Sur un arceau**
> Dipladénia, gynura sarmenteux, hoya, fleurs de la passion, ampélopsis, stéphanotis, plumbago, bougainvillée, céropégia, philodendrons à petites feuilles, lierre, etc., se conduisent bien autour d'un arceau métallique. Prévoyez un diamètre suffisant (au moins 40 cm) pour que les tiges de la plante ne soient pas trop contraintes. Trachelospermum et jasmins peuvent s'enrouler autour d'un arceau les 2 ou 3 premières années.
>
> ❒ **Sur un tuteur en mousse**
> Toutes les plantes formant des racines aériennes : aralias, ficus rampants, philodendrons grimpants, pothos et syngonium.
>
> ❒ **Sur un tuteur échelle**
> Les lianes à grand développement : *Solanum jasminoides*, streptosolen, bougainvillée, thunbergia, clérodendron, pothos, solandra, passiflore, stéphanotis (plantes adultes).

développement comme les hortensias ou les poinsettias. Trois ou quatre bambous, reliés à mi-hauteur par une ficelle, permettent de contenir naturellement les plantes à port très évasé, comme les cypérus ou les tilleuls d'appartement *(Sparmannia)*. La flexibilité des bambous ne leur permet pas de supporter des plantes à très grand développement, comme les ficus, les philos ou les syngoniums. Des supports d'un diamètre d'au moins 2 cm de diamètre sont nécessaires. Pensez à protéger l'extrémité de chaque bambou avec un bouchon de liège, pour ne pas vous blesser par inadvertance lorsque par exemple vous vous penchez pour arroser.

Plastique ou métal

Les tuteurs en plastique ou en métal plastifié conviennent aux plantes vigoureuses et lourdes. Solides, ils peuvent rester en place plusieurs années sans fléchir. La couleur verte se fond bien dans le feuillage, le blanc reste également assez discret, surtout pour les plantes à feuillage panaché. Les arceaux conviennent aux lianes fleuries, comme les stéphanotis ou les dipladénias. Le fait de courber les branches vers le bas favorise l'émission de nouvelles pousses fleuries. De nombreuses plantes sont vendues palissées sur des arceaux. Si le diamètre est trop petit (moins de 30 cm), il faut, un mois après l'achat, rempoter et remplacer le tuteur. Jasmins, plumbagos, thunbergias, à la croissance vigoureuse, se développeront, dans la saison, sur des arceaux d'au moins 40 cm de diamètre. On trouve désormais dans le commerce des tuteurs aux formes décoratives variées : spirales, cœurs, silhouettes animales ou végétales. Ces derniers sont parfaits pour les espèces à petites feuilles, comme les lierres ou les ficus rampants, qui peuvent alors se conduire comme des topiaires.

Les tuteurs en mousse

Recouverts de mousse naturelle ou artificielle, ils sont adaptés aux plantes possédant des racines aériennes : pothos, syngoniums, ou philodendrons grimpants. Les racines viendront puiser dans la mousse un surplus d'humidité et d'éléments nutritifs. Vous devez considérer ce tuteur comme un second milieu de culture. Versez doucement l'eau d'arrosage sur le dessus du tuteur pour humidifier la mousse ou pulvérisez quotidiennement l'ensemble avec de l'eau tiède. Une fois par mois, ajoutez une demi-dose d'engrais liquide dans le pulvérisateur pour nourrir les racines aériennes. Plaquez les tiges contre la mousse avec un morceau de raphia, avec des épingles à cheveux ou des trombones à demi dépliés, enfoncés dans l'épaisseur du tuteur.

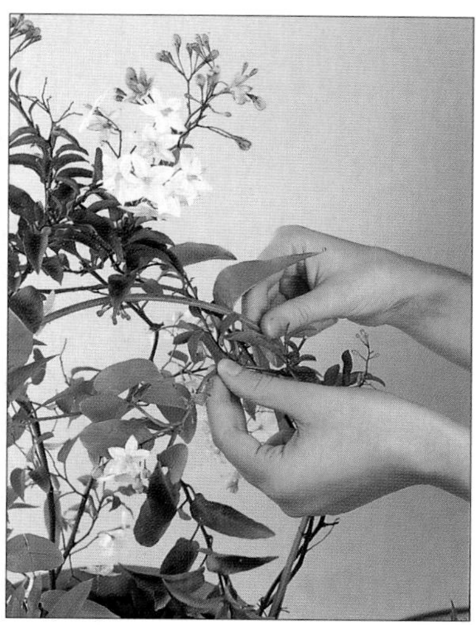

▲ Tuteurage d'un *Solanum jasminoides* sur un arceau.

▲ Un fil de fer en spirale et le lierre prend une jolie forme.

Enroulez la tige du stéphanotis autour du tuteur. ▶

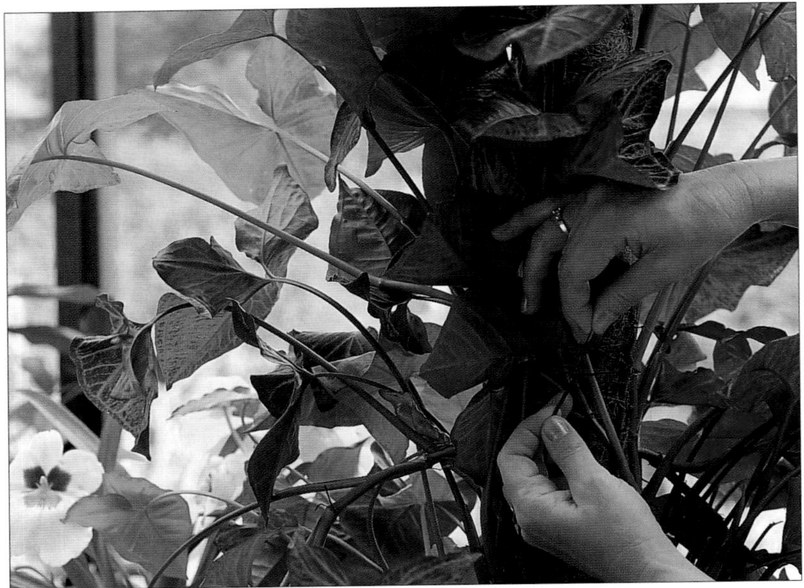

▲ Attache d'une tige de syngonium sur tuteur en mousse, avec un lien métallique.

Le palissage

Cette opération concerne les plantes grimpantes ou les lianes que l'on préfère voir se développer en surface, et non en volume ou en suspension pour un effet de plus grande ampleur. Une plante palissée présente une plus grande surface au soleil et pousse plus vigoureusement. Palissez régulièrement les tiges afin de maîtriser la croissance de la plante. Les plumbagos, par exemple, deviennent extrêmement envahissants si l'on « oublie » de les guider. Les tiges s'emmêlent, cassent lorsqu'on les redresse, ce qui rend un palissage ultérieur difficile. Si vous n'avez pas prévu le palissage lors de la plantation, installez trois tuteurs en bambou à la périphérie du pot et passez une ficelle ou un morceau de raphia autour de l'ensemble, en enroulant le lien deux fois autour de chaque tuteur. Si vous disposez d'un mur, le plus simple consiste à tendre des fils de fer sur des vis fixées tous les 2 m (les clous s'arrachent plus facilement quand la ramure devient pesante). Ce système convient aux philo, cissus, jasmin. À titre indicatif, la ramure d'un *Trachelospermum jasminoides* vigoureux âgé de 10 ans peut peser plus de 10 kg ! Le rempotage d'une plante palissée contre un mur sera par la suite plus délicat. Prévoyez un pot suffisamment volumineux (au moins 30 cm de diamètre) dans lequel la plante pourra rester en place au moins 3 ou 4 ans.

Les différents types de liens

Tout ce qui est souple et solide et peut être noué est suceptible de servir d'attache. Le raphia est un produit naturel qui provient d'un palmier originaire du Nigeria. Il convient pour les plantes à faible développement. Souple, le raphia ne blesse pas les tiges, s'il n'est pas trop serré. Le fil de fer plastifié se vend en rouleau. Solide, il peut supporter les plantes lourdes. Il s'avère pratique à utiliser avec les tuteurs en mousse. Pour les plantes aux tiges épaisses, à la croissance vigoureuse préférez les colliers en plastique. Il en existe de nombreux modèles adaptés aux différentes dimensions. Les fils de cuivre ou de laiton sont réservés à la ligature des bonsaïs. Les fils en Nylon ou le fil de fer des fleuristes ne conviennent pas. Trop fins, ils blessent facilement les tiges.

▼ Trois bambous reliés font une bonne armature.

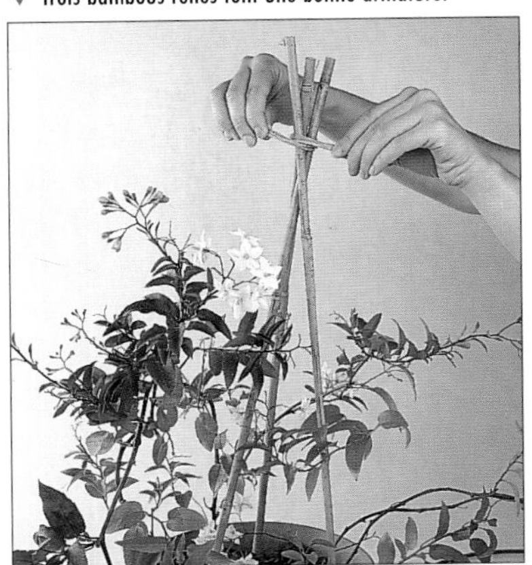

▼ Soutenez les tiges fragiles des narcisses avec un lien.

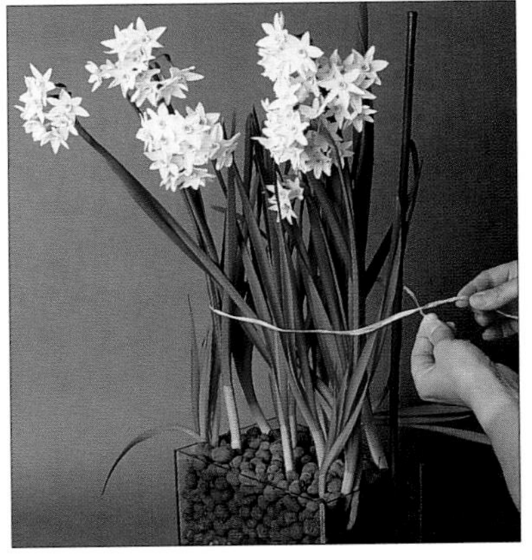

▼ Protégez la tige fragile de l'amaryllis avec un coton.

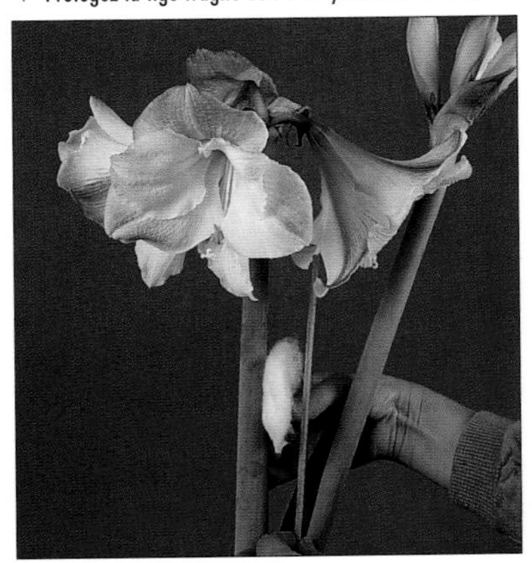

Les bulbes, un cas à part

Dans la nature, les fleurs à bulbes n'ont pas besoin de tuteur. Cultivées en pot, ces plantes demandent un soutien. Les conditions de culture (moins de lumière, plus de chaleur et d'engrais) rendent les tiges plus longues et plus souples. Il est préférable d'installer les tuteurs en même temps que les bulbes, pour ne pas blesser ces derniers. En effet, la moindre meurtrissure entraîne souvent la pourriture du bulbe. Pour les narcisses, des bambous fins suffisent. Vous pouvez aussi vous contenter d'un seul tuteur, que vous enfoncerez latéralement, tout contre la paroi du pot. Passez un lien en raphia à l'extérieur du groupe de tiges.

Les plantes fragiles

Certaines orchidées, comme les phalaenopsis, produisent de longues tiges flexibles. Les plus florifères peuvent porter jusqu'à 15 grandes fleurs. Pour éviter que les tiges ne cassent ou ne ploient dangereusement, les amateurs installent de petits tuteurs en biais, qui suivent la courbure naturelle de la tige, et la soutiennent sur les deux tiers environ de sa longueur. Le lien est constitué par des brins de laine ou du raphia coloré.

Les tiges des amaryllis, épaisses mais fragiles, demandent une protection, spécialement lorsqu'elles portent plusieurs lourdes fleurs. Installez un petit tampon de coton ou de polystyrène expansé entre le tuteur et la tige pour amortir les chocs.

Les médinillas, ces lourdes plantes aux imposantes grappes rose porcelaine, ont souvent des tiges cassantes. Soutenez discrètement les tiges florales avec un rameau fourchu de noisetier, qui sera dissimulé par le feuillage généreux.

Les bégonias, aux tiges aqueuses et aux fleurs parfois très lourdes, demandent également un tuteurage. Utilisez de fines baguettes de bois, que vous attacherez en plusieurs points de la tige, avec un morceau de raphia. Attention ! les tiges cassent comme du verre et les feuilles se meurtrissent facilement.

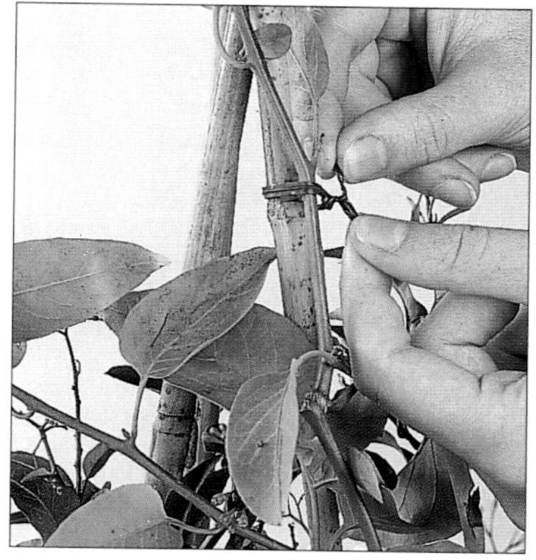

▲ Le lien plastique armé est solide, discret, facile à poser.

Le tuteur échelle « grandit » avec la plante. ▶

ATTENTION AUX BLESSURES

Les plantes croissent en hauteur mais aussi en largeur. Une tige de ficus de 1 cm de diamètre double d'épaisseur en 3 ans, si la plante est bien nourrie et correctement exposée et arrosée. La circonférence du tronc d'un oranger en pot gagne au moins 1 cm par an s'il passe la belle saison en plein air. La croissance en épaisseur continue même si un lien étrangle la tige. La circulation de sève étant ralentie, les tissus forment d'abord un bourrelet. Puis l'écorce se fend et le lien est peu à peu recouvert par le bois qui a tendance à se nécroser. Le rameau est alors profondément marqué. Dans certains cas, l'écorce se développe autour du lien, jusqu'à l'intégrer complètement dans la plante. La branche, affaiblie par la cicatrice, est plus fragile et produit des feuilles plus petites. Les risques d'attaques parasitaires, notamment des chancres, sont augmentées. Pour éviter tout problème, il est bon de vérifier l'état des attaches tous les 6 mois environ. Vous devez pouvoir glisser un petit tuteur entre le lien et le tronc. Si l'attache a entamé l'écorce, n'essayez pas de la retirer brutalement. Coupez délicatement pour relâcher l'étreinte. Tirez doucement dessus. Si le lien vient tout seul, ôtez-le complètement. S'il reste incrusté dans l'écorce, essayez de le couper en petits tronçons, qui se détacheront plus facilement. Recouvrez la plaie avec un mastic en pâte, pour qu'elle reste bien propre. La plante finira par cicatriser d'elle-même mais la marque ne s'effacera jamais. Surveillez de près les espèces ligneuses comme le tilleul d'appartement, les *Ficus benjamina*, les abutilons, les poly-

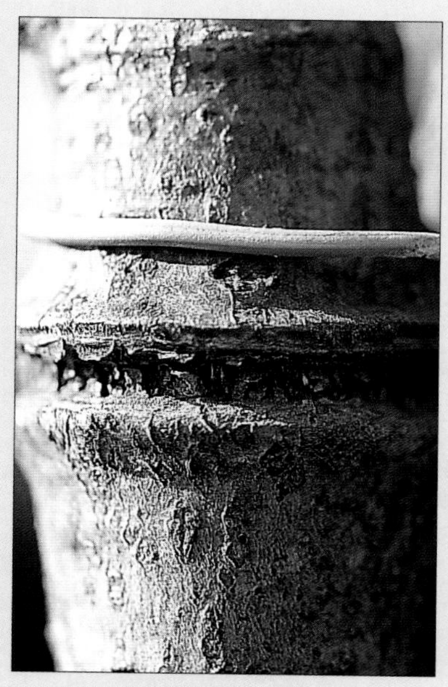

Cicatrice sur un tronc, due à un lien trop serré. ▶

LES PLANTES EN VACANCES

Les plantes de la maison supportent sans problème une absence estivale de 2 à 4 jours. Au-delà se pose le problème de l'arrosage, mais aussi de l'éclairage. Si personne ne peut venir s'occuper de vos cultures, il faut mettre en place des systèmes pour les conserver en bon état jusqu'à votre retour. Il existe heureusement des solutions.

astuce Truffaut

Avec une aiguille à tricoter métallique chauffée à blanc, percez un trou dans le bouchon en plastique d'une bouteille d'eau minérale pleine. Retournez la bouteille et plantez le goulot en terre sur au moins 3 cm de profondeur et maintenez-la en place. Percez un tout petit trou dans le fond de la bouteille, pour créer une arrivée d'air. L'eau se diffusera ainsi doucement par gravité.

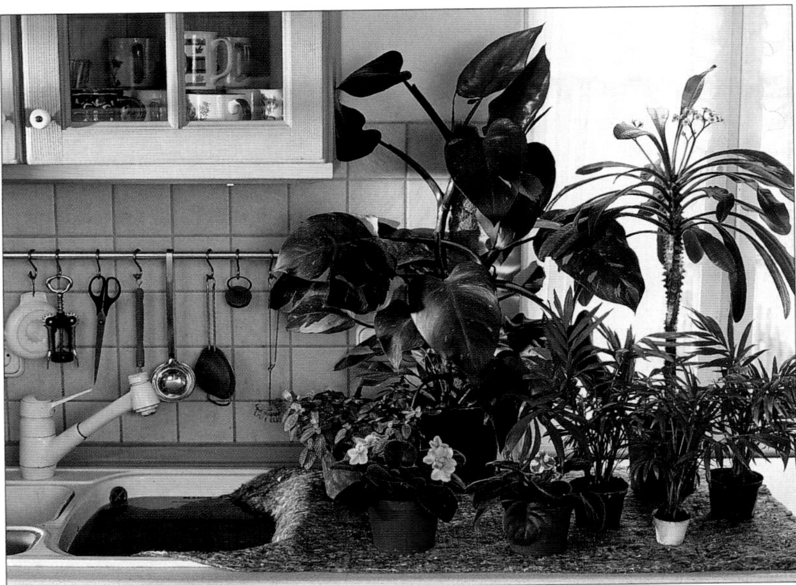

▲ En posant les pots sur un feutre jardin qui trempe dans l'évier rempli d'eau, la base des pots est maintenue humide.

Aucune plante ne peut survivre sans lumière. Après trois jours dans le noir, les premiers signes d'étiolement apparaissent : les feuilles pâlissent et les tiges s'étiolent. La première précaution pendant les vacances consiste à regrouper les plantes dans une pièce éclairée par la lumière naturelle au moins 8 heures par jour. Évitez le soleil direct qui stimule inutilement la transpiration. Si tous les volets doivent être fermés pour des raisons de sécurité, installez un éclairage artificiel, avec des lampes « lumière du jour ». Une minuterie réglera la durée de l'éclairement à 12 heures par jour, ce qui convient à la majorité des espèces.

La veille de votre départ, arrosez normalement les plantes. Le lendemain, immergez chaque pot, un par un, dans un seau d'eau jusqu'à ce qu'il ne se forme plus la moindre bulle d'air. Posez chaque plante sur une soucoupe dont, pour une fois, vous ne viderez pas l'eau. Pour limiter le dessèchement, couvrez la terre avec des billes d'argile expansée, de la mousse, de la tourbe détrempée, ou du papier journal mouillé. Les petits pots (moins de 10 cm de diamètre) se dessèchent plus vite. S'ils sont en terre cuite, placez-les dans un contenant plus large de 6 ou 7 cm que vous remplirez de tourbe très humide. Les pots en plastique de moins de 15 cm de diamètre risquent de poser problème après 4 ou 5 jours. Si vous partez en hiver, baissez le chauffage : une température de 15 °C est bien acceptée par toutes les plantes.

◀ Il existe des supports pour fixer une bouteille retournée.

Méthodes empiriques

Regroupez les plantes, elles bénéficieront de la transpiration de leurs voisines. Installées sur la paillasse de l'évier sur une feutre absorbant qui plongera dans l'eau du bac, les plantes peuvent tenir une semaine environ. Le feutre s'imbibera en permanence et l'humidité sera absorbée par capillarité à travers le trou de drainage situé sous le pot. Pour une absence d'une dizaine de jours, vous pouvez assurer l'alimentation en eau par des mèches de coton. Chacune plonge à la fois dans le substrat du pot et dans un récipient rempli d'eau installé plus haut que le pot. L'eau migrera doucement par capillarité et gravité. Pour un pot de 30 cm de diamètre, comptez au moins trois mèches. Vous trouverez aussi en jardinerie des petits cônes de terre cuite poreuse associés à un fin tuyau. Après avoir plongé ce dernier dans l'eau, aspirez, puis branchez l'extrémité du tuyau sur le cône, l'alimentation en eau se fera de façon régulière.

Arrosage automatique

Si vous partez fréquemment, installez vos plantes dans des bacs à réserve d'eau. Le jour du départ, remplissez intégralement le réservoir et mouillez bien la terre par le dessus. Un bac de 30 cm de diamètre peut assurer les besoins en eau de la majorité des plantes vertes pendant 3 semaines.

Il existe également des systèmes d'arrosage automatiques, inspirés du goutte-à-goutte et spécialement conçus pour les plantes d'intérieur. Ils consistent en une petite pompe à immerger dans un réservoir. La pompe est reliée à un répartiteur sur lequel on branche des tuyaux très fins. Ces derniers sont installés sur chaque pot, maintenus en place par des supports piqués dans le terreau. Le programme distribue l'eau une ou deux fois par jour, en quantité régulière. Il suffit de raccorder un ou plusieurs tuyaux en fonction du diamètre du pot.

Toutes les plantes n'ont pas les mêmes besoins en eau. Les cactées peuvent rester au moins 3 semaines au sec, de même que les agaves, les aloès, les clivias, les cycas, les euphorbes, les sansevières, et les pépéromias à feuilles épaisses.

Le beaucarnéa possède un tronc qui accumule l'eau : il restera deux semaines seul sans souffrir, tout comme le yucca, le jatropha et les dracaenas. La plupart des broméliacées restent sans boire au moins 10 jours si vous avez pris soin de remplir d'eau le cœur de la rosette de feuilles. Les plantes bulbeuses ou à tubercule (amaryllis, bégonias) résistent à un régime sec une bonne semaine. En revanche, les plantes à fleurs, à feuillage fin et duveteux, commencent à dépérir après 3 à 5 jours sans eau. Tout dépend aussi de la température ambiante.

À votre retour, coupez tout ce qui est mort ou fané et trempez le pot dans un seau d'eau pour réhumecter la motte en profondeur. N'hésitez pas à tailler court toutes les tiges étiolées. Si vos plantes ont vécu dans la demi-pénombre, attendez une semaine avant de les exposer à la pleine lumière.

UN SÉJOUR BÉNÉFIQUE AU JARDIN

De nombreuses plantes gagnent à séjourner au jardin en été durant votre absence. Regroupez-les sous un arbre, dans un endroit abrité du vent. Éventuellement, calez les plus grands sujets avec un objet décoratif lourd ou un siège de jardin. Surélevez les petits pots et les plantes retombantes. Vérifiez l'état sanitaire de chaque potée, supprimez les feuilles mortes, les fleurs et les boutons en formation, inutile d'épuiser les plantes. Arrosez abondamment avant de partir et douchez les feuillages. L'idéal est bien sûr de disposer d'un système d'arrosage programmé dans le jardin. Vous pouvez aussi enterrer jusqu'au collet les pots de petite taille dans de la tourbe humide, que vous recouvrirez d'une feuille de plastique maintenue par des cailloux. Si les agrumes, les daturas, les palmiers, les bananiers, certaines orchidées, les cycas, les fougères arborescentes, les plantes grasses, apprécient ce traitement, il est préférable de garder à l'intérieur les fougères, les streptocarpus, les violettes africaines, les gloxinias, les crotons. Prenez garde aux limaces qui dévorent les cactées et les plantes grasses sans piquants comme les lithops ou trouent le feuillage du brunfelsia. À votre retour, inspectez le feuillage pour déceler la présence de parasites. Attendez 2 semaines pour donner de l'engrais aux plantes qui semblent avoir souffert de la sécheresse.

▲ *Orchidées, poinsettia, passent l'été à l'extérieur.*

▼ Le cône en terre cuite est rempli d'eau.

▼ La diffusion de l'eau est régulière.

▼ Le système automatique complet.

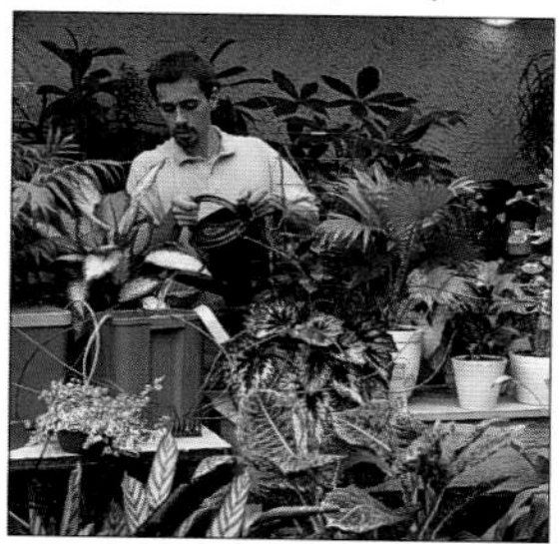

▼ Une pompe permet l'alimentation.

LES PLANTES EN HIVER

Venues de contrées qui ne connaissent pas de mauvaise saison, les plantes cultivées dans la maison apprécient peu la période comprise entre novembre et mars. Le chauffage artificiel essentiel à notre confort indispose les plantes car il dessèche l'air ou entretient une température trop élevée. La lumière manque et les courants d'air froids sont redoutables…

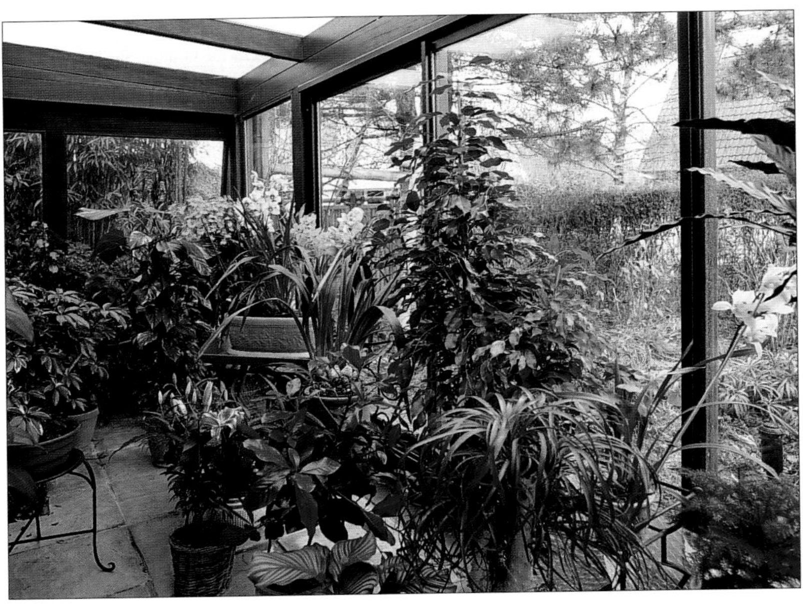

▲ Dans une véranda peu chauffée, les plantes hivernent idéalement, à condition de très peu les arroser.

astuce Truffaut

Sachez que vous obtiendrez de bien meilleurs résultats dans des pièces fraîches que surchauffées. Avec 18 °C dans la journée et 15 °C la nuit, la plupart des plantes dites d'intérieur se comportent sans problème. Dès que la température s'élève, vous devez obligatoirement augmenter l'humidité de l'air, c'est le secret du succès.

Hormis les plantes originaires des régions aux saisons bien marquées de l'hémisphère Sud (Chili, Argentine, Afrique du Sud) et qui devraient subir un repos végétatif durant notre été (estivation), la plupart des plantes d'intérieur entrent en période de dormance dans le courant octobre. Le ralentissement de la croissance se produit naturellement. Il est lié à la réduction de la longueur du jour. Vous devez suivre le rythme biologique des plantes, en commençant par cesser les apports d'engrais. Il est inutile de chercher à stimuler le développement des plantes, puisqu'elles « souhaitent » se reposer. Dans le même temps, diminuez progressivement la fréquence et les doses d'arrosage. La dormance naturelle des espèces tropicales est liée à la période de saison sèche, il est normal de respecter ce comportement. Le dernier point important concerne la température ambiante. Dans une pièce bien chauffée, les plantes vont avoir tendance à « oublier » la période de dormance. Chez les espèces à feuillage, les conséquences ne sont guère visibles. En revanche, la non-observation du repos végétatif empêche presque toujours la formation des boutons floraux. C'est une des causes principales de la non-refloraison des plantes dans la maison. Il est aussi logique d'observer une plus grande fragilité et une longévité moindre chez les plantes qui n'ont pas observé de repos hivernal.

SI VOUS ACHETEZ DES PLANTES EN HIVER

La période des fêtes est propice à l'achat de plantes d'intérieur. C'est la pleine saison des orchidées et des poinsettias (étoiles de Noël) dont l'assortiment est très riche et attrayant. Il est très important de prendre quelques précautions pour le transport des plantes du magasin à la maison. Une brutale chute de température fait tomber les boutons floraux ou réduit considérablement la durée des fleurs déjà épanouies. Demandez à ce que les plantes soient entièrement emballées, la protection autour des fleurs devant être renforcée par au moins deux épaisseurs de papier de soie.
Et surtout, n'achetez pas en hiver de plantes proposées dehors, sur les marchés.

◀ En vedette : l'étoile de Noël.

Fraîcheur indispensable

L'expérience prouve que pour une bonne sensation de confort dans la maison, nous avons besoin d'une moyenne de 18 à 20 °C. Cette température correspond aussi au bien-être d'une grande majorité de plantes d'intérieur durant la période de croissance. En revanche, celles qui nécessitent un arrêt végétatif très marqué ou qui proviennent de régions semi-tempérées ne se satisfont pas du tout de ces conditions. C'est le cas des cyclamen, azalée, cinéraire, primevère, hortensia, bruyère, etc. pour les plantes à fleurs, que l'on a bien du mal à conserver plus d'une semaine dans une pièce normale, puisqu'il leur faut moins de 15 °C (idéal de 8 à 12 °C). Même chose pour les espèces « méditerranéennes » : agrumes, bougainvillée, certains palmiers, plumbago, mimosa, strélitzia, cycas, datura, pittosporum, grenadier, solanum, anisodontea, jasmin, etc., qui supportent des températures voisines de 0 °C en pleine terre et apprécient entre 5 et 10 °C quand elles sont en pot. Il en est de même aussi pour les cactées, les plantes grasses, la passiflore, le tilleul d'appartement, le nertera, le pommier d'amour, etc. Toutes ces plantes doivent hiverner en serre froide ou dans une véranda, sinon leur feuillage jaunit et tombe prématurément. Notez que la quasi-totalité des plantes supporte des températures beaucoup plus basses qu'on ne pourrait le supposer, à la seule condition de disposer d'une bonne humidité atmosphérique, mais d'un substrat très sec.

Augmenter l'hygrométrie

Malheureusement, en hiver, plus la température s'élève et plus l'hygrométrie baisse. En effet, les systèmes de chauffage pompent l'humidité de l'air, ce qui est très préjudiciable aux plantes. Pour éviter cette sécheresse, posez les plantes sur des lits de gravillons ou de billes d'argile expansée maintenus humides en permanence et placez des saturateurs près des radiateurs. Une vaporisation du feuillage est valable pour les plantes à feuillage lisse, à la condition expresse que l'eau ne ruisselle pas sur les feuilles et ne vienne pas humidifier le substrat. La vaporisation doit être interrompue dans les pièces où la température est inférieure à 18 °C.

Augmenter l'éclairage

Les problèmes que nous rencontrons souvent en hiver avec les plantes de la maison viennent pour la plupart d'un manque de lumière. Non seulement les jours sont plus courts, mais l'intensité lumineuse est beaucoup plus faible. Si la pièce est normalement chauffée, la dormance des plantes n'est que partielle, elles ont donc besoin de beaucoup de lumière. N'hésitez pas à les placer juste derrière une fenêtre. C'est à la fois l'emplacement le plus frais de la pièce, mais aussi le plus lumineux. Dans les régions situées au nord de la Loire, une exposition directe au soleil entre novembre et février est à conseiller. Si vous ne disposez pas de grandes baies vitrées, remplacez les lampes classiques par des ampoules type « lumière du jour » et maintenez-les allumées pendant au moins 6 h chaque jour.

Intégrez des plantes dans vos décors de Noël. ▶

LE PRINTEMPS EN HIVER

▲ *Bulbes dans du sable, des graviers et de la mousse.*

Les bulbes à fleurs qui s'épanouissent dans le jardin au printemps – tulipes, narcisses, jacinthes, crocus, muscaris, scilles, iris bulbeux, etc. – peuvent constituer des potées fleuries éphémères, mais superbes pour égayer nos intérieurs en hiver. On pratique pour cela une culture forcée, c'est-à-dire qui oblige la plante à se développer durant une période différente de sa saison de végétation naturelle.

La douceur ambiante de la maison suffit à provoquer la mise en végétation des bulbes. Toutefois, pour que la floraison ait lieu, il faut que le bulbe ait subi une période de froid. On trouve dans le commerce des bulbes dits « à forcer » ou « préparés » qui ont séjourné en chambre froide dans des conditions optimales. La fleur embryonnaire qu'ils contiennent est déjà bien développée. Choisissez-les de préférence pour vos cultures d'intérieur. Le plus souvent, ils offrent aussi un très gros calibre, ce qui vous garantit d'obtenir des fleurs de grande taille. Placez les bulbes dans un substrat sableux ou dans des gravillons. Maintenez la culture à l'obscurité jusqu'à l'apparition des hampes florales.

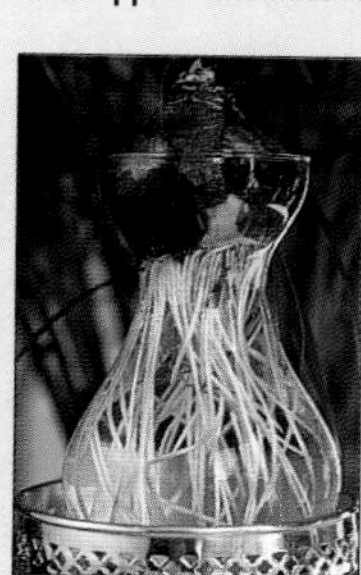

▲ *Vase à jacinthe.*

◀ *Crocus forcés.*

Suprême récompense de toutes nos attentions, la floraison des plantes dans la maison ressemble souvent à un caprice, car elle n'est jamais assurée et rarement régulière. Cela est dû surtout à des conditions de culture inadaptées et à un mauvais respect du rythme biologique.

astuce Truffaut

Toutes les plantes d'intérieur ne sont pas susceptibles de refleurir à volonté. Azalées, primevères, cyclamens, cinéraires, exacum, browallia, bégonia, etc., présentent peu d'intérêt une fois défleuris et gagnent à être remplacés régulièrement. Utilisez-les pour décorer ponctuellement les bacs de plantes vertes, et jouez à chaque renouvellement de plantes sur une nouvelle dominante de couleurs.

▲ Les fleurs du *Clivia miniata* hybride s'épanouissent chaque année au printemps, si la plante a bien été hivernée au frais.

La floraison est l'aboutissement du cycle végétatif d'une plante. Chez bon nombre d'espèces, l'épanouissement des fleurs est annuel et se produit à des époques bien précises. Au jardin, par exemple, les tulipes fleurissent en avril, les rhododendrons en mai, les rosiers en juin, les hémérocalles en juillet, les grands phlox en août, les anémones du Japon en septembre, etc.

Certaines plantes en revanche se montrent beaucoup plus avares dans leurs floraisons. C'est le cas des espèces qui demandent plusieurs années avant d'atteindre leur maturité, comme certains cactus dont les fleurs n'apparaissent que sur des sujets de plus de 10 ou 15 ans. À l'extrême, les bambous fleurissent seulement tous les 80 ou 100 ans!

Dans nos régions soumises à un cycle saisonnier bien marqué, les plantes fleurissent pratiquement chaque année, influencées par les conditions climatiques. Elles subissent invariablement une période de croissance (printemps, été) suivie par un ralentissement de la croissance (automne) et une dormance totale (hiver). Leur rythme biologique est lié aux saisons et la plupart des espèces effectuent un cycle végétatif complet en un an. Dans la maison, nous accueillons des espèces venues de diverses contrées, parfois même de l'autre hémisphère et habituées à des conditions climatiques très différentes. Il est donc normal de constater des problèmes de floraison.

PLANTES DE JOURS LONGS ET DE JOURS COURTS

Le processus de la floraison est lié à la luminosité ambiante. C'est la longueur du jour et l'intensité de lumière que reçoit la plante qui provoquent la formation des boutons floraux. Selon leur période de floraison normale dans la nature, les différentes espèces sont sensibles à une dominante de la période d'éclairage ou d'obscurité.

Les plantes à floraison tardive – chrysanthème, nérine, cactus de Noël, poinsettia, cyclamen, kalachoe – ou très précoce – azalée, primevère, etc. – fleurissent quand la durée du jour est inférieure à celle de la nuit. Il suffit de placer ces plantes dans un endroit peu éclairé pendant quelques semaines pour que se forment leurs boutons floraux. À l'inverse, les espèces à floraison estivale – bougainvillée, pélargonium, stéphanotis, allamanda, saintpaulia, gloxinia – ont besoin d'une nuit plus courte que le jour. Un apport de lumière artificielle garantit l'apparition rapide des fleurs.

◀ *Le kalanchoe, plante de jour court.*

QU'EST-CE QU'UNE FLEUR ?

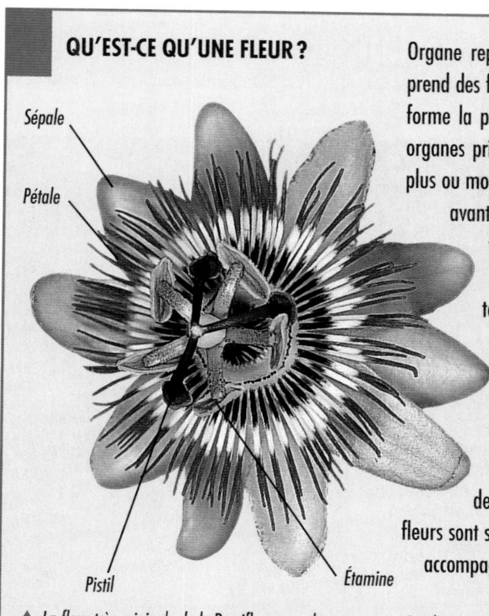

▲ La fleur très originale de la Passiflora caerulea.

Organe reproducteur des plantes supérieures, la fleur prend des formes et des couleurs quasi infinies. Dans sa forme la plus simple, la fleur est composée de quatre organes principaux : les sépales, feuilles transformées, plus ou moins colorées, qui enveloppent le bouton floral avant son épanouissement. Les pétales, en général très colorés, forment une seconde couronne protectrice et attirent les insectes pollinisateurs. Les étamines sont les organes sexuels mâles, composées d'un filet qui porte l'anthère contenant le pollen. Le pistil, organe femelle, est composé de l'ovaire, prolongé par le style, sorte de tube qui se termine par le stigmate, souvent poisseux, afin de recueillir le pollen qui fécondera la fleur. Les fleurs sont souvent groupées en inflorescences et parfois accompagnées de feuilles colorées : les bractées.

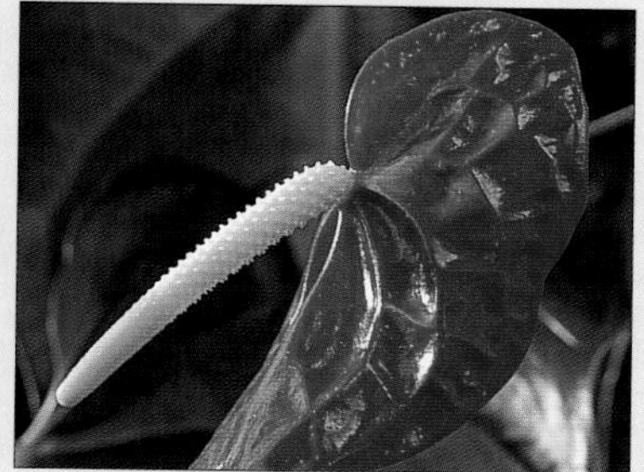

▲ Le spadice de l'anthurium avec sa spathe rouge vif.

Des bractées colorées accompagnent les fleurs de la bélopérone. ▶

Souffrir pour fleurir

Tout être vivant est programmé pour reproduire son espèce. Chez les êtres primitifs comme les végétaux, c'est « l'instinct de survie » qui prime. Il faut qu'ils subissent des conditions défavorables, l'hiver dans le cas des plantes de nos jardins, la saison sèche pour les espèces d'origine tropicale, pour que se déclenche le processus reproducteur. Maintenues dans une ambiance en permanence confortable, comme c'est souvent le cas dans nos intérieurs, les plantes ne « ressentent pas le besoin » de se reproduire. Il est donc nécessaire de les placer dans des conditions plus difficiles pour provoquer le phénomène de la floraison.

L'influence de la température

C'est d'abord la différence de température entre le jour et la nuit qui favorise la formation des fleurs. Une plante installée dans une pièce dont la température oscille en permanence entre 18 et 20 °C ne produit que des feuilles. En revanche, si vous parvenez à 15 °C durant la nuit, il y a de fortes chances pour que les boutons floraux apparaissent. Pour de nombreuses espèces, un véritable repos végétatif est indispensable, avec arrêt complet de la croissance. Les arrosages sont très fortement diminués et la température peut alors descendre autour de 10 °C, sans problème. Ces conditions ne sont bien sûr réalisables que dans une serre ou une véranda, mais c'est le seul moyen par exemple de faire fleurir les orchidées ou les cactées.

Les bulbes à fleurs

Bulbes, cormus, rhizomes et tubercules sont des organes de réserve destinés à permettre aux plantes de supporter des changements climatiques très importants et notamment de résister à de longues périodes de sécheresse et de fraîcheur. Pour faire refleurir une plante à bulbe, il est donc indispensable de la maintenir au sec après la floraison, dans une pièce aussi fraîche que possible. C'est le cas par exemple pour les amaryllis et les cyclamens.

Un ensemble fleuri : cymbidium, primevère, kalanchoe. ▶

Les plantes monocarpiques

Ce terme désigne les plantes qui ne fleurissent qu'une seule fois et meurent après avoir fructifié. C'est le cas du bananier, des broméliacées, des agaves et de certains palmiers. Il est normal que ces plantes attendent plusieurs années avant de former leurs fleurs. Pour stimuler la floraison chez les sujets adultes, placez la plante sous un plastique avec à proximité une pomme coupée en deux qui dégagera de l'éthylène.

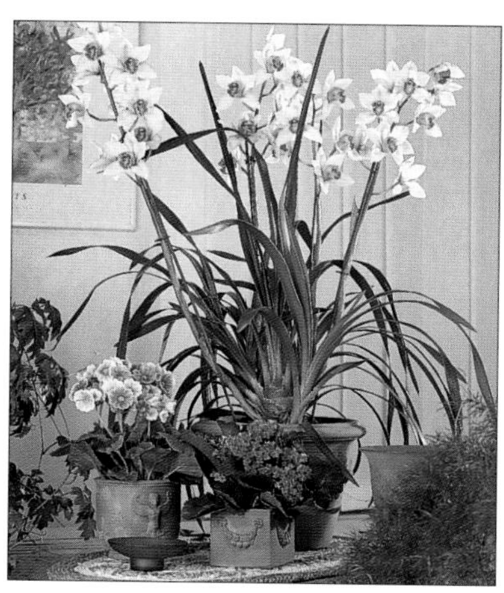

LA MULTIPLICATION

Découvrez le plaisir de multiplier vous-même les plantes d'intérieur. Il vous suffit de quelques godets ou de quelques terrines d'un bon terreau de semis, au mieux d'une miniserre, et vous pourrez tenter des expériences passionnantes avec les semis, la division de touffes, le bouturage, le marcottage, et le greffage.

astuce Truffaut

Si vous prélevez des boutures ou des rejets de différentes plantes chez des amis, enveloppez-les complètement dans du papier absorbant ou du coton humide, avant de les placer dans une boîte métallique (surtout pas de plastique). Vous pouvez ainsi les conserver quelques jours, mais veillez à les aérer de temps en temps afin d'éviter l'apparition de la pourriture.

▲ Multiplier les plantes de la maison est une expérience passionnante et souvent très satisfaisante.

Multiplier les plantes d'intérieur, c'est un plaisir toujours renouvelé de s'émerveiller devant le miracle de la vie. Semer, bouturer, diviser, marcotter sont l'occasion d'accroître le nombre de vos plantes favorites, de rajeunir ou de renouveler des sujets vieillissants, d'offrir des petits cadeaux ou de réaliser des échanges avec des amis ou des voisins. C'est aussi le moyen d'initier les enfants à la découverte du jardinage, à travers des expériences faciles et ludiques qui les enchanteront.

Les travaux de multiplication des plantes d'intérieur demandent un minimum d'équipement. La panoplie complète n'est pas indispensable pour réussir, mais mieux vous serez équipé et plus vous augmenterez vos chances de succès.

▼ Les ciseaux à bonsaïs, très utiles.

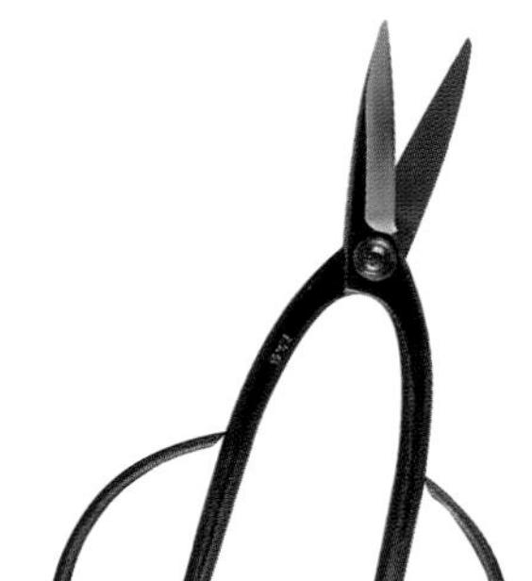

▼ Des étiquettes pour identifier.

▼ Une serre avec un sac plastique.

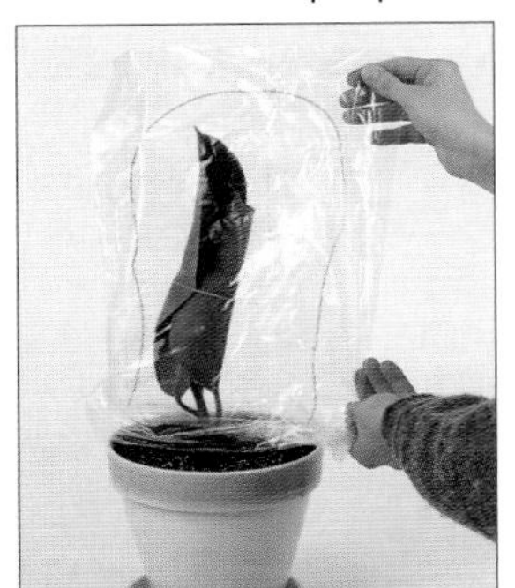

▼ Ayez toujours un greffoir bien affûté.

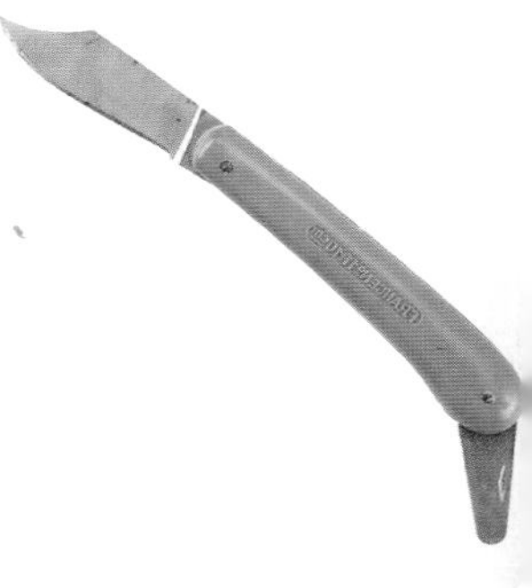

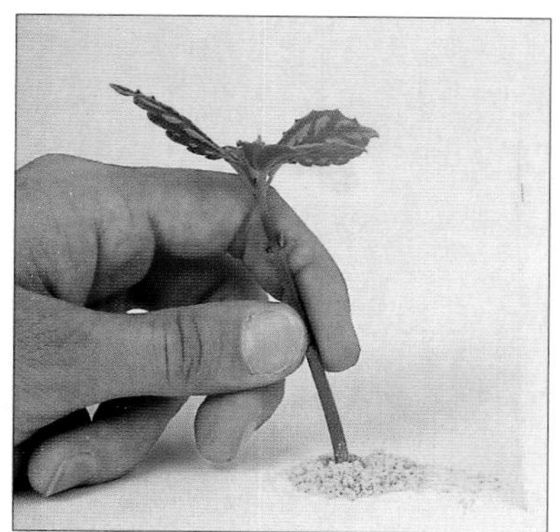

▲ De la poudre d'hormones pour faciliter l'enracinement.

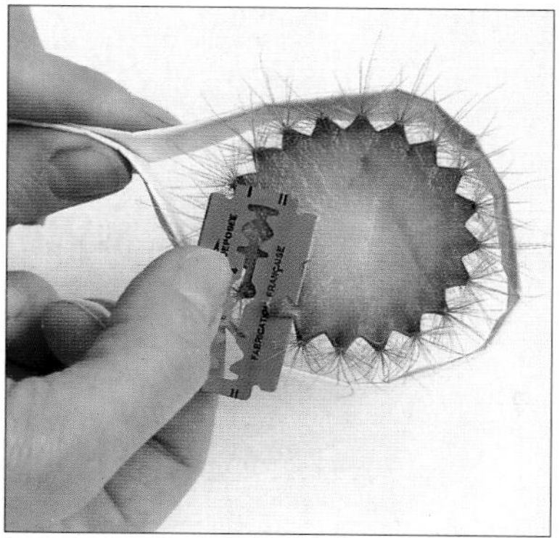

▲ Une lame de rasoir pour les coupes très fines.

Les outils de coupe

Pour prélever et préparer les boutures, couper les stolons ou les marcottes enracinées, vous allez utiliser différents outils coupants. Réservez le sécateur pour rabattre les tiges lignifiées, épaisses et dures des boutures à bois sec. Les ciseaux à bonsaïs, puissants mais précis, seront parfaits pour intervenir sur les parties fines, herbacées ou les très petites portions de plantes. Optez pour un modèle long et pointu. Un greffoir ou un couteau tranchant permet de recouper les boutures de tige ou de feuille, d'entailler les tiges à marcotter. Posez les boutures sur une planchette en bois pour les « habiller », c'est-à-dire recouper la base de la tige, supprimer les feuilles inférieures, et réduire la longueur du limbe des grandes feuilles. Une lame de rasoir sera précieuse pour les coupes de précision, par exemple pour le greffage des cactus ou pour inciser délicatement les nervures des boutures de feuilles de bégonia ou de streptocarpus.

◀ Une miniserre avec aération, pour les semis.

Arrosage et identification

Utilisez un vaporisateur pour arroser les semis et les boutures sans les « noyer », les bousculer ou bouleverser la surface bien homogène de la terrine. Une autre solution consiste à tremper la base des pots dans une cuvette d'eau, jusqu'à ce que le terreau soit humide en surface.
N'oubliez pas d'étiqueter soigneusement semis, boutures et plantes repiquées, car il n'est pas toujours très facile de les reconnaître. Indiquez la date de chaque opération. Vous pourrez ainsi contrôler les temps de germination ou de reprise. Les étiquettes en bois conservent bien l'écriture (au feutre ou au crayon de papier), mais elles ne sont pas réutilisables, contrairement à celles en plastique. Pour ces dernières, il faut utiliser un marqueur spécial ou des bandes adhésives imprimées par une machine.

Les hormones de bouturage

Présentées sous forme d'une poudre blanche qui ressemble à de la farine, les hormones de bouturage (Rootone F) sont synthétiques, mais elles possèdent les mêmes propriétés que certaines hormones de croissance produites par les végétaux. Ces substances favorisent la formation d'un cal cicatriciel à l'emplacement de la coupe, puis l'émission de racines et sont précieuses pour l'enracinement des boutures de tiges ligneuses (croton, ficus, sparmannia, etc.).
Elles sont souvent associées à un fongicide, qui limite les risques de maladies. Conservez la poudre d'hormones bien au sec et vérifiez avant utilisation que la date de péremption n'est pas dépassée. Une fois ouverts, les sachets ne sont pas réutilisés. Attention ! un excès d'hormone peut entraîner un pourrissement !

Les miniserres

À l'exception des cactées et des plantes grasses, semis, boutures et marcottes demandent une forte hygrométrie pendant la phase d'enracinement. C'est pourquoi les petites serres de multiplication sont précieuses. De la simple terrine de semis couverte d'un dôme en plastique transparent, à la serre miniature, disposant de petites trappes d'aération, d'un dispositif de chauffage, voire d'un thermostat, il existe de très nombreux modèles que vous choisirez en fonction de vos besoins, par exemple un modèle en hauteur pour les boutures ou les plants repiqués en godets. Vous pouvez aussi confectionner une miniserre de fortune, en retournant sur chaque pot la moitié inférieure d'une bouteille en plastique ou en l'enveloppant d'un film transparent soutenu par deux ou trois tuteurs ou par un arceau de fil métallique robuste. Après avoir arrosé, fixez l'ensemble avec un élastique ou du raphia passé sous le rebord du pot.

▼ Une miniserre chauffante, pour les cas difficiles.

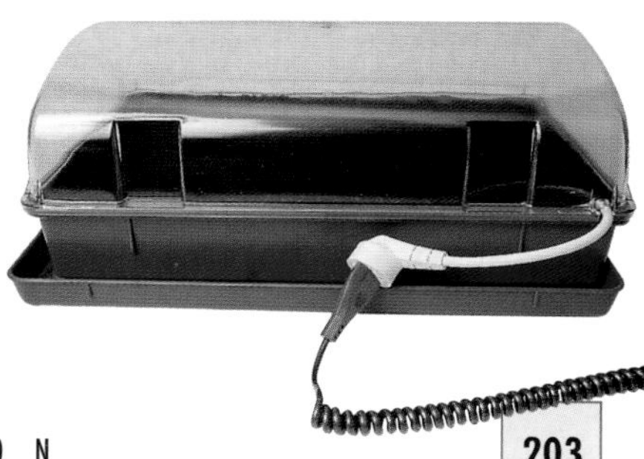

Des récipients variés

Petits vases, éprouvettes, verres à moutarde ou pots de confiture peuvent accueillir les boutures qui s'enracinent dans l'eau. On trouve aussi, dans les magasins de décoration ou chez quelques spécialistes, des fioles transparentes ou des bacs en verre munis d'orifices destinés à la présentation plus esthétique des boutures aquatiques. L'important est de disposer de récipient à col étroit afin que la bouture tienne en place, sans que ses feuilles risquent de plonger dans l'eau, ce qui entraînerait forcément une pourriture rapide. Si vous ne disposez que d'un récipient large, couvrez-le avec une feuille de papier aluminium et piquez la bouture au travers.

Pour les semis de grosses graines (palmiers, par exemple), vous pouvez vous procurer des pastilles de tourbe compressée. Il suffit de les laisser s'imbiber d'eau, durant une dizaine de minutes, pour qu'elles prennent la forme d'une motte retenue par un petit filet, disposant d'une ouverture au centre. Déposez une seule graine par mini-motte, et placez ces dernières sur un plateau rempli d'eau pour qu'elles s'imbibent totalement. Le repiquage ou le rempotage est ensuite très simple puisque c'est toute la motte que l'on transplante, sans gêner la plante. Le principe du repiquage sans stress est aussi le fait des godets de tourbe, qui conviennent mieux aux boutures du fait de leurs dimensions plus importantes. Par leur fabrication dans un matériau biodégradable, les godets de tourbe évitent d'avoir à dépoter les plantes lors des transplantations ou des rempotages.

▲ Potées godets et caissettes de semis et de boutures trouvent des conditions de reprise idéales en serre.

Divers types de contenants se prêtent aux travaux de multiplication. Les caissettes alvéolées, avec leurs petits compartiments individuels, conviennent aux semis variés ou aux repiquages, on dispose généralement une seule plante (ou graine) par alvéole.

Les terrines se déclinent dans toutes sortes de matériaux depuis le plastique le plus simple jusqu'à la céramique décorative, en passant par la poterie avec ou sans motif ornemental. Ces récipients sont les plus utilisés pour semer les graines fines. Préférez les terrines destinées aux bonsaïs, toujours très décoratives et idéales pour les semis, car elles disposent d'importants orifices de drainage.

Les godets individuels servent surtout aux repiquages et aux boutures. Privilégiez les contenants de petite taille, plus favorables à un bon enracinement qu'un grand volume de terre. Les godets pouront être réunis dans une miniserre.

Éventuellement, vous pouvez récupérer les boîtes à œufs en carton pour réaliser des semis, à raison d'une graine par alvéole. Les caisses à poissons en polystyrène expansé conviennent bien aux boutures, car elles sont profondes. Il faut les laver très abondamment avant de les utiliser. Les récipients de crème dessert peuvent remplacer la miniserre et les pots de yaourts en plastique, les godets, à condition d'en percer le fond.

◀ Faites gonfler les pastilles de tourbe dans l'eau.

Utilisez toujours des contenants parfaitement propres, pour éviter toute transmission de maladie. Nettoyez les pots ayant déjà servi avec une solution javellisée, rincez et laissez-les sécher totalement.

Le bon substrat

Pour les semis et les bouturages, un bon terreau de semis du commerce convient généralement. Il doit être souple, très poreux et ne pas former de mottes compactes. Attention, le terreau de rempotage est souvent trop lourd et enrichi en engrais. Il ne convient guère aux boutures et aux jeunes plants, qui préfèrent un mélange aéré et pauvre en éléments nutritifs pour la phase d'enracinement. Si vous ne disposez que de terreau ordinaire, préparez un mélange à parts égales avec du sable de rivière celui-ci et de la vermiculite ou de la perlite. Vous pouvez également préparer vous-même un terreau de multiplication, en mélangeant des volumes égaux de tourbe blonde et de sable de rivière ou de vermiculite.

Quelques accessoires

Pensez à disposer une soucoupe ou un plateau sous les contenants des boutures et des semis en veillant, comme pour les plantes adultes, à ne pas laisser d'eau stagner en permanence. En revanche, vous pouvez remplir ce récipient pour les arrosages, afin d'imbiber le substrat sans en bouleverser la surface. Prévoyez aussi un petit pulvérisateur pour vaporiser les plantules ou arroser superficiellement les semis de graines fines. Un tamis permet de disposer d'un terreau très fin pour constituer la couche superficielle des semis ou pour recouvrir les graines fines. Il existe des modèles à grilles interchangeables, très pratiques pour moduler la finesse des particules selon les besoins. Utilisez aussi une fourchette pour briser les petites mottes de terreau ou pour soulever les plantules, sans les abîmer, au moment du repiquage. Une règle ou une spatule, en bois ou en plastique, sont indispensables pour égaliser le terreau avec précision lors du remplissage des terrines. Une planchette ou une raquette de ping-pong démunie de son revêtement seront parfaites pour le tassement superficiel et bien régulier du terreau. Un accessoire spécial en forme de cône, un bâtonnet ou un simple crayon serviront à préparer les trous et à tasser autour de la tige lors du repiquage.

LES ÉPOQUES DE MULTIPLICATION

Le printemps, au sortir de l'hiver, est en règle générale la meilleure saison pour entreprendre la multiplication des plantes d'intérieur. C'est le moment où les plantes reprennent une croissance vigoureuse. Les boutures et les marcottes émettront plus rapidement leurs racines, les éclats divisés s'étofferont dans le courant de l'été. Les semis trouveront un éclairage doux et des jours longs afin de bien se développer. Les plantes les plus robustes et les plus faciles à multiplier, par bouturage ou division : chlorophytum, misère, syngonium, papyrus, etc., peuvent être multipliées en toute saison si vous pouvez leur assurer une chaleur douce et une bonne luminosité.

Enfin, profitez de la fin de la période de chauffage (février) pour réaliser les boutures les plus délicates (bougainvillée, croton, dracaena, etc.), qui apprécient une chaleur de fond. Il suffit de poser sur la plaque de protection d'un radiateur la terrine couverte d'une feuille de verre ou de plastique pour favoriser l'enracinement.

Où installer semis et boutures ?

L'idéal pour réussir tous les travaux de jardinage en intérieur consiste à disposer d'une serre ou d'une véranda munie d'étagères ou de tablettes susceptibles d'accueillir vos terrines de multiplication. Pour réaliser boutures et semis avec le maximum d'efficacité, installez-vous sur une surface facile à nettoyer, par exemple une table ou un plan de travail, dans la cuisine, en stratifié ou en carrelage. Couvrez la zone d'opération avec du papier journal ou un film plastique de protection, pour faciliter le nettoyage ultérieur. Rassemblez, avant de commencer, tous les outils et les accessoires dont vous aurez besoin, de façon à ne pas perdre de temps et à travailler efficacement. Il faut prévoir à l'avance l'endroit où vous allez installer godets et terrines pendant la phase de germination ou d'enracinement. Une lumière vive, sans soleil direct, est la règle générale. Une luminosité insuffisante se traduit par des plantules ou des boutures étiolées, chétives, tandis que le soleil direct peut brûler ou dessécher les plantes fragiles, encore à peine enracinées. Une petite table placée derrière la fenêtre ou un rebord de fenêtre, exposé à l'est par exemple, conviendra très bien. Sachez qu'il vous faudra surveiller quotidiennement l'humidité du terreau, alors placez vos cultures en hauteur, directement dans l'axe du regard. Soyez prévoyant et ne préparez pas de semis et de boutures si vous devez vous absenter quelques jours !

▼ Une règle en bois pour niveler le terreau.

▼ Semis de bananier dans des godets de tourbe.

▼ Boutures d'hypoestes dans des petites fioles d'eau.

▼ Tamisage du substrat lors d'un semis en terrine.

SEMER LES PLANTES DANS LA MAISON

Le semis permet d'obtenir un nombre de plantes assez élevé pour un investissement faible. C'est le mode de multiplication sexuée le plus naturel pour la plante; mais, du fait de la recombinaison des gènes des parents, le semis ne donne pas forcément des jeunes sujets identiques à la plante mère.

astuce Truffaut

Les grosses graines germeront plus rapidement si vous les faites tremper de 24 à 48 heures dans l'eau tiède avant de les semer. Celles qui présentent une enveloppe externe dure peuvent être entaillées, sur l'épaisseur du tégument uniquement, avec un couteau tranchant, toujours pour accélérer la germination.

▲ Semis dans la maison. Placez les pots et les terrines derrière une fenêtre bien éclairée, mais sans soleil direct.

Réservez une petite place dans la maison, à un endroit lumineux mais ne recevant pas le soleil direct, pour réaliser quelques semis de plantes d'intérieur. Attention, la faculté germinative des graines du commerce est très importante, vous allez vite vous retrouver avec une collection de plantules assez importante. La germination peut demander une petite semaine pour les plantes herbacées comme la passiflore ou plusieurs mois pour certains palmiers. La durée moyenne de levée des graines figure parfois sur leurs sachets. Dans le doute, soyez patient!

Si vous semez des graines issues de vos propres plantes fleuries ou récoltées chez des amis ou des voisins, sachez que les plants que vous obtiendrez ne seront pas forcément identiques à la plante d'origine. Les hasards de la génétique vont combiner les gènes des parents et faire ressortir leurs caractères dominants. Vous pouvez donc obtenir une teinte de fleurs, une forme ou une panachure des feuilles différente. Cela contribue à l'attrait de cette méthode de multiplication! Quand les jeunes plants auront développé quelques feuilles, vous pourrez faire votre propre sélection pour ne conserver que ceux qui vous plaisent.

Semez sans attendre les graines que vous récoltez vous-même, car la germination est généralement meilleure avec des graines fraîches. Dans le cas de semences en sachet, refermez soigneusement ce dernier, si vous n'utilisez pas toutes les graines et stockez-le dans une boîte métallique pour préserver une ambiance sèche, indispensable à la conservation des graines.

◀ Semis de palmiers : une seule graine par godet.

Comment semer ?

Si vous semez des graines provenant d'un sachet, lisez tout d'abord les conseils figurant sur l'emballage. Ils précisent, en langage simple, les modalités particulières du semis (graines germant à la lumière ou à l'obscurité, température de germination, époque favorable, etc.).

Préparez terrines, godets ou pastilles de tourbe compactée en choisissant de préférence une terrine pour les graines fines, des godets ou des mottes individuelles pour les grosses graines. Remplissez pots et terrines avec du terreau pour semis ou un mélange à parts égales de sable de rivière et de tourbe blonde, égalisez et tassez légèrement la surface avec une planchette.

Pour les graines fines : préparez des sillons peu profonds, par exemple en posant à la surface du terreau, une baguette mince, tous les 3 ou 4 cm. Les graines minuscules comme celles des bégonias sont difficiles à semer, car elles tombent en grand nombre dans le sillon. Essayez de semer aussi clair que possible en mélangeant la semence à du sable, par exemple, ou bien en faisant glisser les graines, en tapotant très doucement sous la rigole constituée par une feuille de papier pliée en quatre. Inutile de recouvrir les graines très fines, elles se mêleront au terreau dès que vous tasserez la surface. Tamisez un peu de terreau ou de sable si les graines demeurent apparentes. Ne couvrez pas les graines qui demandent de la lumière pour germer, comme celles du bégonia ou des cactées.

Une même terrine pourra accueillir plusieurs semis différents, mais veillez à bien les identifier en plaçant des étiquettes.

Les graines moyennes à grosses : préparez des sillons de 1 à 3 cm de profondeur et espacez les graines de 2 à 5 cm sur le rang, selon leur taille. Il faut en moyenne couvrir les graines d'une couche de terreau équivalant au double de leur diamètre. Vous pouvez aussi enfoncer les graines individuellement à la profondeur voulue. Dans le cas d'un semis en godets individuels ou dans des pastilles de tourbe humidifiées, placez une seule graine dans chaque petite motte.

▲ La miniserre est idéale pour les plants repiqués.

Humidifiez bien le terreau après le semis, avec un vaporisateur ou par trempage des deux tiers de la terrine dans de l'eau pendant une demi-heure pour les graines fines. Pour les grosses graines, qui risquent moins d'être bousculées, vous pouvez utiliser un arrosoir à long col avec une pomme fine. Une technique simple consiste à presser lentement une éponge gorgée d'eau à la surface des semis.

Selon la température nécessaire pour la germination, placez pots et terrines derrière une fenêtre bien éclairée, mais ne recevant pas d'ensoleillement direct, ou bien en miniserre, chauffée (à 25 °C), pour les espèces tropicales, notamment les noyaux de mangue et de litchis.

PLANTES À SEMER

Vous trouverez dans les Jardineries et dans certains catalogues de vente par correspondance un choix relativement restreint de semences de plantes vertes : asparagus, bananier, bégonia rex, caféier, caoutchouc, *Ficus benjamina*, hypoestes, papyrus, phoenix, sensitive, sparmannia, et quelques plantes fleuries : brunfelsia, calcéolaire, cinéraire, cyclamen, passiflore, stéphanotis, cactées et plantes grasses, etc. On trouve aussi des bulbes ou des tubercules de : bégonia, caladium, gloxinia, streptocarpus.

Semez des graines de fruits tropicaux ou méditerranéens : mangue, papaye, goyave, avocat, datte, grenade, litchi, ou agrumes, prélevées sur des fruits bien mûrs. Lavez et séchez les graines avant de les semer. Semez aussi les graines formées par certaines plantes dans la maison : ardisia, impatiens, jatropha, etc.

Les soins après le semis

Surveillez le terreau, qui ne doit jamais sécher. L'hygrométrie étant élevée dans la miniserre, n'arrosez pas trop. Les semis non couverts sèchent rapidement dans la maison. Utilisez de préférence une eau douce, toujours à température ambiante.

Dès que les graines germent, aérez, maintenez une bonne humidité et assurez surtout un bon éclairement aux plantules. Éclaircissez les plants en surnombre.

Repiquez les jeunes plants en godets individuels dès qu'ils ont formé quatre feuilles.

▼ Tassez bien la surface du terreau.

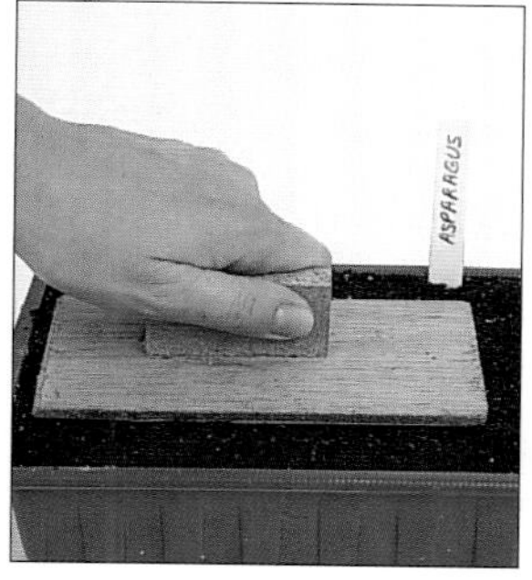

▼ Une feuille de papier pliée pour semoir.

▼ Arrosage en douceur avec une éponge.

▼ Recouvrez les graines avec du sable.

LA DIVISION

La division de touffes et la séparation des rejets constituent l'un des procédés les plus simples de multiplication. Cette technique permet à la fois de rajeunir une touffe adulte se trouvant à l'étroit dans son pot et d'obtenir de nouvelles plantes déjà pourvues de racines.

astuce Truffaut

Dans le cas d'une touffe dense, essayez de démêler le plus délicatement possible les racines très enchevêtrées. Au besoin, passez la motte sous le robinet pour éliminer un maximum de terreau et mieux distinguer la disposition des racines. Si les désolidariser est impossible, découpez des éclats de la touffe avec un greffoir ou un couteau bien tranchant.

▲ Les rejets qui apparaissent à la base des broméliacées sont séparés lorsqu'ils atteignent au moins 20 cm de long.

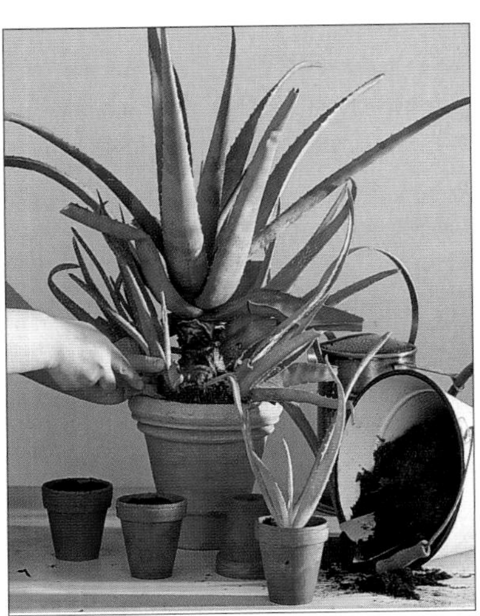

◀ Séparation des rejets d'un *Aloe vera*.

La division est une technique de multiplication végétative des plantes qui consiste à séparer une grosse touffe, bien ramifiée, en plusieurs éclats portant chacun une ou plusieurs tiges ou des rosettes de feuilles, de préférence munies de racines. La jeune plante se remet à croître rapidement une fois rempotée et l'on obtient, dans un laps de temps donné, de beaux sujets, plus développés que ceux propagés par semis ou bouturage. L'idéal consiste à pratiquer la division à la fin de l'hiver ou au début du printemps, lorsque les plantes reprennent une croissance vigoureuse. Attendez la fin de la floraison pour diviser les plantes à fleurs.

Quelles plantes diviser ?

Vous pouvez diviser toutes les plantes qui forment des rejets ou des petites touffes de feuilles autour de la base de la souche, comme les plantes grasses qui développent des rosettes de feuilles (aloès, échevéria, haworthia, etc.). La plupart des broméliacées se propagent par division, ainsi que des plantes fleuries comme les saintpaulias et le streptocarpus... Sont également très faciles à diviser les espèces qui forment des touffes de feuilles ou de tiges issues de rhizomes ou de racines charnues. C'est le cas de plantes à feuillage décoratif comme les : dieffenbachia, aspidistra, asparagus, stromanthe, maranta, misère, ainsi que de nombreuses fougères. Attention, les palmiers qui poussent en touffe supportent mal d'être divisés. Mieux vaut les multiplier par semis. La division est aussi la méthode la plus simple pour multiplier les orchidées qui se développent à partir de pseudobulbes, comme les : cymbidium, oncidium et dendrobium.

La méthode pas à pas

S'il est parfois possible de détacher un rejet sur le bord extérieur de la touffe, sans avoir à extraire la plante mère de son

▲ Division d'une touffe de *Sansevieria*.

▲ Séparation des rejets du *Vriesea*.

▲ Division de touffe du *Dieffenbachia*.

▲ Séparez les pseudobulbes de *Cymbidium*.

pot (comblez ensuite le vide laissé avec du terreau de rempotage), il est nécessaire d'ordinaire de dépoter la plante mère, ce qui assure simultanément son rempotage. Dégagez délicatement les racines, en éliminant une partie du terreau afin de pouvoir repérer les portions que vous allez diviser. Évitez de diviser une touffe en une multitude de petits éclats, qui seront plus longs à reformer une belle potée que des fragments déjà bien étoffés. Le minimum est une tige racinée munie d'une feuille, mais on préfère le plus souvent utiliser une petite touffe portant au moins trois feuilles. Séparez deux ou trois petits rejets ou les touffes qui se forment sur le pourtour de la souche principale. S'il s'agit d'une très grosse plante dégarnie au centre, éliminez, lors de la division les portions les plus âgées et desséchées.

Les plantes qui forment des rosettes de feuilles souples comme le saintpaulia sont faciles à diviser à la main, simplement en écartant en douceur les rosettes à séparer. Dans le cas de racines enchevêtrées, d'une souche ligneuse ou d'un rhizome émettant des pousses sur toute sa longueur, utilisez un outil tranchant pour couper proprement le rhizome ou les racines charnues entre les portions à prélever. Pour diviser les grosses mottes de fougères comme le néphrolepis, il faut parfois entailler la motte et adosser deux petites fourches à fleurs pour faire levier afin de pouvoir éclater la motte.

Veillez toujours à ce que chaque portion isolée possède plusieurs bourgeons ou une tige et quelques racines. S'il arrive qu'un rejet détaché, par exemple une portion de rhizome, ne porte pas encore de racines, rempotez-le dans un terreau de semis ou de bouturage, stimule l'enracinement. Mettez un peu de poudre d'hormone sur la plaie de coupe. Le rejet sera transplanté dans du terreau ordinaire lorsqu'il manifestera des signes de croissance garantissant que l'enracinement est effectif.

Avant de rempoter individuellement chaque éclat dans un substrat de rempotage, nettoyez la touffe. Supprimez les feuilles jaunies ou abîmées, les racines sèches, pourries ou cassées lors de la division. Choisissez un pot d'un diamètre supérieur de 4 à 6 cm à celui de la motte de racines que vous avez conservées.

PRÉLÈVEMENT D'UN STOLON

Certaines plantes : chlorophytum, tolmiéa et saxifrage-araignée émettent des stolons, fines tiges issues du cœur de la touffe et portant à leur extrémité des plantules qui développent peu à peu des racines. Rempotez délicatement ces jeunes plantes munies de quelques racines, dans un godet rempli d'un mélange de sable, terreau et tourbe blonde. Si la plantule est peu développée, laissez-la quelques semaines encore rattachée à la plante-mère par le stolon, avant de couper celui-ci au ras de la jeune rosette de feuilles.

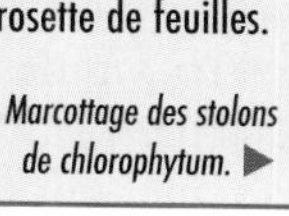

Marcottage des stolons de chlorophytum. ▶

La division des orchidées

Elle se pratique lors du rempotage chez les orchidées se trouvant à l'étroit dans leur pot et dont les pseudobulbes commencent à déborder. Dépotez la plante, dégagez les racines puis, avec un couteau tranchant, coupez des fragments portant chacun au moins un pseudobulbe charnu et quelques racines. Rempotez individuellement chaque division. Arrosez parcimonieusement et vaporisez la plante quotidiennement jusqu'à l'apparition de nouvelles feuilles ou de jeunes pousses signalant la reprise.

Les soins après la division

Après rempotage de la plante mère et des éclats divisés, arrosez copieusement pour assurer un bon contact des racines avec le terreau, tout en évitant la persistance de poches d'air. N'exposez pas aussitôt les plantes à une lumière intense, accordez-leur une période de « convalescence » de 10 à 15 jours à 18 °C, sous une lumière tamisée, avec des arrosages réguliers mais sans excès. Reprenez ensuite les soins habituels, mais attendez un mois pour recommencer les apports d'engrais.

LE BOUTURAGE

Inépuisable source de renouvellement des plantes, le bouturage semble relever de la magie : un morceau de tige, une feuille, et voilà un nouveau pensionnaire ! Nous vous invitons à découvrir les multiples facettes du bouturage des plantes d'intérieur, une activité simple et fort plaisante.

astuce Truffaut

Les meilleurs organes à bouturer sont une jeune pousse non fleurie, au feuillage fourni, une jeune feuille bien développée, saine, bien verte, un tronçon de tige vigoureuse. Attendez, pour prélever des boutures, si la plante a souffert de la sécheresse ou d'un excès d'eau ; vous risqueriez d'obtenir des plantes chétives.

◄ Ayant formé de longues racines en un mois, cette bouture de *Coleus* est prête pour le rempotage.

▲ Rempotage, dans un mélange sableux, d'une bouture de bégonia ayant pris racine dans un verre d'eau.

Il existe mille et une façons de bouturer les plantes d'intérieur. La méthode la plus courante consiste à provoquer l'enracinement d'un fragment de tige. Les tissus végétaux qui se régénèrent le mieux sont des tissus encore jeunes, sains, riches en eau, aussi choisissez toujours pour le bouturage une pousse terminale vigoureuse, qui ne présente aucune déformation, ni la moindre trace de parasitisme...

La nature des boutures

Pour les plantes d'intérieur, on distingue les boutures dites herbacées, prélevées sur des tiges tendres : hypoestes, misère, fittonia, coléus, etc., et les boutures semi-ligneuses ou semi-aoûtées, coupées sur des tiges lignifiées (dures) à la base, mais encore herbacées (molles) à leur extrémité : crotons, ficus, dieffenbachia, bougainvillée, etc. Les parties terminales sont toujours partiellement herbacées, puisque les plantes de la maison ne perdent pas leurs feuilles en hiver.

Les boutures terminales

Elles sont coupées à l'extrémité des tiges ou des pousses, avec le bourgeon terminal, siège de la croissance de la plante. Pour les prélever, utilisez des ciseaux à bonsaïs ou de fleuriste, un greffoir ou un petit sécateur pour obtenir une coupe propre et nette. Tranchez au-dessus d'une feuille ou d'une paire de feuilles, afin de ne pas laisser un moignon de tige nu. La longueur de la bouture dépend de la longueur des entre-nœuds, portions de tiges qui séparent les points d'insertion des feuilles. Pour les tiges à entre-noeuds courts et à feuillage fourni, comme la misère ou l'hypoestes, une bouture de 5 à 8 cm de long suffit. Comptez de 10 à 15 cm pour les grandes plantes à entre-nœuds longs, comme le caoutchouc, le scheffléra ou le fatshédéra.

On désigne par « habillage » la préparation de la bouture. Commencez par recouper la base du rameau juste sous le nœud ou l'œil inférieur, c'est là que se formeront les racines. Utilisez au besoin une lame de rasoir pour laisser une coupe parfaitement propre et nette. Supprimez les feuilles inférieures de la bouture, pour éviter qu'elles ne pourrissent au contact de l'eau ou du terreau et pour limiter les pertes d'eau par évaporation. Ne conservez que deux ou trois grandes feuilles et jusqu'à cinq toutes petites (moins de 5 cm de long). Coupez le limbe de moitié, pour limiter les pertes d'eau. Ne touchez pas les feuilles coriaces et lustrées (comme celles du caoutchouc), bien adaptées à la sécheresse et qui transpirent peu. Si la tige est lignifiée à la base, trempez-la dans de la poudre d'hormones.

Certaines boutures de tiges ligneuses (sparmannia, jasmin) reprennent mieux si elles portent à la base un petit éclat du bois de la tige principale (bouture à talon). Pour les prélever, détachez une pousse latérale avec un morceau d'écorce, en tirant vers le bas. Réduisez proprement le lambeau arraché, entre 1,5 et 2 cm de long, puis procédez comme pour les autres boutures.

Piquez les boutures individuellement dans des godets ou par groupe de trois à cinq dans un pot. Utilisez un terreau de semis, léger et drainant, ou un mélange à parts égales de sable de rivière et de tourbe blonde ou de vermiculite. Pour les plantes à tiges souples, forez un trou avec un bâtonnet et insérez la bouture dedans, sans abîmer les tissus. Enfoncez la base de la bouture d'un bon tiers de sa longueur. Tassez délicatement autour de la tige pour la maintenir en place, puis arrosez avec un vaporisateur ou une pomme fine, pour ne pas coucher les boutures. Placez les godets en miniserre ou sous un sachet de plastique transparent, maintenu par un arceau ou deux tuteurs. C'est l'idéal pour entretenir une atmosphère chaude et humide, propice à l'enracinement.

Quelles plantes bouturer ?

Les plus faciles à bouturer dans la maison sont les plantes à tiges molles, non lignifiées : misère, hypoestes, plectranthe, syngonium, piléa, coléus, impatiens, irésine, lierre, etc. Il est possible de les bouturer toute l'année.

Les grandes plantes à tiges plus dures sont un peu plus délicates à bouturer. Cette opération doit être réalisée de juin à la mi-septembre, les tissus coupés formant plus facilement des racines pendant cette phase de croissance active.

Notez quelques exceptions : les palmiers et les cycadacées ne se bouturent pas, car la tige ne possède qu'un unique bourgeon, terminal. Les fougères, qui forment des touffes de feuilles et non de tiges, ne réussissent pas par bouturage. Il en va de même pour les plantes annuelles, dont les tiges meurent après la floraison.

▲ L'habillage consiste à supprimer les feuilles de la base.

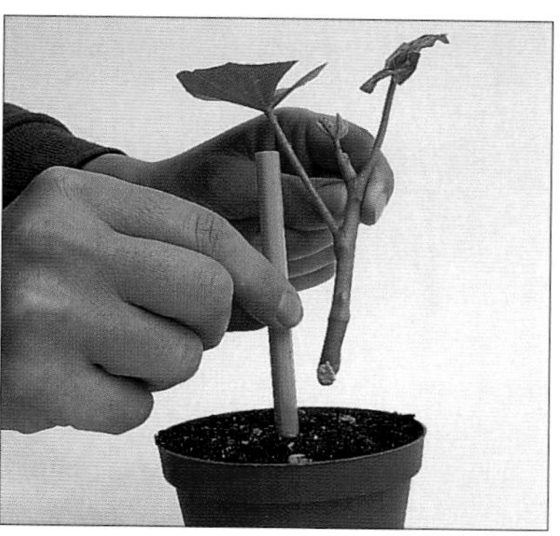

▲ La bouture est piquée verticalement dans un pot.

▼ Bouturage de tête du caoutchouc (dégagez la base).

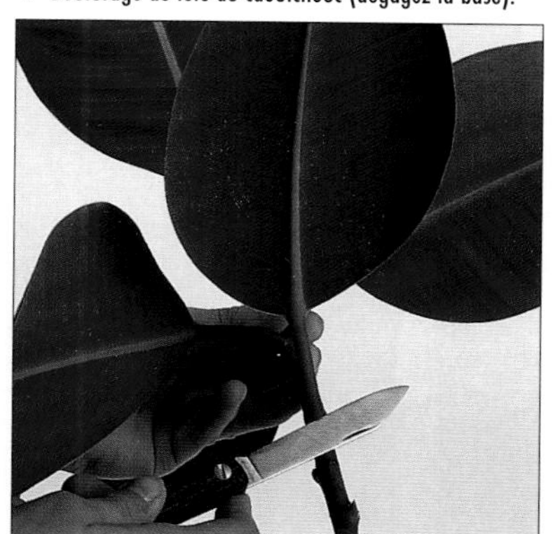

▼ Attachez la feuille et couvrez d'un sac plastique.

Comptez environ 2 mois pour un bon enracinement. À ce stade, la bouture est repiquée individuellement dans un pot et placée sous abri durant quelques semaines pour qu'elle s'étoffe. ▶

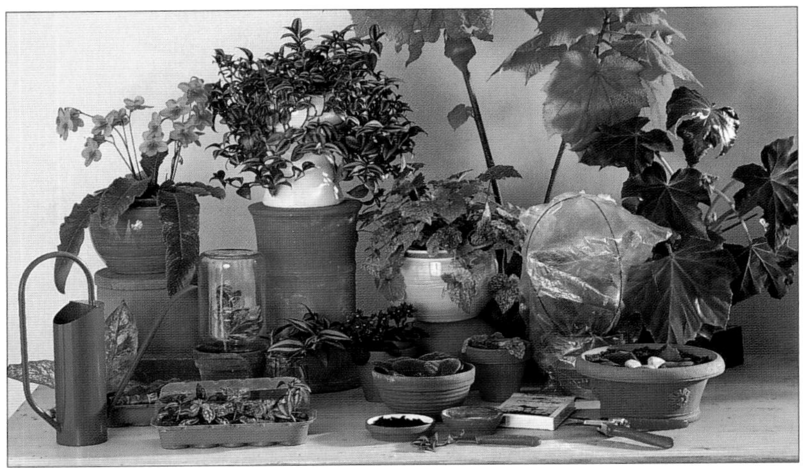

◀ Disposez les boutures à l'abri du soleil direct.

Boutures de feuilles

Chez les plantes acaules, c'est-à-dire sans tiges, ou celles qui forment des rosettes, la seule possibilité pour réaliser des boutures consiste à utiliser une feuille ou un fragment de feuille. Toutes les espèces ne s'enracinent pas de cette manière (les broméliacées notamment sont réfractaires), mais on réussit bien les plantes suivantes : bégonias à feuillage décoratif, pépéromia, gloxinia, saintpaulia, streptocarpus, crassula, sédum, échevéria, etc. On distingue deux types de boutures.

Les boutures de feuilles entières : elles s'effectuent en plantant le pétiole dans la terre, avec la feuille dressée pour les espèces à petites feuilles comme le *Saintpaulia*, le *Peperomia caperata*, le *Pilea cadieri,* les plantes grasses. L'enracinement se produit alors à la jonction entre la feuille et le pétiole. Chez de nombreux bégonias ou le *Streptocarpus* hybride, les feuilles sont posées à plat sur le sol, les nervures de la face inférieure étant légèrement incisées avec une lame de rasoir ou un greffoir. C'est au niveau de ces incisions qu'apparaissent des plantules.

Choisissez de jeunes feuilles bien développées, ne présentant ni tache ni coloration suspecte. Avec un outil tranchant, détachez le pétiole au niveau de son point de naissance, puis recoupez-le à 3 ou 4 cm du limbe. Chez les plantes pas trop tendres ni duveteuses (piléa, pépéromia), enduisez la base du pétiole de poudre d'hormones de bouturage additionnée d'un fongicide. Remplissez une terrine de terreau de bouturage allégé par 20 % de vermiculite ou de perlite. Creusez un trou en plantant la pointe d'un crayon ou une tige de bambou dans le substrat, et glissez le pétiole dedans, en position légèrement oblique, de façon à ce que la base de la feuille se pose sur la surface du terreau. Humidifiez le substrat sans mouiller les feuilles, ce qui risquerait de favoriser le développement de la pourriture. Abritez la terrine dans une miniserre, avec si possible un chauffage de fond, une température de 25 °C étant idéale pour la reprise. Installez votre culture pendant quelques semaines dans un endroit clair mais protégé du soleil direct, le temps que se développent des plantules à la base des feuilles. Réalisez toujours plusieurs boutures de feuilles car le taux de réussite est parfois faible (comptez environ 50 %).

Le bouturage de fragments de feuille : on utilise seulement un morceau du limbe foliaire, de nouvelles plantules se formant au niveau des nervures. Cette méthode économique est employée pour le *Begonia rex*, le *Begonia massoniana*, le *Streptocarpus* hybride, et la sansevière. Notez un phénomène étrange chez cette dernière, en dépit du fait que le bouturage soit un clonage et qu'il doit normalement produire des plantes identiques au pied mère, chez le *Sansevieria trifasciata* 'Laurentii', les bordures jaunes des feuilles ne sont pas repro-

▼ Incisez les nervures du bégonia.

▼ Vaporisez les boutures de feuilles.

▼ Bouture de feuille du pépéromia.

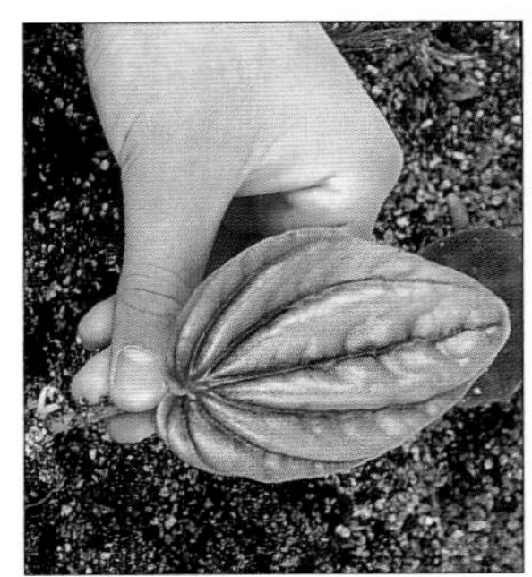

▼ Le streptocarpus s'enracine facilement.

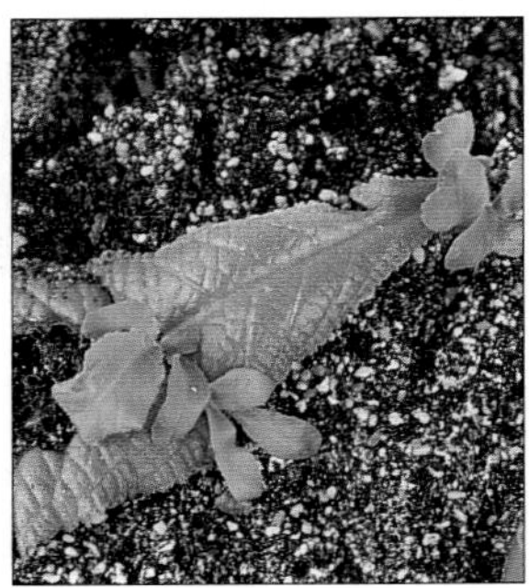

duites par le bouturage, les plantes obtenues étant toutes vertes. Les boutures sont plantées verticalement dans le substrat, enterrées de 2 cm (la moitié de leur longueur). Les conditions de culture sont similaires pour les feuilles entières.

Boutures de tronçons de tige

Les plantes à tiges épaisses, charnues, assez peu lignifiées, comme les dracaena, dieffenbachia, pléomèle, cordyline ou yucca, se multiplient en bouturant des fragments de tige de 3 à 5 cm de long. Choisissez de préférence une tige jeune et vigoureuse. Coupez la couronne de feuilles terminale et faites-la raciner comme une bouture de tête *(voir page 210)*. Découpez la partie de tige dénudée en tronçons réguliers. Chaque fragment doit porter deux ou trois yeux, petits renflements marquant l'emplacement des anciennes feuilles et où se trouvent des bourgeons dormants. Utilisez une lame de rasoir ou un greffoir bien propre pour obtenir des coupes nettes et planes. Piquez les tronçons verticalement dans un terreau de semis, en respectant le sens de la croissance de la tige, ou bien posez-les à plat à la surface de la terrine, en les enterrant de la moitié de leur épaisseur. Pour faciliter l'enracinement, incisez superficiellement l'écorce de la partie qui se trouve au contact du terreau, et saupoudrez avec de la poudre d'hormones de bouturage. Arrosez puis installez les pots sous une miniserre ou couvrez-les d'un film plastique transparent. Maintenez la culture dans une ambiance chaude (entre 22 et 25 °C) et humide, sous une lumière tamisée. Comptez un mois et demi à deux mois pour qu'apparaissent de petites pousses sur les tronçons bouturés. Supprimez progressivement la couverture de verre ou de plastique, mais maintenez les boutures au chaud, et offrez-leur de fréquentes vaporisations d'eau.

LA BOUTURE À L'ENVERS

Le papyrus *(Cyperus alternifolius)* est facile à multiplier, en faisant raciner dans l'eau une ombelle de bractées retournée. Au printemps ou en été de préférence, coupez une ou plusieurs ombelles (non desséchées, encore jeunes) avec quelques centimètres de la tige qui les porte. Recoupez les feuilles (en réalité des bractées) du tiers ou de la moitié de leur longueur et posez l'ombelle retournée, tige vers le haut, à la surface d'une coupelle remplie d'eau (additionnée d'un petit morceau de charbon de bois pour que l'eau reste claire). Vous observerez rapidement la formation de racines et de nouvelles pousses au niveau de la partie immergée. Rempotez l'ombelle quand elle a formé quelques racines, en la posant à la surface d'un godet rempli de terreau de rempotage ordinaire. Maintenez le substrat bien humide en permanence.

Quelques bons conseils

Une hygrométrie élevée est indispensable pour compenser les pertes d'eau des boutures, qui doivent survivre avec leurs propres réserves. Une miniserre est précieuse car elle accélère l'enracinement et augmente le taux de reprise des boutures. La température moyenne d'un intérieur (entre 18 et 20 °C) convient à la plupart des boutures, mais l'idéal est de 25 °C. Posez les terrines sur la plaque de protection d'un radiateur ou utilisez une miniserre munie d'une résistance chauffante. Exposez les boutures à la lumière vive, mais sans soleil direct pour éviter les brûlures des jeunes feuilles ou des pousses. La poudre d'hormones, de préférence additionnée d'un fongicide, est destinée aux boutures ligneuses. Cette poudre blanche ne doit pas s'amalgamer autour de la tige, car cela est néfaste à l'enracinement (risques accrus de pourriture).

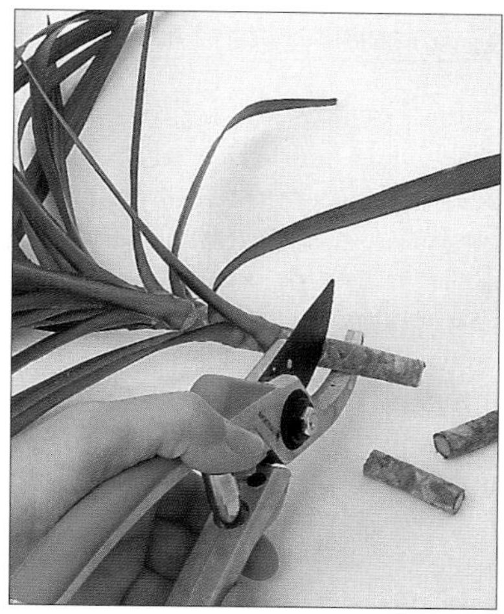

▲ Découpez en tronçons la tige du dracaena.

▲ Posez les fragments de tige à plat sur le substrat.

La reprise des boutures se produit après 2 mois. ▶

Les boutures dans l'eau

C'est la technique de multiplication la plus simple, tout à fait recommandée pour les débutants. Elle consiste à plonger la base d'une pousse ou le pétiole d'une feuille dans l'eau, afin de provoquer le développement des racines. De nombreuses plantes d'intérieur à tiges molles – misère, phalangère, coléus, plectranthe, lierre, fittonia, hypoestes, impatiens, cissus, plante crevette (bélopérone), gunnéra – donnent de bons résultats avec des fragments de tiges de 7 à 12 cm de long. Pour les plantes plus robustes – dieffenbachia, *Ficus benjamina*, pothos, fatshedera, scheffléra, syngonium –, les boutures doivent mesurer entre 15 et 25 cm de long. Certaines feuilles – saintpaulia, bégonia rex, sanseviere, aglaonéma –, se prêtent aussi au bouturage dans l'eau. Les palmiers, les fougères et les orchidées vous conduisent à un échec certain. Réalisez des expériences variées, vous aurez peut-être une bonne surprise!

▲ Diverses boutures réussies dans l'eau : *Zebrina pendula*, *Solenostemon* (coléus), et *Streptocarpus saxorum*.

Seules s'enracinent bien dans l'eau les boutures terminales. Recoupez la base de la bouture juste sous un nœud (partie légèrement épaissie de la tige portant feuilles et bourgeons) car c'est là que se forment le plus facilement les racines. Supprimez les feuilles inférieures, de façon à ce que seule la tige trempe dans l'eau. Dans le cas d'une feuille avec son pétiole, ce dernier doit être proprement coupé à 4 ou 5 cm de longueur. Préparez le récipient pour accueillir une ou plusieurs boutures : petit vase, éprouvette, pot à confiture, verre à moutarde... Certaines boutiques de décoration proposent aussi des modèles de récipients décoratifs, spécialement destinés à cet usage. Remplissez d'eau claire et ajoutez un petit morceau de charbon de bois, dont les propriétés antiseptiques éviteront que l'eau ne se souille trop rapidement. Quelques gouttes d'engrais liquide serviront à « alimenter » la bouture en éléments nutritifs. Un engrais organique, plus riche en vitamines et en auxines, donne d'excellents résultats. Comptez environ 10 gouttes pour 1 litre d'eau.

Si le récipient est large, trouvez un moyen de maintenir les feuilles en place sans qu'elles soient s'immergées, ce qui provoquerait l'échec (pourriture). L'extrémité supérieure de la bouture doit toujours être maintenue hors de l'eau. Il suffit de couvrir l'ouverture du récipient avec une feuille de papier aluminium ou un film plastique étirable, et d'y forer un ou plusieurs trous pour y glisser les boutures.

▼ Ajoutez quelques gouttes d'engrais.

▼ La feuille de saintpaulia réussit bien.

▼ Des boutures enracinées dans l'eau.

▼ Le cypérus se bouture « à l'envers ».

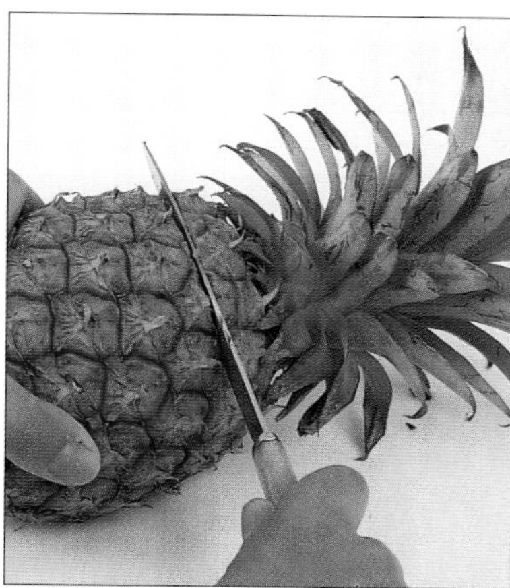

▲ Découpez la couronne d'ananas avec un peu de chair.

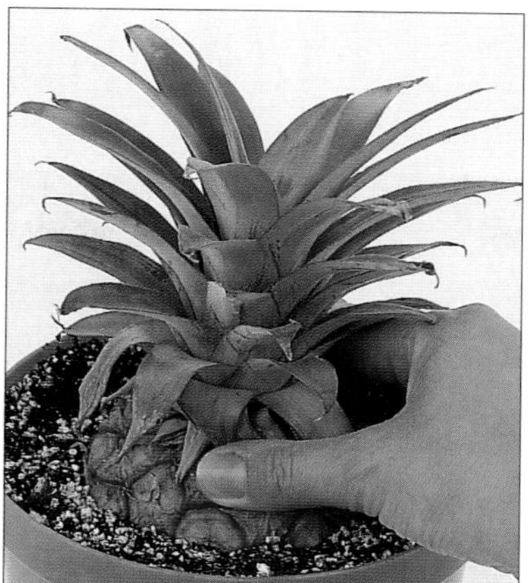

▲ Posez la bouture à plat sur un substrat bien aéré.

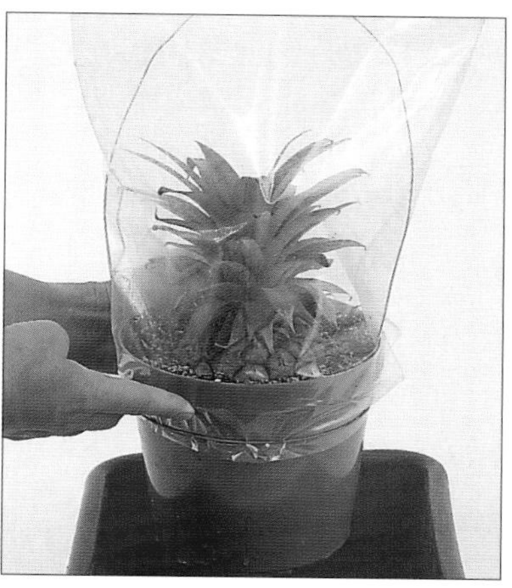

▲ Couvrez avec un film plastique et arrosez par trempage.

N'exposez jamais les boutures au plein soleil, car elles risqueraient de se dessécher rapidement. Surveillez la formation des racines et complétez le niveau d'eau quand cela s'avère nécessaire. Attention! les racines qui se développent dans l'eau ont une structure différente de celles qui poussent en terre. Fines, translucides, fragiles, elles sont très sensibles à la pourriture. N'attendez pas que les boutures aient formé un important chevelu racinaire pour les rempoter dans des godets individuels remplis de terreau léger. La transplantation doit être effectuée lorsque les racines ont 5 cm de long. Si vous attendez trop, les racines produites dans l'eau auront du mal à s'adapter au mélange terreux.

Les boutures de plantes grasses

Bouturez au printemps les cactus et les succulentes. Après les avoir prélevées, laissez les boutures sécher à l'air pendant deux ou trois jours, le temps qu'une petite peau se forme sur la partie coupée. C'est sur ce cal cicatriciel qu'apparaissent les racines. Plantez les boutures dans un mélange à parts égales de tourbe et de sable grossier. Piquez la base de la feuille ou de la pousse dans le mélange, en l'enterrant le moins possible. Arrosez à peine.

Les soins après la reprise

Quelle que soit la technique utilisée, il faut repiquer les boutures, sans trop attendre, dès qu'elles sont prises. La reprise est manifeste dès qu'apparaissent de nouvelles feuilles ou une petite pousse. Dans le cas de boutures réalisées dans l'eau, le repiquage doit s'effectuer dès que les racines atteignent de 3 à 5 cm de long. Les boutures groupées dans le même pot ou dans une terrine présentent généralement des racines emmêlées. Vous pouvez réduire leur longueur d'un tiers sans problème. Veillez toutefois à déterrer avec précaution les boutures en les soulevant avec un transplantoir ou avec une fourchette afin de ne pas abîmer les racines. En aucun cas, il ne faut tirer sur la plante, les racines étant très cassantes à ce stade de développement. Installez chaque nouvelle plante dans du terreau de rempotage allégé par 20 % de sable. Une bonne solution consiste à disposer en triangle trois boutures, dans un pot de 12 cm de diamètre, ce qui permettra d'obtenir plus rapidement une touffe assez décorative. Maintenez les boutures repiquées sous une cloche ou un film plastique pendant un mois environ. Ensuite, découvrez la culture afin d'endurcir les plantes, mais continuez à entretenir une forte hygrométrie par des vaporisations quasi quotidiennes. Dans un premier temps, une exposition mi-ombragée est souhaitable, mais dès que la plante a développé quatre feuilles, elles peut être placée au soleil. Attendez un mois avant de donner de l'engrais. Le premier apport sera effectué avec une solution dosée à la moitié de la concentration préconisée sur l'emballage.

BOUTURAGE D'UN ANANAS

Savez-vous que vous pouvez bouturer la couronne de feuilles qui se trouve au sommet d'un ananas? Il formera avec le temps une impressionnante rosette de feuilles épineuses, mais n'aura pas le feuillage panaché de l'ananas proposé comme plante d'intérieur.

Choisissez un beau fruit bien frais, dont la couronne de feuilles ne présente pas de signes de sécheresse. Coupez à 2 cm sous la touffe de feuilles, avec la calotte supérieure du fruit. Laissez sécher la coupe 24 heures pour éviter qu'elle ne soit trop humide et ne risque de pourrir. Placez-la ensuite en surface d'un pot rempli de terreau de bouturage, en enfonçant légèrement la partie supérieure du fruit. Arrosez sans excès et couvrez le pot de plastique transparent, sur un arceau, pour créer une ambiance chaude et humide. Placez le pot sous une source de lumière.

Moins utilisés que le bouturage pour multiplier les plantes d'intérieur, les marcottages, aérien ou classique, et le greffage n'en sont pas moins précieux dans certains cas.
Ces techniques assez délicates sont des expériences passionnantes que vous serez très fier de réussir. Alors, tentez votre chance…

▲ Le marcottage aérien se pratique avec beaucoup de réussite sur le philodendron *(Monstera deliciosa)*.

astuce Truffaut

Pour le marcottage aérien, choisissez avec soin l'emplacement où vont se former les racines, de façon à ne pas défigurer la plante quand la marcotte sera sevrée. Une branche latérale pose souvent moins de problème. Si il s'agit de la tige principale, il faudra le plus souvent rabattre toute la partie aérienne à la base, dans l'espoir qu'elle émette de nouvelles pousses.

Le marcottage consiste à provoquer l'enracinement d'une tige qui, à la différence des boutures, est encore reliée à la plante mère. La marcotte n'est séparée qu'après s'être enracinée, ce qui augmente les chances de succès. En revanche, on ne peut produire un grand nombre de sujets par cette méthode, qui est donc surtout réservée aux amateurs.

Le marcottage aérien

Cette technique utilisée pour quelques plantes d'origine tropicale, à tiges épaisses, plus ou moins lignifiées, provoque la formation de racines sur la tige. Cette dernière est ensuite coupée sous les racines et empotée pour donner une nouvelle plante. Expérimentez le marcottage aérien d'avril à fin juin, avec les ficus à grandes feuilles, les philodendrons, le monstera, les dracaenas, les cordylines, le croton, le schefflèra, le dieffenbachia, etc.

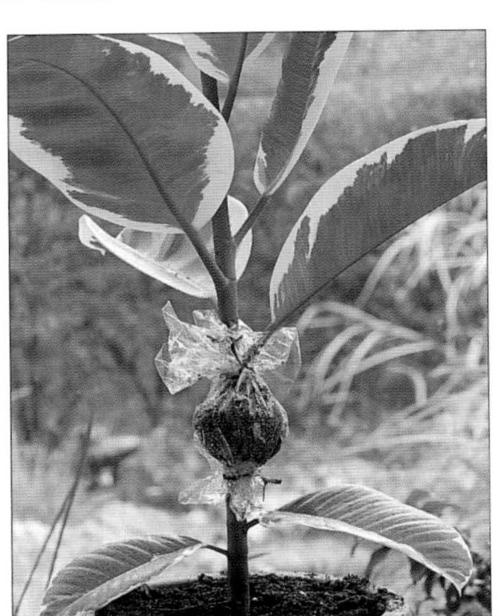
◀ Marcottage aérien d'un *Ficus elastica* 'Doescheri'.

MARCOTTEZ LES TIGES RAMPANTES

Quelques plantes vertes à tiges rampantes sont faciles à marcotter : lierre, plectranthe, *Ficus pumila*, fittonia, pothos, philodendron grimpant, cissus, etc. Choisissez une jeune tige souple et préparez un godet rempli de terreau de bouturage. Courbez la tige à l'endroit où vous souhaitez qu'elle s'enracine et enterrez légèrement cette portion de tige dans le godet, après avoir supprimé les feuilles qui risqueraient d'être enterrées. Pour favoriser l'enracinement des tiges un peu épaisses, incisez-les sur la face inférieure. Maintenez la tige en place à l'aide d'un petit crochet métallique ou d'une épingle à cheveux. L'extrémité de la tige qui ressort à l'extérieur du godet doit être palissée verticalement sur un petit tuteur. Arrosez régulièrement et laissez la marcotte rattachée à la plante mère jusqu'à ce qu'apparaissent de nouvelles feuilles ou des pousses. Vérifiez l'enracinement, en grattant délicatement le terreau. Coupez alors la tige reliant la marcotte à la plante mère.

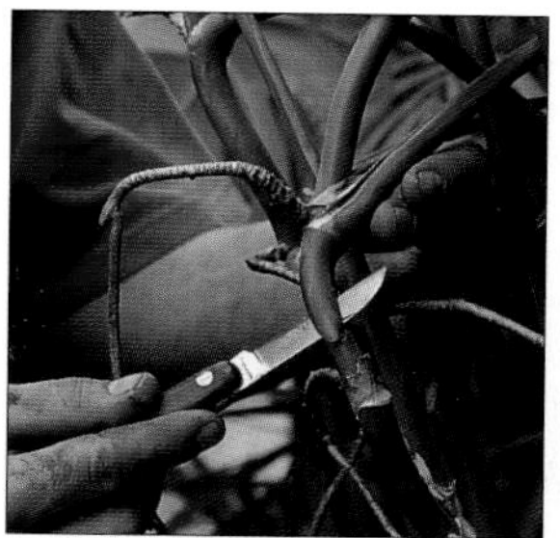

▲ Incisez l'écorce avec le greffoir.

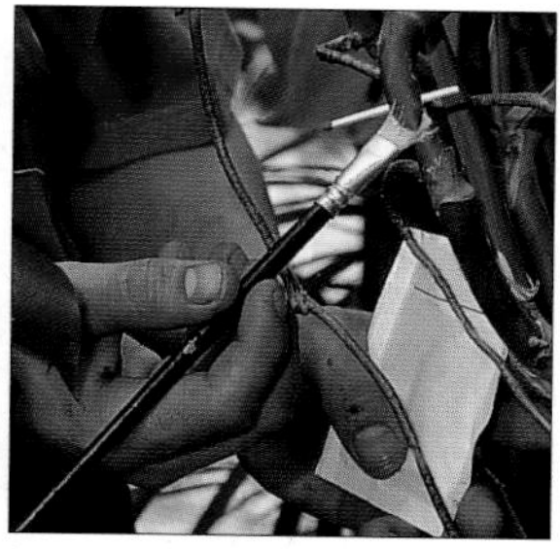

▲ Appliquez de la poudre d'hormones.

▲ Recouvrez la plaie de tourbe humide.

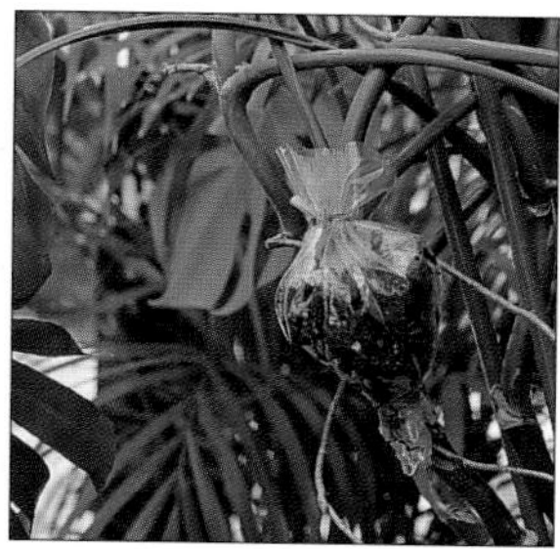

▲ La marcotte s'enracine sous plastique.

Cette méthode est souvent un moyen intéressant pour « récupérer » une plante dont toute la base s'est dégarnie. Choisissez une portion de tige dénudée ou éliminez quelques feuilles. La marcotte doit être réalisée sur un entre-nœud, c'est-à-dire une portion de tige lisse située entre deux feuilles. Avec une lame propre, tranchante, entaillez en biseau la tige de bas en haut, sur 2 à 3 cm de long. Ne pénétrez pas trop en profondeur, car la tige risquerait de casser. Essuyez au besoin les écoulements de sève, puis écartez doucement l'entaille pour appliquer un peu de poudre d'hormones de bouturage avec un pinceau fin. Si l'entaille ne demeure pas spontanément ouverte, insérez une allumette à l'intérieur pour éviter que les tissus ne se ressoudent en se cicatrisant. Une variante consiste à décoller l'écorce en couronne tout autour de la tige sur 1 cm de haut. Préparez un petit manchon de plastique transparent afin de pouvoir surveiller l'évolution de la marcotte. Fixez-le quelques centimètres sous l'entaille de la tige avec du raphia ou un lien en plastique; remplissez-le de tourbe ou de sphaigne humide, en enveloppant toute la tige. Refermez le manchon au-dessus de l'entaille. Humidifiez régulièrement. Un mois et demi à deux mois plus tard, des racines apparaissent dans le manchon. Quand elles sont bien développées, coupez la tige marcottée juste sous les racines et rempotez la nouvelle plante séparément. Tuteurez si nécessaire. Recoupez la tige de la plante mère au-dessus d'un nœud pour l'inciter à se ramifier.

Le greffage des cactées

Cette technique consiste à provoquer la soudure d'une portion de tige (greffon) sur une plante enracinée (porte-greffe ou sujet). On greffe pour multiplier les formes colorées ou cristées qui ne peuvent se développer sur leurs propres racines. Utilisez comme porte-greffe *Hylocereus, Eriocereus, Echinopsis.* Coupez horizontalement la tige du porte-greffe avec une lame de rasoir, entre 8 et 10 cm de la base. Prélevez le greffon (excroissance ou portion terminale de la tige). Saisissez les tiges avec un ruban de papier épais. Posez le greffon sur le sujet en vérifiant que les parties à vif coïncident bien (elles doivent avoir le même diamètre). Assurez l'assemblage avec un élastique passé sous le pot et au-dessus de la plante greffée. La fusion des tissus se produit en quelques semaines.

GREFFER LES FICUS

On utilise la technique de greffage par approche, pour les *Ficus benjamina*, les *Ficus retusa,* et autres espèces à petites feuilles. Le but n'est pas d'obtenir de nouvelles plantes, mais de provoquer la fusion de plusieurs tiges en un « tronc » d'aspect plus décoratif.

Réunissez au moins trois jeunes sujets dans un même pot, puis supprimez toutes les pousses latérales de la partie inférieure des tiges. Tressez irrégulièrement les tiges et ligaturez-les avec du raphia, en serrant bien pour maintenir l'assemblage en place. Entretenez une ambiance chaude et humide autour de la plante en vaporisant souvent. Les tiges commencent à se souder en 2 mois. Desserrez ou détachez la ligature dès qu'elle étrangle les tiges. Cette technique est particulièrement intéressante pour créer des bonsaïs d'intérieur.

▼ Greffage par approche du *Ficus retusa* (ligature).

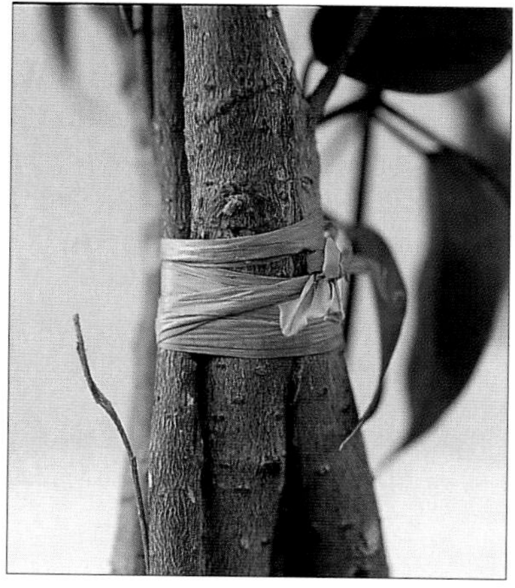

▼ Greffage des cactées : mise en place du greffon.

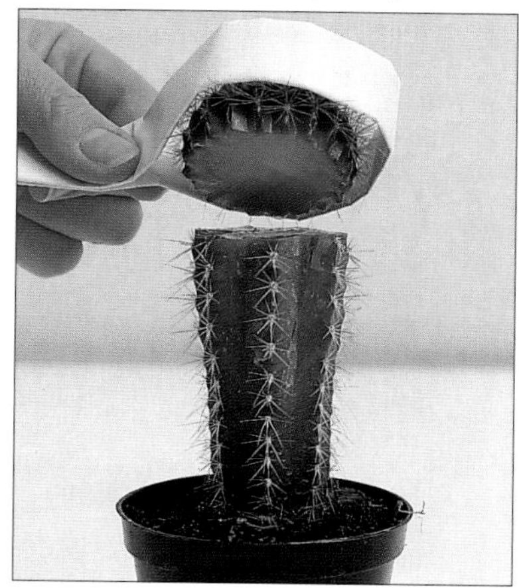

LA PANOPLIE DU JARDINIER D'INTÉRIEUR

Jardiner à la maison demande un équipement beaucoup plus modeste que celui utilisé pour l'entretien du jardin d'extérieur. Vous pouvez même avoir recours de façon empirique à des ustensiles de cuisine (cuillers, fourchettes, etc.). Toutefois, un bon outillage vous permettra d'effectuer les tâches quotidiennes avec plus d'efficacité et de confort.

▲ Il existe un large assortiment d'outils et d'accessoires, souvent très esthétiques, pour l'entretien des plantes de la maison.

astuce Truffaut

Nettoyez à l'eau savonneuse et séchez très soigneusement vos outils après chaque intervention, de façon à ce qu'ils restent impeccables en toutes circonstances. La bonne santé de vos plantes dépend en partie de la propreté du matériel utilisé. N'hésitez pas à tremper régulièrement les outils dans de l'eau de Javel ou dans un désinfectant ménager, afin d'éliminer efficacement tous les microbes.

◀ Des gants en cuir sont indispensables pour manipuler les plantes piquantes.

Hormis le rempotage qui peut poser quelques problèmes avec des végétaux de grande taille, les interventions sur les plantes d'intérieur sont faciles et ne nécessitent pas de gros efforts. Les plantes peuvent être aisément déplacées et installées de manière à pouvoir travailler dans de bonnes conditions. Ne négligez jamais les notions d'agrément et de confort dans toutes vos actions, afin d'y prendre le plus grand plaisir. Le choix de l'outillage et des accessoires est primordial car une panoplie bien adaptée donne des résultats plus efficaces, mais aussi et surtout rend la tâche plus aisée. Il existe dans le commerce un très large choix d'outils destinés à l'entretien des plantes d'intérieur, certains ayant également une fonction esthétique, ce qui ne gâte rien.

L'équipement indispensable

Voici ce dont vous devez absolument vous équiper pour bien jardiner à la maison.

• **L'arrosoir :** un petit modèle de 1 litre à bec long et fin. Si vous avez plus de 10 plantes, un arrosoir de 5 litres, de préférence métallique pour plus d'esthétique.

• **Le pulvérisateur :** pour la brumisation du feuillage, un modèle à gâchette de 1 ou 2 litres, avec buse réglable. Attention! les différences de qualité sont très variables d'un appareil à l'autre. Pour traiter dans la véranda, un petit pulvérisateur à pression préalable de 2 ou 3 litres, ou un modèle électrique sont recommandés.

• **Les ciseaux :** à lames courtes et épaisses, optez pour des modèles de jardin ou des

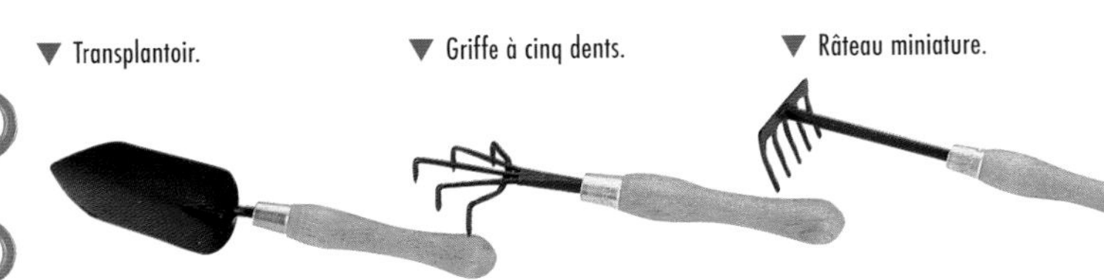

▼ Ciseaux à tout faire. ▼ Transplantoir. ▼ Griffe à cinq dents. ▼ Râteau miniature.

« coupe-tout » qui vous serviront aussi bien pour les tailles superficielles que pour couper des liens, ouvrir les sachets d'engrais, etc. Les ciseaux à bonsaïs *(voir ci-contre)* sont particulièrement pratiques et efficaces.

• **Le transplantoir :** c'est la « pelle » que l'on utilise pour prélever le terreau dans les sacs, arracher les plantes fanées dans les compositions. Un modèle avec un manche en bois est plus agréable à utiliser.

• **La griffe :** pour décroûter la surface des bacs, elle peut être remplacée par une fourchette si vous ne disposez que de petits pots.

• **Les liens :** du raphia naturel ou artificiel, du plastique armé et des colliers doivent être disponibles à tout moment. Il y a toujours une tige ou une branche à attacher.

Le superflu pratique

Certains outils peuvent apparaître comme d'importance secondaire pour le jardinage d'intérieur, mais ils s'avèrent bien agréables et tout à fait utiles à l'usage.

• **Le sécateur :** il complète les ciseaux pour toutes les interventions de taille sur des tiges ligneuses. Optez pour un petit modèle aux lames fines, mais solides (sécateur de dame). Il peut être remplacé par une pince à bonsaï oblique *(voir ci-contre)*.

• **Le râteau :** petit modèle utilisé à une main, il n'est vraiment utile que pour l'entretien des grands bacs. C'est un outil de finition qui permet de bien lisser la terre.

• **Le greffoir :** indispensable pour toutes les opérations de multiplication, c'est le couteau du jardinier qui peut à l'occasion être remplacé par une lame de rasoir.

• **Le tuteur en bambou :** devient un outil d'appoint lors des rempotages, pour faire pénétrer la terre dans les pots étroits.

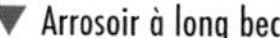

▼ Arrosoir à long bec. ▼ Pulvérisateur brumisateur.

UNE SÉLECTION COMPLÈTE D'OUTILS POUR LES BONSAÏS D'INTÉRIEUR

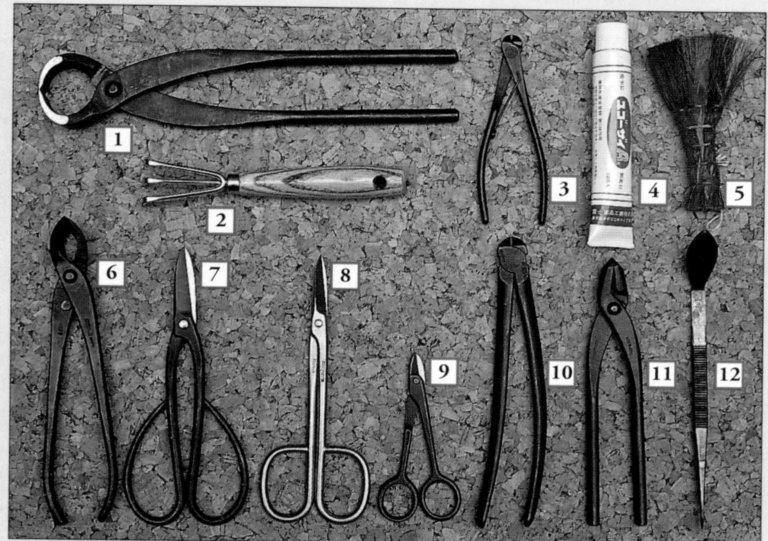

1 LA TENAILLE : elle sert à couper le fil de cuivre que l'on utilise pour ligaturer les branches, en vue de les orienter dans une direction précise, sans risque de déchirer les tissus déjà lignifiés.

2 LA GRIFFE : un petit outil métallique à trois dents que l'on utilise pour décompacter superficiellement la terre afin de faciliter la pénétration de l'eau d'arrosage et des engrais.

3 LA PINCE COUPANTE DROITE : cet outil est utilisé lors de la taille pour couper les petites branches ligneuses au niveau d'une ramification ou au-dessus d'une pousse. La coupe est nette et droite.

4 LE MASTIC À CICATRISER : présenté en tube, ce produit est appliqué sur toutes les coupes de plus de 2 mm de diamètre, afin d'assurer une protection contre les attaques de parasites et de faciliter la cicatrisation.

5 LA BALAYETTE : un petit accessoire fort utile, le plus souvent en fibres de coco très serrées, que l'on utilise pour nettoyer les tablettes autour des arbres, et pour lisser esthétiquement la surface des pots.

6 LA PINCE COUPANTE OBLIQUE : c'est l'outil de prédilection pour la suppression totale d'une branche, la forme de la mâchoire permettant de réaliser une coupe concave qui ne laisse pas de moignon sur l'arbre.

7 LES GRANDS CISEAUX : c'est l'outil de base que l'on utilise en permanence pour le pincement des jeunes pousses, pour la coupe des feuilles, la suppression des rejets, etc.

8 LES CISEAUX FINS : moins puissants, mais plus pointus et plus précis, ils servent aux tailles délicates et précises, pour atteindre les petites pousses difficilement accessibles au milieu de la ramure.

9 LES CISEAUX COURTS : essentiellement utilisés pour l'effeuillage, ils permettent la coupe rapide et précise des pétioles, avec comme avantages une grande légèreté et une parfaite maniabilité.

10 LA PINCE À JIN : c'est un outil puissant, mais à la mâchoire très courte, utilisé pour écorcer et tailler des moignons de branches qui resteront dénudés sur l'arbre dans un but purement esthétique (jin).

11 LA PINCE À LIGATURER : cet outil non coupant sert à mettre en place ou à ôter les ligatures de cuivre, que l'on pose autour des branches des jeunes sujets en formation pour les orienter dans une direction précise.

12 LE CROCHET SPATULE : c'est un outil de sol qui sert à décroûter superficiellement la terre dans les petits pots ou entre les racines. La spatule est utilisée pour tasser et lisser après un rempotage.

LES CONSEILS D'ACHAT

Avec un assortiment très varié et constamment renouvelé, les plantes d'intérieur vous invitent à oublier les saisons, avec la possibilité de fleurir la maison tout au long de l'année. Changez souvent de plantes, afin d'éviter toute impression de monotonie. Mais pour effectuer de bons achats, suivez ces quelques conseils…

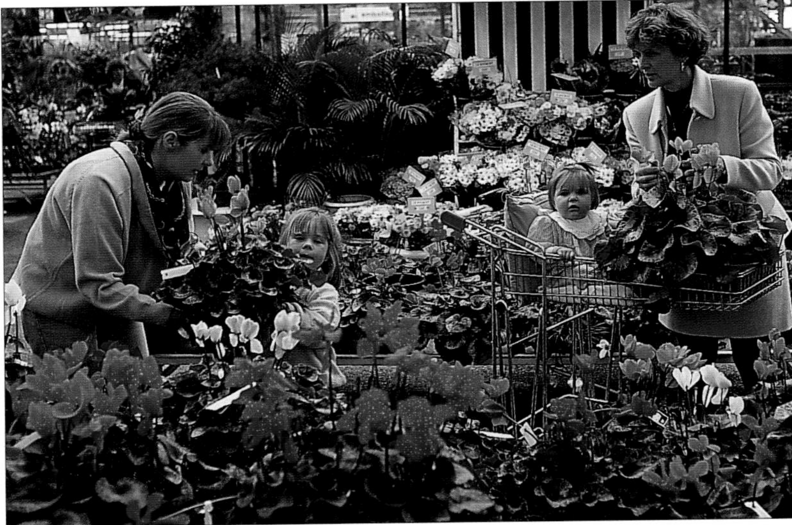

▲ Les jardineries disposent toute l'année d'un rayon important de plantes d'intérieur, à fleurs ou à feuillage.

astuce Truffaut

Dans les jardineries, il y a toujours une personne compétente dans chaque rayon pour bien vous conseiller et orienter votre choix, n'hésitez pas à la consulter. Sachez toutefois que le personnel est souvent moins disponible le week-end qu'en début de semaine pour répondre à vos questions personnelles. Si vous ne pouvez faire autrement, venez plutôt avant midi le samedi, le dimanche ou les jours fériés.

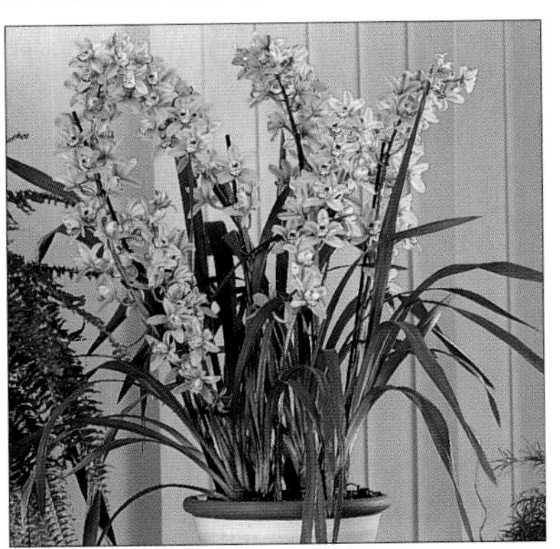

◀ Achetez de préférence les orchidées en boutons.

Jardineries, horticulteurs, libres-services agricoles, grandes surfaces alimentaires, magasins de bricolage, fleuristes en boutique ou sur les marchés proposent des plantes d'intérieur. Mais l'assortiment, les services et la qualité offerts ne sont pas les mêmes partout. Les jardineries vous proposent la gamme végétale la plus large. C'est chez ces spécialistes que vous trouverez les dernières nouveautés. Ces magasins ont développé une image de compétence grâce à leurs conseils. Certaines jardineries accepteront même de vous procurer une plante peu courante, repérée dans un magazine. L'offre est en général homogène, les plantes pratiquement toutes étiquetées. Le personnel étant bien formé et les installations adaptées, les végétaux sont entretenus et sains. De plus, vous disposez, à portée de main, de tous les produits complémentaires : terreaux, bacs, engrais, tuteurs, outils, cache-pots, etc.

Les grandes surfaces alimentaires ou de bricolage offrent des prix attractifs, mais sur des lots limités et parfois de qualité contestable. Achetez les plantes le premier jour de l'arrivage, ces magasins ne disposant pas de toutes les facilités pour garder des végétaux en bon état. Les horticulteurs proposent en général les plantes qu'ils produisent. Beaucoup sont des spécialistes de certaines espèces et ils sauront vous parler avec enthousiasme de leurs plantes et de la manière de les cultiver. Les fleuristes jouent la « mise en scène » et les plantes y disposent toujours de superbes emballages. On peut trouver dans certaines boutiques des plantes exceptionnelles par la taille ou des espèces très originales, mais souvent à des prix élevés. Quant aux marchés, ils se limitent à une offre standard, dans des conditions de stockage parfois contestables. Il faut éviter tout achat en dehors de la période estivale, les plantes étant soumises en permanence à des chauds et froids qui peuvent leur être fatals.

Faire le bon choix

L'état du feuillage est évidemment un critère décisif au moment du choix. La plante se doit d'être exempte de parasites et le bout des feuilles ne doit pas être racorni ni desséché, hormis chez certains palmiers dont c'est un comportement quasi normal. Des feuilles ternes et pendantes, des tiges dégarnies sont autant de signes avertisseurs : la plante a souffert. Évitez aussi les plantes dont beaucoup de racines sortent du pot ou forment un chignon serré, signes que la plante est restée trop longtemps dans le même contenant. Pour la même raison, la surface du terreau doit être exempte de mousses et de lichens (sauf les bonsaïs). Les plantes trop généreusement engraissées se reconnaissent à leurs feuilles et à leurs tiges très tendres. Elles risquent d'avoir du mal à supporter le passage de la serre chaude à votre intérieur. Pour les plantes à fleurs, préférez celles qui portent de nombreux boutons à peine éclos et une ou plusieurs autres hampes florales à venir. Leur épanouissement durera beaucoup plus longtemps.

Des achats de saison

Pour les plantes d'intérieur, la saisonnalité n'est pas très marquée, surtout pour les plantes vertes. Toutefois, certaines espèces à fleurs ne se trouvent pas toute l'année. Les poinsettias et les azalées sont à leur apogée en décembre, pour les fêtes. À la même époque, vous trouverez en jardineries des cyclamens, des cactus de Noël et de nombreuses orchidées (surtout des cymbidiums et des phalénopsis) et des amaryllis. Le début de l'année voit des arrivages massifs de bulbes forcés et de primevères d'intérieur. Dès les premiers beaux jours, les rayons se garnissent de plantes méditerranéennes, comme les lauriers-roses, les abutilons, les jasmins, les passiflores, les dipladénias. Certaines espèces sont franchement estivales comme les clérodendrons, les allamandas, les cestrums, etc. Visitez régulièrement les magasins afin de profiter des spécificités saisonnières, sachant que l'offre la plus large est proposée à la fin de l'été, avec des opérations promotionnelles comme « la rentrée des plantes ».

Conseils pour le transport

Regroupez les petits pots dans une caissette (les magasins fournissent des cartons très pratiques) et glissez du papier épais entre les plantes pour les stabiliser. Installez la caissette dans le coffre, jamais sur la plage arrière de la voiture. Elle risque de tomber au premier coup de frein, et si le soleil brille, les plantes vont souffrir d'un excès de chaleur. Les pots plus grands seront totalement emballés dans du papier ou dans du plastique. N'hésitez pas à bien serrer le feuillage, il s'abîmera beaucoup moins, surtout pour les palmiers ou les médinillas. Rabattez le siège du passager et couchez les grandes plantes, en veillant à ce que la terre ne déborde pas du pot. Pour cela, emballez le pot dans un sac en plastique et faites un nœud autour du tronc de la plante. Ne faites pas voyager les plantes d'intérieur sur la galerie, même emballées dans du papier : elles ne résisteraient pas au vent, au froid ou au soleil. Ne sortez jamais une orchidée ou un gardénia en fleur sans protection, quand la température est inférieure à 12 °C. Les boutons floraux tomberaient quelques jours après l'achat. Une fois à la maison, installez la plante dans son nouvel environnement et ne la changez plus de place si elle semble se plaire. Attendez 2 semaines avant d'apporter de l'engrais. Un mois après l'achat, vous pouvez rempoter si vous constatez que la plante se trouve à l'étroit ou dans un substrat de tourbe blonde.

ATTENTION VPC

▶ *Un Chronopost vous garantit une livraison rapide.*

Les plantes vendues par correspondance doivent voyager dans des emballages rigides, hors des périodes de gel et dans un délai aussi court que possible. Vérifiez les plantes dès leur arrivée et refusez-les si elles vous semblent en mauvais état. Sachez bien lire les catalogues et ne vous attendez pas à recevoir des plantes en pleine floraison, comme celles qui figurent en illustration. En général, seuls de très petits sujets sont vendus par correspondance. Alors, comparez les prix !

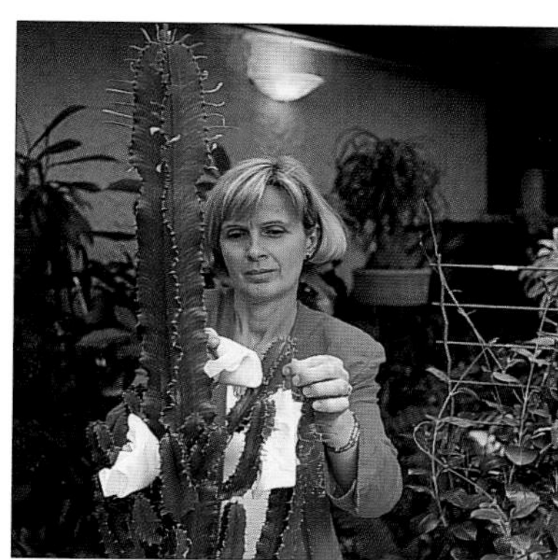

▲ Coincez bien les pots pour qu'ils ne tombent pas.

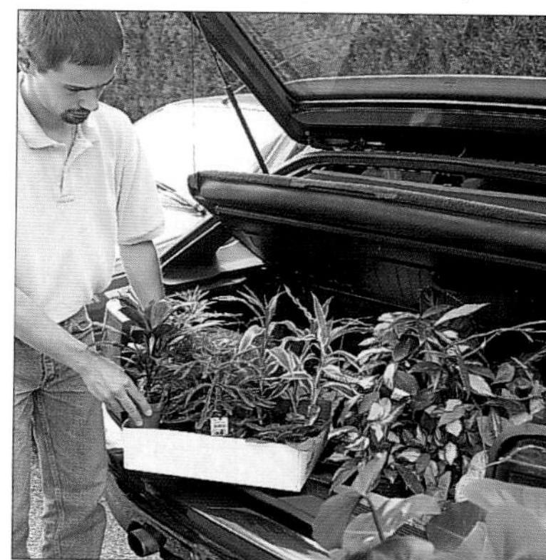

Enveloppez complètement les plus grandes plantes. ▶

VOTRE JARDIN EN 100 QUESTIONS–RÉPONSES

Pots et contenants

Quelle dimension de pots choisir ?

Lors du rempotage, préférez les pots assez étroits, afin de respecter un certain équilibre entre le développement aérien de la plante et celui des racines. En règle générale, pour une plante en phase de développement, utilisez un pot d'un diamètre supérieur de 2 à 3 cm par rapport au diamètre du pot précédent. Pour une plante parvenue à maturité, optez pour un pot de taille identique ou à peine plus grand, car il s'agit alors surtout de renouveler une partie du terreau. Pour les espèces à croissance rapide ou les grands sujets, vous pouvez utiliser un pot d'un diamètre supérieur de 4 à 5 cm.

Peut-on associer plusieurs plantes différentes dans un même bac ?

Oui, à condition de sélectionner des espèces ayant des besoins similaires en matière de lumière, de température et d'arrosages. Vous pouvez ainsi associer, dans une coupe ou un bac, plusieurs plantes grasses et cactées, qui demandent lumière vive et arrosages parcimonieux ; dans un autre contenant, des feuillages décoratifs appréciant une lumière moyenne et des arrosages réguliers : fougères, chlorophytum, syngonium, etc. Veillez à choisir des sujets de vigueur comparable, afin d'éviter qu'une plante très vigoureuse n'étouffe ses voisines plus petites et délicates.

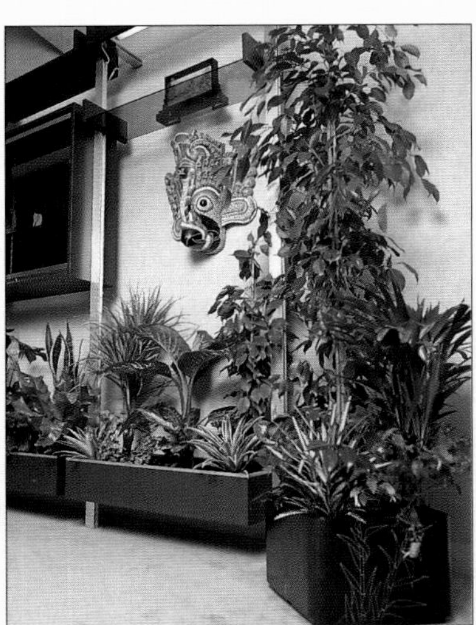

◀ Les bacs à réserve d'eau réduisent l'entretien.

Comment bien utiliser un bac à réserve d'eau ?

Faites la distinction entre bac à réserve d'eau, où la plante pousse dans du terreau, et bac d'hydroculture, où les racines se développent dans de la solution nutritive, avec des billes d'argile expansée. Pour les bacs à réserve d'eau, versez l'eau dans le réservoir et non en surface du terreau. Une fois par mois, arrosez par-dessus, pour lessiver les sels minéraux qui s'accumulent à la surface du terreau. Ne maintenez pas le réservoir plein en permanence. Laissez-le se vider entièrement, puis attendez une dizaine de jours avant de le remplir à nouveau. Il est important que le terreau ne reste pas humide en permanence, mais se « ressuie ».

Des racines sortent par le trou situé sous le pot. Faut-il les couper ?

Non, mais elles signalent que la plante a besoin d'être rempotée dans un pot plus grand. Pour extraire la motte du pot sans abîmer ces racines, commencez par bien arroser pour humidifier tout le volume de terreau, puis dégagez délicatement la motte. Si les racines sont difficiles à dégager, cassez le pot s'il est en terre, ou bien découpez au sécateur le fond du contenant en plastique. Recoupez les racines abîmées, sèches ou brunies qui dépassent de la motte, puis démêlez les racines qui étaient enchevêtrées au fond du pot avant de les installer dans du nouveau terreau.

▲ Le trou situé au fond du pot évacue l'eau en excès.

Un pot doit-il toujours disposer d'un trou au fond ?

Oui, car l'humidité stagnante dans un pot étanche entraîne rapidement la pourriture des racines. L'hydroculture est un cas particulier, les racines plongeant dans une solution nutritive. Idem pour les bacs à réserve d'eau, étanches par définition. Un ou plusieurs trous de drainage au fond des pots sont indispensables pour permettre l'élimination de l'eau d'arrosage en excès. Si un pot ou un bac ne possède pas de trous de drainage, utilisez la perceuse pour pratiquer au moins un trou de 1 cm de diamètre. Pour une bonne efficacité dans un bac ou une jardinière, comptez un trou tous les 15 cm.

Est-il possible de réutiliser un pot en terre cuite qui a déjà servi ? Dans ce cas, quelles précautions faut-il prendre ?

Il est nécessaire de bien le nettoyer, pour éviter la propagation des maladies ou des parasites. Commencez par brosser les résidus de terreau ou de racines, puis frottez le pot intérieurement et extérieurement avec de l'eau chaude légèrement javellisée, pour éliminer les dépôts calcaires et désinfecter. Rincez bien à l'eau claire, puis laissez le pot sécher quelques jours, avant d'y rempoter une nouvelle plante.

7

J'ai acheté une plante dans un pot de plastique, faut-il que je la rempote dans un contenant émaillé ou en terre cuite ?

Hormis pour des raisons d'esthétique, il est inutile de rempoter dans un autre type de pot, sauf si le contenant d'origine est dépourvu de trous de drainage ou s'il s'agit d'une grande plante, instable dans un pot en plastique (léger). Dans ce dernier cas, un grand pot en terre garantira une bonne stabilité. En général, il est pourtant conseillé de rempoter une plante nouvellement achetée, afin de lui offrir un substrat plus adapté à ses besoins que la tourbe dans laquelle elle a été produite !

8

Comment composer un petit jardin dans une bonbonne en verre ?

Choisissez de jeunes sujets à croissance assez lente et supportant la taille : asplénium, fittonia, maranta, hypoestes, *Ficus pumila*. Étalez au fond une couche de billes d'argile, additionnée d'un peu de charbon de bois. Ajoutez environ 10 cm de terreau de semis. Dépotez les plantes, éliminez une partie du terreau et mettez-les en place dans la bonbonne, en vous aidant de tuteurs de bambou et de fils de fer. Plantez d'abord contre les parois, puis au centre. Couvrez la surface de mousse, puis arrosez, en laissant couler l'eau sur les parois.

9

Quelles plantes peut-on cultiver en suspension ?

Toutes les espèces à port rampant ou retombant se prêtent à une culture en panier suspendu. Choisissez de préférence des plantes dont la base des tiges ne se dégarnit pas trop vite, ou associez-les à de petites formes buissonnantes, qui garniront la surface de la suspension. Essayez-les : fittonia, lierre panaché, plectranthe, misère, nepenthes, asparagus, chlorophytum, cissus, *Ficus pumila*, orchidées, platycérium, pothos, nephrolepis, philodendron à petites feuilles, syngonium, etc.

Terre et terreau

10

Que sont les petites billes marron que l'on voit parfois à la surface ou au fond des pots des plantes nouvellement achetées ?

Il s'agit de billes d'argile expansée, matériau inerte et poreux, qui existe en différents calibres. Utilisées à la surface du pot, les billes masquent le terreau et les sels minéraux qui forment peu à peu des dépôts blanchâtres à la surface. L'intérêt est essentiellement esthétique. Au fond du pot, les billes d'argile servent de couche de drainage, qui facilite l'élimination de l'eau d'arrosage en excès. En hydroculture, elles constituent le matériau d'ancrage des racines, qui poussent dans la solution nutritive. Vous pouvez également utiliser des billes d'argile pour entretenir une ambiance humide autour des plantes. Posez les pots sur un plateau creux garni de billes d'argile qui trempent en permanence dans un peu d'eau.

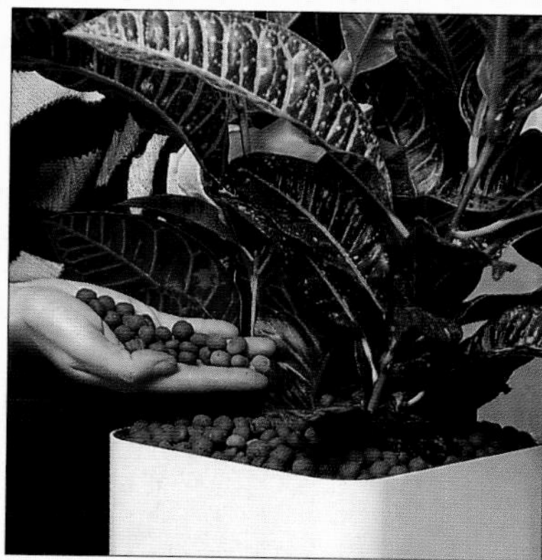

Surfaçage d'un bac avec des billes d'argile expansée.

11

Pourquoi y a-t-il des petites billes blanches dans le pot de ma plante ?

Il s'agit certainement de polystyrène expansé, utilisé pour alléger les mélanges de culture (notamment dans les substrats pour orchidées) et augmenter leur porosité. Ce n'est donc pas le symptôme inquiétant d'une quelconque maladie ! Il peut s'agir aussi de granulés rétenteurs d'eau, qui augmentent la capacité du mélange à conserver l'eau, et permettent donc d'espacer les arrosages. Enfin, de petites billes plutôt jaunâtres sont des granulés d'engrais à diffusion lente, qui enrichissent de nombreux terreaux du commerce. Leur enveloppe ne se délite pas et il faut l'éliminer après six mois environ (quand elle est vide).

Les jardins en bouteille sont faciles à réaliser.

Pourquoi appelle-t-on le terreau un support de culture ?

C'est la dénomination officielle pour tous les terreaux et les divers substrats, qui servent à la fois de support physique aux racines des plantes cultivées et de support « alimentaire », apportant aux plantes l'eau et des éléments nutritifs nécessaires à leur croissance. Le terme de support de culture concerne non seulement les terreaux (mélanges à base de tourbe, d'écorces compostées ou de terre) mais aussi tous les matériaux modernes qui permettent l'ancrage des racines, comme les billes d'argile expansée, la laine de roche, la vermiculite, la perlite, la pouzzolane, les fibres, etc.

Empotage d'un *Ficus* 'Natacha' dans un substrat léger.

Existe-t-il des différences notables de qualité entre les terreaux ?

Oui, bien sûr, de même que des variations de prix assez conséquentes. Les terreaux dits « bas de gamme », donc bon marché sont assez grossiers, constitués de tourbe et d'écorces compostées, parfois de résidus de broyage de plantes. Ils sèchent rapidement et sont difficiles à réhydrater, ils se compactent et les plantes n'y trouvent pas assez d'éléments nutritifs. Optez pour des terreaux bien équilibrés, présentant une composition variée, à base de tourbe, d'écorces, de perlite, de vermiculite (pour le drainage), de terre, de fumier composté, le tout enrichi en engrais. Préférez les terreaux de rempotage pour plantes d'intérieur aux terreaux « universel » et « horticole », de qualité généralement inférieure. Ne confondez pas le « terreau », qui est support de culture, avec le « compost », issu de la décomposition de matières organiques, qui ne doit pas être utilisé pur, mais comme un amendement du sol et un fertilisant.

Dans quel type de terreau rempoter ma plante ?

Choisissez d'abord un terreau qui porte le label de la charte de qualité créée par la profession. Un produit de qualité ne doit pas présenter de débris grossiers. Il est composé d'au moins trois matières premières différentes et a une texture souple. Certains types de plantes demandent un mélange de culture de composition spécifique. Les cactées et les plantes grasses ont besoin d'un terreau très drainant, enrichi en sable grossier. Vous trouverez dans le commerce des mélanges spécifiques, également pour les orchidées, qui se plaisent dans un support fibreux et drainant, ou encore pour les plantes acidophiles comme l'azalée, le gardénia et beaucoup de fougères, qui ne supportent pas la présence de calcaire dans le terreau. La terre de bruyère convient aussi.

À quelle époque faut-il rempoter ?

Le début du printemps, période de démarrage de la croissance, est le meilleur moment pour le rempotage. Les plantes reprendront vite leur développement après un arrêt dû au « stress » du rempotage et de nouvelles racines coloniseront le terreau frais. La reprise est plus lente en été ou automne, mais les plantes vertes à la croissance rapide, chlorophytum, misère, asparagus, supportent d'être rempotées en toute saison. Il est bon également de rempoter les plantes venant juste d'être achetées (sauf si elles sont en fleurs).

16

Est-il possible de rempoter une plante en pleine floraison ?

Non, car le rempotage aurait à coup sûr un effet désastreux sur la floraison, entraînant la chute de la plupart des fleurs et des boutons floraux. La plante qui vient d'être rempotée demande plusieurs semaines pour s'adapter à son nouveau pot et à la composition du terreau. La période d'épanouissement n'est pas favorable pour cette reprise un peu délicate. Attendez la fin de la floraison pour rempoter les plantes fleuries. À ce moment, elles observent généralement une période plus ou moins marquée de repos végétatif et peuvent alors être rempotées sans risque. Évitez aussi de rempoter une plante juste avant la floraison, car les boutons floraux pourraient tomber. Si la plante est à l'étroit dans son pot, compensez pendant la floraison par des arrosages fréquents avec une solution nutritive.

Faut-il changer chaque année la terre de la plante en pot ?

Pas nécessairement. S'il est préférable de rempoter chaque printemps les jeunes sujets en pleine croissance, dans du terreau frais, un rempotage tous les 2 ou 3 ans suffit, quand les plantes ont atteint une certaine maturité et montrent une croissance ralentie. Il vous faudra en revanche rempoter jusqu'à 2 ou 3 fois dans l'année de toutes jeunes plantes, issues de boutures par exemple, qui colonisent rapi-

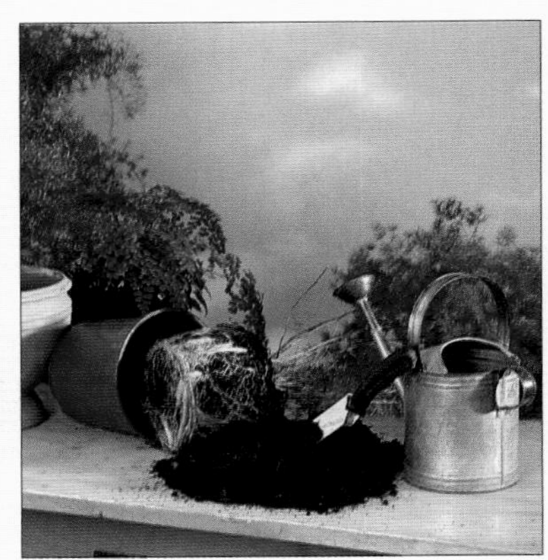

L'asparagus peut être rempoté toute l'année.

dement leur pot. Si la plante ne semble pas se trouver à l'étroit dans son pot, examinez la surface du terreau. S'il se rétracte sur les bords, s'il blanchit en surface, envisagez un rempotage pour renouveler les réserves nutritives.

J'ai un très grand philo qui n'a pas été rempoté depuis des années. Comment faire pour changer sa terre ?

La solution idéale consiste à vous faire aider par une ou deux personnes, pour extraire le philo de son pot et changer le mélange terreux. Attention, la manipulation est délicate et vous risquez de casser des branches. Le plus souvent, vous vous limiterez à un surfaçage, une ou deux fois par an. Il s'agit de gratter la couche superficielle de terreau appauvri, en veillant à ne pas blesser les racines, et de la remplacer par du terreau frais, assez riche.

Faut-il tailler les racines des plantes que l'on rempote ?

C'est inutile, sauf si elles dépassent nettement par les trous de drainage et sont difficiles à reloger dans le nouveau pot. Dans le cas d'une plante déjà âgée, rempotée dans le même pot, vous pouvez raccourcir les racines. Si vous observez des racines tachées, molles ou sèches, c'est qu'elles sont pourries ou mortes. Coupez-les jusqu'aux parties saines. On taille les racines des bonsaïs pour conserver un bon équilibre avec la partie aérienne. Il faut aussi éliminer ou desserrer les chignons qui se forment à la périphérie de la motte.

Qu'est-ce que l'hydroculture ?

Appelée aussi culture hydroponique, c'est une technique qui permet de remplacer le substrat de culture traditionnel par une solution nutritive (eau + engrais). Les racines s'ancrent dans un matériau inerte, le plus souvent des billes d'argile expansée. Les pots utilisés sont bien sûr étanches, équipés d'un indicateur de niveau d'eau. Tout récipient étanche peut également convenir. Ce mode de culture convient aux plantes qui présentent des besoins constants en matière d'arrosage, et moins à celles qui demandent des périodes de repos marquées, avec des arrosages réduits, même si l'on réussit très bien les cactées, les plantes grasses et de nombreuses plantes fleuries. Schefflera, pothos, chlorophytum, ficus se plaisent en hydroculture.

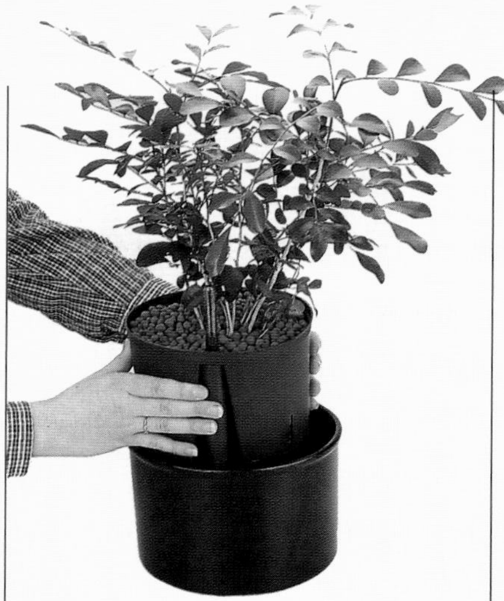

Hydroculture : le substrat est constitué de billes d'argile.

Dans quelle terre cultive-t-on les orchidées ?

Les orchidées exotiques cultivées en intérieur sont, pour beaucoup, des plantes épiphytes, qui poussent dans la nature ancrées sur des branches d'arbres. Elles demandent de ce fait un mélange de culture spécial, léger et drainant, et se plaisent en pot ou dans des paniers de lattes de bois. Un substrat fibreux, à base d'écorce, de tourbe grossière, de billes de polystyrène expansé, de mousse de polyuréthanne, de sphagnum, de racines de fougères convient bien. Une importante couche de drainage au fond du pot est indispensable. Pour les orchidées terrestres comme les cymbidiums et de nombreux paphiopedilum, on peut ajouter 10 à 20% de terreau de feuilles dans le mélange d'origine.

Dans quelle terre doit-on cultiver les cactus et les plantes grasses ?

Ces plantes appelées « succulentes » se sont adaptées dans leur habitat naturel à des milieux quasi désertiques où règnent sécheresse et forte luminosité, à l'exception des cactus épiphytes des forêts tropicales comme le cactus de Noël *(Schlumbergera)*. Ce dernier demande un terreau fibreux, à base de tourbe et d'écorce compostée. Toutes les autres cactées et plantes grasses exigent un terreau très drainant, léger, où l'eau ne stagne pas, car elles sont très sensibles à la pourriture des racines. Vous trouverez dans le commerce des mélanges spéciaux à base de tourbe, sable et pouzzolane. Vous pouvez aussi préparer un mélange composé de 2/3 de terreau de rempotage ordinaire et 1/3 de sable grossier ou de perlite.

Comment dépoter un cactus sans se piquer ?

Enfilez d'épais gants de jardinage pour saisir le cactus, sans le serrer. Vous pouvez aussi préparer un petit manchon de papier journal replié sur plusieurs épaisseurs ou en carton ondulé pour saisir la plante sans vous piquer. Autre solution, une pince à cornichons ! Tenez le pot au creux de la main et retournez-le pour extraire la motte. Si elle ne vient pas, introduisez un crayon dans le trou de drainage pour pousser le terreau vers le haut.

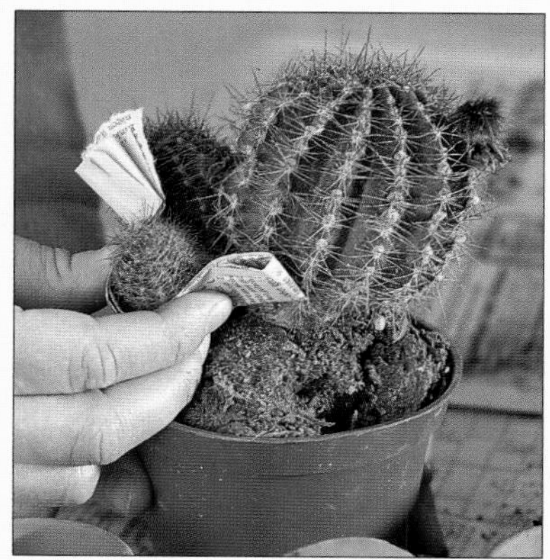

Attention aux piqûres quand on manipule un cactus.

Lumière et température

24

Comment éclairer les plantes dans la maison ?

Dans la maison, la luminosité varie selon l'exposition des pièces et les dimensions des fenêtres. Elle évolue aussi en fonction des saisons et des conditions climatiques extérieures (plein soleil, nuages, etc.). L'intensité lumineuse diminue très rapidement dès que l'on s'éloigne des ouvertures. Elle est divisée par quatre à 2 m, par neuf à 3 m de la fenêtre ! Installez vos plantes le plus près possible des baies vitrées. Considérez comme une situation « lumineuse » la proximité d'une fenêtre au sud, avec des voilages, ou une fenêtre sans rideaux à l'est ou à l'ouest. L'exposition sera dite « mi-ombragée » en décalant de 1 à 2 m par rapport à la pleine lumière ou derrière une fenêtre au nord. On considérera l'endroit comme « ombragé » entre 1 et 2 m d'une baie au nord, entre 2 et 3 m à l'est ou à l'ouest et entre 3 et 4 m au sud.

25

Faut-il exposer les plantes à la pleine lumière ?

Peu de plantes redoutent la lumière directe derrière une vitre en hiver. Du printemps à l'automne, l'intensité lumineuse est plus forte et il y a des risques de brûlures du feuillage (par effet de loupe) lorsque la plante se trouve juste derrière la vitre. Les cactées et les plantes grasses ne craignent pas le plein soleil. Pour la plupart, tamisez le soleil par un voilage lors des fortes chaleurs ou bien éloignez les pots de 1 m environ. Tenez compte des besoins individuels des plantes, certaines n'appréciant pas la lumière vive, comme les fougères.

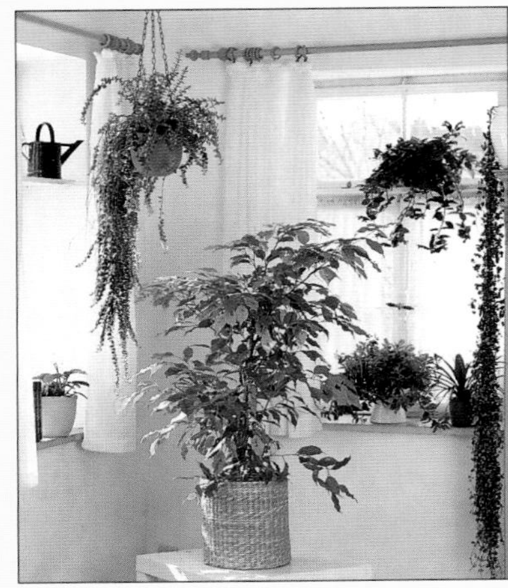

Offrez aux plantes un maximum de lumière.

26

Quelles plantes acceptent les pièces sombres ?

Peu de plantes fleuries supportent une telle situation, bien que cyclamen, poinsettia et impatiens fleurissent près d'une fenêtre exposée au nord. Pour les expositions les moins lumineuses, choisissez aspidistra, chlorophytum (forme verte), cissus, fatshedera, fittonia, peperomia, syngonium et les fougères, comme les nephrolepis, ptéris ou capillaire.

27

Pour un éclairage artificiel, faut-il utiliser des lampes ou des tubes ?

Pour apporter un complément d'éclairage aux plantes avides de lumière, utilisez de préférence des tubes fluorescents de type « lumière du jour », qui diffusent un spectre lumineux proche de la lumière naturelle et surtout consomment peu et ne chauffent pas. Il n'y a donc pas de risques de brûlures du feuillage. Inutile d'éclairer vos plantes 24 heures sur 24, contentez-vous de « rallonger » la durée du jour par 2 à 5 h d'exposition sous ces tubes, placés à 30 cm au-dessus du feuillage. Il existe aussi des lampes à incandescence « lumière du jour », mais elles ne doivent être utilisées que ponctuellement pour des plantes assez frileuses, car elles dégagent une forte chaleur.

28

Que signifie une plante de jours courts et une plante de jours longs ?

Une plante de jours courts, comme le kalanchoe, le poinsettia ou le chrysanthème, a besoin pour fleurir d'une période (entre 6 et 8 semaines en moyenne) durant laquelle la durée du jour (de 8 à 10 heures)

Le poinsettia est une plante de jours courts.

est inférieure à celle de la nuit. À l'inverse, une plante de jours longs a besoin pour fleurir d'une période préalable de clarté supérieure à 12 heures par jour. Les périodes de jour et de nuit ne doivent pas être interrompues, ce qui explique qu'il soit difficile de faire refleurir un poinsettia dans la maison, à moins de le placer dans une pièce sombre à la fin de l'été.

29

J'ai placé ma plante près d'un radiateur pour qu'elle ait bien chaud, pourquoi dépérit-elle ?

Tout simplement parce que le radiateur assèche l'air alentour. Si vous ne pouvez pas placer la plante ailleurs que près du radiateur, entretenez en permanence une hygrométrie élevée. Posez par exemple le pot sur une soucoupe renversée, elle-même installée dans une soucoupe plus grande, trempant dans un peu d'eau. Veillez à ce que le niveau de l'eau n'atteigne pas les trous de drainage du pot, sans quoi les racines risqueraient de s'asphyxier et de pourrir. Si possible, humidifiez régulièrement le feuillage à l'aide d'un vaporisateur. La température étant plus élevée, augmentez la fréquence et la quantité des arrosages.

30

J'ai changé ma plante de place car elle devenait trop encombrante. Maintenant elle dépérit, pourquoi ?

Sans doute n'apprécie-t-elle pas son nouvel emplacement, trop ou pas assez lumineux, température inappropriée, ambiance trop sèche, courants d'air. Les plantes, surtout celles qui se sont bien développées, sont sensibles à un changement brutal de leurs conditions d'environnement. S'il n'est pas possible de les tailler pour les conserver au même endroit, cherchez un emplacement similaire à l'ancien en ce qui concerne la lumière, la température et l'humidité de l'air. Accordez-lui plutôt une période d'acclimatation de quelques semaines, avec des arrosages légèrement réduits. Et, tant que cela ne semble pas convenir, n'hésitez pas à faire voyager votre pensionnaire dans toute la maison !

Arrosage

31

À quelle fréquence arroser mes plantes ?

Les besoins en eau varient en fonction de la plante elle-même, des conditions de culture (température, lumière, substrat). Comptez en moyenne deux arrosages par semaine d'avril à septembre tant que la température ambiante ne dépasse pas 20 °C. Au-dessus de 24 °C, il faut arroser tous les deux ou trois jours. D'octobre à mars, la plupart des plantes sont en repos et ne doivent pas être arrosées plus d'une fois par semaine, excepté pour les espèces qui fleurissent à cette période. Dans une véranda, si la température est inférieure à 15 °C, arrosez tous les 10 à 15 jours, pas plus.

▲ La fréquence d'arrosage dépend de la température.

32

Peut-on utiliser l'eau du robinet pour arroser les plantes de la maison ?

Si votre eau de ville n'est pas très calcaire, vous pouvez l'utiliser pour arroser les plantes d'intérieur, à l'exception de celles qui demandent impérativement une eau douce, comme l'azalée, le gardénia, la plupart des orchidées. Pour ces dernières, récupérez si possible l'eau de pluie, utilisez un décalcairisant ou acidifiez l'eau du robinet avec 10 gouttes de vinaigre par litre, ou en trempant dans l'eau un sachet de tourbe blonde acide durant toute une nuit.

33

Peut-on utiliser l'eau adoucie pour les plantes d'intérieur ?

Si vous avez fait installer un adoucisseur d'eau, qui déminéralise l'eau sans la charger d'autres substances (certains sels sont toxiques pour les plantes), vous pouvez utiliser votre eau pour arroser vos plantes d'intérieur. Évitez les systèmes échangeurs d'ions. L'eau adoucie n'apporte aucun élément minéral aux plantes, ce qu'il faudra compenser par des apports d'engrais riche en oligo-éléments. N'ajoutez jamais à l'eau d'arrosage un produit adoucissant, comme ceux proposés pour le linge, cela serait toxique pour vos plantes !

34

Faut-il arroser sur le pot ou le tremper ?

L'arrosage en surface du terreau est la règle générale qui permet de mieux se rendre compte de la quantité apportée. Versez l'eau dans la soucoupe pour les plantes dont les feuilles ou le collet sont sensibles à la pourriture (saintpaulia, streptocarpus, cyclamen). Trempez le pot, dans une cuvette ou dans l'évier, si la motte est desséchée ou la végétation très touffue, comme celle des fougères.

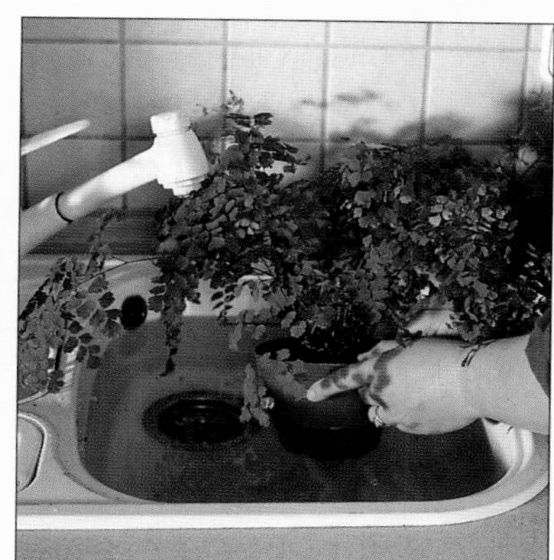

Le capillaire apprécie l'arrosage par trempage du pot. ▶

35
Quelle est la température idéale de l'eau d'arrosage ?

Il faut avant tout éviter l'eau froide, qui provoque un stress au niveau des racines. L'idéal est une eau à température de la pièce : remplissez l'arrosoir la veille si possible. Cela permet dans le même temps l'évaporation du chlore, ce qui est bénéfique pour vos plantes. Si vous n'avez pas le temps de laisser l'eau se réchauffer doucement, puisez de l'eau légèrement tiède au robinet (entre 22 et 26 °C). Soyez attentif en été à ne pas utiliser une eau froide par temps très chaud, quand les arrosages se multiplient. Si vous récupérez l'eau de pluie, stockez-la dans un réservoir dans la maison avant d'arroser.

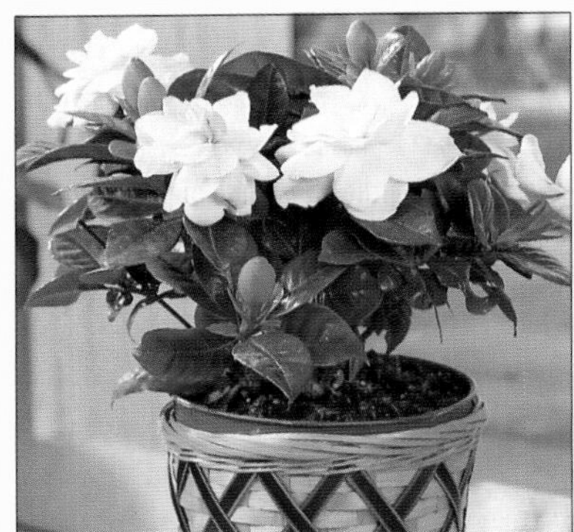

Une eau froide fait tomber les boutons du gardénia.

36
Est-il bon de sortir les plantes sur la fenêtre quand il pleut ?

De nombreuses plantes d'intérieur apprécient une douche sous une pluie fine et tiède, qui nettoie et humidifie leur feuillage. Évitez ce traitement aux feuillages duveteux comme celui du saintpaulia ou translucides comme celui du caladium, mais aussi aux plantes dont les fleurs se tachent facilement (azalée) et aux cactus. En revanche, toutes les espèces à grandes feuilles (ficus, philos, schefflera, croton), et les fougères s'en trouveront ragaillardies. Attention, la pluie ne doit pas être violente ou accompagnée de vent, et surtout sa température doit être supérieure à 15 °C. Les douches écossaises du début du printemps sont déconseillées ! Dans les villes et les régions polluées, mieux vaut éviter l'arrosage avec l'eau du ciel, qui risque de provoquer des brûlures sur les feuilles.

37
Quand j'arrose, l'eau filtre à travers le terreau. Dois-je laisser un peu d'eau dans la soucoupe sous le pot ?

Surtout pas ! La soucoupe ne doit pas contenir d'eau en permanence, car le terreau se trouve ainsi humidifié en permanence et les racines risquent de s'asphyxier, ce qui provoque des taches brunes sur le feuillage. En revanche, il est normal qu'il y ait de l'eau dans la soucoupe après l'arrosage, signe que la plante a été bien mouillée en profondeur et que le drainage est efficace. Videz la soucoupe environ une demi-heure après l'arrosage. Font exception à cette règle les plantes avides d'eau comme le papyrus ou le scirpe, qui sont dans la nature des plantes de marécage. Mais elles n'apprécient pas pour autant un mélange en permanence saturé en eau. Ayez la mains légère !

38
J'ai trop arrosé ma plante : que faire ?

Placez le pot sur la paillasse de l'évier et laissez-le se ressuyer naturellement. Sinon, videz la soucoupe dès qu'elle se remplit, au fur et à mesure que la motte s'égoutte. Gardez la plante à une température douce (18 °C), évitez-lui tout courant d'air, toute lumière violente. Attendez pour arroser que le terreau soit sec au toucher sur 4 à 5 cm de profondeur ou qu'il se rétracte légèrement sur les bords. Si la plante a été détrempée au point que le terreau sente le moisi, si le feuillage est affaissé, ou s'il montre des taches brunes et molles sur les bords, tentez un changement de terre. Dépotez la plante, pressez la motte pour en extraire l'eau, puis éliminez le plus possible de terreau détrempé. Rempotez dans du terreau frais, à peine humide. Laissez au sec pendant 15 jours au moins et même jusqu'à 1 mois pour les plantes à feuillage ample, épais, coriace et pour toutes les succulentes.

Ce dieffenbachia manque manifestement d'arrosage.

39
Comment reconnaître qu'une plante a soif ?

Les premiers indices viennent du pot : il est plus léger, sonne « creux » dans le cas d'un modèle en terre cuite. Le terreau se rétracte sur les bords, il est plus clair qu'un terreau humide, sec au toucher, même en enfonçant le doigt. La plante elle-même peut montrer un feuillage brutalement affaissé, caractéristique par exemple chez l'impatiens ou le spathiphyllum. Parfois les feuilles brunissent et sèchent sur les bords, prenant la consistance du papier. Les fleurs et les boutons floraux peuvent tomber. Attention, ces symptômes peuvent correspondre à un excès d'eau. Vérifiez toujours l'état du terreau en le touchant du bout des doigts. Les feuilles ou les tiges des succulentes qui souffrent de la sécheresse flétrissent et se ratatinent, sans mollir.

40
Comment faire repartir une plante qui a manqué d'eau ?

Pour bien réhydrater tout le volume de la motte, le mieux consiste souvent à immerger entièrement le pot dans une cuvette remplie d'eau douce, à la température ambiante. Laissez la motte s'imbiber jusqu'à ce que les bulles d'air ne remontent plus en surface. Posez ensuite le pot près de l'évier pour assurer le drainage de l'eau en excès avant de remettre la plante en place, à l'abri du plein soleil comme des courants d'air. Si le terreau est très rétracté et ne reprend pas son volume initial, rempotez dans un substrat frais. Assurez par la suite des arrosages réguliers, mais ne laissez pas l'eau stagner dans la soucoupe !

41

Je viens d'acheter une plante, sa terre sèche tout le temps. Que faire ?

Le substrat dans lequel est cultivée cette plante est sans doute essentiellement composé de tourbe blonde, matériau qui sèche rapidement et peut se révéler difficile à réhydrater. S'il s'agit d'une plante fleurie, attendez la fin de la floraison pour la rempoter dans un terreau de meilleure qualité, retenant mieux l'humidité. D'ici là, arrosez aussi souvent que nécessaire, de préférence par trempage et sans laisser l'eau stagner dans la soucoupe. S'il s'agit d'une plante verte, rempotez-la sans attendre dans un bon terreau de rempotage, comprenant par exemple des granulés rétenteurs d'eau. Dépotez la plante et supprimez le plus possible de l'ancien terreau, sans abîmer les racines.

42

Faut-il ou non arroser les cactus en hiver ?

Tout dépend où vous les conservez. Si vos cactus se trouvent dans une pièce chauffée à plus de 15 °C en hiver, il est nécessaire de les arroser tous les 15 jours environ, pour éviter la déshydratation totale du terreau. Attendez pour arroser que le terreau soit bien sec en surface. Si les cactus passent l'hiver dans une pièce ou une véranda se maintenant entre 7 et 12 °C, il est inutile de les arroser durant la période de repos végétatif hivernal. Intervenez seulement si les tiges flétrissent. Attention, faites la différence entre la majorité des cactus aux tiges hérissées d'aiguillons, originaires des régions désertiques, et les espèces provenant des forêts tropicales, comme le

La brumisation est appréciée par les nephrolepis.

cactus de Noël, qui demandent en hiver des arrosages modérés chaque semaine et doivent être cultivés dans un terreau plus fibreux.

43

Est-il utile de vaporiser le feuillage des plantes. Si oui, à quelle fréquence ?

Les vaporisations d'eau douce et tiède sur le feuillage augmentent l'humidité de l'air et découragent les araignées rouges. Les espèces originaires des forêts tropicales humides (orchidées, philodendrons, crotons, broméliacées, etc.) apprécient des vaporisations d'eau quotidiennes. En revanche, les vaporisations sont à proscrire sur les fleurs, ainsi que sur tous les feuillages sensibles à la pourriture, par exemple les formes duveteuses (saintpaulia), gaufrées (streptocarpus, peperomia) ou translucides (caladium).

Fertilisation

44

Quel type d'engrais utiliser ?

Un engrais liquide « plantes vertes » ou « plantes fleuries » convient à la grande majorité des espèces durant la croissance. Il leur apporte les éléments nutritifs nécessaires à une croissance saine et vigoureuse. Les apports d'engrais sont indispensables pour les plantes cultivées en pot, car les racines ne disposent que d'un volume de terre limité. Après avoir épuisé le peu d'éléments nutritifs contenus dans le terreau, la plante a besoin d'apports d'engrais tous les 15 jours en moyenne, d'avril à septembre, pour soutenir sa croissance. Sans engrais, la plante survit tout juste dans son pot. Vous pouvez utiliser des bâtonnets à enfoncer dans le pot, efficaces pendant 8 à 12 semaines.

45

Faut-il acheter des engrais spécifiques pour les cactées, les orchidées, les agrumes, les bonsaïs ?

C'est préférable, car ces catégories de plantes présentent des exigences particulières en ce qui concerne les apports d'éléments nutritifs. Ainsi les cactus demandent un engrais faiblement dosé en azote, mais riche en potassium pour favoriser la floraison. Ils préfèrent une dilution faible pour éviter les risques de brûlures. Les orchidées sont sensibles à une fertilisation excessive qui ramollit les tiges et nuit à la floraison. Les engrais spécifiques « orchidées » assurent un bon dosage et favorisent la floraison. Les agrumes craignent le calcaire et demandent des apports importants de potassium pour stimuler floraison et fructification. Les bonsaïs ont besoin d'un dosage faible, à assimilation lente.

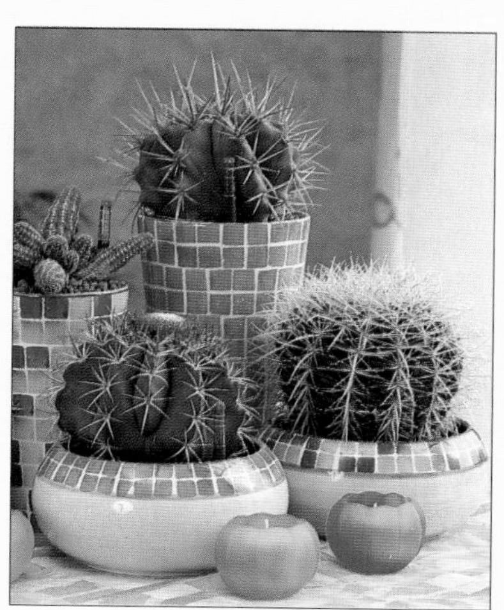

Cactus en hydroculture.

46

Comment et quand donner de l'engrais ?

Fertilisez vos plantes d'intérieur durant la période de croissance, c'est-à-dire du printemps à l'automne. Si vous utilisez un engrais liquide, ajouté à l'eau d'arrosage, respectez la concentration conseillée par le fabricant. Espacez les apports de 15 jours environ. Ne donnez plus d'engrais en hiver, la plupart des plantes étant en repos végétatif, du fait d'une luminosité moindre. Pour les quelques espèces qui poursuivent leur développement, comme le saintpaulia, fertilisez une fois par mois. Évitez tout surdosage qui risque de brûler les racines, de même qu'un apport d'engrais sur un terreau sec. Augmentez la dilution, en doublant le volume d'eau conseillé sur le boîtage, pour les plantes sensibles à un excès de sels minéraux, comme les fougères, les palmiers, les orchidées.

47

Où faut-il placer les bâtonnets d'engrais dans le pot ?

Les engrais sous forme de bâtonnets sont pratiques, car ils libèrent progressivement les éléments fertilisants en 2 à 3 mois. Utilisez-les au printemps ou en été. Du fait de leur forte concentration, il faut les enfoncer dans le terreau sur le pourtour du pot, et non au centre où ils pourraient brûler des racines. Respectez les conseils du fabricant quant au nombre de bâtonnets à placer par pot, en fonction de son diamètre. Évitez tout surdosage. Humidifiez bien le terreau avant d'y enfoncer les bâtonnets. Ce type d'engrais est idéal pour les plantes nouvellement rempotées, car on évite dans ce cas tout contact direct du produit concentré avec les racines.

Piquez le bâtonnet d'engrais sur la périphérie du pot.

48

Les engrais foliaires sont-ils efficaces ?

Ils sont surtout intéressants pour donner un « coup de fouet » à des plantes affaiblies, qui manquent de vigueur, ou à des espèces au système racinaire peu développé (broméliacées). L'engrais foliaire ne convient pas aux plantes dont le feuillage est sensible à la pourriture, comme le saintpaulia ou les cactées, le caladium. Il n'est pas très facile à utiliser dans la maison, car la vaporisation peut tacher les surfaces fragiles. Réservez plutôt l'engrais foliaire à la serre ou à la véranda. Notez qu'il est très apprécié aussi par les orchidées.

49

Faut-il donner de l'engrais aux plantes nouvellement rempotées ?

Attendez 2 mois après le rempotage, avant de reprendre des apports d'engrais réguliers. Le terreau frais apporte des éléments nutritifs que la plante va d'abord utiliser. Inutile de lui donner de l'engrais, ce qui se traduirait par une trop forte concentration en sels minéraux au niveau des racines, avec des risques de brûlures. Vous pouvez donner de l'engrais après un mois seulement, si vous avez rempoté dans un terreau à forte proportion de tourbe, toujours assez pauvre. Attendez jusqu'à 3 mois, si vous avez utilisé un mélange riche, par exemple à base de terre de jardin et de terreau de feuilles. Vous pouvez, en revanche, planter des bâtonnets, dont l'action est lente et progressive.

Problèmes de culture

50

L'extrémité des feuilles de mon palmier et de ma fougère sèche. Que faire ?

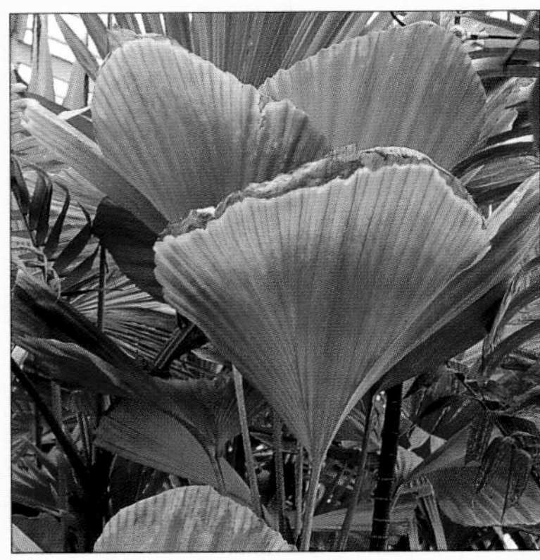

Carludovica humilis demande plus de 80 % d'humidité.

Vos plantes souffrent d'une atmosphère trop sèche. Essayez d'augmenter l'humidité de l'air par des vaporisations régulières du feuillage, dessus et dessous, au moins une fois par jour. Posez les pots sur un lit de gravillons ou de billes d'argile expansée trempant dans un peu d'eau (sans que le niveau de l'eau atteigne la base du pot). Posez des saturateurs sur les radiateurs ou utilisez un humidificateur électrique pour les espèces les plus fragiles. Attention, l'eau s'évapore vite dans un air chaud et sec.

51

Les nouvelles feuilles de mon philodendron sont moins découpées, et elles sont petites. Pourquoi ?

C'est tout à fait normal, car les feuilles de nombreuses espèces de philodendrons présentent des différences morphologiques selon leur degré de maturité. Les jeunes feuilles sont généralement entières, c'est-à-dire non découpées, assez petites. Avec l'âge, elles se découpent, présentant des échancrures plus ou moins marquées et deviennent de plus en plus grandes. Toutefois, si les jeunes feuilles sont de plus en plus petites, il est possible que le terreau soit appauvri ou que la plante se trouve trop à l'étroit. Envisagez un rempotage ou augmentez les apports d'engrais. Notez aussi que ce phénomène apparaît systématiquement lorsque l'air de la maison manque d'humidité (en hiver).

52

Les feuilles de mon *Ficus benjamina* jaunissent et tombent. Quelle est cette maladie ?

Rien d'étonnant à ce que votre ficus perde quelques feuilles (de 10 à 20 %) en automne et en hiver, elles seront vite renouvelées au printemps. Si le jaunissement et la chute sont plus marqués, vérifiez l'arrosage. Tâtez le terreau, videz la soucoupe si nécessaire et espacez les apports d'eau. Des feuilles jaunies peuvent être dues à un manque de lumière (situation trop sombre en hiver par exemple), ou encore à une température trop élevée. Pour le benjamina, il convient de limiter en hiver la température à 18 °C maximum dans la journée.

53

Mon dieffenbachia et mon croton se dégarnissent de la base. Que faire pour l'éviter ?

Il est tout à fait normal que ces plantes perdent peu à peu les feuilles inférieures de la tige, tandis que celle-ci s'allonge, se lignifie (devient dure) et forme de nouvelles feuilles à son extrémité. C'est le port naturel de ces végétaux. Vous pouvez rajeunir la plante par bouturage ou marcottage. Portez des gants pour vous protéger du latex laiteux exsudé par ces végétaux. Pour le croton, coupez des boutures terminales d'environ 15 cm de long. Plantez-les dans une miniserre, dans un mélange de tourbe et de sable grossier, à 22-25 °C. Pour le dieffenbachia, utilisez des tronçons de tige.

Ce *Ficus benjamina* a eu trop chaud et s'est dégarni.

54

Mon caladium perd toutes ses feuilles en automne, est-ce normal ?

Oui, le caladium est une espèce à feuillage caduc, qui se conserve sous forme de tubercule. Il sera remis en végétation au début du printemps après une période de dormance hivernale d'environ 6 mois. Réduisez progressivement les arrosages à partir de septembre. En hiver, gardez le tubercule dans son pot, à l'obscurité, entre 15 et 18 °C. Arrosez parcimonieusement si le tubercule semble se ratatiner. Au printemps, rempotez-le dans du nouveau terreau, en le plaçant à une profondeur égale à sa hauteur. Approchez le pot de la lumière, augmentez la température (22 °C minimum) et intensifiez les arrosages.

55

Les tiges de mes plantes s'effilent et penchent d'un côté. Pourquoi ?

Elles souffrent sûrement d'un net manque de lumière. Pour pallier ce problème, elles inclinent leurs tiges en direction de la source lumineuse. Ce phénomène s'observe le plus souvent en hiver, quand la luminosité naturelle diminue. Les tiges qui s'étiolent, poussent en longueur et portent peu de feuilles, assez pâles, sont également caractéristiques d'une luminosité insuffisante. Ce manque de lumière nuit à la réalisation de la photosynthèse et donc à la croissance. Bien éclairée, la plante présente des tiges robustes, un feuillage dense, fourni, et un port équilibré. Pour remédier au manque de lumière hivernal, rapprochez les plantes des fenêtres et faites régulièrement pivoter les pots, pour éviter que les tiges ne prennent un port déséquilibré. Enfin, choisissez des espèces moins exigeantes pour les situations peu lumineuses.

Ce *Dieffenbachia picta* dégarni manque de lumière.

56

Ma plante semble toute ramollie, avec les feuilles pendantes. Comment la soigner ?

Il s'agit le plus souvent d'un manque d'eau ou au contraire d'arrosages excessifs, ces deux problèmes pouvant se manifester par un brutal affaissement du feuillage. Tâtez d'abord le terreau pour déterminer la cause exacte. S'il est sec au toucher et comme rétracté, si le pot semble léger, un bon arrosage s'impose. Au besoin, immergez entièrement le pot pendant au moins une heure pour réhydrater la motte en profondeur. Évitez, dans les jours qui suivent, d'exposer la plante à une lumière trop violente et reprenez des arrosages réguliers. Si le terreau est détrempé, si la soucoupe ou le cache-pot contiennent de l'eau en permanence, videz-les, puis laissez bien s'égoutter la motte, avant de remettre le pot en place. Envisagez un rempotage si le terreau sent le moisi. Attendez pour arroser à nouveau que le terreau soit sec sur au moins 3 à 4 cm de profondeur ou que les feuilles montrent un très léger affaissement.

Ennemis et maladies

57

Je constate la présence de traces blanches à la surface du pot. Quelle en est la raison ?

Ce phénomène apparaît superficiellement sur le terreau des plantes qui n'ont pas été rempotées depuis plusieurs années. Il ne s'agit pas du développement d'une maladie, mais d'un dépôt de calcaire et de sels minéraux, qui se crée au fur et à mesure des arrosages et des apports d'engrais. Il s'agit donc d'un phénomène normal, en particulier dans les nombreuses régions où l'eau du robinet est calcaire. Vous pouvez masquer ces dépôts disgracieux, en étalant une couche de billes d'argile expansée ou de jolis galets sur le terreau, jusqu'au prochain rempotage. N'hésitez pas à gratter délicatement cette « croûte » et à la jeter, pour la remplacer par du terreau frais. Cette opération doit être effectuée tous les 4 à 6 mois après le rempotage. L'idéal consiste bien sûr à arroser avec une eau non calcaire et à utiliser des engrais en granulés.

58

J'ai des pucerons sur mes plantes, comment m'en débarrasser ?

Les pucerons se développent fréquemment sur les plantes d'intérieur, notamment à la fin de l'hiver et au printemps. Ils peuvent également envahir les plantes que vous sortez dans le jardin pour l'été. Ces petits insectes suceurs de sève, verts, gris ou noirs, affaiblissent la plante, par leurs pompages répétés et les toxines qu'ils injectent dans les tissus végétaux (un peu comme le font les moustiques). De plus, ils sécrètent un miellat collant sur les feuilles ou les pousses envahies. Les pucerons s'agglutinent de préférence à l'extrémité des jeunes pousses, sur les jeunes feuilles et les boutons floraux. Ils sont redoutables, car ils se multiplient rapidement et se propagent facilement sur les plantes voisines. Intervenez dès que vous les repérez, en taillant les pousses envahies que vous brûlerez. Essayez aussi de déloger les pucerons en soumettant la plante à un jet d'eau puissant, sous et sur les feuilles et les pousses. Traitez ensuite avec un insecticide pour plantes d'intérieur, en renouvelant la pulvérisation tous les 8 jours pendant un bon mois ou en utilisant des bâtonnets insecticides.

Miellat de pucerons sur une jeune pousse de yucca.

59

Que sont ces petites mouches blanches qui volettent partout quand on touche les feuilles ? Sont-elles nuisibles ?

Ces insectes ravageurs des cultures sont appelés « mouches blanches » ou, d'une manière plus juste : aleurodes des serres. Fréquents sur les plantes d'intérieur, ces petits homoptères (proches des pucerons) proviennent souvent des serres des professionnels ! Les aleurodes pullulent rapidement, s'envolant en nuées dès que l'on frôle le feuillage. Ils sucent la sève des plantes, les affaiblissant, et y déposent un miellat collant. Intervenez dès que possible, par des traitements répétés, à 8 jours d'intervalle, avec un insecticide, pour éliminer les insectes adultes, les œufs étant peu ou pas intoxiqués par le produit. Par ailleurs, des plaques jaune vif enduites de glu attirent irrésistiblement ces insectes.

60

Les tiges de mon palmier sont toutes collantes. Quelle en est la raison ?

Cette texture collante est sans doute due à la présence de parasites suceurs de sève sur la plante, des insectes qui exsudent un miellat collant (leurs déjections), sur lequel se développe ensuite fréquemment une fine moisissure noire, et ressemblant à de la suie : la fumagine. Dans la maison, les plus fréquents de ces parasites suceurs de sève sont les mouches blanches (aleurodes), sortes de petits pucerons munis de deux ailes blanches, qui se localisent surtout sous les feuilles *(voir aussi question N° 59)*. Peuvent aussi être en cause les cochenilles, qui forment des petits boucliers bruns ou des amas blancs cotonneux, le long des tiges et sous les feuilles. On peut aussi incriminer les thrips et les très classiques pucerons. Identifiez l'insecte responsable. Essayez de l'éliminer manuellement et puis traitez avec un insecticide approprié.

61

Les feuilles de mon palmier prennent une teinte argentée. Est-ce une maladie ?

Il ne s'agit pas d'une maladie, mais d'une attaque d'araignées rouges, un ravageur très fréquent dans nos intérieurs. C'est un acarien microscopique (à 8 pattes) et non un insecte, qui suce la sève, provoquant de fines ponctuations à la surface des feuilles. Celles-ci se décolorent et prennent des reflets argentés. On peut observer de fines toiles entre et sous les feuilles. Les araignées rouges sont fréquentes chez les palmiers, les ficus et les alocasias et apparaissent surtout en atmosphère chaude et sèche, de préférence en été. Pour les éliminer, augmentez l'humidité de l'air autour de la plante, par de fréquentes vaporisations d'eau tiède sur et sous les feuilles. Traitez avec un acaricide à base de dicofol.

Attaque d'araignées rouges sur *Chamaedorea elegans.*

62

Des flocons blancs apparaissent le long des tiges de mes plantes. Comment les éliminer ?

Il s'agit de cochenilles farineuses, insectes suceurs de sève, protégés par une sécrétion cotonneuse blanchâtre. L'insecte lui-même a un corps mou, dépourvu d'ailes. Ne laissez pas ces cochenilles se multiplier, car elles affaiblissent considérablement les plantes. Si l'infestation est peu importante, grattez-les une à une avec un bâtonnet ou décollez-les en les frottant avec un petit coton imbibé d'alcool à 60°, de bière ou d'eau savonneuse. En cas d'attaque importante durant le repos de la végétation, traitez avec un produit anti-cochenilles ne contenant pas d'huile de paraffine, qui est mal supportée par les plantes de la maison, mais plutôt à base d'imidaclopride. Renouvelez le traitement tous les 8 à 10 jours pendant au moins 6 semaines.

63

Il y a des pustules marron sur les tiges de ma plante. Comment les éliminer ?

Il s'agit de la forme de cochenilles *(voir aussi question N° 62)* la plus fréquente. Les insectes sont protégés par des carapaces en forme de petits boucliers jaunâtres à bruns. Les cochenilles sont immobiles, posées sur les tiges, sous les feuilles, le long des nervures de nombreuses plantes d'intérieur : ficus, schefflera, palmiers, fatshedera, croton, agrumes. Elles sucent la sève et exsudent un miellat collant. En cas de faible attaque, armez-vous de patience et grattez-les une à une avec le dos d'un couteau, puis passez sur la feuille de la plante un Coton-Tige imbibé d'eau savonneuse ou de bière. Ensuite, traitez toute la plante avec un insecticide anti-cochenilles pour plantes de la maison, en insistant bien sur le revers des feuilles. En cas de forte attaque ou sur les plantes à petites feuilles, traitez deux fois à 1/2 heure d'intervalle. La première application fait réagir les cochenilles, dont la carapace se décolle légèrement, ce qui permet une bonne efficacité de la seconde pulvérisation. Renouvelez le traitement tous les 8 à 10 jours durant 6 à 8 semaines.

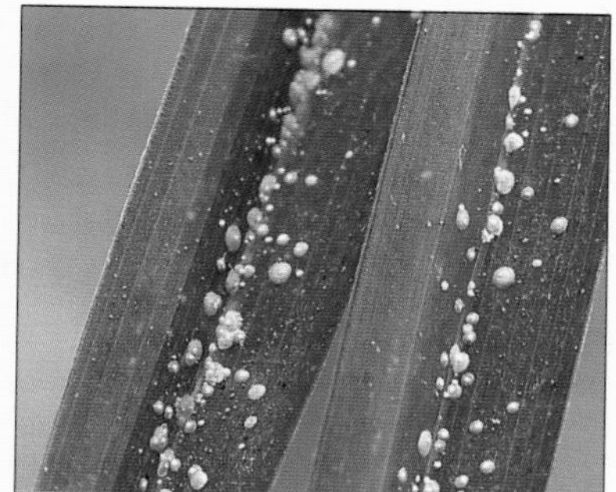

▲ Une invasion de cochenilles à bouclier sur un phœnix.

64

Des sortes de puces blanchâtres sautent à la surface de mes pots. Sont-elles nuisibles ?

Il s'agit sans doute de podures (collemboles), petits insectes blanchâtres sauteurs qui se développent dans les terreaux et les mélanges de culture non stérilisés. Ils ne sont guère nuisibles, mais peuvent se nourrir partiellement du feuillage des plantes, qu'ils rongent. Leur présence dans la maison est surtout désagréable ! Pour éviter leur présence, utilisez toujours des terreaux de qualité, stérilisés. Pour vous en débarrasser, arrosez le terreau avec une solution insecticide ou mieux rempotez rapidement la plante.

65

Il y a des vers de terre dans mon pot. Est-ce néfaste pour ma plante ?

Les vers de terre ne sont pas nuisibles. Ils aèrent même le terreau. En revanche, ils vont vite se trouver à l'étroit dans le pot et bouleverser tout le terreau ! Assurez-vous qu'il s'agit bien de lombrics au corps annelé, d'un brun rosé, et non des larves nuisibles comme les otiorhynques, petits vers blanchâtres, courbes, qui s'attaquent aux racines. La présence de ces vers blancs dans le pot se traduit par l'affaiblissement, puis le flétrissement de la plante. Mieux vaut rempoter la plante au plus vite, en utilisant un terreau du commerce garanti stérile et en nettoyant les racines à l'eau claire.

Les marques blanches de l'oïdium sur un bégonia Rex. ▶

66

Une sorte de feutrage blanc se dépose sur les feuilles de mes plantes. Que faire ?

Ce revêtement farineux, qui apparaît d'abord sur les feuilles, puis s'étend aux boutons floraux, est le mycélium de l'oïdium, maladie due à divers champignons microscopiques, qui peuvent s'attaquer à de très nombreuses plantes. L'oïdium suce la sève et affaiblit la plante, nuisant aussi à son aspect. Son développement est favorisé par l'humidité stagnante, des arrosages irréguliers ou une chute brutale de la température en hiver. Bégonias et cissus sont les plus sensibles. Si quelques feuilles seulement sont touchées, supprimez-les et rectifiez le rythme d'arrosage et la température. Ensuite, traitez avec un fongicide pour plantes d'intérieur.

67

Cet hiver, mes bégonias ont moisi, puis pourri. Que faire pour éviter cela ?

Ces symptômes sont ceux de la pourriture grise, ou botrytis, une maladie cryptogamique favorisée par une atmosphère trop humide, un manque d'aération, un terreau compact et des plantes trop serrées. Les feuilles se couvrent d'un feutrage gris, puis pourrissent rapidement, la maladie gagnant les tiges. Vous pouvez essayer un traitement fongicide si la maladie n'a pas encore fait trop de ravages mais il est souvent nécessaire d'éliminer les plantes attaquées. Évitez en hiver de trop serrer les pots et aérez très régulièrement. Ne vaporisez pas les plantes fleuries : bégonia, saintpaulia, primevère, kalanchoe, cyclamen, etc.

Fleurs et floraison

68

Existe-t-il des plantes d'intérieur à fleurs parfumées ?

Bien sûr, de très jolies plantes répandent un parfum capiteux dans la maison, comme le jasmin officinal *(Jasminum officinale)*, à floraison blanche en été, le jasmin de Madagascar *(Stephanotis floribunda)*, plante grimpante à palisser sur un arceau ou un treillage, dont les fleurs cireuses blanches embaument le jasmin. La fleur de porcelaine *(Hoya bella)*, aux petites grappes cireuses, ou encore le délicat gardénia *(Gardenia jasminoides)* dégagent les parfums les plus agréables. Pensez aussi aux bulbes à forcer dans la maison en hiver, comme les jacinthes, les petits narcisses tazetta et les lis. À l'inverse, les étonnantes étoiles noires ou brunes des stapélias sentent la viande avariée, pour attirer les mouches qui les pollinisent...

▲ *Stephanotis floribunda* : un fort parfum de jasmin.

69

Comment faire refleurir mon saintpaulia ?

Le saintpaulia est une plante facile à vivre, qui peut fleurir en toute saison, alternant des périodes de croissance et de floraison avec de courts repos végétatifs. Quand la floraison se termine, supprimez les fleurs fanées, réduisez légèrement les arrosages, mais poursuivez les apports d'engrais, tous les 15 jours du printemps à l'automne, et une fois par mois en hiver. Attendez pour rempoter que la plante déborde vraiment de son pot, car elle fleurit mieux un peu à l'étroit. Changez également de pot si le terreau semble très pauvre, ce qui est souvent le cas après l'achat. Le secret de la floraison est la permanence d'une bonne luminosité, sans soleil direct. En hiver, installez le saintpaulia derrière une fenêtre, sans aucun voile de protection. Il devrait fleurir pratiquement sans discontinuer.

70

On m'a offert une orchidée en fleurs, mais, depuis, elle n'a plus donné aucun bouton. Comment la faire refleurir ?

Les orchidées ont besoin d'une période de repos végétatif bien marqué après la floraison, pour former de nouvelles fleurs. Assurez aussi à votre orchidée une bonne luminosité, même en automne et en hiver. L'hygrométrie doit être maintenue élevée par de fréquentes vaporisations d'eau. Mais le secret de la refloraison est une baisse marquée de la température nocturne, de 4 à 6 °C, avec des minima de 7 à 15 °C selon les espèces. En période de repos, arrosez tous les 10 à 12 jours les orchidées à feuilles épaisses, coriaces ou à gros pseudobulbes. Les espèces à feuilles souples seront arrosées tous les 6 à 8 jours sans les laisser trop sécher. Dès que les boutons floraux se forment, doublez la fréquence des arrosages, mais sans excès, et élevez la température nocturne, de 5 à 8 °C.

71

Les boutons de mon gardénia tombent avant de s'épanouir, pourquoi ?

Le gardénia est une plante délicate, qui craint toute variation brutale des conditions de culture. Cette chute des boutons floraux peut-être due à un simple « coup de froid » lors du transport après l'achat ou bien à la présence de courants d'air froid dans la maison, ou au contraire à une « insolation » derrière une fenêtre trop exposée. Une atmosphère trop chaude et sèche peut également nuire à la floraison. Assurez à votre gardénia des conditions d'environnement aussi constantes que possible : lumière vive tamisée, humidité de l'air de 60 % minimum, température de 16 à 18 °C, arrosages modérés avec une eau non calcaire. Si vous disposez d'une serre ou d'une véranda, vous aurez plus de chances de le voir refleurir !

72

Un *Aechmea fasciata*, que l'on m'avait offert bien fleuri, ne redonne pas de fleurs depuis des mois, pourquoi ?

C'est tout à fait normal, car chaque rosette de feuilles de l'aechmea, ainsi que des autres plantes de la famille des broméliacées (guzmania, vriesea, ananas, tillandsia, nidularium, billbergia, etc.) ne fleurit qu'une fois. On dit qu'elle est monocarpique. Fort heureusement, les bractées colorées qui entourent les vraies fleurs demeurent décoratives pendant plusieurs mois. La rosette dépérit ensuite, progressivement, pour être remplacée par des rejets qui fleuriront à leur tour, une fois parvenus à maturité, généralement après 3 ou 4 ans. Quand la rosette principale sèche, détachez les rejets et rempotez-les séparément. S'ils ne fleurissent pas après quelques années de culture, enfermez-les pendant 10 à 15 jours dans un pochon de plastique transparent contenant 2 ou 3 pommes coupées en deux. L'éthylène dégagé par les pommes qui se flétrissent stimule la floraison.

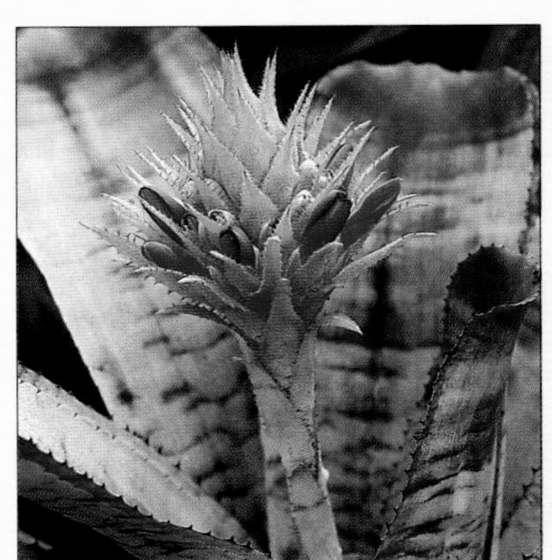

Aechmea fasciata : ne fleurit qu'une fois dans sa vie. ▶

73

Comment faire refleurir un amaryllis ?

Plante bulbeuse, l'amaryllis (*Hippeastrum* x) a besoin d'une période de repos très marquée. Après la floraison, maintenez le terreau légèrement humide et donnez de l'engrais liquide tous les 15 jours, jusqu'à la fin de l'été, pour que se développent les grandes feuilles rubanées. Le bulbe profite de cette période végétative pour reconstituer ses réserves nutritives pour la floraison suivante. En septembre, réduisez progressivement les arrosages, et laissez jaunir les feuilles. Coupez-les à la base quand elles sont sèches et rentrez le pot dans un endroit frais et sec (entre 7 et 12°C) pour une période de repos végétatif, qui durera 3 ou 4 mois. Ensuite, rempotez le bulbe dans du terreau sableux. Installez le pot en situation lumineuse, plus chaude et reprenez peu à peu les arrosages. La hampe florale ne tardera pas à apparaître !

Soins au quotidien

74

Comment faire refleurir une étoile de Noël (poinsettia) ?

Le poinsettia *(Euphorbia pulcherrima)* est une plante de jours courts, qui demande, pour fleurir, une période de 6 à 8 semaines durant laquelle la durée du jour est inférieure à 12 h. Après la floraison, taillez les tiges entre 10 et 15 cm de la base et n'arrosez que parcimonieusement jusqu'au rempotage en mai. Reprenez ensuite des arrosages et des apports d'engrais réguliers, puis pincez les jeunes pousses pour qu'elles se ramifient. En septembre-octobre, placez la plante dans une pièce peu éclairée, dans laquelle vous n'allumez pas la lumière une fois la nuit tombée. Quand les inflorescences sont formées, placez le poinsettia dans une pièce claire, mais pas trop chauffée.

75

Comment éliminer la poussière qui se colle sur le feuillage de mes plantes ?

Munissez-vous d'une éponge ou d'un chiffon humides pour dépoussiérer les grandes feuilles vernissées. Utilisez une eau douce, non calcaire (pour éviter les traces blanchâtres). Soutenez la feuille d'une main et passez l'éponge de l'autre. Nettoyez au pinceau doux les feuillages duveteux, plus sensibles à la pourriture. Pour les plantes à petites feuilles, des vaporisations d'eau non calcaire suffisent à nettoyer le feuillage. Les serviettes nettoyantes du commerce sont excellentes. Quant aux bombes lustrantes, il faut les réserver aux feuillages épais, coriaces et naturellement vernissés (yucca, philo).

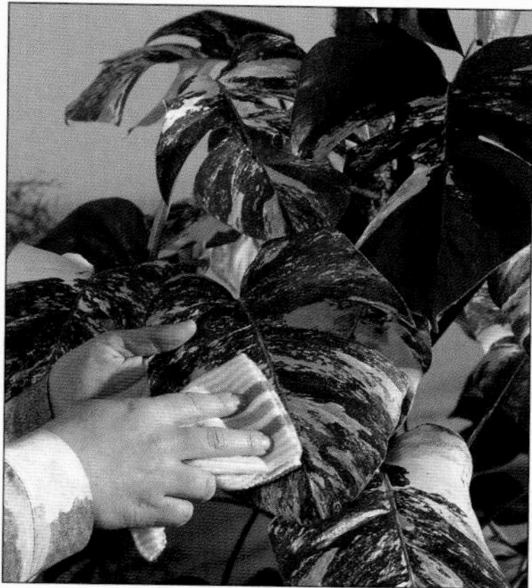

Nettoyage des feuilles du philodendron.

76

Faut-il couper les extrémités des feuilles qui ont bruni ?

Vous pouvez tailler la pointe brunie des feuilles, car les tissus sont secs et leur aspect peu esthétique. Conservez toutefois un fin liseré de tissu bruni, sans quoi le bord que vous aurez recoupé séchera à son tour, les cellules étant directement exposées à l'air. Ces pointes sèches signalent une humidité de l'air insuffisante. Essayez d'augmenter l'hygrométrie.

77

Ma plante pousse tout en longueur, comment la faire ramifier ?

Il est nécessaire de la tailler pour l'inciter à produire des rameaux secondaires. Les grandes plantes à tige unique ou peu ramifiées (dieffenbachia, dracaena, croton, yucca, cordyline, schefflera, avocatier) doivent être taillées au printemps pour bénéficier ensuite d'une croissance vigoureuse. N'hésitez pas à couper la tige assez bas, juste au-dessus d'un bourgeon. Pour les plantes retombantes, dont les tiges se dégarnissent et se ramifient peu (asparagus, cissus, misère), coupez court au-dessus d'une belle feuille ou presque à la base.

78

Peut-on tailler toutes les plantes d'intérieur trop volumineuses ?

Vous pouvez, en règle générale, tailler sans crainte toutes les plantes qui prennent trop d'ampleur au fil des années : caoutchouc, schefflera, philodendron, sparmannia, yucca. Coupez les tiges gênantes au-dessus d'un bourgeon bien orienté. Intervenez assez court, pour ne pas avoir à tailler à nouveau dans quelques mois. Et pourquoi ne pas bouturer les parties éliminées ? Attention, ne taillez jamais un palmier, car sa croissance se produit à l'extrémité de la tige (stipe). Si vous coupez cette tige, elle ne se ramifie pas et ne repousse pas.

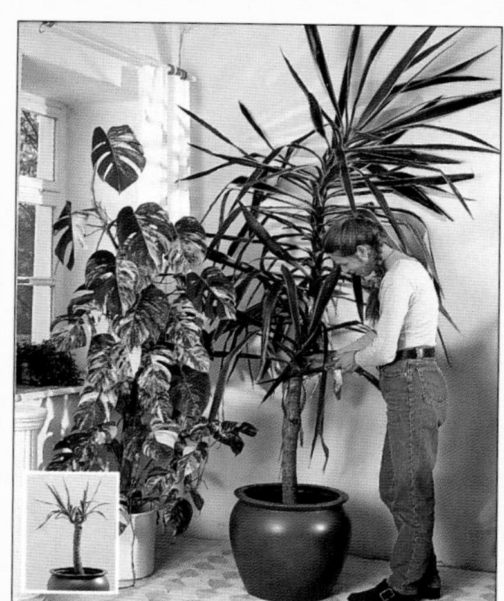

Taille d'un *Yucca elephantipes* devenu trop grand.

79

Mes plantes semblent moins bien se porter en hiver. Est-ce normal ?

Oui, car les plantes dites d'intérieur sont pour la plupart originaires de pays tropicaux et souffrent en hiver de la baisse de l'intensité lumineuse et des jours courts. Cette faible luminosité, généralement associée à une atmosphère chaude et sèche dans la maison, crée des conditions défavorables à leur croissance. Rien d'étonnant à ce qu'elles perdent quelques feuilles (la chute est considérée comme naturelle si elle ne dépasse pas 1/3 du volume du feuillage) et ne se développent plus. Réduisez les arrosages, cessez tout apport d'engrais et rapprochez les potées des fenêtres.

80

Peut-on sortir des plantes d'intérieur dans le jardin en été ?

Nombre de plantes vertes apprécient de passer les mois d'été dehors pour bénéficier des différences de température entre le jour et la nuit et de l'humidité atmosphérique naturelle. Attendez la seconde quinzaine de mai, et même début juin dans certaines régions, pour les sortir afin d'éviter les nuits encore fraîches. La rentrée s'effectuera du 15 septembre à fin octobre selon les régions. Installez les plantes dans un endroit abrité du vent et légèrement ombragé. Ne sortez pas les feuillages fins, translucides et les plantes fleuries.

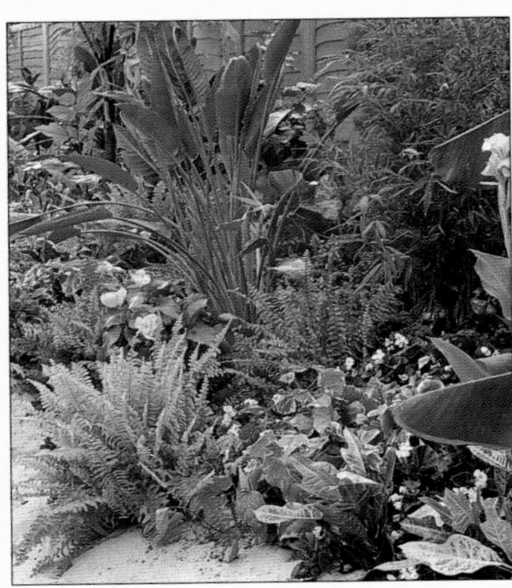

Créez un massif tropical avec les plantes de la maison.

81

Comment conserver mes plantes en bon état pendant que je suis en vacances ?

Pour 10 à 15 jours d'absence, enterrez les pots dans un endroit ombragé du jardin ou placez-les dans des bacs remplis de tourbe humide, et arrosez copieusement. La lumière est indispensable, ne fermez pas les volets de la pièce où sont stockées les plantes. Posez les pots sur l'égouttoir de l'évier, tapissé d'un feutre absorbant qui plonge dans la cuvette remplie d'eau. Un système d'arrosage automatique au goutte-à-goutte réunissant les pots à un réservoir central est très efficace.

82

Faut-il aérer les pièces où se trouvent les plantes ?

Bien sûr, car il est important d'assurer un renouvellement régulier de l'air dans la maison. L'aération vise à maintenir une composition constante de l'atmosphère de la pièce. En hiver, épargnez à vos plantes le choc des courants d'air froids. Ouvrez de préférence les fenêtres dans le milieu de la journée, quand il fait le moins froid et au moins un quart d'heure, pour obtenir un bon renouvellement de l'air. Éloignez les pots des appuis de fenêtre le temps de l'aération.

83

Mon philodendron développe de longues racines aériennes. Faut-il les supprimer ?

Surtout pas. Ces racines sont le signe d'une bonne vitalité. Elles permettent à la plante de mieux capter l'humidité de l'air. Si le tuteur n'est pas garni de mousse, qui aide à l'accrochage des racines aériennes, guidez ces dernières vers le terreau où elles poursuivront leur développement. D'autres plantes vertes forment des racines aériennes lorsqu'elles atteignent une certaine maturité : certains ficus, le monstera, le pothos, le schefflera...

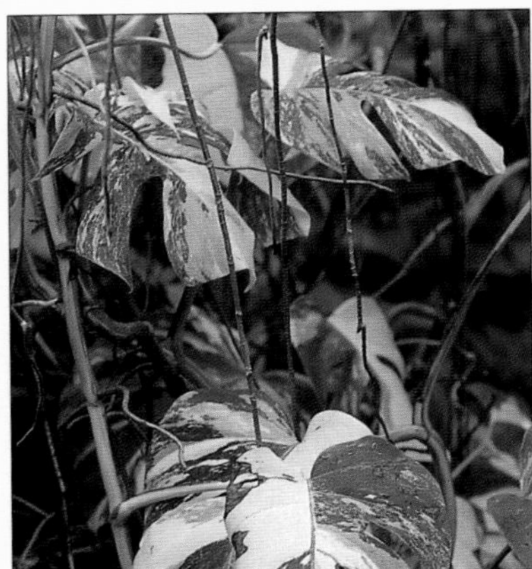

Les racines aériennes pompent l'humidité de l'air.

84

Quelles précautions faut-il prendre avec un produit en aérosol ?

Dans la maison, installez la plante à traiter sur du papier journal, hors de toute surface fragile, des aliments, et loin des autres plantes. Respectez une distance de pulvérisation de 30 cm minimum et passez rapidement la bombe autour du feuillage (comme pour se laquer les cheveux par exemple). Si le temps est doux, sec et sans vent, sortez les plantes et traitez sur la terrasse, jamais en plein soleil pour éviter les brûlures. Après traitement, laissez sécher le feuillage avant de remettre la plante en place.

85

Pourquoi les azalées, les cinéraires ou les cyclamens que l'on m'offre ne tiennent-ils pas plus de quelques jours ?

C'est normal, parce que l'atmosphère chaude et sèche de la maison ne leur convient guère. Ces plantes ont été cultivées en serre froide et demandent une température moyenne de 10 à 12 °C. Audessus de 15 °C, elles commencent à avoir trop chaud. Placez-les durant la nuit dans un endroit au frais (cave, cellier). Installez l'azalée sur un lit de billes d'argile trempant dans un peu d'eau (sans que le niveau atteigne la base du pot). Vous pouvez aussi vaporiser la partie inférieure du feuillage, sans toutefois mouiller les fleurs.

86

Vaut-il mieux cultiver un pothos le long d'un tuteur ou comme une plante retombante ?

Les deux choix sont bons, tout dépend de la place dévolue à la plante. Les sujets retombants seront placés en hauteur et il faudra tailler régulièrement les tiges pour éviter qu'elles ne se dégarnissent.

▲ Attache d'un pothos *(Scindapsus aureus)* sur un tuteur.

Pour transformer le pothos en plante « grimpante », guidez-le sur un treillage ou, mieux, sur un tuteur spécial garni de mousse que vous maintiendrez humide par des vaporisations d'eau. Les tiges développeront des racines aériennes, qui viendront s'ancrer dans la mousse et y puiser l'humidité.

87

Combien d'années peut-on conserver une plante à la maison ?

Il n'existe pas de règle en la matière. Avec des rempotages ou des surfaçages réguliers, vous pourrez maintenir jusqu'à plusieurs dizaines d'années certains ficus, philodendrons, crassulas, hibiscus, scheffléras, yuccas, dracaenas et autres plantes robustes et peu exigeantes. Il suffit de bien subvenir à leurs besoins. Les plantes fleuries sont souvent plus éphémères. Beaucoup ne durent qu'une saison ou demandent à être renouvelées au bout d'un an ou deux. Les bégonias à feuillage décoratif, les poinsettias, les dieffenbacchias, les crotons, etc., se lignifient ou se dégarnissent et gagnent à être rajeunis par bouturage au bout de quelques années. Certaines plantes tropicales délicates, comme le médinilla, les épiscias et de nombreuses orchidées botaniques, réclament une serre.

Multiplication

88

Comment faire pousser un noyau d'avocat ?

Après avoir extrait le noyau du fruit, lavez-le et séchez-le avec un chiffon. Au niveau du tiers inférieur du noyau, piquez horizontalement trois allumettes, disposées en triangle. Vous allez pouvoir maintenant poser le noyau sur un verre rempli d'eau, de manière que la base de cette grosse graine se trouve au contact de l'eau. Vous pouvez aussi planter le noyau dans un pot rempli de terreau de semis, en laissant la pointe dépasser. Maintenez le terreau légèrement humide, entre 20 et 22 °C. Dans les 30 à 45 jours, le noyau va se fendre et laisser apparaître d'abord une racine, puis une tige qui s'allonge vite. Rempotez dans un terreau pour plantes vertes, quand la plantule porte deux longues feuilles vertes. Il est indispensable de pincer la tige plusieurs fois, afin de provoquer des ramifications et d'obtenir un bel arbuste.

89

Peut-on semer des pépins d'orange ou de citron et des noyaux de datte, de mangue ou de litchi ?

Oui, et c'est très amusant, mais il vous faudra faire preuve de patience, car la germination peut demander plusieurs mois, par exemple pour les dattes. La croissance lente dans la maison ne permet guère d'obtenir de beaux sujets avant plusieurs années. Avant le semis, faites tremper les noyaux de datte ou de litchi un jour ou deux dans l'eau chaude (30 °C) pour ramollir le tégument de la graine. Semez en godet ou en terrine dans du terreau de semis. Maintenez le substrat légèrement humide, sous une miniserre ou dans un pochon de plastique transparent. Température : de 20 à 25 °C.

Ambiance de semis de fruits exotiques dans la maison. ▶

Quelles plantes peut-on bouturer dans l'eau ?

De nombreuses espèces s'enracinent aisément dans l'eau entre la fin du printemps et le début de l'été : misère, syngonium, de nombreux bégonias à feuillage décoratif, plectranthe, impatiens, papyrus, cissus, hypoestes, pothos, lierre, piléa, saintpaulia, *Ficus pumila*, même le *Ficus benjamina* et le dieffenbachia. Rien ne coûte d'essayer ! Choisissez une jeune pousse de 8 à 20 cm de long, coupez-la sous le point d'attache d'une feuille. Supprimez les feuilles inférieures et une partie du limbe de celles qui sont conservées. Plongez la base de la bouture dans de l'eau contenant un petit morceau de charbon de bois qui la maintiendra claire. Le récipient idéal est un tube ou un vase à col fin.

J'ai fait une bouture de sansevieria qui a repris, mais les nouvelles feuilles sont toutes vertes. Comment faire pour obtenir des marges jaunes ?

Les variétés de sansevière à feuillage bordé de jaune perdent leurs panachures lorsqu'on bouture les feuilles. Pour conserver le feuillage panaché, il est nécessaire de procéder par division des touffes ou par bouturage de pousses latérales entières, déjà panachées. Attendez que votre plante forme une belle touffe, puis dépotez-la à la fin du printemps. Séparez avec soin un ou plusieurs rejets avec une portion de rhizome bien enraciné et rempotez-les dans des pots individuels remplis de terreau très drainant, additionné de sable grossier ou dans un terreau pour cactées et plantes grasses.

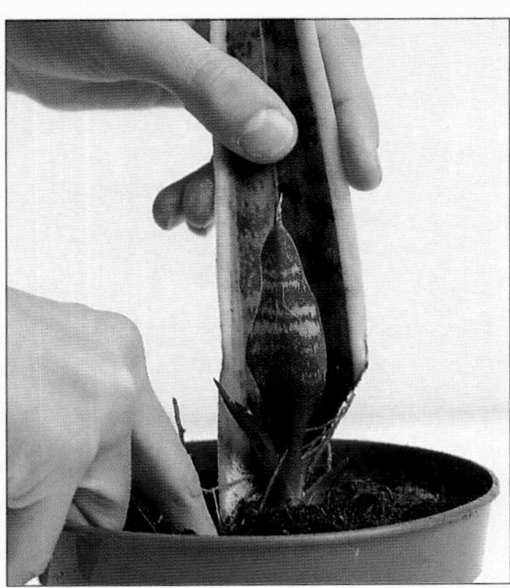

La bouture de feuille de sansevière est toute verte.

Comment multiplier les bégonias à feuillage ?

Pratiquez le bouturage de feuilles pour les bégonias à grandes feuilles colorées, comme les bégonias rex et croix-de-fer. Coupez une feuille bien développée, encore jeune. Supprimez le pétiole, retournez-la face supérieure sur une planchette et, avec un couteau tranchant, pratiquez quelques incisions de 2 mm, perpendiculairement sur une nervure. Retournez ensuite la feuille pour la plaquer, face inférieure vers le bas, à la surface d'une terrine remplie de terreau de semis ou de bouturage. Maintenez la feuille en place avec des petits crochets métalliques (épingles à cheveu) ou des cailloux propres. Laissez la culture à l'étouffée dans une miniserre chauffée. En 4 à 6 semaines, des plantules apparaissent au niveau des incisions.

Peut-on repiquer les jeunes pousses qui se forment à l'extrémité des longues tiges de la phalangère (*Chlorophytum comosum*) ?

Oui, c'est même la façon la plus facile de multiplier cette plante. Choisissez de préférence des plantules qui ont déjà formé des racines à l'extrémité des tiges. Détachez-les et plantez-les individuellement dans des godets remplis de terreau de semis ou d'un mélange de sable de rivière et de tourbe blonde. Vous pouvez aussi les repiquer dans des godets, tout en les laissant encore rattachées à la plante mère. Avec ce système simple de marcottage, la croissance n'en sera que plus rapide. Vous couperez la tige au ras des jeunes plantes dès qu'elles auront formé de nouvelles feuilles.

Le marcottage du chlorophytum est vraiment facile.

Vivre avec vos plantes

Faut-il parler aux plantes et leur passer de la musique douce ?

Les études scientifiques menées sur ce sujet n'ont guère donné de résultats significatifs, mais on s'est rendu compte, avec l'expérience, que ces marques d'attention entraînaient une croissance plus régulière des végétaux. Dans les serres de production de roses par exemple, les professionnels passent de la musique en permanence. Les plantes semblent mal supporter une musique « violente » d'un très fort niveau sonore. Le fait de leur parler n'est-il pas un moyen d'être plus attentif à leur égard et de mieux les soigner ?

Les plantes sont-elles sensibles à la fumée de cigarette dans une pièce ?

Les plantes manifestent une sensibilité variable aux diverses pollutions atmosphériques, la fumée de cigarette notamment. Certaines se révèlent robustes et tolérantes, comme les cissus, sansevière, schefflera, aspidistra, asparagus, clivia, impatiens, etc. D'autres jaunissent ou dépérissent dans une pièce régulièrement enfumée, en particulier les feuillages panachés, velus et translucides. Si vous êtes fumeur, évitez fougères, orchidées, saintpaulia, cyclamen, fittonia, maranta, caladium, etc. Aérez quotidiennement et ne renoncez surtout pas aux plantes, qui contribuent à assainir l'atmosphère de nos intérieurs, augmentant l'humidité de l'air et filtrant certaines substances toxiques.

96

Est-il vrai que le dieffenbachia est une plante toxique ?

Tout à fait. Veillez à placer cette grande plante au feuillage magnifiquement panaché hors de portée des enfants et animaux domestiques, car elle est assez toxique, la sève laiteuse des tiges surtout. La simple ingestion d'un fragment de feuille peut déclencher des réactions digestives ou respiratoires assez fortes, du fait de la présence dans les tissus d'oxalates et d'autres substances non tolérées par notre organisme. Portez des gants pour la rempoter ou la bouturer, car la sève peut provoquer par contact des irritations de la peau et des muqueuses chez les personnes les plus sensibles aux affections cutanées.

97

Faut-il nourrir les plantes carnivores avec des morceaux de viande ?

Absolument pas. Les plantes dites carnivores trouvent un complément nutritif dans l'absorption de petits insectes ou d'acariens, voire, à l'extrême, de batraciens pour les plus grands népenthes. À la maison, où les proies sont rares, apportez un engrais liquide très dilué (1/10 de la dose habituelle) une fois par mois en période de croissance.

98

Quelle différence existe-t-il entre cactées et plantes grasses ?

Les cactées sont caractérisées par leurs tiges compactes, cylindriques et côtelées, le plus souvent sans feuilles, ainsi que pour la présence d'aiguillons portés par des aréoles, sortes de coussinets. Les plantes grasses (on devrait dire « succulentes ») rassemblent tous les végétaux qui possèdent des organes de réserve d'eau ou de suc, tiges ou feuilles, charnus, renflés. Les cactées en font donc partie avec d'autres plantes comme les crassula, kalanchoé, euphorbe, etc.

99

Pourquoi certaines plantes ressemblent-elles à des cailloux ?

Les genres Lithops, Pleiospilos, Fenestraria, etc. sont formés de plantes grasses, caractérisées par des paires de feuilles très charnues qui émergent directement du sol. Elles prennent l'aspect de

Lithops marmorata : plante caillou.

cailloux par leur forme et leurs teintes. La fleur, jaune, blanche ou orangée, qui apparaît en automne est issue de la fissure centrale entre les feuilles jumelées. Ces étonnants sujets de collection se cultivent dans du terreau pour cactées, en pleine lumière, avec des arrosages très réduits.

100

Peut-on considérer les orchidées comme des plantes parasites ?

Pas du tout. Une plante parasite puise les éléments nutritifs nécessaires à sa croissance dans les tissus de la plante-hôte. Les orchidées tropicales, cultivées chez nous en intérieur, sont pour la plupart des plantes épiphytes, c'est-à-dire qu'elles se développent sur une autre plante, le plus souvent des arbres, qui leur servent uniquement de support, et non de source de nourriture. Les orchidées épiphytes possèdent des racines charnues, aptes à absorber la vapeur d'eau présente dans l'air, ainsi que l'eau et les éléments nutritifs dans les creux de l'écorce. Cela explique leurs besoins particuliers en matière de substrat.

Le dieffenbachia exsude une sève toxique et irritante.

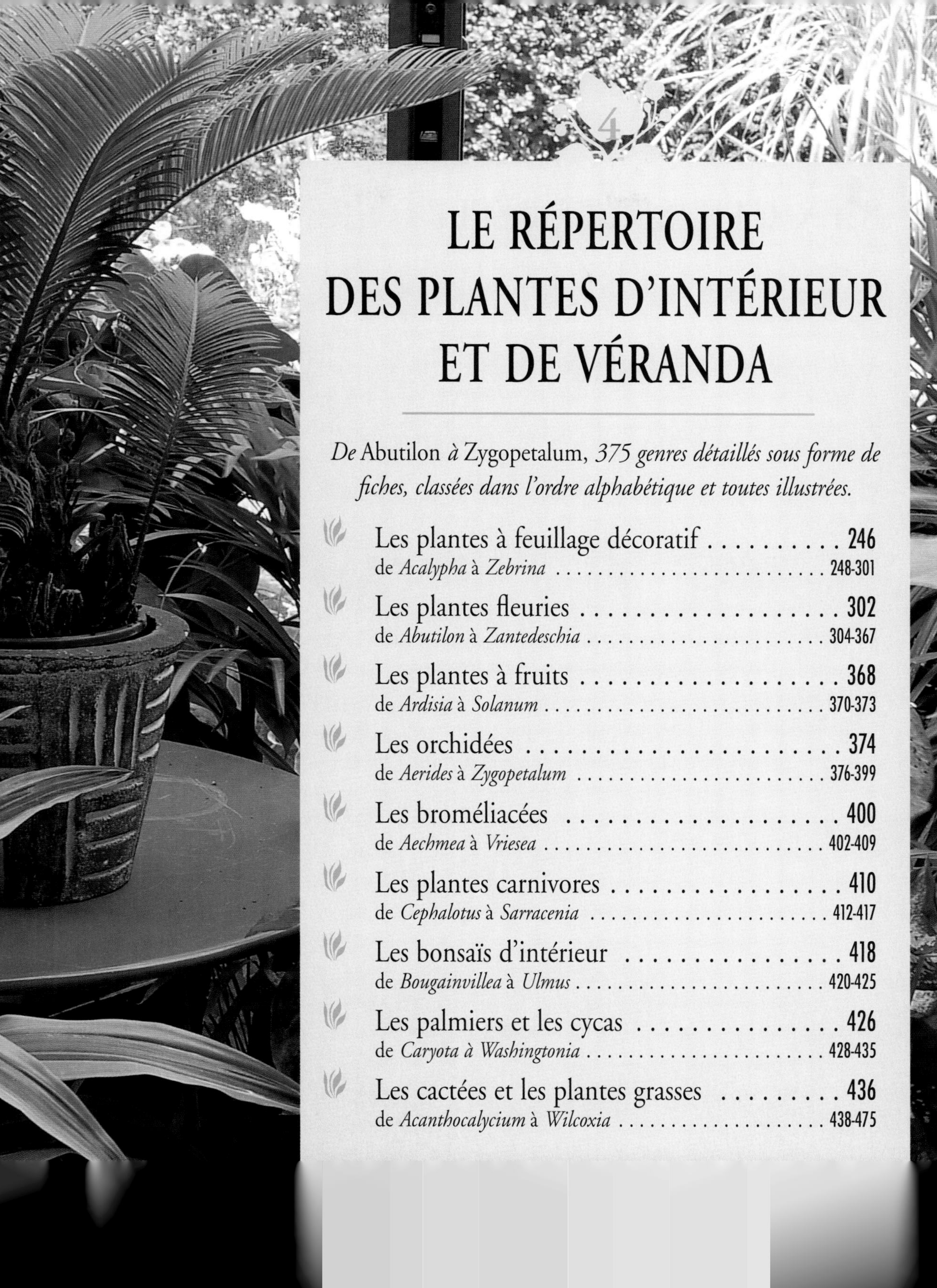

LE RÉPERTOIRE DES PLANTES D'INTÉRIEUR ET DE VÉRANDA

De Abutilon *à* Zygopetalum, *375 genres détaillés sous forme de fiches, classées dans l'ordre alphabétique et toutes illustrées.*

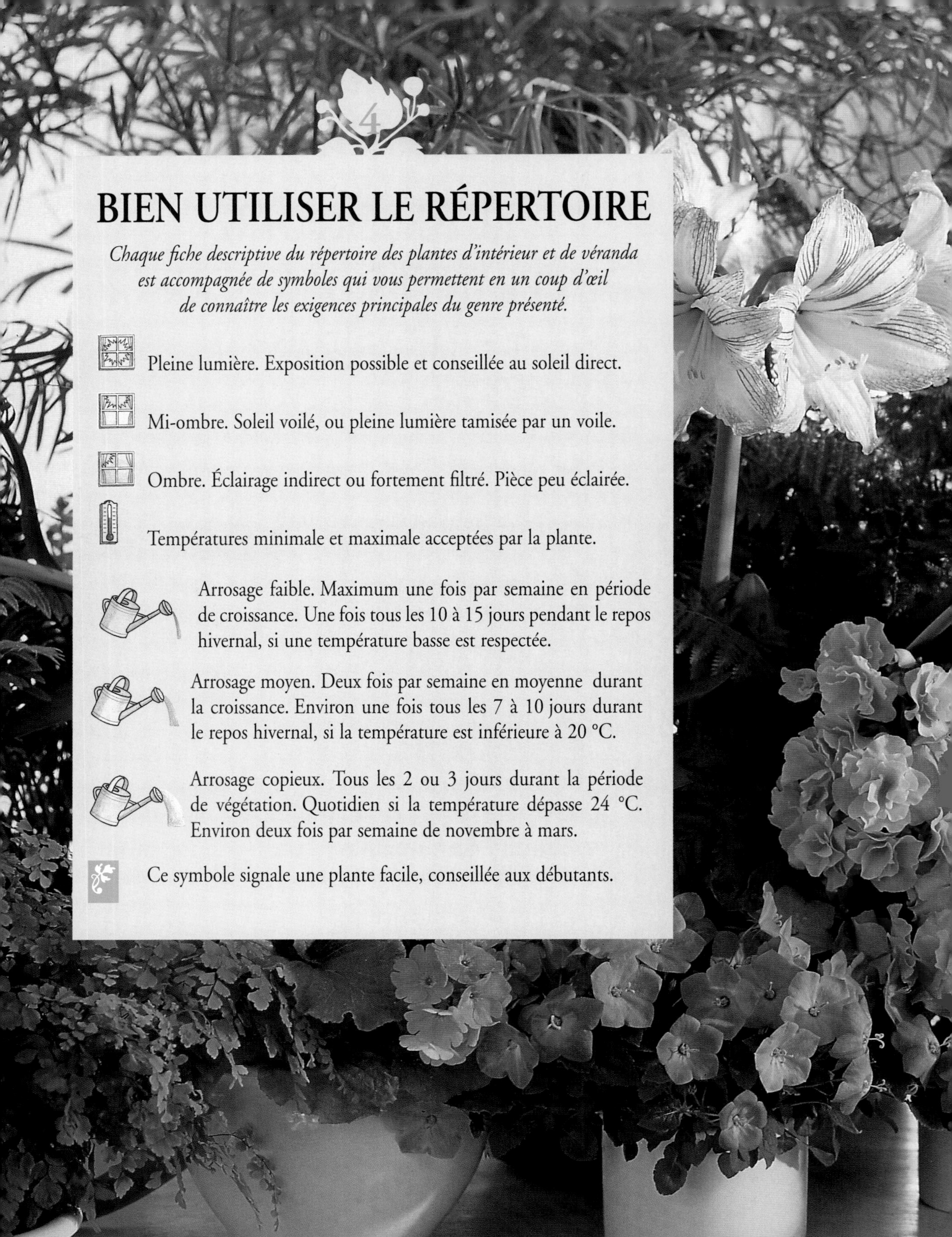

BIEN UTILISER LE RÉPERTOIRE

Chaque fiche descriptive du répertoire des plantes d'intérieur et de véranda est accompagnée de symboles qui vous permettent en un coup d'œil de connaître les exigences principales du genre présenté.

Pleine lumière. Exposition possible et conseillée au soleil direct.

Mi-ombre. Soleil voilé, ou pleine lumière tamisée par un voile.

Ombre. Éclairage indirect ou fortement filtré. Pièce peu éclairée.

Températures minimale et maximale acceptées par la plante.

Arrosage faible. Maximum une fois par semaine en période de croissance. Une fois tous les 10 à 15 jours pendant le repos hivernal, si une température basse est respectée.

Arrosage moyen. Deux fois par semaine en moyenne durant la croissance. Environ une fois tous les 7 à 10 jours durant le repos hivernal, si la température est inférieure à 20 °C.

Arrosage copieux. Tous les 2 ou 3 jours durant la période de végétation. Quotidien si la température dépasse 24 °C. Environ deux fois par semaine de novembre à mars.

Ce symbole signale une plante facile, conseillée aux débutants.

LES PLANTES À FEUILLAGE DÉCORATIF

On les appelle « plantes vertes », et pourtant beaucoup d'entre elles nous enchantent de leurs couleurs. ❧ *Le soleil des tropiques semble avoir un effet magique sur les feuillages, qui pâlissent dans diverses nuances de jaune sous l'ardeur des rayons de notre étoile ou rougissent de plaisir sous ses chaudes caresses. Certaines timides se fardent de délicats tons roses, tandis que les amies de l'ombre voient leur feuillage s'intensifier et virer au pourpre, qui parfois confine presque au noir.* ❧ *La bigarrure est de mise dans les contrées tropicales, qu'il s'agisse des robes des femmes ou du feuillage des plantes. L'intensité lumineuse est telle que toutes les couleurs chantent et s'expriment avec naturel et simplicité, sans la moindre vulgarité.* ❧ *Les bariolages qui paraîtraient excessifs et de mauvais goût sous nos climats font ici partie du quotidien et même des choix de la nature.* ❧ *Pour être tout à fait honnête, il faut bien avouer que l'homme n'a pas hésité à aider Dame Nature dans ses essais d'aquarelles et d'enluminures. Sélectionnant les fantaisies les plus étonnantes, favorisant les contrastes les plus audacieux, les horticulteurs élargissent en permanence l'offre variétale des « plantes vertes » avec des feuillages de plus en plus sophistiqués.* ❧ *Dans le décor de la maison, la plante à feuillage vert sera l'élément dominant, car elle engendre une impression paisible et reposante. Le feuillage coloré apporte la note de gaieté qui donne l'ambiance, avec l'avantage d'une longévité bien supérieure à toute floraison. Découvrez dans les pages suivantes un choix très large de feuillages tous plus beaux les uns que les autres.* ❧

▲ *Acalypha wilkesiana* 'Macafeana' a des reflets bronze.

▲ *Acorus gramineus* 'Aureovariegatus' : finesse et légèreté.

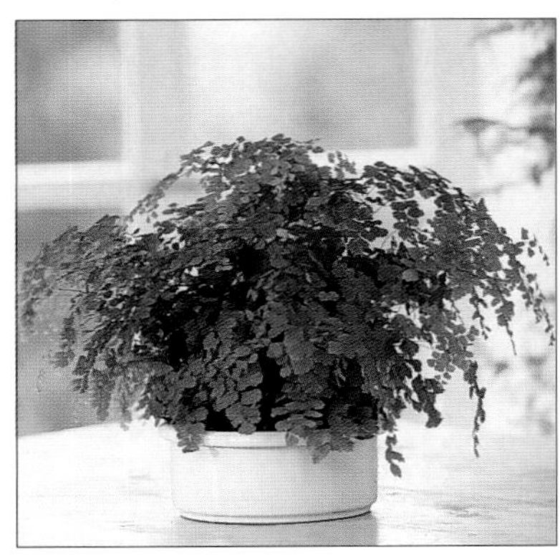

◄ *Adiantum raddianum* : le gracieux capillaire.

Acalypha wilkesiana
ACALYPHA, RICINELLE

 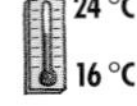 

Plante semi-arbustive, très buissonnante.

Origine : Nouvelle-Guinée, Java, Papouasie.

Feuilles : de 10 cm de long, en forme de cœur, dentées, pourpre cuivré à reflets gris et bordeaux.

Fleurs : en petits épis unisexués insignifiants.

Lumière : installez la plante derrière une grande baie vitrée voilée, exposée au sud/sud-ouest.

Terre : terreau, fumier décomposé et sable par tiers.

Engrais : tous les 15 jours, de mai à octobre, apportez un engrais liquide pour plantes vertes.

Humidité de l'air : brumisez deux fois par jour en été. Installez la plante sur des graviers humides.

Arrosage : tous les 2 jours, de juin à septembre. Une fois par semaine en hiver.

Rempotage : chaque année, de février à mai.

Exigences particulières : il est bon d'éliminer les fleurs pour conserver une touffe compacte.

Dimensions : de 50 à 80 cm. Croissance rapide.

Multiplication : bouturage, de janvier à mars, de tiges latérales de 10 à 15 cm, munies d'un talon.

Longévité : guère plus de 3 ans à la maison.

Ennemis et maladies : araignées rouges sur la face inférieure des feuilles par temps chaud et sec.

Espèces et variétés : 'Godseffiana' à feuilles vertes, crispées, bordées de blanc ; 'Musaica', mélange de bronze, de rouge et d'orangé.

Conseil Truffaut : taillez la plante à la fin de l'hiver afin d'obtenir de nouvelles pousses colorées.

Acorus gramineus
ACORE, LIS DES MARAIS

Plante herbacée, vivace, rhizomateuse, semi-aquatique, formant une touffe serrée.

Origine : Japon.

Feuilles : persistantes, ressemblant à de l'herbe, rigides, de 40 cm de long, vertes ou panachées.

Fleurs : un spadice oblique, de 5 à 10 cm, jamais observé quand la plante est cultivée à la maison.

Lumière : mi-ombre ou soleil, indifféremment.

Terre : 2/3 de tourbe et 1/3 de terre de jardin.

Engrais : de mai à septembre, une fois par mois, arrosez avec un engrais liquide riche en azote.

Humidité de l'air : maximale. Placez le pot dans une soucoupe pleine d'eau ou plantez en aquarium.

Arrosage : le fond du pot doit baigner dans l'eau.

Rempotage : tous les 2 ou 3 ans, quand la touffe se trouve trop à l'étroit dans son pot.

Exigences particulières : ne laissez pas le sol s'appauvrir, sinon la croissance des feuilles s'arrête.

Dimensions : 40 cm de haut, 20 cm de large.

Multiplication : en automne ou au printemps, divisez les rhizomes et replantez-les aussitôt.

Longévité : illimitée si vous divisez la souche tous les 2 ans et maintenez la plante au frais.

Ennemis et maladies : généralement aucun.

Espèces et variétés : *Acorus gramineus* 'Variegatus', aux feuilles striées de blanc.

Conseil Truffaut : installez l'acore dehors de mai à octobre. Sa croissance en sera stimulée.

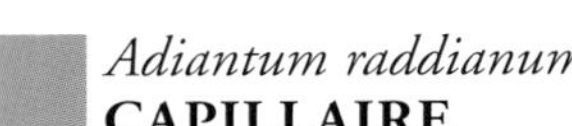

Adiantum raddianum
CAPILLAIRE

Fougère rhizomateuse dont il existe 200 espèces.

Origine : Brésil.

Feuilles : les frondes arrondies, délicates, d'un vert mat, sont portées par des tiges brunes, érigées, graciles, qui retombent gracieusement.

Fleurs : les fougères ne forment pas de fleurs.

Lumière : le soleil direct grille ou fait jaunir les feuilles du capillaire. Une fenêtre au nord est idéale.

Terre : tourbe, terre de bruyère, terreau et sable de rivière, en mélange à parts égales.

Engrais : à partir de mai, apportez une fois par semaine un engrais liquide pour plantes vertes.

Humidité de l'air : dès que le chauffage fonctionne, posez le pot sur un lit de cailloux humides.

Arrosage : une fois par semaine, d'octobre à mars. Trois fois par semaine en été.

Rempotage : quand les racines sortent du pot.

Exigences particulières : le capillaire se comporte mal dans les atmosphères enfumées.
Dimensions : 40 à 50 cm de haut et de large.
Multiplication : division des vieilles touffes, en juin. Les souches mettent du temps à retrouver leur vigueur. Le semis de spores, à 21 °C, est délicat.
Longévité : plus de 5 ans dans de bonnes conditions de culture.
Ennemis et maladies : attaques fréquentes de mouches blanches ou de cochenilles laineuses.
Espèces et variétés : 'Fragrantissima', aux frondes parfumées ; 'Goldelse', aux frondes dorées.
Conseil Truffaut : le capillaire n'aime pas être déplacé. Trouvez le bon endroit et ne bougez plus le pot.

Aglaonema spp. AGLAONÉMA

Plante touffue, perdant les feuilles basales avec l'âge et formant une tige courte. 50 espèces.
Origine : Malaisie, où il fut découvert vers 1880.
Feuilles : de 20 cm de long, lancéolées, avec de longs pétioles, panachées et mouchetées d'argent.
Fleurs : spathe et spadice sans grand intérêt.
Lumière : les pièces mal éclairées ou les endroits éloignés de la fenêtre conviennent bien.
Terre : 1/3 de terre de bruyère, 2/3 de terreau pour plantes vertes et un peu de fumier composté.
Engrais : de mai à septembre, apportez de l'engrais pour plantes vertes, deux fois par mois.
Humidité de l'air : l'aglaonéma supporte l'atmosphère sèche des appartements en hiver, mais apprécie des vaporisations fréquentes à l'eau douce.
Arrosage : une fois par semaine en hiver. Tous les trois jours si la température dépasse 20 °C.
Rempotage : chaque année en mars-avril.
Exigences particulières : la fumée du tabac et les courants d'air froids font jaunir les feuilles.
Dimensions : 80 cm de haut et 50 cm de large.
Multiplication : facile par division des touffes.
Longévité : l'aglaonéma commence à perdre son aspect touffu au bout de 3 ou 4 ans.
Ennemis et maladies : le botrytis forme des taches sur les feuilles, en dessous de 15 °C.
Espèces et variétés : *Aglaonema trewbii* à feuilles vertes et argent ; *Aglaonema pseudobracteatum* éclaboussé de jaune.
Conseil Truffaut : tenir hors de portée des enfants, sève et baies sont toxiques.

Alocasia macrorrhiza OREILLE D'ÉLÉPHANT

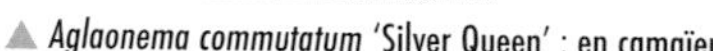

Plante herbacée, formant une touffe évasée.
Origine : Philippines, Malaisie, Java.
Feuilles : en fer de lance (sagittées), atteignant 1 m de long en pot. Pétioles solides.
Fleurs : semblables à celle des arums, mais assez insignifiantes. Une spathe enveloppe le spadice.
Lumière : vive, mais pas de soleil direct.
Terre : sable, terreau pour plantes vertes, terre de jardin et fumure aux algues à parts égales.
Engrais : toutes les deux semaines, à partir de mai. Un engrais riche en potasse permet d'obtenir des feuilles rigides qui se tiennent mieux.
Humidité de l'air : vaporisez une fois par jour.
Arrosage : une ou deux fois par semaine en hiver. Trois ou quatre fois par semaine en été.
Rempotage : chaque année, de mars à mai.
Exigences particulières : l'alocasia apprécie la pleine lumière du soleil en hiver.
Dimensions : 1,50 m de haut et de large.
Multiplication : bouture de rhizome (difficile). Séparation des rejets apparaissant à la base.
Longévité : de 1 à 2 ans en appartement, plus de 15 ans en véranda ou en serre.
Ennemis et maladies : cochenilles farineuses et araignées rouges colonisent les plantes affaiblies.
Espèces et variétés : *Alocasia sanderiana* porte de belles feuilles sagittées, très décoratives, d'un vert métallique, avec des nervures marquées d'argent, portées par de longs pétioles.
Conseil Truffaut : s'il a la chance de bien se plaire, *Alocasia macrorrhiza* prend une ampleur très spectaculaire. Prévoyez au moins 4 m² par plante.

▲ *Aglaonema commutatum* 'Silver Queen' : en camaïeu.

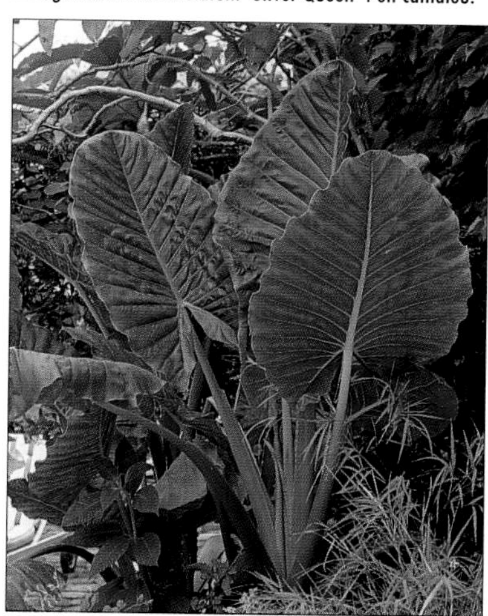

▲ *Alocasia macrorrhiza* : des feuilles géantes.

Alocasia sanderiana : reflets métalliques, nervures ivoire. ▶

▲ *Alsophila australis* : une grande fougère arborescente.

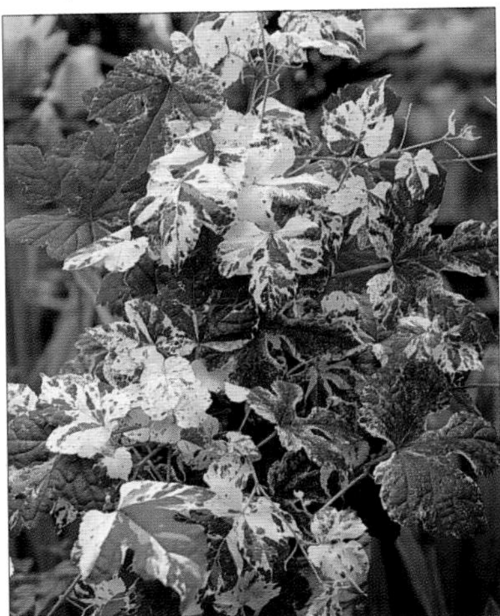

▲ *Ampelopsis brevipedunculata* var. *maximowiczii* 'Elegans'.

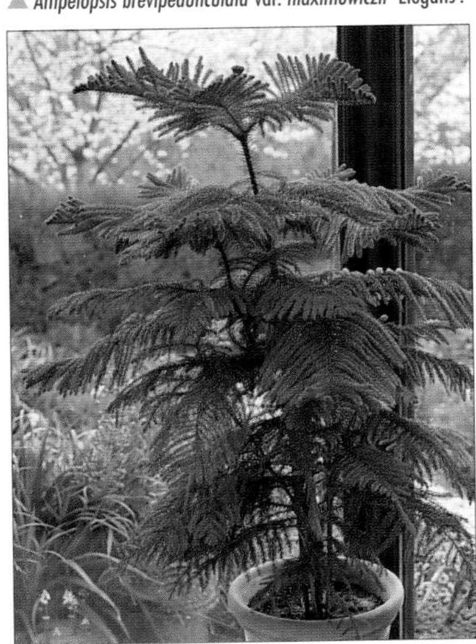

◄ *Araucaria heterophylla* : un élégant conifère d'intérieur.

Alsophila australis
FOUGÈRE EN ARBRE

 20 °C 7 °C

Fougère dont les tiges se renouvellent continuellement, finissant par constituer un « tronc » épais (le stipe), d'où partent les frondes au port évasé.

Origine : Australie.

Feuilles : les jeunes crosses charnues, écailleuses se déploient en immenses frondes vert clair, très découpées, de plus de 1 m de long et 40 cm de large. De fines écailles rousses couvrent les tiges.

Fleurs : les fougères ne forment pas de fleurs.

Lumière : le soleil direct flétrit l'extrémité des jeunes frondes. Mais une excellente luminosité est nécessaire pour obtenir un bon développement.

Terre : 1/2 de tourbe et 1/2 de terre de bruyère.

Engrais : de mai à octobre, arrosez deux fois par mois avec de l'engrais liquide pour plantes vertes.

Humidité de l'air : aussi élevée que possible. Vaporisez les frondes et le tronc de une à quatre fois par jour tout au long de l'année.

Arrosage : deux fois par semaine en hiver; tous les 2 jours en été, en mouillant bien le tronc.

Rempotage : au printemps, tous les 2 ans.

Exigences particulières : tuteurez le tronc dès qu'il commence à s'incliner. Les racines de cette fougère ne sont pas toujours suffisamment puissantes pour équilibrer le poids des frondes.

Dimensions : plusieurs mètres dans la nature, rarement plus de 2 m de haut en appartement et 2 à 3 m de large, au bout de 4 à 5 ans.

Multiplication : semis par les professionnels.

Longévité : plusieurs dizaines d'années.

Ennemis et maladies : généralement aucun.

Espèces et variétés : *Cyathea medullaris* porte des frondes arquées, aux pétioles noirs.

Conseil Truffaut : consacrez un espace d'au moins 3 à 4 m² à cette fougère. Installez-la dehors en été. Un séjour au jardin, sous un arbre, de mai à octobre, permet à la plante de retrouver une nouvelle vigueur. L'utilisation d'un système d'arrosage automatique par micro-asperseurs est idéal.

Ampelopsis brevipedunculata
VIGNE VIERGE

  18 °C 2 °C

Plante grimpante à feuillage caduc, munie de vrilles, qui s'accroche seule à son support.

Origine : elle fut introduite, en Europe, en 1847 par Siebold, qui la rapporta de l'Asie du Sud-Est.

Feuilles : découpées en 3 ou 5 lobes. La variété la plus vendue, *maximowiczii* 'Elegans', aussi nommée 'Tricolor', porte un feuillage teinté de rose et de crème à la naissance, semblant même décoloré et qui vire au vert amande en vieillissant.

Fleurs : insignifiantes, mais elles donnent des baies d'un exceptionnel bleu porcelaine.

Lumière : le soleil direct convient, sauf au démarrage des jeunes pousses qui « grillent » facilement, surtout derrière une vitre.

Terre : 1/3 de terre de jardin, 1/3 de sable et 1/3 de terreau, enrichi d'algues et de fumier compostés.

Engrais : à partir d'avril, arrosez une fois par mois avec de l'engrais pour plantes vertes.

Humidité de l'air : vaporisez la plante deux à trois fois par semaine en été. Mieux : installez-la au jardin en été et douchez-la chaque fois que vous arrosez.

Arrosage : tous les 10 jours en hiver, quand la surface du terreau est sèche. Tous les 2 jours en été.

Rempotage : une fois tous les 2 ans, au printemps, dans un pot plus profond que large.

Exigences particulières : un support est indispensable pour que la plante grimpe.

Dimensions : la variété 'Tricolor' atteindra 4 m au maximum en pot, dans un appartement frais.

Multiplication : bouturage en septembre.

Longévité : de 5 à 10 ans.

Ennemis et maladies : attention aux cochenilles au début de l'automne et en hiver.

Espèces et variétés : *Ampelopsis japonica*, à feuilles vertes, est moins souvent proposé.

Conseil Truffaut : taillez toutes les tiges au tiers de leur hauteur en mars, pour favoriser la pousse abondante du jeune feuillage coloré.

☞ ***Aralia*** voir *Dizygotheca* et *Fatsia*.

☞ ***Aralia* 'Ming'** voir *Polyscias*.

Araucaria excelsa
PIN DE NORFOLK

Élégant conifère au port souple, formant des branches étagées horizontalement.

Origine : découvert dans le Pacifique, sur l'île de Norfolk, en 1793, par sir Joseph Banks.

Feuilles : les aiguilles de 15 mm, non piquantes, naissent vert pâle et foncent en vieillissant.

Fleurs : pas de cônes chez les plantes en pot.

Lumière : l'araucaria se plaît dans une pièce assez claire. En été, éviter le plein soleil entre 10 h et 17 h.

Terre : un bon terreau de plantation pas trop compact, enrichi d'un bon fertilisant organique.

Engrais : pour un conteneur de 20 litres, une petite cuillerée à soupe d'engrais retard en granulés suffit pour la saison.

Humidité de l'air : vaporisez les branches tous les 2 jours et éloignez la plante des appareils de chauffage quand ils sont en fonctionnement.

Arrosage : pas plus d'une fois par semaine en hiver, mais copieux. Deux ou trois fois par semaine en été.

Rempotage : tous les 2 ans, en février-mars, tant que l'arbuste est jeune. Tous les 3 ans pour les plantes qui dépassent 1,20 m de haut.

Exigences particulières : l'araucaria déteste la chaleur en hiver, quand elle se conjugue à la sécheresse de l'air. Ne pas dépasser 15 °C à cette époque de l'année. Prévoir un tuteurage des tiges.

Dimensions : de 50 à 60 m dans son milieu naturel. 3 m au maximum en pot.

Multiplication : facile, par semis, si l'on trouve des graines ! Le bouturage est réservé aux professionnels.

Longévité : une bonne dizaine d'années, si la plante bénéficie de bonnes conditions de culture.

Ennemis et maladies : l'air sec favorise l'apparition d'araignées rouges et de cochenilles.

Espèces et variétés : *Araucaria bidwillii*, aux feuilles plates et épineuses, est beaucoup moins courant.

Conseil Truffaut : l'araucaria développe des entrenœuds importants si les apports d'engrais sont fortement dosés en azote. Cela déséquilibre la silhouette. Divisez par deux les doses conseillées sur les boîtes et préférez les engrais spéciaux pour conifères.

Asparagus densiflorus
ASPARAGUS

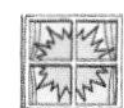  

Plante herbacée, formant une touffe, au feuillage très fin, qui évoque celui des fougères.

Origine : Afrique du Sud. Les asparagus furent importés en Europe à la fin du XIXe siècle.

Feuilles : persistantes, très fines, ressemblant presque à des aiguilles, vert tendre.

Fleurs : à peine visibles, blanc rosé. Elles se transforment parfois en baies rougeâtres.

Lumière : 3 à 4 heures par jour de lumière intense ou même de soleil direct. L'ombre légère est tolérée.

Terre : terreau, sable et terre de jardin, par tiers.

Engrais : de mai à septembre, apportez deux fois par mois de l'engrais liquide pour plantes vertes.

Humidité de l'air : les asparagus se satisfont bien de la sécheresse atmosphérique de nos intérieurs, s'ils se trouvent dans une pièce fraîche.

Arrosage : trois fois par semaine en été, une fois par semaine en hiver. Maintenez la motte presque sèche, en dessous de 14 °C.

Rempotage : attendez pour rempoter au printemps que les racines remplissent tout le pot.

Exigences particulières : les asparagus se plaisent bien dans les potées suspendues.

Dimensions : 40 cm de haut et de large. Palissé sur un treillage, plus de un mètre de haut.

Multiplication : semis facile, en avril. Par division des touffes, la reprise s'avère parfois lente.

Longévité : plus de 10 ans.

Ennemis et maladies : les cochenilles s'installent sur les tiges et sous les feuilles. Les araignées rouges attaquent parfois l'ensemble du feuillage en hiver.

Espèces et variétés : *Asparagus densiflorus* 'Meyeri', aux aiguilles serrées comme des goupillons à bouteilles ; le feuillage d'*Asparagus plumosus* est plus fin que celui d'une fougère.

Conseil Truffaut : n'hésitez pas à rabattre complètement la touffe au ras du sol si les plantes commencent à jaunir ou à s'effilocher. Plantez les asparagus en jardinière sur le balcon, en été.

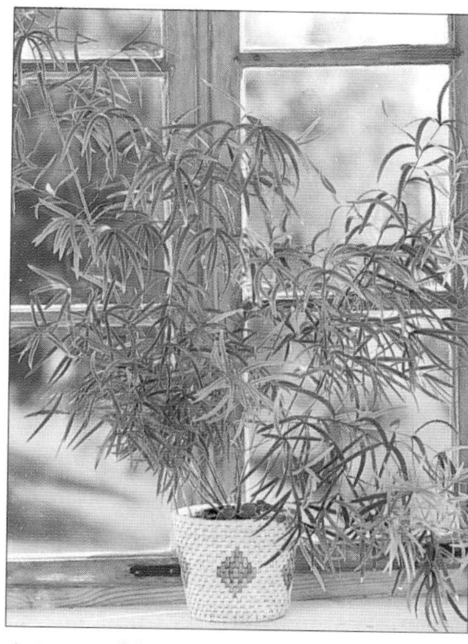

▲ *Asparagus falcatus* : tout en souplesse et en légèreté.

▲ *Asparagus densiflorus* 'Meyeri' : compact, mais très fin.

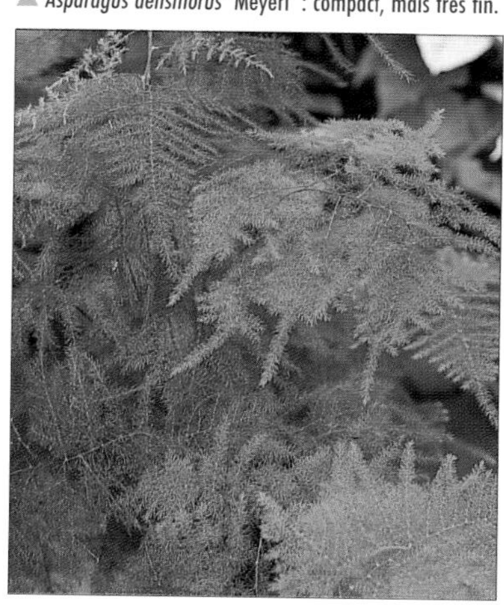

Asparagus plumosus : de la dentelle végétale. ▶

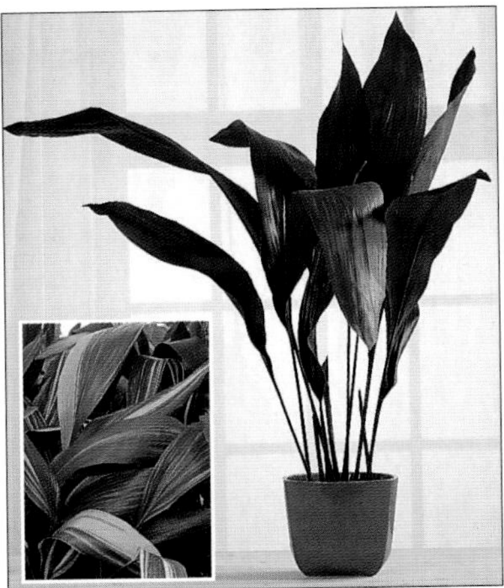

▲ *Aspidistra elatior*. Dans la fenêtre : la forme 'Variegata'.

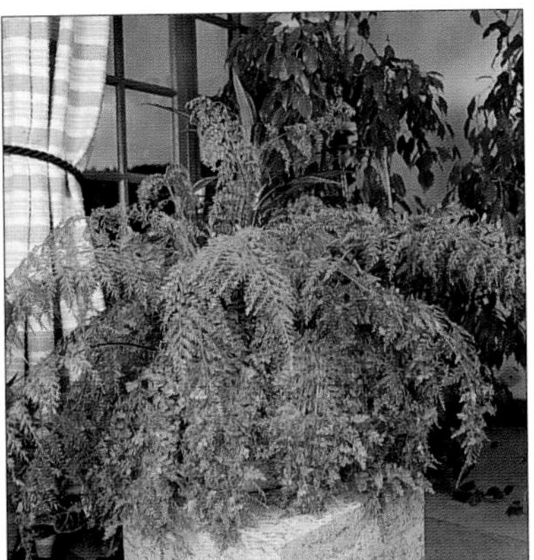

▲ *Asplenium bulbiferum* : ample, souple, gracieuse.

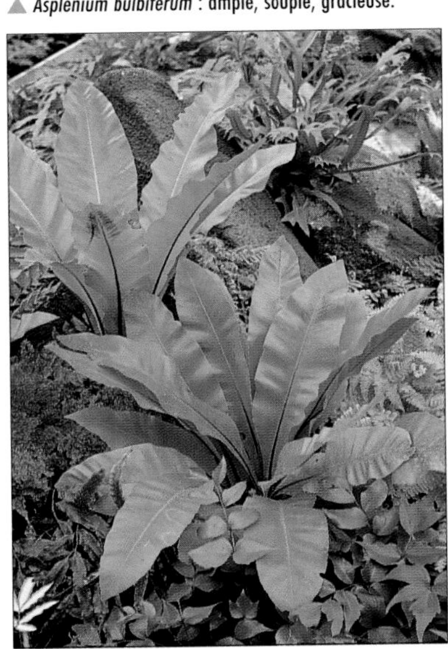

◀ *Asplenium nidus*. On l'appelle aussi « nid d'oiseau ».

Aspidistra elatior ASPIDISTRA

18 °C – 5 °C

Plante herbacée rhizomateuse, formant une touffe, appelée aussi « langue de belle-mère ».

Origine : Himalaya, Chine, Japon, Taïwan.

Feuilles : dressées, vert foncé, lancéolées, pétiolées, naissant directement sur les racines.

Fleurs : les boutons éclosent (rarement) au ras du sol, donnant des corolles charnues, pourpres.

Lumière : installez le pot dans une pièce peu ou mal éclairée, l'aspidistra appréciant l'ombre.

Terre : terreau pour plantes vertes et terre de jardin sableuse en mélange par moitiés.

Engrais : d'avril à septembre, apportez une fois par mois un engrais liquide pour plantes vertes.

Humidité de l'air : l'aspidistra tolère l'air sec des appartements, mais il apprécie une brumisation hebdomadaire, pour nettoyer ses feuilles.

Arrosage : une fois tous les 10 à 15 jours en hiver, en imbibant complètement la motte. Tous les 5 à 7 jours en été selon la température ambiante.

Rempotage : tous les 3 ans, quand les racines commencent à être très serrées dans le pot.

Exigences particulières : les aspidistras poussent mieux seuls dans leur pot en raison de leurs fortes racines. N'employez pas de lustrant, mais plutôt des lingettes pour nettoyer les feuilles.

Dimensions : de 30 à 60 cm de haut et de large. L'aspidistra pousse lentement : il forme en moyenne deux ou trois feuilles par an.

Multiplication : division des touffes, en avril, chaque fragment portant au moins deux feuilles.

Longévité : l'aspidistra est une des plantes les plus résistantes. Il vit plus de 10 ans.

Ennemis et maladies : cochenilles en hiver, araignées rouges par temps chaud et sec.

Espèces et variétés : *Aspidistra elatior* 'Variegata', aux feuilles striées longitudinalement de blanc crème, a besoin de plus de lumière que le type.

Conseil Truffaut : évitez de choisir des plantes dont le bord des feuilles a été retaillé.

Asplenium spp. ASPLÉNIUM

22 °C – 13 °C

Fougère formant une touffe, d'aspect variable.

Origine : Asie, Afrique, Australie.

Feuilles : frondes d'aspect variable ; entières, épaisses, vert brillant, formant une rosette en entonnoir, ou fines, découpées comme de la dentelle. Nervure centrale, brune, fortement marquée.

Fleurs : les fougères ne forment pas de fleurs.

Lumière : tous les aspléniums redoutent le soleil direct. Devant une fenêtre exposée plein sud, éloignez-en la plante d'au moins 3 m.

Terre : terreau pour plantes vertes, tourbe blonde et terre de bruyère en mélange à parts égales.

Engrais : de mai à septembre, apportez tous les 15 jours un engrais liquide pour plantes vertes.

Humidité de l'air : aussi élevée que possible. Comme toutes les fougères, les aspléniums doivent être vaporisés une ou deux fois par jour en hiver.

Arrosage : deux ou trois fois par semaine en été. Réduire les apports d'eau quand la température baisse. En hiver, dans une pièce à 16-18 °C, un arrosage copieux tous les 8 jours suffit.

Rempotage : chaque année au printemps. Les aspléniums apprécient les pots assez larges.

Exigences particulières : surtout pas de courant d'air. Évitez l'humidité stagnante, principalement au cœur des feuilles de l'*Asplenium nidus*.

Dimensions : de 30 à 90 cm de haut et de large.

Multiplication : difficile, par semis de spores, en miniserre avec chaleur de fond, en février-mars.

Longévité : de 3 à 10 ans.

Ennemis et maladies : les cochenilles se fixent souvent le long de la nervure centrale, à la face inférieure des frondes. Traitez préventivement, mais les produits huileux sont déconseillés.

Espèces et variétés : *Asplenium bulbiferum* porte des bulbilles, qui s'enracinent au contact de la terre ; *Asplenium nidus* aux feuilles larges, dressées, formant une coupe ample.

Conseil Truffaut : l'asplénium se plaît bien dans une salle de bains éclairée par une fenêtre, il convient aussi en suspension.

Bambusa vulgaris
BAMBOU D'INTÉRIEUR

25 °C 10 °C

Graminée vivace rhizomateuse, touffue, aux tiges ligneuses, entrecoupées de nœuds.

Origine : diverses régions tropicales du globe.

Feuilles : oblongues, lancéolées, pointues.

Fleurs : les épis jaune-vert, très rares, sont suivis par le dessèchement et la mort des rameaux.

Lumière : une large baie vitrée exposée au sud/sud-ouest est nécessaire. L'idéal est la véranda.

Terre : terre de jardin, terreau de plantation, tourbe blonde et fertilisant à base de fumier.

Engrais : lors du rempotage, incorporez dans un pot de 25 cm de diamètre une cuillerée à soupe d'engrais en granulés pour plantes vertes.

Humidité de l'air : vaporisez le feuillage deux fois par semaine durant la période de végétation, tous les jours en hiver au-dessus de 10 °C.

Arrosage : tous les 15 jours en hiver. De mai à septembre, un bambou de 1,50 m de haut demande 10 litres d'eau par semaine.

Rempotage : une fois par an, en mars-avril.

Exigences particulières : le bambou a besoin d'air. Installez-le au jardin à partir de mai. La fraîcheur en hiver évite au feuillage de jaunir.

Dimensions : de 1,50 à 2 m en pot.

Multiplication : la division des rhizomes en automne est la méthode la plus facile.

Longévité : pas plus de 5 ans en pot.

Ennemis et maladies : généralement aucun.

Espèces et variétés : *Bambusa ventricosa* présente des entre-nœuds décoratifs, courts et renflés.

Conseil Truffaut : coupez les vieilles tiges desséchées pour favoriser la repousse.

Begonia spp.
BÉGONIA À FEUILLAGE

22 °C 14 °C

Plantes rhizomateuses, aux tiges charnues, formant des touffes compactes le plus souvent acaules (sans tiges) ou offrant un port souple ou retombant.

Origine : les premiers bégonias à feuillage, provenant du nord-est de l'Inde (Assam), furent introduits en Grande-Bretagne en 1858. D'autres furent importés de Malaisie, vers 1940. Ils donnèrent naissance aux nombreux hybrides actuels.

Feuilles : asymétriques, arrondies, réniformes ou en cœur (cordiformes), pointues, souvent veloutées ou gaufrées, et ornées de motifs colorés très variés (taches, bandes, nuances, veinures, etc.).

Fleurs : de petite taille, rose pâle ou blanches, elles ne présentent guère d'intérêt ornemental chez les bégonias à feuillage. Les collectionneurs les suppriment pour favoriser la croissance de la plante.

Lumière : choisir un endroit à l'abri des rayons directs du soleil, de mai à septembre, mais exposé à la pleine lumière le reste de l'année.

Begonia 'Bettina Rothschild', aux nuances métalliques. ▶

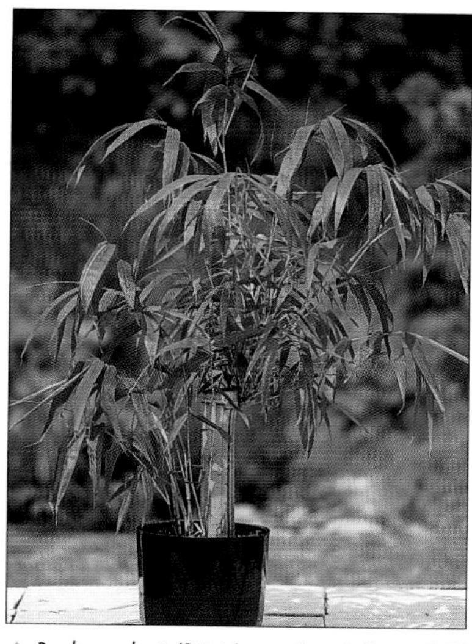

▲ *Bambusa vulgaris* 'Striata'.

Begonia 'Boomer'. ▼

▼ *Begonia* 'Bow Ariola' : un éclat lumineux au cœur.

▲ *Begonia listada* : une nervure fluo.

▲ *Begonia masoniana* ou 'Croix de fer'.

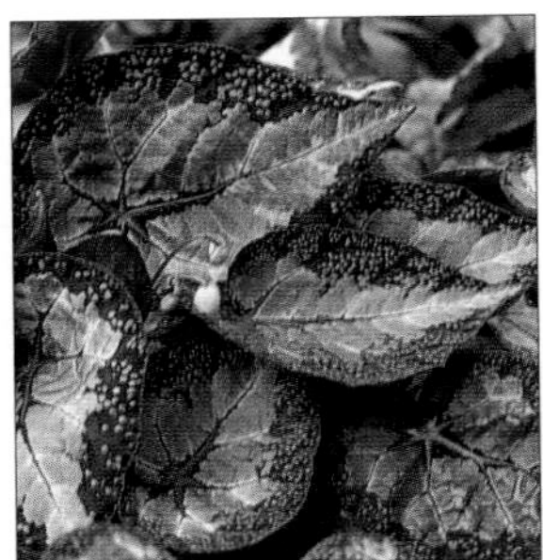

▲ *Begonia* 'La Perle de Morte-Fontaine'.

▲ *Begonia* rex 'Leboucque' : reflets bleus.

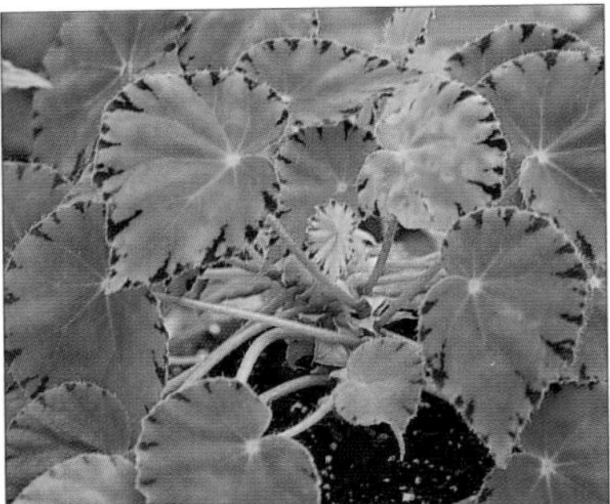

▲ *Begonia bowerae* var. *magnifolia* : joliment bordé.

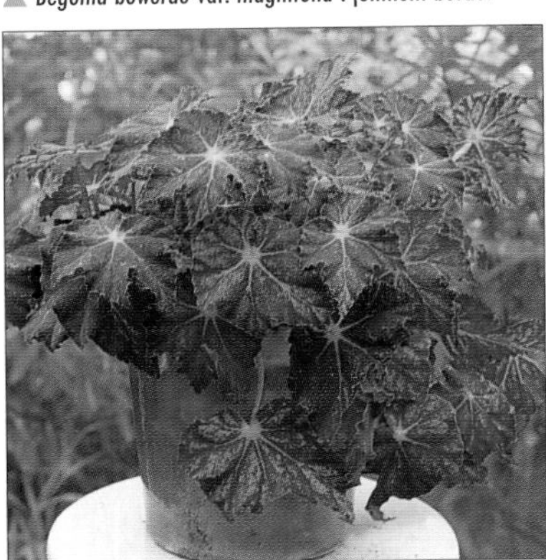

▲ *Begonia* 'Cleopatra' : une croissance très touffue.

◀ *Begonia glazioui* : des rayures claires sur les nervures.

Terre : mélangez à parts égales terreau pour plantes vertes, fertilisant organique à base de fumier et d'algues et tourbe blonde. Ajoutez une poignée de sable de rivière par pot de 14 cm de diamètre, pour améliorer le drainage.

Engrais : à partir d'avril, diluez un bouchon d'engrais liquide dans un arrosoir de 10 litres et arrosez jusqu'à mi-août avec cette solution fertilisante.

Humidité de l'air : faible en hiver, dans une pièce fraîche. Ne vaporisez jamais le feuillage. Posez les plantes sur un lit de gravillons humides ou réunissez les bégonias dans un groupe de plantes, dont la transpiration suffira à leur fournir le surplus d'hygrométrie dont ils ont besoin.

Arrosage : deux fois par semaine en été. En hiver, attendez que le terreau sèche sur 2 cm, entre deux arrosages. Ne laissez jamais le fond du pot baigner dans l'eau : les racines s'asphyxient. C'est l'une des principales causes d'échec.

Rempotage : au début du printemps, quand les racines occupent tout le volume disponible dans le pot. Ne tassez pas trop le terreau, car les racines sont fragiles. Installez au fond du pot une couche drainante. Des cailloux et du sable grossier feront en même temps office de stabilisateur, grâce à leur poids. En effet, le feuillage volumineux des bégonias peut entraîner le basculement des pots.

Exigences particulières : les bégonias craignent les courants d'air, la pollution (tabac), les coups de chaleur et l'humidité stagnante.

Dimensions : de 20 à 40 cm de haut et de large, pour la plupart des variétés. Certains rares spécimens atteignent 1 m d'envergure.

Multiplication : les boutures de feuilles réussissent très facilement toute l'année. Découpez dans une belle feuille des petits carrés de 2 cm de côté, posez-les dans une terrine, le revers plaqué sur le terreau humide. Couvrez avec un dôme en plastique transparent. Placez dans un endroit peu lumineux et maintenez le terreau juste humide. De nouvelles plantules apparaissent en 1 ou 2 mois.

Longévité : de 1 à 3 ans en appartement, rarement plus ; 4 ou 5 ans en serre ou en véranda.

Ennemis et maladies : de nombreux champignons attaquent les tiges et les feuilles des bégonias, surtout quand les plantes souffrent d'un excès d'eau. Le mildiou, la pourriture grise et l'oïdium sont les plus fréquents. Les araignées rouges sévissent également durant les étés chauds et secs.

Espèces et variétés : *Begonia rex* est le plus commun. Il se décline en nombreux hybrides colorés de rose, de pourpre, d'argent; *Begonia masoniana,* ou 'Croix de fer', porte une marque brun-pourpre au centre de ses feuilles; *Begonia bowerae* aux élégantes feuilles velues, vert émeraude, tachées de chocolat sur les bords; *Begonia listada,* aux feuilles allongées, portant une marque fluorescente vert clair sur la nervure centrale; *Begonia glazioui,* peu courant, mais aux nervures d'un vert lumineux.

Conseil Truffaut : renouvelez chaque année par bouturage vos bégonias préférés, car les plantes deviennent moins belles en vieillissant. Surveillez le cœur de la touffe et les feuilles inférieures, qui sont les premières à pourrir ou à se couvrir de blanc (oïdium). Éliminez les feuilles et les tiges qui présentent des signes de maladies, et réduisez l'arrosage, car les champignons parasites se propagent très vite chez les bégonias.

Bertolonia maculata
BERTOLONIA

  25 °C 16 °C 

Vivace herbacée basse, ayant une tendance à ramper, aux tiges charnues, formant une rosette.

Origine : les premiers spécimens arrivèrent en Europe vers 1850, en provenance des régions tropicales du sud du Brésil.

Feuilles : de 15 cm de long, veloutées, en forme de cœur, colorées d'argent près des nervures.

Fleurs : les corolles de 2 cm de diamètre, rose pourpre, sont réunies en grappes. Elles apparaissent à l'automne et s'ouvrent le matin.

Lumière : placez le bertolonia devant une fenêtre exposée au sud/sud-ouest, protégée par un voile.

Terre : tourbe blonde, terreau de feuilles et sable de rivière, en mélange par tiers.

Engrais : une dose d'engrais pour plantes vertes une fois par mois, d'avril à septembre.

Humidité de l'air : les bertolonias exigent une moiteur tropicale. Il est impossible de les tenir longtemps dans la maison. Ils prospèrent dans les petites serres chaudes d'appartement destinées aux orchidées ou, à défaut, dans un terrarium.

Arrosage : durant la croissance, arrosez dès que le premier centimètre de terreau est sec. Ne mouillez pas le feuillage, car il pourrit facilement.

Rempotage : tous les 3 ans.

Exigences particulières : surtout ne pas arroser avec de l'eau froide et calcaire.

Dimensions : 20 cm de haut, 30 cm de large.

Multiplication : les boutures de tiges reprennent facilement à 25 °C, de décembre à mars.

Longévité : 1 ou 2 mois dans un appartement ; 3 ou 4 ans dans une serre chaude.

Ennemis et maladies : les feuilles mouillées sont attaquées par la pourriture grise ou l'oïdium.

Espèces et variétés : *Bertolonia* x *houtteana* porte des feuilles aux nervures soulignées de blanc. Le feuillage vert brillant de *Bertolonia marmorata* est éclaboussé de blanc pur.

Conseil Truffaut : placez le contenant sur un pot renversé pour que les feuilles ne touchent pas le meuble, ou installez la plante en suspension.

Blechnum gibbum ou *Lomaria*
BLECHNUM

 25 °C 13 °C 

Fougère formant une touffe compacte et devenant parfois arborescente, avec un stipe trapu.

Origine : Nouvelle-Calédonie, Amérique du Sud.

Feuilles : les frondes de 50 cm de long, pennées, profondément divisées, sont portées par des pétioles garnis d'écailles noires.

Fleurs : les fougères ne forment pas de fleurs.

Lumière : installez le blechnum à environ 1 m d'une fenêtre exposée au sud-est.

Terre : terre de jardin, tourbe blonde, terreau de feuilles et fertilisant à base de fumier.

Engrais : pendant la belle saison, apportez une fois tous les 10 jours, sur la terre humide, une demi-dose d'engrais liquide pour plantes vertes.

Humidité de l'air : élevée (plus de 60 %). Installez le blechnum dans une salle de bains claire ou dans la cuisine, au-dessus de l'évier. Ne vaporisez pas la plante, placez-la plutôt sur un lit de gravillons maintenus humides en permanence.

Arrosage : tous les 3 jours, en été.

Rempotage : tous les 2 ans, au printemps.

Exigences particulières : en dessous de 16 °C, la croissance du blechnum est presque nulle.

Dimensions : de 60 à 80 cm de hauteur et d'étalement pour les frondes ; 1 m pour le stipe.

Multiplication : délicate, par semis de spores, dès leur maturité, en miniserre avec chauffage de fond (25 °C), dans du sable et de la tourbe.

Longévité : quelques mois en appartement, plusieurs années dans une serre chaude.

Ennemis et maladies : généralement aucun.

Espèces et variétés : *Blechnum brasiliense,* aux frondes très découpées; *Blechnum spicant,* rustique, se cultive au jardin, ou en bac, à l'ombre.

Conseil Truffaut : l'idéal consiste à placer le blechnum près d'une fontaine ou d'un petit bassin pour qu'il bénéficie d'une ambiance humide.

☞ ***Brassaia*** voir *Schefflera.*

▲ *Bertolonia maculata* : de jolies décolorations.

▲ *Blechnum brasiliense* (ou *Lomaria*) : de la finesse.

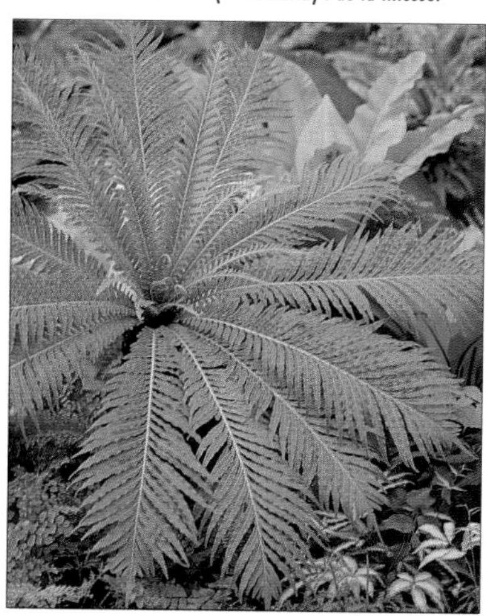

Blechnum gibbum peut devenir arborescent. ▶

Caladium spp.
CALADIUM

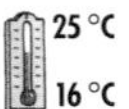

Plante tubéreuse vivace, qui entre en repos végétatif et perd ses feuilles à partir d'octobre.

Origine : zones tropicales de l'Amérique du Sud.

Feuilles : de 20 à 40 cm de long, portées par de longs pétioles souples, sagittées, translucides. La diversité des coloris et des dessins est infinie.

Fleurs : en septembre, une fleur blanchâtre en cornet apparaît. Elle est peu ornementale.

Lumière : jamais de plein soleil, qui grille le feuillage. Une douce lumière indirecte, derrière une fenêtre à l'ouest, entretient la vivacité des couleurs.

Terre : terre de bruyère, terreau pour plantes vertes et mulch d'écorces. Certains spécialistes cultivent les caladiums dans de la tourbe pure.

Engrais : 1/2 dose d'engrais liquide pour plantes vertes, une fois toutes les 2 semaines en été.

Humidité de l'air : en appartement, l'humidificateur électrique est l'idéal. Sinon, posez le pot sur un lit de graviers humides. Ne vaporisez jamais les feuilles, cela les fait pourrir rapidement.

Arrosage : modéré au printemps, au début de la croissance (un verre d'eau par semaine est suffisant). Le rythme s'accélère au fur et à mesure que la plante grandit. En plein été, il faut compter un demi-litre d'eau par jour apporté en deux fois (matin et soir). Remplissez l'arrosoir à l'avance, pour que l'eau parvienne à la température ambiante.

Rempotage : plantez 3 tubercules dans un pot de 18 cm de diamètre, en mars. Maintenez-les à peine humides, à 22-24 °C, jusqu'à ce que le feuillage pointe. Placez la culture sur la plaque d'un radiateur pour créer une chaleur de fond.

Exigences particulières : n'exposez surtout pas les caladiums aux courants d'air.

Dimensions : de 30 à 50 cm de haut et autant de large. Certains hybrides, cultivés par des collectionneurs très avertis, atteignent 1,50 m de haut !

Multiplication : en automne, les feuilles fanent. Il faut alors diminuer les arrosages. En novembre, le bulbe est laissé au sec, puis stocké à 15-16 °C. En mars, détachez un fragment du tubercule portant un bourgeon et rempotez-le dans de la tourbe. Il faut le maintenir à 25 °C, à l'étouffée dans une serre chauffante, sans trop arroser.

Longévité : quelques mois entre les mains d'un novice, 2 à 3 ans chez un jardinier averti. Cultivez plutôt les caladiums comme des plantes annuelles.

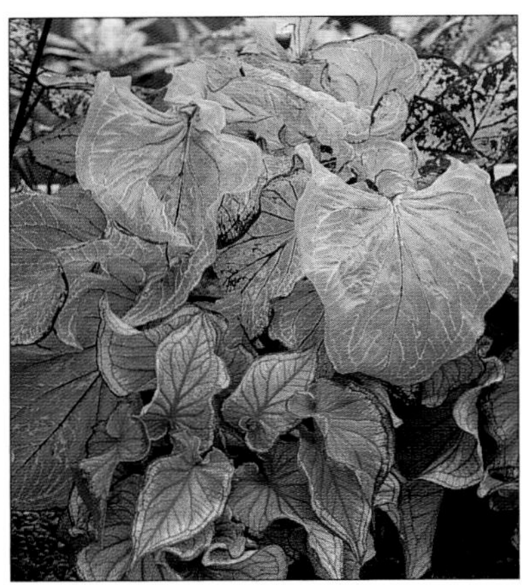

◀ *Caladium* 'Pink Symphony' et 'Sweetheart'.

▼ *Caladium* x *hortulanum* 'Mrs. W.B. Halderman'.

▲ *Caladium* 'Miss Muffet' : tout piqueté.

▲ *Caladium* 'Kathleen' : très nuancé.

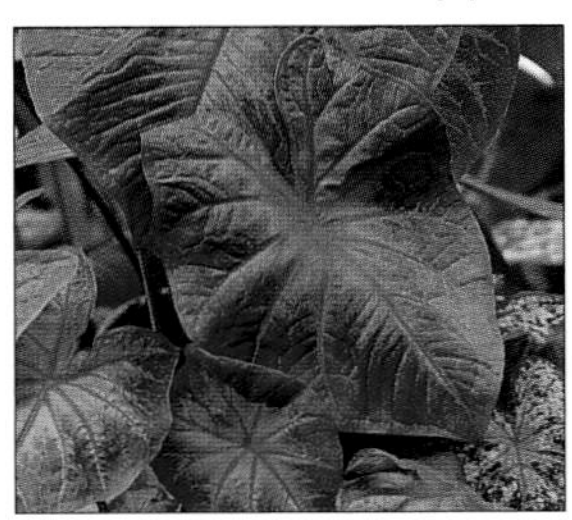

▲ *Caladium* 'Reine de Suède' : contrasté.

▲ *Caladium* 'Sunrise' : assez bariolé.

Ennemis et maladies : généralement aucun.

Espèces et variétés : *Caladium bicolor,* aux grandes feuilles sagittées blanches et vertes, a donné naissance à de nombreux hybrides. On regroupe sous le nom de *Caladium* x *hortulanum* la plupart de ces cultivars mêlant des couleurs étonnantes : émeraude, abricot, rouge sang, rose bonbon, turquoise.

Conseil Truffaut : achetez plutôt des plantes déjà développées, car la culture des rhizomes est assez difficile. Ils pourrissent facilement au départ de la végétation si le sol est trop humide.

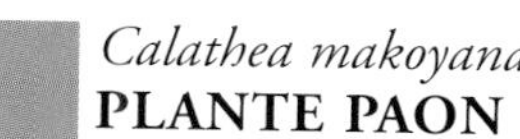

Calathea makoyana
PLANTE PAON

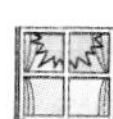

Plante vivace, persistante, au port touffu, gracieusement évasée, ne formant pas de tiges (acaule).

Origine : régions tropicales de l'Amérique du Sud.

Feuilles : de 15 à 20 cm de long, ovales, fines, dressées, portées par de longs pétioles qui partent directement de la racine. De fines rayures vertes et blanc argenté alternent régulièrement avec des macules oblongues vert sombre, bordeaux au revers.

Fleurs : des épis violets, ou des inflorescences globuleuses, apparaissent au printemps.

Lumière : installez le pot à 1 ou 2 m d'une fenêtre légèrement voilée, de préférence à l'ouest.

Terre : sable de rivière, sphaigne hachée, terre de bruyère, tourbe et terreau d'écorces en mélange.

Engrais : nourrissez la plante tous les 15 jours avec 1/2 dose d'engrais pour plantes vertes.

Humidité de l'air : en été, vaporisez les feuilles tous les jours. Une eau trop calcaire déclenche l'apparition de taches blanches sur les feuilles. Nettoyez alors avec un chiffon mouillé.

Arrosage : deux ou trois fois par semaine en été, tous les 6 à 8 jours en hiver, de préférence avec de l'eau à la température ambiante.

Rempotage : chaque année, en mars, dans un pot plus large que profond. Ne tassez pas trop le terreau, car les racines du calathéa sont sensibles à l'asphyxie, qui provoque la pourriture.

Exigences particulières : les calathéas ne doivent pas être placés dans une pièce où l'on fume, ni près d'une porte qui donne sur l'extérieur, car les chocs thermiques lui sont fatals.

Dimensions : de 50 à 150 cm de haut et de 30 à 60 cm de large.

Multiplication : lors du rempotage, séparez délicatement la motte en deux, de telle façon que chaque rhizome présente deux ou trois belles racines et quelques feuilles. La reprise des nouvelles plantes est parfois lente et difficile. Vous augmenterez très nettement les chances de survie en plaçant pendant un mois les jeunes calathéas dans un endroit chaud et humide (par exemple sur un radiateur, placés sur une couche de graviers humides).

Longévité : de 2 à 4 ans. Indéfiniment, si la plante est régénérée par division.

Ennemis et maladies : la présence de filaments gris au revers des feuilles indique une attaque d'araignées rouges. Le brunissement des feuilles n'est pas forcément provoqué par un parasite. Il est dû bien souvent à une humidité insuffisante de l'air.

Espèces et variétés : *Calathea insignis,* aux longues feuilles étroites, ondulées sur les bords; *Calathea ornata,* aux fines stries blanches, roses ou rouges et aux feuilles rouge brique au revers; *Calathea zebrina,* dont les feuilles, perpendiculaires aux tiges, portent une alternance de larges stries vert clair et vert foncé; *Calathea picturata,* aux feuilles très claires, bordées d'un large ruban vert franc; 'Argentea', au contraste plus marqué.

Conseil Truffaut : les calathéas gagnent à être plantés dans des compositions, les autres plantes leur fourniront un surcroît d'humidité ambiante.

Calathea makoyana : la forme la plus répandue. ▶

▲ *Calathea ornata* : de très subtiles zébrures.

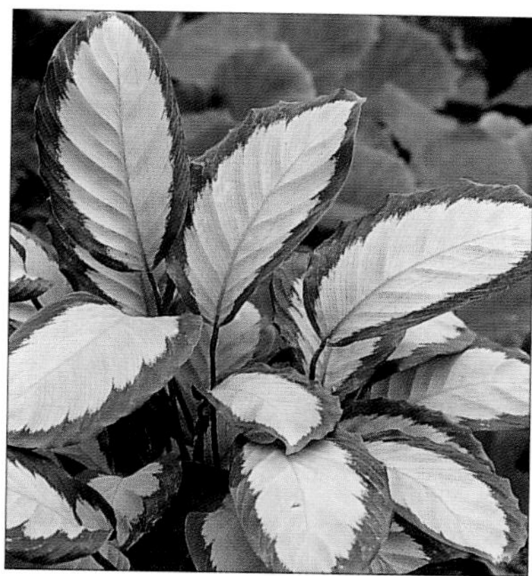

▲ *Calathea picturata* 'Argentea' : opposition de verts.

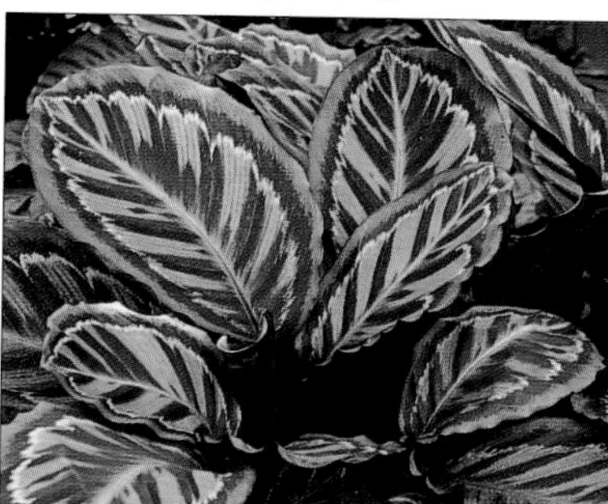

▲ *Calathea rotundifolia* 'Oppenheimer'. ▼ *C. zebrina.*

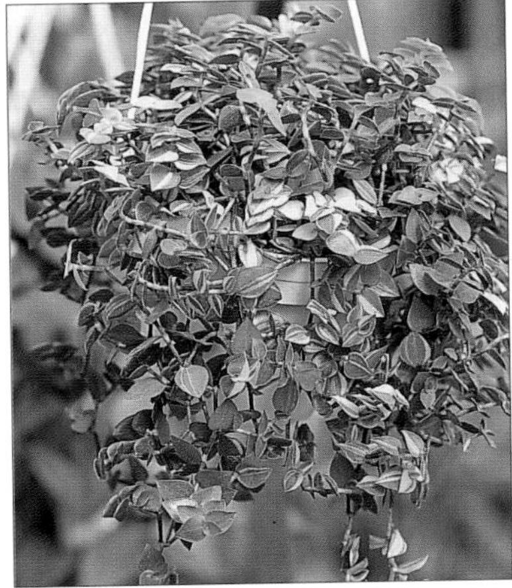

Callisia repens : plante idéale en panier suspendu.

Chlorophytum comosum 'Variagatum' : très solide.

Cissus antarctica : une grimpante très généreuse.

Callisia repens CALLISIA, MISÈRE

 22 °C 12 °C

Petite vivace touffue, proche des tradescantias, aux longues tiges, grêles, d'abord dressées ou rampantes, puis retombantes, quand elles atteignent une vingtaine de centimètres de long.

Origine : Amérique centrale et du Sud.

Feuilles : cordiformes, charnues, vert vif au revers pourpre, engainant les tiges.

Fleurs : blanches, sans intérêt ornemental.

Lumière : pas trop vive, indirecte. Le callisia craint le soleil direct, mais, à l'ombre dense, la plante voit les entre-nœuds de ses tiges s'allonger.

Terre : un bon terreau pour plantes vertes ou un mélange à parts égales de terreau de feuilles, de tourbe blonde et de terre de jardin sableuse.

Engrais : nourrir tous les 10 jours avec un engrais liquide très dilué (le tiers de la dose conseillée).

Humidité de l'air : le callisia apprécie des brumisations quotidiennes, surtout en été.

Arrosage : le terreau doit sécher entre 2 apports d'eau. Utilisez un arrosoir au bec fin, pour mouiller entre les tiges et non sur les feuilles.

Rempotage : une fois par an, au printemps.

Exigences particulières : le callisia se plaît souvent mieux en suspension dans un endroit peu passant car ses tiges cassent au moindre choc.

Dimensions : 20 cm de haut, 30 cm de long.

Multiplication : la plante se multiplie très facilement par bouture de fragments de tiges mis à raciner dans l'eau, à toute époque de l'année.

Longévité : le callisia a tendance à se dégarnir au bout de 2 ou 3 ans. Il est alors judicieux de le renouveler, en bouturant les plus belles tiges.

Ennemis et maladies : les araignées rouges tissent de très fines toiles que l'on arrive à apercevoir en contre-jour. Le feuillage se décolore.

Espèces et variétés : *Callisia elegans* arbore un feuillage rayé de blanc et pourpre au revers.

Conseil Truffaut : pincez régulièrement les tiges, pour que la plante conserve un port en boule.

Chlorophytum comosum CHLOROPHYTON, PHALANGÈRE

 18 °C 7 °C 

Vivace herbacée stolonifère à racines charnues, formant une touffe compacte, au port gracieux. On l'appelle aussi « plante araignée ».

Origine : Afrique du Sud. La phalangère fut introduite en Europe au XIXe siècle.

Feuilles : longues, rubanées, arquées, vert pâle strié de blanc crème ou de jaune.

Fleurs : en petites étoiles blanches, qui apparaissent à l'extrémité de longs stolons blancs.

Lumière : la phalangère supporte de vivre dans une pièce sans soleil. Mais elle est plus touffue et plus colorée exposée à la lumière directe.

Terre : terreau de rempotage en mélange à parts égales avec une bonne terre de jardin.

Engrais : la phalangère est moins gourmand que la plupart des autres plantes. Une dose d'engrais liquide dilué dans un grand arrosoir suffit à chaque arrosage, de mai à septembre.

Humidité de l'air : résistant à l'atmosphère sèche de l'appartement, la phalangère apprécie une douche mensuelle avec de l'eau tiède (25 °C), seul moyen de bien nettoyer ses feuilles.

Arrosage : une fois par semaine en hiver. Tous les 3 jours en été. Attention, les racines charnues stockent l'eau et ont tendance à souffrir d'un excès d'arrosage qui les fait pourrir rapidement.

Rempotage : au printemps, dès que les racines commencent à apparaître à la base du pot.

Exigences particulières : le *Chlorophytum* vit bien en suspension dans un lieu sans courants d'air.

Dimensions : une plante arrivée à maturité peut atteindre 50 cm de diamètre et de haut.

Multiplication : facile, par repiquage des rosettes qui apparaissent à l'extrémité des stolons.

Longévité : plus de 10 ans.

Ennemis et maladies : araignées rouges.

Espèces et variétés : *Chlorophytum undulatum* se distingue par des feuilles raides, rugueuses.

Conseil Truffaut : n'appliquez jamais de lustrant sur les feuilles, pour éviter les brûlures.

Cissus rhombifolia CISSUS, VIGNE D'APPARTEMENT

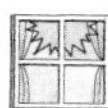

20 °C
8 °C

Vigoureuse plante grimpante qui s'accroche grâce à des vrilles. On l'appelle aussi « vigne du Natal ».

Origine : Afrique du Sud, Australie.

Feuilles : de 6 à 8 cm de longueur, lobées, vert vif, portées par de longues tiges flexibles.

Fleurs : pas de floraison constatée en appartement.

Lumière : une fenêtre voilée exposée à l'est fournira l'éclairage indirect suffisant au cissus.

Terre : terreau pour plantes vertes, sable de rivière, tourbe et terre de jardin, à parts égales.

Engrais : de mars à août, fertilisez une fois par mois avec un engrais liquide pour plantes vertes.

Humidité de l'air : un point d'eau souvent utilisé (lavabo, baignoire, évier), à proximité de la plante, suffit à fournir l'humidité suffisante au cissus ; sinon vaporisez la plante pour la rafraîchir.

Arrosage : une fois par semaine en hiver, si le pot sonne creux. Tous les trois ou quatre jours en été.

Rempotage : les deux premières années, la croissance est si vigoureuse qu'il peut s'avérer nécessaire de rempoter une fois au printemps et une fois à l'automne. Ensuite, une fois par an suffit (en mars). Quand le pot dépasse 30 cm de diamètre, contentez-vous de remplacer, deux fois pan an, les trois premiers centimètres de terre (surfaçage).

Exigences particulières : le cissus nécessite un support : claustra, tuteur échelle, grillage, treillage, rampe, etc. sinon, il retombe en cascade.

Dimensions : la croissance est très rapide. Le cissus gagne facilement 1 m par an, pour atteindre de 3 à 6 m dans de bonnes conditions.

Multiplication : on obtient de nouvelles plantes en deux mois, en prélevant des tronçons de tiges que l'on fait raciner dans du terreau humide, dans une miniserre placée sur la plaque d'un radiateur.

Longévité : de 4 à 10 ans.

Ennemis et maladies : araignées rouges et cochenilles farineuses peuvent anéantir une saison entière de croissance. Si l'attaque est importante, coupez toutes les tiges à 20 cm de la souche.

Espèces et variétés : 'Ellen Danica', aux feuilles très découpées; *Cissus antartica*, la vigne des kangourous, aux feuilles dentées; *Cissus discolor*, aux feuilles émeraude, marbrées d'argent. Frileuse, c'est une plante de serre, de culture assez délicate.

Conseil Truffaut : pincez les rameaux qui s'allongent un peu trop à votre goût. Vous obligerez ainsi la plante à adopter un port plus touffu.

Clusia rosea ou *Clusia major* CLUSIA

25 °C
16 °C

Cet arbre semi-épiphyte vit dans la nature sur les rochers ou pousse sur d'autres arbres.

Origine : régions tropicales de l'hémisphère austral.

Feuilles : ovales, opposées, épaisses, non veinées, portées par des pétioles courts et striés.

Fleurs : les corolles blanc crème ou roses, rares en appartement, évoquent les fleurs du magnolia.

Lumière : mi-ombre ou soleil doux bien tamisé.

Terre : terreau de rempotage, vermiculite et terre de bruyère en mélange à parts égales.

Engrais : une fois par mois, en été, une dose d'engrais pour plantes vertes, diluée trois fois.

Humidité de l'air : le clusia demande une ambiance tropicale, que seule une serre peut offrir.

Arrosage : copieux, une fois par semaine.

Rempotage : le moins possible. Changez de pot au printemps, si la croissance de la plante cesse.

Exigences particulières : surtout pas de chute brutale de température, sinon les feuilles tombent.

Dimensions : pousse lente. De 3 à 6 m dans la nature, de 90 cm à 1,50 m de haut, en pot.

Multiplication : réservée aux spécialistes, par boutures sous brouillard, avec une forte chaleur de fond.

Longévité : deux à trois mois chez un néophyte. Plusieurs années en serre, chez un collectionneur.

Ennemis et maladies : généralement aucun.

Espèces et variétés : *Clusia rosea* est la seule espèce que l'on trouve dans le commerce.

Conseil Truffaut : vaporisez le dessous des feuilles matin et soir tout au long de l'année.

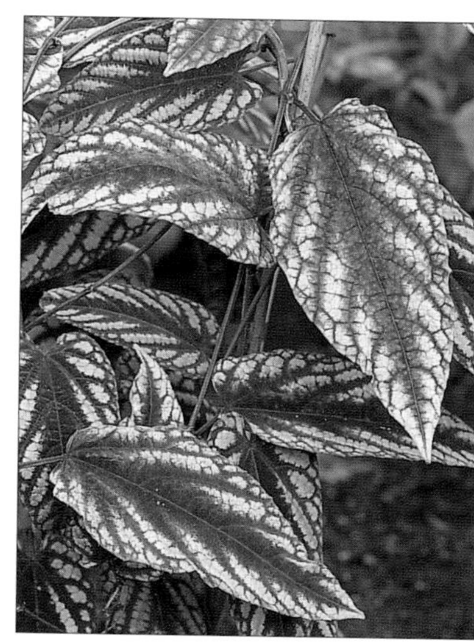

▲ *Cissus discolor*, au feuillage magnifique, mais délicat.

▲ *Cissus rhombifolia* 'Ellen Danica' : un grand classique.

Clusia rosea : un grand frileux, difficile à réussir. ▶

▲ *Codiaeum variegatum*. *Codiaeum* 'Apple Leaf'. ▼

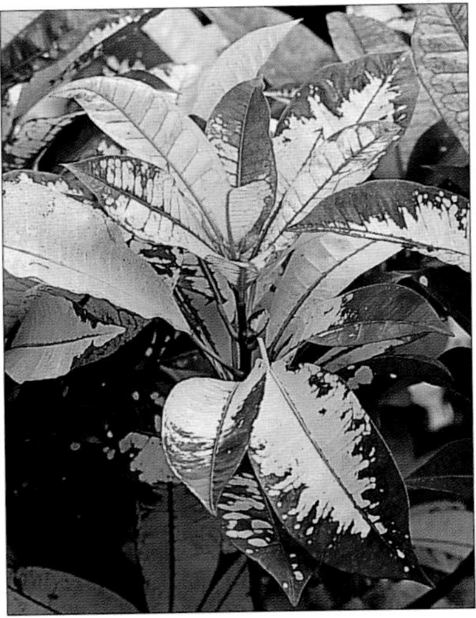

Codiaeum spp.
CROTON

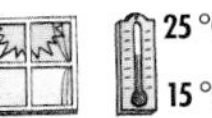

Arbuste au port buissonnant, formant des tiges épaisses, et des feuilles coriaces, colorées.

Origine : Malaisie, Australie, Polynésie.

Feuilles : lancéolées, rubanées ou lobées, elles se parent de dessins verts, jaunes, orange, rouges, en mélange. Sur une même plante, presque aucune feuille n'est semblable à sa voisine.

Fleurs : quand le croton souffre un peu (sécheresse, fraîcheur), il produit en été des petites inflorescences blanc crème, peu spectaculaires.

Lumière : une fenêtre à l'ouest fournit au croton la clarté sans laquelle ses couleurs s'atténuent.

Terre : terre de jardin, terreau et sable par tiers.

Engrais : nourrissez la plante tous les 15 jours, de mai à septembre, avec un engrais liquide pour plantes vertes, apporté après un arrosage.

Humidité de l'air : élevée toute l'année. Vaporisez le croton une fois par jour à l'eau douce. Posez le pot sur des gravillons maintenus humides.

Arrosage : un demi-verre d'eau à 20-22 °C tous les trois jours pour une plante de 40 cm de haut. Doublez la dose en été. Le terreau peut sécher légèrement en surface de novembre à mars.

Rempotage : une fois par an en mars, les trois premières années. Par la suite, intervenez seulement quand les racines débordent du pot. Le croton apprécie de vivre assez à l'étroit.

Exigences particulières : le croton perd ses feuilles inférieures en dessous de 12° C. Il craint le soleil direct violent de mai à septembre.

Dimensions : jusqu'à 1 m de haut et de large.

Multiplication : boutures d'extrémité de tiges, au début du printemps, en miniserre à l'étouffée dans la tourbe humide, sur un radiateur.

Longévité : imprévisible entre des mains inexpertes. Plus de 10 ans dans de bonnes conditions.

Ennemis et maladies : dès que la plante s'affaiblit, les cochenilles apparaissent.

Espèces et variétés : *Codiaeum variegatum* 'Pictum' a donné de spectaculaires hybrides comme 'Apple Leaf', 'Miss Iceton', 'Fortielli', etc.

Conseil Truffaut : pincez les jeunes pousses au printemps, pour rendre la plante plus touffue. Évitez les baisses de température brutales et les courants d'air, qui font tomber les feuilles.

▼ *Codiaeum variegatum* 'Fortielli'.

▼ *Codiaeum* 'Frau Notar Frangs'.

▼ *Codiaeum* 'Miss Iceton'.

▼ *Codiaeum* 'Président de Selve'.

Codonanthe crassifolia
CODONANTHE

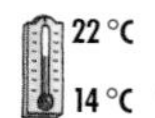

Plante assez touffue, au port rampant ou en cascade, portant des tiges grêles.

Origine : Mexique, Honduras, Brésil, Pérou.

Feuilles : de 6 à 8 cm de long, oblongues, allongées, pointues, épaisses, opposées.

Fleurs : la plante se couvre toute l'année de petites fleurs tubulaires de 2 cm, blanches, au cœur grenat, peu spectaculaires, mais qui donnent des baies orange de la taille d'une groseille.

Lumière : installez la plante derrière une vitre exposée à l'ouest. En été, le codonanthe se refera une santé, accroché sous un arbre, à la mi-ombre.

Terre : 3/4 de terreau, 1/4 de terre à cactées.

Engrais : une fois par mois, de mai à septembre, en diluant par deux la dose indiquée sur la boîte.

Humidité de l'air : plutôt faible, ce qui en fait une plante d'appartement idéale.

Arrosage : très parcimonieux. Laissez le pot s'alléger sensiblement entre deux arrosages. Il doit même sonner un peu creux quand on le frappe avec l'ongle. Le terreau de surface doit rester sec et friable sur 2 ou 3 cm pendant un jour ou deux.

Rempotage : tous les 2 ans, en février-mars, dans un mélange de terre de bruyère et de terreau.

Exigences particulières : cultivez le codonanthe en suspension, à l'abri des courants d'air.

Dimensions : de 30 à 50 cm de long.

Multiplication : boutures de fragments de tiges de 10 à 15 cm de long. Ôtez les feuilles de la base et piquez la bouture bien droite dans un mélange humide de sable, tourbe et vermiculite.

Longévité : les débutants trop consciencieux, qui arrosent chaque jour, ne garderont le codonanthe que quelques mois ! Avec un apport d'eau tous les 8 à 10 jours, il peut vivre de nombreuses années.

Ennemis et maladies : généralement aucun.

Espèces et variétés : *Codonanthe crassifolia* est la seule espèce communément cultivée.

Conseil Truffaut : soyez vigilant. Laissez le fond du pot baigner dans l'eau de la soucoupe plus d'1 jour ou 2 signe l'arrêt de mort de la plante !

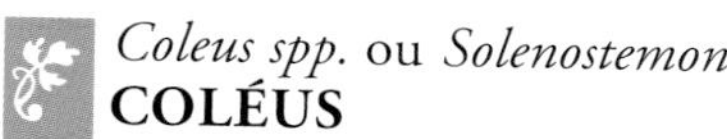

Coleus spp. ou *Solenostemon*
COLÉUS

Plante vivace herbacée, bien ramifiée, aux tiges à section carrée, très tendres et gorgées de sève.

Origine : Java, Asie tropicale, Afrique.

Feuilles : dentelées, ovales ou en forme de cœur, dans une palette infinie de coloris (jaune, rouge, pourpre, vert clair, blanc) avec des dessins variés.

Fleurs : en été apparaissent de discrets épis de fleurs tubulaires bleues, assez jolies.

Lumière : pour garder ses couleurs, le coléus a besoin d'une lumière vive. Placez-le à quelques dizaines de centimètres d'une grande baie vitrée, sans voilage si elle est au nord. En été, évitez le soleil trop fort qui peut brûler le feuillage.

Terre : tourbe, terreau et terre de jardin par tiers.

Engrais : deux fois par mois, d'avril à août.

Humidité de l'air : posez la plante sur un lit de graviers humides. La vaporisation tache le feuillage.

Arrosage : arrosez copieusement et souvent, pour garder le terreau toujours un peu humide.

Rempotage : au printemps, puis en cours de saison, si le pot d'origine devient trop petit.

Exigences particulières : il est possible de sortir le coléus dans le jardin ou sur le balcon en été.

Dimensions : de 20 à 60 cm de haut.

Multiplication : les fragments de tiges s'enracinent dans un verre d'eau, à température ambiante.

Longévité : il est rare que le coléus survive à l'hiver. S'il ne meurt pas, il perd ses feuilles et devient peu décoratif. Mieux vaut renouveler la culture chaque année avec des jeunes plants.

Ennemis et maladies : mouches blanches au revers des feuilles. Les pucerons s'installent sur les jeunes pousses et peuvent envahir la plante en deux semaines, causant des dégâts majeurs.

Espèces et variétés : *Coleus blumei* a donné des centaines d'hybrides, la plupart non dénommés.

Conseil Truffaut : pincez les jeunes tiges. Faites pivoter le pot d'un quart de tour chaque semaine pour qu'il profite bien de la lumière.

▲ *Codonanthe crassifolia* : une très généreuse suspension.

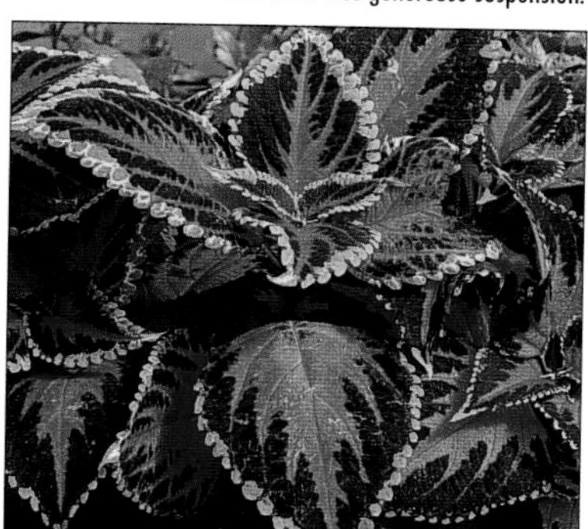

▲ *Coleus blumei* hybride a un feuillage éclatant.

Coleus hybride en mélange donne un effet très lumineux. ▶

▲ *Cordyline terminalis* 'Kiwi' : de jolies nuances de vert.

▲ *Cordyline terminalis* 'Red Edge' : un superbe contraste.

◄ *Cordyline terminalis* 'Tricolor' : un festival de couleurs.

Cordyline terminalis CORDYLINE

Arbuste proche des dracaenas, formant une touffe au tronc très court, qui se dégarnit avec l'âge.

Origine : Océanie et Asie tropicale.

Feuilles : lancéolées, assez épaisses, de 25 à 40 cm de long, teintées de nuances de vert, de rouge, de crème ou de pourpre selon les variétés.

Fleurs : il faut garder la plante pendant au moins 10 ans pour espérer observer une longue hampe portant en été des étoiles blanches parfumées.

Lumière : les cordylines au feuillage vert supportent les endroits mal éclairés. Les variétés colorées demandent à être rapprochées d'une fenêtre.

Terre : terreau pour plantes vertes, terre de jardin et terre de bruyère en mélange à parts égales.

Engrais : de mai à septembre, apportez deux fois par mois de l'engrais liquide lors d'un d'arrosage ou incorporez dans le substrat, au moment du rempotage, des granulés à décomposition lente.

Humidité de l'air : vaporisez le feuillage une fois par jour, surtout en hiver.

Arrosage : dès que la terre sèche en surface sur 2 à 3 cm. Utilisez de l'eau, entre 22 et 24 °C.

Rempotage : tous les 2 ou 3 ans, en mars.

Exigences particulières : tenez les cordylines à l'abri des courants d'air et veillez à ce que la température hivernale soit assez basse (13-15 °C).

Dimensions : de 50 à 90 cm de haut et de large en pot. Plusieurs mètres chez les sujets âgés vivant en serre. La plante gagne environ 10 cm par an.

Multiplication : boutures de tronçons de tige.

Longévité : de 3 à 5 ans dans la maison. Avec l'âge, le tronc se dégarnit. Installez la plante dans un bac, avec des espèces plus basses.

Ennemis et maladies : en mai-juin, pucerons sur les jeunes pousses. Traitez dès leur apparition.

Espèces et variétés : de nombreux cultivars richement colorés ont vu le jour ces dix dernières années. 'Red Edge', rouge et vert; 'Tricolor', panaché de rose, de pourpre et de crème sur fond vert; 'Kiwi', en camaïeu de verts; 'Amabilis', vert foncé, blanc et rose ; 'Firebrand', rouge pourpre aux nervures plus claires. *Cordyline australis* est une plante rustique dans le Midi, qui peut joliment garnir une véranda ou une serre froide. Elle atteint 3 m de haut. Feuilles coriaces, fleurs blanches, parfumées.

Conseil Truffaut : n'achetez pas de cordylines dont les feuilles ont été coupées et qui présentent des pointes brunes. Si la plante se dégarnit trop, vous pouvez couper le tronc entre 30 et 50 cm de la base. De nouvelles feuilles apparaîtront plus bas.

Ctenanthe spp. CTÉNANTHE

Vivace rhizomateuse formant une touffe, très proche des calathéas et des marantas.

Origine : Brésil.

Feuilles : oblongues, de 25 à 40 cm de long, gris-vert, finement veinées de vert clair et de vert foncé. Les longs pétioles et le revers des feuilles sont velus et se parent souvent d'une teinte lie-de-vin.

Fleurs : les fleurs en épi du cténanthe n'apparaissent presque jamais quand il est cultivé en pot.

Lumière : placez la plante près d'une fenêtre exposée au sud, tamisée par un fin voilage.

Terre : terreau de rempotage, terreau d'écorces et terre de bruyère en mélange à parts égales.

Engrais : d'avril à septembre, apportez, une fois tous les 4 arrosages, un engrais liquide pour plantes vertes. Ne pas fertiliser en hiver.

Humidité de l'air : le cténanthe supporte difficilement l'atmosphère de la maison. Placez le pot sur des gravillons humides. Ne vaporisez pas.

Arrosage : en hiver, quand le terreau commence à se dessécher et les feuilles, à se replier. Au printemps et en été, tous les 4 jours.

Rempotage : tous les ans, courant mars.

Exigences particulières : en hiver, le cténanthe apprécie une véranda à 15 °C. Dans ces conditions, offrez-lui un grand verre d'eau tous les 10 jours.

Dimensions : 80 cm de hauteur et d'envergure.

Multiplication : divisez les touffes au printemps ou séparez les rejets latéraux, formés à la base.

Longévité : 5 ans dans de bonnes conditions.

Ennemis et maladies : araignées rouges et cochenilles sont deux fléaux assez courants.

Espèces et variétés : *Ctenanthe oppenheimiana* 'Tricolor', au feuillage gris, vert et pourpre ; *Ctenanthe lubbersiana*, aux feuilles plus fines, vert foncé, strié de jaune dans la forme 'Variegata'.

Conseil Truffaut : les débutants préféreront le calathéa ou le maranta, plus faciles à réussir.

Cyperus alternifolius
CYPÉRUS, PAPYRUS

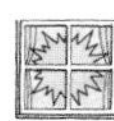

Vivace herbacée semi-aquatique, appelée aussi « souchet », formant touffe, aux tiges creuses.

Origine : marécages africains et malgaches.

Feuilles : les vraies feuilles sont pratiquement invisibles, cachées à la base des tiges. Ce que l'on prend d'ordinaire pour des feuilles est en réalité des bractées disposées en baleine de parapluie.

Fleurs : en été, des inflorescences jaune-vert font place, au cœur des bractées, à des graines brun clair.

Lumière : choisissez un emplacement aussi lumineux que possible, mais non brûlant. En été, installez le cypérus au jardin, dans un lieu abrité.

Terre : tourbe blonde et terre de jardin à parts égales, et 20 % de fertilisant à base de fumier.

Engrais : de mars à octobre, apportez de l'engrais pour plantes vertes, une fois par mois.

Humidité de l'air : au-dessus de 20 °C, brumisez la plante tous les jours matin et soir.

Arrosage : installez le cypérus dans un cache-pot contenant en permanence de 5 à 10 cm d'eau.

Rempotage : en mars, quand la plante se trouve vraiment très à l'étroit dans son pot.

Exigences particulières : le cypérus se développera plus généreusement si vous l'installez à partir de mai au jardin, au bord d'un petit bassin.

Dimensions : 1 m de haut, 40 cm de large, quand la plante atteint 4 ou 5 ans.

Multiplication : coupez une tige à 10 cm sous les bractées et plongez ces dernières dans un verre d'eau, avec du charbon de bois. Enracinement en 3 semaines. Division de touffe en automne.

Longévité : plus de 10 ans.

Ennemis et maladies : pratiquement aucun.

Espèces et variétés : *Cyperus papyrus*, aux bractées plus fines et nombreuses, dépasse 2 m.

Conseil Truffaut : manipulez le cypérus avec douceur, car les tiges cassent facilement. Coupez les feuilles âgées pour stimuler la croissance.

Cyrtomium falcatum
FOUGÈRE-HOUX

Fougère touffue, à feuillage persistant.

Origine : Chine, Japon et Himalaya.

Feuilles : frondes composées de pinnules en forme de faux, vert foncé, vernissées et coriaces.

Fleurs : les fougères ne forment pas de fleurs.

Lumière : la mi-ombre en permanence.

Terre : terreau pour plantes vertes à base d'écorce, tourbe blonde et terre de bruyère, à parts égales.

Engrais : d'avril à septembre, apportez une fois par mois de l'engrais liquide pour plantes vertes.

Humidité de l'air : *Cyrtomium* est l'une des fougères qui résistent le mieux à une faible hygrométrie. Une douche de temps en temps dépoussière le feuillage et ravive son éclat.

Arrosage : une fois par semaine en hiver, tous les 3 jours durant la période de croissance, quotidiennement quand la température dépasse 22 °C.

Rempotage : au printemps, uniquement quand les racines semblent occuper tout l'espace du pot.

Exigences particulières : *Cyrtomium* apprécie des températures fraîches en hiver (véranda).

Dimensions : de 40 à 60 cm de haut et de large.

Multiplication : division des touffes en avril. Chaque éclat doit posséder 3 ou 4 frondes et un fragment de rhizome de 10 cm de long au moins.

Longévité : plus de 10 ans.

Ennemis et maladies : cochenilles à bouclier.

Espèces et variétés : *Cyrtomium caryotideum*, aux frondes retombantes et aux pinnules dentées.

Conseil Truffaut : la fougère-houx est l'espèce idéale pour débuter avec les fougères.

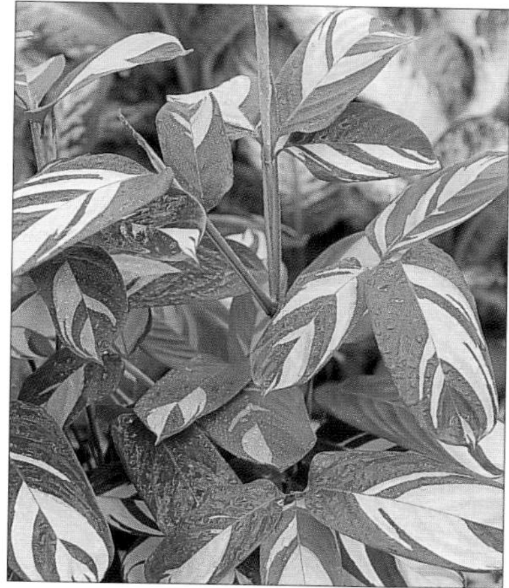

▲ *Ctenanthe lubbersiana* 'Variegata' est très lumineux.

▲ *Cyperus alternifolius* aime avoir les pieds dans l'eau.

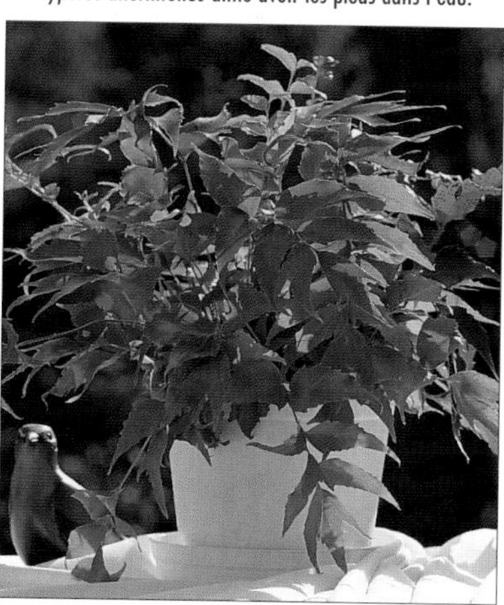

Cyrtomium falcatum : une fougère quasiment rustique. ▶

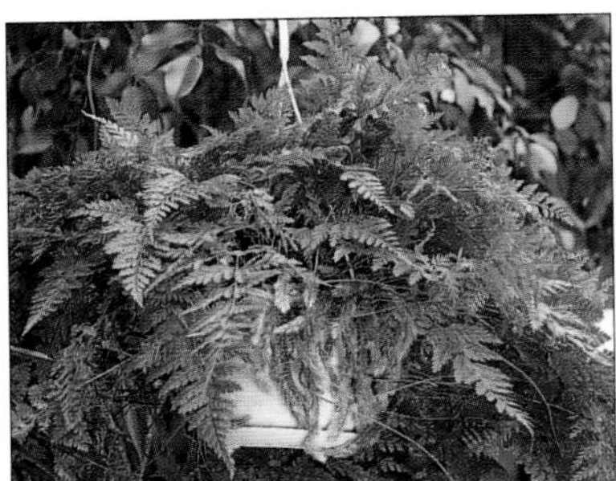

▲ *Davallia mariesii* : une suspension tout en finesse.

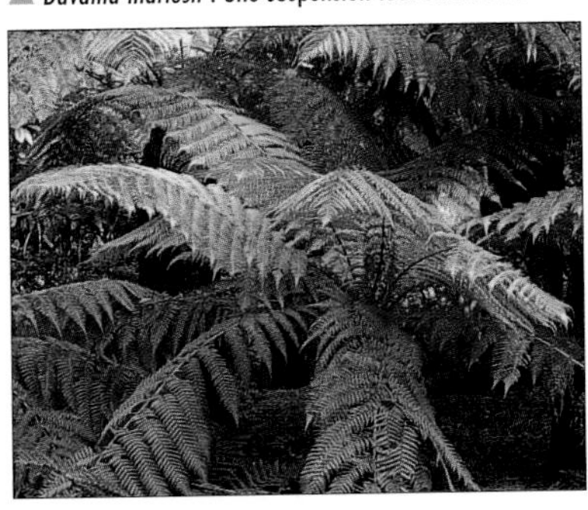

▲ *Dicksonia antarctica* : une belle fougère arborescente.

◀ *Didymochlaena truncatula* est idéale pour l'ombre.

Davallia mariesii FOUGÈRE, PATTE-DE-LAPIN

  22 °C 10 °C 

Fougère formant d'épais rhizomes velus, brun-roux, qui évoquent des pattes de lapin. Ils rampent à la surface du pot, puis en habillent les bords.

Origine : îles Fidji, Asie tropicale.

Feuilles : frondes triangulaires, légères, rigides, profondément divisées, d'un beau vert profond.

Fleurs : les fougères ne forment pas de fleurs.

Lumière : vive, été comme hiver, en évitant le soleil direct entre 10 h et 16 h.

Terre : tourbe, terreau de feuilles et sable de rivière, en mélange à parts égales.

Engrais : une fois par mois, d'avril à septembre.

Humidité de l'air : le davallia supporte sans problème l'atmosphère sèche des appartements.

Arrosage : utilisez un arrosoir au bec fin, pour mouiller la terre et non les rhizomes, qui pourrissent vite quand ils restent longtemps humides. Ou trempez le pot jusqu'à mi-hauteur, dans une bassine d'eau, pendant 15 min.

Rempotage : tous les 2 ans, en mars-avril.

Exigences particulières : le davallia se plaît en suspension, avec des tillandsias par exemple.

Dimensions : de 15 à 20 cm de haut, 30 cm d'envergure, 50 cm dans une serre.

Multiplication : détachez des segments de rhizome portant 1 ou 2 frondes et maintenez-les, avec un cavalier de fil de fer, à la surface d'un terreau de semis. Ils s'enracinent en 2 mois.

Longévité : de 3 à 10 ans et même plus.

Ennemis et maladies : les thrips, minuscules insectes bruns, se logent sous les pinnules, qu'ils font noircir. Mouches blanches en hiver.

Espèces et variétés : *Davallia canariensis* convient bien aux suspensions, car ses frondes très découpées, portées par des tiges fibreuses, retombent avec élégance le long du pot.

Conseil Truffaut : n'utilisez jamais de lustrant, car il ferait noircir les frondes.

Dicksonia antarctica FOUGÈRE EN ARBRE

  22 °C 7 °C 

Fougère aux longues frondes souples, dont les tiges anciennes finissent par former un « tronc », ou stipe, pouvant atteindre 2 m en culture.

Origine : Australie (Tasmanie).

Feuilles : les frondes, profondément divisées, s'évasent gracieusement. Sur les sujets de plus de 10 ans, elles atteignent 2 m de long.

Fleurs : les fougères ne forment pas de fleurs.

Lumière : assez vive, mais toujours indirecte.

Terre : terreau, sable, terre végétale et terre de bruyère fibreuse en mélange à parts égales.

Engrais : du printemps à l'automne, apportez une fois tous les quatre arrosages un engrais pour plantes vertes, toujours sur une motte humide.

Humidité de l'air : en été, vaporisez le tronc, les frondes et le cœur plusieurs fois par jour quand la température dépasse 20 °C. En hiver, pas de problème si la température est assez basse.

Arrosage : dès que le substrat commence à sécher en surface, arrosez le *Dicksonia* en versant l'eau sur le tronc, jusqu'à ce que la soucoupe se remplisse. Attendez 20 min, puis videz l'eau.

Rempotage : une fois par an les cinq premières années. Puis une fois tous les 2 ou 3 ans.

Exigences particulières : planté en pleine terre, le *Dicksonia* supporte des températures négatives (jusqu'à - 5 °C), si elles ne durent qu'une ou deux nuits. En pot, ne descendez pas sous les 5 °C.

Dimensions : selon les sujets, de 30 cm à 2 m de haut et de large au moment de l'achat.

Multiplication : semis en miniserre avec une faible chaleur de fond, très difficile pour un amateur.

Longévité : plus de 50 ans dans une serre avec de bons soins ; 2 ans entre les mains d'un débutant.

Ennemis et maladies : généralement aucun.

Espèces et variétés : *Dicksonia fibrosa* porte des frondes aux pinnules plus longues et étroites.

Conseil Truffaut : un système d'arrosage au goutte-à-goutte avec des micro-asperseurs placés au milieu des frondes et des goutteurs le long du stipe vous garantit de conserver le *Dicksonia* longtemps.

Didymochlaena truncatula
DIDYMO

 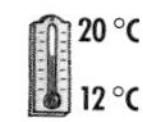 20 °C 12 °C 

Fougère semi-arborescente à frondes coriaces.

Origine : forêts tropicales d'Afrique et d'Asie.

Feuilles : les frondes bipennées, dressées, mesurent de 80 cm à 1,50 m de long. Le rachis est couvert d'écailles d'un rouge brunâtre.

Fleurs : les fougères ne forment pas de fleurs.

Lumière : diffuse, jamais de soleil direct. Un angle entre deux grandes baies vitrées est idéal.

Terre : terreau de feuilles, terre de bruyère, tourbe et sable, avec une poignée de fumier composté.

Engrais : durant la croissance, apportez de l'engrais liquide « plantes vertes », tous les 15 jours.

Humidité de l'air : de 60 à 80 %. Le chauffage par le sol est déconseillé. Vaporisez très souvent.

Arrosage : un verre tous les 3 jours, pour que le terreau ne s'assèche jamais complètement.

Rempotage : tous les 2 ans, en avril.

Exigences particulières : les brusques variations de température provoquent la chute d'une partie des pinnules qui composent les frondes.

Dimensions : de 60 cm à 1,50 m de haut, de 30 à 80 cm d'envergure.

Multiplication : semis de spores assez délicat, à réserver aux professionnels.

Longévité : 6 mois si vous n'avez pas les doigts verts. Plus de 15 ans dans une serre tempérée ou une véranda, entre les mains d'un jardinier averti.

Ennemis et maladies : généralement aucun.

Espèces et variétés : *Didymochlaena truncatula* est la seule espèce du genre. On la désigne parfois sous le nom de *Didymochlaena lunulata.*

Conseil Truffaut : en été, un arrosage automatique au goutte-à-goutte est l'idéal.

Dieffenbachia picta
DIEFFENBACHIA

 22 °C 10 °C 

Grande vivace herbacée vigoureuse, aux tiges et aux feuilles charnues, épaisses.

Origine : Amérique centrale et du Sud, Brésil.

Feuilles : ovales, pointues, elles arborent des camaïeux subtils de vert et de jaune, des panachures, des marbrures ou des stries régulières.

Fleurs : comme toutes les aracées, le dieffenbachia produit une inflorescence en spadice, protégée par une spathe, ressemblant à un arum vert.

Lumière : les variétés au feuillage panaché clair ont besoin d'une lumière vive, mais indirecte. La pénombre fait virer le jaune des feuilles au vert.

Terre : 1/2 terre végétale, 1/2 terreau de tourbe.

Engrais : durant la période de croissance, apportez un engrais liquide une fois par semaine.

Humidité de l'air : au-dessus de 20 °C, installez la plante sur un lit de gravillons humides. Douchez-la une fois par semaine pour laver les feuilles.

Arrosage : une fois par semaine, en laissant la motte se gorger d'eau. Trempez le pot pendant 15 min, aux trois quarts immergé dans une bassine.

Rempotage : chaque année, en avril.

Exigences particulières : le dieffenbachia craint les courants d'air froids et répétés, ainsi que les excès d'arrosage et l'air très sec.

Dimensions : jusqu'à 1,50 m de haut et 80 cm de large. Il existe des cultivars nains (40 cm).

Multiplication : bouturage de tronçons de tige de 10 cm de long, posés à plat sur un mélange de sable et de tourbe, dans une miniserre, à l'étouffée, avec chauffage de fond. Enracinement en 2 mois. Boutures de tête dans l'eau, possibles.

Longévité : le dieffenbachia se dégarnissant de la base, il devient inesthétique après 5 ans.

Ennemis et maladies : cochenilles et araignées rouges sur les plantes faibles. Les produits de traitement sont assez mal supportés. Utilisez plutôt des bâtonnets insecticides en prévention.

Espèces et variétés : il existe une multitude d'hybrides de *Dieffenbachia picta,* dont les noms ne sont pas toujours mentionnés sur les plantes lors de l'achat. *Dieffenbachia amoena* porte des feuilles beaucoup plus fines et plus longues.

Conseil Truffaut : lavez-vous les mains après avoir touché la sève de la plante. Toxique, elle irrite et fait enfler les muqueuses.

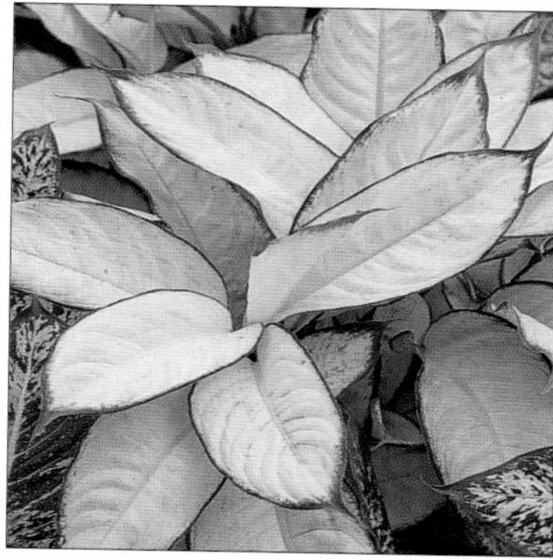

▲ *Dieffenbachia picta* 'Mariann' : une grande pureté.

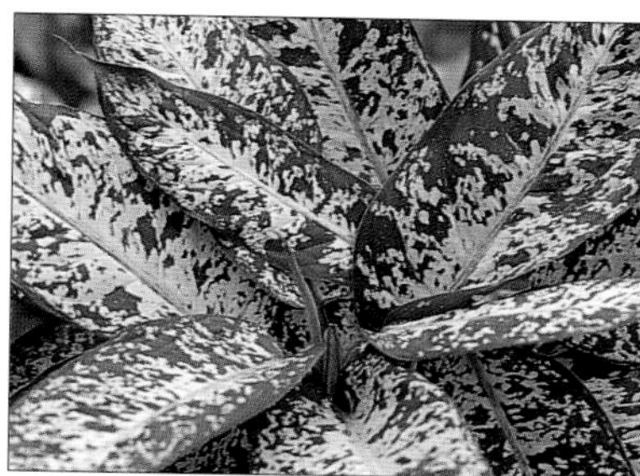

▲ *Dieffenbachia maculata* 'Exotica' : un grand classique.

▲ *Dieffenbachia oerstedii* 'Hillo' : une curiosité.

Dieffenbachia x *bausei* : un certain raffinement. ▶

▲ *Dioscorea elephantipes* : une grimpante peu commune.

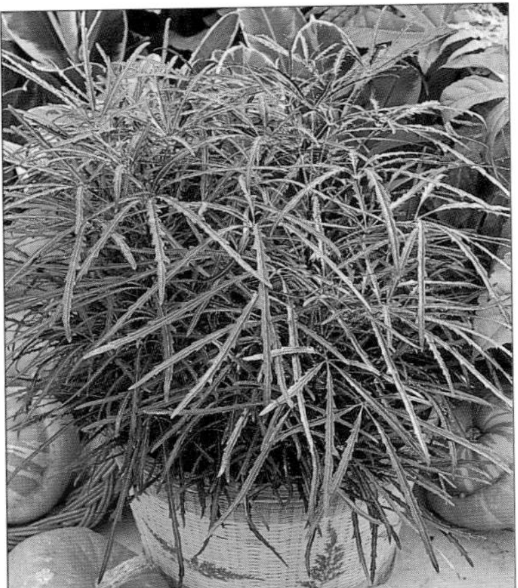

▲ *Dizygotheca elegantissima* : un aralia aux feuilles fines.

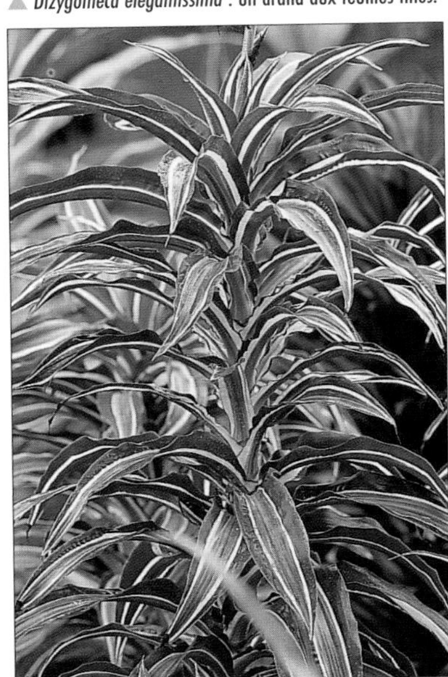

◀ *Dracaena deremensis* 'Compacta Variegata' : très facile.

Dioscorea elephantipes
PLANTE TORTUE

22 °C 10 °C

Sous-arbrisseau à racine tubérisée qui se lignifie sur la partie extérieure. Cousin de l'igname.

Origine : Afrique du Sud.

Feuilles : de 6 à 7 cm de large, alternes, cordiformes, d'un vert tirant sur le bleu.

Fleurs : les fleurs unisexuées, en grappes de 6 à 8 cm de long, apparaissent exceptionnellement chez les plantes cultivées en pot.

Lumière : très vive, sans être brûlante. Une grande baie vitrée exposée ouest ou sud-ouest.

Terre : terre de bruyère, terreau d'écorces et sable de rivière, à parts égales.

Engrais : quand la végétation a bien démarré, arrosez une fois sur trois avec un engrais universel dilué.

Humidité de l'air : l'atmosphère relativement sèche d'un appartement convient à la plante tortue.

Arrosage : imbibez complètement la motte chaque semaine durant la belle saison. Réduisez les arrosages quand les jours raccourcissent. Lorsque le feuillage jaunit, maintenez la plante au sec pendant la dormance. Reprenez les apports d'eau au printemps, quand les feuilles apparaissent.

Rempotage : chaque année, au début de la végétation. Il n'est pas toujours nécessaire d'augmenter le diamètre du pot, mais changez la terre.

Exigences particulières : la plante tortue nécessite la présence d'un tuteur échelle, d'une armature de bambous ou d'un petit treillage.

Dimensions : de 1 à 2 m de long, à la maison.

Multiplication : division du tubercule (délicat).

Longévité : de 3 à 5 ans à la maison, beaucoup plus en serre (plusieurs dizaines d'années).

Ennemis et maladies : les araignées rouges tissent de fines toiles entre les feuilles et les tiges.

Espèces et variétés : il existe plus de 600 espèces de *Dioscorea*. L'igname (*Dioscorea batatas*) est un légume tropical très cultivé.

Conseil Truffaut : conservez le tubercule dans un pot un peu étroit, cela favorise la végétation.

Dizygotheca elegantissima
FAUX ARALIA

Petits arbres ou arbustes buissonnants (20 espèces), très proches des aralias, mais désormais intégrés par les botanistes dans le genre *Schefflera*.

Origine : Nouvelle-Calédonie, Polynésie.

Feuilles : coriaces, dentées, palmées, divisées en folioles de 10 cm de long et de 1 cm de large, d'un vert sombre presque noir, avec des reflets bronze.

Fleurs : les grappes terminales blanches n'apparaissent pas sur les plantes cultivées en pot.

Lumière : vive, même directe, mais pas de soleil brûlant entre 10 h et 17 h, de mai à septembre.

Terre : un bon terreau de rempotage assez souple.

Engrais : de mars à octobre, apportez tous les 15 jours un engrais liquide pour plantes vertes.

Humidité de l'air : vaporisez la plante chaque jour. En hiver, cette intervention compense la sécheresse de l'air, évite au feuillage de jaunir et de tomber, tout en le dépoussiérant.

Arrosage : une fois tous les 8 à 12 jours en hiver en imbibant complètement la motte. Tous les 3 à 4 jours en été, sans noyer les racines.

Rempotage : au printemps, quand les racines remplissent le pot. Le faux aralia aime ses aises.

Exigences particulières : *Dizygotheca* ne supporte pas la sécheresse de l'air. Il prospère au mieux dans les salles de bains bien éclairées.

Dimensions : 1,50 m de haut, 90 cm de large.

Multiplication : bouturage de tiges au printemps ou à la fin de l'été. L'opération, délicate, nécessite une miniserre chauffante, la mise à l'étouffée et l'utilisation d'hormones. Reprise en 3 mois.

Longévité : de 3 à 6 ans. Plus en serre chaude.

Ennemis et maladies : mouches blanches assez fréquentes en hiver. Traitez préventivement.

Espèces et variétés : *Dizygotheca veitchii* se différencie par des folioles plus larges, ornées d'une nervure centrale rose ; 'Castor', cultivar le plus couramment proposé, a un feuillage très sombre.

Conseil Truffaut : taillez les tiges d'extrémité d'un tiers de leur longueur au printemps, pour donner au faux aralia un port plus buissonnant.

Dracaena spp. DRACÉNA, DRAGONNIER

Arbuste formant une touffe, puis développant un tronc avec l'âge. Les plantes proposées dans le commerce sont souvent des troncs bouturés.

Origine : Afrique, Asie, Australie.

Feuilles : de 30 à 45 cm de long et 8 cm de large, rubanées, épaisses, souvent panachées.

Fleurs : la plupart des dracénas ne fleurissent pas quand ils sont cultivés en pot, en appartement.

Lumière : vive, mais les rayons directs du soleil brûlent les feuilles. Éloignez le pot à 1 ou 2 m d'une fenêtre qui fait face au sud ou au sud-ouest.

Terre : terreau pour plantes vertes, terre de jardin et sable à parts égales. L'important est d'assurer un drainage important, par une couche de 3 cm de billes d'argile ou de cailloux, placée au fond du pot.

Engrais : nourrissez la plante tous les 15 jours avec un engrais liquide pour plantes vertes.

Humidité de l'air : remédiez à l'atmosphère trop sèche des appartements en installant le pot sur un lit de cailloux humides. Vaporisation quotidienne du feuillage (dessus et surtout dessous).

Arrosage : tous les 5 à 7 jours, à petites doses. Une fois par mois, immergez le pot dans une bassine d'eau jusqu'à disparition des bulles d'air, puis laissez égoutter. Ne reprenez les arrosage qu'une bonne semaine après.

Rempotage : conservez les dracénas le plus longtemps possible dans leur pot, jusqu'à ce que les racines sortent du contenant. Chaque printemps, surfacez les pots avec un terreau enrichi d'un fertilisant à base de fumier et d'algues.

Exigences particulières : bien que les feuilles soient coriaces, elles supportent mal les produits lustrants (surtout le gaz propulseur). Utilisez une éponge ou un papier absorbant humide pour nettoyer le feuillage, qui se couvre vite de poussière.

Dimensions : de 50 cm à 2,50 m de hauteur en pot et jusqu'à 80 cm à 1,20 m d'envergure.

Multiplication : bouturage de pousses terminales de 15 cm, possédant au moins deux paires de feuilles, en miniserre, à l'étouffée ou dans l'eau. Bouturage de tronçons de tiges des plantes trop dégarnies (surtout *Dracaena marginata*).

Longévité : de 5 à 15 ans.

Ennemis et maladies : les cochenilles provoquent la décoloration des feuilles. Elles se décollent facilement avec un Coton-Tige imbibé de bière.

Espèces et variétés : *Dracaena deremensis,* aux longues feuilles étroites, lancéolées, se décline en nombreux cultivars, dont 'Compacta', en bouquets serrés, vert foncé, et 'Bausei', aux larges panachures; *Dracaena fragrans* a de larges feuilles en rosette, colorées d'une large bande jaune maïs en leur milieu; *Dracaena marginata* ressemble un peu au yucca, avec des feuilles et un tronc plus fins. Pour les débutants, c'est l'une des plantes les plus faciles à conserver en pot, car il tolère une atmosphère assez sèche et des arrosages irréguliers; *Dracaena sanderiana* est réservé aux jardiniers ayant quelques années d'expérience. Il pousse lentement et ses feuilles vert-gris, ourlées de deux bandes jaunes, ont tendance à s'enrouler et à se tordre.

Conseil Truffaut : un séjour à l'extérieur en été, au jardin ou sur la terrasse, à l'ombre légère, est très bénéfique au *Dracaena marginata*.

☞ ***Epipremnum*** voir *Scindapsus*.

Dracaena fragrans 'Victoria' : un effet lumineux.

Dracaena marginata : un buisson d'entretien facile.

Dracaena deremensis 'Lemon Lime' : en demi-teinte.

Dracaena marginata 'Tricolor' : un feuillage très coloré.

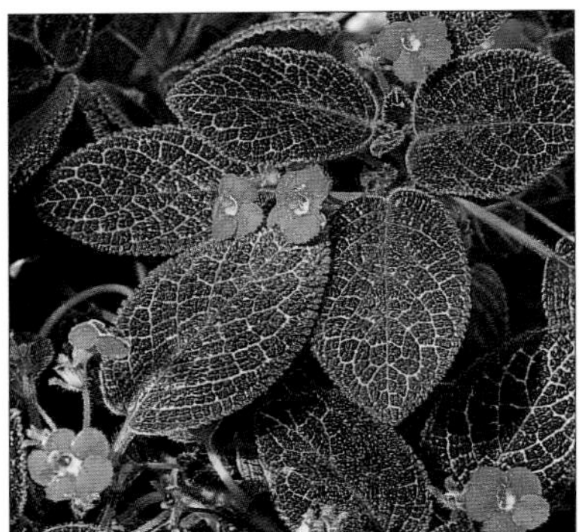

▲ *Episcia cupreata* 'Amazone'.

Fatshedera lizei. ▼

Episcia cupreata ÉPISCIA

Vivace herbacée, dont les tiges rampantes émettent des stolons vigoureux.

Origine : Colombie, Venezuela.

Feuilles : de 5 à 8 cm de long, en rosettes, ovales, duveteuses, portant des taches et des nervures diversement colorées selon les variétés.

Fleurs : jolies, tubulaires, en entonnoir, rouge-orangé à œil jaune, du printemps à l'automne.

Lumière : vive, avec 1 ou 2 heures par jour de soleil direct mais non brûlant. Une lumière insuffisante bloque la floraison. Mi-ombre tolérée.

Terre : 1/2 tourbe blonde, 1/2 terreau forestier.

Engrais : à partir de mars, apportez un engrais liquide pour plantes vertes, tous les 15 jours.

Humidité de l'air : posez le pot sur un lit de graviers toujours humides. Ne brumisez pas les feuilles, car les poils retiennent trop l'humidité. L'emploi d'un humidificateur électrique est idéal.

Arrosage : généreux tant que la plante émet de nouvelles feuilles (tous les jours en été). Diminuez les apports d'eau en octobre (tous les 5 à 7 jours).

Rempotage : chaque année, dans un pot plus large que haut ou dans une jolie coupe.

Exigences particulières : la plante pourrit facilement au collet. Dégagez la terre humide tout autour et ôtez les feuilles sèches ou malades.

Dimensions : 20 cm de haut, 40 cm de large.

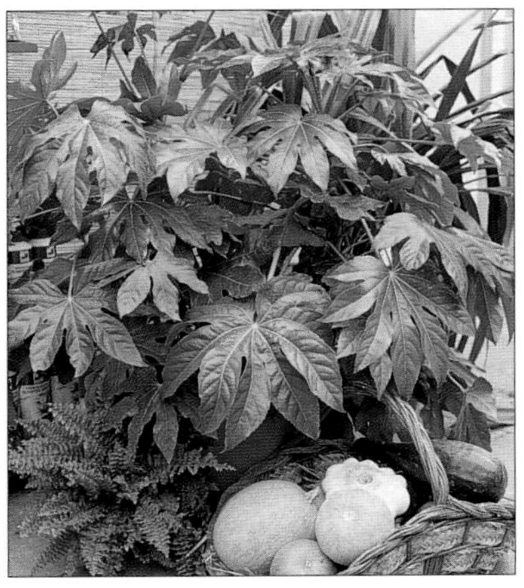

Multiplication : repiquage des plantules se développant à l'extrémité des stolons (facile).

Longévité : de 1 à 4 ans à la maison.

Ennemis et maladies : pucerons, à traiter préventivement avec des bâtonnets insecticides.

Espèces et variétés : *Episcia cupreata* 'Cleopatra', aux feuilles bordées de rose ; 'Silver Queen', argent et vert ; 'Acajou', à feuilles pourpres.

Conseil Truffaut : la plante devient moins belle en vieillissant. Renouvelez-la tous les 2 ans.

x *Fatshedera lizei* ARALIA-LIERRE

Cet hybride entre un lierre *(Hedera helix* 'Hibernica'*)* et le *Fatsia japonica* 'Moseri' pousse rapidement à la verticale, en s'appuyant sur un tuteur. Taillé, il reste buissonnant, plus compact.

Origine : le croisement des deux parents fut réalisé en 1912 à Nantes, par les frères Lizé.

Feuilles : palmées, découpées en 3 à 5 lobes, coriaces, vert foncé, vernissées.

Fleurs : sur les sujets adultes, des ombelles arrondies vert pâle sont réunies en panicules terminales.

Lumière : à l'intérieur, l'aralia-lierre pousse bien près d'une fenêtre au nord ou dans une entrée.

Terre : terreau « plantes vertes » et terre franche.

Engrais : deux fois par semaine, de mars à août.

Humidité de l'air : si le chauffage provient du sol, posez la plante sur des graviers humides.

Arrosage : quand la surface du terreau est bien sèche. Les excès d'eau font tomber les feuilles.

Rempotage : chaque année, en mars.

Exigences particulières : un tuteur gainé de mousse aide la plante à mieux se développer.

Dimensions : 1 à 1,50 m de haut, 50 cm de large en pot, beaucoup plus en pleine terre.

Multiplication : boutures de pousses terminales ou latérales, en août, dans l'eau (facile).

Longévité : de 3 à 15 ans selon les pièces.

Ennemis et maladies : la décoloration fréquente des feuilles est due aux araignées rouges.

◀ *Fatsia japonica* : une plante pratiquement rustique.

Espèces et variétés : 'Pia', compact, vert foncé ; la forme panachée 'Variegata' porte des marques crème ; la pointe de ses feuilles brunit facilement.
Conseil Truffaut : installez l'aralia-lierre en plein air (jardin ou balcon) de mai à octobre.

Fatsia japonica ARALIA DU JAPON

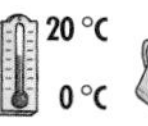

Arbuste buissonnant, ample, peu ramifié, ayant tendance à former un petit tronc.
Origine : Japon. Introduit il y a plus de 100 ans.
Feuilles : de 20 à 30 cm de large, palmées, avec de 5 à 9 lobes en éventail, vert brillant.
Fleurs : de grandes ombelles de fleurs blanches apparaissent en fin d'été sur les sujets adultes.
Lumière : l'ombre est bien acceptée, mais la plante reste plus trapue en pleine lumière.
Terre : terreau de rempotage tourbeux et terre franche siliceuse, en mélange à parts égales.
Engrais : de mai à septembre, apportez un engrais pour plantes vertes, une fois par mois.
Humidité de l'air : deux vaporisations par semaine et la culture sur un lit de graviers humides permettent d'éviter que le bout des feuilles ne se dessèche. Plante assez résistante à la sécheresse.
Arrosage : 1 litre tous les 3 jours en été, pour une plante de 40 cm de haut. Trois fois moins en hiver.
Rempotage : chaque année, en mars.

▼ *Ficus benjamina* 'De Gantel' : des panachures élégantes.

Exigences particulières : hivernez l'aralia du Japon, dans une véranda juste maintenue hors gel.
Dimensions : jusqu'à 1,80 m de haut en pot.
Multiplication : bouturage des rejets de la base.
Longévité : plus de 10 ans, avec de la fraîcheur.
Ennemis et maladies : les cochenilles se collent à la face inférieure des feuilles. Traitez avec un insecticide spécifique en bombe aérosol.
Espèces et variétés : il n'existe qu'une espèce. 'Variegata' a les feuilles ourlées de crème.
Conseil Truffaut : nettoyez les feuilles avec une éponge humide. Les lustrants sont bien acceptés si la pulvérisation est réalisée à 50 cm de distance.

Ficus benjamina FIGUIER PLEUREUR

Grand arbuste ou petit arbre touffu, aux branches arquées ou franchement retombantes.
Origine : Inde, Malaisie.
Feuilles : persistantes, de 5 à 7 cm de long, ovales, pointues, coriaces, à l'aspect ciré, vert vif.
Fleurs : jamais observées chez les plantes en pot.
Lumière : très vive, à 1 m d'une fenêtre au sud. Ne déménagez pas la plante trop souvent, car les changements brusques d'exposition entraînent la chute d'une partie du feuillage.

▼ *Ficus benjamina* 'Golden King' : retombant, panaché.

Ficus benjamina peut former un bel arbre en pot. ▶

▼ *Ficus* 'Danielle' : touffu, au feuillage vert très foncé.

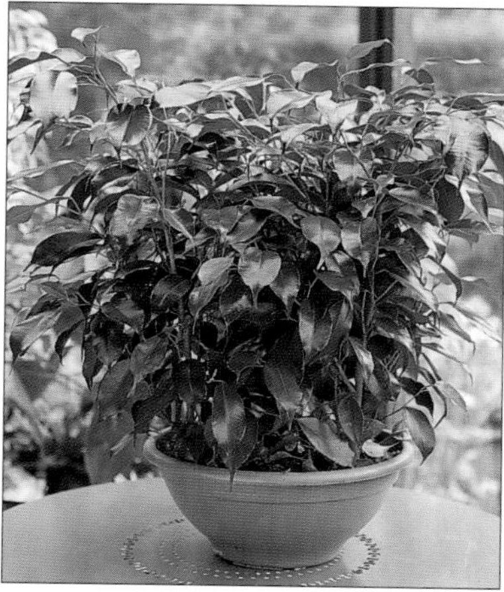

▼ *Ficus benjamina* 'Reginald' : un peu d'or dans le vert.

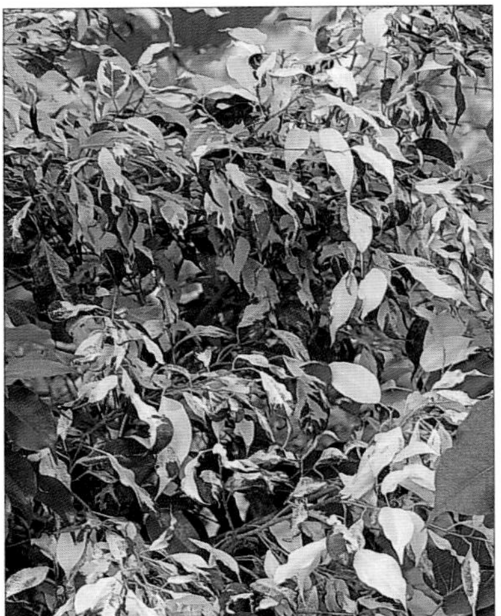

▲ *Ficus benjamina* 'Curly' : panaché, très buissonnant.

▼ *Ficus* 'Natacha' : nain, aux étonnants troncs tressés.

Terre : terreau, terre de jardin et sable.

Engrais : lorsque des jeunes feuilles commencent à apparaître, en mars, nourrissez la plante avec une solution d'engrais liquide pour plantes vertes, concentrée à la dose de 1 bouchon pour 10 litres d'eau. Cessez toute fertilisation de novembre à février.

Humidité de l'air : vaporisez le feuillage de votre ficus tous les 2 jours, surtout en hiver. Éloignez la plante de plus de 2 m des radiateurs, car la faible hygrométrie est l'une des causes principales de la chute et du jaunissement des feuilles.

Arrosage : pas plus d'une fois par semaine en hiver. Tous les 2 ou 3 jours en été. Arrosage par trempage, en imbibant bien la motte.

Rempotage : chaque année en février-mars pour les jeunes plantes. Quand le pot atteint 30 cm de diamètre, contentez-vous de changer les trois premiers centimètres de terre en mars et en septembre (surfaçage). Enrichissez alors le substrat de rempotage avec 20 % de fertilisant organique.

Exigences particulières : évitez de placer le *Ficus benjamina* près d'une porte donnant sur l'extérieur ou d'une fenêtre très souvent ouverte. Cette plante supporte mal les courants d'air froid qui font tomber les feuilles et sécher les brindilles les plus faibles. Le chauffage par le sol est mal toléré.

Dimensions : de 50 cm à 3 m en pot.

Multiplication : boutures d'extrémités de tiges, dans une miniserre chauffante ou dans l'eau.

Longévité : de 2 à 15 ans et même plus, dans les grandes pièces très lumineuses et tempérées.

◄ *Ficus benjamina* 'Lacia' : compact, branchu, vert franc.

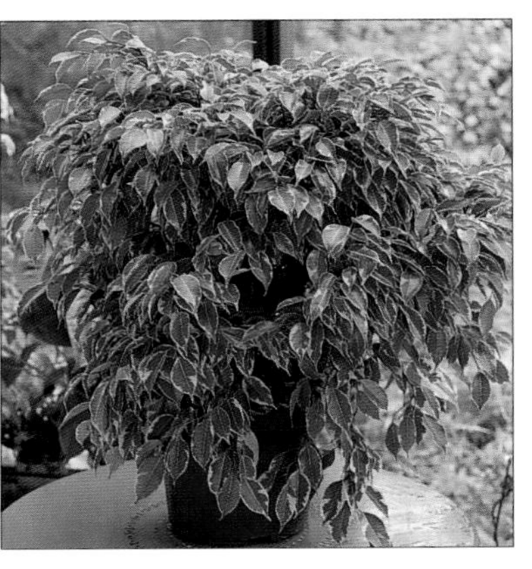

Ennemis et maladies : les cochenilles à bouclier s'enlèvent facilement avec un coton, si l'attaque est prise à temps. Araignées rouges en été.

Espèces et variétés : 'Curly', buissonnant, aux feuilles incurvées ; 'Natacha', nain, souvent proposé avec des troncs tressés ; 'Danielle', buisson compact aux feuilles très foncées ; 'Reginald', vert clair et doré ; 'Lacia', très touffu, vert moyen. Beaucoup de variétés sont panachées : 'De Gantel', 'Golden King', 'Ryandi' (appelé aussi 'Wiandi'), 'Variegata', 'Exotica', 'Starlight', etc.

Conseil Truffaut : procédez à une petite taille de nettoyage, deux fois par an au printemps et à la fin de l'été, en éliminant les brindilles sèches. Si un *Ficus benjamina* perd ses feuilles, il faut immédiatement le déplacer pour lui trouver un endroit plus favorable.

Ficus elastica
CAOUTCHOUC

Grand arbuste dont les fortes tiges, qui renferment une sève laiteuse, se ramifient en vieillissant.

Origine : Inde, Himalaya, Birmanie, Malaisie.

Feuilles : de 30 à 45 cm de long, épaisses, vernissées, simples, ovales, terminées par une petite pointe. Les nouvelles feuilles apparaissent couleur bronze et verdissent par la suite.

Fleurs : pas de floraison chez les plantes cultivées en pot. Dans les grands jardins d'hiver, les vieux sujets portent des petites figues non comestibles.

Lumière : les caoutchoucs supportent d'être éloignés de 2 à 3 m de la fenêtre. Mais ils poussent beaucoup mieux quand ils reçoivent une bon ensoleillement durant la moitié de la journée.

Terre : terre de jardin, terreau pour plantes vertes et sable, en mélange à parts égales. Il est important de déposer au fond du pot une couche de 5 cm de graviers, qui assurera un bon drainage.

Engrais : de mars à octobre, arrosez avec une solution fertilisante dosée à 1 g d'engrais par litre d'eau (ou un bouchon d'engrais liquide pour 10 litres). Les engrais en granulés que l'on épand

◄ *Ficus* 'Ryandi' : une variété naine et panachée.

Ficus elastica : dans la nature, il peut atteindre 10 m.

à la surface du terreau sont très valables pour les grands caoutchoucs, car ils libèrent lentement leurs éléments fertilisants, en fonction de l'humidité du sol, sans entrer en contact direct avec les racines.

Humidité de l'air : dès que le chauffage central entre en fonction, brumisez les feuilles au moins trois fois par semaine. Une fois par mois, lavez les feuilles avec une éponge humide ou une lingette spéciale, afin de les dépoussiérer. Le caoutchouc appréciera la présence de coupelles remplies d'eau, posées sur les radiateurs (ou des saturateurs).

Arrosage : le caoutchouc dépérit plus fréquemment par excès que par manque d'eau. En hiver, donnez 1 litre d'eau par semaine à une plante de 1 m de haut. Le terreau doit sécher superficiellement entre deux arrosages. En été, arrosez deux à trois fois par semaine, en fonction de la température ambiante. Évitez les bacs à réserve d'eau.

Rempotage : une fois par an en février-mars, durant les trois premières années. Par la suite, changez la terre tous les 2 ans seulement. Quand le pot devient trop lourd ou trop volumineux, contentez-vous d'un surfaçage, sur 4 cm de profondeur, en prenant soin de ne pas abîmer les racines. Utilisez alors un terreau de rempotage classique, enrichi d'un fertilisant à base de fumier.

Exigences particulières : le caoutchouc est d'un naturel facile et prospère, tant que ses racines ne sont pas noyées. Après un arrosage, veillez à bien vider la soucoupe contenant l'eau en excès.

Dimensions : de 1 à 3 m de haut, en pot à la maison. Jusqu'à 5 m, planté en pleine terre, dans un jardin d'hiver. De 30 cm à 2 m de large selon que la plante se ramifie bien ou pas.

Multiplication : marcottage aérien des tiges de mai à septembre. Entaillez une tige de bas en haut sur 5 mm, sous une feuille. Trempez une allumette mouillée dans la poudre d'hormones de bouturage et insérez-la dans l'entaille, afin de la maintenir ouverte. Enveloppez le tout dans une poignée de mousse humide, maintenue en place par un lien de raphia. Maintenez la mousse dans un film plastique, attaché à chaque extrémité. En quelques mois, des racines apparaîtront à travers la mousse. Il sera alors temps de couper la tige sous les racines et de rempoter la nouvelle plante dans un pot de 12 ou 14 cm de diamètre. Boutures d'extrémités de tiges (têtes) en miniserre avec chauffage de fond.

Longévité : de 10 à 20 ans et même plus si les conditions de culture sont satisfaisantes. En revanche, un excès d'eau le fait périr en 6 mois.

Ennemis et maladies : les cochenilles rendent les feuilles poisseuses, et se signalent par la présence de carapaces brunes ou blanches et cotonneuses, le long des nervures, sous les feuilles.

Espèces et variétés : 'Decora', aux jeunes feuilles enroulées dans une gaine rouge ; 'La France', aux feuilles plus petites, à l'extrémité crispée ; 'Robusta', aux feuilles plus grandes ; *Ficus elastica* 'Decora Belga' et 'Doescheri', aux feuilles marbrées de jaune crème et de vert sombre (comme toutes les variétés panachées, ils demandent un peu plus de lumière pour conserver ces couleurs) ; 'Schryveriana', vert pâle, lavé de plus foncé.

Conseil Truffaut : les jeunes caoutchoucs ont tendance à pousser tout droit sur une seule tige. Achetez de préférence une grosse potée groupant plusieurs sujets. Pour provoquer la formation de départs latéraux, étêtez les jeunes plantes ou incisez légèrement l'écorce de la tige, juste au-dessus d'une feuille. Cela stimule le départ de l'œil axillaire.

Ficus elastica 'Decora Belga' : de fort jolies nuances.

Ficus elastica 'Doescheri' : des panachures irrégulières.

Ficus 'Amstel Queen' : une curieuse texture de cuir.

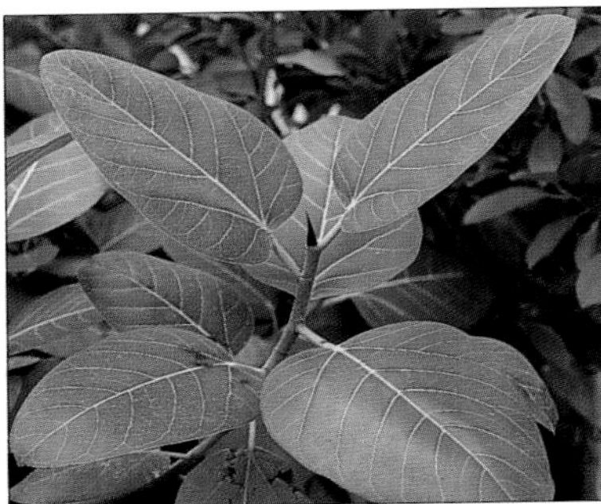

Ficus benghalensis : un arbre géant dans la nature.

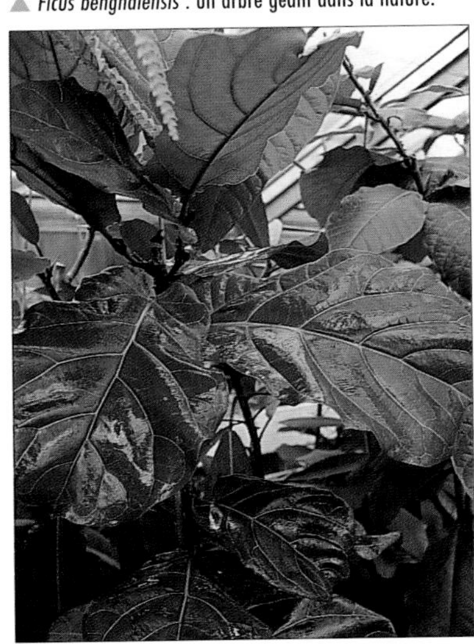

Ficus benghalensis BANIAN, BANYAN

  25 °C 15 °C 

Arbre vigoureux aux tiges solides et ramifiées, formant dans la nature de longues racines aériennes.

Origine : nord-est de l'Inde (Assam).

Feuilles : de 15 à 25 cm de long, vert sombre, ovales, pointues, épaisses et velues, un peu plus petites que celles du caoutchouc, très nervurées.

Fleurs : pas de floraison chez les plantes en pot.

Lumière : placez le banian près d'une fenêtre en plein soleil, durant au moins la moitié de la journée.

Terre : terreau pour plantes d'appartement, sable et terre de jardin, avec 5 % du volume de billes d'argile concassées, pour améliorer le drainage.

Engrais : une fois par mois, de mars à octobre.

Humidité de l'air : quand le chauffage fonctionne, posez le pot sur une soucoupe garnie de graviers humides. Vaporisez chaque jour.

Arrosage : une fois par semaine en hiver, tous les 3 ou 4 jours en été, quand la température dépasse 24 °C. Surtout pas d'eau stagnante.

Rempotage : une fois par an tant que le pot mesure moins de 30 cm de diamètre. Chez les grandes plantes, surfacez 2 fois par an, en mars et en septembre, avec du terreau enrichi d'un fertilisant organique à base de fumier et d'algues.

Dimensions : jusqu'à 3 m de haut, en pot.

Exigences particulières : le banian demande des pièces assez grandes, car il est imposant.

Multiplication : boutures de têtes, à l'étouffée, avec hormones, en miniserre chauffée (25 °C).

Longévité : plus de 10 ans, même chez un débutant, si la plante n'est pas trop arrosée.

Ennemis et maladies : en été, des acariens tissent de microscopiques toiles entre les feuilles.

Espèces et variétés : *Ficus* 'Amstel Queen', aux feuilles longues et minces, semblables à celles d'un saule pleureur ; *Ficus retusa* et *Ficus nitidus* se cultivent de la même manière que *Ficus benghalensis*.

Conseil Truffaut : éloignez la plante d'une source de chaleur, sinon, le feuillage tombe.

◄ *Ficus lyrata* : de larges feuilles vernissées, ondulées.

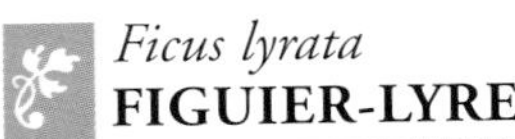

Ficus lyrata FIGUIER-LYRE

 25 °C 15 °C 

Arbuste imposant ou petit arbre, aux tiges épaisses, verticales, mais peu ramifiées.

Origine : Afrique occidentale et centrale.

Feuilles : de 30 à 45 cm de long et 25 cm de large, vert brillant, coriaces, avec des nervures très apparentes, souvent ondulées. Plus minces à la base qu'au sommet, elles évoquent une lyre.

Fleurs : pas de floraison chez les sujets en pot.

Lumière : au moins 4 heures de plein soleil par jour, mais filtré par temps très chaud.

Terre : terreau de tourbe, sable et terre franche.

Engrais : une fois par mois, durant la belle saison ; fertilisez à l'engrais liquide peu concentré.

Humidité de l'air : le figuier-lyre ne supporte pas les appartements trop secs ou les maisons chauffées par le sol. Vaporisez souvent et toute l'année.

Arrosage : chaque semaine en hiver. Tous les 3 ou 4 jours en été, selon la température.

Rempotage : tous les 2 ans, dans un pot proportionné à la plante. Surfacez au printemps les très grands sujets, difficiles à manipuler.

Dimensions : de 2 à 3 m de haut, en pot.

Exigences particulières : il faut bien palisser la jeune plante, pour soutenir ses tiges verticalement.

Multiplication : boutures de 15 cm de long, prélevées au printemps sur les pousses latérales.

Longévité : plus de 10 ans, dans une pièce claire.

Ennemis et maladies : cochenilles.

Espèces et variétés : seule l'espèce est proposée. *Ficus microcarpa*, *F. diversifolia*, *F. rubiginosa* se cultivent de la même manière que *Ficus lyrata*.

Conseil Truffaut : attention aux jeunes feuilles, qui se plient facilement et restent marquées à vie.

Ficus pumila FICUS RAMPANT

  20 °C 5 °C 

Petite plante rampante, vivace et persistante, aux tiges souples et ramifiées qui se marcottent seules.

Origine : Chine, Japon, Viet Nam.
Feuilles : de 2 à 5 cm de long, cordiformes, fines, vert mat, oblongues, à l'extrémité des tiges adultes.
Fleurs : des figues en forme de poire, de 5 cm de long, apparaissent chez les sujets de pleine terre.
Lumière : le ficus rampant aime l'ombre. Il réussit à 3 ou 4 m d'une vitre bien éclairée. Si la fenêtre est orientée au nord, rapprochez la plante à 50 cm.
Terre : terreau pour plantes d'appartement, terre de bruyère et terre de jardin, à parts égales.
Engrais : de mars à septembre, apportez au *Ficus pumila* un engrais pour plantes vertes, riche en azote, tous les deux ou trois arrosages.
Humidité de l'air : le ficus rampant aime la moiteur. Il prospérera dans une salle de bains ou une cuisine. Pour pallier la sécheresse de l'air, brumisez le feuillage deux fois par semaine au minimum.
Arrosage : à la différence de ses cousins, le ficus rampant se remet mal d'un oubli d'arrosage. Il faut maintenir la motte humide en permanence, mais ne jamais oublier de vider la soucoupe sous le pot.
Rempotage : chaque année en février-mars, dans un pot plus large que profond ou une coupe.
Exigences particulières : le ficus rampant forme de jolies petites suspensions qui restent assez compactes. Il exprimera toute sa vigueur dans une serre, palissé contre un mur, qu'il est capable de recouvrir en quatre ans. Il grimpe aussi très bien sur un tuteur épais recouvert de mousse.
Dimensions : de 50 cm à 1,50 m, en pot. Au moins 3 m en pleine terre.
Multiplication : boutures de tiges dans l'eau, d'avril à septembre (très facile).
Longévité : de 3 mois à 5 ans.
Ennemis et maladies : les araignées rouges apparaissent quand l'air est trop sec.
Espèces et variétés : *Ficus pumila* est souvent proposé sous son ancienne appellation de *Ficus repens*. Il existe des variétés panachées ravissantes, mais plus difficiles à conserver et moins vigoureuses.
Conseil Truffaut : vous conserverez au ficus rampant une silhouette en boule compacte si vous taillez régulièrement les pousses. Sur la Côte d'Azur, il est tout à fait possible de cultiver cette plante au jardin, comme couvre-sol ou grimpante, pour habiller par exemple une rampe d'escalier.

Fittonia verschaffeltii FITTONIA

Vivace persistante à port tapissant.
Origine : les premiers fittonias ont été récoltés dans les forêts tropicales du Pérou, en 1867.
Feuilles : de 6 à 10 cm de long, arrondies à ovales, avec des nervures très nettement marquées, blanc argenté ou rouges selon les variétés.
Fleurs : minuscules, blanches, portées par des inflorescences verticales. Coupez-les, car leur développement nuit à la beauté du feuillage.
Lumière : dans son milieu naturel, le fittonia tapisse le sol sous une végétation épaisse. Il apprécie une luminosité faible et redoute le soleil direct.
Terre : 1/2 de tourbe, 1/2 de terreau de feuilles.
Engrais : d'avril à septembre, apportez tous les 15 jours un engrais liquide pour plantes vertes, dont la concentration sera divisée par trois.
Humidité de l'air : la moiteur est le secret de la réussite, associez le fittonia aux orchidées, dans une serre d'appartement, ou plantez-le dans une bonbonne de verre ou un terrarium ou bien essayez de l'acclimater dans la salle de bains.
Arrosage : ne jamais laisser la terre se dessécher.
Rempotage : un mois après l'achat. Puis tous les ans en février dans une terrine ou une coupe.
Exigences particulières : le fittonia demande un drainage parfait. Son système racinaire, peu développé et fragile, pourrit au premier excès d'eau.
Dimensions : 10 cm de haut, 25 cm de large.
Multiplication : bouturage d'extrémités de tiges, dans une miniserre chauffée ou dans l'eau.
Longévité : 3 ou 4 ans entre des mains expertes. Pas plus de 2 mois pour un débutant.
Ennemis et maladies : pucerons et mouches blanches sont redoutables, mais peu fréquents.
Espèces et variétés : 'Argyroneura', aux nervures ivoire ; 'Pearcei', aux nervures rouges.
Conseil Truffaut : associez le fittonia à des petites fougères, des piléas, des ficus rampants, des sélaginelles et des pépéromias.

▲ *Ficus nitidus* : un mignon petit arbre d'intérieur.

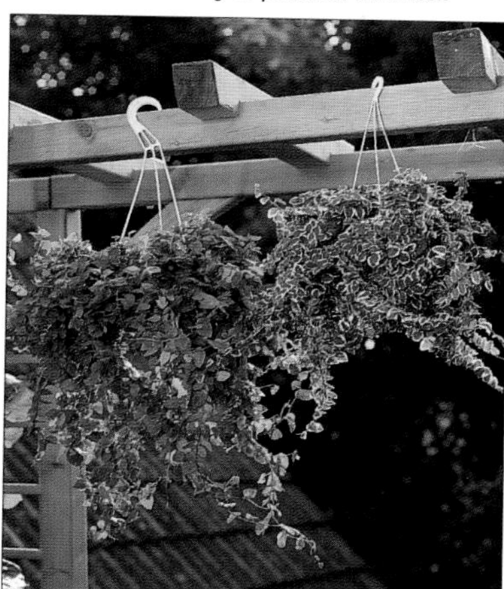

▲ *Ficus pumila* peut être suspendu sur le balcon en été.

Fittonia verschaffeltii 'Argyroneura' : nervures ivoire. ▶

G

▲ *Glechoma hederacea* 'Variegata' : jolie en suspension.

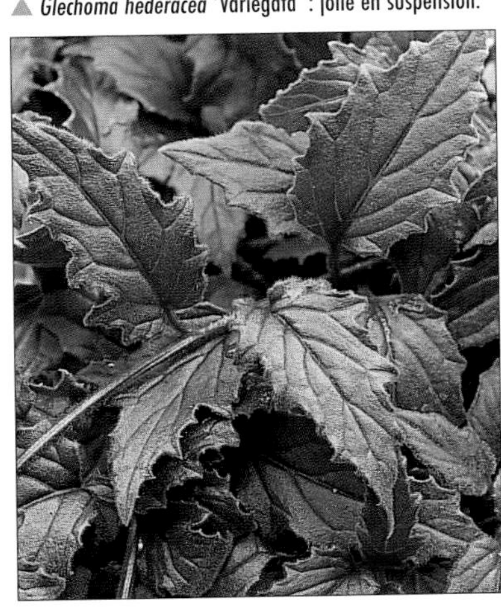

Glechoma hederacea
LIERRE TERRESTRE

  18 °C 0 °C 

Vivace rhizomateuse persistante dont les tiges grêles donnent un port rampant ou retombant.

Origine : le lierre terrestre est une plante européenne indigène. On la trouve à l'état sauvage dans les bois ou les prairies, au pied des haies.

Feuilles : festonnées, arrondies à cordiformes, duveteuses, parfumées quand on les frotte.

Fleurs : violettes ou lilas, rarement blanches, elles apparaissent en été, à l'aisselle des feuilles.

Lumière : habitué des sous-bois, le lierre terrestre à feuillage vert s'accommode, à l'intérieur, d'une fenêtre au nord ou d'une pièce sombre.

Terre : terre végétale et terreau de plantation.

Engrais : deux fois par mois, de mai à septembre, avec un engrais pauvre en azote, pour éviter l'allongement démesuré des tiges.

Humidité de l'air : dans une pièce chaude, combattez la sécheresse de l'air par des brumisations tous les 2 jours. Posez le pot sur des gravillons.

Arrosage : le lierre terrestre flétrit facilement, dès que le terreau sèche. Trempez le pot durant une demi-heure aux premiers signes de soif.

Rempotage : au printemps, seulement si les racines ont totalement recouvert la motte.

Exigences particulières : les longues tiges du lierre terrestre seront mises en valeur dans une suspension, ou en couvre-sol sur un grand bac.

Dimensions : jusqu'à 1 m de long et de large.

Multiplication : très facile, par bouturage des tiges, qui s'enracinent dans un verre d'eau. Quand on manipule le lierre terrestre, il est fréquent de casser des tiges. Replantez-les immédiatement dans le pot, elles s'enracineront en 3 semaines.

Longévité : de 4 à 5 ans.

Ennemis et maladies : généralement aucun.

Espèces et variétés : le feuillage de *Glechoma hederacea* 'Variegata' est festonné de blanc. Plus frileuse, cette variété doit hiverner à 10 °C. Elle demande aussi une lumière plus vive.

◄ *Gynura aurantiaca* : un feuillage de velours pourpre.

Conseil Truffaut : au printemps, taillez toutes les pousses à 10 cm du sol, pour que la plante développe un nouveau feuillage plus dense.

Gynura aurantiaca
GYNURA

  22 °C 13 °C 

Vivace herbacée persistante, au port diffus.

Origine : Asie du Sud-Est, Indonésie.

Feuilles : de 10 à 20 cm de long, ovales, dentées, pourpre violacé sombre presque fluorescent sur les bords, couvertes, ainsi que les tiges, d'un duvet épais et soyeux, très doux au toucher.

Fleurs : des marguerites jaunes de 1 à 2 cm de diamètre éclosent en automne et en hiver. Coupez-les, car elles dégagent une odeur désagréable.

Lumière : vive, mais voilée pour conserver la coloration des feuilles, sans les brûler. En hiver, il faut rapprocher la plante d'une fenêtre bien éclairée.

Terre : terreau pour plantes vertes, terre de bruyère et 10 % de fertilisant à base de fumier.

Engrais : une demi-dose d'engrais liquide pour plantes vertes tous les mois, d'avril à août.

Humidité de l'air : le gynura supporte le chauffage central et l'air sec. Au-dessus de 20 °C, installez le pot sur un lit de cailloux humides.

Arrosage : un demi-verre par semaine en hiver. Tous les 3 à 5 jours en été.

Rempotage : la croissance rapide impose souvent un rempotage 6 mois après l'achat, puis tous les ans fin février-début mars.

Exigences particulières : en été, un séjour à l'extérieur est apprécié dans un lieu ombragé.

Dimensions : de 20 à 40 cm de haut et de large.

Multiplication : bouturage des tiges dans l'eau.

Longévité : remplacez la plante tous les 2 ou 3 ans, car seuls les jeunes sujets sont décoratifs.

Ennemis et maladies : taches noires dues à des champignons, quand on mouille le feuillage.

Espèces et variétés : *Gynura aurantiaca* est la seule espèce proposée, avec son cultivar 'Purple Passion', parfois appelé *Gynura sarmentosa*.

Conseil Truffaut : les gynuras craignent les courants d'air, cultivez-les dans un terrarium.

Hedera helix LIERRE

18 °C
0 °C

Plante grimpante ou couvre-sol vivace, rustique, persistant, aux longues tiges souples. Au stade juvénile, celles-ci adhèrent au sol ou sur un support grâce à des racines aériennes (crampons).

Origine : sous-bois d'Europe.

Feuilles : de 4 à 10 cm de long, triangulaires, découpées en 3 à 5 lobes sur les jeunes tiges, puis oblongues, brillantes, rigides, vernissées.

Fleurs : rares en pot, verdâtres, elles apparaissent sur des tiges arborescentes, dressées.

Lumière : de la clarté sans soleil direct pour les lierres panachés. Ombre pour les feuilles vertes.

Terre : terreau de feuilles, tourbe blonde et terre de jardin à parts égales, avec un bon drainage.

Engrais : de mars à septembre, apportez un engrais liquide pour plantes vertes une fois par mois.

Humidité de l'air : brumisez le feuillage au moins une fois par semaine, surtout en hiver.

Arrosage : durant la période de croissance, un ou deux apports d'eau hebdomadaires suffisent. En hiver, le sol doit sécher en surface avant d'arroser.

Rempotage : tous les 2 ans, au printemps.

Exigences particulières : chauffez peu en hiver (maximum 15 °C, l'idéal étant de 8 à 10 °C). S'il a trop chaud, le lierre jaunit et perd ses feuilles.

Dimensions : jusqu'à 2 m en pot.

Multiplication : bouturage de fragments de tige, de 8 à 12 cm de long, de mai à septembre. Pour obtenir une forme arbustive, bouturez des pousses érigées, portées par des sujets âgés.

Longévité : de 3 à 6 ans en pot.

Ennemis et maladies : araignées rouges en été, quand la température est élevée et l'air sec.

Espèces et variétés : pour l'intérieur, préférez les variétés à petites feuilles : 'Buttercup', panaché, avec quelques feuilles toutes jaunes ; 'Eva', panaché de blanc ; 'Glacier', aux petites feuilles tachées de gris argenté et bordées de blanc lumineux ; 'Goldchild', panaché de crème ; 'Ivalace', au feuillage trilobé vert sombre ; 'Luzii', vert très clair, maculé de plus foncé ; 'Mint Kolibri', vert marginé et ponctué de jaune crème ; 'Perkeo', à feuilles arrondies ; 'Sagittaefolia', à feuilles trilobées très fines, étroites, vert foncé ; 'White Knight', blanc bordé de vert, etc.

Conseil Truffaut : dirigé sur différents supports en bois ou en métal, le lierre crée des sculptures végétales rappelant les topiaires. Rabattez les tiges de moitié, une fois par an, en mars.

▲ *Hedera helix* 'Mirira' : de subtiles nervures dorées.

▲ *Hedera helix* 'Gracilis' : à toutes petites feuilles.

▼ *Hedera helix* 'Harlequin' : petites feuilles panachées.

▼ *Hedera helix* 'Golden Mathilde' : à feuilles allongées.

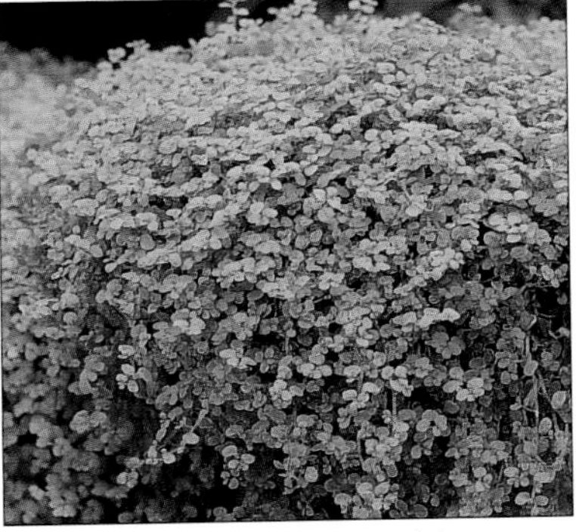

▲ *Helxine soleirolii* : un tapis fin comme de la mousse.

▲ *Hemigraphis alternata* : tapissant, il aime l'ombre.

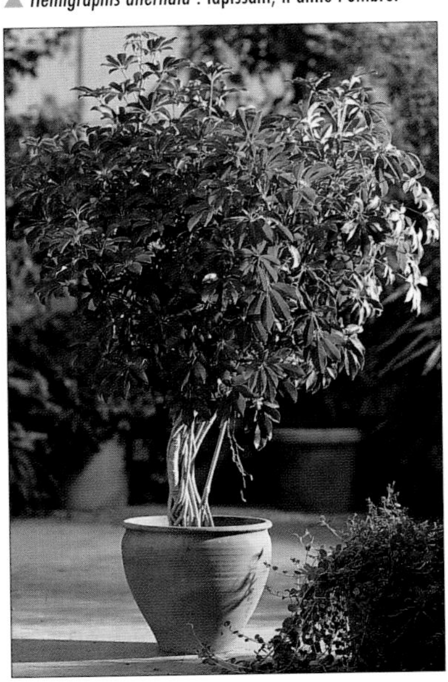

◀ *Heptapleurum arboricola* : un arbre de culture facile.

Helxine soleirolii ou *Soleirolia* HELXINE

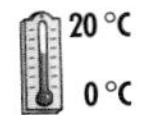

Cette cousine de l'ortie à port tapissant est vivace et persistante. Elle forme un tapis compact.

Origine : Corse, Majorque et Sardaigne.
Feuilles : de 0,5 cm de diamètre, arrondies, vert pâle, donnant l'impression d'un tapis de mousse.
Fleurs : minuscules, blanches, rares en pot.
Lumière : l'ombre est bien tolérée.
Terre : terreau et tourbe blonde, à parts égales.
Engrais : d'avril à septembre, apportez un engrais liquide organique, tous les 15 jours.
Humidité de l'air : brumisez le feuillage une fois par jour dans une pièce chaude.
Arrosage : tous les 2 ou 3 jours pour maintenir le sol frais. En hiver, une fois par semaine.
Rempotage : chaque année, au printemps, dans un contenant plus large que profond (coupe).
Exigences particulières : en hiver, maintenez la potée entre 5 et 15 °C au maximum.
Dimensions : 10 cm de haut, 30 cm de large.
Multiplication : du printemps à la fin de l'été, prélevez des tronçons de tige pourvus de racines et rempotez-les individuellement. Arrosez bien.
Longévité : 1 an dans la maison.
Ennemis et maladies : l'humidité stagnante provoque la pourriture des racines et des tiges.
Espèces et variétés : 'Argentea', à feuillage vert clair argenté ; 'Aurea', vert-jaune, très lumineux.
Conseil Truffaut : taillez au printemps ou en été, pour limiter le développement des tiges. Cette plante peut aussi être cultivée à l'ombre, au jardin.

Hemigraphis alternata HEMIGRAPHIS

Plante vivace herbacée, persistante, prostrée ou à port retombant, qui développe des tiges fortes émettant des petites racines aériennes.

Origine : Inde, Asie du Sud-Est, Java.
Feuilles : de 6 à 10 cm de long, opposées, entières, ovales, dentées, duveteuses. Le dessus est violet argenté brillant, le revers rouge violacé.
Fleurs : au printemps et au début de l'été, petites fleurs blanches, groupées en épis terminaux de 3 cm de long, accompagnés de grandes bractées.
Lumière : vive, mais sans soleil direct.
Terre : mélange à parts égales de terreau de feuilles, de tourbe blonde et de sable de rivière.
Engrais : de mai à septembre, apportez un engrais liquide « plantes vertes » tous les 15 jours.
Humidité de l'air : maintenez une hygrométrie élevée en brumisant le feuillage quotidiennement.
Arrosage : selon la température, de une à trois fois par semaine, avec une eau non calcaire.
Rempotage : chaque année, au printemps.
Exigences particulières : c'est une des plantes d'intérieur les plus frileuses. Pas de courant d'air.
Dimensions : 15 cm de haut, 45 cm de large.
Multiplication : boutures d'extrémités de tiges, en été, à l'étouffée, avec chaleur de fond (28 °C).
Longévité : 2 ou 3 ans à la maison.
Ennemis et maladies : en général aucun.
Espèces et variétés : *Hemigraphis alternata*, appelé aussi *H. colorata*, argenté dessus, rouge au revers ; *Hemigraphis repanda*, à port étalé, à feuilles étroites, violacées dessus, rouges au revers ; 'Exotica', à feuillage vert foncé, gaufré, à nervures rouges.
Conseil Truffaut : plantez les hemigraphis en bordure. Ils mettent en valeur les feuillages verts. Rabattez les tiges d'un tiers au printemps, pour conserver un port plus touffu et régulier.

Heptapleurum arboricola SCHEFFLÉRA

Grand arbuste bien ramifié, à feuilles persistantes. On l'appelle aussi *Schefflera arboricola*.

Origine : Taïwan.
Feuilles : 15 cm de diamètre, palmées, vernissées, vert foncé brillant, composées de 7 ou 8 folioles ovales, portées par de longs pétioles.
Fleurs : très rares en pot, en panicules blanches.

Lumière : forte, mais pas de soleil direct.
Terre : mélange à parts égales de terreau, de tourbe, de sable de rivière et de terre de jardin.
Engrais : de mai à septembre, apportez un engrais liquide « plantes vertes » chaque semaine.
Humidité de l'air : vaporisez chaque jour.
Arrosage : tous les 5 à 12 jours. Laissez bien sécher la motte entre deux apports d'eau.
Rempotage : chaque année, au printemps.
Exigences particulières : maintenez une température hivernale basse de 12 à 15 °C, et de 16 à 18 °C pour les variétés à feuillage panaché.
Dimensions : de 1 à 2,50 m de haut, en pot.
Multiplication : boutures d'extrémités dans l'eau et marcottage aérien, au printemps et en été.
Longévité : de 5 à 12 ans à la maison.
Ennemis et maladies : cochenilles.
Espèces et variétés : 'Janine' et 'Trinette', aux feuilles vertes luisantes, plus ou moins teintées de blanc crème ; 'Nora' et 'Renate', aux grandes feuilles vert vif devenant vert foncé à maturité.
Conseil Truffaut : les longues tiges souples ont besoin d'être tuteurées. Au printemps, taillez au-dessus d'une feuille les plantes trop imposantes.

Hoffmania refulgens HOFFMANIA

Plante vivace herbacée, buissonnante, persistante.
Origine : Mexique.
Feuilles : de 20 à 30 cm de long, gaufrées et profondément nervurées. Les jeunes feuilles, d'un bronze cuivré satiné, deviennent vert foncé.
Fleurs : rouge pâle, très rares en appartement.
Lumière : plante idéale pour une pièce sombre.
Terre : mélange par tiers de terreau de feuilles, de terre de bruyère fibreuse et de tourbe blonde.
Engrais : de mai à septembre, apportez une demi-dose d'engrais liquide tous les 15 jours.
Humidité de l'air : la moiteur est la clé du succès, mais ne brumisez pas le feuillage. L'idéal est une vitrine pour orchidée ou une serre chaude.
Arrosage : hebdomadaire, à l'eau non calcaire.
Rempotage : chaque année, au printemps.
Exigences particulières : plante très frileuse nécessitant un minimum de 18 °C toute l'année.
Dimensions : de 40 à 50 cm de haut et de large.
Multiplication : boutures de tiges, l'été (difficile).
Longévité : quelques mois dans la maison.
Ennemis et maladies : araignées rouges, thrips.
Espèces et variétés : *Hoffmania ghiesbreghtii* peut atteindre 1 m de haut. Ses feuilles sont vert mousse à bronze satiné sur le dessus et roses au revers.
Conseil Truffaut : pincez l'extrémité des nouvelles pousses pour favoriser un port plus touffu.

Hypoestes phyllostachya HYPOESTES

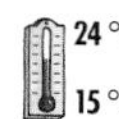

Vivace herbacée, persistante, appelée aussi *Hypoestes sanguinolenta*, ou plante aux éphélides.
Origine : Madagascar, Amérique du Sud.
Feuilles : de 3 à 5 cm de long, ovales, vert taché de rose, de rouge ou de crème.
Fleurs : épis bleu lilacé, de juillet à décembre.
Lumière : vive, mais sans soleil direct.
Terre : mélange par tiers de tourbe blonde, de terreau de feuilles et de terre de jardin.
Engrais : de mai à septembre, apportez tous les 15 jours un engrais liquide « plantes vertes ».
Humidité de l'air : vaporisez le feuillage tous les 2 jours, avec une eau non calcaire.
Arrosage : tous les 3 jours pour maintenir le sol frais en été. Une fois par semaine en hiver.
Rempotage : chaque année, au printemps.
Exigences particulières : il ne faut surtout pas que l'eau reste stagnante sous le pot.
Dimensions : de 20 à 50 cm de haut.
Multiplication : boutures de tiges, dans l'eau.
Longévité : de 1 à 4 ans, en pot à la maison.
Ennemis et maladies : araignées rouges en été par temps chaud et sec. Cochenilles en hiver.
Espèces et variétés : il existe des formes entièrement rouges, roses ou crème, à nervures vertes.
Conseil Truffaut : taillez régulièrement pour obtenir de jeunes pousses très colorées.

▲ *Heptapleurum arboricola* 'Variegata' : l'arbre ombelle.

▲ *Hoffmania refulgens* : de grandes feuilles gaufrées.

Hypoestes phyllostachya : des feuilles très colorées. ▶

▲ *Leea guineensis* 'Burgundy' : un arbuste très léger.

▲ *Maranta leuconeura* 'Erythroneura' : d'étranges feuilles.

◀ *Maranta leuconeura* 'Kerchoveana' : feuilles tachetées.

Leea guineensis
LÉEA

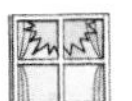  

Arbuste persistant, buissonnant, formant une belle touffe, au port très élégant.

Origine : Inde, Birmanie et Malaisie.

Feuilles : jusqu'à 60 cm de long, composées, brillantes, bronze au printemps, puis vert très foncé. Les petites folioles, lancéolées à obovales, sont légèrement ondulées sur les bords.

Fleurs : rouge brique, réunies en bouquets. Très rares en pot, elles apparaissent en été, sur les sujets âgés, cultivés en serre chaude. Après fécondation, les fleurs donnent des petites baies noires.

Lumière : vive, sans soleil direct, surtout en été.

Terre : mélange, bien drainé, de terreau de feuilles, de terre de jardin et de sable grossier.

Engrais : de mai à fin septembre, apportez tous les 15 jours un engrais liquide pour plantes vertes. Au moment du rempotage, incorporez au substrat un engrais organique ou un fertilisant à base de fumier et d'algues (15 %).

Humidité de l'air : de 65 à 80 % en moyenne.

Arrosage : une fois par semaine, toute l'année, avec de l'eau tiède non calcaire.

Rempotage : chaque année, au printemps.

Exigences particulières : bassinez la plante plusieurs fois par semaine, sur et sous le feuillage.

Dimensions : de 50 cm à plus de 1,50 m de hauteur et d'envergure en pot.

Multiplication : boutures d'extrémités de tiges ou boutures de feuilles avec un fragment de pétiole, dans une miniserre, à l'étouffée, avec hormones et chauffage de fond (25 °C).

Longévité : de 3 à 8 ans, à la maison.

Ennemis et maladies : aucun.

Espèces et variétés : 'Burgundy', au splendide feuillage teinté de rouge pourpre, devenant vert rougeâtre avec l'âge ; *Leea coccinea,* à fleurs roses.

Conseil Truffaut : en été, vous pouvez installer la potée de léea dehors dans le jardin, à mi-ombre et à l'abri des courants d'air.

Maranta spp.
DORMEUSE, MARANTA

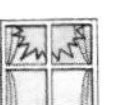  

Vivace rhizomateuse persistante, au port dressé quand elle est jeune, puis s'étalant si elle ne bénéficie pas de l'appui d'un support.

Origine : Amérique du Sud (Brésil).

Feuilles : de 10 à 15 cm de long, arrondies, vertes, ornées de jolis dessins colorés, qui diffèrent d'une espèce ou d'une variété à une autre.

Fleurs : petites, blanches, groupées en épis.

Lumière : à l'abri du soleil direct, surtout en été. Un éclairage trop vif provoque une décoloration du feuillage. Placez la plante à 2 m d'une fenêtre.

Terre : un mélange à parts égales de terreau de feuilles et de terre de bruyère fibreuse.

Engrais : durant la croissance, apportez tous les 15 jours un engrais liquide « plantes vertes ».

Humidité de l'air : au moins 60 %, sinon le feuillage jaunit et la plante semble se dessécher.

Arrosage : tous les 3 ou 4 jours en été, pour maintenir le sol toujours frais. En hiver, laissez la terre du pot s'assécher entre deux apports d'eau.

Rempotage : chaque année, au printemps.

Exigences particulières : brumisez le feuillage quotidiennement avec de l'eau tempérée.

Dimensions : de 20 à 30 cm de hauteur, jusqu'à 60 cm d'étalement pour les plantes adultes.

Multiplication : division de touffe au printemps.

Longévité : au moins 3 ans à la maison.

Ennemis et maladies : très sensible aux araignées rouges quand l'atmosphère est trop sèche.

Espèces et variétés : *Maranta leuconeura* est l'espèce la plus cultivée, et surtout les variétés: 'Kerchoveana', aux grandes macules brunes, disposées de part et d'autre de la nervure médiane; 'Fascinator', au feuillage vert olive sur le dessus et rouge au revers, avec des nervures latérales rouges ; 'Erythroneura' à nervures rouges et marques centrales jaune-vert ; 'Massangeana', à feuilles vert grisâtre aux nervures rose argenté.

Conseil Truffaut : installez la potée sur un plateau rempli de billes d'argile expansée ou de gravillons constamment maintenus humides.

Mikania ternata
MIKANIA

  22 °C 12 °C 

Toute douce et veloutée, cette plante vivace herbacée à souche ligneuse prend un port retombant.

Origine : Amérique du Sud.

Feuilles : de 5 à 10 cm de long, digitées, recouvertes d'un fin duvet. Elles sont vertes sur le dessus et rouge violacé au revers. Les tiges, longues et très souples, retombent gracieusement autour du pot.

Fleurs : les petites marguerites jaunes (capitules) sont très rares sur les plantes en pot.

Lumière : très vive, avec au moins 3 heures de soleil direct, surtout en hiver.

Terre : mélange par tiers de terreau de fumier, de tourbe blonde et de sable de rivière.

Engrais : de mai à septembre, apportez tous les 15 jours une demi-dose d'engrais liquide.

Humidité de l'air : 50 % au minimum, l'idéal étant 70 %, sinon le feuillage se dessèche et tombe. La culture sur graviers est conseillée en hiver, dans les pièces à plus de 15 °C.

Arrosage : en été, maintenez le sol légèrement frais par des arrosages tous les 3 ou 4 jours. En hiver, attendez entre deux apports d'eau que la terre sèche à la surface du pot.

Rempotage : chaque année, à la fin de l'hiver.

Exigences particulières : en hiver, maintenez le mikania dans une pièce peu chauffée (12 °C). Ne pas mouiller le feuillage duveteux.

Dimensions : de 30 à 50 cm de long et de diamètre en pot, plus de 1 m en pleine terre.

Multiplication : boutures d'extrémités de tiges, dans du sable, en miniserre avec chauffage de fond (entre 22 et 25 °C), à l'étouffée, avec hormones.

Longévité : une saison si l'on ne dispose pas d'une pièce fraîche pour l'hivernage.

Ennemis et maladies : araignées rouges.

Espèces et variétés : sur les 300 espèces connues, seul *Mikania ternata* est cultivé.

Conseil Truffaut : installez le mikania en suspension pour mettre en valeur les grands festons de feuilles et le port souple. Taillez les extrémités des tiges, si elles ont tendance à se dégarnir.

Mimosa pudica
SENSITIVE

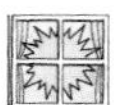  25 °C 18 °C 

Cette vivace éphémère, buissonnante, parfois tapissante, est souvent cultivée comme une annuelle.

Origine : Amérique tropicale, Brésil.

Feuilles : de 5 à 10 cm de long, composées, portées par de longs pétioles vert franc. Les folioles se replient contre l'axe foliaire quand on les frôle.

Fleurs : en juillet-août, la plante porte des petites fleurs en pompons roses, doux au toucher.

Lumière : soleil direct, toute l'année.

Terre : mélange par quarts de tourbe blonde, de terreau, de fumier décomposé et de sable de rivière.

Engrais : de mai à août, apportez tous les 15 jours un engrais liquide pour plantes à fleurs.

Humidité de l'air : au moins 60 % ; brumisez le feuillage matin et soir, toute l'année.

Arrosage : tous les 3 jours, par trempage du pot, de façon à maintenir le sol toujours frais.

Rempotage : opération inutile, car il est rare que la sensitive survive à l'hiver dans la maison.

Exigences particulières : le phénomène de rétractation des feuilles ne se produit qu'à partir de 20 °C. Il faut éviter de s'amuser à le provoquer, car cela épuise assez vite la plante.

Dimensions : de 20 à 50 cm de long et de large.

Multiplication : au printemps, par semis dans un mélange de sable et de tourbe, en miniserre chauffante (25 °C). Les sensitives n'appréciant pas les repiquages, semez trois graines par godet.

Longévité : un peu moins de 1 an.

Ennemis et maladies : en général aucun. Une d'hygrométrie trop faible provoque le dessèchement des feuilles. La pourriture est fréquente quand les plantes sont détrempées ou ont trop froid.

Espèces et variétés : sur les 400 espèces connues, seul *Mimosa pudica* est cultivé à la maison.

Conseil Truffaut : la sensitive appréciant la chaleur, l'idéal consiste à la cultiver dans un terrarium ou dans une vitrine chauffée pour orchidées, en compagnie de plantes carnivores par exemple.

▲ *Maranta leuconeura* 'Massangeana' : motifs graphiques.

▲ *Mikania ternata* : souple, velouté, presque noir.

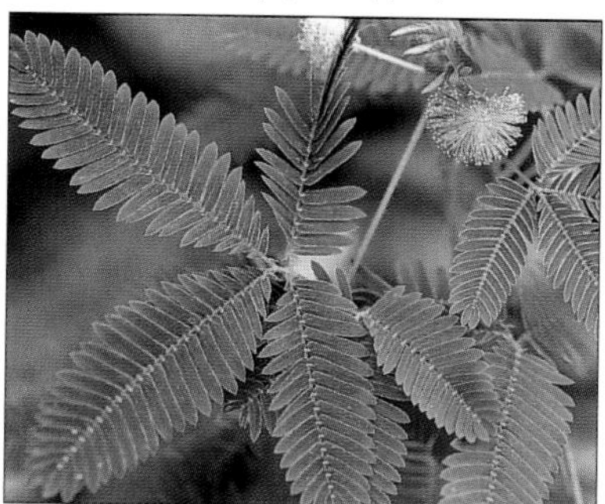

▲ *Mimosa pudica* : feuilles ouvertes et fleurs en pompon.

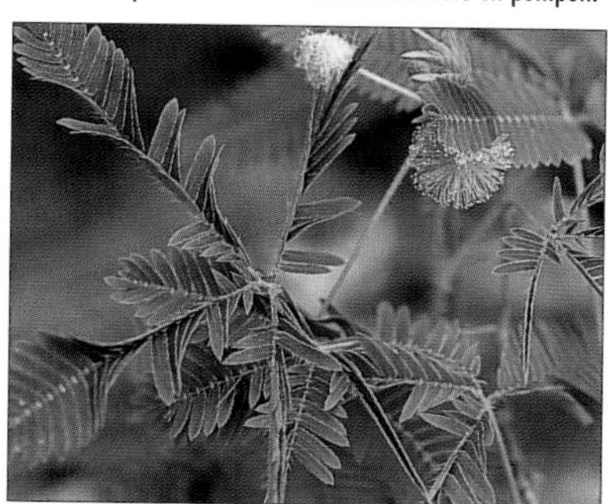

Mimosa pudica : les feuilles, après les avoir touchées. ▶

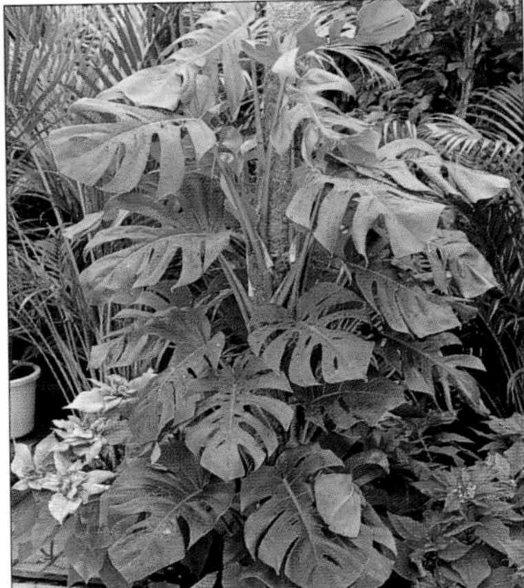

▲ *Monstera deliciosa* : le philo aux feuilles découpées.

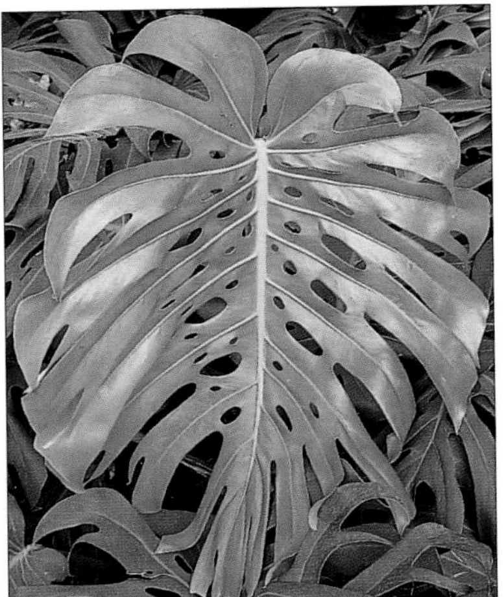

▲ *Monstera deliciosa* (détail).

Musa acuminata. ▼

Monstera deliciosa
PHILO

24 °C
14 °C

Cette liane tropicale robuste aux proportions imposantes est idéale pour les débutants.

Origine : Mexique, Panama.

Feuilles : jusqu'à 1 m de diamètre, arrondies, perforées et découpées. Quand la lumière est insuffisante, les feuilles sont plus petites et entières.

Fleurs : spathes blanc crème, sur les sujets âgés et de grande taille. Fruits comestibles.

Lumière : forte, mais sans soleil direct.

Terre : terreau de feuilles, sable et tourbe blonde.

Engrais : de mai à septembre, apportez tous les 15 jours un engrais liquide pour plantes vertes.

Humidité de l'air : brumisations quotidiennes.

Arrosage : une fois par semaine pendant la belle saison, tous les 10 à 15 jours en hiver.

Rempotage : chaque année, à la fin de l'hiver. Ajoutez au substrat un fertilisant à base de fumier.

Exigences particulières : tuteurez les nouvelles pousses au fur et à mesure de leur croissance.

Dimensions : 2 à 3 m de haut, 1,50 m de large.

Multiplication : marcottage aérien au printemps. Boutures de tiges, dans l'eau ou dans un mélange léger à base de vermiculite et de terreau, en miniserre, à l'étouffée, avec chaleur de fond.

Longévité : au moins 5 à 6 ans.

Ennemis et maladies : en général aucun.

Espèces et variétés : 'Variegata', panaché de vert et de blanc crème. *Monstera adansonii*, aux feuilles ovales, perforées, moins vigoureux.

Conseil Truffaut : tous les mois, dépoussiérez les larges feuilles avec une éponge humide.

Musa spp.
BANANIER

24 °C
12 °C

Grande plante herbacée formant une sorte de tronc (stipe). Feuilles amples. Fruits comestibles.

Origine : Inde, Asie du Sud-Est, Australie.

Feuilles : de 40 à 70 cm de long, oblongues, entières, se déchirant en lanières avec l'âge.

Fleurs : les inflorescences coniques apparaissent à l'extrémité du stipe chez les plantes de plus de 3 ans. Les fruits mûrissent l'été, en serre.

Lumière : le plein soleil est bien apprécié.

Terre : terreau de fumier, terre de jardin et tourbe blonde, en mélange par tiers.

Engrais : de mai à octobre, apportez chaque semaine un engrais liquide pour plantes vertes.

Humidité de l'air : au moins 60 %. Vaporisez.

Arrosage : une à deux fois par semaine au printemps et en été. En hiver, laissez la terre du pot sécher en surface entre deux apports d'eau.

Rempotage : annuel, au printemps.

Exigences particulières : le bananier apprécie une ambiance chaude et humide, mais, en hiver, il résiste à 12 °C dans une véranda, au sec.

Dimensions : de 1 à 2 m de haut et de large en pot, jusqu'à 3,50 m, en pleine terre, en serre.

Multiplication : après la floraison, détachez les pousses latérales qui apparaissent à la base du pied. Semis de graines sous verre, à 20-25 °C.

Longévité : le bananier est monocarpique. Il meurt après avoir fructifié, remplacé par les rejets.

Ennemis et maladies : cochenilles, araignées rouges et thrips, à traiter préventivement.

Espèces et variétés : *Musa acuminata*, le bananier nain d'Asie, est l'espèce la plus adaptée à la culture à l'intérieur ; *Ensete ventricosum* (syn. *Musa ensete*) développe un splendide feuillage vert franc avec la nervure centrale rouge ; *Musa cavendishii* forme une plante compacte, aux belles feuilles vert foncé tachées de brun-rouge.

Conseil Truffaut : sortez le bananier dans le jardin de la mi-mai à fin septembre, en plein soleil.

◄ *Musa mannii* : une floraison rouge, très décorative.

Nautilocalyx forgetii
NAUTILOCALYX

 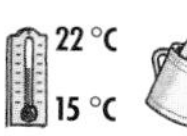 

Vivace herbacée proche des saintpaulias et des épiscias, de culture assez délicate.

Origine : Amérique du Sud.

Feuilles : de 8 à 15 cm de long, ovales allongées, vert clair, luisantes, avec des nervures très foncées.

Fleurs : plutôt insignifiantes, blanc crème, elles apparaissent groupées en bouquets axillaires.

Lumière : vive, mais sans soleil direct.

Terre : terreau de feuilles, sable de rivière et tourbe blonde en mélange par tiers.

Engrais : de mai à septembre, apportez tous les 15 jours un engrais liquide pour plantes vertes.

Humidité de l'air : au moins 70 %.

Arrosage : tous les 3 ou 4 jours durant la croissance, une fois par semaine d'octobre à février.

Rempotage : chaque année, au printemps.

Exigences particulières : placez le pot sur un lit de gravillons maintenu humide en permanence.

Dimensions : de 30 à 60 cm de haut et de large.

Multiplication : bouturage d'extrémités de tiges, à chaud, en miniserre, sous atmosphère confinée.

Longévité : 2 à 3 ans en serre chaude ou en terrarium. Pas plus de quelques mois à l'intérieur.

Ennemis et maladies : araignées rouges.

Espèces et variétés : *Nautilocalyx lynchii* (ou *Alloplectus*) développe un somptueux feuillage brillant vert foncé, nuancé de rouge et de noir.

Conseil Truffaut : arrosez avec de l'eau tempérée et non calcaire, sans mouiller le feuillage.

Nephrolepis exaltata
NÉPHROLEPIS

Fougère formant des grandes touffes compactes, aux frondes d'abord érigées puis retombantes.

Origine : toutes les zones tropicales humides.

Feuilles : de 40 à 70 cm de long, vert vif, très découpées, allongées, réunies en une large rosette.

Fleurs : pas de floraison chez les fougères.

Lumière : pas de soleil direct. Placez la potée près d'une fenêtre orientée au nord ou à l'est.

Terre : terre de bruyère et terreau de feuilles.

Engrais : d'avril à fin septembre, apportez tous les 15 jours un engrais liquide pour plantes vertes.

Humidité de l'air : au moins 60 %. Une atmosphère trop sèche provoque le dessèchement de l'extrémité des frondes, qui prennent la texture du papier. Vaporisez chaque jour, toute l'année.

Arrosage : une à deux fois par semaine, avec une eau tempérée, non calcaire. Le trempage du pot durant 20 à 30 min est très efficace.

Rempotage : chaque année, en mars-avril.

Exigences particulières : cultivez la plante de préférence en suspension et insistez bien sur le dessous des frondes lors de la brumisation.

Dimensions : certains beaux sujets dépassent 1 m d'envergure. Hauteur : de 50 à 80 cm.

Multiplication : division de la touffe au printemps. Semis des spores, en miniserre (difficile).

Longévité : de 2 à 5 ans à la maison.

Ennemis et maladies : en général aucun.

Espèces et variétés : il existe de nombreuses variétés, qui présentent des feuilles plus ou moins divisées et ondulées. Les plus cultivées sont 'Bostonensis', la fougère de Boston, très ample mais peu découpée ; 'Cordatas', très frisée ; 'Erecta', à port dressé et frondes frisées ; 'Maassii', à port dressé, touffu ; 'Rooseveltii', plusieurs fois découpée ; 'Teddy Junior', compacte, buissonnante.

Conseil Truffaut : incorporez dans le sol, lors du rempotage, une poignée d'engrais organique (sang desséché ou corne torréfiée) .

▲ *Nautilocalyx forgetii* : un feuillage nervuré de noir.

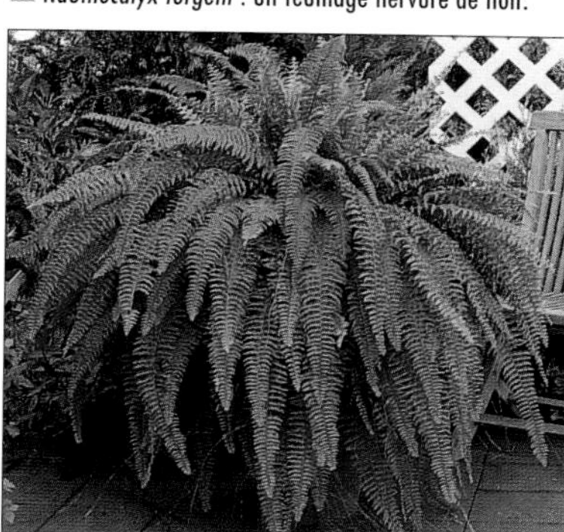

▲ *Nephrolepis exaltata* 'Bostoniensis' : très gracieux.

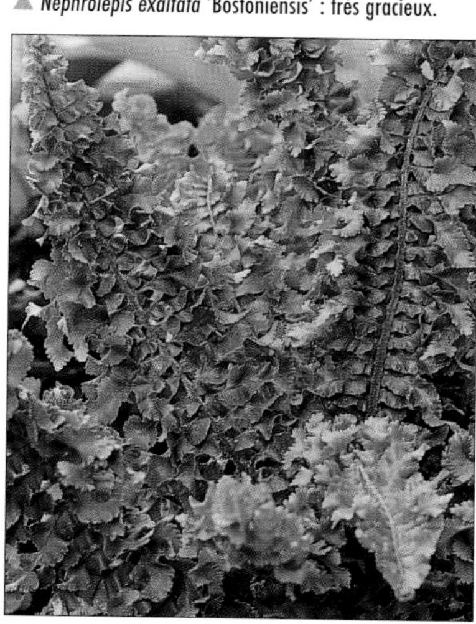

Nephrolepis exaltata 'Erecta' : des frondes frisées. ▶

▲ *Oplismenus hirtellus* 'Variegatus' : un bambou nain.

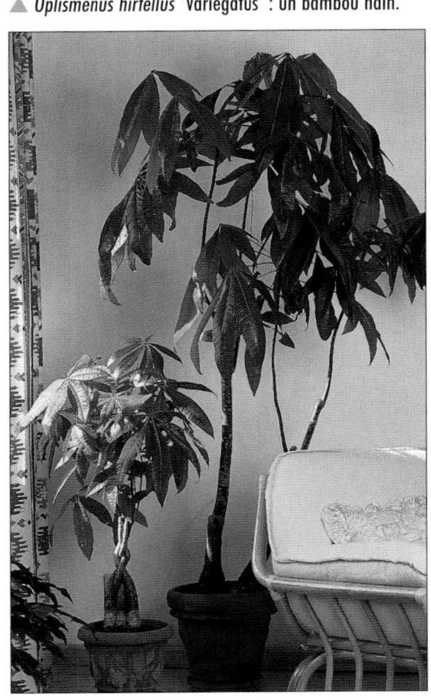

Oplismenus hirtellus
BAMBOU NAIN

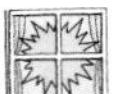  20 °C 5 °C 

Petite graminée vivace à port tapissant, formant une sorte de bambou couvre-sol.

Origine : forêts tropicales et subtropicales d'Amérique du Sud et centrale, Afrique, Polynésie.

Feuilles : de 4 à 6 cm de long, fines, lancéolées, portées par des tiges raides, issues du rhizome.

Fleurs : insignifiantes. Elles apparaissent en été, groupées en petits racèmes érigés.

Lumière : 4 heures de soleil direct chaque jour.

Terre : mélange par tiers de terre de jardin, de sable de rivière et de terreau d'écorces.

Engrais : distribuez un engrais liquide pour plantes vertes, une fois tous les 15 jours, en été.

Humidité de l'air : au moins 50 %. Vaporisez tous les 2 ou 3 jours, de mai à septembre.

Arrosage : laissez la motte sécher sur 2 à 4 cm d'épaisseur, entre deux apports d'eau. Réduisez les arrosages au minimum en hiver.

Rempotage : chaque année, au printemps. Incorporez dans le substrat une poignée de sang desséché ou de fertilisant à base de fumier.

Exigences particulières : installez le bambou nain d'intérieur dans un panier suspendu, pour mieux mettre en valeur son feuillage.

Dimensions : de 20 à 30 cm de hauteur, de 40 à 50 cm de largeur, en pot.

Multiplication : division de la touffe ou séparation d'un fragment de rhizome, au printemps et en été. Ce rajeunissement est conseillé tous les 2 ans.

Longévité : après 2 ou 3 ans, la touffe a tendance à se dégarnir et à se dessécher de la base.

Ennemis et maladies : en général aucun.

Espèces et variétés : on l'appelle aussi *Oplismenus africanus*. 'Variegatus', aux feuilles rayées de blanc crème, parfois teintées de rose.

Conseil Truffaut : installez la plante dans un contenant plus large que haut, pour favoriser l'enracinement des tiges au niveau des nœuds et une croissance plus touffue et vigoureuse.

◄ *Pachira macrocarpa* : beaucoup d'originalité.

Pachira aquatica
PACHIRA

 22 °C 12 °C 

Bel arbre tropical, au tronc dégarni, souvent proposé sous forme de jeunes tiges tressées.

Origine : Mexique, Amérique du Sud.

Feuilles : de 30 à 40 cm, vert vif, découpées en 5 à 7 folioles ovales, et portées par un long pétiole.

Fleurs : aucune floraison en pot, à l'intérieur.

Lumière : le pachira supporte quelques heures d'ensoleillement direct, surtout en hiver.

Terre : terreau de feuilles, tourbe blonde et sable de rivière, en mélange par tiers.

Engrais : apportez un engrais pour plantes vertes, une fois par mois, du printemps à la fin de l'été.

Humidité de l'air : au moins 60 % toute l'année. Quand l'hygrométrie est insuffisante, les feuilles se dessèchent et tombent. Vaporisez.

Arrosage : la terre doit sécher en surface entre deux apports d'eau. Arrosez très peu en hiver si la température descend au-dessous de 18 °C.

Rempotage : au printemps, chaque année.

Exigences particulières : le pachira apprécie un séjour estival au jardin dans un endroit abrité.

Dimensions : de 60 cm à 1, 50 m de haut.

Multiplication : boutures d'extrémités de tiges, sous atmosphère confinée, à chaud (de 25 à 30 °C), en miniserre avec hormones (difficile).

Longévité : de 2 à 5 ans dans la maison.

Ennemis et maladies : en général aucun.

Espèces et variétés : seul *Pachira macrocarpa*, appelé aussi *Pachira aquatica* est cultivé.

Conseil Truffaut : à la fin de l'hiver, rabattez la plante sévèrement si elle devient trop imposante.

Pandanus veitchii
BAQUOIS, PANDANUS, VACOUA, VAQUOIS

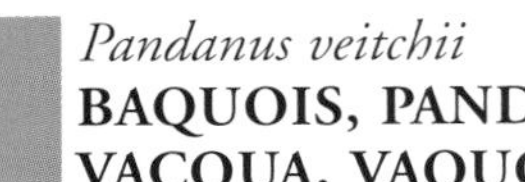

 24 °C 12 °C 

Arbuste dont les jeunes sujets forment des touffes érigées, au port raide, qui rappellent les cordylines ou les palmiers. Racines en « échasses ».

Origine : toutes les régions tropicales humides.
Feuilles : coriaces, lancéolées, rubanées, raides, vertes rayées de jaune et bordées de dents acérées. Sur les jeunes sujets, elles forment une touffe. Après formation d'un tronc, elles se groupent en hélice, à l'extrémité des branches.
Fleurs : rares en culture. Les fleurs mâles forment des épis, les fleurs femelles des sortes de cônes.
Lumière : forte, mais sans soleil direct.
Terre : terreau d'écorces, tourbe blonde et sable.
Engrais : de mai à octobre, apportez un engrais liquide pour plantes vertes, tous les 15 jours.
Humidité de l'air : au moins 60 % toute l'année. Vaporisez une à deux fois par jour, surtout l'hiver.
Arrosage : tous les 6 à 10 jours selon la saison. Laissez la terre du pot s'assécher en surface.
Rempotage : à la fin de l'hiver, chaque année.
Exigences particulières : pour la brumisation et l'arrosage, utilisez une eau non calcaire.
Dimensions : de 60 cm à 1 m d'envergure.
Multiplication : semis en miniserre, entre 20 et 25 °C. Bouture d'extrémité de tige, à l'étouffée, avec hormones et chaleur de fond (de 25 à 30 °C).
Longévité : de 2 à 5 ans, en pot à la maison.
Ennemis et maladies : en général aucun.
Espèces et variétés : on dénombre plus de 250 espèces. Pour l'appartement, *Pandanus sanderi* porte un splendide feuillage vert rayé de jaune ; *Pandanus utilis* forme de grandes feuilles vertes.
Conseil Truffaut : manipulez la plante avec précaution, car les feuilles sont très coupantes.

Pelargonium spp.
PÉLARGONIUM

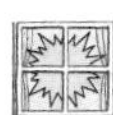

Plantes vivaces, touffues ou à port étalé. Les formes cultivées à l'intérieur sont semi-arbustives et recherchées pour leur feuillage odorant.
Origine : Afrique du Sud.
Feuilles : de 10 à 15 cm de long, entières à très découpées, vertes ou panachées de crème, de blanc ou de jaune, selon les espèces et les variétés.

Pelargonium tomentosum sent fortement la menthe. ▶

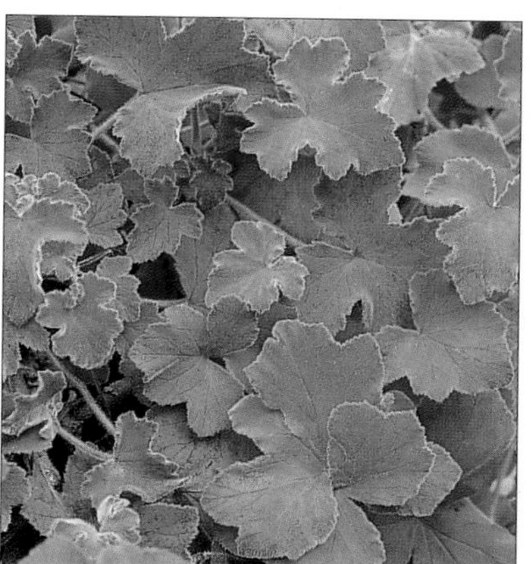

Pandanus veitchii : des feuilles en dents de scie. ▶

Fleurs : souvent minuscules, chez les espèces d'intérieur : blanches, roses ou rouges, en été.
Lumière : plein soleil toute l'année.
Terre : un terreau pour géraniums du commerce, avec un peu de sable s'il semble trop compact.
Engrais : apportez un engrais liquide pour géraniums, une fois par semaine, d'avril à septembre.
Humidité de l'air : assez faible, surtout en hiver pendant la période de repos végétatif.
Arrosage : une à deux fois par semaine au printemps et en été. Maintenez presque au sec en hiver.
Rempotage : chaque année en avril.
Exigences particulières : rabattez sévèrement la touffe à la fin de l'hiver pour conserver un port bien ramifié et bien équilibrer la plante.
Dimensions : de 30 à 60 cm de haut, en pot.
Multiplication : boutures d'extrémités de tiges, à la fin de l'été, conservées dans la véranda.
Longévité : une saison comme plante d'appartement. De 3 à 5 ans si vous possédez une véranda.
Ennemis et maladies : rouille du pélargonium.
Espèces et variétés : *Pelargonium graveolens*, le géranium 'Rosat', dégage un parfum de rose quand on froisse ses feuilles ; *P. tomentosum*, à l'odeur mentholée, feuillage très doux au toucher ; *P. blandfordianum*, au parfum d'amande, d'absinthe et de musc ; *P. odoratissimum*, sent la pomme ; *P.* x 'Citronnella', à l'odeur de citronnelle.
Conseil Truffaut : installez toutes les potées de pélargoniums dehors, de mai à septembre.

▼ *Pelargonium* x 'Citronnella' : une senteur de citronnelle.

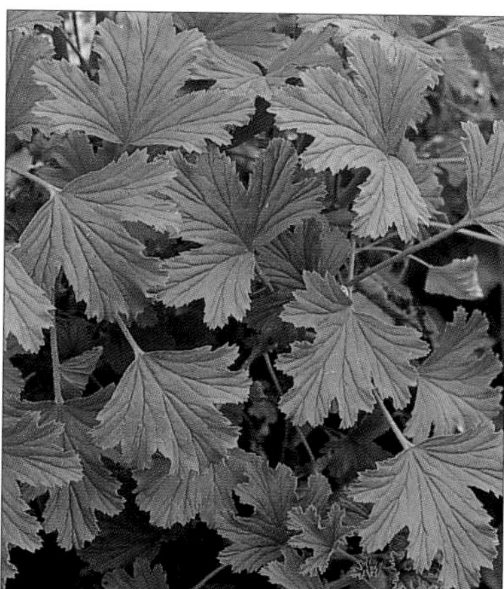

▼ *Pelargonium graveolens* 'Lady Plymouth' sent la rose.

▲ *Pellaea rotundifolia* : fougère aux feuilles de velours.

▲ *Pellionia repens* : une suspension aux feuilles coriaces.

Pellaea rotundifolia PELLÉA

20 °C – 12 °C

Petite fougère persistante, au port étalé.

Origine : Afrique, Amérique du Nord et du Sud.

Feuilles : les frondes, aux nervures brunes, portent des folioles veloutées, arrondies, vert sombre.

Fleurs : les fougères ne forment pas de fleurs.

Lumière : une légère pénombre.

Terre : moitié terreau de feuilles, moitié tourbe.

Engrais : de mai à septembre, apportez tous les 10 jours un engrais pour plantes vertes dilué au tiers.

Humidité de l'air : au-dessus de 20 °C, le pelléa se déshydrate rapidement. Placez le pot en permanence sur un lit de gravillons humides.

Arrosage : en été, ne laissez jamais la terre sécher. En hiver, pas plus d'une fois par semaine.

Rempotage : chaque année, au printemps.

Exigences particulières : le pelléa apprécie l'atmosphère confinée des jardins en bouteilles.

Dimensions : 25 cm de haut, 30 cm de large.

Multiplication : en mai, division de touffe.

Longévité : de 2 à 5 ans, à la maison.

Ennemis et maladies : cochenilles farineuses.

Espèces et variétés : *Pellaea viridis* porte des frondes plus grandes, aux pinnules triangulaires, aux nervures noires ; *Pellaea falcata* forme des frondes arquées et des pinnules oblongues vert franc.

Conseil Truffaut : avec des ciseaux, coupez régulièrement les frondes sèches. Ne mouillez pas le feuillage de *Pellaea rotundifolia*.

Pellionia repens ou *Elatostema* PELLIONIA

23 °C – 12 °C

Vivace persistante à port rampant.

Origine : Birmanie, Viet Nam, Malaisie.

Feuilles : de 4 à 6 cm de long, charnues, elliptiques, vert bronze éclairé de vert pâle au centre.

Fleurs : jamais chez les plantes en pot.

Lumière : exposition sud impérative. Voilez légèrement la fenêtre à partir du mois d'avril.

Terre : moitié terreau, moitié tourbe blonde.

Engrais : tous les 15 jours, d'avril à septembre.

Humidité de l'air : au moins 70 %.

Arrosage : deux fois par semaine, toute l'année.

Rempotage : aussitôt après l'achat, puis chaque année au printemps, dans une coupe.

Exigences particulières : le pellionia se plaît surtout en suspension ou en terrarium.

Dimensions : jusqu'à 60 cm de long.

Multiplication : boutures de tiges de 10 cm de long, à l'étouffée, ou division des touffes.

Longévité : 6 mois entre les mains d'un néophyte. De 4 à 5 ans si les besoins sont satisfaits.

Ennemis et maladies : généralement aucun.

Espèces et variétés : *Pellionia pulchra* porte des feuilles vert-gris, ornées de nervures brunes.

Conseil Truffaut : sans une miniserre, il est difficile de conserver un pellionia en hiver à la maison.

Peperomia spp. PÉPÉROMIA

22 °C – 12 °C

Petite vivace persistante, touffue, au port dressé quand elle est jeune, qui s'évase en vieillissant.

◄ *Peperomia argyreia* : jolies feuilles ombrées d'argent.

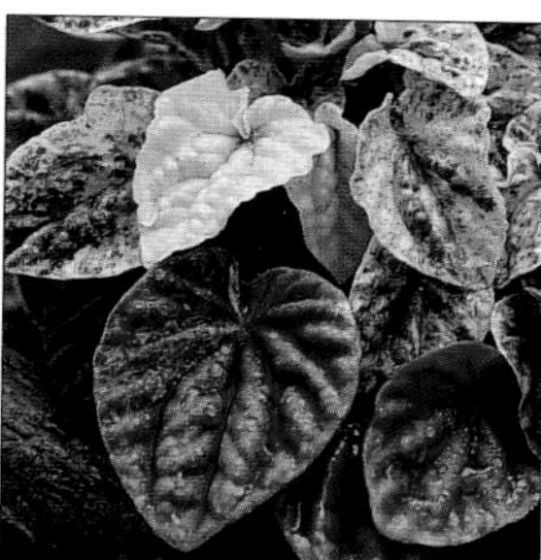
Peperomia caperata : un hybride panaché.

Peperomia obtusifolia 'Variegata'.

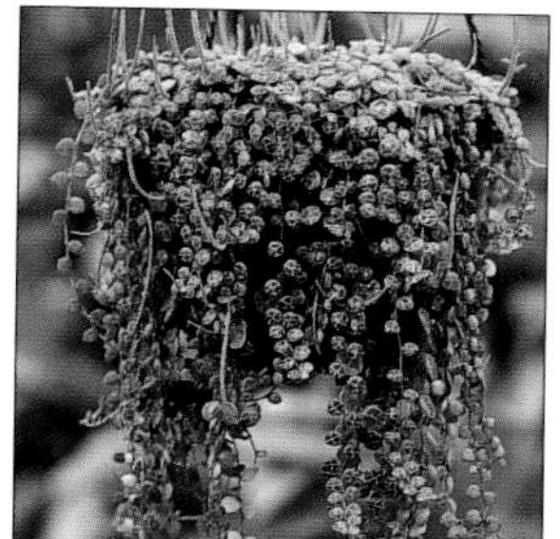
Peperomia prostrata : à suspendre.

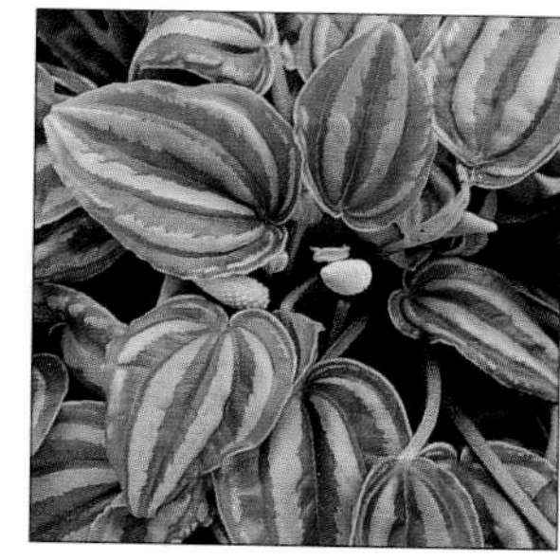
Peperomia verschaffeltii : très nuancé.

Origine : régions tropicales du monde entier.
Feuilles : charnues, simples, ovales, lisses ou gaufrées, aux nervures en relief, parfois brunes.
Fleurs : en été, de longs épis serrés et fins sont formés de minuscules fleurs blanc-vert.
Lumière : mi-ombre. Le soleil ternit le feuillage.
Terre : 2/3 de terreau, 1/3 de sable de rivière.
Engrais : apportez deux fois par mois, en été, un engrais « plantes vertes », faiblement dosé.
Humidité de l'air : vaporisez tous les jours. Éloignez la plante des appareils de chauffage.
Arrosage : hebdomadaire en été. Juste pour éviter le dessèchement total en hiver.
Rempotage : dès l'achat, si la plante se trouve à l'étroit. Puis chaque printemps, dans une coupe.
Exigences particulières : les pépéromias détestent l'air froid, qui stoppe leur croissance.
Dimensions : 25 cm de haut et de large.
Multiplication : bouturage d'extrémités de tiges au printemps, en conservant deux feuilles ou boutures de feuilles à l'étouffée, en miniserre.
Longévité : de 1 à 4 ans.
Ennemis et maladies : acariens en été.
Espèces et variétés : *Peperomia argyreia,* aux feuilles arrondies, marquées d'argent ; *Peperomia caperata,* aux feuilles gaufrées, appelé aussi « canne d'aveugle » pour ses inflorescences blanches, de forme caractéristique ; *Peperomia obtusifolia,* aux feuilles charnues ; *Peperomia prostrata* et *rotundifolia,* aux feuilles minuscules ; *Peperomia serpens,* au port proche de celui du lierre.
Conseil Truffaut : cultivez les pépéromias dans des compositions avec des plantes fleuries.

☞ ***Peripelta*** voir *Strobilanthes.*

Persea gratissima
AVOCATIER

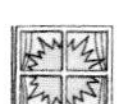

Arbuste ou petit arbre à feuillage persistant.
Origine : Mexique, Guatemala, Antilles.
Feuilles : de 20 à 30 cm de long, oblongues, vert mat, légèrement gaufrées.
Fleurs : jamais sur les plantes en pot.
Lumière : soleil direct, sauf en plein midi l'été.
Terre : terreau « plantes vertes » et terre franche.
Engrais : tous les 15 jours, d'avril à octobre.
Humidité de l'air : l'air sec est bien supporté dans une pièce pas trop chauffée. Vaporisez.
Arrosage : une fois par semaine, en moyenne.
Rempotage : après la germination, quand la plante a formé deux feuilles, puis quand la tige atteint 30 cm, ensuite tous les 2 ans, en mars.
Exigences particulières : seule la culture en pleine terre permet à la plante de bien s'exprimer.
Dimensions : de 1 à 2 m en pot. De 3 à 5 m en pleine terre, dans un jardin d'hiver.
Multiplication : à partir d'un noyau, que l'on fait germer, en mettant la base au contact de l'eau.
Longévité : plus de 10 ans à la maison.
Ennemis et maladies : araignées rouges, aleurodes, cochenilles et oïdium par temps frais.
Espèces et variétés : la variété qui a donné le fruit ne se transmet pas fidèlement par le semis.
Conseil Truffaut : pincez la jeune pousse plusieurs fois, jusqu'à ce qu'elle consente à se ramifier sinon la plante prend un port dégarni.

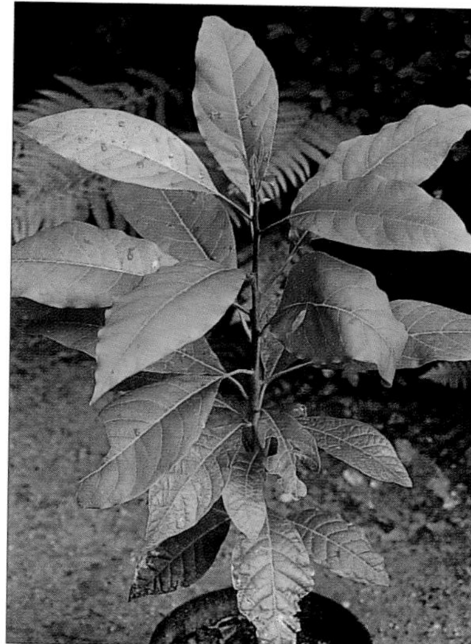
Persea gratissima : un jeune avocatier de 3 ans.

Germination d'un noyau d'avocat dans l'eau.

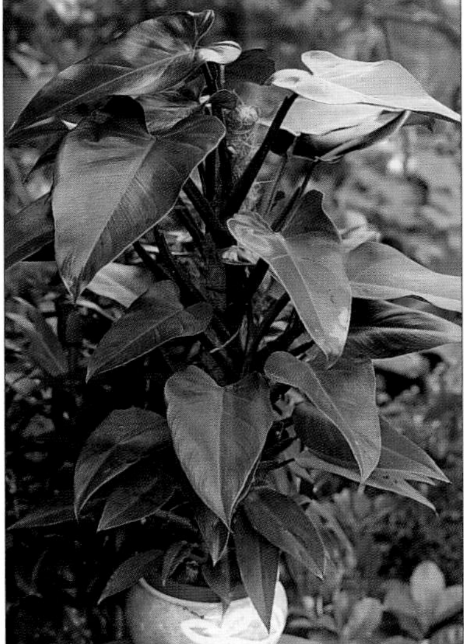
▲ *Philodendron erubescens* 'Burgundy' : pétioles pourpres.

Philodendron spp. PHILODENDRON

Grand arbuste ou liane vigoureuse dont il existe plus de 500 espèces, d'aspect très différent.

Origine : forêts tropicales humides d'Amérique centrale et du Sud. Antilles, Floride, Mexique.

Feuilles : de 15 cm à 2 m de long selon les espèces, persistantes, coriaces, luisantes, entières ou découpées, cordiformes ou sagittées.

Fleurs : rares spadices entourés d'une spathe.

Lumière : vive, mais indirecte. Le soleil violent risque de brûler l'épiderme des feuilles. L'ombre est tolérée par de nombreuses espèces.

Terre : mélange par tiers de terreau pour plantes vertes, de sable de rivière et de terre de jardin.

Engrais : deux fois par mois, d'avril à octobre.

Humidité de l'air : au moins 50 %. Bassinez chaque jour le feuillage à l'eau tiède.

Arrosage : une fois tous les 8 à 12 jours en hiver. Tous les 5 à 7 jours en été. Maintenez la mousse du tuteur humide.

Rempotage : tous les ans jusqu'à ce que le pot devienne difficile à soulever. Surfacez alors en mars et en septembre, avec un terreau riche.

Exigences particulières : les tuteurs recouverts de mousse sont préférables aux simples bambous, car les racines aériennes du philodendron peuvent s'y accrocher et profiter de l'humidité qu'ils retiennent. Utilisez un produit lustrant pour faire briller les feuilles, mais pas plus d'une fois par mois.

◀ *Philodendron giganteum* : réservé aux collectionneurs.

Dimensions : de 80 cm à plus de 3 m. Certains philodendrons gagnent plus de 60 cm par an. Coupez les tiges qui deviennent gênantes.

Multiplication : boutures de têtes ou de tronçons de tige à l'étouffée. Marcottage aérien.

Longévité : de 5 à 15 ans, à la maison.

Ennemis et maladies : des feuilles jaunissantes indiquent une terre épuisée ou un excès d'arrosage.

Espèces et variétés : *Philodendron scandens,* aux petites feuilles cordiformes ; les feuilles de *Philodendron pertusum* sont trouées et largement fendues ; *Philodendron radiatum,* aux feuilles découpées jusqu'à la nervure centrale ; *Philodendron erubescens* 'Burgundy', aux élégantes feuilles vert bronze ; 'Green Emerald', aux feuilles allongées, lustrées ; *Philodendron panduriforme,* aux feuilles en forme de violon ; *Philodendron selloum,* aux immenses feuilles très découpées ; *Philodendron giganteum,* liane aux feuilles de 1 m de long.

Conseil Truffaut : guidez les pousses sur des tuteurs, et courbez doucement les longues tiges pour contenir la végétation, souvent délirante.

Pilea cadierei PILÉA

 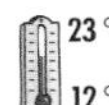 

Vivace persistante basse, au port étalé.

Origine : Viet Nam.

Feuilles : de 5 à 8 cm de long, ovales, marbrées d'argent et brillantes, plus ou moins gaufrées.

Fleurs : rares, insignifiantes, semblables à celles des orties. Il vaut mieux les couper, car leur développement nuit à celui du feuillage.

▼ *Philodendron* 'Emerald King' : ample.

▼ *Philodendron* 'Medusa' : nuancé d'or.

▼ *Philodendron scandens* 'Oxycardium'.

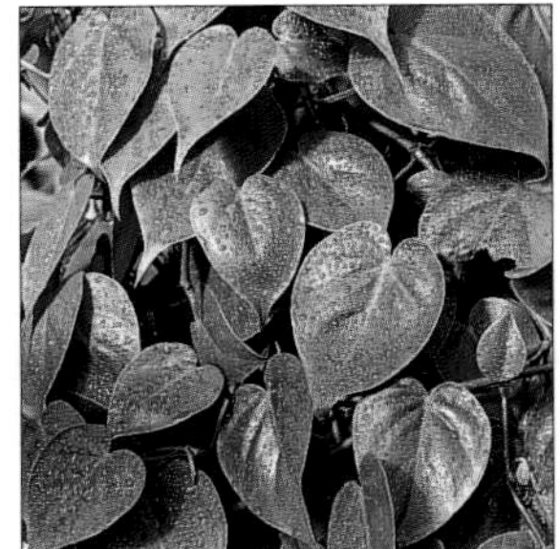

▼ *Philodendron selloum* : un géant.

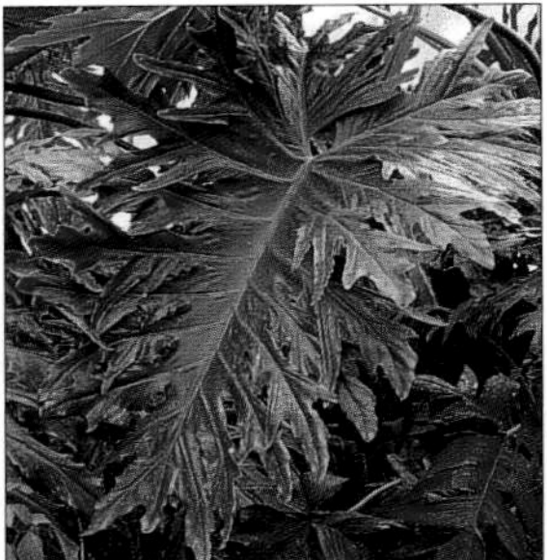

Lumière : n'éloignez pas la plante à plus de 1 m d'une fenêtre exposée à l'ouest ou au sud-ouest.
Terre : mélange par tiers de terreau de rempotage, de tourbe blonde et de sable de rivière.
Engrais : lors du rempotage, enrichissez la terre avec des granulés d'engrais à diffusion lente, qui diffusent les éléments nutritifs durant 1 an.
Humidité de l'air : la sécheresse entraîne le jaunissement du bord des feuilles. Vaporisez le feuillage au moins une fois par jour.
Arrosage : attendez que la surface du terreau sèche sur 2 à 3 cm avant d'apporter de l'eau.
Rempotage : chaque année, au printemps, dans un pot plus large que haut, pour que la plante se développe en coussin régulier, bien étalé.
Exigences particulières : pincez 4 ou 5 pousses par mois, parmi les plus longues, pour garder à la plante son port compact.
Dimensions : 20 cm dans tous les sens.
Multiplication : boutures d'avril à septembre, dans l'eau ou en miniserre à l'étouffée, dans du sable. Groupez les boutures par 5 ou 6 dans le même pot, pour obtenir une touffe plus généreuse.
Longévité : de 2 à 5 ans.
Ennemis et maladies : pucerons.
Espèces et variétés : *Pilea involucrata*, aux feuilles charnues, très gaufrées, vert bronze givré d'argent ; *Pilea microphylla*, aux feuilles finement découpées, comme celles d'une fougère ; *Pilea spruceana* 'Moon Valley', aux feuilles gaufrées et duveteuses, à nervures noires ; 'Norfolk' et 'Silver Tree', à feuilles pourpre foncé et argenté.
Conseil Truffaut : multipliez la plante tous les 2 ans, pour conserver des sujets touffus.

Pisonia umbellifera
PISONIA

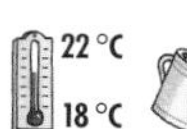

Arbuste ressemblant à un caoutchouc, mais appartenant à la famille des bougainvillées. On l'appelle aussi *Heimerliodendron brunonianum.*
Origine : Australie, Nouvelle-Zélande, île Maurice.
Feuilles : de 20 à 30 cm de long, persistantes, larges, simples, oblongues ou ovales.
Fleurs : des grappes roses ou jaunes apparaissent sur les sujets adultes, uniquement en serre.
Lumière : une grande baie vitrée exposée au sud, mais voilée aux heures les plus chaudes.
Terre : mélange par tiers de terre franche, de terreau pour plantes vertes et de sable de rivière.
Engrais : à partir d'avril, ajoutez tous les 15 jours une dose d'engrais liquide pour plantes à fleurs, dans l'eau d'arrosage. Ne fertilisez pas sur un terreau sec, car vous brûleriez les racines.
Humidité de l'air : aussi forte que possible. En hiver, vaporisez le feuillage à l'eau tiède, matin et soir. En été, placez le pot sur du gravier humide.
Arrosage : les racines de la plante pourrissent facilement si la terre reste humide en permanence. En hiver, arrosez tous les 8 à 12 jours (le pot doit s'alléger et sonner un peu creux). En été, immergez le pot aux 2/3 de sa hauteur une fois par semaine. Videz l'eau contenue dans la soucoupe.
Rempotage : chaque année, au printemps, en n'agrandissant le pot que pour améliorer l'équilibre de la plante ou si les racines sont trop serrées.
Exigences particulières : le pisonia réussit bien mieux en serre chaude qu'en appartement. Il ne supporte pas le moindre courant d'air frais.
Dimensions : dans la nature, le pisonia forme un arbre. En bac, il ne dépasse pas 2 m de haut.
Multiplication : boutures de tiges en miniserre à l'étouffée ou marcottage aérien, d'avril à août.
Longévité : de 1 à 3 ans dans la maison. En serre, jusqu'à 5 à 7 ans, ensuite la plante se dégarnit et prend un aspect inesthétique.
Ennemis et maladies : le mildiou provoque des taches blanchâtres sur les feuilles, surtout si la plante a froid. Les cochenilles se logent sous les feuilles, contre les nervures. Décollez-les avec un Coton-Tige, avant de traiter avec un insecticide.
Espèces et variétés : 'Variegata', à feuilles marbrées de vert pâle et bordées de crème, teintées de rose quand elles sont jeunes, est la forme le plus couramment proposée comme plante d'intérieur.
Conseil Truffaut : le pisonia a tendance à se dégarnir de la base. N'hésitez pas à le tailler pour l'obliger à développer de nouvelles pousses.

▲ *Pilea cadierei* : de très jolies rayures argentées.

▲ *Pilea spruceana* 'Moon Valley' : gaufré et duveteux.

Pisonia umbellifera 'Variegata' : un faux air de ficus. ▶

Platycerium grande : une fougère exceptionnelle.

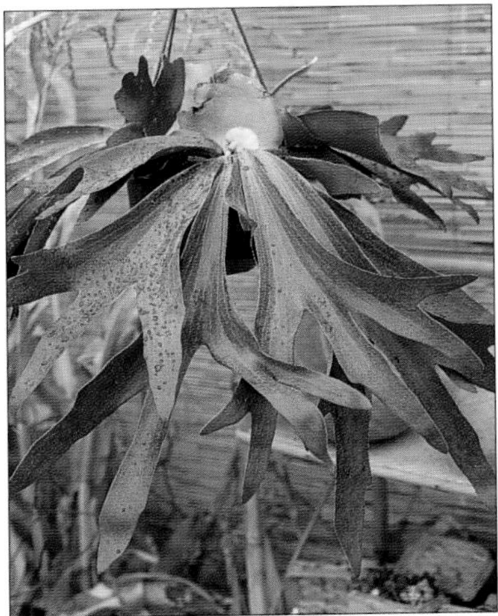

Platycerium bifurcatum : idéal en suspension.

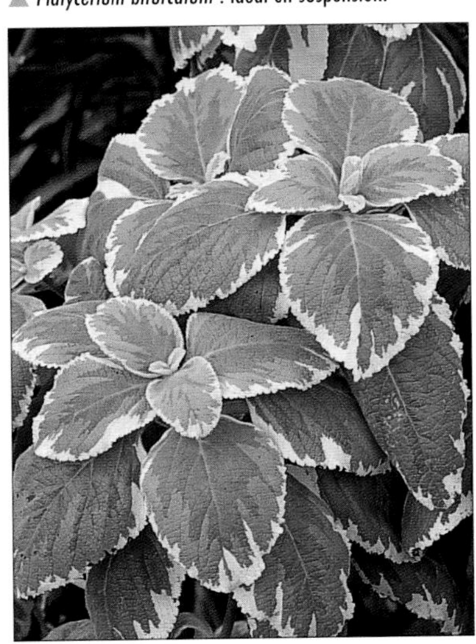

Plectranthus barbatus : un joli feuillage duveteux.

Platycerium bifurcatum
CORNE D'ÉLAN

 22 °C 15 °C 

Fougère épiphyte à port ample et retombant.

Origine : la première corne d'élan est parvenue en Europe, en 1808, en provenance d'Australie.

Feuilles : deux types de frondes cohabitent. Celles de la base, stériles, s'emboîtent les unes dans les autres. En vieillissant, elles brunissent et enserrent le pot. En forme de coupe, elles recueillent l'eau et les substances nutritives. Ne les coupez pas. Les frondes fertiles se dressent au centre, puis retombent. De couleur gris-vert, épaisses, recouvertes d'une fine pellicule blanche, plates, larges, elles sont lobées.

Fleurs : les fougères ne forment pas de fleurs.

Lumière : les cornes d'élans poussent naturellement sous le couvert des grands arbres. Offrez-leur une ambiance tamisée, même ombragée.

Terre : terreau de feuilles, terre de bruyère fibreuse et sphagnum (ou écorce compostée).

Engrais : d'avril à septembre, apportez une fois par mois un engrais liquide pour cactées ou orchidées.

Humidité de l'air : la corne d'élan supporte mal l'air sec des appartements, de même que les brumisations. Utilisez un humidificateur électrique pour porter l'hygrométrie de la pièce à 60 % au moins.

Arrosage : une fois par semaine, immergez toute la motte pendant 15 min, puis laissez égoutter.

Rempotage : délicat, tous les 2 ans ; il ne faut surtout pas abîmer les racines, très fragiles.

Exigences particulières : la corne d'élan préfère vivre dans un panier tapissé de mousse. Vous pouvez aussi l'accrocher en épiphyte sur une écorce.

Dimensions : de 50 à 80 cm de haut, jusqu'à 1,50 m d'envergure.

Multiplication : semis de spores, réservé aux professionnels. La plante produit parfois des rejets qui peuvent être séparés de la plante-mère seulement s'ils sont munis de quelques racines.

Longévité : de 2 à 5 ans dans la maison.

Ennemis et maladies : cochenilles à bouclier. Pourriture en cas d'excès d'humidité.

Espèces et variétés : *Platycerium grande*, qui développe des frondes beaucoup plus larges, mais qui a besoin de l'ambiance d'une serre chaude.

Conseil Truffaut : manipulez la corne d'élan avec précaution, pour ne pas casser les frondes ni ôter le duvet blanc qui protège l'épiderme.

Plectranthus spp.
PLECTRANTHE

  22 °C 10 °C 

Plante vivace herbacée, persistante, aux tiges juvéniles dressées puis retombantes, dès qu'elles atteignent une vingtaine de centimètres de long.

Origine : Nouvelle-Calédonie, Fidji, Australie.

Feuilles : de 5 à 10 cm de long, ovales ou rondes, dentées, au parfum herbacé quand on les écrase.

Fleurs : des épis dressés, lilas pâle ou blancs, apparaissent en été. Ils sont peu décoratifs : mieux vaut les retirer pour laisser le feuillage se développer.

Lumière : assez vive. En hiver, placez la plante juste derrière une vitre exposée au sud-ouest. À partir de mai, éloignez-la de 1 m.

Terre : terre de jardin, terreau et terre de bruyère, en mélange à parts égales.

Engrais : d'avril à octobre, apporter deux fois par mois un engrais liquide pour plantes vertes.

Humidité de l'air : brumisez le feuillage deux ou trois fois par semaine, toute l'année.

Arrosage : quand les feuilles mollissent et ternissent un peu, et que les tiges s'affaissent, il est temps d'imbiber complètement la motte.

Rempotage : sitôt après l'achat, dans un pot plus large de 4 cm, puis chaque année en mars.

Exigences particulières : le plectranthe se plaît bien en suspension. Il peut être utilisé pour décorer des paniers ou des jardinières sur le balcon.

Dimensions : jusqu'à 40 cm de long.

Multiplication : en été, boutures de tiges de 10 cm de long, dans l'eau. Reprise assurée.

Longévité : renouvelez la plante tous les 2 ans, car elle se dégarnit vite de la base.

Ennemis et maladies : le mildiou tache les feuilles de gris, dans une pièce humide, quand la température descend en dessous de 14 °C en hiver.

Espèces et variétés : *Plectranthus nummularius*, rampant, à feuilles arrondies, charnues, vert vif ; *Plectranthus fruticosus*, à feuilles dentelées, gaufrées, vertes ; *Plectranthus forsteri* 'Marginatus', à petites feuilles bordées de crème ; *Plectranthus barbatus*, aux feuilles très douces au toucher.

Conseil Truffaut : associez le plectranthe avec des pétunias, des lobélias et des verveines en été.

Pleomele reflexa ou *Dracaena* PLÉOMÈLE

Arbuste formant une touffe branchue. Classé par les botanistes dans le genre *Dracaena*, il est proposé sous le nom de pléomèle dans le commerce.

Origine : Madagascar, île Maurice.

Feuilles : de 20 à 40 cm de long, rubanées, effilées, épaisses, naturellement lustrées.

Fleurs : panicules terminales, crème ou vertes.

Lumière : n'éloignez pas trop la plante de la fenêtre, sauf en été, entre 10 h et 17 h.

Terre : terreau pour plantes vertes, terre végétale et sable de rivière en mélange à parts égales.

Engrais : une fois par mois, d'avril à septembre.

Humidité de l'air : posez la plante sur un lit de cailloux humides. Vaporisez chaque jour.

Arrosage : abondant, dès que la surface du terreau sèche sur 2 à 3 cm de profondeur.

Rempotage : tous les 2 ans, en mars.

Exigences particulières : le pléomèle apprécie la compagnie des autres plantes d'intérieur, qui lui apportent un supplément d'humidité bénéfique.

Dimensions : de 50 cm à 1,50 m en pot.

Multiplication : de mars à septembre, boutures de tiges de 10 cm, dans l'eau ou à l'étouffée.

Longévité : plus de 10 ans.

Ennemis et maladies : cochenilles sur la face inférieure des feuilles et sur les tiges. Délogez-les en frottant avec un Coton-Tige imbibé d'alcool.

Espèces et variétés : 'Song of India', panaché de jaune crème ; 'Song of Jamaica', vert.

Conseil Truffaut : tournez régulièrement le pot d'un quart de tour, pour que la plante pousse de manière verticale et bien équilibrée.

Pogonatherum paniceum BAMBOU D'APPARTEMENT

Graminée formant une touffe compacte, qui ressemble à un bambou miniature.

Origine : Asie orientale, Chine, Australie.

Feuilles : de 6 à 8 cm de long, persistantes, linéaires, fines, vert-jaune mat.

Fleurs : jamais observées sur les plantes en pot.

Lumière : directe, tout en évitant le soleil trop brûlant. En été, le bambou d'appartement apprécie un séjour à l'extérieur, en plein soleil.

Terre : 1/2 terre végétale, 1/2 terreau. Une couche de 2 cm de gravier, au fond du pot, assurera l'indispensable drainage.

Engrais : d'avril à septembre, apportez une fois par mois un engrais pour plantes vertes.

Humidité de l'air : au moins 60 %. Brumisez le feuillage plusieurs fois par semaine. En automne, dès que les appareils de chauffage fonctionnent, posez le pot sur un lit de billes d'argile maintenues humides. Éloignez la plante des radiateurs.

Arrosage : ne laissez jamais la motte sécher complètement, car la plante jaunit rapidement.

Rempotage : chaque année, en février-mars.

Exigences particulières : le bambou d'appartement demande une atmosphère chaude et une humidité élevée. Sinon, les feuilles se replient longitudinalement, jaunissent et tombent.

Dimensions : 50 cm de haut, 80 cm de large.

Multiplication : division de touffe, en avril-mai.

Longévité : plus de 5 ans dans de bonnes conditions ; 1 an à peine dans une pièce trop sèche.

Ennemis et maladies : généralement aucun.

Espèces et variétés : seule l'espèce, déjà peu courante, est commercialisée.

Conseil Truffaut : les pots en grès vernissé mettent joliment le bambou d'appartement en valeur. Il peut accompagner de façon fort esthétique une collection de bonsaïs. Taillez la plante au ras du sol si elle s'est trop dégarnie de la base.

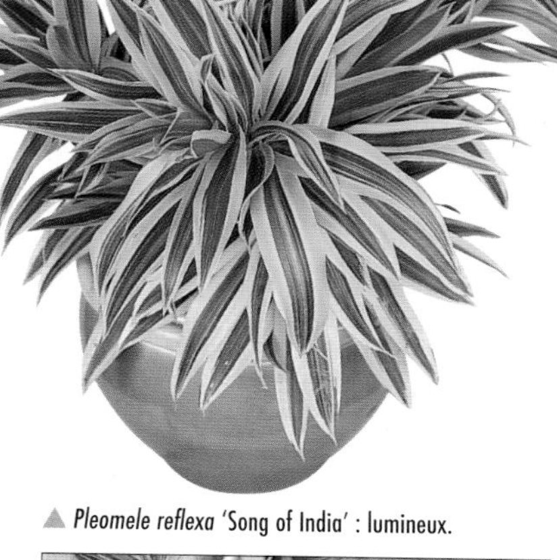

▲ *Pleomele reflexa* 'Song of India' : lumineux.

▲ *Pleomele* hybride : un arbuste solide et buissonnant.

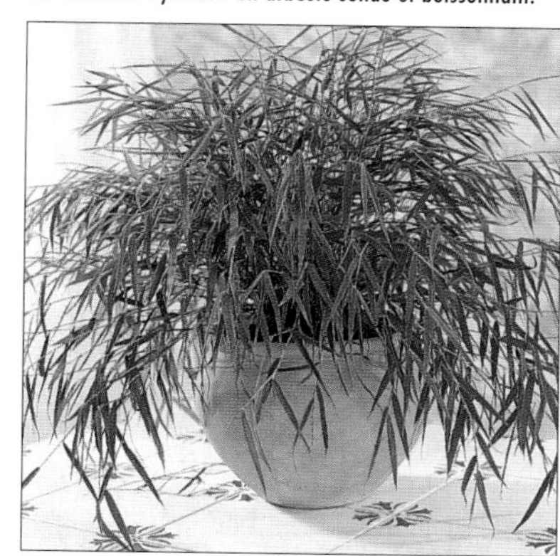

Pogonatherum paniceum : un bambou buissonnant. ▶

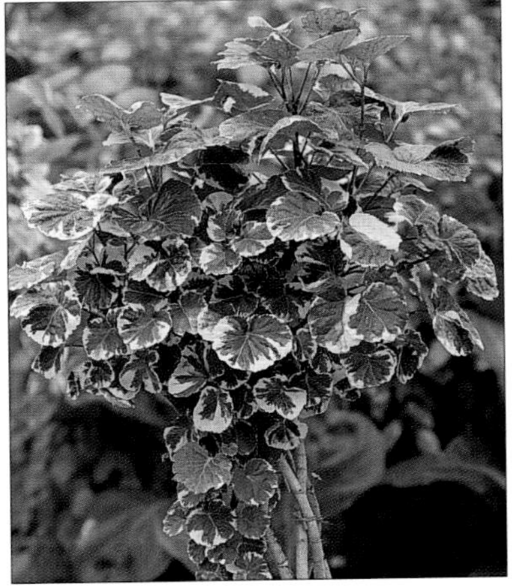
▲ *Polyscias balfouriana* 'Variegata' : un bel arbuste.

▲ *Polyscias filicifolia* : comme des feuilles de fougère.

Polyscias spp.
ARALIA MING

Arbrisseau gracile, aux branches contournées.

Origine : Nouvelle-Calédonie, Madagascar.

Feuilles : presque rondes, festonnées et vert vif, fines, très découpées, comme une fougère.

Fleurs : épis blanc verdâtre, très rares en pot.

Lumière : une baie vitrée, à l'est, est idéale.

Terre : mélangez une poignée de billes d'argile à 10 litres de terreau pour plantes vertes.

Engrais : de mars à octobre, apportez une fois par mois un engrais liquide pour plantes vertes.

Humidité de l'air : le polyscias perd ses feuilles à moins de 50 % d'hygrométrie. À défaut d'humidificateur, posez le pot sur un lit de 5 cm de gravillons humides. Vaporisez quotidiennement.

Arrosage : en été, imbibez la motte chaque semaine. Un verre par semaine suffit en hiver.

Rempotage : tous les 2 ans.

Exigences particulières : le polyscias, très casanier, n'aime pas être déplacé.

Dimensions : jusqu'à 2 m de haut, en bac.

Multiplication : boutures, en été, au chaud.

Longévité : de 1 à 10 ans selon les conditions.

Ennemis et maladies : araignées rouges.

Espèces et variétés : *Polyscias balfouriana* 'Variegata', aux feuilles marginées de crème ; 'Pennockii', aux nervures jaunes ; *Polyscias filicifolia*, aux feuilles très finement divisées ; *Polyscias guilfoylei*, au port léger, semi-pleureur, feuilles découpées ; 'Victoriae', panaché de blanc.

Conseil Truffaut : les petits sujets peuvent être formés très aisément en jolis bonsaïs.

Polystichum setiferum
POLYSTIC

Appelée aussi fougère-houx, elle est persistante, rustique, et s'acclimate bien en pot à l'intérieur.

◀ *Polystichum setiferum* 'Divisilobum Dahlem'.

Origine : forêts de montagne en Europe.

Feuilles : grandes frondes très vertes et serrées, aux pinnules plusieurs fois divisées, légères.

Fleurs : les fougères ne forment pas de fleurs.

Lumière : jamais de soleil direct, même en hiver. Placez le polystic à 1 ou 2 m de la fenêtre.

Terre : terre de bruyère fibreuse et terreau de feuilles, en mélange à parts égales.

Engrais : dès que les jeunes crosses se mettent à pousser, apportez une fois par mois un engrais liquide pour plantes vertes, après un arrosage.

Humidité de l'air : vaporisez le feuillage chaque jour dès que la température dépasse 18 °C.

Arrosage : deux fois par semaine d'avril à septembre. Un verre par semaine suffit en hiver.

Rempotage : tout de suite après l'achat, puis chaque année, au début du printemps.

Exigences particulières : évitez que les frondes ne se trouvent en contact avec un mur ou une vitre. Laissez bien l'air circuler autour de la plante.

Dimensions : de 20 à 60 cm de haut, de 40 cm à 1 m d'étalement, selon les espèces.

Multiplication : semis de spores. Les frondes produisent parfois des bulbilles qu'il suffit de détacher et de poser sur du terreau humide.

Longévité : 1 an, à moins de pouvoir faire hiverner la plante au frais dans une véranda hors gel.

Ennemis et maladies : généralement aucun.

Espèces et variétés : 'Herrenhausen', à frondes plus larges ; 'Dahlem', à frondes érigées ; *Polystichum tsussimense*, la fougère de Corée, plus petite, à frondes triangulaires, tient mieux en hiver.

Conseil Truffaut : incorporez dans le substrat un fertilisant organique à base de fumier, la croissance sera bien plus généreuse.

Pseuderanthemum spp.
PSEUDÉRANTHÉMUM

Arbrisseau au port assez compact.

Origine : Polynésie.

Feuilles : de 10 à 15 cm de long, ovales, vert foncé métallique, marbrées de pourpre, de rose, de jaune et de blanc crème.

Fleurs : en serre seulement, épis dressés de 20 cm de long, blanc taché de rose ou bleus.
Lumière : une large baie vitrée au nord ou à l'est convient bien. Pas de soleil direct en été.
Terre : 1/2 terreau de feuilles, 1/2 terre franche.
Engrais : ajoutez une cuillerée à café d'engrais à diffusion lente dans le terreau de rempotage.
Humidité de l'air : au moins 70 %. Installez la plante dans une salle de bains ou près d'un humidificateur électrique. Vaporisation quotidienne.
Arrosage : la surface du terreau doit sécher sur 2 ou 3 cm de profondeur entre deux arrosages.
Rempotage : tout de suite après l'achat, puis chaque année au début du printemps.
Exigences particulières : le pseudéranthémum ne supporte pas les chutes brutales de température.
Dimensions : de 30 à 50 cm de haut et de large.
Multiplication : boutures de tiges, en miniserre, à l'étouffée, au chaud (25 °C), avec hormones.
Longévité : quelques mois dans la maison.
Ennemis et maladies : cochenilles et acariens.
Espèces et variétés : parmi les 60 espèces existantes, seul *Pseuderanthemum atropurpureum* 'Variegatum' est couramment proposé.
Conseil Truffaut : la culture dans un terrarium donne de bien meilleurs résultats.

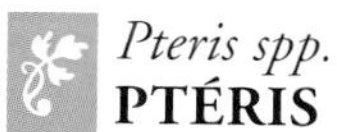

Pteris spp.
PTÉRIS

Fougères formant une touffe légère, gracieuse.
Origine : Europe, Afrique du Sud, Asie, Fidji, Australie et Nouvelle-Zélande.

Pseuderanthemum atropurpureum 'Variegatum'.

Feuilles : de courts rhizomes rampants portent des frondes plus ou moins divisées selon les espèces, aux pétioles rigides, verts ou bruns.
Fleurs : les fougères ne forment pas de fleurs.
Lumière : tamisée, sans soleil direct. Si les tiges s'allongent trop, la plante manque de lumière.
Terre : terreau pour plantes vertes et terre de bruyère fibreuse en mélange par moitiés.
Engrais : chaque semaine en été, avec un engrais dilué au quart de la dose préconisée.
Humidité de l'air : l'air sec généré par le chauffage n'incommode pas trop les ptéris, tant que la terre reste humide. Les plantes seront plus belles si vous les vaporisez trois fois par semaine.
Arrosage : tous les 3 ou 4 jours.
Rempotage : chaque année, au printemps.
Exigences particulières : les variétés panachées ont besoin de plus de lumière.
Dimensions : de 20 à 40 cm de haut et de large.
Multiplication : division tous les 3 ans.
Longévité : de 2 à 4 ans, à la maison.
Ennemis et maladies : généralement aucun.
Espèces et variétés : *Pteris tremula,* aux frondes légères, arquées ; *Pteris cretica,* aux pinnules linéaires ; 'Roweri' et 'Wimsettii' sont tout frisés ; 'Albolineata' est marqué longitudinalement de vert tendre ; *Pteris ensiformis,* aux frondes très découpées ; 'Evergemiensis', marqué d'argent ; *Pteris quadriaurita,* aux longues frondes découpées ; 'Argyreia', à la longue rayure argentée.
Conseil Truffaut : si la plante a séché, coupez à ras toutes les frondes et détrempez la motte. De nouvelles frondes ne manqueront pas d'apparaître.

Pteris quadriaurita 'Argyreia' : une flamme d'argent.

Pteris tremula : très vigoureux.

Pteris tricolor : jeunes frondes bronze.

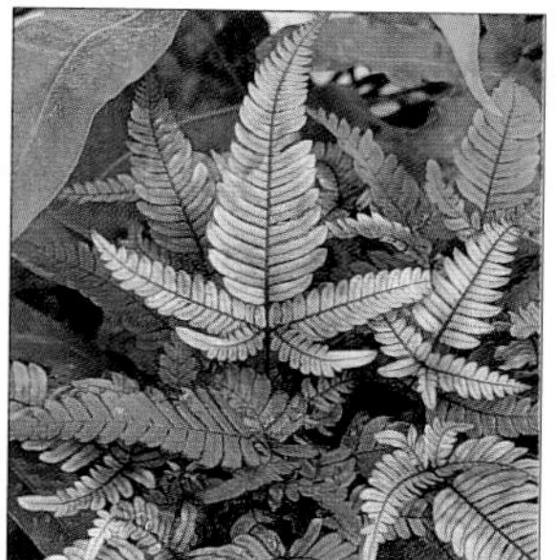

Pteris cretica 'Albolineata' : bicolore.

Pteris cretica 'Wimsettii' : tout frisé.

Radermachera sinica
RADER

22 °C 10 °C

Ce petit arbuste au port érigé, compact, pyramidal, est aussi appelé *Stereospermum sinicum.*

Origine : Chine.

Feuilles : des tiges bien droites portent des feuilles composées, aux folioles ovales, pointues, légèrement gaufrées, d'un vert épinard brillant. Les feuilles se développent en étages horizontaux superposés, conférant à la plante un port gracieux.

Fleurs : des clochettes jaune soufre, parfumées apparaissent uniquement en serre chaude ou dans l'habitat d'origine de la plante.

Lumière : sans une forte luminosité, le rader perd vite ses feuilles inférieures. De mai à octobre, évitez le soleil direct en milieu de journée.

Terre : mélange à parts égales de sable, de terre de jardin et de terreau de tourbe.

Engrais : dès le mois d'avril, un arrosage par mois à l'engrais liquide pour plantes vertes.

Humidité de l'air : minimum 60 %, brumisez le feuillage tous les jours si possible.

Arrosage : une fois tous les 10 jours, en détrempant la motte. Attendez que le pot commence à s'alléger pour apporter de l'eau à nouveau.

Rempotage : chaque année, au printemps.

Exigences particulières : le rader résiste mal à la pollution de l'air, en particulier aux atmosphères enfumées. Placez-le dans une pièce bien aérée.

Dimensions : jusqu'à 1,50 m de haut dans de bonnes conditions.

Multiplication : boutures de tiges en été.

Longévité : jusqu'à 6 ou 7 ans.

Ennemis et maladies : mouches blanches sous les feuilles, en hiver, si l'atmosphère est sèche.

Espèces et variétés : il existe une forme à feuillage panaché, fort peu courante.

Conseil Truffaut : pincez les extrémités des tiges quand le rader commence à s'étioler.

☞ ***Raphidophora*** voir *Monstera.*

▲ *Radermachera sinica* : un bel arbuste bien touffu.

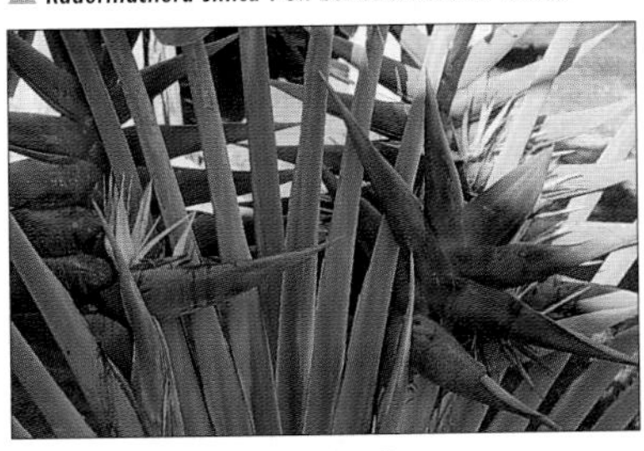

▲ *Ravenala madagascariensis* ne fleurit pas en pot.

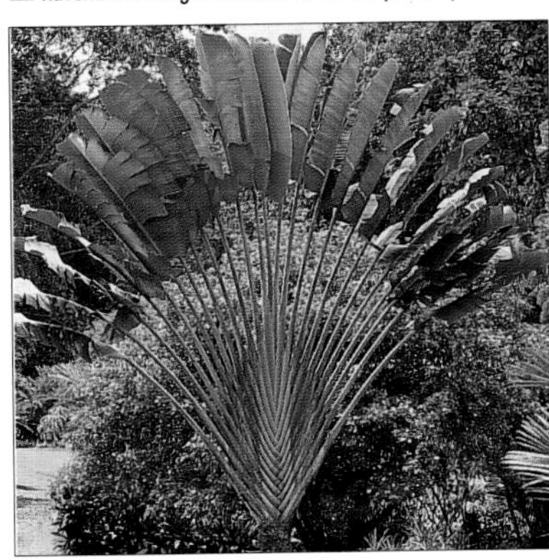

◀ *Ravenala madagascariensis* : l'arbre du voyageur.

Ravenala madagascariensis
ARBRE DU VOYAGEUR

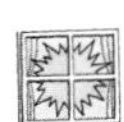  

25 °C 15 °C

Plante arbustive, à tige unique, couronnée d'un spectaculaire éventail de feuilles dont les pétioles s'emboîtent les uns dans les autres.

Origine : vivant à Madagascar, l'arbre du voyageur est parvenu en Europe vers 1813.

Feuilles : les limbes oblongs, de 80 cm à 1,50 m de long, adoptent une forme en gouttière.

Fleurs : en milieu naturel, fleurs blanches en forme de tête d'oiseau, comme celles du strélitzia.

Lumière : forte et directe. De larges baies vitrées sur deux côtés de la pièce sont indispensables.

Terre : terre végétale, sable et terre de bruyère.

Engrais : les bâtonnets sont recommandés.

Humidité de l'air : brumisez quotidiennement.

Arrosage : laissez le terreau se dessécher en surface entre chaque apport d'eau assez copieux.

Rempotage : chaque printemps pendant les 5 premières années, puis surfaçage.

Exigences particulières : plantez en pleine terre dans un jardin d'hiver, les sujets de 7 ou 8 ans.

Dimensions : de 2 m à 2,50 m en pot.

Multiplication : semis en miniserre, à chaud.

Longévité : plus de 10 ans dans de bonnes conditions. Un an dans un appartement frais et sec.

Ennemis et maladies : attention aux cochenilles.

Espèces et variétés : *Ravenala guianensis*, moins connu, vient d'Amérique du sud.

Conseil Truffaut : nettoyez les feuilles avec délicatesse, car elles se déchirent facilement.

Rhoeo spp.
RHOÉO

22 °C 14 °C

Plante vivace formant une touffe, classée dorénavant dans le genre *Tradescantia*.

Origine : de la Floride au Mexique et Antilles.

Feuilles : en rosettes, linéaires, lancéolées, épaisses, striées longitudinalement de vert, de jaune ou de crème, et pourpres au revers.

Fleurs : petites, à trois pétales blancs, elles naissent toute l'année à la base des touffes, enveloppées dans des bractées coriaces, pourpres.
Lumière : les couleurs ternissent quand la plante manque d'éclairage. Une fenêtre au sud convient si le soleil est filtré par un voilage.
Terre : le rhoéo craint les substrats trop compacts. Mélangez 3/4 de terreau et 1/4 de vermiculite.
Engrais : de mars à septembre, apportez tous les 15 jours un engrais liquide dilué de moitié.
Humidité de l'air : éloignez la plante des radiateurs et brumisez-la deux ou trois fois par semaine.
Arrosage : tous les 3 jours en été. Une fois par semaine en automne, tous les 10 jours en plein hiver. Ne laissez jamais l'eau dans la soucoupe.
Rempotage : tous les deux ans, en mars-avril, dans un pot plus large que profond, car le système racinaire n'est pas très développé.
Exigences particulières : le rhoéo est plus à l'aise quand il est associé à d'autres plantes qui conservent bien l'humidité environnante.
Dimensions : 30 cm de haut et de large.
Multiplication : après la floraison, séparez les rejets munis de quelques racines, qui apparaissent à la base de la plante. Plantez-les dans des godets individuels couverts d'une feuille de plastique, maintenez à 20 °C pendant deux semaines. Le semis des graines prélevées sur la plante donnent presque toujours des sujets au feuillage vert.
Longévité : 3 ou 4 ans à la maison.
Ennemis et maladies : généralement aucun.
Espèces et variétés : *Rhoeo discolor* est aujourd'hui appelé *Tradescantia spathacea.* La forme 'Vittata' est striée de vert et de jaune vif.
Conseil Truffaut : la plante devient moins belle en vieillissant. Renouvelez-la tous les 3 ans.

Rhoicissus capensis VIGNE D'INTÉRIEUR

Plante grimpante vigoureuse, formant des vrilles.
Origine : Afrique du Sud.
Feuilles : arrondies ou réniformes, légèrement lobées, lustrées, vert foncé, à la texture du cuir.
Fleurs : verdâtres, sans intérêt décoratif et très rarement observées en appartement.
Lumière : les pièces peu éclairées conviennent, mais pas l'obscurité (on doit pouvoir lire le journal sans lumière d'appoint).
Terre : mélange de terre de jardin un peu calcaire et de terreau pour plantes vertes.
Engrais : chaque printemps, apportez 1 cuillère à café d'engrais en granulés à diffusion lente et grattez doucement la terre pour incorporer l'engrais au substrat.
Humidité de l'air : la vigne d'intérieur supporte bien les atmosphères assez sèches de nos appartements, même en hiver. Vaporisez le feuillage deux fois par semaine, pour le dépoussiérer.
Arrosage : trop d'eau fait pourrir la base des tiges. Attendez que le terreau sèche en surface sur 3 à 4 cm avant d'arroser à nouveau.
Rempotage : tous les ans, au printemps, tant que le pot est manipulable. Surfacez en mars et en août les sujets très volumineux.
Exigences particulières : pour pousser verticalement, le rhoicissus a besoin de tuteurs, ou d'un treillage. Débarrassez les feuilles de la poussière par une douche mensuelle, il n'en sera que plus beau. N'utilisez pas de lustrant, cela provoque des brûlures qui font brunir les bords du feuillage.
Dimensions : 2 m en appartement, 4 m en serre.
Multiplication : facile, de juin à septembre, par bouturage dans l'eau ou dans un terreau de semis, de pousses terminales âgées de 6 mois. Enracinement assuré en 2 mois.
Longévité : plus de 10 ans.
Ennemis et maladies : si l'atmosphère est chaude et sèche, les araignées rouges peuvent envahir massivement la plante. Elles décolorent les feuilles et tissent des toiles que l'on aperçoit par transparence, à contre-jour. Traitement obligatoire.
Espèces et variétés : *Rhoicissus capensis* est la seule espèce du genre ; *Rhoicissus rhombifolia* appartient à l'espèce *Cissus rhombifolia.*
Conseil Truffaut : la plante sera plus touffue en pinçant les extrémités des tiges. Ne laissez pas les tiges volubiles envahir les plantes voisines.

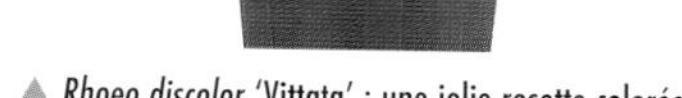

▲ *Rhoeo discolor* 'Vittata' : une jolie rosette colorée.

▲ *Rhoeo spathacea* : dessus vert, revers pourpre.

Rhoicissus capensis : une croissance rapide. ▶

▲ *Sanchezia speciosa* 'Variegata' : des nervures d'or.

Sanchezia speciosa SANCHÉZIA

Petit arbuste à tiges herbacées, noueuses et ramifiées, cultivé pour son feuillage ornemental.

Origine : le sanchézia fut découvert vers 1866 dans les forêts tropicales de l'Équateur.

Feuilles : opposées, ovales, de 20 à 30 cm de long, aux nervures jaunes et rouges très marquées.

Fleurs : des panicules de fleurs jaunes tubulaires, entourées de bractées rouges, apparaissent quand la chaleur et l'humidité sont suffisantes.

Lumière : placez le sanchézia contre une grande fenêtre au sud, et filtrez la lumière en plein été.

Terre : 2/3 de terre de bruyère, 1/3 de terreau.

Engrais : lors du rempotage printanier, ajoutez au terreau une cuillerée d'engrais en granulés à diffusion lente. Ce seul apport fertilisant est suffisant.

Humidité de l'air : très élevée. L'idéal est de placer la plante près d'un humidificateur électrique.

Arrosage : un petit verre deux fois par semaine pour une plante de 40 cm de haut. Immergez le pot pendant 10 min, une fois tous les 15 jours.

Rempotage : sitôt après l'achat, puis une fois par an, en avril, lors de la reprise de la végétation.

Exigences particulières : le sanchézia apprécie l'atmosphère confinée de la serre à orchidées.

Dimensions : de 60 cm à 1 m maximum en pot.

Multiplication : boutures de tiges, de 15 cm de long, en été, en miniserre avec chaleur de fond.

Longévité : de 1 à 3 ans à la maison.

Ennemis et maladies : cochenilles au revers des grandes feuilles, et le long des nervures. Traitement préventif avec une bombe insecticide.

Espèces et variétés : *Sanchezia speciosa, glaucohylla* et *nobilis* sont des appellations synonymes, parfois considérées à tort comme des variétés distinctes. 'Variegata' porte des nervures jaune d'or.

Conseil Truffaut : taillez la plante à la fin de l'hiver pour l'équilibrer, quand les tiges de la base se dégarnissent et que le feuillage perd de sa beauté ou bien renouvelez-la.

◀ *Saxifraga stolonifera* : gracieuse, duveteuse, pleureuse.

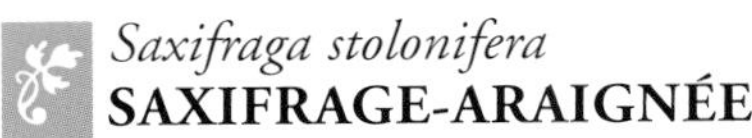

Saxifraga stolonifera SAXIFRAGE-ARAIGNÉE

Plante herbacée formant une touffe arrondie, à port retombant, et produisant en abondance des stolons, porteurs eux-mêmes de plantules.

Origine : espèce importée de Chine en 1815.

Feuilles : rondes, légèrement dentelées, délicatement veloutées. Les limbes arborent un vert olive veiné d'argent, et se colorent de pourpre au revers.

Fleurs : de longues et fines hampes apparaissent en été, portant de délicates fleurs blanches au cœur jaune, irrégulièrement étoilées.

Lumière : un léger ombrage est bien toléré.

Terre : sable, terre de bruyère et terre de jardin.

Engrais : de mars à octobre, arrosez une fois par mois avec un engrais liquide pour plantes vertes.

Humidité de l'air : la saxifrage exige peu d'hygrométrie. Ne pas la vaporiser, en raison de son feuillage duveteux (taches sur le limbe).

Arrosage : tous les 8 à 12 jours en hiver. Le terreau doit sécher sur 2 ou 3 cm entre deux arrosages. Deux fois par semaine en été.

Rempotage : chaque année au printemps, de préférence dans des paniers suspendus.

Exigences particulières : placez la saxifrage l'hiver en véranda et offrez-lui de 7 à 12 °C.

Dimensions : de 10 à 20 cm de haut. Les stolons peuvent mesurer jusqu'à 50 cm de long.

Multiplication : empotez plusieurs jeunes rosettes dans un même pot, pour obtenir rapidement une plante de belle taille. Séparation aisée des plantules qui se forment sur les stolons.

Longévité : renouvelez la plante mère tous les 2 à 3 ans, car la saxifrage vieillit mal.

Ennemis et maladies : pucerons.

Espèces et variétés : *Saxifraga sarmentosa* est synonyme de *stolonifera*. 'Tricolor' porte des feuilles vertes, rouges, crème et moins de stolons.

Conseil Truffaut : en été, sortez la saxifrage sur la terrasse ou au jardin. Accrochez la suspension sur les montants d'un treillage ou d'une pergola.

☞ ***Schefflera*** voir *Heptapleurum*.

Scindapsus aureus
POTHOS

  25 °C 14 °C 

Liane vigoureuse, grimpant avec des crampons, très proche des philodendrons, et désormais classée dans le genre *Epipremnum*.

Origine : îles Salomon.

Feuilles : de 10 à 20 cm de long, épaisses, cordiformes, puis découpées, d'un vert franc éclairé par des panachures jaune moutarde.

Fleurs : spathes et spadices ressemblant à ceux des arums. La floraison n'a lieu que dans la nature.

Lumière : placez le pot entre 50 cm et 2 m d'une fenêtre bien éclairée. Dans une pièce trop sombre, le feuillage perd ses panachures.

Terre : terre végétale, tourbe et terreau d'écorces.

Engrais : durant la végétation, apportez toutes les 3 semaines un engrais pour plantes vertes.

Humidité de l'air : avec au moins 60 % d'hygrométrie, les feuilles seront bien plus grandes et finiront par se découper comme celles des philos.

Arrosage : une fois par semaine toute l'année.

Rempotage : de 1 à 6 mois après l'achat, puis en mars-avril, tous les 2 ans.

Exigences particulières : bien que le pothos puisse se palisser le long d'un mur, se tuteurer, retomber en cascade ou grimper sur une rambarde, il appréciera un tuteur en mousse, qui maintient une bonne humidité autour des racines aériennes.

Dimensions : les tiges peuvent atteindre 3 m en pot, plus de 15 m dans la nature.

Multiplication : boutures des extrémités des tiges, au printemps, dans l'eau ou dans un terreau pour semis, en miniserre à l'étouffée (facile).

Longévité : plus de 10 ans à la maison.

Ennemis et maladies : un excès d'humidité fait apparaître des taches brunes sur les feuilles.

Espèces et variétés : 'Exotica' , vert taché d'argent; 'Marble Queen', panaché de crème et de vert. Certaines feuilles sont même presque dépourvues de chlorophylle; *Scindapsus pictus* 'Argyraeus', vert foncé taché de vert plus clair.

Conseil Truffaut : pincez les tiges trop longues, à 1 cm au-dessus d'une feuille.

Scirpus cernuus
SCIRPE

 20 °C 10 °C 

Plante semi-aquatique, formant une touffe buissonnante, composée de feuilles filiformes, acaules, d'un vert très vif.

Origine : marécages du bassin méditerranéen.

Feuilles : de 25 à 30 cm de long, herbacées, souples, fines, cylindriques. D'abord érigées, elles retombent ensuite jusqu'à couvrir tout le pot.

Fleurs : chaque feuille porte, au cours de sa croissance, un minuscule épillet terminal, blanc-jaune.

Lumière : le scirpe peut être éloigné de plus de 2 m de la fenêtre, ou placé dans une pièce sombre.

Terre : terreau, tourbe blonde et terre compacte.

Engrais : une fois par mois, dès que la température ambiante atteint au moins 13 °C.

Humidité de l'air : 50 % suffisent. Une vaporisation tous les 2 jours en hiver est idéale.

Arrosage : maintenez le scirpe dans 5 cm d'eau. À défaut, des arrosages quotidiens suffiront, mais il ne faut pas que la motte sèche.

Rempotage : au printemps, quand la plante occupe tout le pot et pousse moins fortement.

Exigences particulières : le port retombant du scirpe sera mis en valeur dans une suspension. Cette plante se prête bien à l'hydroculture.

Dimensions : 30 cm de haut et de large.

Multiplication : divisez la touffe en mars-avril ou en septembre-octobre, quand le centre commence à se dégarnir. Repiquez en pot individuel, des fragments racinés, prélevés sur le pourtour du pied.

Longévité : de 1 à 2 ans à la maison.

Ennemis et maladies : généralement aucun.

Espèces et variétés : seule l'espèce *Scirpus cernuus* est vendue comme plante d'intérieur.

Conseil Truffaut : le scirpe est généralement vendu avec ses feuilles réunies dans un tube cartonné, qui donnent à la plante l'apparence d'un palmier nain, très fin. Laisser cette gaine en place condamne la plante à court terme, car on prive les feuilles d'air et de lumière. Supprimez-la.

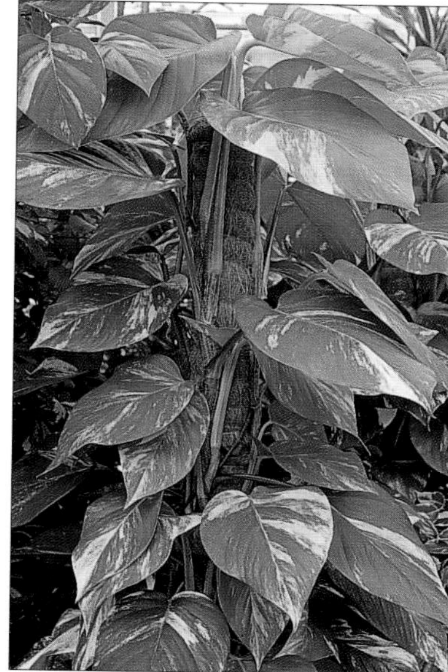

▲ *Scindapsus aureus* : on l'appelle surtout « pothos ».

▲ *Scindapsus aureus* 'Marble Queen' : un effet argenté.

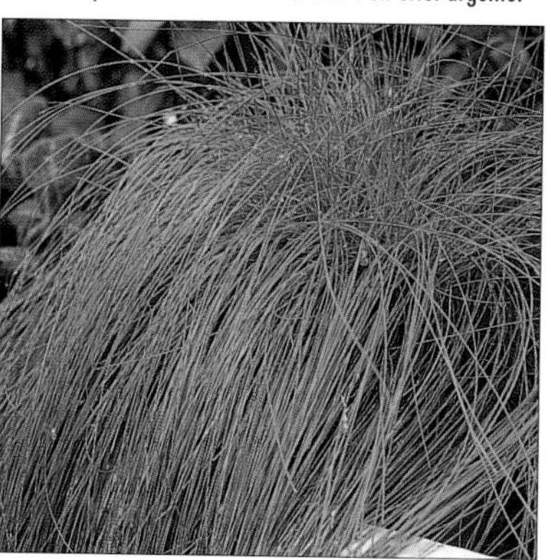

Scirpus cernuus : aussi fin que des cheveux. ▶

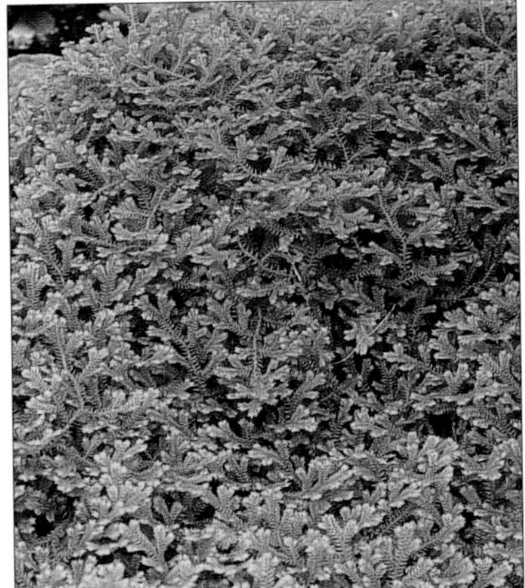
▲ *Selaginella kraussiana* 'Aurea' : comme de la mousse.

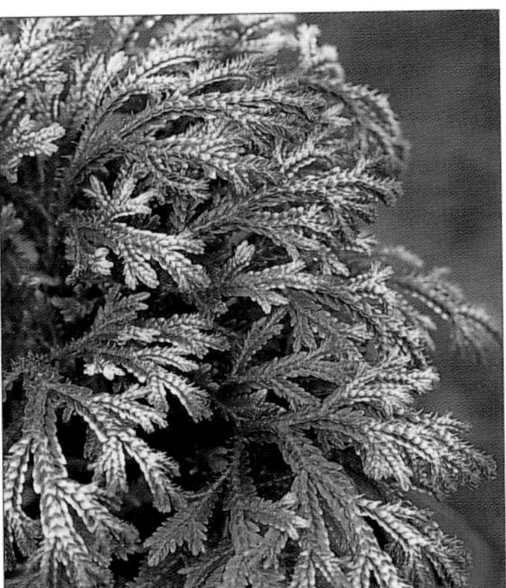
▲ *Selaginella martensil* : idéale dans une pièce sombre.

Selaginella spp.
SÉLAGINELLE

 22 °C 14 °C 

Plante tapissante, proche des fougères, formant des tapis denses, d'apparence moussue.

Origine : contrées tropicales du monde entier.

Feuilles : minuscules, en écailles aplaties, portées par des tiges rampantes, grêles et ramifiées.

Fleurs : les sélaginellacées ne fleurissent pas.

Lumière : une pièce modérément éclairée.

Terre : tourbe, sable grossier et terre de bruyère.

Engrais : nourrissez la plante tous les mois avec un engrais azoté, dilué à la moitié de la dose conseillée.

Humidité de l'air : les feuilles se recroquevillent dès que l'hygrométrie descend sous les 60 %. Des brumisations quotidiennes sont indispensables.

Arrosage : ne laissez pas le terreau se dessécher.

Rempotage : en avril, dans une coupe assez plate.

Exigences particulières : les sélaginelles prospèrent bien mieux en terrarium ou en bonbonne.

Dimensions : 20 cm de haut et de large.

Multiplication : division des rhizomes enracinés.

Longévité : de 1 à 3 ans à la maison.

Ennemis et maladies : généralement aucun.

Espèces et variétés : *Selaginella apoda* et *kraussiana* donnent l'impression d'un tapis de mousse ; 'Aurea' a des reflets dorés ; *Selaginella lepidophylla*, la rose de Jéricho, peut se dessécher complètement. Elle reverdit si on la plonge dans l'eau ; *Selaginella martensii*, aux feuilles larges et aux tiges peu ramifiées, forme des touffes lâches.

Conseil Truffaut : taillez la plante avec des ciseaux, pour lui conserver une silhouette en boule.

Senecio macroglossus
SÉNEÇON-LIERRE

  22 °C 10 °C 

Plante volubile, succulente, persistante, appelée aussi parfois « lierre du Cap ».

Origine : Afrique du Sud (Natal). 1868.

◄ *Senecio macroglossus* 'Variegatus' : un faux lierre.

Feuilles : de 5 à 8 cm de long, triangulaires, charnues, à 3 ou 5 lobes, elles évoquent le lierre. Les tiges deviennent ligneuses en vieillissant.

Fleurs : capitules jaunes, solitaires, à l'extrémité des rameaux. La floraison est rare à la maison.

Lumière : placez le séneçon à moins de 1 m d'une fenêtre pour empêcher les tiges de s'étioler.

Terre : terreau à cactées ou mélange léger de sable de rivière fin et de tourbe.

Engrais : le séneçon n'a pas besoin d'apports d'engrais s'il est rempoté chaque année.

Humidité de l'air : l'atmosphère des appartements, même secs, convient.

Arrosage : une fois par semaine, très copieux pour bien imbiber toute la motte.

Rempotage : tous les 3 ans, au printemps.

Exigences particulières : le séneçon-lierre se plaît mieux en suspension que palissé.

Dimensions : de 40 à 60 cm de haut.

Multiplication : de mai à juillet, boutures de tiges dans l'eau, ou dans de la terre sableuse ; en août-septembre, en miniserre avec chauffage de fond.

Longévité : plus de 10 ans à la maison.

Ennemis et maladies : les mouches blanches envahissent les plantes en hiver.

Espèces et variétés : 'Variegatus', au feuillage panaché de crème.

Conseil Truffaut : le séneçon préfère passer l'hiver au frais, dans un endroit bien éclairé. Sortez la plante au jardin en été, mais gare aux limaces !

Setcreasea purpurea
MISÈRE POURPRE

  23 °C 10 °C 

Plante vivace aux tiges charnues, formant une touffe, devenant rampante avec l'âge. On l'appelle parfois *Tradescantia pallida* 'Purpurea'.

Origine : Mexique. La plante n'a été cultivée en appartement qu'à partir des années 50.

Feuilles : lancéolées, concaves, sans pétioles, gainant les tiges. La plante est entièrement colorée de pourpre violacé et recouverte de pruine veloutée.

Fleurs : des corolles à trois pétales, rose pourpre, naissent à l'extrémité des tiges, en été.

Lumière : au moins 3 heures par jour de soleil.
Terre : 1/2 terre de jardin, 1/2 terre de bruyère.
Engrais : une fois par mois, d'avril à septembre.
Humidité de l'air : jamais de vaporisations.
Arrosage : tout au long de l'année, laissez le terreau sécher sur 3 à 4 cm entre deux apports d'eau.
Rempotage : deux fois par an, en mars et en septembre, jusqu'à ce que le pot atteigne 25 cm de diamètre. Tous les 2 ans en avril par la suite.
Exigences particulières : la plante peut être sortie de mai à octobre dans le jardin.
Dimensions : 25 cm de haut, 40 cm de large.
Multiplication : boutures de tiges de 10 cm, dans l'eau ou dans un terreau de semis.
Longévité : après 3 ou 4 ans, la plante devient moins belle. Multipliez-la régulièrement.
Ennemis et maladies : mouches blanches.
Espèces et variétés : 'Purple Heart', aux feuilles fortement teintées de pourpre.
Conseil Truffaut : associez le setcréaséa avec un saintpaulia, un fittonia, un pépéromia ou un piléa.

Siderasis fuscata
SIDÉRASIS

  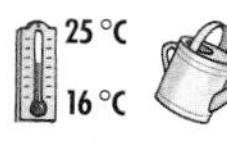

Plante vivace formant une rosette compacte.
Origine : Brésil.
Feuilles : de 15 à 25 cm de long, ovales, vert foncé, avec une bande argentée au centre, recouvertes d'un duvet rouille. Revers pourpres.
Fleurs : la plante produit en été des fleurs violettes à trois pétales, de 2 à 3 cm de diamètre.
Lumière : protégez des rayons directs du soleil, tout en offrant au sidérasis un bon éclairage.
Terre : terreau de rempotage assez filtrant.
Engrais : faites trois apports d'engrais liquide pour plantes vertes, entre avril et septembre.
Humidité de l'air : très forte. La serre chaude, une bonbonne ou un terrarium sont à conseiller.
Arrosage : 1 à 2 fois par semaine, en laissant sécher légèrement le terreau à la surface du pot.
Rempotage : tous les ans, au printemps.
Exigences particulières : ne pas vaporiser les feuilles velues, qui se tachent facilement.
Dimensions : de 30 à 40 cm de haut et de large.
Multiplication : le bouturage est réservé aux professionnels. Divisez les grosses touffes.
Longévité : guère plus de 6 mois à la maison, jusqu'à 4 ans dans une serre ou un terrarium.
Ennemis et maladies : aucun. Le brunissement du feuillage est dû à un excès d'arrosage.
Espèces et variétés : seule l'espèce *Siderasis fuscata* est commercialisée de temps en temps.
Conseil Truffaut : placez une épaisse couche drainante au fond du pot pour éviter la pourriture.

☞ ***Soleirolia*** *voir Helxine.*
☞ ***Solenostemon*** *voir Coleus.*

Sonerila margaritacea
SONÉRILA

 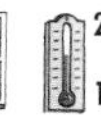 

Plante vivace à port étalé et buissonnant.
Origine : Birmanie, Java.
Feuilles : de 5 à 7 cm de long, ovales, lancéolées, pointues, maculées de vert foncé et d'argent. Les tiges et les revers des feuilles sont rouges.
Fleurs : la plante produit en été de petites fleurs roses, à trois pétales et aux étamines d'or.
Lumière : vive, mais toujours filtrée.
Terre : sable, terre de bruyère fibreuse et écorces.
Engrais : une fois tous les 15 jours, d'avril à août.
Humidité de l'air : de 70 à 90 %. Le sonérila se plaira dans l'atmosphère saturée d'une bonbonne.
Arrosage : tous les 3 jours.
Rempotage : tous les ans, au printemps.
Exigences particulières : le sonérila ne supporte pas le moindre courant d'air froid.
Dimensions : de 20 à 30 cm de haut et de large.
Multiplication : bouturage dans l'eau en été.
Longévité : de 3 mois à 2 ans.
Ennemis et maladies : généralement aucun.
Espèces et variétés : 'Handersonii', à la nervure centrale rouge ; 'Variegata', vert foncé et argent.
Conseil Truffaut : cultivez le sonérila dans des coupes larges, en compagnie d'autres plantes.

▲ *Setcreasea purpurea* : une misère veloutée et pourpre.

▲ *Siderasis fuscata* : une plante encore peu courante.

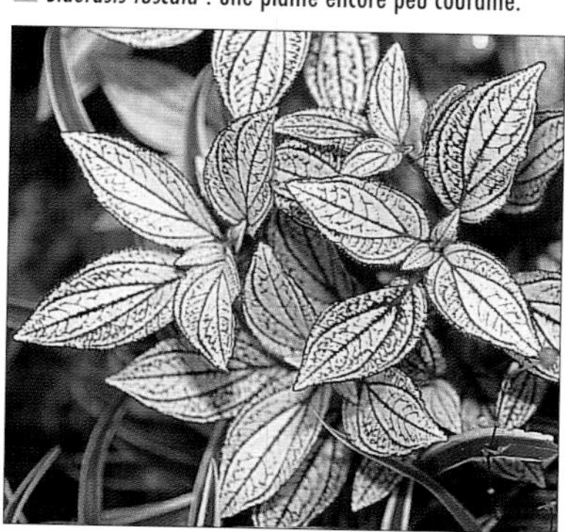
Sonerila margaritacea 'Variegata' : des reflets argentés. ▶

Sparmannia africana : c'est le tilleul d'appartement.

Strobilanthes dyerianus 'Exotica' : métallique.

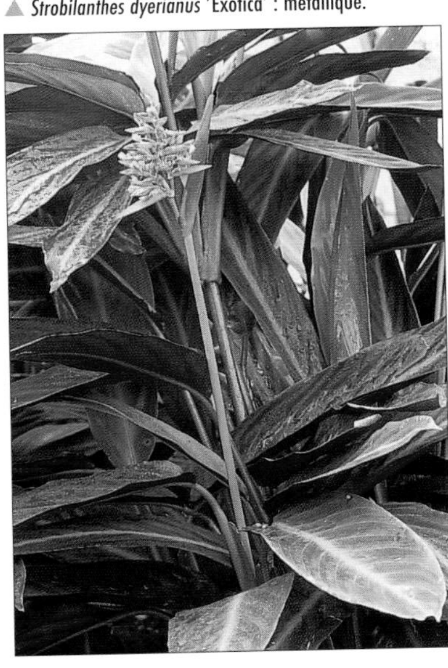

Sparmannia africana TILLEUL D'APPARTEMENT

  20 °C 5 °C 

Grand arbuste à feuillage persistant, ample.

Origine : Afrique du Sud, Madagascar.

Feuilles : de 15 à 25 cm de large, cordiformes, parfois trilobées, vert clair, légèrement duveteuses.

Fleurs : le sparmannia porte au printemps des ombelles terminales formées de très jolies fleurs blanches, à quatre pétales, entourant un petit coussin d'étamines jaune cuivre et pourpre.

Lumière : il faut au moins quatre heures par jour de pleine lumière pour que le sparmannia fleurisse.

Terre : terreau, terre de bruyère et terre franche.

Engrais : de mars à octobre, apportez tous les 15 jours, un engrais pour plantes fleuries.

Humidité de l'air : plus de 60 % si la température dépasse 15 °C en hiver.

Arrosage : deux fois par semaine d'avril à septembre, tous les 8 à 10 jours durant le repos.

Rempotage : 2 mois après l'achat, puis tous les 6 mois jusqu'à ce que la plante atteigne 1 m de haut. Ensuite, une fois par an, jusqu'à ce que le pot atteigne 30 cm de diamètre, puis surfaçage.

Exigences particulières : placez le sparmannia à l'extérieur (jardin ou balcon), de mai à septembre.

Dimensions : jusqu'à 2,50 m, à la maison.

Multiplication : des boutures prélevées en mars s'enracinent facilement dans du terreau humide.

Longévité : plus de 15 ans.

Ennemis et maladies : les araignées rouges ternissent le feuillage. Les cochenilles laineuses s'incrustent sur les tiges et sous le limbe des feuilles.

Espèces et variétés : 'Nana' ne dépasse pas 60 cm ; 'Flore Pleno', à fleurs doubles.

Conseil Truffaut : chaque année, en avril, après la floraison, réduisez un peu les arrosages. Début juin, taillez toutes les tiges à 40 cm de leur point de départ pour obtenir un buisson arrondi. La floraison est meilleure quand la plante passe l'hiver en pleine lumière et au frais (autour de 10 °C).

Stromanthe sanguinea, plante proche des *Calathea*.

Strobilanthes dyerianus STROBILANTE

 22 °C 12 °C 

Vivace herbacée, persistante, au port étalé.

Origine : Birmanie.

Feuilles : oblongues, lancéolées. Les nervures et le pourtour vert bronze mettent en valeur le coloris du limbe : rose amarante, nuancé d'argent.

Fleurs : épis bleus en automne (rares).

Lumière : indirecte mais vive. En été, ne laissez pas la plante derrière une fenêtre non voilée.

Terre : terreau, tourbe et terre végétale.

Engrais : une fois par mois, de mars à octobre.

Humidité de l'air : au moins 60 %. Vaporisez le feuillage deux fois par jour, toute l'année.

Arrosage : entre deux apports d'eau, laissez le pot s'alléger un peu et le terreau de surface sécher.

Rempotage : tous les ans, au printemps.

Exigences particulières : le strobilante demande des pincements pour conserver une forme trapue et régulière.

Dimensions : 60 cm de haut, en pot.

Multiplication : boutures au printemps, à l'étouffée en miniserre avec chaleur de fond (difficile).

Longévité : renouvelez la plante tous les 2 ou 3 ans, car, avec l'âge, les couleurs pâlissent.

Ennemis et maladies : mouches blanches.

Espèces et variétés : 'Exotica', à feuilles nuancées de vert et de pourpre, aux reflets métalliques ; *Strobilanthes atropurpureus*, à feuilles vertes et belles fleurs pourpre foncé, en été.

Conseil Truffaut : installez le strobilante au pied des crotons dont les tiges se dégarnissent.

Stromanthe sanguinea STROMANTHE

  24 °C 10 °C 

Plante rhizomateuse formant des touffes denses.

Origine : Brésil, Colombie, Venezuela.

Feuilles : de 30 à 50 cm, ovales, terminées par une petite pointe. Les limbes, vert glauque et gris, sont ornés de bandes plus foncées.

Fleurs : en hiver ou au printemps, épis blancs ou jaune pâle, très rares en pot.
Lumière : les feuilles s'enroulent quand elles sont exposées au soleil direct. La mi-ombre est idéale.
Terre : terreau de rempotage à base de tourbe et d'écorces. Déposez une couche de 3 cm de graviers au fond du pot, pour améliorer le drainage.
Engrais : une fois par mois d'avril à septembre.
Humidité de l'air : au moins 65 %. Cultivez le stromante sur un lit de billes d'argile ou de gravillons, maintenus humides en permanence.
Arrosage : une fois par semaine. Laissez sécher le substrat sur 2 cm avant d'apporter de l'eau.
Rempotage : en mars, quand les racines ont envahi tout le pot. Utilisez une coupe plus large que haute, de préférence à un pot classique.
Exigences particulières : le stromante craint les chutes brutales de température et l'air sec.
Dimensions : 60 cm de haut, en pot.
Multiplication : séparation, en automne, de fragments de touffe, munis de quelques racines.
Longévité : de 2 à 3 ans dans la maison.
Ennemis et maladies : cochenilles.
Espèces et variétés : *Stromanthe jacquinii* (ou *lutea*) aux feuilles plus petites et à fleurs jaunes.
Conseil Truffaut : ne placez pas cette plante près d'une porte ou d'une fenêtre que vous ouvrez souvent, car elle ne supporte pas les courants d'air.

Syngonium podophyllum SYNGONIUM

Arbuste sarmenteux, vigoureux, très touffu, formant une grande liane en vieillissant.
Origine : forêts tropicales d'Amérique du Sud.
Feuilles : de 10 à 30 cm de long, elles naissent cordiformes, puis deviennent sagittées et lobées.
Fleurs : le spadice entouré d'une spathe blanc rosé ne se forme que très rarement à l'intérieur.
Lumière : placez le syngonium près d'une fenêtre au sud ou au sud-est, protégée par un voilage.
Terre : terre de jardin, terreau d'écorces et tourbe.

Syngonium 'Pixy' : un contraste saisissant. ▶

Syngonium angustatum 'Albolineatum' : très ample. ▶

Engrais : de mars à juillet, utilisez à chaque arrosage un engrais liquide pour plantes vertes (1 bouchon pour 10 litres d'eau).
Humidité de l'air : le syngonium ne prospère que dans les ambiances humides et chaudes. Si vous ne pouvez lui offrir une véranda ou une serre, bassinez le feuillage deux fois par jour et installez le pot sur un lit de graviers, maintenus humides.
Arrosage : tous les 6 à 10 jours, lorsque le terreau s'est asséché sur 2 à 3 cm en surface.
Rempotage : chaque année, au printemps, seulement si les racines ont colonisé tout le pot.
Exigences particulières : le syngonium demande un tuteur solide (garni de mousse de préférence). Il convient aussi dans une corbeille suspendue, les branches étant laissées pendantes.
Dimensions : jusqu'à 2 m de haut, en pot.
Multiplication : en juin, boutures d'extrémités de tiges, de 10 cm de long, plantées à l'étouffée en miniserre, avec hormones et chaleur de fond.
Longévité : plus de 10 ans à la maison.
Ennemis et maladies : les araignées rouges prolifèrent en hiver quand l'air est chaud et l'hygrométrie insuffisante. Traitez préventivement.
Espèces et variétés : 'Emerald Gem', plante touffue au feuillage un peu gaufré et aux nervures soulignées de jaune ; 'Green Gold', moucheté de jaune doré ; 'Albolineatum', strié de jaune au centre de la feuille ; 'Trileaf Wonder' aux nervures argentées.
Conseil Truffaut : le syngonium est assez frileux. Aux intersaisons, quand la température baisse dans la maison, il faut maintenir la plante presque au sec pour qu'elle supporte la fraîcheur.

▼ *Syngonium podophyllum* 'Emerald Gem Variegatum'.

▼ *Syngonium* 'Green Gold' : de jolies nervures dorées.

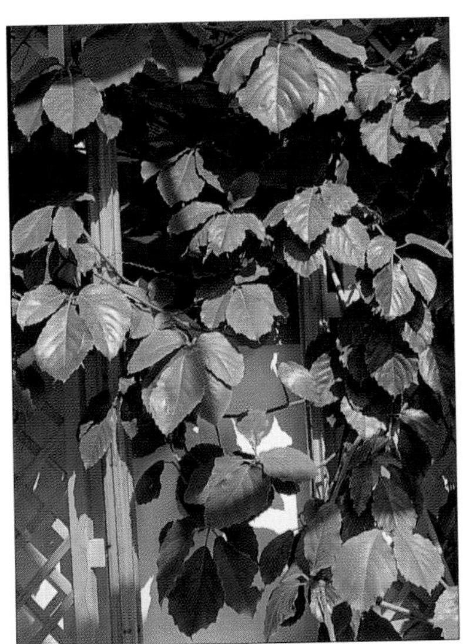

▲ *Tetrastigma voinierianum* : une vigueur incroyable.

Tetrastigma voinierianum VIGNE-MARRONNIER

22 °C
10 °C

Plante grimpante volubile, persistante, aux tiges duveteuses, brun rougeâtre, formant des vrilles.

Origine : Viêt Nam, Laos.

Feuilles : de 10 à 40 cm de long, composées de trois ou cinq folioles, oblongues ou losangiques, vert soutenu, aux bords dentés. Le dessous des feuilles est couvert d'un duvet couleur écureuil.

Fleurs : ombelles jaunâtres en été, mais la plante ne fleurit pratiquement jamais en appartement.

Lumière : placez le pot à 1 m d'une grande baie vitrée, le soleil étant tamisé par un voilage.

Terre : terre végétale, terreau, sable et tourbe.

Engrais : en avril, en juin et en juillet, un apport d'engrais liquide, après un arrosage.

Humidité de l'air : une atmosphère un peu sèche (jusqu'à 45 %) ne nuit pas à la plante tant qu'elle bénéficie d'une bonne aération et d'une faible température d'ambiance.

Arrosage : très copieux, une fois par semaine. Laissez sécher le terreau entre deux apports d'eau.

Rempotage : 3 ou 4 mois après l'achat. Puis deux fois par an, en mars et septembre, jusqu'à ce que le pot atteigne 30 cm de diamètre. Changez ensuite la terre de surface tous les 2 ans.

Exigences particulières : la vigne-marronnier n'aime pas être déplacée. La fragilité de ses tiges est telle qu'elles cassent comme du verre.

Dimensions : de 2 à 4 m, dans un grand bac.

Multiplication : boutures de tiges dans un mélange de terreau et de sable, en terrine posée sur la tablette d'un radiateur ou en miniserre.

Longévité : plus de 10 ans à la maison.

Ennemis et maladies : les pucerons s'installent parfois à l'extrémité tendre des jeunes pousses. Coupez simplement les rameaux envahis.

Espèces et variétés : des 90 espèces connues, *Tetrastigma voinierianum* est la seule cultivée.

Conseil Truffaut : sortez la vigne-marronnier d'avril à octobre sur les terrasses dans le Midi.

◄ *Tolmiea menziesii* : duveteux, presque rustique.

Tolmiea menziesii TOLMIÉA

20 °C
0 °C

Plante herbacée rhizomateuse formant une touffe. On l'appelle aussi « la poule et les poussins », en raison de ses feuilles vivipares.

Origine : côte ouest des États-Unis.

Feuilles : de 8 à 12 cm de diamètre, cordiformes, lobées, dentées, parsemées des mouchetures vert clair. Le limbe et le pétiole sont veloutés.

Fleurs : épis dressés de 20 à 50 cm de haut, portant des petites clochettes tubulaires brun-pourpre.

Lumière : plante de sous-bois, le tolmiéa supporte sans problème une pièce peu éclairée. En hiver, rapprochez la plante d'une fenêtre pour éviter que les feuilles ne pâlissent.

Terre : terre de jardin, terreau et sable.

Engrais : au rempotage, ajoutez une cuillerée à café d'engrais en granulés à diffusion lente, qui assureront 6 mois de nourriture complète.

Humidité de l'air : cultivez le tolmiéa sur un lit de billes d'argile, humidifié en permanence, quand les appareils de chauffage sont en marche.

Arrosage : une fois par semaine en mouillant complètement la motte. En hiver, tous les 10 jours.

Rempotage : une fois par an, au printemps.

Exigences particulières : le tolmiéa se cultive aussi bien au jardin en pleine terre (il forme des bordures pleines de charme, à l'ombre) qu'en pot, sur le balcon ou à l'intérieur. Dans ce dernier cas, il sera mis en valeur dans des pots suspendus.

Dimensions : de 20 à 40 cm en tous sens.

Multiplication : de jeunes plantules se forment sur les feuilles, à la jonction du limbe et du pétiole. Séparez-les et repiquez-les.

Longévité : 2 ans, guère plus, car la plante se dégarnit du centre et devient moins belle.

Ennemis et maladies : aucun.

Espèces et variétés : la variété 'Taff's Gold' (ou 'Maculata') est mouchetée de jaune crème.

Conseil Truffaut : n'utilisez pas de lustrant qui brûle les feuilles fragiles. Maintenez le tolmiéa dans une véranda fraîche durant l'hiver (juste hors gel), en arrosant très peu.

Tradescantia spp. MISÈRE

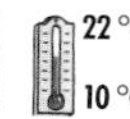
22 °C
10 °C

Vivace herbacée aux tiges grêles, charnues et au port retombant. Le genre *Tradescantia* regroupe aujourd'hui les *Setcreasea* et les *Zebrina*, qui portent aussi l'appellation familière de « misères ».

Origine : Amérique centrale et du Sud.

Feuilles : de 5 à 10 cm de long, lancéolées, engainant la tige, souvent striées de bandes blanches, argentées, crème, roses ou vert pâle.

Fleurs : des petites corolles à trois pétales apparaissent et meurent dans la même journée, en été.

Lumière : les pièces peu éclairées sont tolérées. Les variétés à feuillage panaché demandent toutefois un peu plus de lumière, sans soleil direct.

Terre : allégez un terreau de rempotage classique, avec 10 à 15 % de sable de rivière.

Engrais : chaque mois pendant la belle saison.

Humidité de l'air : l'atmosphère des appartements convient parfaitement aux misères, même quand l'air devient un peu plus sec en hiver.

Arrosage : une fois par semaine, toute l'année.

Rempotage : tous les 2 ans, dans un pot de taille légèrement supérieure.

Exigences particulières : placez les misères en hauteur ou en suspension, pour mettre en valeur le port retombant et le feuillage.

Dimensions : jusqu'à 80 cm de long.

Multiplication : boutures dans l'eau à tout moment de l'année (réussite à 100 %).

Longévité : on renouvelle en général la plante tous les 3 ou 4 ans, car elle se dégarnit de la base.

Ennemis et maladies : pucerons verts.

Espèces et variétés : *Tradescantia fluminensis* se décline en divers cultivars dont : 'Albovittata', aux feuilles vert clair rayées de blanc ; 'Aurea', à bandes jaunes ; 'Rochford Silver', panaché de blanc ; 'Tricolor', blanc et violet clair ; 'Variegata' rayé de coloris variés ; *Tradescantia blossfeldiana* (ou *cerinthoides*) est très vigoureux, avec des rayures pourpres ; 'Variegata' est strié de plus clair, *Tradescantia sillamontana* se distingue par son port dressé et le duvet laineux blanc qui couvre tiges et feuilles ; *Zebrina pendula*, désormais appelé *Tradescantia zebrina* est aussi couramment désigné sous le nom de misère. Cette plante a exactement les mêmes besoins. Elle diffère de par le coloris de ses feuilles au vert plus profond, avec des bandes argentées plus marquées.

Conseil Truffaut : pincez les pousses pour retarder le moment où la plante se dégarnit. Attention, les tiges sont très cassantes. Bouturez-les.

Zamioculcas zamiifolia ZAMIOCULCAS

22 °C
10 °C

Plante vivace rhizomateuse, à tiges charnues.

Origine : Zanzibar. Les Européens ne découvrirent le zamioculcas qu'en 1828.

Feuilles : de 30 à 60 cm, composées de 5 à 8 paires de folioles coriaces et lancéolées. Elles sont produites en touffes, directement sur le rhizome.

Fleurs : jamais de floraison sur les plantes en pot.

Lumière : une grande baie vitrée ou un emplacement sous une fenêtre de toit lui conviennent.

Terre : terre de bruyère, terreau d'écorces, tourbe blonde et terre végétale, en mélange à parts égales.

Engrais : une fois par mois, d'avril à septembre.

Humidité de l'air : quand le chauffage est en marche, vaporisez la plante deux fois par semaine.

Arrosage : laissez sécher le terreau sur 3 ou 4 cm entre deux arrosages. Pas d'eau stagnante.

Rempotage : tous les 2 ans, en mars-avril.

Exigences particulières : le zamioculcas résiste bien l'hiver dans une véranda s'il est peu arrosé.

Dimensions : jusqu'à 80 cm de haut.

Multiplication : division des touffes âgées ou boutures des folioles, à chaud (difficile).

Longévité : plus de 5 ans dans la maison.

Ennemis et maladies : cochenilles.

Espèces et variétés : seul *Zamioculcas zamiifolia* est proposé comme plante d'intérieur.

Conseil Truffaut : ne confondez pas avec le *Zamia*, une cycadacée dont les feuilles sont assez semblables, d'où le nom d'espèce de la plante.

▲ *Tradescantia albiflora* 'Albovittata' : jolie misère.

▲ *Tradescantia zebrina* 'Regen Bogen' : de la délicatesse.

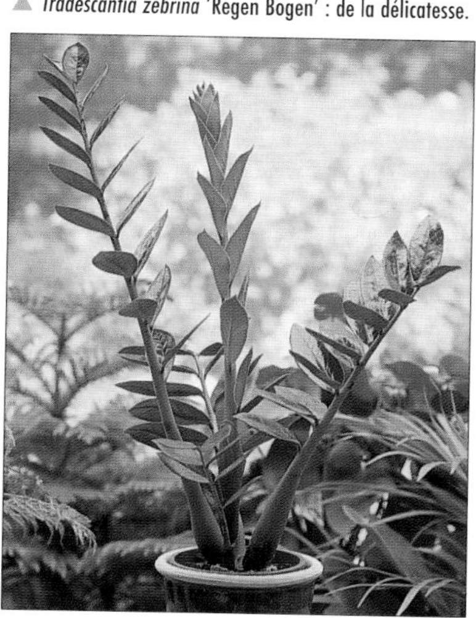

Zamioculcas zamiifolia : une allure préhistorique. ▶

LES PLANTES FLEURIES

Expression de la sensualité extrême de la nature, la fleur dévoile dans une gracieuse impudeur, l'intimité triomphante de la sexualité végétale. ❀ *Parée des plus beaux artifices et de couleurs superbes, la fleur joue les séductrices, afin d'assurer la descendance de l'espèce. Le raffinement des lignes, l'infinie variété des formes, l'extravagance des couleurs, la subtilité des parfums n'ont qu'un seul but : réunir les conditions idéales pour que la fécondation renouvelle le miracle de la vie.* ❀ *Figées dans une apparente immobilité, les plantes déploient des trésors d'ingéniosité pour réussir des amours fécondes. Une orchidée va se déguiser en insecte, jusqu'à se laisser entraîner dans un accouplement factice, qui verra l'animal jouer les entremetteurs involontaires.* ❀ *Un contact de quelques secondes, voire un simple frôlement, suffit pour que les minuscules grains de pollen, accrochés à l'abdomen velu du bourdon ou de l'abeille, viennent se coller sur le pistil au suc collant de l'orchidée.* ❀ *Certaines fleurs de cactus vont attendre la nuit pour s'épanouir et attirer irrésistiblement les chauves-souris, qui les polliniseront.* ❀ *Les parfums n'ont pas été créés pour flatter nos sens, mais pour attirer des insectes bien précis qui se feront les complices de la propagation des plantes qu'ils fréquentent.* ❀ *Sans que nous en ressentions les effets de façon primaire et spontanée, la nature foncièrement érotique des fleurs inspire nos sentiments et nous les utilisons depuis toujours dans nos jeux de séduction.* ❀ *Même si le code complexe et désuet du langage des fleurs d'antan s'efface de nos mémoires, la fleur exprime toujours la beauté, la douceur, la féminité, l'affection, la tendresse et l'amour. Qu'elle soit en plus offerte entière, vivante, épanouie dans son pot, lui donnera une valeur symbolique encore plus forte, la garantie d'un plaisir profond et d'une grande joie partagée.* ❀

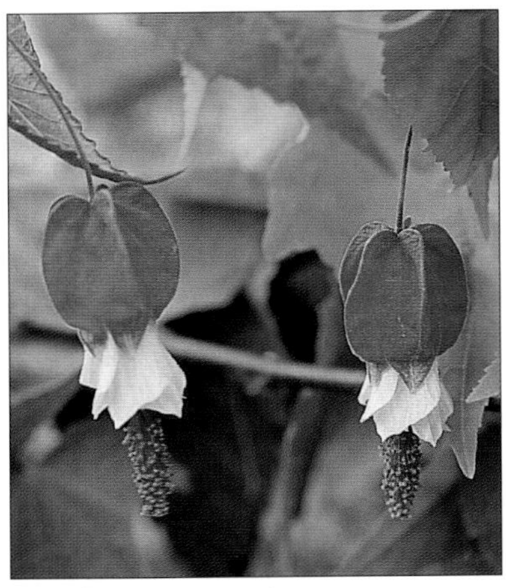

▲ *Abutilon megapotamicum* : lanterne japonaise.

Abutilon spp. ABUTILON

22 °C / 5 °C

Arbuste bien ramifié, souvent cultivé comme plante saisonnière estivale.

Origine : régions tropicales et subtropicales.

Feuilles : de 10 à 20 cm de long, généralement persistantes, palmées, à 3 ou 5 lobes, souvent panachées. Pousses brun pourpré.

Fleurs : de 4 à 8 cm de long, en forme de cloche, de coupe ou de lanterne japonaise, très colorées, toujours renouvelées de mai à octobre.

Lumière : exposez toute l'année les abutilons en plein soleil, même très intense.

Terre : terre de jardin, sable et terreau avec 20 % de fertilisant à base de fumier et d'algues.

Engrais : durant toute la période de floraison, apportez tous les 8 à 10 jours un engrais liquide pour plantes fleuries ou pour géraniums.

Humidité de l'air : l'abutilon résiste à la sécheresse si la température hivernale est basse.

Arrosage : tous les 3 ou 4 jours en été. Pas plus d'une fois tous les 10 jours durant le repos.

Rempotage : chaque année avant le départ de la végétation. Le pot doit être assez grand.

Exigences particulières : des pincements réguliers des jeunes pousses favorisent la floraison.

Dimensions : jusqu'à 1,80 m de haut, en pot.

Multiplication : bouturage de jeunes rameaux de juillet à septembre, en miniserre, à l'étouffée.

Longévité : une saison si vous ne disposez pas d'une véranda pour un hivernage au frais. Sinon, de 3 à 5 ans, ensuite la plante devient moins belle.

Ennemis et maladies : les pucerons noirs sont très abondants et fréquents. Mouches blanches, araignées rouges et cochenilles à bouclier.

Espèces et variétés : *Abutilon megapotamicum*, aux fleurs rouges et jaunes, en forme de lanterne. On cultive surtout des formes hybrides pour leur coloris spécifique ou leur feuillage panaché.

Conseil Truffaut : taillez sévèrement les branches qui ont porté des fleurs.

◀ *Abutilon* x sur tige : un beau petit arbre d'intérieur.

Acacia paradoxa MIMOSA

20 °C / 5 °C

Arbuste persistant aux tiges épineuses, bien ramifiées, formant un buisson assez souple.

Origine : Australie.

Feuilles : il s'agit de tiges aplaties ressemblant à des feuilles (phyllodes), de 1 à 3 cm de long, vert foncé, lancéolées à oblongues.

Fleurs : en hiver et au printemps, les rameaux se couvrent de pompons jaune d'or de 1 cm de large.

Lumière : le plein soleil toute l'année, sinon la floraison ne se produit pas. Un complément d'éclairage artificiel est souhaitable en hiver (4 h/j).

Terre : terre de jardin, sable et terre de bruyère.

Engrais : après la floraison et jusqu'à fin septembre, apportez tous les 15 jours un engrais liquide pour plantes fleuries ou pour tomates.

Humidité de l'air : ne pas vaporiser le feuillage. Pas de problème en hiver si la pièce est fraîche.

Arrosage : une à deux fois par semaine durant la croissance. Tous les 10 à 12 jours en hiver.

Rempotage : tous les 2 ans, après la floraison.

Exigences particulières : cet acacia étant acidophile, utilisez de préférence de l'eau de pluie.

Dimensions : jusqu'à 1 m en pot.

Multiplication : bouturage de jeunes pousses en juillet-août, en miniserre, à l'étouffée.

Longévité : le temps de la floraison dans les conditions d'un appartement. De 2 à 5 ans en serre froide, ensuite la plante se dégarnit.

Ennemis et maladies : pourriture des racines en hiver dans une ambiance trop chaude et humide. Araignées rouges, pucerons, cochenilles.

Espèces et variétés : Plus de 1 100 espèces recensées. *Acacia paradoxa* (ou *armata*) est le plus cultivé en pot ; *A. dealbata*, le « vrai » mimosa, tient moins bien à la maison que *A. baileyana* ou *A. cultriformis*, d'aspect similaire.

Conseil Truffaut : on trouve à la fin de l'hiver de jolies potées greffées en tiges, qui prospèrent plus longtemps que les jeunes plantes proposés en touffes. Sortez le mimosa dans le jardin durant tout l'été, il refleurira beaucoup mieux.

Acalypha hispida
QUEUE-DE-RENARD

24 °C
13 °C

Arbuste dioïque, peu ramifié.

Origine : Malaisie, Nouvelle-Guinée.

Feuilles : de 10 à 25 cm de long, persistantes, ovales, dentelées, à l'extrémité pointue, vert foncé.

Fleurs : seules les plantes femelles, portant des chatons rouge vermillon, sont cultivées. De 20 à 50 cm de long, ils s'épanouissent d'avril à octobre

Lumière : vive, mais sans soleil direct en été.

Terre : terre de bruyère et terre de jardin.

Engrais : d'avril à septembre, apportez tous les 15 jours un engrais liquide pour plantes fleuries.

Humidité de l'air : au moins 50 %. Placez la plante sur un lit de gravillons humides. Ne pas vaporiser durant la floraison.

Arrosage : une à deux fois par semaine durant la croissance. Tous les 10 à 12 jours en hiver.

Rempotage : chaque année au printemps, sans obligatoirement agrandir le pot, *Acalypha* fleurissant mieux dans un récipient exigu.

Exigences particulières : taillez toutes les jeunes pousses à 10 cm de la base au tout début du printemps. Les courants d'air lui sont fatals.

Dimensions : de 40 à 80 cm en pot, à la maison.

Multiplication : bouturez les pousses d'extrémités au moment de la taille, en mars, dans une miniserre, à l'étouffée, avec hormones et un chauffage de fond (25 °C). Enracinement en 2 mois.

Longévité : une saison, si vous ne disposez pas d'une serre pour l'hivernage ; sinon, de 3 à 7 ans.

Ennemis et maladies : araignées rouges, pucerons, aleurodes sur les plantes affaiblies.

Espèces et variétés : 'Alba' aux chatons blancs est plus rare; L'hybride *Acalypha* x *pendula* a des feuilles plus petites. Les « queues-de-chat » sont portées à l'extrémité de longues tiges souples. Cette plante fait une belle suspension; *A.* x *wilkesiana* offre un feuillage coloré *(voir p. 248)*.

Conseil Truffaut : un hivernage au frais (moins de 15 °C) dans une ambiance claire et avec des arrosages parcimonieux, est indispensable pour obtenir une refloraison.

Achimenes x
ACHIMÈNES

22 °C
10 °C

Arbuste vivace rhizomateux formant une touffe.

Origine : on ne cultive que des formes hybrides de ces plantes d'Amérique centrale.

Feuilles : de 15 à 20 cm de long, opposées, ovales, duveteuses dessus, vert foncé, souvent ombrées de pourpre au revers.

Fleurs : de juin à septembre, des trompettes solitaires de 3 à 6 cm de diamètre se déclinent dans des coloris très variés selon les cultivars.

Lumière : assez vive, mais pas de soleil direct.

Terre : terre de bruyère, terreau d'écorce et sable.

Engrais : d'avril à octobre, apportez chaque semaine un engrais pour plantes fleuries, dilué à la moitié de la concentration préconisée sur la boîte.

Humidité de l'air : au moins 50 %. Placez le pot sur des gravillons humides. Ne pas vaporiser.

Arrosage : tous les 3 jours durant la floraison.

Rempotage : chaque année, après l'hivernage.

Exigences particulières : l'achimènes exige une période de repos hivernal, avec la souche rhizomateuse maintenue complètement au sec.

Dimensions : de 20 à 30 cm de haut et de large.

Multiplication : division du rhizome à la fin de l'hiver, en fragments de 4 à 5 cm de long. Bouturage de jeunes tiges dans l'eau (difficile).

Longévité : en général, on jette la plante après la floraison ; mais, si vous possédez une véranda, tentez l'hivernage des rhizomes.

Ennemis et maladies : pourriture hivernale, pucerons et araignées rouges en été.

Espèces et variétés : *Achimenes grandiflora* et *longiflora* ont donné naissance à de nombreuses générations d'hybrides à fleurs bleues, blanches, roses, rouges, unies ou plus ou moins veinées.

Conseil Truffaut : il est possible d'utiliser l'achimènes comme plante de décoration estivale sur un balcon, par exemple en association avec des phalangères ou des asparagus. Mais, en cas de saison pluvieuse, la plante est très vite abîmée.

▲ *Acacia paradoxa* : un mimosa de bonne tenue.

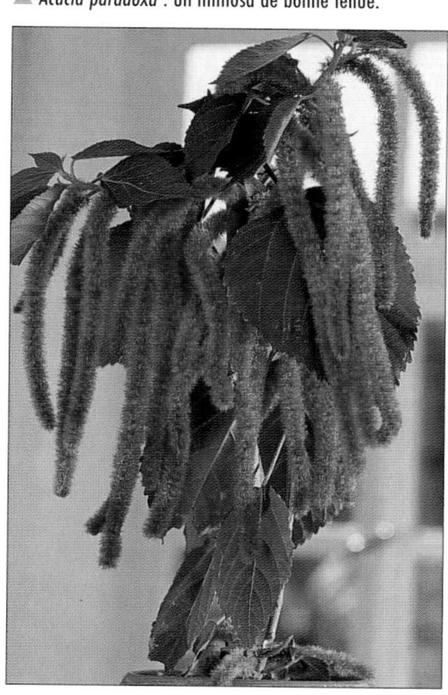

▲ *Acalypha hispida* : on l'appelle « queue-de-renard ».

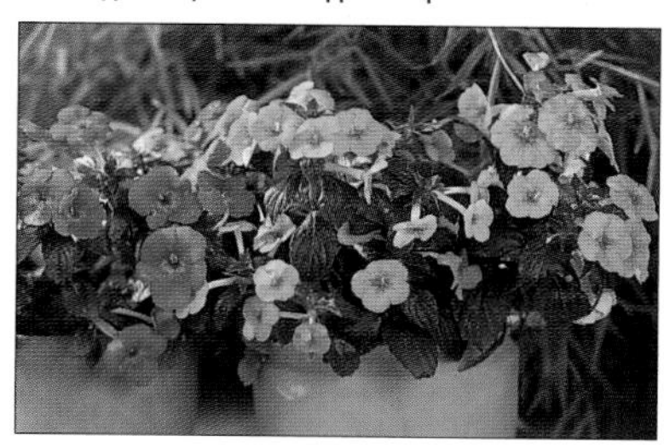

Achimenes x : une potée éphémère pour l'été. ▶

▲ *Aeschynanthus radicans* : une suspension écarlate.

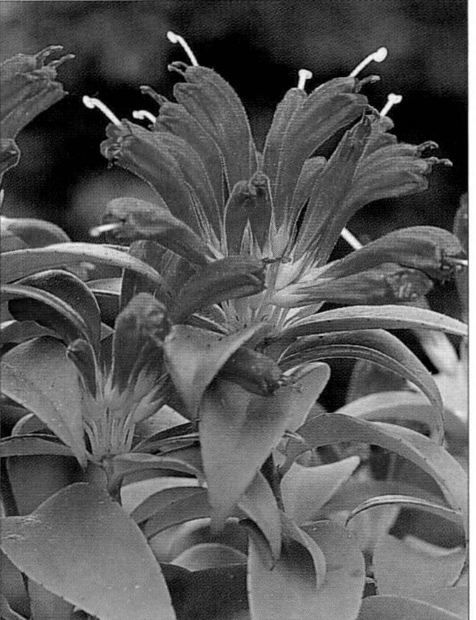

▲ *Aeschynanthus speciosus* : feu d'artifice velouté.

Aeschynanthus speciosus AESCHYNANTHUS

Plante vivace persistante, parfois grimpante, aux tiges retombantes ou à port buissonnant.

Origine : sud de l'Asie, Indonésie, Papouasie.

Feuilles : de 3 à 5 cm de long, opposées, simples, ovales, coriaces, vert vif, lustrées.

Fleurs : en tube allongé, orange, rouge ou jaune vif, à calice pourpre. Abondante floraison estivale.

Lumière : très vive mais sans soleil direct.

Terre : terreau d'écorces, terre de bruyère, tourbe blonde fibreuse et perlite, en parts égales.

Engrais : de mai à septembre, apportez un engrais pour plantes fleuries tous les 15 jours.

Humidité de l'air : vaporisez le feuillage plusieurs fois par semaine avec une eau à la température de la pièce et non calcaire, pour éviter de marquer le feuillage brillant.

Arrosage : une fois par semaine toute l'année, avec de l'eau non calcaire, sans détremper.

Rempotage : au printemps, une fois par an.

Exigences particulières : cultivez de préférence l'aeschynanthus dans un panier, en suspension.

Dimensions : de 30 à 60 cm de long.

Multiplication : boutures d'extrémités de tiges, en miniserre, à l'étouffée, avec hormones et chaleur de fond, en été (difficile).

Longévité : de 1 à 3 ans, en pot à la maison.

Ennemis et maladies : en général aucun.

Espèces et variétés : *Aeschynanthus marmoratus* est intéressant pour son beau feuillage vert foncé aux motifs jaune-vert et marron. Les fleurs, rares en culture, sont tubulaires, vert ponctué de marron; *A. pulcher, A. lobbianus* et *A. parviflorus* développent des grandes fleurs rouge vermillon vif; 'Black Pagoda' est une forme à port étalé, aux feuilles allongées. Fleurs dressées jaune et rouge.

Conseil Truffaut : ne déplacez pas la potée quand les boutons sont formés car ils pourraient tomber. Au printemps, pincez les extrémités des tiges pour obtenir un port plus ramifié.

◄ Les fleurs au calice pourpre de l'aeschynanthus.

Agapetes serpens AGAPÉTÈS

Petit arbuste, à racines tubéreuses, aux branches souples et arquées pouvant être palissées.

Origine : Népal, Bhoutan, Assam, Chine.

Feuilles : de 2 cm de long, persistantes, lancéolées, coriaces, d'un beau vert foncé brillant.

Fleurs : de janvier à avril, en clochette pendante, rouge-orangé, à l'aisselle des feuilles.

Lumière : assez forte, sans soleil direct.

Terre : terreau de feuilles, terre de bruyère et tourbe blonde. Prévoyez une épaisse couche drainante au fond du pot (gravillons, billes d'argile).

Engrais : de mai à septembre, apportez tous les 15 jours un engrais liquide pour plantes fleuries.

Humidité de l'air : vaporisez régulièrement en hiver si la température dépasse 12 °C.

Arrosage : tous les 3 ou 4 jours durant la période de croissance. Le moins possible en hiver.

Rempotage : tous les 2 ans, au printemps.

Exigences particulières : hivernez l'agapétès dans une véranda, entre 5 et 7 °C. En mai, sortez la potée à l'extérieur, sous un arbre ou contre une haie, à l'abri du soleil brûlant.

Dimensions : de 60 à 90 cm de haut, jusqu'à 3 m planté en pleine terre dans une serre froide.

Multiplication : boutures de jeunes tiges, en été, avec chaleur de fond. Marcottage au printemps.

Longévité : un été, à moins de disposer d'une véranda peu chauffée. Dans ce cas, de 2 à 4 ans.

Ennemis et maladies : en général aucun.

Espèces et variétés : seul *Agapetes serpens*, appelé aussi *Pentapterygium serpens*, est cultivé.

Conseil Truffaut : pincez l'extrémité des nouvelles pousses pour obtenir un port bien ramifié.

Allamanda cathartica ALLAMANDA

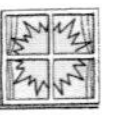

Arbuste aux branches souples pouvant être conduit comme une plante grimpante à palisser.

Origine : Amérique centrale et du Sud.
Feuilles : de 10 à 15 cm de long, persistantes, ovales à lancéolées, simples, légèrement ondulées sur les bords, vert foncé luisant.
Fleurs : des petits groupes de trompettes jaune vif, de 8 à 12 cm de long, apparaissent en été.
Lumière : au moins 4 heures de soleil direct.
Terre : terreau d'écorce, tourbe, terre de jardin et terre de bruyère, avec un bon drainage au fond du pot, car l'allamanda redoute un excès d'humidité au niveau des racines.
Engrais : une fois par semaine, de mai à septembre. Utilisez un engrais liquide pour géraniums, pour fraisiers ou pour tomates.
Humidité de l'air : au moins 60 %. Brumisez le feuillage quotidiennement, avec une eau à la température de la pièce et dépourvue de calcaire.
Arrosage : laissez bien sécher la terre du pot entre deux apports d'eau, une fois tous les 10 jours en hiver, pour marquer une légère période de repos.
Rempotage : chaque année, au printemps.
Exigences particulières : palissez les jeunes pousses au fur et à mesure de leur croissance.
Dimensions : de 1 à 3 m, en tous sens.
Multiplication : boutures d'extrémités de tiges, en été, en miniserre, avec chaleur de fond (difficile).
Longévité : de 2 à 5 ans, en pot, à la maison.
Ennemis et maladies : pucerons sur les tiges.
Espèces et variétés : 'Grandiflora', aux fleurs jaune vif ; 'Hendersonii', à la belle floraison jaune-orangé ; 'Chocolate Swirl', aux magnifiques fleurs pêche et rouge ; *Allamanda blanchetii* ou *violacea*, plus compact, porte de grandes fleurs rose violacé.
Conseil Truffaut : installez cette liane vigoureuse dans une véranda chauffée pour pouvoir lui assurer une hygrométrie élevée. Rabattez les tiges de moitié après le rempotage.

Alpinia spp. ALPINIA

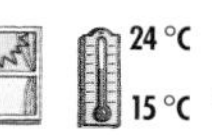

Plante rhizomateuse vivace développant une forte touffe de cannes érigées.
Origine : Chine, Japon, Inde.
Feuilles : de 30 à 50 cm de long, oblongues, lisses, coriaces, vert foncé.
Fleurs : blanches ou jaunes en été, en grappes dressées ou pendantes, accompagnées de bractées charnues rouges ou ivoire. Parfois parfumées.
Lumière : vive, mais sans soleil direct.
Terre : terreau de rempotage, fumier bien décomposé, sable de rivière et terre de jardin.
Engrais : de mai à août, apportez tous les 15 jours un engrais liquide pour plantes fleuries. Ou bien, au moment du rempotage, incorporez dans le sol un engrais longue durée, en granulés.
Humidité de l'air : au moins 70 %. Assurez une vaporisation matin et soir, toute l'année.
Arrosage : une ou deux fois par semaine selon la température ambiante. Laissez la terre du pot sécher en surface entre deux apports d'eau.
Rempotage : chaque année, au printemps. Surfacez les grosses potées, difficiles à déplacer.
Exigences particulières : en raison de leur croissance vigoureuse, les alpinias réussissent mieux s'ils sont plantés dans un grand bac, d'au moins 40 cm de profondeur, ou directement en pleine terre, dans le jardin d'hiver.
Dimensions : de 70 cm à 2 m de haut.
Multiplication : division des touffes adultes, à la fin de l'hiver. Repiquage des jeunes pousses.
Longévité : 1 à 2 ans à la maison, plus de 5 ans dans une serre chaude et humide.
Ennemis et maladies : un degré hygrométrique insuffisant entraîne l'apparition d'araignées rouges et le dessèchement du bord des feuilles.
Espèces et variétés : *Alpinia zerumbet* à fleurs pendantes jaunes, aux bractées ivoire ; 'Variegata', au feuillage vert foncé rayé et taché de jaune crème ; *Alpinia purpurata* est appelé communément « gingembre rouge ». Il forme toute l'année, des inflorescences composées de bractées rouge vif et de petites fleurs blanches ; *Alpinia vittata*, aux feuilles rayées de blanc et de crème, porte, en été, des fleurs verdâtres aux bractées roses.
Conseil Truffaut : si vous ne parvenez pas à réussir l'alpinia en pot, profitez de ses fleurs en bouquets. Elles durent plusieurs semaines.

▲ *Agapetes serpens* : des clochettes aux teintes subtiles.

▲ *Allamanda cathartica* : de grands entonnoirs d'or.

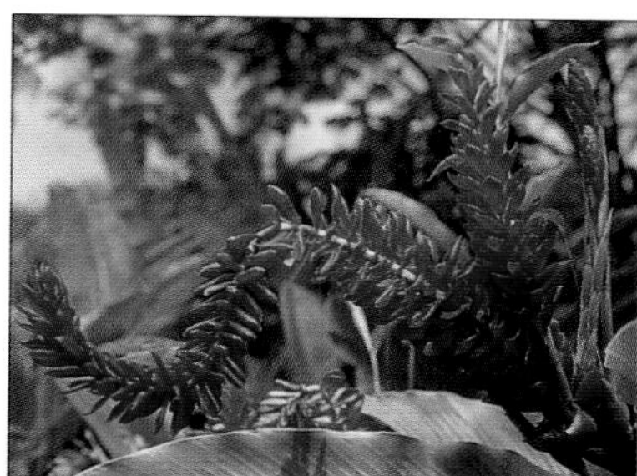

▲ *Alpinia purpurata* : des épis écarlates de longue durée.

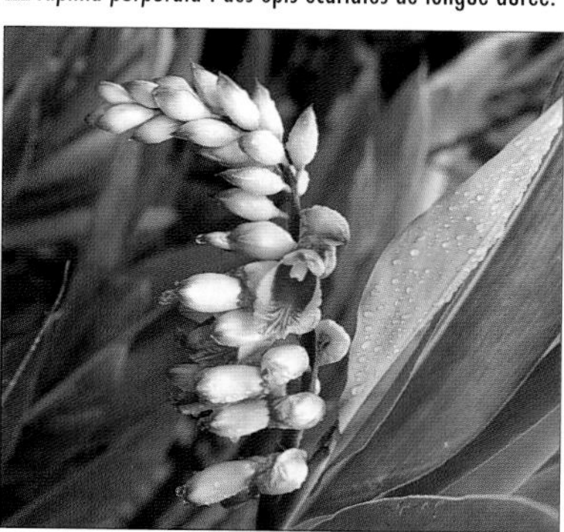

Alpinia zerumbet : la finesse de la porcelaine. ▶

▲ *Alyogyne huegelii* 'Santa Cruz' : un air d'hibiscus.

▲ *Anigozanthos* x : l'étonnante plante kangourou.

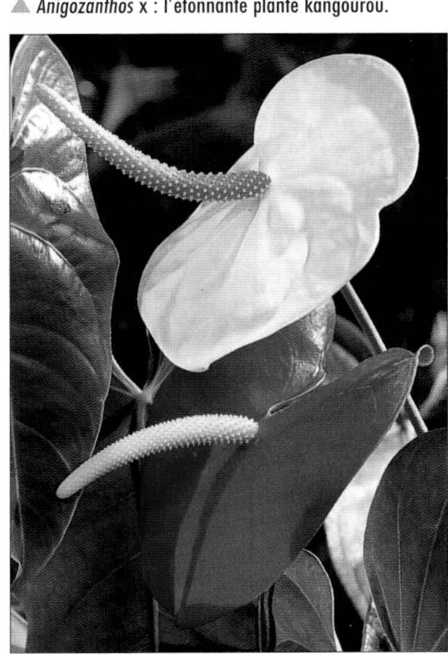

◄ *Anthurium* x *andreanum* : des fleurs de longue durée.

Alyogyne huegelii FAUX HIBISCUS

Arbuste buissonnant à la croissance rapide.

Origine : Australie.

Feuilles : de 3 à 8 cm de long, persistantes, velues, palmées, découpées en 5 lobes, vert vif.

Fleurs : tout l'été se succèdent des corolles en coupe lilas ou mauve de 10 cm de diamètre, portées verticalement par les pousses d'extrémité.

Lumière : plein soleil, même brûlant.

Terre : terre de jardin, tourbe blonde et terreau.

Engrais : d'avril à octobre, apportez tous les 15 jours, un engrais liquide pour géraniums.

Humidité de l'air : une certaine sécheresse est tolérée si la température est basse. Dans l'ambiance normale d'un intérieur, le feuillage jaunit.

Arrosage : laissez sécher la motte entre deux apports d'eau ; trop arrosé, *Alyogyne* fleurit moins. Maintenir presque au sec durant l'hiver.

Rempotage : chaque année à la sortie de l'hiver, sans obligatoirement agrandir le pot.

Exigences particulières : toute la partie aérienne doit être taillée à 10 cm de la souche après la floraison, sinon, la plante se dégarnit.

Dimensions : 1 m de haut et de large, en pot.

Multiplication : boutures demi-aoûtées de jeunes pousses en août-septembre. Plantez-les en miniserre, à l'étouffée, avec des hormones.

Longévité : une saison si vous ne disposez pas d'une véranda ou d'une orangerie pour l'hivernage.

Ennemis et maladies : pucerons, mouches blanches, araignées rouges sur les plantes faibles.

Espèces et variétés : 'Santa Cruz', aux fleurs foncées est le seul cultivar proposé. Il existe 4 espèces d'alyogynes, considérées par certains botanistes comme appartenant au genre *Hibiscus*.

Conseil Truffaut : dans le Midi, l'alyogyne pousse en plein air. Vous pouvez aussi sortir la plante en été sur le balcon.

☞ ***Amaryllis*** voir *Hippeastrum*.

Anigozanthos flavidus PLANTE KANGOUROU

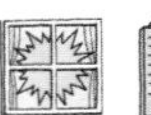  

Vivace persistante, formant une touffe échevelée.

Origine : Australie.

Feuilles : de 30 à 50 cm de long, linéaires, rigides, glauques ou vert intense selon les variétés.

Fleurs : de mai à août, des tiges ramifiées rigides portent des fleurs tubulaires, de 3 à 5 cm de long, plus ou moins recourbées, velues, portées en bouquets, vertes, roses, orangées ou jaunes.

Lumière : plein soleil, même ardent.

Terre : sable, terre de jardin et terreau.

Engrais : d'avril à septembre, apportez une fois par mois un engrais liquide pour plantes grasses.

Humidité de l'air : la plante kangourou supporte fort bien la sécheresse atmosphérique.

Arrosage : deux fois par semaine pendant la floraison, puis tous les 6 à 8 jours. Maintenez la plante presque au sec durant le repos hivernal.

Rempotage : chaque année au printemps.

Exigences particulières : il ne faut pas mouiller les fleurs, dont le revêtement velouté risque de s'abîmer en retenant l'humidité.

Dimensions : de 40 cm à 1 m de haut.

Multiplication : division de touffe au printemps.

Longévité : dans la maison, il est rare que l'on conserve la plante kangourou après la floraison.

Ennemis et maladies : taches foliaires.

Espèces et variétés : des formes hybrides sans dénomination, de *Anigozanthos bicolor* et *A. flavidus,* sont proposées épisodiquement.

Conseil Truffaut : sortez la plante dans le jardin ou sur le balcon dès le mois de mai. Tentez une culture permanente en plein air sur la Côte d'Azur.

Anthurium ANTHURIUM

Vivace rhizomateuse, persistante, souvent appelée « langue de feu » ou « flamant rose ».

Origine : Équateur, Colombie, Costa Rica, Brésil.

Feuilles : de 30 à 40 cm de long, coriaces, en forme de cœur ou de fer de lance, vert foncé, portées par un long pétiole assez rigide.

Fleurs : toute l'année apparaissent des spadices tubulaires, parfois en tire-bouchon, roses, blancs ou jaunes, accompagnés de superbes spathes charnues, souvent rouges, de 10 à 20 cm de diamètre.

Lumière : jamais de soleil direct durant les périodes chaudes ; la mi-ombre est même bien supportée. La pleine lumière est en revanche nécessaire en hiver pour obtenir une floraison.

Terre : terre de bruyère fibreuse ou terreau d'écorce, tourbe blonde et sable grossier.

Engrais : d'avril à septembre, apportez toutes les 3 semaines un engrais liquide organique.

Humidité de l'air : au moins 60 %. Vaporisez le feuillage matin et soir, mais ne mouillez pas les spathes, qui se tachent et durent moins longtemps.

Arrosage : tous les 3 ou 4 jours quand la température est supérieure à 20 °C. En hiver, un apport d'eau par semaine est suffisant.

Rempotage : chaque année au printemps pour les jeunes sujets; tous les 2 ans, quand la souche dépasse 25 cm de diamètre.

Exigences particulières : il ne faut surtout pas que l'eau stagne au niveau des racines.

Dimensions : de 40 cm à 80 cm de haut pour les potées fleuries. 50 cm de large en moyenne.

Multiplication : seule la division de touffe est à la portée d'un amateur. Les graines, semées à 25 °C, demandent plusieurs mois pour germer.

Longévité : 2 ou 3 ans dans la maison, ensuite la plante perd de son intérêt en se dégarnissant.

Ennemis et maladies : cochenilles, taches foliaires dues à divers champignons parasites.

Espèces et variétés : les formes botaniques comme *Anthurium andreanum*, à grandes spathes rouges et spadices jaunes, ou *A. scherzerianum*, reconnaissable à son spadice spiralé, sont plus difficiles à réussir que les très nombreux hybrides qui ont fait l'objet de sélections draconiennes et montrent désormais un excellent comportement dans la maison, avec une floraison qui perdure des mois.

Conseil Truffaut : ajoutez un décalcairisant à l'eau d'arrosage et de vaporisation, car l'anthurium est une plante acidophile.

Aphelandra squarrosa
PLANTE ZÈBRE

Arbuste au port compact et peu ramifié.

Origine : Amérique tropicale.

Feuilles : de 20 à 30 cm de long, persistantes, coriaces, gaufrées, ovales, elliptiques, vert très foncé, avec des nervures blanc ivoire.

Fleurs : de juin à octobre apparaissent des épis terminaux formés de bractées imbriquées disposées en pyramide. Jaune ourlé de rouge, elles protègent des fleurs tubulaires jaunes.

Lumière : vive, mais pas de soleil direct.

Terre : terre de jardin, tourbe blonde et terreau.

Engrais : de mai à octobre, apportez tous les 15 jours un engrais liquide pour plantes vertes.

Humidité de l'air : 60 %. Vaporisez la plante matin et soir. Placez le pot sur un lit de billes d'argile humides.

Arrosage : deux fois par semaine durant la végétation. Tous les 8 à 10 jours en hiver.

Rempotage : chaque année au printemps, ou après la floraison si la plante se trouve à l'étroit.

Exigences particulières : arrosez avec une eau non calcaire.

Dimensions : de 30 à 60 cm de haut, en pot.

Multiplication : bouturage des pousses latérales, avec hormones et chaleur de fond (22 à 25 °C).

Longévité : de 1 à 3 ans dans la maison, après, la plante se dégarnit et perd de son intérêt.

Ennemis et maladies : pucerons sur les jeunes pousses, cochenilles au revers des feuilles.

Espèces et variétés : 'Dania' est cultivé pour son feuillage très coloré ; 'Louisae' fleurit plusieurs mois ; 'Snow Queen', aux nervures argentées et aux fleurs jaune acide ; *Aphelandra aurantiaca*, aux épis de fleurs orangé, est peu courant; *A. fascinator*, au feuillage foncé veiné d'argent et aux épis écarlates.

Conseil Truffaut : dépoussiérez le feuillage au moins une fois par mois et lustrez-le.

☞ ***Arum*** voir *Zantedeschia*.

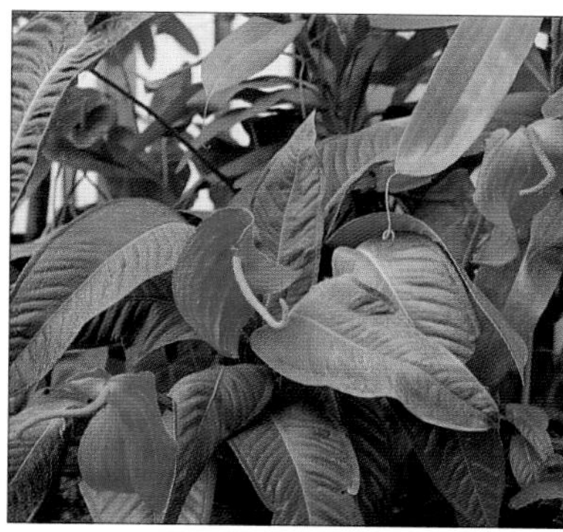

▲ *Anthurium scherzerianum* : une star des tropiques.

▲ *Aphelandra squarrosa* : on l'appelle « plante zèbre ».

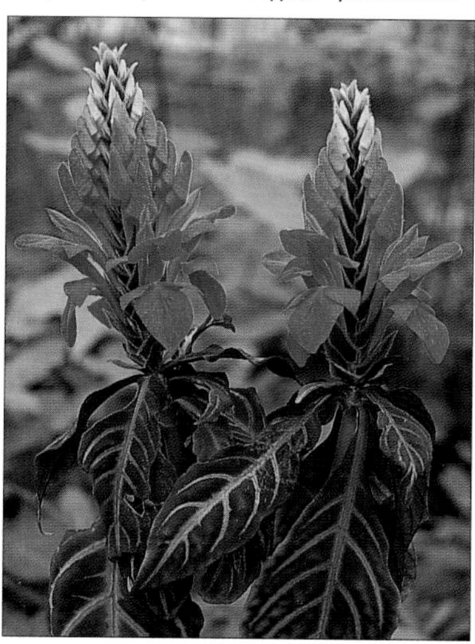

Aphelandra fascinator : une rareté vraiment fascinante. ▶

B

Banksia spp.
BANKSIA

Arbuste persistant, branchu, dense, assez rigide.

Origine : Australie.

Feuilles : de 10 à 20 cm de long, lancéolées, dentées ou découpées en lobes de formes diverses selon les espèces, souvent coriaces, vert foncé.

Fleurs : en été, les inflorescences de 10 à 30 cm de haut, ovoïdes ou cylindriques, jaunes, orangées ou roses, sont composées d'une multitude de fleurs minuscules, tubulaires, qui durent très longtemps.

Lumière : plein soleil toute l'année. Un complément de lumière artificielle est à prévoir en hiver.

Terre : terre de jardin, tourbe blonde et terreau.

Engrais : au moment du rempotage, incorporez au substrat un engrais en granulés pour arbustes.

Humidité de l'air : vaporisez de temps en temps pour dépoussiérer le feuillage, mais sans plus.

Arrosage : une fois par semaine en moyenne toute l'année, selon la température ambiante.

Rempotage : chaque année, au printemps, tant que le banksia n'a pas atteint 1 m de haut. Ensuite, un surfaçage est suffisant.

Exigences particulières : un hivernage au frais (10 °C) est indispensable à la survie du banksia.

Dimensions : jusqu'à 1,50 m de haut, en bac.

Multiplication : les graines sont quasi introuvables en France pour un amateur moyen. Les boutures semi-aoûtées en fin d'été sont difficiles.

Longévité : de 1 à 5 ans en pot, ensuite, la plante perd sa silhouette compacte et harmonieuse.

Ennemis et maladies : chlorose, *Phytophtora*.

Espèces et variétés : il existe 70 espèces, mais seul *Banksia menziezii*, aux inflorescences de 10 à 15 cm de diamètre, est parfois cultivé en pot.

Conseil Truffaut : la fleur du banksia dure plusieurs mois en bouquet. On en trouve régulièrement au rayon fleurs coupées, surtout en hiver.

▲ *Banksia menziezii.*

Begonia nitida var. *odorata.* ▼

Begonia spp.
BÉGONIA

Vivace rhizomateuse ou sous-arbrisseaux à tiges charnues ou bambusiformes, et aux aspects très variés d'une espèce à l'autre.

Origine : régions tropicales, mais on cultive essentiellement des hybrides horticoles.

Feuilles : de 10 à 30 cm de long, cordiformes ou réniformes, plus ou moins charnues, parfois duveteuses ou gaufrées, souvent tachetées ou marbrées.

Fleurs : estivales, solitaires, simples, doubles, en forme d'anémone ou portées en bouquets chez les bégonias tubéreux, elles se réunissent en grappes retombantes très gracieuses chez les bégonias arbustifs ou certaines formes à port pleureur.

Lumière : assez intense, mais jamais de plein soleil direct, surtout durant la période de floraison.

Terre : terre de bruyère fibreuse, terreau et terre de jardin, avec 10 % de fumier décomposé.

Engrais : Durant la végétation, apportez chaque semaine un engrais liquide pour plantes fleuries.

Humidité de l'air : au moins 50 %, mais il ne faut jamais vaporiser le feuillage.

Arrosage : maintenez la motte légèrement humide durant la croissance, sans détremper.

▼ *Begonia* x 'Gold Civast' : un bijou.

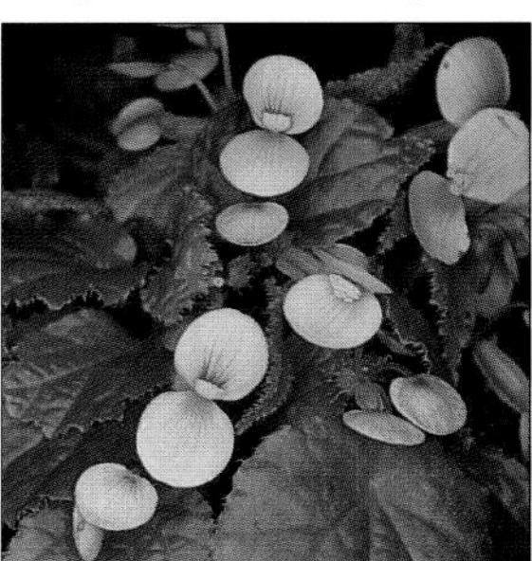

▼ *Begonia* x *hiemalis* : nuance subtile.

▼ *Begonia* x *lucerna* : une pluie de fleurs.

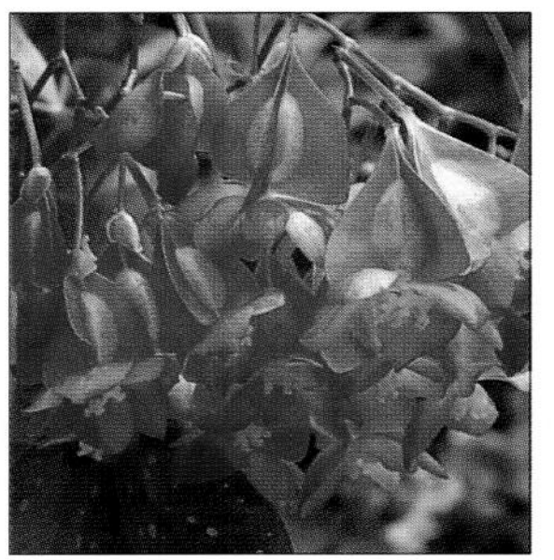

▼ *Begonia* 'Orange Rubra' : en demi-teinte.

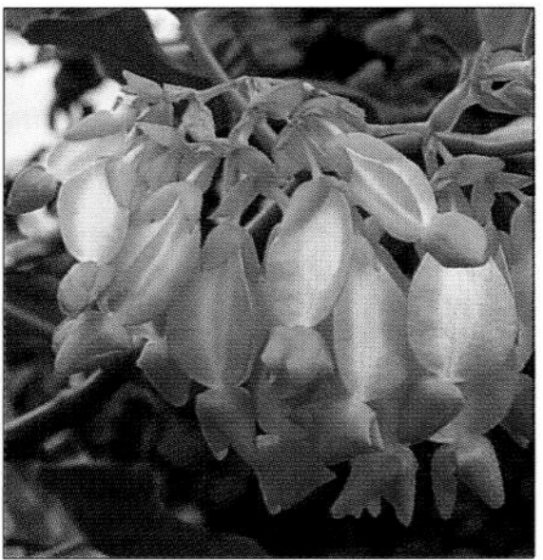

Rempotage : chaque année après la floraison ou au départ de la végétation en février-mars.
Exigences particulières : le secret de la réussite est dans le dosage de l'arrosage. Mieux vaut faire légèrement sécher la plante que le contraire.
Dimensions : de 15 cm à 1,50 m de haut selon les espèces. Les suspensions atteignent 1 m de large.
Multiplication : division des tubercules au printemps, bouturage de feuilles en été.
Longévité : une saison pour les bégonias tubéreux ; de 1 à 3 ans à la maison pour les arbustifs.
Ennemis et maladies : l'oïdium est très fréquent chez les bégonias tubéreux.
Espèces et variétés : le genre *Begonia* comprend environ 900 espèces et des milliers de variétés. Les bégonias tubéreux peuvent être à grosses fleurs, multiflores ou pleureurs *(pendula)*.
Conseil Truffaut : taillez les jeunes pousses des bégonias arbustifs après la floraison, pour qu'ils conservent une silhouette compacte.

Beloperone guttata
PLANTE CREVETTE

Arbuste persistant, buissonnant, désormais baptisé *Justicia brandegeana* par les botanistes.
Origine : Mexique.
Feuilles : de 4 à 8 cm de long, ovales, elliptiques, couvertes de poils fins sur la face supérieure.
Fleurs : toute l'année, des épis de 10 cm de long, formés de bractées orangées imbriquées, protègent des fleurs tubulaires blanches.
Lumière : plein soleil, pas trop brûlant.
Terre : terre de jardin, sable et terreau.
Engrais : mélangez des granulés à action lente au substrat lors du rempotage annuel.
Humidité de l'air : au moins 50 %, mais il ne faut pas vaporiser la plante. Utilisez un humidificateur électrique ou placez le pot sur des gravillons humides.
Arrosage : deux fois par semaine durant la végétation. Tous les 8 à 12 jours en hiver.
Rempotage : chaque année au printemps.
Exigences particulières : taillez toutes les branches des 3/4 à la fin de l'hiver.
Dimensions : de 30 cm à 1 m de haut en pot.
Multiplication : boutures de jeunes tiges herbacées au printemps, en miniserre à 25 °C (difficile).
Longévité : pas plus de 5 ans, l'arbuste se dégarnissant petit à petit de la base.
Ennemis et maladies : pucerons.
Espèces et variétés : 'Chartreuse', aux bractées jaune-vert ; 'Yellow Queen', aux épis jaune vif.
Conseil Truffaut : sortez la plante crevette sur le balcon ou au jardin de mai à octobre.

Bomarea
BOMAREA

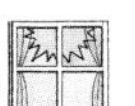

Grimpante tubéreuse, dont les longues tiges s'enroulent autour de tous les types de supports.
Origine : Colombie, Équateur.
Feuilles : de 7 à 15 cm de long, caduques, oblongues, vert glauque, parfois pubescentes.
Fleurs : de mai à septembre apparaissent des bouquets sphériques de 20 à 40 fleurs tubulaires de 4 à 5 cm de long, rose orangé ponctué de noir.
Lumière : intense, mais protégée du fort soleil.
Terre : terre franche, terreau de feuilles, sable.
Engrais : d'avril à septembre, apportez une fois par mois un engrais liquide pour géraniums.
Humidité de l'air : 50 % minimum. Une bonne moiteur permanente est très importante.
Arrosage : une fois par semaine durant la croissance. Tous les 10 à 15 jours en hiver.
Rempotage : chaque année au printemps.
Exigences particulières : il est important que la température se limite à 18 °C, même en été.
Dimensions : jusqu'à 2 m de long, en pot.
Multiplication : seule la division au printemps est à la portée du jardinier amateur.
Longévité : une saison dans la maison, de 2 à 5 ans, si vous disposez d'une serre froide.
Ennemis et maladies : araignées rouges.
Espèces et variétés : sur les 120 espèces connues, seul *Bomarea caldasii* est parfois cultivé.
Conseil Truffaut : jamais d'eau stagnante.

▲ *Begonia socotrana* : à réserver aux collectionneurs.

▲ *Beloperone guttata* : on l'appelle « plante crevette ».

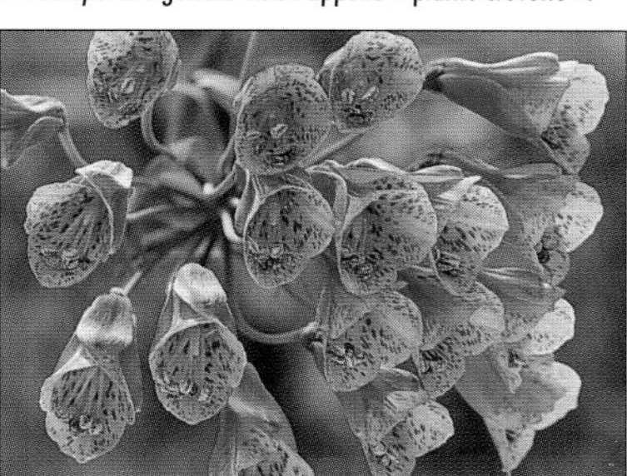

Bomarea caldasii : une grimpante d'une rare beauté. ▶

Bougainvillea x : une profusion de bractées colorées.

Bougainvillea x : une grimpante très généreuse.

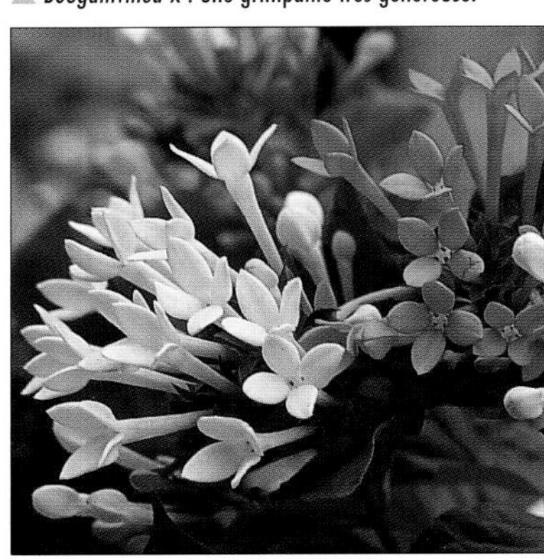

Bougainvillea x
BOUGAINVILLÉE

Vigoureux arbuste sarmenteux, aux tiges épineuses, que l'on appelle aussi « Bougainvillier ».

Origine : Brésil. Nombreux hybrides horticoles.

Feuilles : de 5 à 8 cm de long, persistantes, ovales, pointues, vert brillant, plus claires dessous.

Fleurs : de mai à novembre, des grappes de fleurs, violettes, rouges, roses, blanches, couvrent toute la plante. Elles sont formées de bractées de 3 à 5 cm de long, qui entourent une fleur tubulaire blanche.

Lumière : plein soleil, même très violent.

Terre : terre de jardin, sable et tourbe, avec 20 % de fertilisant à base de fumier et d'algues.

Engrais : d'avril à septembre, arrosez en permanence cette plante gourmande, avec une solution fertilisante (1 bouchon d'engrais pour 10 l d'eau).

Humidité de l'air : inutile de vaporiser, à moins que la température dépasse 15 °C en hiver.

Arrosage : une à deux fois par semaine durant la croissance. Tous les 10 à 15 jours en hiver, en fonction de la température ambiante.

Rempotage : 1 mois après l'achat, puis chaque année avant le démarrage de la végétation.

Exigences particulières : un séjour estival au jardin, au pied d'un mur au sud, ou sur le balcon fait redoubler l'intensité de la floraison.

Dimensions : jusqu'à 3 m de haut en bac.

Multiplication : boutures semi-aoûtées de pousses terminales non florifères en août-septembre, dans une miniserre à l'étouffée, avec hormones et chaleur de fond (22 à 25 °C).

Longévité : une saison dans les conditions normales d'un appartement. Jusqu'à 10 ans si vous pouvez hiverner la bougainvillée dans une véranda.

Ennemis et maladies : araignées rouges par temps chaud et très sec. Pucerons, aleurodes.

Espèces et variétés : *Bougainvillea glabra* et *B. spectabilis* ont produit des dizaines d'hybrides.

Conseil Truffaut : taillez toutes les pousses de la moitié de leur longueur après la floraison.

Bouvardia x : un bouquet de fines trompettes pastel.

Bouvardia x
BOUVARDIA

Vivace arbustive à port buissonnant, touffu.

Origine : Mexique.

Feuilles : de 5 cm de long, persistantes, ovales.

Fleurs : en automne, se forment des corymbes de fleurs tubulaires parfumées, blanches ou roses.

Lumière : intense, mais sans soleil direct.

Terre : tourbe et terreau de feuilles.

Engrais : de mai à septembre, une fois par mois.

Humidité de l'air : inutile de vaporiser.

Arrosage : 2 fois par semaine durant la végétation. Tous les 6 à 8 jours en hiver.

Rempotage : chaque année, au printemps.

Exigences particulières : aérez bien la pièce.

Dimensions : de 50 à 70 cm de haut, en pot.

Multiplication : bouturage, difficile en mai.

Longévité : le bouvardia est très difficile à faire refleurir dans la maison. 2 ou 3 ans, en serre.

Ennemis et maladies : aleurodes, acariens.

Espèces et variétés : seules des formes hybrides de *Bouvardia longiflora* sont cultivées.

Conseil Truffaut : tuteurez les jeunes tiges.

Browallia speciosa
BROWALLE

Vivace buissonnante à souche ligneuse, le plus souvent cultivée comme une annuelle.

Origine : Amérique du Sud tropicale.

Feuilles : de 10 cm de long, ovales, elliptiques, souvent ondulées, vert foncé mat.

Fleurs : en été, étoiles solitaires de 5 cm de diamètre, violettes, bleues ou blanches.

Lumière : intense, mais sans soleil direct brûlant.

Terre : terre de bruyère ou tourbe et terreau.

Engrais : de mai à septembre, apportez tous les 15 jours un engrais liquide dilué de moitié.

Humidité de l'air : inutile de vaporiser.

Arrosage : tous les 3 jours durant la floraison.

Rempotage : inutile, la plante vit une saison.

Exigences particulières : pincez les tiges trop longues pour favoriser la formation des fleurs.
Dimensions : de 30 à 50 cm de haut, en pot.
Multiplication : semis à 18 °C, de janvier à avril, repiquage un mois après la levée.
Longévité : quelques mois, car il est difficile de conserver le browalle après la floraison.
Ennemis et maladies : pucerons, aleurodes.
Espèces et variétés : 'Blue Bells', nain à fleurs bleu violacé ; 'Blue Troll', nain à fleurs bleu clair ; 'Silver Bells', nain à fleurs blanches.
Conseil Truffaut : pincez plusieurs fois les jeunes plantes pour obtenir une touffe compacte.

Brugmansia spp. DATURA EN ARBRE

Arbuste opulent, jadis classé parmi les *Datura*. On l'appelle aussi « trompette-des-anges ».
Origine : Colombie, Chili, Équateur, Andes.
Feuilles : de 15 à 30 cm de long, persistantes, ovales à oblongues, nettement nervurées.
Fleurs : du printemps à l'automne, apparaissent des trompettes pendantes et parfumées de 15 cm de long, roses, jaunes, blanches ou orangées.
Lumière : plein soleil, même très fort.
Terre : terre de jardin, terreau de tourbe, sable.
Engrais : durant la végétation, apportez toutes les 3 semaines un engrais liquide pour tomates.
Humidité de l'air : inutile de vaporiser si la température ne dépasse pas 18 °C dans la pièce.
Arrosage : une fois par semaine de mars à octobre. Tous les 10 à 15 jours durant le repos.
Rempotage : tous les 2 ans, avant la floraison.
Exigences particulières : taillez sévèrement tous les rameaux qui ont porté des fleurs, pour conserver une silhouette compacte à la plante.
Dimensions : jusqu'à 2 m de haut, en bac.
Multiplication : boutures semi-aoûtées de juillet à septembre, en miniserre, à l'étouffée, à chaud.
Longévité : de 3 à 7 ans dans un jardin d'hiver.
Ennemis et maladies : acariens, aleurodes.
Espèces et variétés : *Brugmansia arborea*, à grandes fleurs blanches ; *B. aurea*, à fleurs jaunes ; *B. x candida*, à très grandes fleurs simples ou doubles, blanches, jaunes, abricot, selon les cultivars ; *B. sanguinea*, aux trompettes tubulaires jaune orangé, bordées et veinées de rouge.
Conseil Truffaut : cette plante étant toxique, évitez de la laisser à portée des enfants.

Brunfelsia pauciflora BRUNFELSIA

Arbuste persistant à port érigé, assez compact.
Origine : Antilles, Amérique centrale.
Feuilles : de 8 à 15 cm de long, ovales, elliptiques, coriaces, vert foncé, au bord ondulé.
Fleurs : de janvier à mai, des bouquets de fleurs de 5 à 8 cm de diamètre naissent bleu foncé, deviennent bleu clair le lendemain, puis terminent blanches le 3e jour, d'où leur nom populaire anglo-saxon : « Hier, Aujourd'hui, Demain ».
Lumière : soleil indirect ou filtré.
Terre : terre de bruyère et terreau de feuilles.
Engrais : durant la végétation, apportez tous les 15 jours un engrais liquide pour plantes fleuries.
Humidité de l'air : vaporisez en dehors de la période de floraison, puis placez le brunfelsia sur des gravillons humides, dès l'apparition des boutons.
Arrosage : tous les 3 ou 4 jours durant la croissance. Une fois par semaine en hiver.
Rempotage : chaque année au printemps.
Exigences particulières : pincez les tiges trop longues pour favoriser leur floraison.
Dimensions : jusqu'à 1 m de haut en pot.
Multiplication : boutures herbacées en juin, en miniserre, à l'étouffée, avec chauffage de fond.
Longévité : 2 ou 3 ans, guère plus, en pot.
Ennemis et maladies : araignées rouges.
Espèces et variétés : *Brunfelsia pauciflora* est aussi appelé *B. calycina* 'Floribunda', à fleurs plus foncées ; 'Macrantha', à fleurs plus grandes ; *B. americana* est parfumé la nuit.
Conseil Truffaut : les toutes jeunes plantes doivent être immédiatement rempotées après l'achat.

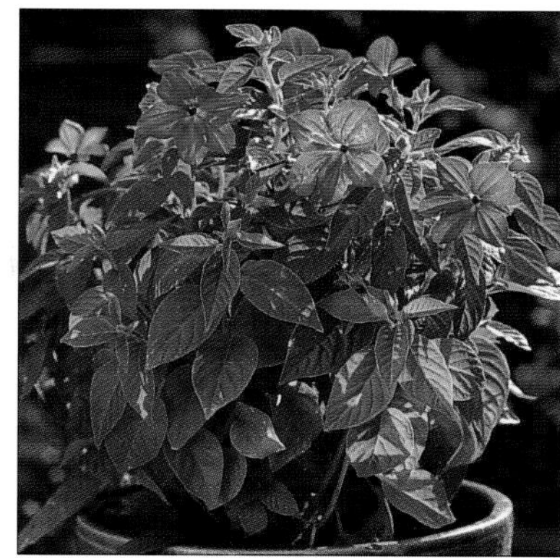
Browallia speciosa : une éphémère violette bleue.

Brugmansia sanguinea : le datura arborescent.

Brunfelsia pauciflora : « Hier, Aujourd'hui, Demain ».

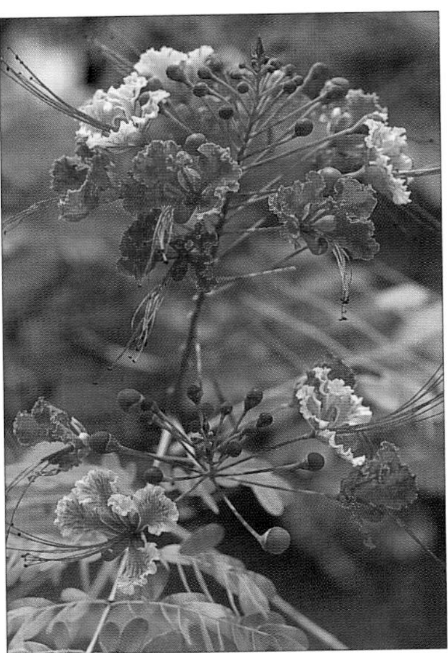

▲ *Caesalpinia pulcherrima* : un gracieux ballet aérien.

Caesalpinia gilliesii
FLAMBOYANT

Arbuste à feuilles caduques, au port léger, appelé aussi parfois « oiseau de paradis ».

Origine : Argentine, Uruguay.

Feuilles : de 20 cm de long, semblables à celles de l'acacia, divisées en petites folioles.

Fleurs : en été, grappes de 30 à 40 corolles jaune-orangé. Étamines rouges, de 5 à 8 cm.

Lumière : plein soleil (5 heures par jour).

Terre : terreau pour géraniums et 10 % de sable.

Engrais : lors du rempotage, ajoutez une cuillerée à soupe de granulés pour plantes fleuries.

Humidité de l'air : aucune exigence.

Arrosage : une fois par semaine, toute l'année.

Rempotage : au printemps, dans des pots assez profonds. Surfaçage des plantes en bac en avril.

Exigences particulières : le flamboyant doit passer l'hiver en serre froide (entre 8 et 10 °C), pour refleurir correctement l'année suivante.

Dimensions : de 1 à 2 m de haut, en bac.

Multiplication : semis au printemps, après trempage des graines 12 h dans l'eau tiède.

Longévité : 6 mois à la maison, plusieurs années si vous disposez d'une véranda.

Ennemis et maladies : araignées rouges.

Espèces et variétés : *Caesalpinia pulcherrima* est très voisin, mais aux fleurs d'un rouge rosé.

Conseil Truffaut : en été, plantez l'oiseau de paradis en pleine terre. Il donnera une floraison deux fois plus abondante qu'en pot.

Calathea crocata
CALATHÉA

Vivace persistante, formant une rosette.

Origine : Brésil.

Feuilles : de 15 à 20 cm de long, ovales, vert foncé, pourpré, avec les nervures rehaussées de gris.

◀ *Calathea crocata* : un contraste très lumineux.

Fleurs : en mars, des bractées orange enveloppent les fleurs dans une inflorescence globuleuse.

Lumière : un doux ombrage est apprécié.

Terre : terre de bruyère, tourbe et sable.

Engrais : tous les 15 jours, d'avril à septembre.

Humidité de l'air : dès que la température dépasse 20 °C, vaporisez la plante avec de l'eau douce (le calcaire marque les feuilles).

Arrosage : à partir d'avril, arrosez fréquemment et à petites doses pour garder le terreau humide. En hiver, laissez la surface de la terre sécher sur 3 cm avant de l'arroser à nouveau.

Rempotage : en avril, dans une coupe, seulement si les racines remplissent tout le pot.

Exigences particulières : attention aux courants d'air et aux brusques écarts de température.

Dimensions : 40 cm de haut et de large.

Multiplication : après la floraison, division des touffes en morceaux de rhizome, racinés.

Longévité : de 2 à 5 ans, en pot à la maison.

Ennemis et maladies : araignées rouges.

Espèces et variétés : il existe d'autres calathéas cultivés pour leur feuillage *(voir page 257)*.

Conseil Truffaut : placez le pot toute l'année sur des gravillons maintenus bien humides.

Calceolaria hybrida
CALCÉOLAIRE

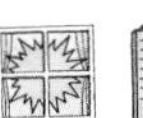 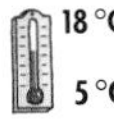

Vivace cultivée comme annuelle.

Origine : Amérique du Sud (Andes).

Feuilles : de 5 à 10 cm de long, lancéolées, vert vif, légèrement gaufrées, duveteuses dessous.

Fleurs : en forme de petit chausson, dans les tons jaunes, orangé, rouges, en avril-mai.

Lumière : une fenêtre à l'ouest est idéale.

Terre : terre de bruyère et terreau pour géraniums.

Engrais : d'avril à septembre, de l'engrais liquide pour plantes fleuries, une fois par semaine.

Humidité de l'air : posez le pot sur un feutre ou un lit de graviers humides. Ne pas vaporiser.

Arrosage : la motte ne doit jamais se dessécher.

Rempotage : aussitôt après l'achat, dans un pot de 16 cm de diamètre.

Exigences particulières : les calcéolaires n'aiment pas la chaleur sèche qui fait tomber leurs boutons. Maintenez la plante au-dessous de 18 °C.
Dimensions : de 20 à 30 cm de haut et de large.
Multiplication : semis, à chaud, de juin à septembre, réservé aux amateurs avertis.
Longévité : la floraison dure de 3 à 5 semaines. Éliminez la plante quand elle est fanée.
Ennemis et maladies : pucerons, pourriture du collet, mouches blanches, surtout en véranda.
Espèces et variétés : il existe plusieurs centaines d'hybrides. La plupart non dénommés.
Conseil Truffaut : par temps doux, installez la plante pour la nuit sur le balcon ou le rebord de la fenêtre, la floraison n'en sera que plus durable.

Calliandra haematocephala
CALLIANDRA

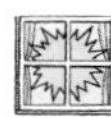

Arbuste persistant, au port ample, buissonnant.
Origine : Brésil, Bolivie.
Feuilles : de 20 à 40 cm de long, composées d'un grand nombre de folioles, elliptiques, vert vif.
Fleurs : les longues et nombreuses étamines rouge grenadine, donnent aux inflorescences des allures de pompon. La floraison a lieu en hiver et chaque houppette dure au moins deux mois.
Lumière : le calliandra demande une lumière maximale. Une véranda est idéale. À défaut, une grande baie vitrée ou une fenêtre de toit conviendront.
Terre : terreau de feuilles, terre végétale et sable grossier, en mélange à parts égales.
Engrais : 2 mois après la floraison, apportez tous les 15 jours un engrais pour arbustes à fleurs, jusqu'à la formation de nouveaux boutons.
Humidité de l'air : vaporisez tous les jours et douchez la plante une fois par mois, pour la débarrasser de la poussière. Pas de lustrant.
Arrosage : une fois tous les 6 à 8 jours. Laissez la motte sécher un peu, entre deux apports d'eau.
Rempotage : tous les 2 ans, au printemps.
Exigences particulières : le calliandra nécessite des tailles régulières pour conserver une silhouette harmonieuse et assez compacte.
Dimensions : de 1 à 2 m de haut, en bac.
Multiplication : boutures de tiges, au printemps, en miniserre, à l'étouffée, à 25 °C (difficile).
Longévité : de 2 à 10 ans.
Ennemis et maladies : mouches blanches.
Espèces et variétés : *Calliandra tweedii* porte un feuillage duveteux et des fleurs plus petites.
Conseil Truffaut : à chaque rempotage, taillez toutes les branches de la moitié de leur longueur.

Callistemon citrinus
RINCE-BOUTEILLES

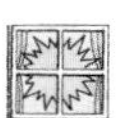

Arbuste persistant, à port dressé, peu ramifié.
Origine : Australie et Nouvelle-Calédonie.
Feuilles : de 8 à 10 cm de long, lancéolées, gris-vert, coriaces. Quand on les froisse, elles dégagent une forte odeur de citron.
Fleurs : au printemps et en été, les étamines forment de gros épis cylindriques rouge corail, en forme de goupillon, de 5 à 15 cm de long.
Lumière : le callistémon demande au moins 3 ou 4 heures par jour de soleil direct.
Terre : terreau, tourbe et sable, à parts égales.
Engrais : d'avril à octobre, apportez tous les 15 jours un engrais liquide pour plantes à fleurs.
Humidité de l'air : en été, brumisez la plante tous les 2 ou 3 jours.
Arrosage : une fois par semaine, toute l'année.
Rempotage : chaque année, au printemps.
Exigences particulières : de novembre à mars, maintenez le callistémon dans une véranda peu chauffée, sinon il ne fleurira pas.
Dimensions : de 1 à 2 m, en bac.
Multiplication : boutures à talon en août.
Longévité : de 3 à 10 ans, en véranda.
Ennemis et maladies : généralement aucun.
Espèces et variétés : 'Splendens', aux inflorescences rouges, plus grosses que celles du type.
Conseil Truffaut : après la floraison, taillez toutes les pousses à 50 cm et placez la plante sur le balcon ou au jardin, jusqu'au début octobre.

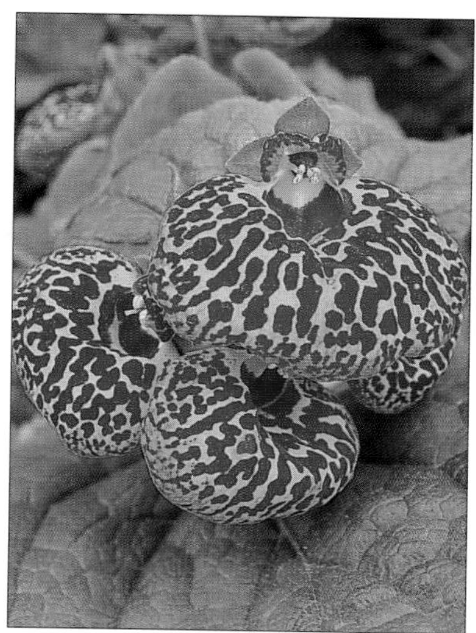

▲ *Calceolaria* hybride : colorée, mais éphémère en pot.

▲ *Calliandra haematocephala* : des plumets de soie.

Callistemon citrinus : l'étonnante plante rince-bouteilles. ▶

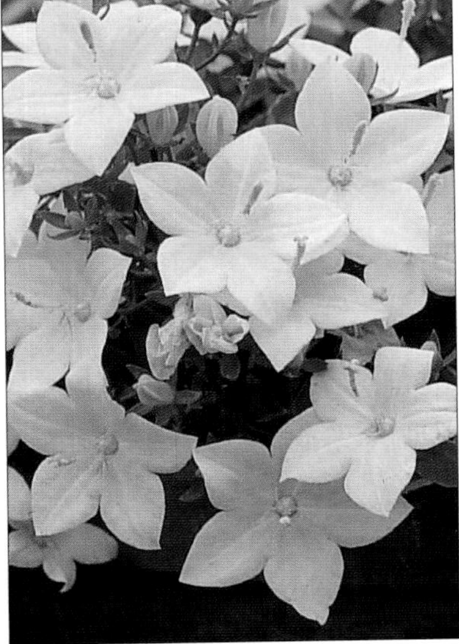

Campanula isophylla 'Alba' convient en suspension.

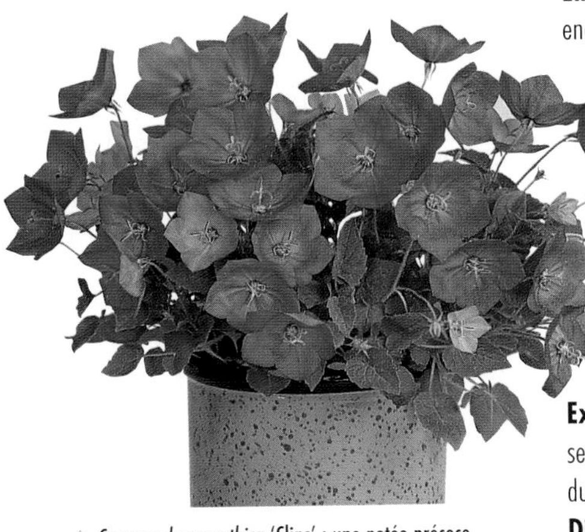

Campanula carpathica 'Clips' : une potée précoce.

Cassia corymbosa : un bel arbuste pour la véranda.

Campanula isophylla CAMPANULE, ÉTOILE DU MARIN

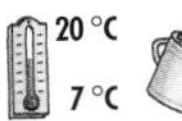

Vivace rampante à tige herbacée et souche ligneuse, appelée aussi « étoile de Bethléem ».

Origine : Italie du Nord.

Feuilles : de 4 à 6 cm de long, arrondies à ovales, dentelées, d'un vert légèrement bleuté.

Fleurs : de mai à octobre, cette campanule se couvre d'une multitude de clochettes étoilées, largement ouvertes. Vous prolongerez la floraison en éliminant au fur et à mesure les fleurs fanées.

Lumière : l'étoile du marin demande une luminosité maximale, mais redoute les rayons brûlants.

Terre : un terreau pour géraniums.

Engrais : toutes les 2 semaines, utilisez un engrais dilué pour plantes fleuries, d'avril à août.

Humidité de l'air : vaporisez chaque jour si la température dépasse 16 °C.

Arrosage : quotidien en été. Tous les trois jours entre 15 et 18 °C. Une fois par semaine au-dessous 15 °C.

Rempotage : sitôt après l'achat, dans un pot de 12 ou 14 cm de diamètre. L'année suivante, rempotez en février si les racines ont colonisé tout l'espace.

Exigences particulières : l'étoile de Bethléem se prête volontiers à la culture en paniers suspendus. Elle préfère la fraîcheur (entre 10 et 15 °C).

Dimensions : 20 cm de haut, 30 cm de large.

Multiplication : bouturage des jeunes tiges, dans le courant de l'été (facile).

Longévité : les plantes deviennent ligneuses et moins florifères après 2 ou 3 ans.

Ennemis et maladies : araignées rouges.

Espèces et variétés : 'Alba', aux grandes fleurs blanches, s'avère plus vigoureuse que l'espèce bleue ; *Campanula carpathica* 'Clips' fait une potée éphémère aux premiers jours du printemps.

Conseil Truffaut : en février, rabattez à 5 cm de hauteur. Les tiges coupées seront bouturées.

Cassia corymbosa ou *Senna* CASSE, CASSIA

Arbuste buissonnant semi-persistant, aujourd'hui classé dans le genre *Senna*.

Origine : le cassia fut introduit en Europe, juste après la Révolution, des régions tropicales d'Amérique du Sud, en particulier d'Argentine.

Feuilles : de 20 à 30 cm de long, pennées, vert pâle, composées de 2 ou 3 paires de folioles. Elles ressemblent aux feuilles d'acacia *(Robinia)*.

Fleurs : en été apparaissent des grappes terminales de 10 à 20 cm de long, formées d'une dizaine de fleurs simples, d'un jaune intense.

Lumière : exposez au plein soleil toute l'année.

Terre : terre végétale et terreau, à parts égales.

Engrais : tous les 15 jours, de mars à septembre, apportez un engrais liquide pour plantes à fleurs.

Humidité de l'air : le cassia supporte l'air un peu sec de la maison s'il ne fait pas trop chaud.

Arrosage : tous les 6 à 10 jours. Laissez la terre sécher sur 3 cm entre deux apports d'eau.

Rempotage : chaque année en mars, jusqu'à ce que le pot atteigne 40 cm de diamètre. Contentez-vous ensuite de surfacer la plante en avril.

Exigences particulières : pour fleurir, le cassia a besoin d'un séjour hivernal au frais, dans une véranda (entre 5 et 10 °C). En été, une sortie au jardin ou sur la terrasse est appréciée.

Dimensions : de 1,50 à 2 m de hauteur, en pot.

Multiplication : facile, par semis après trempage des graines. Bouturez les jeunes tiges en été.

Longévité : de 5 à 10 ans, à condition de disposer d'une véranda, sinon une saison.

Ennemis et maladies : le flétrissement de l'extrémité des tiges traduit souvent la présence de cochenilles des racines. Dépotez et traitez.

Espèces et variétés : d'introduction récente, *Cassia pacifica*, à feuilles et fleurs plus larges ; *Cassia fistula*, le cytise indien, aux longues grappes retombantes et parfumées de mai à septembre.

Conseil Truffaut : juste avant la reprise de la croissance, en avril, taillez toutes les pousses de la moitié de leur longueur.

Catharanthus roseus
PERVENCHE DE MADAGASCAR

20 °C 7 °C

Plante buissonnante semi-arbustive, assez éphémère, à consistance charnue.

Origine : Madagascar.

Feuilles : de 5 cm de long, persistantes, opposées, ovales, vert franc, vernissées.

Fleurs : des corolles roses ou blanches, à 5 lobes largement ouverts s'épanouissent tout l'été.

Lumière : le plein soleil brûle le feuillage.

Terre : terre de bruyère et terreau pour géraniums.

Engrais : dès avril et jusqu'à la fin de la floraison, ajoutez une fois par semaine à l'eau d'arrosage, une dose d'engrais liquide pour plantes fleuries.

Humidité de l'air : minimum 50 %.

Arrosage : maintenez la motte à peine humide et pensez à vider l'eau de la soucoupe. La pourriture des racines est l'une des principales causes de la mort des pervenches de Madagascar.

Rempotage : seulement si le pot est trop petit.

Exigences particulières : une forte chaleur augmente le nombre de fleurs. Si la plante a survécu à l'hiver, taillez sévèrement toutes les tiges.

Dimensions : de 30 à 50 cm de haut et de large.

Multiplication : boutures de jeunes pousses en été ou semis à chaud, en miniserre, au printemps.

Longévité : on jette en général la plante après la floraison estivale, car elle passe mal l'hiver.

Ennemis et maladies : divers champignons tachent les feuilles de brun si l'ambiance est très humide. Les cochenilles, qui colonisent le revers des feuilles, sont difficiles à traiter (pas de bombe).

Espèces et variétés : les fleurs adoptent différents coloris, allant du blanc au rose, du pourpre au violacé. Certaines sont bicolores ou portent des corolles blanches ou rose à œil rose ou grenat. Les plantes des groupes *Cooler* et *Pacifica*, trapues et à grandes fleurs, sont les plus appréciées.

Conseil Truffaut : placez la pervenche de Madagascar à l'extérieur, dès que le temps le permet. Elle restera plus touffue et fleurira plus généreusement. Elle convient en jardinière sur le balcon.

Cestrum elegans
CESTRUM

22 °C 5 °C

Arbuste aux branches arquées, bien buissonnant, pratiquement rustique sur la Côte d'Azur.

Origine : introduit du Mexique, en 1840.

Feuilles : de 5 à 10 cm de long, persistantes, simples, lancéolées, vert vif, vernissées.

Fleurs : tout l'été apparaissent de nombreuses petites fleurs tubulaires, de 2 cm de long, pendantes, d'un rouge grenat très vif, réunies en bouquets à l'extrémité des pousses de l'année.

Lumière : le cestrum exige le plein soleil durant au moins 4 heures par jour, pour bien fleurir.

Terre : terre végétale et terreau de rempotage.

Engrais : de mai à septembre, apportez tous les 15 jours un engrais liquide pour plantes fleuries.

Humidité de l'air : vaporisez tous les 2 jours s'il fait plus de 18 °C. Douchez généreusement le feuillage tous les 15 jours, pour le dépoussiérer.

Arrosage : tous les 3 jours et copieux dès que la température dépasse 20 °C. Une fois tous les 8 à 10 jours d'octobre à mars, pendant le repos.

Rempotage : chaque année, au printemps.

Exigences particulières : de mai à octobre, mieux vaut installer le cestrum à l'extérieur. Un hivernage au frais est nécessaire pour la floraison.

Dimensions : 1,50 m en pot. Les plantes commencent à fleurir à partir de 40 cm de haut.

Multiplication : bouturage des tiges en août, en miniserre à l'étouffée, avec hormones.

Longévité : plus de 6 ans dans une véranda, pas plus d'une saison en appartement.

Ennemis et maladies : généralement aucun.

Espèces et variétés : 'Smithii', aux fleurs rose abricot, presque toute l'année ; *Cestrum nocturnum* à fleurs blanches, délicieusement parfumées la nuit ; 'Newellii', à fleurs pourpres.

Conseil Truffaut : taillez les branches de moitié juste avant le démarrage de la végétation.

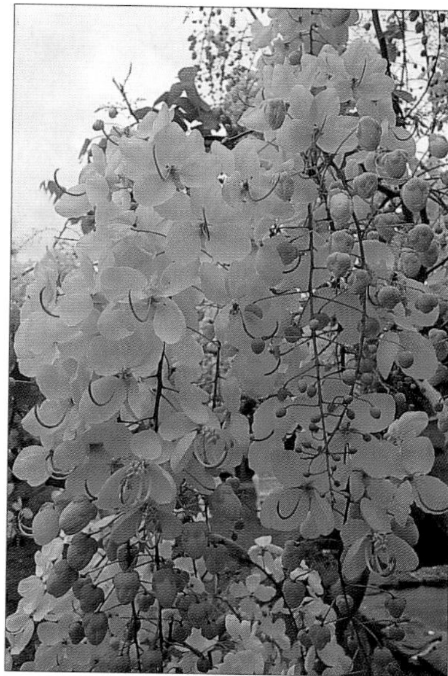

▲ *Cassia fistula* : de longues grappes d'or.

▲ *Catharanthus roseus* : la pervenche de Madagascar.

Cestrum elegans : une longue floraison estivale. ▶

Cineraria

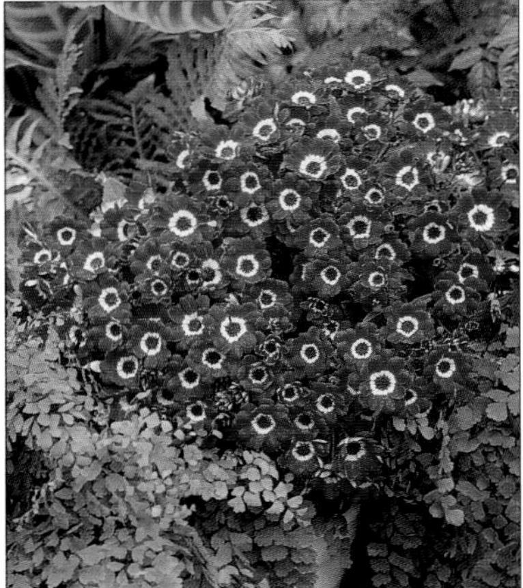

▲ *Cineraria* x *hybrida* : le cinéraire des fleuristes.

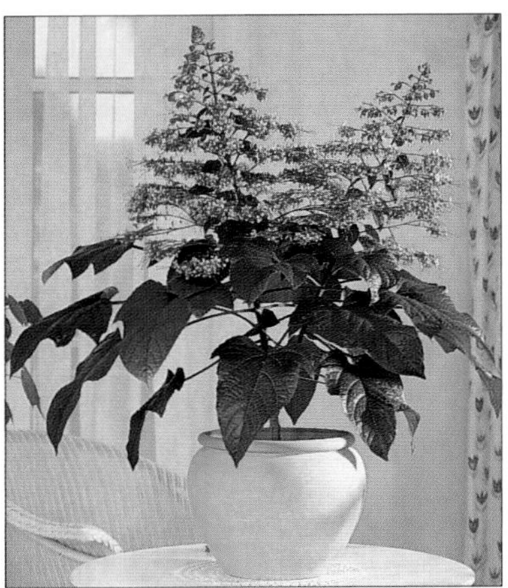

▲ *Clerodendrum speciosissimum* 'Starshine' : étonnant.

Cineraria x *hybrida (Senecio)* CINÉRAIRE HYBRIDE

16 °C – 7 °C

Vivace en forme de coussin, souvent cultivée comme une annuelle. D'abord appelées *Cineraria* x *hybrida*, puis *Senecio cruentus*, ces plantes sont désormais considérées par les botanistes comme des *Pericallis* x *hybrida*.

Origine : *Senecio cruentus* vient des Canaries.

Feuilles : de 20 à 30 cm de long, cordiformes ou triangulaires, vert foncé et rugueuses.

Fleurs : de janvier à avril, des marguerites colorées forment des bouquets au-dessus du feuillage.

Lumière : une bonne luminosité empêche la plante de s'étioler, mais le plein soleil flétrit les feuilles.

Terre : terreau d'écorce et tourbe à parts égales.

Engrais : inutile puisque la plante ne séjourne dans la maison que durant sa floraison.

Humidité de l'air : sensibles aux maladies cryptogamiques, les cinéraires ne supportent pas les atmosphères confinées. Aérez bien la pièce.

Arrosage : maintenez le terreau humide, mais pas détrempé. La soucoupe doit toujours rester sèche.

Rempotage : inutile, la plante est éphémère.

Exigences particulières : la chaleur raccourcit la durée de floraison. Chaque fois que vous le pouvez, installez la plante dans une véranda fraîche ou sur le rebord de la fenêtre si la température extérieure ne descend pas au-dessous de 7 °C.

Dimensions : de 30 à 60 cm de diamètre.

Multiplication : semis en miniserre, à 15 °C, généralement réservé aux professionnels.

Longévité : on achète les cinéraires à partir de janvier et l'on s'en débarrasse après la floraison.

Ennemis et maladies : mouches blanches.

Espèces et variétés : il existe des centaines de variétés de cinéraires, offrant une large gamme de couleurs, du bleu au pourpre, du rose au blanc, du rouge au grenat très foncé. Les fleurs bicolores se parent d'un cercle blanc autour du cœur.

Conseil Truffaut : achetez les plantes quand les boutons laissent juste deviner la couleur de la fleur.

◀ *Clerodendrum thomsoniae* : une liane ravissante.

Clerodendrum thomsoniae CLÉRODENDRON

24 °C – 10 °C

Plante grimpante aux longues tiges raides ou buisson ample et bien ramifié.

Origine : Afrique de l'Ouest.

Feuilles : de 12 à 15 cm de long, persistantes, cordiformes, vert profond, légèrement gaufrées.

Fleurs : en été, grappes de corolles rouge-écarlate, aux étamines proéminentes, entourées d'un calice ivoire, en forme de lanterne ouverte.

Lumière : une fenêtre à l'est convient bien, mais pas de soleil direct de juin à septembre.

Terre : terre végétale, terreau pour géraniums et terre de bruyère, en mélange par tiers.

Engrais : d'avril à septembre, apportez tous les 15 jours un engrais liquide pour plantes fleuries.

Humidité de l'air : au moins 60 %. Brumisez les feuilles le plus souvent possible (dessus et dessous).

Arrosage : tous les 3 ou 4 jours, de mars à septembre, pour conserver le terreau humide. Le reste de l'année, pas plus d'une fois par semaine.

Rempotage : chaque année, en avril, en laissant toujours la plante à l'étroit dans son pot.

Exigences particulières : les clérodendrons réussissent mieux dans la véranda qu'en appartement.

Dimensions : 2,50 m de haut, en pot.

Multiplication : boutures, en juin (difficile).

Longévité : de 3 à 10 ans, en serre.

Ennemis et maladies : mouches blanches et acariens, surtout si l'atmosphère est sèche.

Espèces et variétés : *Clerodendrum speciosissimum*, aux longs panicules écarlates en été ; *Clerodendrum ugandense*, aux fleurs bleues.

Conseil Truffaut : en mars, taillez toutes les pousses de la moitié de leur longueur.

Clianthus puniceus BEC-DE-PERROQUET

 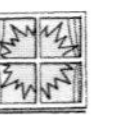 

20 °C – 0 °C

Sous-arbrisseau sarmenteux à tiges grêles.

Origine : Nouvelle-Zélande, introduit en 1831.

Feuilles : de 15 cm de long, pennées, composées de 13 à 25 folioles oblongues, vert foncé.
Fleurs : en juin, bouquets axillaires de 6 fleurs en forme de papillon, rouges à l'éclosion, puis roses.
Lumière : forte, mais sans soleil direct.
Terre : terre de jardin, terreau d'écorces, sable et tourbe en mélange à parts égales.
Engrais : en mars, épandez sur le dessus du pot 1 ou 2 pincées d'engrais en granulés.
Humidité de l'air : dès que la température dépasse 18 °C, bassinez les feuilles à l'eau tiède au moins tous les 3 jours.
Arrosage : tous les 8 à 12 jours en hiver. Dès la reprise de la végétation, arrosez copieusement tous les 3 ou 4 jours, sans jamais détremper la terre.
Rempotage : chaque année, au printemps.
Exigences particulières : les tiges fines demandent à être tuteurées contre un treillage.
Dimensions : environ 2 m de haut, en pot.
Multiplication : semis au printemps ou boutures herbacées à talon en juin, à l'étouffée (difficiles).
Longévité : 1 an entre les mains d'un débutant.
Ennemis et maladies : araignées rouges.
Espèces et variétés : 'Alba' ; fleurit blanc. *Clianthus formosus*, aux fleurs rouges à œil noir.
Conseil Truffaut : après la floraison, taillez les branches de la moitié de leur longueur.

Clivia miniata
CLIVIA

Vivace herbacée à souche bulbeuse.
Origine : Afrique du Sud (Natal).
Feuilles : de 30 à 50 cm de long, rubanées, coriaces, arquées, portées en éventail sur la souche.
Fleurs : de février à avril, une hampe rigide porte, durant plusieurs semaines, une ombelle de fleurs en cornet, rouge-orangé à jaune pâle.
Lumière : le clivia tolère bien la mi-ombre.
Terre : terreau, sable et terre de jardin.
Engrais : d'avril à septembre, apportez tous les 15 jours un engrais liquide pour plantes fleuries.
Humidité de l'air : essuyez les feuilles une fois par semaine avec un chiffon humide.
Arrosage : pas plus d'une fois par semaine. À partir de décembre, arrosez tous les 15 jours.
Rempotage : tous les 2 ans, de préférence dans un pot un peu étroit pour obtenir une meilleure floraison. Les pots en terre s'avèrent plus stables.
Exigences particulières : pour bien fleurir, la plante a besoin d'un repos hivernal à 10 °C.
Dimensions : de 40 à 60 cm de haut. Les touffes les plus âgées atteignent 90 cm de diamètre.
Multiplication : le clivia produit des rejets, qui peuvent être détachés et replantés individuellement quand ils atteignent 15 cm de hauteur.
Longévité : plus de 15 ans, en pot.
Ennemis et maladies : les cochenilles farineuses apparaissent sur les plantes affaiblies.
Espèces et variétés : 'Variegata', aux feuilles rayées longitudinalement de crème ; 'Aurea', à fleurs jaunes (assez rare); *Clivia miniata* var. *citrina*, à fleurs jaune pâle ; *Clivia nobilis*, aux fleurs en trompettes étroites, jaunes et rouges.
Conseil Truffaut : ne laissez pas les graines se former, cela compromet la floraison suivante. Dès que les hampes florales apparaissent, n'augmentez surtout pas l'arrosage, sous peine de provoquer l'avortement de la floraison.

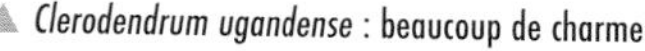
▲ *Clerodendrum ugandense* : beaucoup de charme.

▲ *Clianthus puniceus* : une rareté fort séduisante.

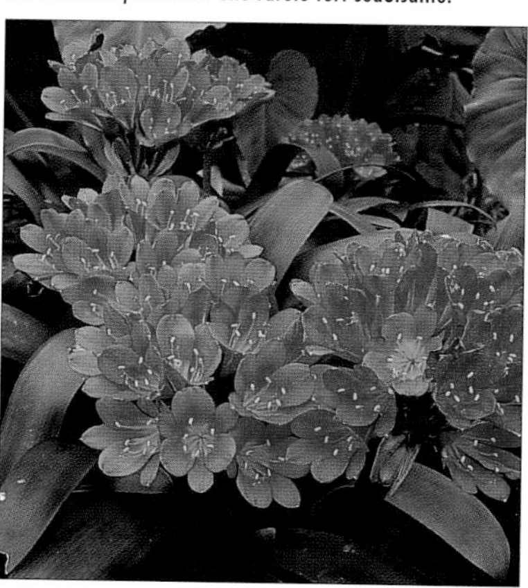

Clivia miniata : une floraison somptueuse en février. ▶

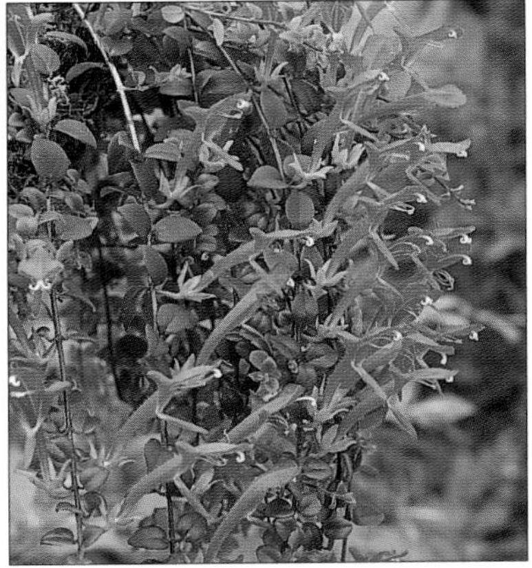

▲ *Columnea microphylla* réussit très bien en suspension.

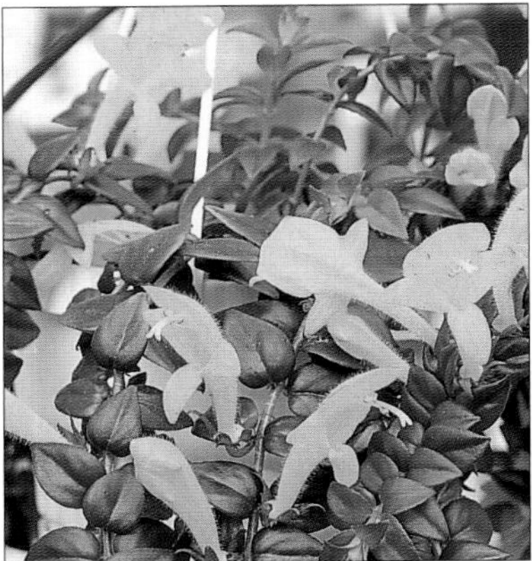

▲ *Columnea* x *banksii* aux fleurs jaunes est assez rare.

Columnea spp. COLUMNÉA

Plante épiphyte à tiges grêles et retombantes.

Origine : forêts tropicales d'Amérique du Sud.

Feuilles : persistantes, petites, elliptiques, lisses et presque charnues ou veloutées.

Fleurs : au printemps, rouge vif, en forme de capuchon, de 5 à 7 cm de long. Gorge jaune.

Lumière : indirecte pour une bonne mise à fleurs.

Terre : 2/3 de terreau pour géraniums assez léger, 1/3 de terre de bruyère fibreuse.

Engrais : tous les 15 jours d'avril à août.

Humidité de l'air : très importante (70/80 %).

Arrosage : deux ou trois fois par semaine l'été.

Rempotage : tous les 2 ans en mars. Attention, les tiges cassent comme du verre !

Exigences particulières : pour bien fleurir, le columnéa doit se reposer en hiver (peu d'eau, température de 12 à 15 °C), puis séjourner dans une pièce chaude, lumineuse et assez humide (serre).

Dimensions : de 60 à 90 cm de long.

Multiplication : boutures de tiges sans fleurs, dans du terreau pour semis, en miniserre à l'étouffée, avec une chaleur de fond (25 °C).

Longévité : plus de 5 ans en serre.

Ennemis et maladies : des arrosages trop copieux entraînent le développement du botrytis.

Espèces et variétés : *Columnea microphylla* aux fleurs orange vif. *Columnea gloriosa* à tiges courtes et fleurs écarlates. Il existe de nombreux hybrides.

Conseil Truffaut : les espèces à feuilles lisses sont en général plus faciles à conserver que celles à feuilles duveteuses, qui pourrissent facilement.

Costus speciosus COSTUS

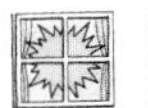

Arbuste aux longues tiges charnues un peu raides.

Origine : régions tropicales de l'Inde.

Feuilles : lancéolées, charnues, elles s'attachent en spirale autour de la tige.

Fleurs : les larges corolles diaphanes, blanches, presque translucides, ne durent qu'une journée.

Lumière : placez près d'une large baie vitrée.

Terre : sable, compost de fumier et terreau.

Engrais : chaque semaine d'avril à septembre.

Humidité de l'air : très importante (80 %).

Arrosage : tous les 4 à 6 jours en été, pas plus d'une fois par semaine de novembre à février.

Rempotage : chaque année en avril.

Exigences particulières : plante frileuse.

Dimensions : 2 m de haut, 1, 50 m de large.

Multiplication : boutures de tiges (difficile).

Longévité : de 3 ou 4 ans (en serre).

Ennemis et maladies : généralement aucun.

Espèces et variétés : *Costus speciosus* est le seul qui soit cultivé couramment en pot.

Conseil Truffaut : bassinez fréquemment.

Crocus hybrides CROCUS

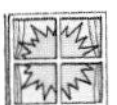

Petite plante vivace bulbeuse formant un cormus, dont il existe environ 80 espèces.

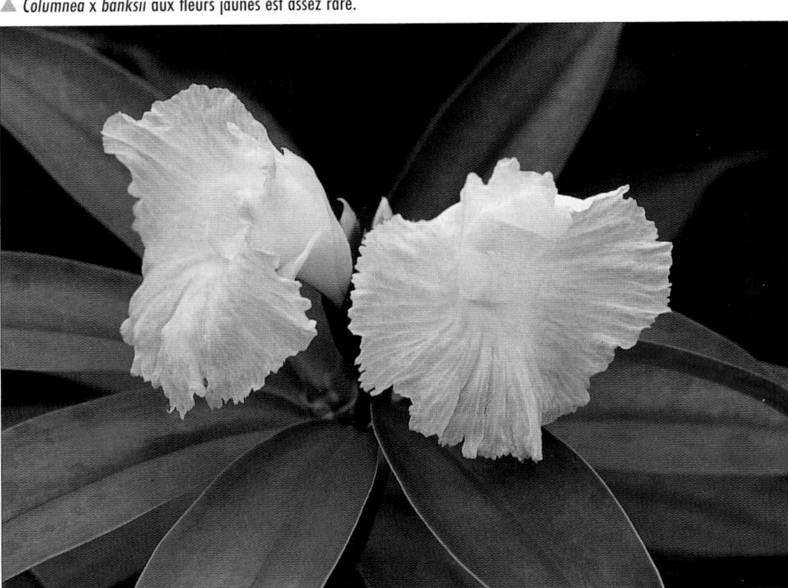

◄ *Costus speciosus* porte de superbes pétales diaphanes.

Origine : les espèces proviennent des régions méditerranéennes, mais on cultive surtout à la maison des formes hybrides produites en Hollande.
Feuilles : fines, rubanées, pointues, rayées de blanc et de vert. Elles pointent avant les fleurs.
Fleurs : en coupes larges qui dévoilent un pistil et des étamines orange vif. Coloris : jaune, bleu, blanc, violet, mauve, bleu veiné de blanc.
Lumière : tout près d'une fenêtre bien éclairée pour empêcher l'étiolement du feuillage.
Terre : terre de jardin, terre à cactées, très sableuses, et terreau pour géraniums, par tiers.
Engrais : quand les fleurs fanent, fertilisez avec un engrais pour tomates toutes les deux semaines.
Humidité de l'air : l'atmosphère assez sèche de nos intérieurs convient aux crocus forcés.
Arrosage : deux ou trois fois par semaine.
Rempotage : laissez les feuilles jaunir dans le pot. Quand elles auront disparu, n'arrosez plus. Rempotez en septembre dans un substrat neuf.
Exigences particulières : les crocus ont besoin pour fleurir d'au moins un mois de froid (0 °C).
Dimensions : de 10-15 cm de haut, 5-7 cm de large.
Multiplication : séparation des bulbilles.
Longévité : un crocus ne fleurit qu'une fois, mais il donne de nombreux bulbilles qui refleurissent.
Ennemis et maladies : généralement aucun.
Espèces et variétés : la floraison des crocus botaniques est moins spectaculaire que celle des hybrides. Le choix de ces derniers est très large.
Conseil Truffaut : pour profiter d'une belle potée, plantez au minimum une dizaine de bulbes.

▲ Les crocus fleurissent aisément dans la maison.

▲ Pots ajourés spéciaux pour le forçage des crocus.

Crossandra infundibuliformis
CROSSANDRA

Sous-arbrisseau à feuillage persistant.
Origine : au XIXe siècle, le crossandra provenant du sud de l'Inde, fut implanté en Europe.
Feuilles : entières, vernissées, elliptiques, aux bords légèrement ondulés, d'un vert profond.
Fleurs : en mai, la plante dresse des épis composés de fleurs orange, qui éclosent les unes après les autres, de bas en haut, jusqu'en septembre.
Lumière : vive, mais sans soleil direct. Attention, trop d'ombre retarde la floraison.
Terre : terreau acide pour azalées.
Engrais : tous les 15 jours, de mars à septembre.
Humidité de l'air : le crossandra se contente de l'humidité ambiante. Ne pas vaporiser d'eau.
Arrosage : délicat ! Le moindre excès d'eau est mortel, surtout en hiver. Arrosez toujours avec de l'eau à la température ambiante de la pièce.
Rempotage : tous les 2 ans, au printemps, avec une bonne couche de gravillons au fond du pot, pour assurer le drainage.
Exigences particulières : le crossandra déteste les courants d'air, qui flétrissent les feuilles.
Dimensions : de 30 à 50 cm de haut.
Multiplication : boutures d'extrémités de tiges en miniserre à l'étouffée avec hormones et chaleur de fond (25 °C). Assez difficile pour un amateur.
Longévité : la floraison étant meilleure sur les jeunes plantes, il est conseillé de renouveler le crossandra tous les 3 ou 4 ans.
Ennemis et maladies : araignées rouges.
Espèces et variétés : 'Mona Walhead' arbore des fleurs saumon. Végétation plus compacte.
Conseil Truffaut : pincez les jeunes pousses pour favoriser une nouvelle floraison.

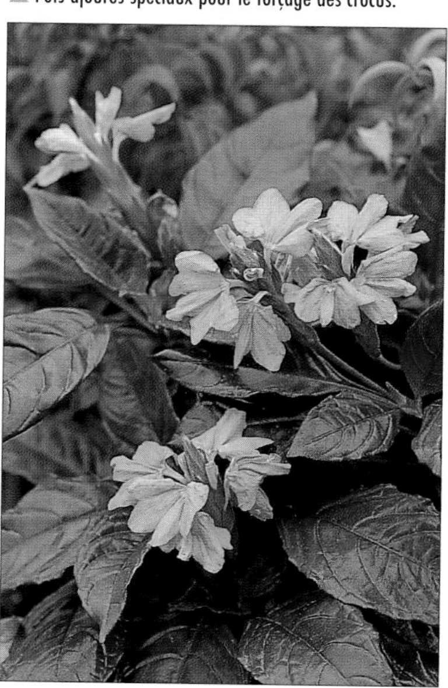
Crossandra infundibuliformis : une grande élégance. ▶

▲ *Cuphea ignea* : on l'appelle la « plante cigarette ».

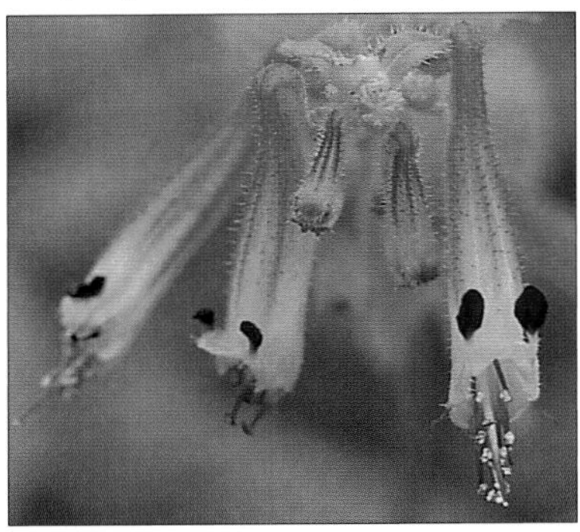

▲ *Cuphea cyaneus* : des petites fleurs aux gros yeux.

Cuphea ignea
PLANTE CIGARETTE

  22 °C 5 °C 

Sous-arbrisseau buissonnant, à tiges souples, souvent cultivé comme une annuelle.

Origine : du Mexique à la Jamaïque.

Feuilles : de 3 à 8 cm de long, persistantes, ovales, vernissées, avec une nervure plus claire.

Fleurs : de juin à novembre, calice tubulaire rouge-orangé vif. Ces fleurs n'ont pas de pétales.

Lumière : toujours la pleine lumière, sinon la floraison est clairsemée ou même inexistante.

Terre : terre végétale et terreau pour géraniums.

Engrais : tout l'été, apportez chaque semaine un engrais pour géraniums ou pour tomates.

Humidité de l'air : pulvérisez le cuphéa à l'eau douce au moins trois fois par semaine.

Arrosage : tous les 3 ou 4 jours, en détrempant la motte. Laissez le pot s'égoutter totalement.

Rempotage : sitôt après l'achat, si le pot semble trop petit, sinon, c'est inutile.

Exigences particulières : rapprochez la plante de la fenêtre si vous voyez qu'elle se languit.

Dimensions : de 30 à 40 cm de haut et de large.

Multiplication : boutures en mars-avril.

Longévité : en général une saison, la plante étant jetée après la floraison. En serre, 3 ans.

Ennemis et maladies : généralement aucun.

Espèces et variétés : *Cuphea cyanea*, aux fleurs orange et rouge, à œil noir, dès les mois de mai.

Conseil Truffaut : bonne plante de balcon, le cuphéa, convient dans une jardinière.

Curcuma alismatifolia
CURCUMA

  24 °C 15 °C 

Vivace à racines tubéreuses et charnues.

Origine : Malaisie et forêts tropicales d'Australie.

Feuilles : de 30 à 40 cm de long, pétiolées, lancéolées à oblongues, vert mat, un peu glauque.

◄ *Curcuma alismatifolia* : une apparence très exotique.

Fleurs : de mai à septembre, des hampes charnues portent des épis dressés, formés de bractées vertes, protégeant une fleur peu ornementale. Au sommet de l'épi, les bractées deviennent stériles, mais prennent un coloris rose intense. Elles donnent l'impression d'une fleur aux pétales multiples.

Lumière : vive, mais sans soleil direct, surtout en été, car il délave les couleurs des fleurs.

Terre : terre végétale, tourbe et terre de bruyère.

Engrais : une fois par semaine, durant toute la période de croissance, avec un engrais liquide géraniums.

Humidité de l'air : au minimum 60 %. Vaporisez quotidiennement toute l'année.

Arrosage : tous les 2 ou 3 jours durant la floraison. Une fois par semaine d'octobre à mars.

Rempotage : les rhizomes sont rempotés chaque année au printemps, dans un grand pot.

Exigences particulières : placez la plante en dormance en hiver, dans une pièce à 15 °C.

Dimensions : de 60 à 80 cm de haut.

Multiplication : au moment du rempotage, divisez les rhizomes des grosses touffes.

Longévité : au moins 3 ans si l'on respecte le repos hivernal et une bonne hygrométrie.

Ennemis et maladies : généralement aucun.

Espèces et variétés : sur les 40 espèces connues, seul *Curcuma alismatifolia* est proposé comme plante ornementale. Le rhizome de certains curcumas est utilisé en poudre, comme épice.

Conseil Truffaut : aérez bien en été. Un séjour estival à l'extérieur est possible, à l'abri du vent.

Cyclamen persicum
CYCLAMEN DES FLEURISTES

  18 °C 8 °C 

Plante à tubercule, formant une touffe arrondie.

Origine : Asie Mineure (1731) et Afrique du Nord.

Feuilles : de 3 à 15 cm de long selon les variétés, cordiformes, délicatement veinées d'argent ou de blanc, portées par des pétioles charnus.

Fleurs : de novembre à mars, des hampes portent des fleurs aux pétales élégamment retournés, roses, rouges, blanches ou bicolores.

Cyclamens des fleuristes dans un joli mélange. ▶

Lumière : une bonne clarté, mais pas de rayons solaires directs, hormis durant l'hiver.
Terre : terreau de feuilles, terre sableuse (terreau pour cactées, par exemple) et tourbe à parts égales.
Engrais : tous les 15 jours, ajoutez à l'eau d'arrosage de l'engrais liquide pour fraisiers ou tomates.
Humidité de l'air : tant que la température reste inférieure à 15 °C, le cyclamen se contente de l'hygrométrie ambiante. Ne pas vaporiser.
Arrosage : tous les 2 jours durant la floraison. Ensuite, le terreau doit sécher presque complètement entre deux apports d'eau.
Rempotage : inutile, car on conserve rarement la plante après la floraison. Sinon, rempotez en automne, après le repos, dans un pot assez étroit.
Exigences particulières : le cyclamen a besoin d'une période de complet repos après la floraison pour reconstituer les réserves de son tubercule.
Dimensions : de 5 à 30 cm de haut.
Multiplication : semis en été, en terrine ou division des tubercules à la fin du printemps.
Longévité : bien qu'il s'agisse d'une plante vivace, on jette la plante après la floraison, car elle refleurit difficilement en appartement.
Ennemis et maladies : les maladies cryptogamiques sont fréquentes sur les cyclamens. Elles se traduisent par un ramollissement des tiges. Évitez de mouiller le feuillage lors de l'arrosage.
Espèces et variétés : il existe des centaines de variétés de toutes tailles, à fleur simple, double ou ondulée, du rose au rouge profond, en passant par le blanc. Les cultivars à fleurs rose pâle exhalent souvent des senteurs prononcées de muguet.
Conseil Truffaut : débarrassez régulièrement la base de la plante des pétioles ramollis qui pourrissent très vite et coupez les fleurs fanées.

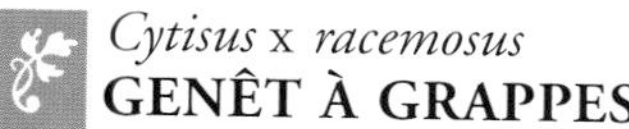

Cytisus x *racemosus*
GENÊT À GRAPPES

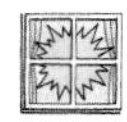

18 °C
6 °C

Arbrisseau au port touffu, parfois proposé sur une petite tige, qui forme un arbre miniature.

Origine : cette forme hybride a été créée par les horticulteurs, à partir du *Cytisus canariensis*.
Feuilles : de 3 cm de long, composées de 3 folioles vert tendre, ovales, légèrement duveteuses.
Fleurs : au printemps, l'extrémité des tiges porte des grappes jaunes de fleurs papilionacées, agréablement parfumées, qui durent un bon mois.
Lumière : quelques heures de soleil direct chaque jour sont nécessaires pour une floraison correcte.
Terre : terre végétale, sable et terreau de tourbe.
Engrais : une fois par mois, de mars à septembre.
Humidité de l'air : inutile de vaporiser.
Arrosage : tous les 3 ou 4 jours tant que la plante fleurit. Une fois par semaine ensuite.
Rempotage : après la floraison.
Exigences particulières : le genêt apprécie la fraîcheur. Aérez la pièce souvent ou installez la plante sur le rebord de la fenêtre, à partir d'avril.
Dimensions : 60 cm de haut en moyenne.
Multiplication : boutures à talon, en août.
Longévité : de 6 mois à 4 ou 5 ans.
Ennemis et maladies : pucerons verts au printemps. Araignées rouges en hiver s'il fait sec.
Espèces et variétés : *Cytisus* x *racemosus* 'Ramosissimus' offre une floraison beaucoup plus longue, qui se poursuit jusqu'au début de l'été.
Conseil Truffaut : taillez tous les rameaux des deux tiers de leur longueur, après la floraison.

▲ *Cyclamen persicum* : à cultiver dans une pièce fraîche.

Cytisus x *racemosus* : un genêt pour la véranda. ▶

▲ *Dendranthema* : le chrysanthème des fleuristes.

▲ *Dipladenia rosea* 'Alba' : une délicieuse grimpante.

Dendranthema x CHRYSANTHÈME

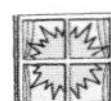  

16 °C / 3 °C

Vivace non rustique, persistante, buissonnante cultivée comme une annuelle.

Origine : Chine et Japon.

Feuilles : de 5 à 15 cm de long, lobées, vert soutenu, légèrement aromatiques si on les froisse.

Fleurs : de septembre à décembre, capitules simples, semi-doubles, doubles ou en boules, dans tous les tons de l'arc-en-ciel, sauf le bleu.

Lumière : directe, intense, mais de courte durée, afin que les boutons s'épanouissent.

Terre : terre de jardin sableuse et terreau.

Engrais : inutile à moins de vouloir conserver la plante. Dans ce cas, un apport d'engrais liquide tous les 15 jours jusqu'à la fin de la floraison.

Humidité de l'air : les chrysanthèmes détestent l'air sec, posez le pot sur un lit de graviers humides. Ne brumisez pas les feuilles, car la plante est sensible aux maladies cryptogamiques.

Arrosage : maintenez le terreau humide, mais sans excès. Surtout pas d'eau au fond du pot.

Rempotage : inutile. Les pieds mères seront rempotés dans le courant du mois de mars.

Exigences particulières : la floraison dure plus longtemps dans une pièce entre 12 et 15 °C.

Dimensions : de 20 à 80 cm de haut.

Multiplication : bouturage facile des pieds mères, en véranda, dans le courant février.

Longévité : on jette en général la plante après la floraison, à moins de posséder une serre froide.

Ennemis et maladies : pucerons, araignées rouges, mouches blanches, oïdium et mildiou.

Espèces et variétés : il existe des centaines de variétés de chrysanthèmes d'automne, très rarement proposées avec une appellation.

Conseil Truffaut : n'achetez pas une plante dont vous ne pouvez pas encore voir la couleur des boutons, elle risque d'avoir du mal à s'épanouir.

◄ *Dipladenia sanderi* 'Rosea' : très florifère en été.

Dipladenia sanderi DIPLADÉNIA

22 °C / 12 °C

Plante volubile vigoureuse, classée aujourd'hui par les botanistes dans le genre *Mandevilla*.

Origine : Amérique du Sud tropicale.

Feuilles : de 10 à 15 cm de long, persistantes, ovales, elliptiques, coriaces et brillantes.

Fleurs : des trompettes largement évasées, roses, rouges ou blanches éclosent en petits bouquets, à l'extrémité des tiges, tout au long de l'été.

Lumière : soleil direct non brûlant.

Terre : terreau pour géraniums et terre de bruyère en mélange à parts égales, avec 10 % de fumier.

Engrais : à partir du mois de mai, nourrissez la plante deux fois par mois avec de l'engrais rosiers.

Humidité de l'air : au moins 70 %. Vaporisez chaque jour, placez le pot sur un lit de graviers humides. L'idéal est un humidificateur électrique.

Arrosage : deux à trois fois par semaine en été. En hiver, maintenez le terreau presque sec.

Rempotage : chaque année au printemps, dans un pot assez profond (au moins 25 cm).

Exigences particulières : le dipladénia est difficile à conserver en appartement.

Dimensions : 50 cm si on le taille après la floraison. Sinon, il dépasse 3 m de haut.

Multiplication : boutures au printemps ou marcottes par couchage, à l'étouffée, à chaud.

Longévité : de 6 mois à 5 ans, si l'humidité, la lumière et la chaleur sont suffisantes.

Ennemis et maladies : les cochenilles élisent domicile le long des nervures sur la face inférieure des feuilles. Traitez avec un produit non huileux.

Espèces et variétés : *Dipladenia boliviensis* aux petites fleurs blanches parfumées. Cette espèce est difficile à trouver dans le commerce, de même que *Dipladenia atropurpurea,* aux fleurs pourpre foncé qui apparaissent sur les plantes de plus de 5 ans.

Conseil Truffaut : sortez le pot de dipladénia sur la terrasse ou au jardin durant tout l'été.

☞ ***Dipteracanthus*** voir *Ruellia.*
☞ ***Distictis*** voir *Phaedranthus.*

Episcia cupreata
ÉPISCIA

24 °C 15 °C

Cette vivace, cousine des saintpaulias, développe des touffes en rosettes stolonifères.

Origine : Colombie, Venezuela, Brésil.

Feuilles : de 5 à 8 cm de long, ovales, duveteuses, vert amande, avec le bord plus sombre.

Fleurs : du printemps à l'automne, des petites clochettes tubulaires, rouge vif et jaune, s'évasent en lobes plus ou moins frangés.

Lumière : vive, mais sans soleil direct.

Terre : tourbe, terreau d'écorce, terre de bruyère.

Engrais : une fois par mois, d'avril à septembre.

Humidité de l'air : seule la proximité d'un brumisateur électrique permet à l'épiscia de prospérer.

Arrosage : tous les 2 jours, pour maintenir le terreau humide durant toute la période de croissance. En hiver, pas plus d'une fois par semaine.

Rempotage : tous les 2 ans, en février-mars, dans des récipients plus larges que profonds.

Exigences particulières : l'épiscia demande tellement d'humidité ambiante qu'il vaut mieux le planter dans une bonbonne ou en terrarium.

Dimensions : 20 cm de haut et de large.

Multiplication : par repiquage des plantules qui se développent à l'extrémité des stolons. Les pétioles des feuilles s'enracinent aisément.

Longévité : 6 mois à la maison, 3 ou 4 ans en serre ou dans un terrarium.

Ennemis et maladies : mouches blanches.

Espèces et variétés : 'Cleopatra', aux feuilles bordées de rouge ; 'Acajou', aux feuilles brun nuancé d'argent ; 'Metallica', avec une bande centrale argentée ; 'Silver Queen', nervuré d'argent.

Conseil Truffaut : achetez l'épiscia en jeune plant pour décorer une bonbonne.

Erythrina crista-galli
ARBRE CORAIL

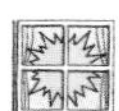

20 °C 2 °C

Arbuste caduc, à souche ligneuse, produisant des tiges annuelles épineuses, souples, arquées.

Origine : Brésil, Bolivie, Argentine.

Feuilles : de 30 cm de long, composées de trois folioles coriaces, d'un vert franc, teinté de bleu.

Fleurs : de juillet à septembre, à l'extrémité des tiges, s'épanouissent des grappes de fleurs papilionacées, épaisses, cireuses, rouge corail brillant.

Lumière : le plein sud, avec soleil direct, est exigé pour obtenir une bonne floraison.

Terre : terre de jardin, terreau et 15 % de fumier.

Engrais : lors du rempotage, incorporez au substrat des granulés d'engrais à diffusion lente.

Humidité de l'air : minimum 50 %. Vaporisez les feuilles deux à trois fois par semaine.

Arrosage : maintenez la plante au sec en hiver. Deux fois par semaine, d'avril à septembre.

Rempotage : chaque année, au printemps.

Exigences particulières : l'érythrine demande un repos hivernal, entre 5 et 10 °C.

Dimensions : 1,50 m en tous sens.

Multiplication : boutures à talon au printemps, à l'étouffée, avec hormones, entre 22 et 25 °C.

Longévité : une saison si vous ne respectez pas la période de repos hivernale, sinon 5 ans et plus.

Ennemis et maladies : cochenilles.

Espèces et variétés : 'Compacta', qui ne dépasse pas 50 cm de haut, est idéale en pot.

Conseil Truffaut : en février, rabattez la plante à 20 ou 30 cm de hauteur.

☞ ***Eustoma*** voir *Lisianthus*.

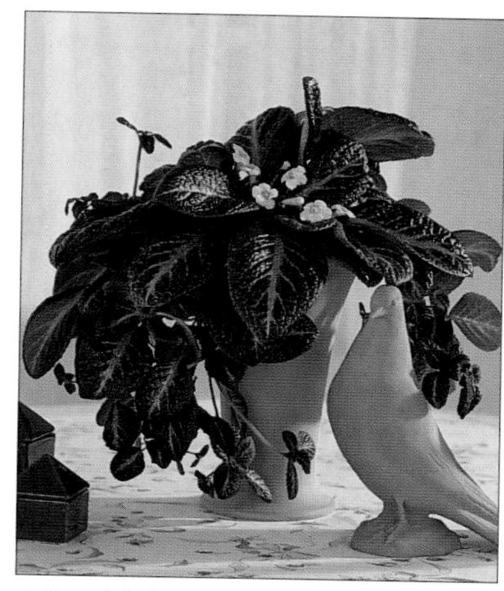

▲ *Episcia* hybride : un joli contraste de couleurs.

▲ *Episcia cupreata* 'Amazon' : un effet très lumineux.

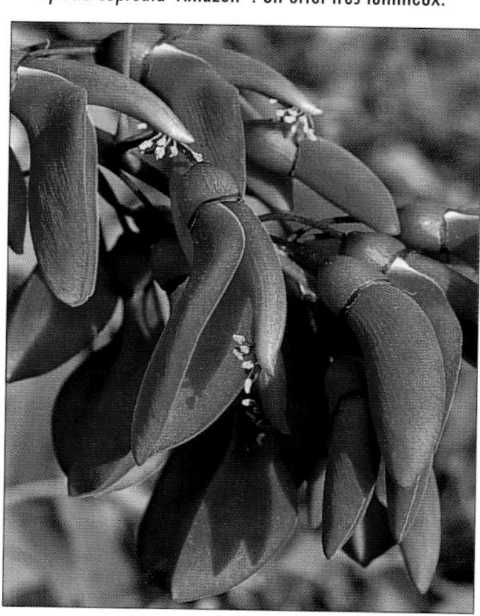

Erythrina crista-galli : des fleurs très spectaculaires. ▶

▲ *Eucharis* x *grandiflora* : une superbe potée d'automne.

▲ La fleur exceptionnelle de l'*Eucharis amazonica.*

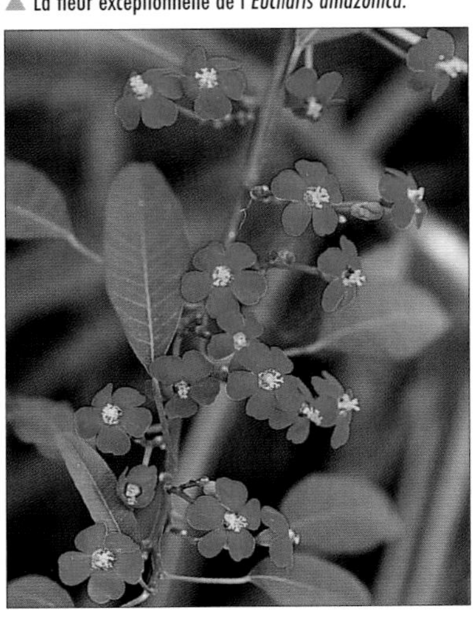

◀ *Euphorbia fulgens* : une floraison aux couleurs toniques.

Eucharis x *grandiflora* LIS D'AMAZONIE

 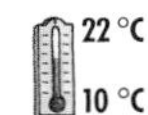 

22 °C
10 °C

Plante vivace bulbeuse à feuillage persistant.

Origine : Colombie, Pérou.

Feuilles : de 40 cm de long, elliptiques, vert brillant, portées par des pétioles charnus.

Fleurs : à la fin de l'été, des pédoncules de 50 cm de haut portent des fleurs retombantes, semblables à celles des narcisses, blanches et parfumées.

Lumière : vive, sans soleil direct.

Terre : terreau de feuilles et terre de bruyère.

Engrais : tous les 15 jours, apportez un engrais liquide pour plantes fleuries, durant la croissance.

Humidité de l'air : posez le pot sur un lit de graviers humides, sans que la base trempe dans l'eau.

Arrosage : tous les 4 jours pendant la végétation, tous les 10 à 12 jours en hiver.

Rempotage : tous les 2 ans, au printemps, dans des pots aussi étroits que possible. La pointe du bulbe doit affleurer la surface du sol.

Exigences particulières : la floraison est induite par des températures nocturnes basses (13 °C) et une réduction des arrosages pendant un mois.

Dimensions : de 40 à 60 cm de haut.

Multiplication : à chaque rempotage, séparez les caïeux qui se développent sur le bulbe principal et replantez-les individuellement dans un godet.

Longévité : 5 ans si l'hivernage est respecté

Ennemis et maladies : généralement aucun.

Espèces et variétés : seule cette forme hybride de *Eucharis amazonica* est commercialisée.

Conseil Truffaut : laissez la plante se développer à l'extérieur jusqu'à l'apparition des fleurs.

Euphorbia pulcherrima POINSETTIA

22 °C
13 °C

Arbuste peu ramifié, à feuilles caduques. On l'appelle aussi souvent « étoile de Noël ».

Origine : Mexique.

Feuilles : de 15 cm de long, elliptiques, lobées, vert foncé, avec une forme évoquant un violon.

Fleurs : d'octobre à février, des bractées rouges, roses, blanches ou jaunes, réunies en rosettes, entourent des fleurettes insignifiantes, jaune crème.

Lumière : forte et directe, en évitant toutefois le soleil de midi. 2 mois avant Noël, enfermez la plante dans une pièce sombre, de 8 h à 16 h. Il faut des « jours courts » pour obtenir la floraison.

Terre : terre de jardin, sable et terreau de tourbe.

Engrais : lors du rempotage, incorporez une dose d'engrais en granulés, à diffusion lente.

Humidité de l'air : pour éviter le jaunissement du feuillage, posez le pot sur un lit de graviers humides, dès que le chauffage fonctionne.

Arrosage : en moyenne une fois par semaine, à partir d'avril, en modulant selon la température.

Rempotage : chaque année, au printemps.

Exigences particulières : après la floraison, le poinsettia demande une période de repos, dans une pièce fraîche et bien éclairée, avec peu d'eau.

Dimensions : de 30 cm à 1,20 m de haut.

Multiplication : boutures de jeunes pousses.

Longévité : la plante est souvent jetée après la floraison. Mais elle peut refleurir régulièrement plusieurs années si elle est maintenue au frais.

Ennemis et maladies : la décoloration des bractées est due à un excès d'eau. Pourriture grise.

Espèces et variétés : *Euphorbia fulgens* forme un petit buisson au port raide, qui se couvre en hiver de « fleurs » (en fait des bractées) écarlates ou blanches, réunies en grappes terminales.

Conseil Truffaut : après la floraison, dès que les feuilles jaunissent, taillez sévèrement toutes les branches à 10 cm de leur point de départ.

Eustoma grandiflorum LISIANTHUS

20 °C
5 °C

Plante bisannuelle, cultivée comme annuelle.

Origine : Mexique et sud des États-Unis.

Feuilles : de 5 à 8 cm de long, elliptiques, vert bleuté, portant 3 ou 5 nervures très visibles.

Fleurs : en été, les boutons floraux spiralés s'épanouissent en cornets de 5 cm de diamètre, bleus, roses ou blancs, aux pétales satinés.
Lumière : vive, sans soleil direct.
Terre : tourbe et terreau d'écorce à parts égales.
Engrais : inutile si la plante est achetée fleurie.
Humidité de l'air : faible, ne pas brumiser.
Arrosage : une fois par semaine en moyenne. Laissez bien sécher le terreau sur 2 cm avant d'arroser à nouveau. Videz la soucoupe.
Rempotage : inutile, la plante étant éphémère.
Exigences particulières : le lisianthus fleurit mieux dans une pièce un peu fraîche et bien aérée.
Dimensions : de 30 à 60 cm de haut.
Multiplication : semis en mars, à 15 °C.
Longévité : jetez la plante après la floraison.
Ennemis et maladies : divers champignons attaquent les tiges, qui ramollissent et fanent.
Espèces et variétés : 'Echo', à fleurs doubles, aux coloris variés ; 'Heidi', aux fleurs simples, blanches, parfois lavées ou soulignées d'un liseré bleu d'encre ; 'Mermaid', à cœur bleu ou blanc.
Conseil Truffaut : le lisianthus peut être cultivé dans le Midi comme plante d'été à massif.

Exacum affine
VIOLETTE DE PERSE

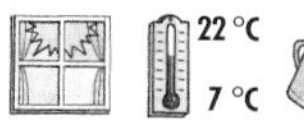

Petite plante vivace, buissonnante, éphémère.
Origine : île de Socotra, au Yémen.
Feuilles : de 3 cm de long, ovales, pointues, vert brillant, portées par des tiges ramifiées et charnues.
Fleurs : de juillet à septembre, la plante se couvre de petites coupelles plates, bleu lilas, parfois blanches, illuminées par des étamines jaune d'or, et parfumées dès que la température dépasse 20 °C.
Lumière : une exposition claire, sans soleil direct, est nécessaire pour que l'exacum fleurisse.
Terre : terre sableuse, terreau et tourbe.
Engrais : tous les 10 jours, de mai à août.
Humidité de l'air : l'atmosphère saturée d'eau d'une salle de bains lumineuse est idéale.

▲ *Euphorbia pulcherrima* : on l'appelle « poinsettia ».

Arrosage : deux à trois fois par semaine pour que le terreau reste humide, mais surtout pas détrempé.
Rempotage : 1 mois après la fin de la floraison, dans un pot de 12 ou 15 cm de diamètre.
Exigences particulières : éliminez régulièrement les fleurs fanées. Pas de courants d'air.
Dimensions : 20 cm de diamètre.
Multiplication : semis en mars ou en août, à 18 °C, en miniserre (assez difficile).
Longévité : on jette l'exacum après la floraison.
Ennemis et maladies : rien à signaler.
Espèces et variétés : il existe des cultivars à fleurs simples ou doubles, bleues ou blanches.
Conseil Truffaut : réunissez plusieurs sujets dans une coupe, pour un effet plus spectaculaire.

▼ *Eustoma grandiflora* convient aussi pour les bouquets.

Exacum affine : à regarder de tout près. ▶

▼ *Exacum affine* : une petite plante cadeau idéale.

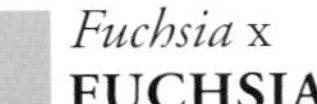

Fuchsia x
FUCHSIA

 20 °C 5 °C 

Sous-arbrisseau à feuillage persistant ou caduc, formant un buisson compact, à port dressé ou retombant, pouvant aussi être conduit sur tige.

Origine : les cultivars modernes sont tous issus d'hybridations des fuchsias botaniques, originaires d'Amérique centrale ou du Sud.

Feuilles : de 6 à 12 cm de long, simples, ovales, vert mat, légèrement dentées, portées par des tiges plus ou moins souples, bien ramifiées.

Fleurs : des clochettes tubulaires s'épanouissent sans interruption de mai aux gelées. Les boutons s'ouvrent en 4 sépales colorés, étoilés, qui accompagnent 4 pétales en clochette, de couleur souvent différente. Étamines et pistils dépassent des corolles. Les coloris se déclinent du blanc au rose, en passant par tous les tons de rouge, de mauve et de violet.

Lumière : la mi-ombre légère convient au fuchsia, qui supporte même quelques heures de plein soleil le matin, ou en fin d'après-midi.

Terre : terre de jardin assez riche, terreau et sable grossier, en mélange à parts égales.

Engrais : d'avril à octobre, apportez un engrais liquide pour plantes à fleurs tous les 10 jours.

Humidité de l'air : de novembre à mars, le fuchsia a besoin d'être vaporisé de une à deux fois par semaine, en fonction de la température ambiante.

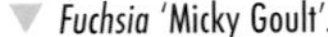

◄ *Fuchsia* 'King George', sur tige.

▼ *Fuchsia* 'Liebriez'.

▼ *Fuchsia* 'Micky Goult'.

▼ *Fuchsia* 'Cameron Ryle'.

Arrosage : augmentez la quantité et la fréquence des apports d'eau, en fonction de la température. Le terreau peut se dessécher superficiellement entre deux arrosages, mais il est important que le cœur de la motte reste humide en été.

Rempotage : chaque année, au printemps pour les pieds mères qui ont été hivernés dans la véranda. Les jeunes plants demandent plusieurs rempotages en cours de saison jusqu'à la taille adulte.

Exigences particulières : la forte chaleur (au-dessus de 25 °C) déplaît au fuchsia. En été, il est préférable de l'installer dans un coin frais du jardin ou de la terrasse, ou de le maintenir dans une pièce assez fraîche de la maison. Taillez le fuchsia quand il a fini de fleurir, pour l'inciter à produire au printemps de nouvelles tiges florifères. Les plantes en touffes peuvent être rabattues des trois quarts.

Dimensions : de 30 cm à 1,50 m de haut.

Multiplication : bouturage de pousses terminales, de 10 cm de long, prélevées à la fin de l'été.

Longévité : de 1 à 5 ans selon les conditions d'hivernage. Les fuchsias trop âgés se dégarnissent de la base et perdent de leur valeur ornementale.

Ennemis et maladies : mouches blanches, pucerons, araignées rouges, pourriture grise.

Espèces et variétés : il existe plusieurs milliers d'hybrides au port dressé ou retombant, à fleurs simples ou doubles. Deux catégories : les fuchsias à grosses fleurs et ceux à petites fleurs, ces derniers conviennent comme plantes d'intérieur éphémères ou pour la décoration permanente de la véranda.

Conseil Truffaut : lors du rempotage, ajoutez 15 % d'amendement organique au terreau. Il n'est pas possible de conserver un fuchsia en hiver dans les conditions normales d'un appartement, car il nécessite la lumière et la fraîcheur d'une véranda.

Gardenia augusta
GARDÉNIA

 22 °C 7 °C 

Petit arbuste persistant, buissonnant, touffu.

Origine : Chine, Japon, Taïwan.

Feuilles : de 8 à 12 cm de long, groupées par 3, elliptiques, coriaces, vernissées, vert sombre.

Fleurs : de mai à novembre, le gardénia porte des corolles cireuses, solitaires, semi-doubles ou doubles, bien turbinées, d'un blanc laiteux qui devient jaune crème en fin d'épanouissement. Les fleurs émettent un parfum puissant et capiteux.

Lumière : aussi vive que possible, mais sans soleil direct entre mi-mai et fin septembre.

Terre : terre de bruyère et terreau de feuilles.

Engrais : durant la croissance, apportez tous les 15 jours un engrais liquide pour plantes de terre de bruyère ou un engrais pour orchidées.

Humidité de l'air : au moins 60 %. L'air sec est responsable de la chute des boutons avant leur complet épanouissement. Posez le pot sur un lit de graviers humides et ayez toujours à portée de main un pulvérisateur pour mouiller le feuillage, mais pas les fleurs, qui se tacheraient et tomberaient.

Arrosage : de une à trois fois par semaine durant la croissance, avec une eau non calcaire, maintenue à la température ambiante ou tiède (posez la bouteille d'eau près d'un appareil de chauffage). Ne détrempez pas, mais ne laissez jamais le substrat se dessécher, même en hiver.

Rempotage : une fois par an, après la floraison, dans un mélange enrichi de 10 % de fertilisant organique à base de fumier et d'algues.

Exigences particulières : pas de courants d'air, ni de variations brutales de la température. Évitez de placer le gardénia dans un bac à réserve d'eau.

Dimensions : de 30 cm à 1 m de haut en pot.

Multiplication : bouturage de tiges semi-aoûtées, de juillet à septembre, en miniserre à l'étouffée, avec hormones et chaleur de fond (30 °C).

Longévité : de 6 mois à 1 an dans la maison. De 3 à 7 ans dans une serre tempérée ou une véranda.

Ennemis et maladies : cochenilles, pucerons et araignées rouges, taches foliaires, chlorose.

Espèces et variétés : il existe 200 espèces de gardénias environ. *Gardenia augusta* est plus connu sous son ancienne appellation *G. jasminoïdes* ; 'Veitchiana' fleurit plus spécialement en hiver ; *G. tahitensis*, le tiaré, est la fleur symbole de la Polynésie offerte en cadeau de bienvenue.

Conseil Truffaut : une période de repos en hiver dans une pièce fraîche (10 °C), avec des arrosages réduits, permet d'induire une bonne floraison.

Gesneria cardinalis
GESNÉRIA

Plante herbacée à souche rhizomateuse, encore parfois dénommée : *Rechsteineria cardinalis*.

Origine : Amérique du Sud, Antilles.

Feuilles : de 12 à 18 cm de long, ovales à cordiformes, légèrement dentées et gaufrées, veloutées.

Fleurs : le gesnéria produit au printemps des grappes de fleurs rouge orangé, portées par des pétioles couverts de poils rouges à la base du calice.

Lumière : le gesnéria a besoin de beaucoup de lumière, mais à l'abri du soleil direct.

Terre : terreau d'écorce et terre de bruyère.

Engrais : tous les 10 jours, durant la floraison, utilisez un engrais liquide pour plantes fleuries.

Humidité de l'air : au moins 70 %. Le gesnéria ne réussit qu'en serre chaude ou en terrarium, à défaut, dans une bonbonne de verre.

Arrosage : délicat. Trop d'humidité pourrit les tiges. À l'inverse, le gesnéria se remet très mal d'une période de sécheresse. Arrosez lorsque le terreau n'adhère plus sur les doigts. Après la floraison, un apport d'eau par semaine suffit.

Rempotage : au printemps.

Exigences particulières : l'eau d'arrosage ne doit pas contenir de calcaire. Ne pas vaporiser le feuillage, poser le pot sur des gravillons humides.

Dimensions : de 20 à 30 cm de haut en pot.

Multiplication : boutures de feuilles ou semis de graines fraîches (très difficiles à trouver).

Longévité : quelques semaines dans la maison. Guère plus de 2 ans dans une serre chaude.

Ennemis et maladies : le collet de la plante est une zone sensible : différents champignons noircissent et font pourrir les tissus.

Espèces et variétés : il existe une cinquantaine d'espèces. Seul *Gesneria cardinalis* est proposé.

Conseil Truffaut : le gesnéria est une plante de collectionneur qu'il faut s'offrir comme un plaisir éphémère. Mais tentez quand même des boutures dans l'eau : on a parfois d'heureuses surprises.

▲ *Gardenia jasminoides* : on en trouve de toutes tailles.

▲ *Gardenia tahitensis* : le tiaré au parfum exotique.

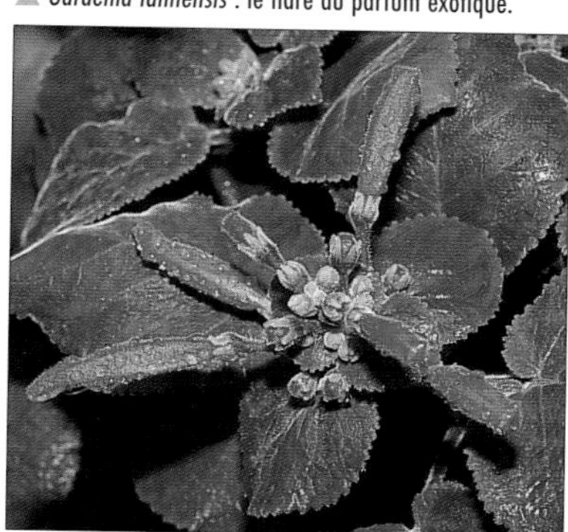

Gesneria cardinalis : feuilles de velours, fleurs de feu. ▶

▲ *Gloriosa superba* 'Rothschildiana' enflamme l'été.

▲ *Grevillea banksii* : une fleur délicate, échevelée.

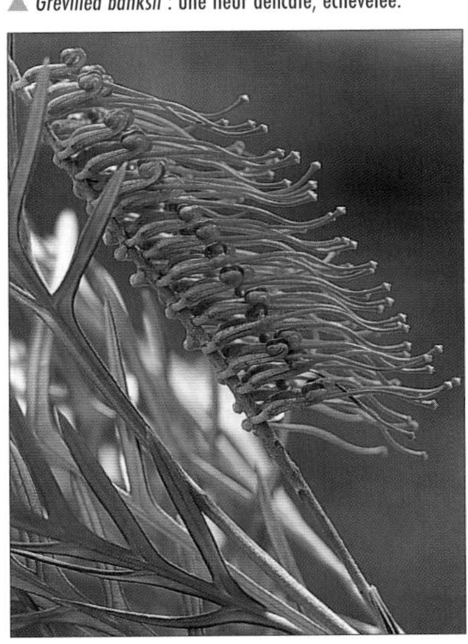

◄ *Grevillea* 'Robyn Gordon' : une curiosité pour la véranda.

Gloriosa superba
LIS DE MALABAR

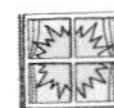  

Plante grimpante volubile, à souche tubéreuse.

Origine : Afrique tropicale, Inde.

Feuilles : de 5 à 8 cm de long, opposées, lancéolées, d'un vert vif et brillant. Certaines se terminent par une vrille, qui permet à la plante de s'accrocher.

Fleurs : de juillet à octobre, de longues tiges portent des corolles de 5 à 10 cm de diamètre, à 6 pétales retournés, rouge vif, au bord jaune et ondulé. Les étamines sont longues et saillantes.

Lumière : pour bien fleurir, le lis de Malabar exige une luminosité importante et même quelques heures de soleil direct, le matin ou le soir.

Terre : terre de jardin, terreau de feuilles et sable.

Engrais : d'avril à août, nourrissez la plante tous les 10 jours, avec un engrais pour géraniums.

Humidité de l'air : minimum 50 %. Chaque semaine, vaporisez le feuillage pour le dépoussiérer.

Arrosage : tous les 8 jours, jusqu'à l'apparition des premières tiges, tous les 4 jours ensuite.

Rempotage : en mars, remettez en végétation les tubercules, dans un substrat neuf.

Exigences particulières : courant novembre, laissez la végétation se faner et les tubercules sécher. Conservez-les au sec et hors gel.

Dimensions : 2 m de haut, 1 m de large.

Multiplication : lors du rempotage, séparez les tubercules latéraux et rempotez-les individuellement. Vous pouvez aussi semer les graines à chaud (22 °C), dans une miniserre, en février.

Longévité : 1 an, à moins de bien faire hiverner les tubercules, pour renouveler la plante.

Ennemis et maladies : pucerons. Un excès d'arrosage fait brunir et tomber le feuillage.

Espèces et variétés : on cultive surtout la forme 'Rotschildiana', à grandes fleurs rouges flammées de jaune. *Gloriosa superba* 'Citrina', à fleurs jaune citron, est plus rare. Il n'existe qu'une espèce.

Conseil Truffaut : manipulez les tubercules longs et minces avec précaution, car ils cassent facilement.

☞ ***Gloxinia*** voir *Sinningia*.

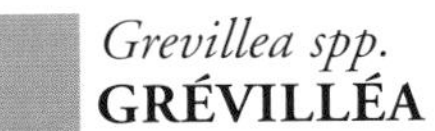

Grevillea spp.
GRÉVILLÉA

Arbuste persistant, élégant au port buissonnant.

Origine : Australie, Nouvelle-Guinée.

Feuilles : de 20 à 45 cm de long, aussi finement découpées que les frondes d'une fougère, duveteuses, portées par des tiges de couleur foncée.

Fleurs : du printemps à l'automne, le grévilléa porte des grappes de fleurs orangées ou rouges, sans pétales, mais au style incurvé. La floraison n'a lieu que dans les régions très ensoleillées.

Lumière : vive mais sans excès. Un éclairage artificiel est conseillé en hiver (4 heures par jour).

Terre : terre de bruyère, terre franche et terreau en mélange à parts égales.

Engrais : d'avril à septembre, apportez un engrais liquide 'Agrumes', tous les 15 jours.

Humidité de l'air : dans une pièce à plus de 10 °C, le grévilléa a besoin d'une vaporisation quotidienne en hiver, avec de l'eau non calcaire.

Arrosage : durant la croissance, ne pas laisser le terreau se dessécher, car les racines du grévilléa aiment l'humidité. En hiver, arrosez tous les 8 jours.

Rempotage : en mars, quand les racines commencent à sortir par le trou de drainage du pot. La croissance étant vigoureuse, choisissez un pot de deux tailles supérieures au précédent.

Exigences particulières : le grévilléa ne supporte pas le calcaire. Une fois par mois, apportez une dose diluée de produit anti-chlorose.

Dimensions : jusqu'à 2 m, en pot, à la maison.

Multiplication : boutures à talon en été, en miniserre, avec hormones et chauffage de fond.

Longévité : après 4 à 5 ans, remplacez la plante.

Ennemis et maladies : acariens, cochenilles.

Espèces et variétés : *Grevillea banksii* aux longs épis rouge rosé ; *G.* 'Robyn Gordon', aux branches arquées ; fleurs rouges évoluant vers le rose.

Conseil Truffaut : pour limiter la croissance du grévilléa, taillez après la floraison en réduisant les branches de la moitié de leur longueur.

Haemanthus multiflorus
HÉMANTHE

Vivace bulbeuse, dont la nouvelle identité botanique est : ***Scadoxus multiflorus.***

Origine : Afrique du Sud.

Feuilles : de 15 à 25 cm de long, dressées, ovales, aux bords ondulés, portées par un faux pétiole.

Fleurs : la hampe florale, produite avant les feuilles, forme une ombelle sphérique, rouge, de 20 cm de diamètre, au parfum de noix de coco.

Lumière : soleil direct non brûlant.

Terre : terre à cactées ou sable et terreau.

Engrais : deux fois par mois, d'avril à septembre.

Humidité de l'air : l'hémanthe se satisfait de l'atmosphère normale d'un intérieur.

Arrosage : tous les 8 à 10 jours, tant que la hampe n'est pas sortie. Puis une à deux fois par semaine jusqu'à la fin de la floraison.

Rempotage : tous les 3 ans, en mars.

Exigences particulières : conservez le bulbe au sec et hors gel après le jaunissement du feuillage.

Dimensions : 30 à 40 cm de haut (en fleurs).

Multiplication : séparez les bulbilles et rempotez-les individuellement. Floraison après 5 ans.

Longévité : plusieurs années si la période de repos est bien respectée.

Ennemis et maladies : généralement aucun.

Espèces et variétés : *Haemanthus albiflos*, aux inflorescences de 5 à 7 cm de diamètre, blanches, en forme de brosses ; *H. coccineus*, semblable, mais rouge orangé. Ces deux espèces sont désormais considérées comme étant les véritables représentants du genre. Les formes à grandes fleurs comme *magnificus* ou *multiflorus* sont devenues pour les botanistes des *Scadoxus*, mais sont vendues sous l'ancienne appellation *Haemanthus*.

Conseil Truffaut : plantez le bulbe d'hémanthe dans un pot de 18 à 20 cm de diamètre, en laissant la pointe émerger en surface.

Hedychium coronarium
HÉDYCHIUM

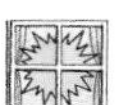

Belle vivace rhizomateuse, formant une touffe.

Origine : Chine, Népal, Himalaya, Inde.

Feuilles : de 30 à 50 cm de long, lancéolées, pointues, gris-vert, portées par de fortes tiges.

Fleurs : d'août à octobre, les tiges portent à leur extrémité des épis dressés, de 20 à 30 cm, formés de fleurs jaunes à étamines rouges, parfumées.

Lumière : une fenêtre au sud, non voilée.

Terre : terreau pour géraniums et terre de jardin.

Engrais : d'avril à septembre, un apport d'engrais liquide pour plantes fleuries, tous les 20 jours.

Humidité de l'air : vaporisez le feuillage une fois par semaine en été, chaque jour en hiver.

Arrosage : une fois par semaine durant la croissance. Tous les 10 à 12 jours en hiver.

Rempotage : tous les 2 ou 3 ans, au printemps.

Exigences particulières : en raison de sa vigueur, l'hédychium pousse beaucoup mieux en pleine terre dans un jardin d'hiver.

Dimensions : 1 m de haut et de large en pot, le double pour une plante installée en pleine terre.

Multiplication : division des rhizomes, portant au moins une tige, au moment du rempotage.

Longévité : illimitée si vous le divisez souvent.

Ennemis et maladies : pucerons, acariens.

Espèces et variétés : *Hedychium coronarium*, à fleurs blanches, très parfumées, peut être cultivé au jardin dans le Midi, de même que *H. denfiflorum*.

Conseil Truffaut : après la floraison, coupez les tiges à 10 cm du sol et surfacez avec du fumier.

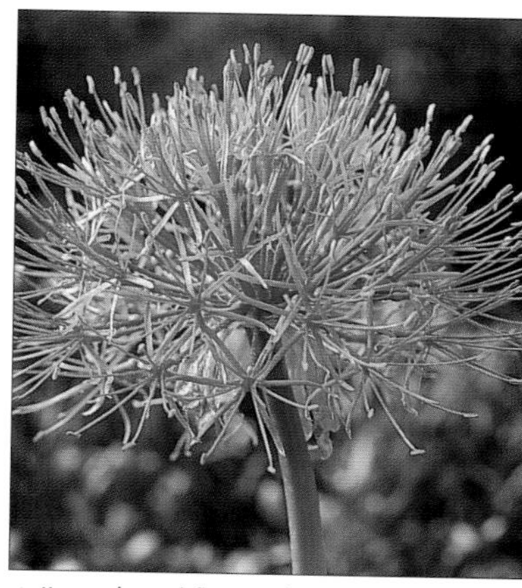

▲ *Haemanthus multiflorus* : on l'appelle aussi « *Scadoxus* ».

▲ *Haemanthus puniceus* : un toupet très chaleureux.

Hedychium gardnerianum : un gingembre géant. ▶

La fleur de l'héliconia dépasse 80 cm de longueur.

Rempotage : tous les ans, en mars-avril.
Exigences particulières : pas de courants d'air, beaucoup de moiteur. Une serre est idéale.
Dimensions : jusqu'à 2 m de haut en bac.
Multiplication : division au printemps ou séparation des rejets produits par la plante mère.
Longévité : 1 à 2 ans dans les conditions normales d'un appartement; 5 à 10 ans en serre.
Ennemis et maladies : araignées rouges en été par temps sec. Cochenilles en hiver.
Espèces et variétés : *Heliconia caribaea* aux inflorescences dressées rouges. *H. stricta,* aux bractées orange. *H. schiedeana* et *psittacorum*, dont les fleurs ressemblent à celles du strélitzia.
Conseil Truffaut : sortez l'héliconia dehors en été et installez-le en pleine terre, comme un canna.

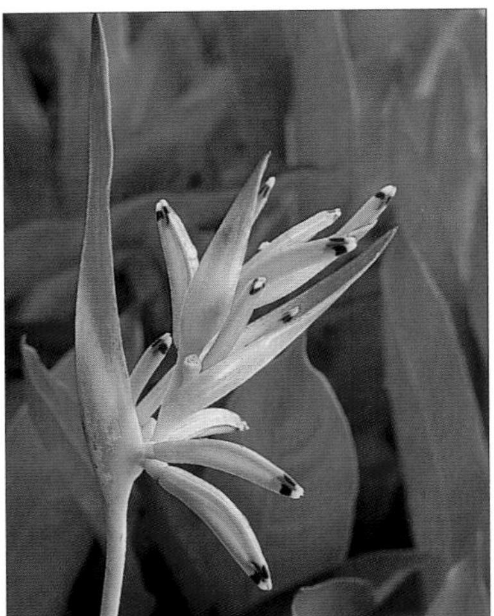

Heliconia psittacorum 'Lady Di' : une jolie curiosité.

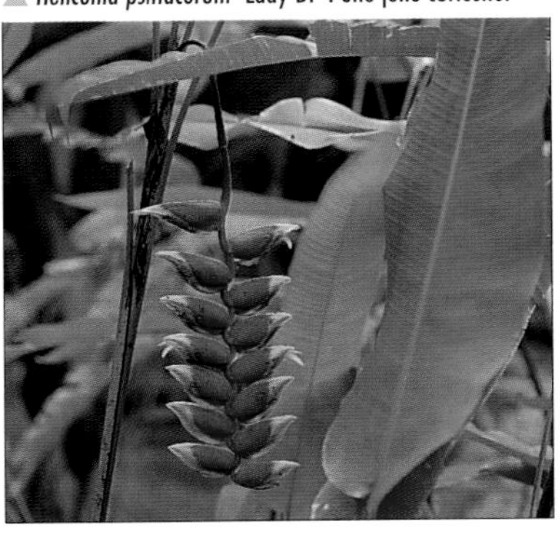

Heliconia rostrata : l'inflorescence dure plusieurs mois.

Heliconia spp. HÉLICONIA

Vivace rhizomateuse à grand développement.
Origine : Brésil, Pérou, Équateur, Antilles.
Feuilles : de 0,50 à 1,50 m de long, oblongues, coriaces, érigées, portées par un long pétiole.
Fleurs : des hampes pouvant atteindre 1 m de long portent des inflorescences composées de bractées vivement colorées, protégeant des fleurs plus petites, rouge orangé, parfois vertes.
Lumière : une serre ou de larges baies vitrées pour cette plante amoureuse du soleil.
Terre : terre de jardin, terreau de feuilles avec 20 % de fertilisant à base de fumier et d'algues.
Engrais : de mai à septembre, apportez chaque semaine un engrais pour géraniums.
Humidité de l'air : dès que la température dépasse 18 °C, brumisez quotidiennement le feuillage à l'eau douce. Posez le pot sur un lit de graviers humides. Arrosez le sol de la serre.
Arrosage : de septembre à avril, tous les 8 à 10 jours. Durant la végétation, tous les 4 jours.

Hibiscus rosa sinensis HIBISCUS

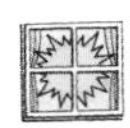

Arbuste buissonnant, pouvant former un tronc. On l'appelle aussi « ketmie » ou « rose de Chine ».
Origine : introduit en Europe en 1731, en provenance de l'Asie tropicale.
Feuilles : de 10 à 15 cm de long, persistantes, simples, dentées ou découpées, vert foncé, gaufrées.
Fleurs : de mai à octobre, des boutons fuselés s'ouvrent en larges coupes colorées simples ou doubles, à 5 pétales, avec les étamines réunies en tube. Chaque fleur ne dure qu'une journée et demie.
Lumière : forte, en évitant le soleil direct du milieu de journée, entre mai et septembre.
Terre : terre de jardin et terreau pour géraniums.
Engrais : en mars, apportez un engrais pour rosiers en granulés. De juin à août, arrosez tous les 15 jours avec un engrais liquide pour plantes fleuries.
Humidité de l'air : en été, vaporisez quotidiennement le feuillage. Mouillez abondamment le sol de la serre ou de la véranda. Aérez bien la pièce.
Arrosage : tous les 3 ou 4 jours d'avril à octobre par semaine, sans que la base du pot ne stagne dans l'eau, car les racines pourrissent vite.

Hibiscus schizopetalus 'Pagoda'.

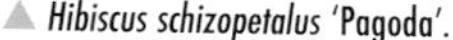

Hibiscus rosa sinensis 'Week-end Dack'.

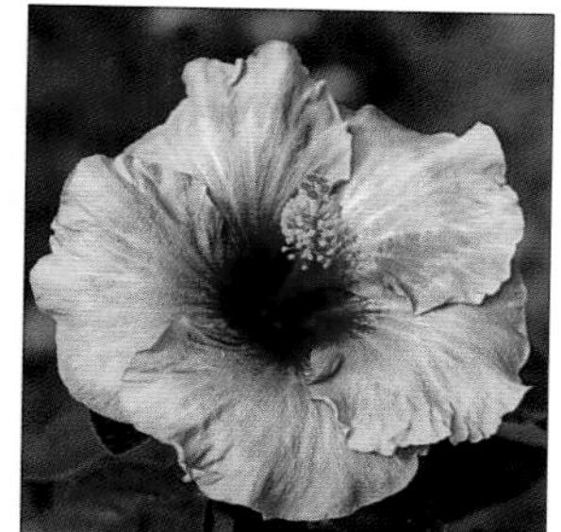

Hibiscus x rosa sinensis 'Lucy'.

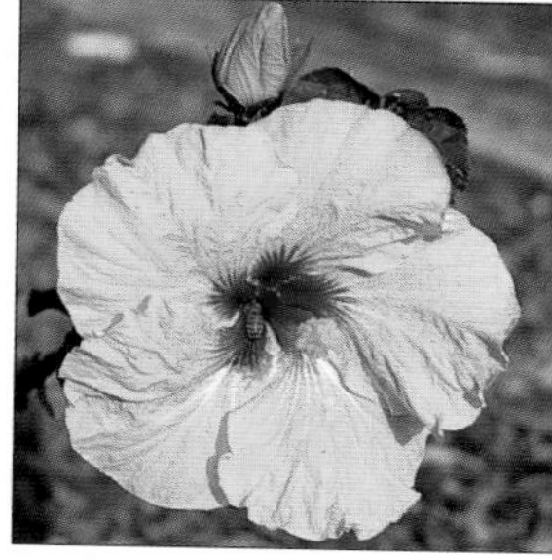

Hibiscus x rosa sinensis 'Crimson Ray'.

Rempotage : chaque année, au printemps. Attention, dans un contenant trop grand, l'hibiscus a tendance à donner surtout des feuilles.

Exigences particulières : en dessous de 10 °C, les feuilles jaunissent et tombent. Pour favoriser la floraison, taillez la ramure en mars, en conservant seulement 2 yeux à la base de chaque branche.

Multiplication : bouturage au printemps, à chaud (sur le dessus d'un radiateur par exemple).

Longévité : de 1 à 3 ans à la maison ; plus de 10 ans, dans une serre tempérée ou en véranda.

Ennemis et maladies : cochenilles et araignées rouges. Si les boutons tombent avant de s'ouvrir, il s'agit d'un coup de froid ou d'un excès d'humidité.

Espèces et variétés : *Hibiscus rosa sinensis* se décline en plusieurs centaines de cultivars aux coloris très variés, dont les fleurs dépassent parfois 20 cm de diamètre ; *Hibiscus schizopetalus*, originaire du Kenya, aux fleurs rubis, à pétales frangés.

Conseil Truffaut : l'hibiscus est gourmand, n'hésitez pas, en cours de saison, à remplacer 3 cm de terre par un mélange de terreau et de fertilisant à base de fumiers et d'algues compostés.

Hippeastrum x AMARYLLIS

Vivace formant de très gros bulbes.

Origine : on cultive uniquement des hybrides de plantes provenant d'Amérique centrale et du Sud.

Feuilles : de 30 à 50 cm de long, vert clair, rubanées, épaisses, arquées. Elles se développent par paire, apparaissant après les fleurs.

Fleurs : une longue hampe creuse porte de 2 à 4 fleurs en trompette, formées de 6 pétales rouge vif, blancs, roses, saumonés ou bicolores. Chaque fleur mesure plus de 15 cm de diamètre et dure en moyenne de 2 à 3 semaines dans la maison.

Lumière : placez l'amaryllis près d'une fenêtre, tout en lui évitant le soleil direct.

Terre : terreau, tourbe blonde et sable.

Engrais : dès que les boutons floraux apparaissent, et jusqu'au jaunissement des feuilles, nourrissez l'amaryllis tous les 15 jours avec un engrais liquide pour plantes à fleurs.

Humidité de l'air : l'atmosphère normale de nos appartements convient bien à l'amaryllis.

Arrosage : tous les 3 à 6 jours en petite quantité, pour ne pas détremper la terre.

Rempotage : plantez le bulbe à la fin de l'hiver, en l'enterrant des deux tiers de sa hauteur.

Exigences particulières : quand les feuilles ont complètement jauni, « oubliez » le bulbe dans un endroit sec, obscur et hors gel, pendant au moins 3 mois, avant de le remettre en végétation.

Multiplication : séparation des bulbilles qui se sont formées à la base du bulbe principal. Elles fleurissent au bout de 3 ou 4 ans.

Longévité : 3 à 4 ans dans le même pot.

Ennemis et maladies : généralement aucun.

Espèces et variétés : 'Picotee', aux pétales blancs, rayés de rouge ; 'Red Lion', à fleurs géantes, rouge très vif ; 'Papillon', à fleurs jaune crème, teintées et striées de bordeaux, avec des reflets verts.

Conseil Truffaut : achetez de très gros bulbes pour obtenir la plus belle floraison possible.

Hibiscus schizopetalus : une fleur en dentelle.

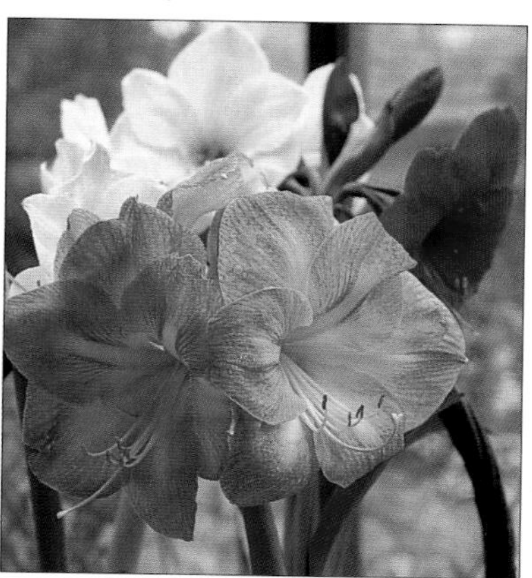

Hippeastrum x : l'amaryllis aux fleurs énormes.

Hoya carnosa 'Dapple Gray' : lumineux.

Hoya coronaria : une merveille !

Hoya multiflora : exceptionnel, rare.

Hoya pubicalyx 'Red Buttons' : étrange.

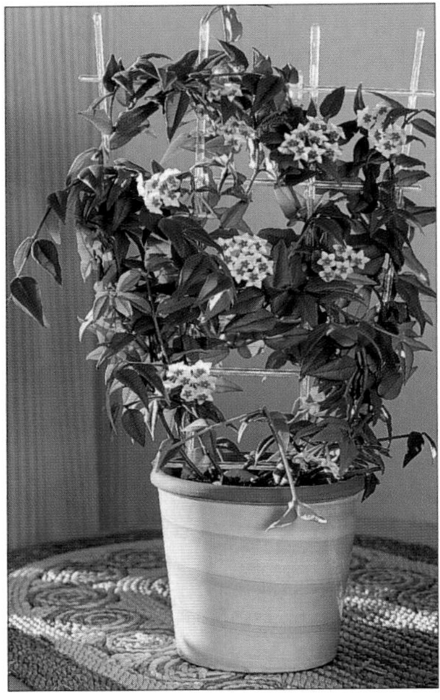

Hoya bella : joliment nommé « fleur de porcelaine ».

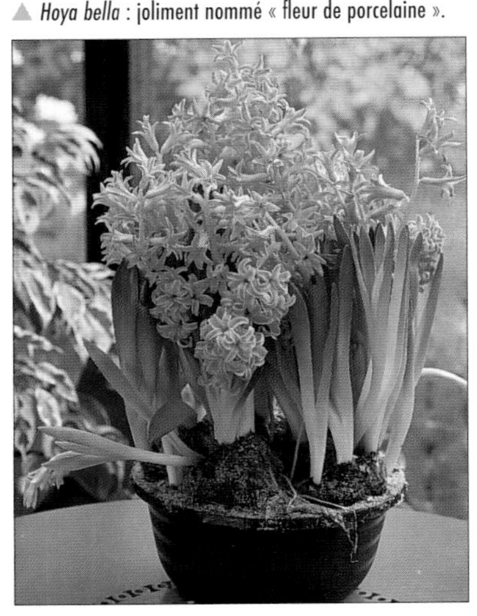

Potée de jacinthes : un hiver au parfum printanier.

Hoya spp. HOYA

22 °C 10 °C

Vivace à texture charnue et au port retombant, appelée souvent « fleur de porcelaine ».

Origine : Asie, Indonésie, Australie.

Feuilles : de 3 à 6 cm de long, persistantes, elliptiques, lancéolées, coriaces, charnues.

Fleurs : de juin à octobre, les extrémités des tiges portent des ombelles composées de plus de 30 fleurs en forme d'étoile, d'un blanc laiteux, à consistance cireuse. *Hoya carnosa* émet un parfum capiteux, perceptible à 2 m, surtout le soir.

Lumière : les hoyas supportent mal le soleil direct, surtout en été, aux heures chaudes de la journée.

Terre : terre de bruyère et terreau pour cactées.

Engrais : d'avril à septembre, apportez deux fois par mois un engrais pour plantes de terre de bruyère.

Humidité de l'air : en été, vaporisez la plante deux fois par semaine, jamais sur les fleurs.

Arrosage : attendez que la terre ait séché sur 2 ou 3 cm. N'utilisez pas d'eau calcaire.

Rempotage : en avril, tous les 2 ou 3 ans.

Exigences particulières : la plante ne fleurit que sur les tiges de plus de 30 cm de long.

Dimensions : jusqu'à 2 m de haut, en pot.

Multiplication : boutures de tiges de 10 cm, au printemps, à chaud, dans du sable et de la tourbe.

Longévité : de 2 à 8 ans.

Ennemis et maladies : les cochenilles apparaissent surtout sur les plantes affaiblies.

Espèces et variétés : *Hoya bella*, aux grappes d'une dizaine de fleurs, blanches à œil rouge ; *Hoya carnosa*, à feuilles plus grandes et aux grappes d'une trentaine de fleurs parfumées, couleur ivoire. Les autres formes illustrées ici sont des plantes de collection, très rarement commercialisées.

Conseil Truffaut : équilibrez l'hoya après la floraison, en évitant de couper les tiges qui ont fleuri car elles peuvent refleurir l'année suivante.

Hyacinthus orientalis JACINTHE

18 °C 0 °C

Vivace bulbeuse rustique, cultivée à la maison comme potée fleurie, forcée pour l'hiver.

Origine : Europe orientale, Asie occidentale.

Feuilles : de 15 à 35 cm de long, rubanées, formant une gouttière peu profonde.

Fleurs : la hampe charnue porte une grappe de fleurs odorantes, atteignant 20 cm de long.

Lumière : une fenêtre à l'est ou au nord convient aux jacinthes. Ne les éloignez pas de plus de 1 m.

Terre : terre de jardin, sable et terreau.

Engrais : dès que les boutons pointent, apportez chaque semaine un engrais liquide universel.

Humidité de l'air : l'ambiance sèche de la maison convient bien à la jacinthe.

Arrosages : tous les 3 jours quand la plante est en fleur, mais en faible quantité chaque fois.

Rempotage : de septembre à décembre, installez 5 bulbes dans une coupe de 20 cm de diamètre. Laissez légèrement dépasser la pointe du bulbe, ou placez la jacinthe sur un vase rempli d'eau.

Exigences particulières : après la plantation, placez le pot dans le jardin ou sur la terrasse, jusqu'en décembre, avant de le rentrer à l'intérieur.
Dimensions : de 20 à 35 cm de haut.
Multiplication : séparation des bulbilles.
Longévité : renouvelez les bulbes chaque année.
Ennemis et maladies : pourriture (excès d'eau).
Espèces et variétés : les Hollandais ont créé des centaines de variétés depuis la fin du XIXe siècle : 'Blue Jacket', bleu foncé ; 'City of Harlem', jaune primevère ; 'Gipsy Queen', orange clair, aux reflets abricot ; 'Hollyhock', à fleurs doubles, d'un rouge profond ; 'Jan Bos', rouge cramoisi, etc.
Conseil Truffaut : utilisez des bulbes de gros calibre, spécialement préparés pour la culture en intérieur, la floraison sera assurée.

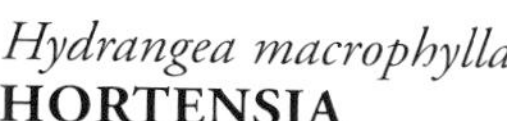

Hydrangea macrophylla
HORTENSIA

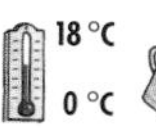

18 °C
0 °C

Arbuste rustique, utilisé comme potée fleurie éphémère pour la maison.
Origine : Japon.
Feuilles : de 15 à 20 cm de long, caduques, arrondies, légèrement dentées, vert mat.
Fleurs : les potées d'hortensias sont proposées presque toute l'année. Un sol alcalin favorise les fleurs roses, l'acidité induit le bleu.
Lumière : à 2 m d'une fenêtre à l'est (ombre).
Terre : terre de bruyère et terreau pour géraniums.
Engrais : inutile pour les potées d'intérieur.
Humidité de l'air : vaporisez le feuillage chaque jour, si la pièce dépasse 16 °C.
Arrosage : maintenez la terre toujours un peu humide, sans jamais la laisser sécher.
Rempotage : inutile, on jette l'hortensia après la floraison ; on peut aussi le planter dans le jardin.
Exigences particulières : de la fraîcheur. Le feuillage chute à plus de 20 °C.
Multiplication : boutures de 15 cm prélevées en janvier-février sur des rameaux qui n'ont pas fleuri.
Longévité : le temps de la floraison dans la maison. Gardez-le très longtemps au jardin.
Ennemis et maladies : cochenilles.
Espèces et variétés : *Hydrangea macrophylla* se divise en deux groupes : ceux à fleurs rondes, stériles ; les « Lace Caps » ou « Bonnets de dentelle », aux corymbes plats, composés de minuscules fleurs fertiles, entourées de larges fleurs stériles.
Conseil Truffaut : l'hortensia dure plus longtemps dans une pièce à 12 °C environ.

Hypocyrta radicans
HYPOCYRTA

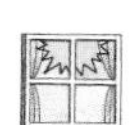

24 °C
13 °C

Sous-arbrisseaux épiphytes à port rampant, classés aujourd'hui dans le genre *Nematanthus*.
Origine : Brésil.
Feuilles : de 3 cm de long, épaisses, ovales, vert franc et brillant, portées par des tiges de 60 cm.
Fleurs : en été, corolles tubulaires, cireuses, renflées à la base, orange vif à gorge jaune.
Lumière : jamais de soleil direct.
Terre : terreau pour plantes fleuries et sable.
Engrais : de mars à juillet, arrosez avec une solution fertilisante très peu concentrée (1 bouchon d'engrais pour plantes fleuries dans 10 litres d'eau).
Humidité de l'air : minimum 50 %.
Arrosage : une fois par semaine en moyenne. Un excès d'eau fait pourrir les racines.
Rempotage : chaque année en avril.
Exigences particulières : hivernez au frais (13-15 °C) et réduisez les arrosages au strict nécessaire (un verre d'eau par semaine).
Multiplication : boutures de tiges en été, à l'étouffée.
Longévité : 1 à 2 ans.
Ennemis et maladies : rien de grave en général.
Espèces et variétés : seul *Hypocyrta glabra* est commercialisé, parfois sous son nouveau nom de *Nematanthus strigillosus*.
Conseil Truffaut : en avril, taillez toutes les branches d'un tiers de leur longueur.

▲ *Hydrangea macrophylla* : tout bleu en terre de bruyère.

▲ *Hydrangea macrophylla* 'Teller Rosa' : très généreux.

Hypocyrta glabra : une petite plante très originale. ▶

Impatiens spp.
IMPATIENCE

Vivace frileuse, cultivée comme une annuelle au jardin ou en potée saisonnière dans la maison.

Origine : Afrique tropicale, Inde, Sri Lanka.

Feuilles : de 8 à 12 cm de long, lancéolées, dentées, portées par des tiges charnues et aqueuses.

Fleurs : de mai à décembre, des corolles plates, sans parfum et portant un éperon, se parent de toutes les couleurs sauf le bleu et le jaune pur.

Lumière : tamisée ; une fenêtre à l'est convient.

Terre : terreau pour géraniums assez souple.

Engrais : de mai à septembre, apportez tous les 15 jours un engrais pour plantes fleuries.

Humidité de l'air : l'atmosphère ambiante de la maison convient s'il fait moins de 20 °C.

Arrosage : le terreau ne doit pas sécher. Si l'impatience manque d'eau, les tiges s'affalent.

Rempotage : tout de suite après l'achat.

Exigences particulières : les impatiences demandent à être manipulées doucement car les tiges cassent comme du verre.

Dimensions : de 20 à 60 cm de haut et de large selon les espèces et les variétés.

Multiplication : par bouturage, à tout moment entre avril et octobre, ou par semis à chaud.

Longévité : on ne conserve pratiquement jamais les impatiences hybrides d'un an sur l'autre. Renouvelez les espèces de collection tous les 2 ans, par bouturage.

Ennemis et maladies : mouches blanches.

Espèces et variétés : la plupart des hybrides cultivés proviennent de croisements de l'*Impatiens walleriana*. Les hybrides de Nouvelle-Guinée, qui dérivent de l'*Impatiens hawkeri*, portent des fleurs plus larges et supportent mieux le soleil ; *Impatiens niamniamensis*, aux étonnantes fleurs en forme de haricot est une plante de collection plus durable ; *Impatiens repens*, jaune, au port retombant a récemment fait son apparition dans les Jardineries.

Conseil Truffaut : la floraison est meilleure dans un pot étroit. Placez des impatiences en suspension.

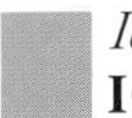

Iochroma cyanea
IOCHROMA

Arbuste buissonnant, persistant s'il fait chaud.

Origine : Colombie, Équateur, Pérou.

Feuilles : de 8 à 15 cm de long, elliptiques vert amande foncé à revers grisâtre, pubescentes.

Fleurs : en été apparaissent des grappes de fleurs pendantes, tubulaires, étroites, pourpre bleuté.

Lumière : plein soleil, l'iochroma raffole des atmosphères lumineuses, chaudes et abritées.

Terre : terre de jardin, terreau de tourbe et 20 % de fertilisant à base d'algues et de fumier.

Engrais : gourmand, l'iochroma demande à être nourri tous les 15 jours d'avril à septembre, avec un engrais liquide pour plantes fleuries.

Humidité de l'air : celle de la maison, si la température de la pièce ne dépasse pas 15 °C en hiver.

Arrosage : tous les 3 jours en été. En hiver, quand la plante est au repos, une fois par semaine.

Rempotage : annuel, en mars.

Exigences particulières : hivernez l'iochroma au frais (10-15 °C). En dessous de 10 °C, les feuilles jaunissent et tombent, mais elles réapparaissent au printemps.

Dimensions : 1 à 1,50 m de haut, en pot.

Multiplication : boutures en été.

L'impatience de Nouvelle-Guinée fleurit bien à l'intérieur.

Impatiens walleriana : une jolie forme à fleurs doubles.

Impatiens 'Tangerine'.

Impatiens niamniamensis.

Longévité : de 1 à 3 ans, ensuite la plante se dégarnit de la base et devient moins belle.

Ennemis et maladies : aleurodes et araignées rouges, surtout par temps sec et chaud.

Espèces et variétés : *Iochroma coccinea*, plus petit, porte des fleurs écarlates.

Conseil de Truffaut : en été, installez la plante sur le balcon, elle doublera de volume.

Isoloma spp. KOHLÉRIA

Vivace rhizomateuse, aux fleurs veloutées.

Origine : Colombie.

Feuilles : de 8 à 10 cm de long, ovales, vert franc, très finement dentées, portées par des tiges poilues semi-rampantes; nervures brun pourpre.

Fleurs : des tubes veloutés et colorés apparaissent en été à l'aisselle des feuilles.

Lumière : ombre légère (on doit pouvoir lire à côté de la plante), jamais de soleil direct.

Terre : terreau d'écorce, tourbe et perlite.

Engrais : d'avril à septembre, apportez une fois par mois un engrais liquide pour orchidées.

Humidité de l'air : forte, mais ne pas vaporiser le feuillage. Posez le pot sur un lit de graviers maintenus constamment humides.

Arrosage : tous les 3 ou 4 jours durant la végétation. Une fois par semaine en hiver.

Rempotage : annuel, en février.

Exigences particulières : *Isoloma amabilis* est mis en valeur quand il est cultivé en pot suspendu.

Dimensions : 60 cm de haut et de large.

Multiplication : divisez les rhizomes au moment du rempotage. Boutures de tiges en septembre, à l'étouffée, à chaud, en miniserre (difficiles).

Longévité : 2 à 3 ans, guère plus.

Ennemis et maladies : généralement aucun.

Espèces et variétés : *Isoloma eriantha* et ses hybrides, plus vigoureux, atteignent 80 cm de haut, fleurs rouges; *I. rosea,* aux fleurs grenat, veloutées; *I.amabilis,* à fleurs roses; *I. digitaliflora*, à fleurs rose pourpré, aux lobes verts.

Conseil Truffaut : ne pas mouiller le feuillage.

Ixora coccinea IXORA

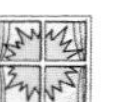

Arbuste tropical buissonnant, persistant.

Origine : Malaisie, Inde, Sri Lanka.

Feuilles : de 5 à 10 cm de long, oblongues, vernissées, épaisses, coriaces. Elles naissent couleur bronze et verdissent en vieillissant.

Fleurs : de volumineuses inflorescences en boule, composées de fleurs tubulaires, s'évasant en quatre pétales en croix, apparaissent à l'extrémité des tiges.

Lumière : plein soleil. En hiver, un complément de 4 h par jour de lumière artificielle est apprécié.

Terre : terre de jardin, terreau d'écorce, tourbe et 15 % de fertilisant organique à base de fumier.

Engrais : lors du rempotage, mélangez à la terre des granulés d'engrais à diffusion lente.

Humidité de l'air : il faut au moins 60 % d'hygrométrie pour rappeler à l'ixora son habitat d'origine. Vaporisez tous les jours, matin et soir. Un humidificateur électrique est recommandé.

Arrosage : trois fois par semaine d'avril à septembre. Tous les 6 à 8 jours en hiver.

Rempotage : chaque année en mars. Il n'est pas toujours nécessaire de changer de pot, car la plante pousse lentement. Mais il faut remplacer au moins un tiers du substrat, car l'ixora est assez gourmand.

Exigences particulières : seule une serre chaude permet de conserver durablement l'ixora. Surtout ne pas exposer aux courants d'air.

Dimensions : environ 60 cm de haut, en pot.

Multiplication : boutures de tiges, au printemps, à chaud (23 °C), en miniserre avec hormones.

Longévité : 1 an tout au plus dans la maison. De 2 à 5 ans en serre chaude. Ensuite, la plante se dégarnit de la base et devient moins attractive.

Ennemis et maladies : les cochenilles élisent volontiers domicile sous les feuilles, le long des nervures. Traitez préventivement avec un insecticide en bombe, les produits huileux ne convenant pas.

Espèces et variétés : 'Fraseri', saumon; 'Gillette's Yellow', jaune; 'Henry Morat', rose, parfumé.

Conseil Truffaut : après la floraison, taillez tous les rameaux à la moitié de leur longueur.

▲ *Iochroma cyanea* : de longues trompettes estivales.

▲ *Isoloma rosea* : des fleurs veloutées au coloris intense.

Ixora hybride 'Flamingo'. ▶

Jasminum polyanthum.
JASMIN

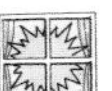

Grimpante persistante, dont les tiges vigoureuses s'enroulent autour de leur support.

Origine : ouest et sud-ouest de la Chine.

Feuilles : de 5 à 8 cm de long, pennées, découpées en 5 à 7 folioles, portées par des tiges grêles.

Fleurs : des étoiles blanches à 5 pétales, au fort parfum, s'épanouissent en grappes au printemps.

Lumière : tous les jasmins demandent beaucoup de lumière et le plein soleil, mais gare à l'effet de loupe des vitres pendant la période de floraison !

Terre : mélange par tiers de terreau, de sable et de terre de jardin non calcaire.

Engrais : après la floraison et pendant 6 mois, apportez tous les 15 jours, un engrais liquide pour plantes fleuries ou pour géraniums.

Humidité de l'air : posez le pot sur un lit de graviers humides et vaporisez régulièrement la plante.

Arrosage : deux fois par semaine durant le repos hivernal. Tous les 2 jours d'avril à septembre.

Rempotage : chaque année, après la floraison.

Exigences particulières : les jasmins demandent une serre pour bien fleurir. On ne les installe à la maison que le temps de la floraison.

Dimensions : jusqu'à 2 m de long, en pot.

Multiplication : des boutures prélevées en avril fleuriront dès l'année suivante.

Longévité : plus de 10 ans si la plante vit en serre ou sur un balcon abrité; 6 mois en appartement.

Ennemis et maladies : araignées rouges et pucerons déforment et décolorent les feuilles.

Espèces et variétés : *Jasminum officinale* est similaire à *J. polyanthum*, mais s'épanouit en été; 'Argenteovariegatum' a des feuilles panachées; *J. angulare,* encore plus tardif, est pratiquement automnal; *J. mesnyi,* plus buissonnant, porte des fleurs jaunes, non parfumées.

Conseil Truffaut : achetez les plantes en boutons, pour en profiter plus longtemps. Après la floraison, taillez toutes les longues tiges des 2/3.

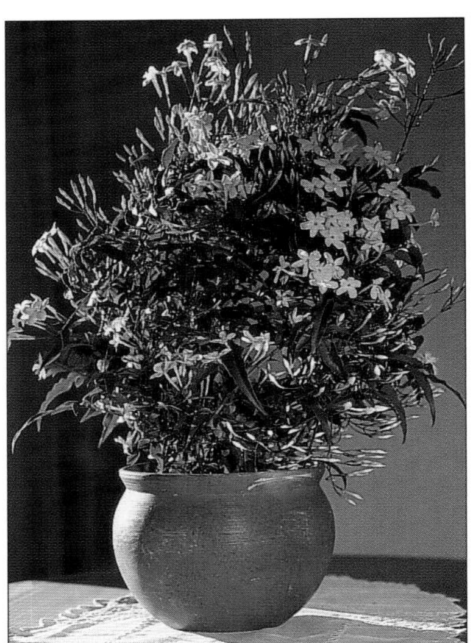

▲ *Jasminum polyanthum* : un parfum enivrant.

◀ *Justicia carnea* : on l'appelle surtout « jacobinia ».

Justicia carnea
JACOBINIA

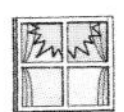

Arbuste persistant, peu ramifié, appelé aussi « plume du Brésil » ou « plante flamant ».

Origine : nord du Brésil.

Feuilles : de 15 à 25 cm de long, lancéolées, vert franc, à l'apparence rêche, parfois duveteuses.

Fleurs : d'août à octobre, des grappes touffues de fleurs tubulaires roses, à l'aspect échevelé, apparaissent à l'extrémité des jeunes tiges.

Lumière : très vive. En hiver, le jacobinia demande même le soleil direct et un complément d'éclairage artificiel durant au moins 3 heures par jour.

Terre : terre de jardin légère et terreau riche.

Engrais : une fois par mois, d'avril à septembre.

Humidité de l'air : bassinez matin et soir le feuillage, toute l'année.

Arrosage : ne laissez pas sécher le terreau quand la plante est en boutons et pendant la floraison. Le reste du temps, un arrosage par semaine suffit.

Rempotage : au printemps, seulement quand les racines occupent tout le pot.

Exigences particulières : palissez le jacobinia contre un treillis quand ses tiges s'allongent trop.

Dimensions : jusqu'à 1 m de haut, en pot.

Multiplication : boutures de tige au printemps, en miniserre à l'étouffée, avec hormones et chaleur de fond (25 °C). Reprise en un mois.

Longévité : on jette en général la plante au bout de 2 ou 3 ans, car elle refleurit mal et devient moins belle, se dégarnissant de la base.

Ennemis et maladies : araignées rouges.

Espèces et variétés : *Justicia pauciflora* ou *rizzinii,* plus petit (70 cm), à port retombant, porte des fleurs solitaires et tubulaires jaune d'or, à la base orangée. La *Beloperone guttata,* ou plante crevette, est désormais appelée « *Justicia brandegeana* ».

Conseil Truffaut : pincez régulièrement l'extrémité des tiges pour garder à la plante un port touffu et sortez-la dans le jardin, courant mai, dès que la température ambiante dépasse 15 °C.

☞ ***Kohleria*** voir *Isoloma.*

Lachenalia tricolor
COUCOU DU CAP

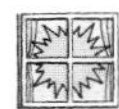

Plante bulbeuse, rustique dans le Midi.

Origine : Afrique du Sud.

Feuilles : 3 ou 4 rubans vert glauque, marqués de pourpre, charnus, de 15 à 20 cm de long.

Fleurs : en février-mars, apparaissent des grappes lâches, formées d'une vingtaine de clochettes étroites, de 3 cm de long, jaunes bordées de vert.

Lumière : le coucou du Cap prospère avec 4 heures d'ensoleillement direct par jour.

Terre : terre de jardin sableuse et tourbe.

Engrais : durant la croissance, apportez tous les 15 jours un engrais pour bulbes à fleurs.

Humidité de l'air : l'atmosphère assez moite d'une véranda convient au coucou du Cap.

Arrosage : une fois par semaine, pour ne pas faire pourrir le bulbe. Après la floraison, réduisez les arrosages de moitié jusqu'à ce que le feuillage jaunisse puis laissez les bulbes au sec jusqu'en été.

Rempotage : plantez en août, à raison de 5 bulbes par pot de 12 cm de diamètre. Enterrez les bulbes de leur hauteur. Mouillez bien le terreau au moment de la plantation, puis attendez les premières pousses vertes pour arroser à nouveau.

Exigences particulières : dans l'atmosphère chaude et sèche de la maison, *Lachenalia* sèche très rapidement. Ne pas lui offrir plus de 18 °C.

Dimensions : de 15 à 30 cm de haut.

Multiplication : les bulbilles prélevées à la base du bulbe principal et rempotés individuellement fleurissent après 2 ou 3 ans de culture.

Longévité : en général on se débarrasse de la potée après la floraison.

Ennemis et maladies : dans un sol humide, un champignon provoque la pourriture des bulbes.

Espèces et variétés : *Lachenalia tricolor* est désormais appelée *L. aloides*; 'Aurea', à fleurs jaune pâle; 'Nelsonii', à fleurs jaune d'or, rehaussées d'une pointe de vert au sommet.

Conseil Truffaut : lors du repos hivernal, ne stockez pas les bulbes à l'air. Laissez-les dans leur pot.

Lantana camara
LANTANA

Arbuste persistant à port souple, cultivé surtout comme plante saisonnière estivale.

Origine : Amérique, Afrique du Sud.

Feuilles : de 3 à 4 cm de long, lancéolées, dentées, au toucher rugueux comme une langue de chat.

Fleurs : de mai à septembre, des inflorescences arrondies, composées de fleurs tubulaires, semblables à celles de la verveine, apparaissent à l'aisselle des feuilles. Blanches, rouges, jaunes, orange, elles attirent les papillons. Les tonalités variant avec l'âge de la fleur, plusieurs coloris coexistent sur la même inflorescence.

Lumière : au moins 3 à 5 heures de soleil direct par jour, sinon, la plante ne fleurit pas.

Terre : un terreau de rempotage, enrichi de 20 % de fertilisant organique et de 1 cuillerée à café d'engrais en granulés pour 10 litres de substrat.

Engrais : en août-septembre, quand le terreau commence à s'épuiser, fertilisez avec des apports bimensuels d'engrais liquide pour plantes à fleurs.

Humidité de l'air : ne vaporisez pas, mais aérez aussi souvent que possible. En mai, installez le lantana sur le balcon, car il supporte mal l'atmosphère confinée d'un appartement.

Arrosage : tous les 3 jours en été. Maintenez la plante presque au sec en hiver.

Rempotage : au moment de la sortie en plein air.

Exigences particulières : un repos hivernal, dans une pièce fraîche (10 °C) et lumineuse.

Dimensions : jusqu'à 1 m de diamètre, en pot.

Multiplication : boutures en fin d'été (facile).

Longévité : de 1 à 5 ans selon l'hivernage.

Ennemis et maladies : mouches blanches.

Espèces et variétés : 'Mine d'Or', à fleurs jaunes; 'Avalanche', blanc; 'Cochenille', rouge framboise; 'Brasier', rouge à centre jaune; 'Feston Rose', nuancé de violet, de jaune et de blanc.

Conseil Truffaut : planté en pleine terre dans un massif, le lantana doublera de volume.

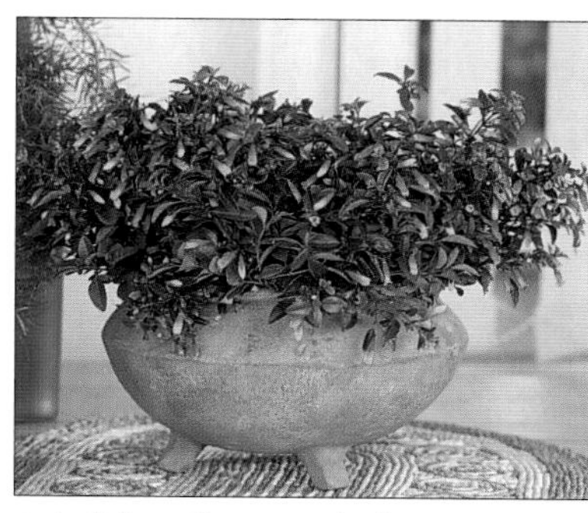

▲ *Jacobinia pauciflora* : une potée très gracieuse.

▲ *Lachenalia tricolor* : timide, mais très originale.

Lantana camara hybride : une longue floraison estivale. ▶

▲ *Lapageria rosea* var *albiflora* : clochettes d'ivoire.

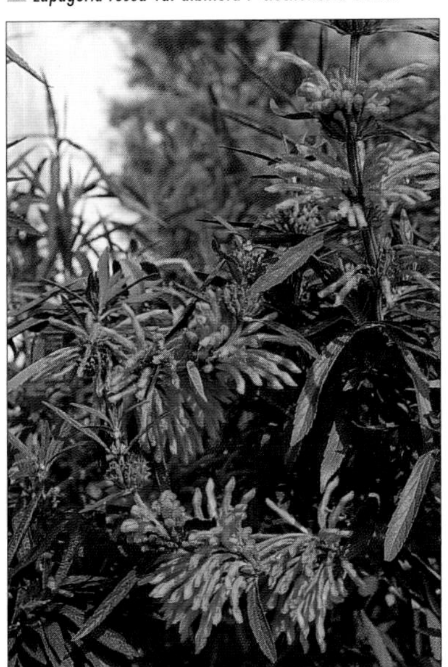

▲ *Leonotis leonorus* : rustique sur la Côte d'azur.

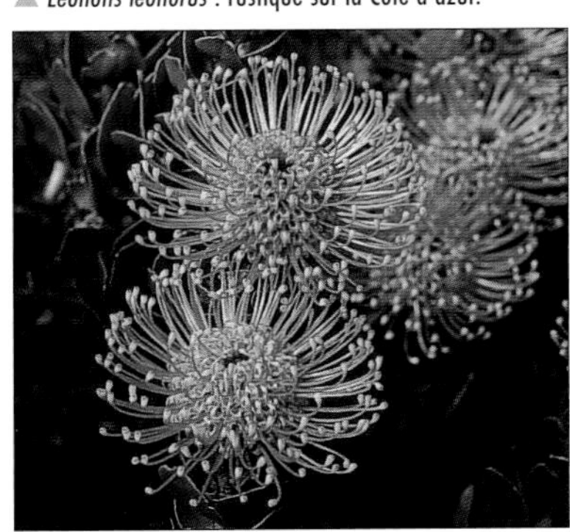

Lapageria rosea
LAPAGÉRIA

 20 °C 0 °C 

Grimpante sarmenteuse, de croissance lente.

Origine : la seule espèce est endémique du Chili.

Feuilles : de 8 à 12 cm de long, persistantes, oblongues, vert foncé, coriaces, de texture cireuse, portée par des tiges sinueuses.

Fleurs : des corolles charnues, campanulées, rose vif presque rouge, s'épanouissent en été.

Lumière : le lapagéria apprécie la mi-ombre.

Terre : terre de bruyère, terre de jardin, perlite, et 15 % de fertilisant à base de fumier et d'algues.

Engrais : d'avril à août, tous les 15 jours, apportez un engrais liquide pour plantes à fleurs.

Humidité de l'air : le lapagéria dépérit quand l'atmosphère devient chaude et sèche. Augmentez l'hygrométrie ambiante et rafraîchissez par des pulvérisations et une aération fréquente de la pièce.

Arrosage : une fois par semaine, en laissant le terreau s'assécher un peu entre deux apports d'eau.

Rempotage : chaque année, au début du printemps, dans un pot large et profond, car les racines sont volumineuses et puissantes.

Exigences particulières : le lapagéria vit mieux dans une serre ou une véranda. Palissez-le sur un treillis ou enroulez les branches sur un arceau.

Dimensions : jusqu'à 2 m de haut en pot.

Multiplication : semis en mars, à 18 °C, après trempage des graines durant 2 jours. Il faut au moins 3 ans avant de voir la première fleur.

Longévité : une saison en appartement, plus de 5 ans dans une serre froide.

Ennemis et maladies : cochenilles.

Espèces et variétés : *Lapageria rosea* var *albiflora*, à fleurs blanc crème, mises en valeur par un feuillage gris-vert; 'Nash Court' à fleurs rose tendre.

Conseil Truffaut : installez le lapagéria au jardin, de mai à septembre, à l'ombre d'un arbre. La difficulté de culture est due à la chaleur sèche de l'été et non à la fraîcheur hivernale. Il faut maintenir la plante dans une douce moiteur.

◀ *Leucospermum patersonii* : la plante pelote d'épingles.

Leonotis leonorus
QUEUE-DE-LION

 22 °C -5 °C 

Sous-arbrisseau persistant, aromatique, souvent considéré comme une plante vivace.

Origine : Afrique du Sud.

Feuilles : de 6 à 12 cm de long, semi-persistantes, lancéolées, oblongues, vert foncé.

Fleurs : en automne, les tiges portent des touffes étagées, formées d'une vingtaine de corolles tubulaires de 5 cm de long, rouge-orangé vif.

Lumière : le soleil direct, même le plus puissant est apprécié par cette plante des zones arides.

Terre : sable, terreau et terre de jardin, avec 20 % de fertilisant à base de fumier et d'algues.

Engrais : lors du rempotage, ajoutez à la terre des granulés d'engrais à diffusion lente.

Humidité de l'air : plutôt faible pour éviter les risques de maladies cryptogamiques.

Arrosage : tous les 5 à 10 jours. Laissez la terre sécher entre deux apports d'eau.

Rempotage : annuel, au printemps.

Exigences particulières : plantez le *Leonotis* en pleine terre en été. Sous un climat très doux, il peut même passer l'hiver dehors.

Dimension : 80 cm de haut en pot.

Multiplication : bouturage de tiges, à l'étouffée, en été. Utilisez de la poudre d'hormones, pour augmenter les chances de reprise.

Longévité : souvent une seule saison. Plus de 10 ans, si les conditions de culture sont favorables.

Ennemis et maladies : mouches blanches.

Espèces et variétés : 'Albiflora', à fleurs blanches, est une forme moins répandue.

Conseil Truffaut : après la floraison, taillez toute la touffe, entre 20 et 30 cm du sol.

Leucospermum spp.
LEUCOSPERMUM

 24 °C 5 °C

Sous-arbrisseau persistant, à port arrondi.

Origine : Afrique du Sud.

Feuilles : de 5 à 8 cm de long, vert bleuté. Cordiformes et dentées à la base, elles deviennent progressivement ovales en se rapprochant du sommet de la tige.
Fleurs : les inflorescences de 10 cm de diamètre, jaunes, orange, pourpres ou roses, sont composées d'une centaine de fleurs simples, tubulaires, aux étamines saillantes. Elles durent 2 bons mois !
Lumière : maximale, avec du soleil direct.
Terre : mélangez une part de sable grossier, même caillouteux, avec autant de terre de bruyère.
Engrais : d'avril à septembre, nourrissez la plante une fois par mois, avec un engrais pour cactées.
Humidité de l'air : minimum 40 %. Ne brumisez pas le *Leucospermum,* pour éviter les risques de maladies cryptogamiques (taches foliaires).
Arrosage : une fois par semaine en moyenne durant toute l'année.
Rempotage : annuel, en février-mars.
Exigences particulières : le *Leucospermum* est pratiquement rustique sur la Côte d'Azur, mais il requiert un sol acide et craint les vents forts.
Dimensions : de 1 à 2 m dans la nature, guère plus de 80 cm quand la plante est cultivée en pot.
Multiplication : semis des graines ayant séjourné un bon mois dans le bac à légumes d'un réfrigérateur. Levée lente. Le bouturage de tiges ou de racines est à réserver aux spécialistes.
Longévité : 2 mois... à plus de 10 ans !
Ennemis et maladies : généralement aucun.
Espèces et variétés : *Leucospermum patersonii* est l'un des rares à supporter le calcaire, mais ses fleurs sont plus petites que celles du *L cordifolium.*
Conseil Truffaut : les fleurs de *Leucospermum* font d'excellents bouquets de longue durée.

Lilium spp.
LIS

Plante bulbeuse, habituellement cultivée au jardin, mais qui convient bien à l'intérieur en potées, le temps d'une superbe floraison.
Origine : les potées sont constituées uniquement par des lis hybrides américains ou asiatiques.
Feuilles : de 15 à 20 cm de long, lancéolées, sans pétiole, avec les nervures bien marquées.
Fleurs : composées de 3 pétales et 3 sépales presque identiques, disposés en trompette ou en coupe largement ouverte, avec des étamines toujours proéminentes. Toutes les couleurs sont représentées, sauf le bleu. Certains lis sont parfumés.
Lumière : placez le pot contre une fenêtre très claire (sans soleil brûlant) pour éviter l'étiolement.
Terre : terre de jardin et terreau, à parts égales.
Engrais : dès que les feuilles pointent, apportez tous les 15 jours un engrais pour plantes fleuries.
Humidité de l'air : le lis supporte la sécheresse atmosphérique de nos intérieurs, s'il fait frais.
Arrosage : tous les 5 à 8 jours. Laisser sécher la terre sur 3 ou 4 cm entre deux apports d'eau.
Rempotage : plantez les bulbes à l'automne, en stockant le pot dans un endroit frais, mais hors gel.
Exigences particulières : exposez le lis à la forte lumière dès que les pousses apparaissent. Prévoyez un tuteur pour chaque jeune tige.
Dimensions : de 60 à 80 cm de haut en pot.
Multiplication : séparation des bulbilles. Bouturage des écailles du bulbe au printemps.
Longévité : 1 mois en pot, juste le temps de la floraison. Mais le lis vit plusieurs années si le bulbe est replanté dans le jardin.
Ennemis et maladies : la pourriture grise peut éventuellement envahir les tiges, provoquant leur affaissement. Lors de la conservation du bulbe, divers champignons sont responsables de sa détérioration, ramollissant les tissus et le rendant impropre à la replantation.
Espèces et variétés : 'Destiny', jaune soleil ponctué de pourpre au centre ; 'Empress of India', aux fleurs de 25 cm de diamètre, rose cramoisi bordé de blanc ; 'Imperial Gold', blanc marqué de jaune ; 'Stargazer', rouge et blanc ; *Lilium regale*, ce lis blanc, très parfumé, vient assez bien en pot.
Conseil Truffaut : coupez les étamines avec des ciseaux fins, avant qu'elles ne parviennent à maturité, car le pollen tache les tissus et les moquettes.

☞ ***Lisianthus*** voir *Eustoma.*

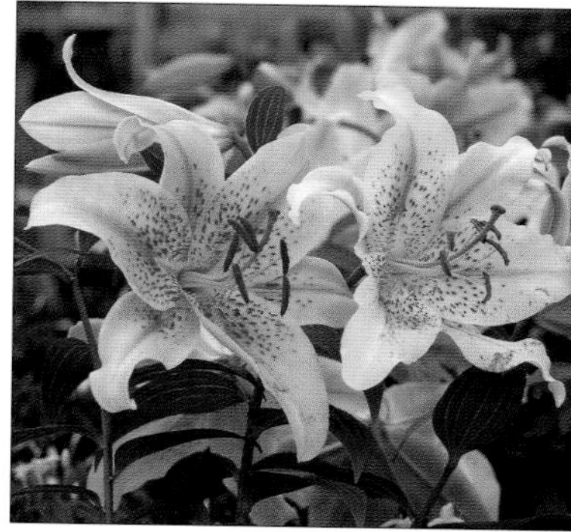

▲ *Lilium* hybride : une potée éphémère, mais si jolie.

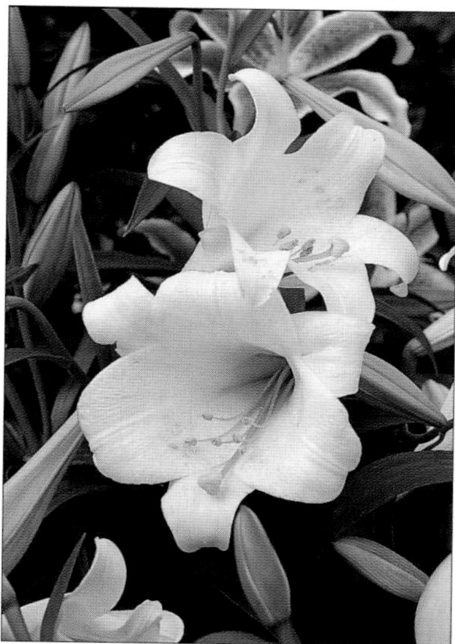

▲ *Lilium candidum* : un parfum très vanillé, capiteux.

Lilium hybride : la potée cadeau par excellence. ▶

M

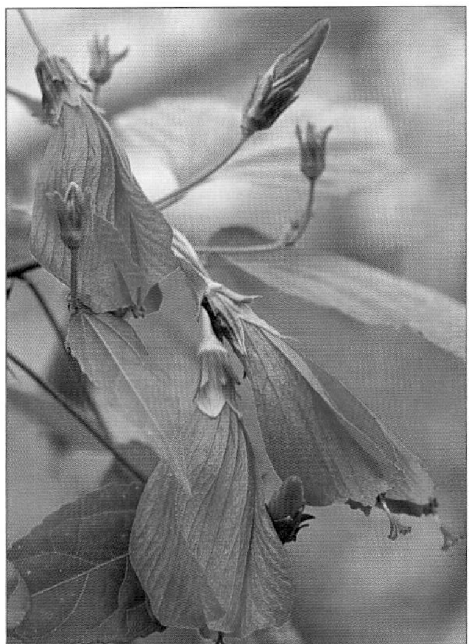

▲ *Malvaviscus arboreus* : les fleurs ne s'ouvrent jamais.

Malvaviscus arboreus
MAUVE-HIBISCUS

Petit arbuste aux tiges très droites et peu ramifiées, couvertes d'un fin duvet.

Origine : Mexique, Colombie, Pérou, Brésil.

Feuilles : de 6 à 12 cm de long, persistantes, simples, en forme de cœur, légèrement dentées.

Fleurs : presque toute l'année, *Malvaviscus* porte des clochettes évasées, pendantes, qui ne s'ouvrent pas mais laissent apparaître le pistil.

Lumière : un maximum d'éclairement durant toute la journée. Placez la plante au sud, dans la véranda ou sous une large fenêtre de toit.

Terre : terreau pour géraniums et terre de jardin.

Engrais : à partir de mars, commencez à nourrir la mauve-hibiscus avec de l'engrais dilué pour plantes fleuries. Toutes les 3 semaines jusqu'en mai, puis chaque semaine jusqu'à fin juillet et tous les 15 jours en août-septembre.

Humidité de l'air : l'atmosphère de la maison convient durant l'été. En hiver, il faut vaporiser le feuillage tous les 2 jours.

Arrosage : trempez la motte une fois par semaine durant 1/2 h. Complétez par un arrosage de surface, si le terreau sèche sur plus de 3 cm.

Rempotage : chaque année, au printemps, en augmentant bien les proportions du pot.

Exigences particulières : *Malvaviscus* déteste l'eau qui stagne au niveau de ses racines. Videz toujours la soucoupe 1 h après l'arrosage. Une bonne aération est aussi appréciée.

Dimensions : de 60 cm à 1 m en pot.

Multiplication : le bouturage herbacé, de mai à août, en miniserre à l'étouffée, avec hormones et chaleur de fond (25 °C) est assez difficile à réussir par un amateur (pourriture très fréquente).

Longévité : moins de 1 an à l'intérieur. Jusqu'à 5 ans si vous pouvez installer la potée de mai à octobre sur une terrasse et l'hiverner en véranda.

Ennemis et maladies : les mouches blanches ont une prédilection pour toutes les malvacées.

◄ *Manettia luteorubra* : une jolie liane fleurie pour l'été.

Espèces et variétés : sur les 3 espèces connues, seul *Malvaviscus arboreus* est proposé.

Conseil Truffaut : une taille de tous les rameaux de l'année est indispensable après la floraison afin de conserver une plante compacte.

☞ ***Mandevilla*** voir *Dipladenia.*

Manettia luteorubra
MANETTIA

Plante vivace persistante volubile, dont les longes tiges s'enroulent autour de leur support.

Origine : Paraguay, Uruguay.

Feuilles : de 3 à 10 cm de long, opposées, lancéolées, vert profond, légèrement coriaces.

Fleurs : tout l'été, le manettia porte des tubes solitaires, de 3 à 5 cm de long, légèrement duveteux, écarlates, à l'extrémité jaune vif.

Lumière : le manettia apprécie la clarté. Mais évitez-lui le soleil direct, qui brûle le bout des feuilles.

Terre : terre de bruyère et terreau pour géraniums, additionné de 20 % de fertilisant organique ou d'une cuillerée de fumier en granulés par plante.

Engrais : d'avril à septembre, apportez chaque semaine un engrais liquide pour plantes fleuries.

Humidité de l'air : brumisez le feuillage tous les 2 ou 3 jours durant l'hiver s'il fait plus de 12 °C.

Arrosage : un grand verre tous les 2 jours en été, et un trempage du pot durant 1/2 h, une fois par semaine. En hiver, arrosage tous les 10 jours.

Rempotage : chaque année, en mars.

Exigences particulières : le manettia a besoin d'un support pour s'élever. Il peut aussi retomber en généreuses cascades dans une suspension.

Dimensions : guère plus de 1,50 m en pot.

Multiplication : boutures de tiges à chaud.

Longévité : un été à la maison. 3 ans en serre.

Ennemis et maladies : généralement aucun.

Espèces et variétés : *Manettia inflata* et *M. bicolor* sont des appellations synonymes et courantes.

Conseil Truffaut : taillez en mars, avant le départ de la végétation, pour conserver à la plante un port touffu et favoriser la floraison.

Medinilla magnifica
MÉDINILLA

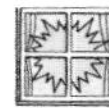

Arbuste épiphyte persistant, vigoureux, plus ou moins ramifié, portant des tiges à l'écorce ailée.

Origine : Philippines.

Feuilles : de 20 à 30 cm de long, ovales, opposées, coriaces, un peu rugueuses, vert sombre, lustrées, avec les nervures très apparentes.

Fleurs : d'avril à juillet apparaissent des grappes pendantes, de 40 cm de long, dont les fleurs cireuses rose pâle sont accompagnées de bractées.

Lumière : seules une serre ou une grande baie vitrée peuvent fournir les quatre ou cinq heures de soleil direct dont la plante a besoin chaque jour.

Terre : 1/2 terre de bruyère, 1/4 sable, 1/4 terreau pour plantes à fleurs (ou terreau d'écorce).

Engrais : d'avril à septembre, apporter un engrais liquide une fois tous les 15 jours.

Humidité de l'air : au moins 70 %. Si l'hygrométrie est insuffisante, la plante ne fleurit pas. Une serre ou un humidificateur électrique sont nécessaires. Vaporisez quotidiennement le feuillage.

Arrosage : tous les 3 jours en été, pas plus d'une fois par semaine après la floraison.

Rempotage : tous les deux ans, en février.

Exigences particulières : le médinilla ne supporte pas les chutes brutales de température et encore moins les courants d'air. Mais il apprécie une pièce bien ventilée et une fraîcheur nocturne.

Dimensions : de 60 cm à 1 m en tous sens.

Multiplication : difficile. Boutures terminales à 30 °C, sous brouillard, par les professionnels. Il est possible de tenter une marcotte aérienne.

Longévité : de 3 mois à 1 an dans un appartement. De 3 à 5 années en serre.

Ennemis et maladies : araignées rouges.

Espèces et variétés : sur les 150 espèces de médinillas connues, dont certaines sont grimpantes, seul *Medinilla magnifica* est cultivé comme plante d'intérieur, proposé parfois en grosses potées.

Conseil Truffaut : juste après la floraison, taillez de la moitié de leur longueur les tiges qui ont porté les grappes, puis réduisez les arrosages.

Mussaenda erythrophylla
MUSSAENDA

Sous-arbrisseau ramifié, souple, à tiges sarmenteuses, cultivé en buisson ou en grimpante.

Origine : Congo, où il fut découvert en 1888.

Feuilles : de 10 à 20 cm de long, persistantes, duveteuses, oblongues, pendantes, à l'aspect assez mou, avec des nervures rouges.

Fleurs : les petites corolles en entonnoir, entourées de bractées roses ou rouges, sont réunies en grappes de juillet à novembre. Les inflorescences de 10 à 30 cm rappellent celles de l'hortensia.

Lumière : vive, mais pas de soleil direct en été.

Terre : terreau pour plantes vertes ou pour géraniums, additionné d'un peu de sable grossier.

Engrais : d'avril à septembre, nourrissez le mussaenda tous les 15 jours avec un engrais pour plantes de terre de bruyère dilué à 50 %.

Humidité de l'air : au moins 70 %.

Arrosage : chaque fois que le terreau a séché en surface, mais sans jamais détremper la motte.

Rempotage : quand les racines sortent du pot.

Exigences particulières : le mussaenda ne supporte pas d'être exposé longtemps à moins de 18 °C. Attention aux demi-saisons, quand le chauffage n'est plus ou pas encore en fonctionnement.

Dimensions : de 60 cm à 1 m en pot, en serre.

Multiplication : réservée aux professionnels. Les boutures de tête doivent être placées à l'étouffée, à 100 % d'hygrométrie et à 30 °C.

Longévité : de 6 mois dans la maison à 3 ou 5 ans dans une serre chaude.

Ennemis et maladies : cochenilles, araignées rouges, aleurodes, surtout par temps chaud.

Espèces et variétés : il existe une centaine d'espèces de mussaendas, dont peu sont cultivées à l'intérieur. *Mussaenda frondosa*, à petites fleurs jaunes entourées de bractées blanc-vert.

Conseil Truffaut : taillez la plante après la floraison, sinon, elle prend un port désordonné.

▲ *Medinilla magnifica* : une potée très spectaculaire.

▲ *Mussaenda* 'Brésil' : un hybride aux bractées roses.

Mussaenda erythrophylla 'Alba' : lumineux. ▶

Narcissus spp.
NARCISSE

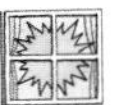  

Plante bulbeuse à floraison précoce, répartie en 12 divisions selon la forme des fleurs.

Origine : bassin méditerranéen, Afrique du Nord.

Feuilles : de 15 à 60 cm de long selon les espèces, linéaires, lisses, souvent en gouttière.

Fleurs : les hampes flexibles portent une ou plusieurs fleurs, composées d'un périanthe tubulaire, dont les 6 segments dressés, étalés ou réfléchis forment la « corolle » en trompette. Elle est parfois réduite à une simple couronne au centre de la fleur. Le jaune et le blanc sont fréquents, mais certaines variétés arborent de l'orangé ou du rose.

Lumière : très forte, le soleil direct ne nuit pas.

Terre : terreau et terre de jardin sableuse.

Engrais : après la floraison, nourrissez les narcisses tous les 15 jours avec un engrais riche en potasse (engrais bulbes, fraisiers ou tomates) jusqu'à ce que les feuilles soient presque jaunes.

Humidité de l'air : une hygrométrie élevée est néfaste aux narcisses, sensibles à la pourriture.

Arrosage : maintenez le terreau juste humide, sans plus, durant la floraison. Ensuite, régime sec.

Rempotage : inutile, car les narcisses ne refleurissent pas deux années de suite à l'intérieur. Après la floraison, transplantez les potées au jardin.

Exigences particulières : pour le forçage, les bulbes sont placés à l'obscurité et au frais (5 °C) jusqu'à ce que les tiges atteignent 5 cm, ce qui peut prendre deux mois. Les narcisses ont ensuite besoin d'une température de 15 à 18 °C pour fleurir.

Dimensions : de 15 à 50 cm de haut, en pot.

Multiplication : séparation des bulbilles qui sont apparues autour des bulbes principaux.

Longévité : le temps de la floraison, soit de 10 à 15 jours à l'intérieur. Plusieurs années si on laisse les narcisses se naturaliser dans le jardin.

Ennemis et maladies : divers champignons pourrissent le bulbe ou attaquent la base des feuilles. Ils sévissent surtout dans les sols très humides.

Espèces et variétés : tous les narcisses se prêtent bien au forçage, surtout 'Paperwhite', parfumé, qui n'a pas besoin de séjourner au frais pour fleurir ; 'Tête à Tête', un narcisse miniature de 10 à 15 cm de haut, qui peut être replanté au jardin où il refleurira de nombreuses années.

Conseil Truffaut : prolongez la floraison des narcisses en les installant la nuit sur le balcon, s'il ne gèle pas. Les bulbes qui ont été forcés dans des gravillons ne pourront être replantés.

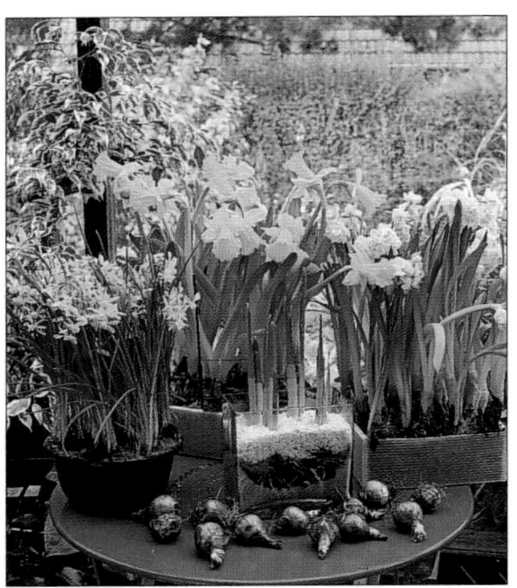

▲ Les narcisses forcés fleurissent la maison en hiver.

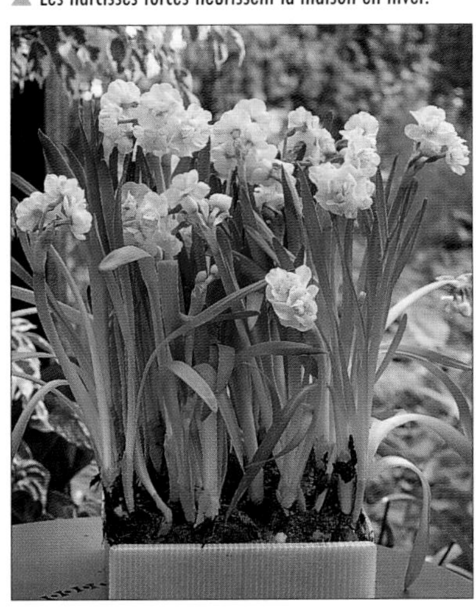

◀ Les narcisses doubles se prêtent fort bien au forçage.

☞ ***Nematanthus*** voir *Hypocyrta.*

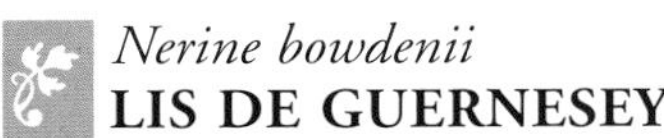

Nerine bowdenii
LIS DE GUERNESEY

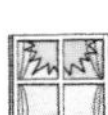 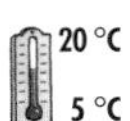 

Plante bulbeuse vigoureuse, semi-rustique.

Origine : Afrique du Sud.

Feuilles : de 20 à 30 cm de long, linéaires, étroites et rubanées, formées après la floraison.

Fleurs : à la fin de l'été, de longues hampes portent une dizaine de fleurs de 6 à 8 cm de diamètre réunies en ombelle, composées chacune de 6 pétales roses ou blancs, étroits, rubanés, incurvés.

Lumière : la clarté d'une serre, d'une véranda ou d'une grande baie vitrée est indispensable.

Terre : terre de jardin, sable et tourbe.

Engrais : deux fois par mois, ajoutez à l'eau d'arrosage un engrais pour fraisiers ou tomates.

Humidité de l'air : l'air sec des appartements fait jaunir les nérines, à plus de 15 °C. Dans ce cas, placez le pot sur des gravillons humides.

Arrosage : arrosez tous les 4 jours, sans excès quand la plante est en végétation. Une fois par semaine suffit dès que le feuillage jaunit. Conservation et hivernage au sec total.

Rempotage : chaque année, en avril.

Exigences particulières : en hiver, maintenez ces lis à 10 °C, pour qu'ils restent en végétation. À plus de 15 °C, la plante souffre de la chaleur.

Dimensions : jusqu'à 60 cm de haut.

Multiplication : semis de graines fraîches ou repiquage des bulbilles (long et délicat).

Longévité : plus de 5 ans, avec un été dehors.

Ennemis et maladies : cochenilles farineuses.

Espèces et variétés : 'Pink Triomph' est la variété la plus cultivée, pour ses grandes fleurs rose bonbon ; *Nerine undulata* (ou *crispa*) se distingue par des fleurs rose pâle très découpées.

Conseil Truffaut : les lis de Guernesey sont bien plus volumineux en pleine terre. Après 2 ans passés en pot, plantez-les au jardin.

Nerium oleander LAURIER-ROSE

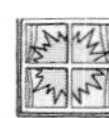  25 °C 0 °C 

Arbuste persistant semi-rustique. Tous les constituants de la plante sont toxiques.

Origine : pourtour de la Méditerranée.

Feuilles : de 10 à 20 cm de long, étroites, lancéolées, coriaces, vert intense ou grisâtres.

Fleurs : les corolles tubulées crème, roses, jaunes ou rouges, à 5 lobes aplatis, sont regroupées en bouquets terminaux de juin à octobre. Certaines variétés sont agréablement parfumées.

Lumière : seule une intensité maximale, avec éventuellement du soleil direct, peut convenir.

Terre : terre de jardin sableuse, enrichie d'une poignée de fumier déshydraté ou en granulés.

Engrais : une dose d'engrais à diffusion retardée, posée en surface du pot, suffira pour la saison.

Humidité de l'air : vaporisez quatre fois par semaine, si la température hivernale dépasse 15 °C.

Arrosage : le laurier-rose est beaucoup plus beau quand la terre reste légèrement humide en permanence. En plein été, il faut parfois arroser tous les jours, si la plante est exposée au soleil.

Rempotage : chaque année, en avril.

Exigences particulières : le laurier-rose appréciera un séjour hivernal dans une pièce très lumineuse et fraîche (entre 5 et 10 °C).

Dimensions : jusqu'à 4 m dans la nature, limitées à 1,50 m en pot. Ensuite, il devient dégingandé.

Multiplication : boutures dans l'eau, en été.

Longévité : plus de 15 ans, même en pot.

Ennemis et maladies : les cochenilles, très fréquentes et redoutables, entraînent souvent l'apparition de fumagine (sorte de suie).

Espèces et variétés : il existe plus de 40 variétés de lauriers-roses, aux fleurs simples, doubles, voire triples, dont les couleurs vont du blanc au rouge en passant par le jaune, l'abricot, le saumon.

Conseil Truffaut : après la floraison, taillez toutes les branches de la moitié de leur longueur pour provoquer des ramifications sur lesquelles pousseront les nouveaux rameaux florifères.

 *Oxalis tetraphylla* SURELLE

  18 °C 2 °C 

Petite plante vivace, envahissante, aux racines tubérisées, appelée aussi « trèfle à 4 feuilles ».

Origine : Mexique.

Feuilles : de 5 à 15 cm de diamètre, à 4 folioles, comme celles d'un trèfle à quatre feuilles. Chaque lobe est marqué à la base d'une tache pourpre.

Fleurs : en été, des tiges grêles portent des petites fleurs à 5 pétales, rouge orangé ou blanches, réunies en ombelles lâches.

Lumière : le soleil direct est apprécié le matin.

Terre : terreau sableux pour cactées.

Engrais : en été, nourrissez l'oxalis une fois par mois avec un engrais pour bulbes à fleurs.

Humidité de l'air : l'air sec de nos intérieurs est supporté si la température est inférieure à 15 °C.

Arrosage : tous les 4 ou 5 jours, tant que la plante est en végétation. Laissez au sec en hiver.

Rempotage : en avril, plantez 3 bulbes, à 5 cm de profondeur, dans un pot de 20 cm de diamètre.

Exigences particulières : sortez l'oxalis au jardin, de mai à octobre. Il est rustique dans le Midi.

Dimensions : de 15 à 25 cm en tous sens.

Multiplication : division des touffes.

Longévité : pas plus d'une saison à la maison, 2 ou 3 ans en serre froide ou en véranda.

Ennemis et maladies : généralement aucun.

Espèces et variétés : *Oxalis triangularis*, au feuillage pourpre, fleurit blanc de juillet à octobre et replie ses feuilles au moindre souffle d'air.

Conseil Truffaut : ne pas planter en sol calcaire.

▲ *Nerine bowdenii* : une bulbeuse à floraison automnale.

▲ *Nerium oleander* passe l'hiver dans la véranda.

Oxalis tetraphylla : un trèfle à quatre feuilles florifère. ▶

P

▲ *Pachystachys lutea* : la plante sucre d'orge.

◀ *Pandorea jasminoides* : une grimpante originale.

Pachystachys lutea
PACHYSTACHYS JAUNE

Petit arbuste persistant à port dressé, mais peu ramifié, très proche de *Justicia*.

Origine : Pérou, Mexique

Feuilles : de 8 à 15 cm de long, ovales, lancéolées, vert foncé, aux nervures bien marquées.

Fleurs : en été, l'extrémité des tiges porte une inflorescence conique, composée de bractées jaune d'or, imbriquées comme des écailles, dont chacune protège une fleur blanche en forme de languette.

Lumière : en hiver, trois heures par jour de soleil empêchent les pachystachys de s'étioler. En été, éloignez la plante de la fenêtre d'au moins 1 m.

Terre : terre de bruyère et terreau d'écorce, avec 10 % de perlite ou de vermiculite pour le drainage.

Engrais : une fois par mois, toute l'année.

Humidité de l'air : au moins 50 %. L'air trop sec fait brunir le bout des feuilles. Vaporisez le feuillage chaque matin en hiver.

Arrosage : tous les 10 jours en hiver. En été, arrosez tous les 3 jours, par petite quantité.

Rempotage : une fois par an, en avril, sans oublier les tessons pour le drainage.

Exigences particulières : taillez toutes les tiges au printemps, à 15 cm de hauteur, pour que la plante conserve une silhouette compacte.

Dimensions : de 40 à 50 cm de haut, en pot.

Multiplication : bouturage de tiges non fleuries, en mai, à l'étouffée, avec chaleur de fond (25 °C).

Longévité : de 2 à 5 ans, car ensuite la souche se dégarnit de la base et la plante s'étiole.

Ennemis et maladies : mouches blanches, acariens, excès ou manque d'eau.

Espèces et variétés : *Pachystachys coccinea*, aux volumineuses inflorescences écarlates (assez rare).

Conseil Truffaut : rempotez le pachystachys sitôt après l'achat, car il est difficile de le conserver à la maison dans le substrat tourbeux utilisé par les professionnels pour le produire. Maintenez ensuite la motte bien humide pendant 15 jours.

Pandorea jasminoides
PANDORÉA

Plante grimpante volubile, dont les branches s'enroulent autour de leur support.

Origine : Australie.

Feuilles : persistantes, pennées, composées de 5 à 9 folioles de 3 à 5 cm de long, vert intense.

Fleurs : le pandoréa se couvre, de février au milieu de l'été, de trompettes de 4 à 5 cm de diamètre, blanches ou rose pâle, au cœur plus sombre.

Lumière : le soleil direct, au moins 4 heures par jour, est vivement conseillé pour obtenir des fleurs.

Terre : terre franche, terreau de feuilles, sable et 20 % de fertilisant organique à base de fumier.

Engrais : une mesure d'engrais en granulés à diffusion lente dans le substrat de rempotage.

Humidité de l'air : toute l'année, vaporisez le feuillage tous les 2 jours, s'il fait plus de 18 °C.

Arrosage : sans excès, chaque fois que le terreau se dessèche superficiellement.

Rempotage : une fois par an, dans un pot d'au moins 30 cm de haut pour une plante adulte.

Exigences particulières : le pandoréa a besoin d'un hivernage bien marqué, au frais, pour fleurir.

Dimensions : jusqu'à 3 m dans un grand pot.

Multiplication : bouturage de tiges herbacées en mai, à l'étouffée, avec chaleur de fond (22 °C).

Longévité : au moins 5 ans en serre ou en véranda. Une seule saison dans la maison

Ennemis et maladies : pucerons, acariens.

Espèces et variétés : 'Variegata', au feuillage marginé ou taché de blanc-crème ; 'Lady Di', à fleurs blanches ; 'Rosea Superba', à grandes fleurs.

Conseil Truffaut : plantez le pandoréa en pleine terre dans une véranda, la croissance sera plus forte.

Passiflora caerulea
PASSIFLORE

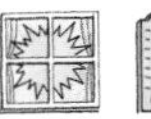
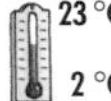

Cette plante grimpante qui s'accroche par des vrilles est aussi appelée « fleur de la Passion ».

Origine : Amérique centrale et du Sud.
Feuilles : de 8 à 10 cm de long, persistantes, découpées en 3 à 9 lobes, vert moyen.
Fleurs : la forme et la disposition des organes de la fleur bleus, rose et blancs, évoquent la crucifixion.
Lumière : plein soleil toute l'année.
Terre : terre franche et terreau de feuilles, avec 20 % de fertilisant à base de fumier et d'algues.
Engrais : à partir d'avril, chaque arrosage sera effectué avec une solution faible d'engrais pour plantes fleuries (1 bouchon pour 10 litres d'eau).
Humidité de l'air : vaporisez matin et soir en hiver si la température dépasse 14 °C.
Arrosage : en été, la motte ne doit pas se dessécher. En hiver, arrosez une fois par semaine.
Rempotage : chaque année, en avril.
Exigences particulières : taillez assez court les passiflores à chaque printemps, car elles fleurissent sur les pousses de l'année.
Dimensions : de 2 à 3 m en pot, le double si la plante est disposée en pleine terre dans la serre.
Multiplication : bouturage de tiges en été. Marcottage par couchage en avril. Semis en février.
Longévité : plus de 10 ans en serre. Guère plus de 2 ans dans un appartement (refloraison rare).
Ennemis et maladies : divers virus tachent et déforment les feuilles. Araignées rouges, aleurodes.
Espèces et variétés : 'Constance Elliott' à fleurs blanches ; 'Améthyste', à fleurs violettes ; *Passiflora quadrangularis,* aux fleurs de 8 à 12 cm de large ; *P. alata, P. coccinea* et *P. racemosa,* à fleurs rouges.
Conseil Truffaut : palissez la passiflore sur un treillage, une structure métallique ou un arceau.

Pelargonium x *hybridum* PÉLARGONIUM

Plante semi-arbustive buissonnante.
Origine : Afrique du Sud.
Feuilles : de 15 cm de diamètre, larges, vert franc, palmées, dentelées ou même frangées.
Fleurs : de mai à octobre, en grappes, formées de 5 à 10 fleurs, à 5 pétales, se déclinant dans toutes les nuances de rose, rouge, orangé et blanc.

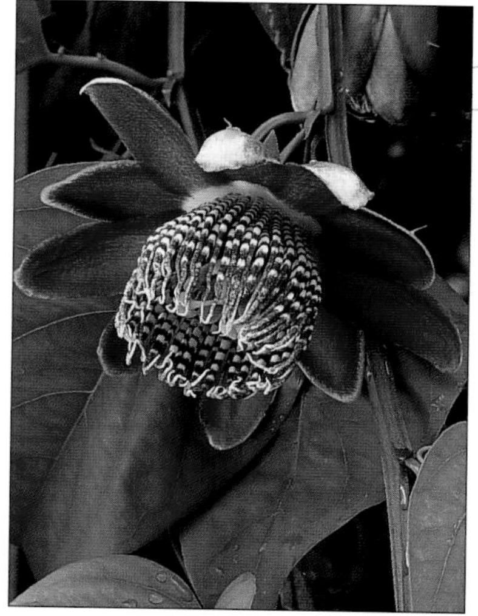
▲ *Passiflora alata* : la subtilité faite fleur.

▲ *Passiflora coerulea* : la forme la plus rustique.

Lumière : plein soleil indispensable.
Terre : terreau pour géraniums, assez souple.
Engrais : d'avril à mi-août, arrosez systématiquement avec un engrais liquide pour géraniums, très dilué (1 bouchon pour 10 litres d'eau).
Humidité de l'air : au moins 50 % en hiver, si la température est supérieure à 14 °C.
Arrosage : laissez bien sécher la terre entre deux arrosages. En hiver, arrosez tous les 10 à 20 jours.
Rempotage : chaque année, au printemps.
Exigences particulières : imposez un repos à partir d'octobre, dans la véranda maintenue hors gel. À partir de mai, aérez souvent la pièce.
Dimensions : de 30 à 50 cm de haut, en pot.
Multiplication : semis en février. Boutures de tiges non florifères en août-septembre.
Longévité : 3 ans si la plante survit à l'hivernage, ensuite la touffe devient inesthétique.
Ennemis et maladies : mouches blanches en hiver, pourritures, rouille sur les feuilles en été.
Espèces et variétés : *Pelargonium regale* et ses hybrides, le pélargonium à grandes fleurs de 5 cm est le plus adapté à la culture dans la maison.
Conseil Truffaut : taillez sévèrement en février pour conserver une silhouette trapue tout en évitant à la souche de trop se lignifier.

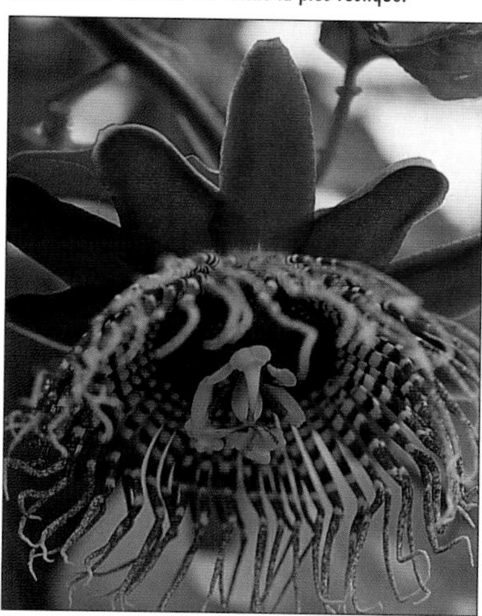
▲ *Passiflora quadrangularis* : une inquiétante merveille.

Pelargonium x grandiflorum 'Gemma Jewels' : lumineux. ▶

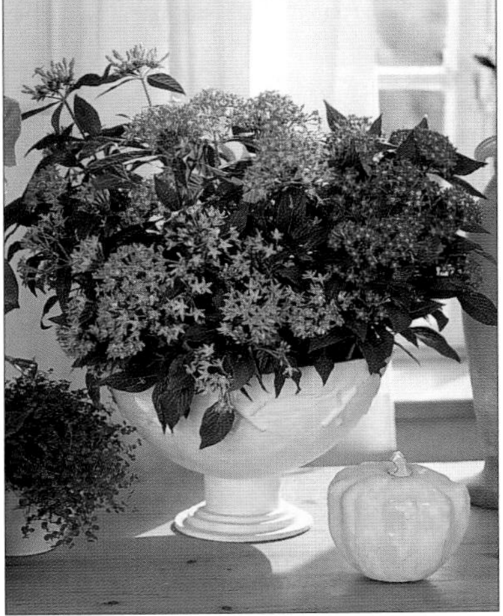

▲ *Pentas lanceolata* : une floraison très abondante.

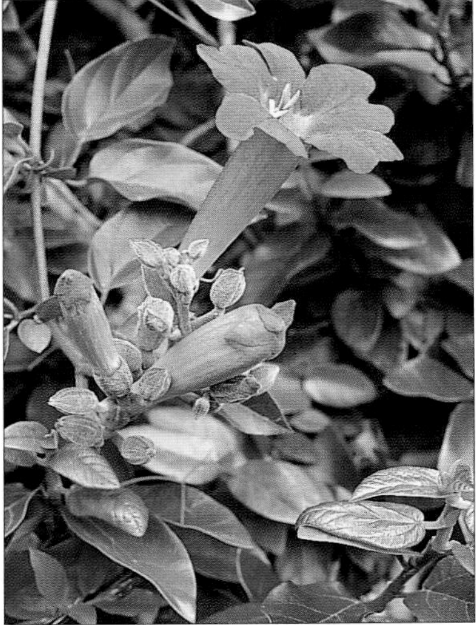

▲ *Phaedranthus buccinatorius* : une liane très colorée.

Pentas lanceolata
PENTAS

22 °C / 7 °C

Vivace persistante, à souche ligneuse, ou sous-arbrisseau au port bien ramifié.

Origine : est de l'Afrique tropicale, Arabie.

Feuilles : de 10 à 15 cm de long, ovales à lancéolées, elliptiques, duveteuses.

Fleurs : de mai à octobre, les corymbes sont formés d'une cinquantaine d'étoiles, blanches, rouges, roses ou mauves de 1 à 2 cm de diamètre.

Lumière : au moins 4 heures par jour de soleil.

Terre : terreau de rempotage, enrichi de 10 % de fertilisant à base de fumier et d'algues.

Engrais : de mai à septembre apportez tous les 15 jours un engrais liquide pour plantes fleuries.

Humidité de l'air : pulvérisez chaque jour le feuillage dès que la température dépasse 18 °C.

Arrosage : en moyenne une fois par semaine toute l'année. Trop d'eau fait jaunir les feuilles.

Rempotage : chaque année, en avril.

Exigences particulières : lors du rempotage, taillez toutes les tiges à 1/3 de leur longueur.

Dimensions : de 50 à 80 cm de haut.

Multiplication : boutures herbacées en juin.

Longévité : quelques mois en appartement. De 3 à 5 ans s'il est possible de l'hiverner en véranda.

Ennemis et maladies : mouches blanches.

Espèces et variétés : 'California Lavender', mauve lilacé ; 'California Pink, rose vif.

Conseil Truffaut : une fois défleuri, le pentas perd son intérêt. Mieux vaut alors le remplacer.

Phaedranthus buccinatorius
BIGNONE ROUGE

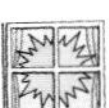  

24 °C / 5 °C

Plante grimpante persistante, aujourd'hui appelée *Distictis buccinatoria* par les botanistes.

Origine : Mexique, Antilles.

Feuilles : composées de 2 folioles opposées, de 8 à 10 cm de long, ovales, lancéolées, vert foncé et munies de vrilles à 3 ramifications.

◀ *Plumbago auriculata* : un bleu d'azur pour tout l'été.

Fleurs : d'avril à juillet, des trompettes tubulaires, rouge vif, de 8 à 10 cm de long, sont réunies en grappes. Elles ressemblent à celles de la bignone.

Lumière : plein soleil, toute l'année.

Terre : terre végétale, terreau et sable, avec 15 % de fertilisant organique à base de fumier.

Engrais : chaque semaine, d'avril à août, apportez un engrais liquide pour plantes fleuries.

Humidité de l'air : aérez la pièce par temps chaud, ou installez la plante sur le balcon en juin.

Arrosage : ne laissez pas le substrat se dessécher. Par temps très chaud, arrosez tous les jours.

Rempotage : chaque année, en mars. Dans un bac, contentez-vous de changer la terre de surface.

Exigences particulières : la plante supporte une gelée (- 2 °C) de très courte durée, ce qui lui permet de rester dehors, à l'abri, sur la Côte d'Azur.

Dimensions : 2 m en pot, 5 m en pleine terre.

Multiplication : bouturage demi-aoûté de juillet à septembre, à l'étouffée, en miniserre.

Longévité : au moins 5 ans, si la plante passe la belle saison dehors. Un an dans un appartement.

Ennemis et maladies : araignées rouges en hiver, pucerons au printemps et cochenilles en été.

Espèces et variétés : sur les 9 espèces connues, seul *Phaedranthus buccinatorius* est cultivé.

Conseil Truffaut : à la fin de la floraison, taillez de moitié les branches les plus longues. Il est important que la bignone rouge cultivée en pot conserve une silhouette assez compacte, sinon elle se dégarnit de la base et devient inesthétique.

Plumbago auriculata
DENTELAIRE DU CAP

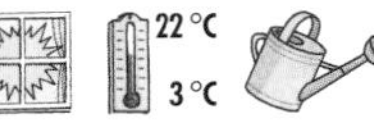

22 °C / 3 °C

Arbuste à port souple, sarmenteux, gracieux, cultivé en grimpant sur un support ou en retombant.

Origine : Afrique du Sud.

Feuilles : de 4 à 7 cm de long, persistantes, ovales, vert moyen mat, portées par des tiges grêles et désordonnées qui retombent, à moins d'être palissées sur des tuteurs solides.

Fleurs : tout l'été apparaissent des grappes, formées de petites pervenches bleu porcelaine.
Lumière : plein soleil, pouvant être filtré en été.
Terre : terre végétale, terreau, tourbe et sable.
Engrais : durant la floraison, apportez chaque semaine un engrais liquide pour géraniums.
Humidité de l'air : en hiver, à plus de 14 °C, placez le pot sur des gravillons humides.
Arrosage : tous les 3 jours durant la floraison. Tous les 8 à 12 jours en hiver.
Rempotage : chaque année en mars.
Exigences particulières : hivernez le plumbago à moins de 10 °C, dans une véranda.
Dimensions : de 1 à 2 m en pot.
Multiplication : boutures à talon en été, à l'étouffée, avec hormones et chaleur de fond.
Longévité : de 3 à 7 ans, si la plante hiverne au frais. Un an maximum dans un appartement.
Ennemis et maladies : mouches blanches.
Espèces et variétés : *Plumbago auriculata* est plus connu sous son ancien nom de *P. capensis*; Var. *alba*, à fleurs blanc pur; *P. indica*, plus rare, écarlate.
Conseil Truffaut : au début du printemps, effectuez une taille sévère, en défourchant les rameaux.

Plumeria alba
FRANGIPANIER

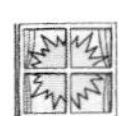

24 °C
13 °C

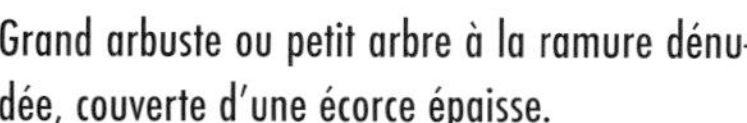

Grand arbuste ou petit arbre à la ramure dénudée, couverte d'une écorce épaisse.
Origine : Amérique centrale, Antilles.
Feuilles : de 20 à 30 cm de long, caduques, coriaces, regroupées à l'extrémité des branches.
Fleurs : presque toute l'année, bouquets de fleurs blanches et veloutées, dont le parfum rappelle celui de la frangipane, d'où le nom de frangipanier.
Lumière : plein soleil, toute l'année.
Terre : terre de jardin, sable et terreau de tourbe.
Engrais : de mai à août, apportez tous les 15 jours un engrais liquide pour cactées.
Humidité de l'air : minimum 60 %.
Arrosage : laissez s'assécher la surface de la terre sur 3 cm, entre deux apports d'eau.
Rempotage : tous les 2 ans, en avril.
Exigences particulières : les frangipaniers requièrent un repos hivernal entre 13 et 15 °C.
Dimensions : de 50 cm à 1 m, en pot.
Multiplication : bouturage de tiges dénudées, au début du printemps, dans du sable.
Longévité : moins d'un an dans un intérieur. De 2 à 5 ans en serre; après, la plante se dégarnit.
Ennemis et maladies : en raison de son bois tendre, le frangipanier est sensible à la pourriture.
Espèces et variétés : *Plumeria rubra*, le frangipanier rouge, à fleurs rose foncé, jaunes ou bronze.
Conseil Truffaut : associez le frangipanier à des jacobinias, kalanchoés, dipladénias, jatrophas.

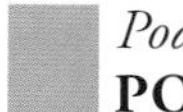

Podranea ricasoliana
PODRANÉA

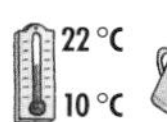

22 °C
10 °C

Grimpante volubile, à tiges ligneuses.
Origine : Afrique du Sud
Feuilles : de 15 à 20 cm de long, persistantes, composées de 5 à 11 folioles ovales, lancéolées, vert foncé brillant, légèrement ponctuées.
Fleurs : corolles tubulaires, en trompette découpée et ouverte, rose tendre nervuré de plus foncé.
Lumière : forte, mais toujours filtrée.
Terre : terre de jardin, sable, terreau, fumier.
Engrais : tous les 15 jours en été.
Humidité de l'air : la sécheresse atmosphérique hivernale est fatale au podranéa.
Arrosage : maintenez le substrat humide pendant la floraison. Tous les 10 jours en hiver.
Rempotage : chaque année, en mars.
Exigences particulières : cultivez en serre froide, puis à l'extérieur de fin mai à fin septembre.
Dimensions : jusqu'à 3 m, en bac.
Multiplication : marcottage au printemps. Bouturage semi-aoûté de juillet à septembre.
Longévité : un été en appartement.
Ennemis et maladies : mouches blanches.
Espèces et variétés : *Podranea ricasoliana*, assez peu courant, est le seul commercialisé.
Conseil Truffaut : taillez court, au printemps.

▲ *Plumeria alba* : la fleur des temples bouddhistes.

▲ *Plumeria* x : un frangipanier aux nuances subtiles.

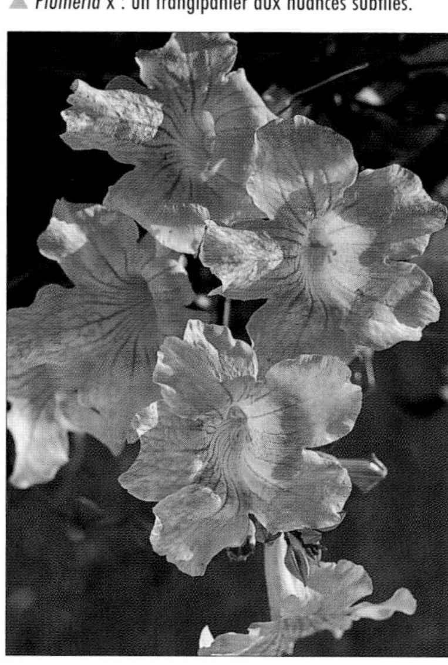

Podranea ricasoliana : une grimpante rose tendre. ▶

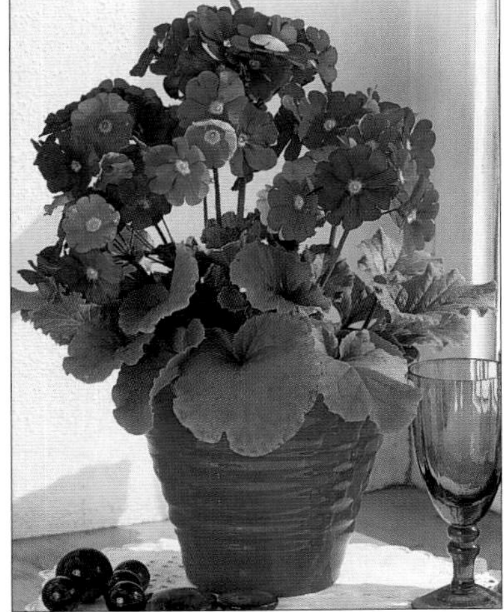

▲ *Primula obconica* : une potée précoce, mais éphémère.

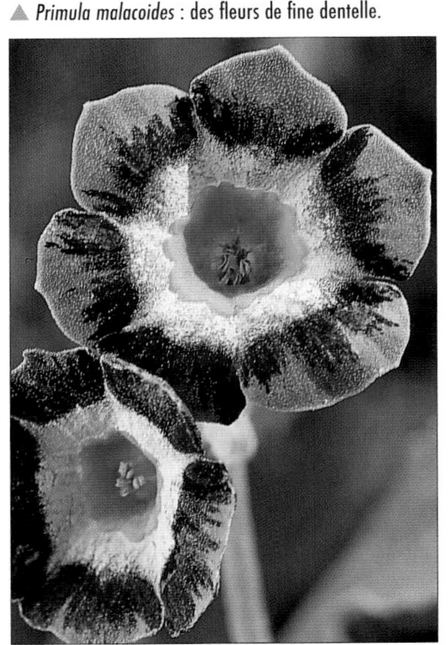

▲ *Primula malacoides* : des fleurs de fine dentelle.

☞ ***Poinsettia*** voir *Euphorbia pulcherrima*.
☞ ***Poinciana*** voir *Caesalpinia*.

Primula spp. PRIMEVÈRE

18 °C / 5 °C

Plante vivace le plus souvent cultivée comme une potée saisonnière.

Origine : les primevères cultivées comme plantes d'intérieur viennent principalement de Chine.

Feuilles : de 5 à 15 cm de long, persistantes, disposées en rosette, entières, légèrement gaufrées, vert franc, avec la nervure principale très marquée.

Fleurs : solitaires ou réunies en ombelle, aux corolles simples ou doubles, largement ouvertes. Certaines primevères présentent un œil coloré, des pétales bicolores, parfois poudrés d'argent, ou des fleurs parfois parfumées.

Lumière : filtrée, mais un peu de soleil direct en hiver.

Terre : terreau pour géraniums avec 20 % de sable.

Engrais : à partir d'octobre et jusqu'à la floraison, apportez tous les 15 jours un engrais liquide pour géraniums.

Humidité de l'air : ne vaporisez pas le feuillage, mais placez le pot sur des gravillons humides dès que la température dépasse 15 °C.

Arrosage : maintenez le terreau humide durant la floraison. Arrosez toujours en trempant le pot, pour ne pas mouiller les feuilles. Après la floraison, un ou deux arrosages par semaine sont suffisants.

Rempotage : en général les primevères sont éliminées après la floraison. *Primula auricula* sera rempotée tous les 2 ans, en septembre-octobre.

Exigences particulières : après la floraison, les primevères ont besoin de repos jusqu'à l'automne, dans un endroit frais, sec, mi-ombragé.

Dimensions : de 10 cm à 40 cm de haut.

Multiplication : semis de février à juin, en terrine ou division des touffes après la floraison.

◀ *Primula auricula* 'RN 25' : un bijou de collectionneur.

Longévité : juste le temps de la floraison. *Primula auricula* vit au moins 3 ans, en serre froide.

Ennemis et maladies : pucerons.

Espèces et variétés : il existe 400 espèces de primevères et d'innombrables variétés. À la maison, on cultive surtout : *Primula obconica*, trapue, à feuilles arrondies ; *Primula* x *kewensis* et *P. malacoides*, à fleurs portées par de longs pédoncules ; *P. auricula* est plutôt une plante de serre froide, intéressante pour ses coloris très étonnants. Les fleurs sont parfois couvertes d'une pruine veloutée, blanche ou argentée, peu ordinaire.

Conseil Truffaut : les primevères contiennent de la primine, substance irritante pour les peaux fragiles. Portez des gants si vous êtes allergique.

Protea spp. PROTÉA

20 °C / 5 °C

Arbuste au port bien ramifié, dressé, rigide.

Origine : Afrique du Sud.

Feuilles : de 5 à 15 cm de long, persistantes, alternes ou spiralées, coriaces, oblongues, glauques ou vert foncé, portées serrées sur les rameaux.

Fleurs : selon les espèces, les inflorescences en forme de cône mesurent de 5 cm à 20 cm de diamètre, avec des bractées extérieures roses, rouges, blanches ou verdâtres, coriaces et serrées.

Lumière : plein soleil, toute l'année.

Terre : terre de bruyère, perlite et tourbe.

Engrais : les protéas supportent mal le phosphore. Apportez une fois par mois un engrais azoté (du sang desséché par exemple), dosé au tiers de la concentration recommandée.

Humidité de l'air : les protéas apprécient une ambiance assez sèche. Ne pas vaporiser.

Arrosage : en moyenne une fois par semaine toute l'année. Le substrat ne doit pas se dessécher totalement. Toutefois, un excès d'arrosage, même temporaire, fait rapidement pourrir les racines.

Rempotage : chaque année au printemps, dans un pot plus large que haut.

Exigences particulières : arrosés avec de l'eau de ville calcaire, les protéas en pot se chlorosent

facilement. Au moindre jaunissement des feuilles, apportez un produit à base de chélate de fer.
Dimensions : jusqu'à 1 m de haut, en pot.
Multiplication : le semis est facile, mais les graines sont rarement disponibles en Europe. Les jeunes plants poussent très lentement. Le bouturage, à chaud, est réservé aux professionnels.
Longévité : de 3 à 15 ans dans une véranda.
Ennemis et maladies : phytophtora.
Espèces et variétés : le genre *Protea* comprend 115 espèces, dont quelques-unes commencent à être proposées en pot. *Protea cynaroides,* aux énormes fleurs qui ressemblent à celles d'un artichaut; *P. eximia,* aux bractées spatulées, rouges; *P. neriifolia,* à feuilles lancéolées; *P. repens,* aux fleurs de 10 cm de diamètre rouges et crème.
Conseil Truffaut : taillez le protéa après la floraison, en réduisant à 5 cm chaque pousse de l'année qui a porté des fleurs à son extrémité.

Punica granatum GRENADIER NAIN

Arbuste épineux, à port dressé, touffu.
Origine : sud-est de l'Europe, Himalaya.
Feuilles : de 5 à 8 cm de long, caduques ou semi-persistantes, simples, oblongues, vert brillant.
Fleurs : tout l'été se succèdent des corolles tubulaires et cireuses, à 5 pétales rouge orangé. Fruits ronds, bruns, à la coque très dure.
Lumière : plein soleil toute l'année.
Terre : terre de jardin, sable et terreau.
Engrais : d'avril à septembre, apportez une fois par mois un engrais pour fraisiers ou tomates.
Humidité de l'air : brumisez la plante quand la température dépasse 20 °C en été, 15 °C en hiver.
Arrosage : deux fois par semaine durant la croissance, tous les 8 à 10 jours de novembre à mars.
Rempotage : chaque année, en avril.
Exigences particulières : le grenadier doit passer l'hiver dans une pièce à 10 °C bien éclairée.
Dimensions : jusqu'à 1 m de haut en pot.
Multiplication : bouturage de tiges non florifères, en août, à l'étouffée, avec hormones.
Longévité : 1 an dans la maison, jusqu'à 5 ans dans une véranda, ensuite la plante se dégarnit.
Ennemis et maladies : cochenilles.
Espèces et variétés : *Punica granatum* var *nana,* au port compact, est idéal pour l'intérieur. Ses fruits ne sont pas comestibles; 'Flore Pleno', à fleurs doubles, rouges, est le plus cultivé.
Conseil Truffaut : taillez le grenadier à la fin de l'hiver pour lui conserver une forme arrondie.

Pyrostegia venusta LIANE DE FEU

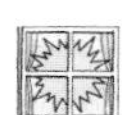

Plante grimpante persistante, s'accrochant par des vrilles à triple ramification.
Origine : Amérique du Sud.
Feuilles : opposées, composées de 2 ou 3 folioles de 5 à 8 cm de long, oblongues, lancéolées, vernissées, vert profond, parfois terminées par une vrille.
Fleurs : de novembre à mars, l'extrémité des tiges porte des grappes de corolles tubulaires, orange.
Lumière : plein soleil toute l'année. Un complément d'éclairage artificiel est souhaitable en hiver.
Terre : terre franche, terreau, sable et fumier.
Engrais : de juin à septembre, apportez tous les 15 jours un engrais liquide pour plantes fleuries.
Humidité de l'air : au moins 50 %. Vaporisez en hiver si la température dépasse 18 °C.
Arrosage : tous les 2 ou 3 jours en été. Tous les 6 à 8 jours en hiver, sans jamais détremper.
Rempotage : un mois après la floraison.
Exigences particulières : la liane de feu peut supporter exceptionnellement jusqu'à 2 ou 3 °C.
Dimensions : 2 m en pot, 7 m en pleine terre.
Multiplication : bouturage de tiges en fin d'été.
Longévité : de 5 à 10 ans dans une véranda.
Ennemis et maladies : généralement aucun.
Espèces et variétés : sur les 4 espèces connues, seul *Pyrostegia venusta* est cultivé en potée fleurie.
Conseil Truffaut : pour maintenir en vie une ligne de feu dans la maison, un fort éclairage artificiel durant 6 h par jour est indispensable.

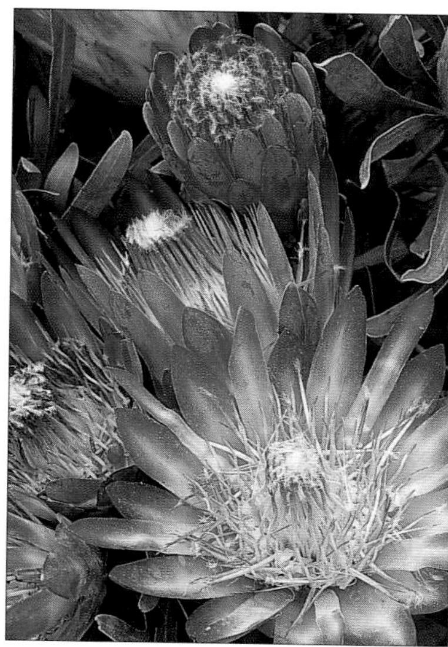

▲ *Protea repens* : une floraison de très longue durée.

▲ *Punica granatum* 'Nana' : sortez-le l'été, au soleil.

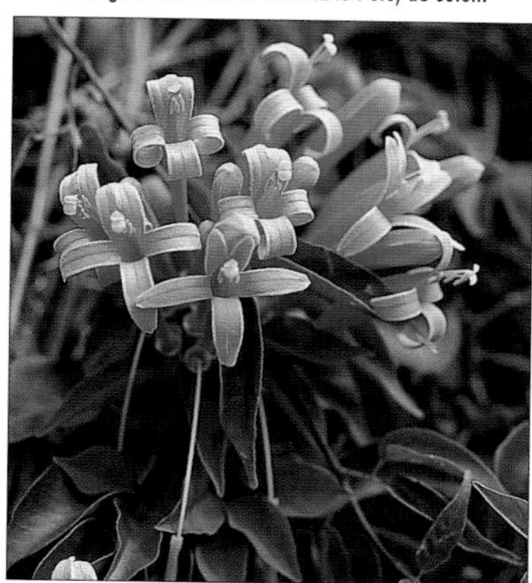

Pyrostegia venusta : une grimpante de grande vigueur. ▶

Quamoclit coccinea
IPOMÉE ÉCARLATE

  20 °C 7 °C 

Plante grimpante annuelle, volubile, classée par les botanistes dans le genre *Ipomaea*.

Origine : sud-est des États-Unis, Mexique.

Feuilles : de 8 à 15 cm de long, cordiformes à ovales, entières ou dentées, vert mat.

Fleurs : de juin à septembre, des corolles tubulaires de 2 à 4 cm de diamètre, rouge vif, avec la gorge plus claire, apparaissent groupées en bouquets, à l'aisselle des feuilles supérieures.

Lumière : vive, plein soleil le matin seulement.

Terre : terreau pour géraniums et terre de jardin.

Engrais : à partir d'avril, apportez tous les 10 jours un engrais liquide pour plantes fleuries.

Humidité de l'air : inutile de vaporiser.

Arrosage : tous les 2 à 4 jours, en fonction de la température. Maintenez le substrat humide.

Rempotage : après le semis, repiquez les plantules quand elles ont formé 4 feuilles dans des pots de 10 cm de diamètre, puis dans des pots de 14 cm, un mois plus tard. Avant l'apparition des fleurs, installez 3 ou 4 plants dans un pot de 25 cm.

Exigences particulières : aérez souvent la pièce ou installez le pot sur le balcon, dès la mi-mai. Prévoyez des tuteurs ou un treillage décoratif solide, pour que les tiges volubiles s'accrochent.

Dimensions : de 1,50 à 3 m en pot.

Multiplication : semis en mars, sous abri.

Longévité : *Quamoclit* est annuel.

Ennemis et maladies : araignées rouges lors des étés chauds et secs. Traitez dès leur apparition.

Espèces et variétés : *Ipomoea (Quamoclit) lobata,* à tiges marquées de pourpre et fleurs tubulaires écarlates, plus frileuse (10 °C) ; *I. quamoclit (Quamoclit pennata),* aux petites feuilles très découpées et fleurs pourpres de 1 cm de diamètre.

Conseil Truffaut : si vous semez après le 15 avril, la floraison n'aura lieu qu'à la fin de l'été.

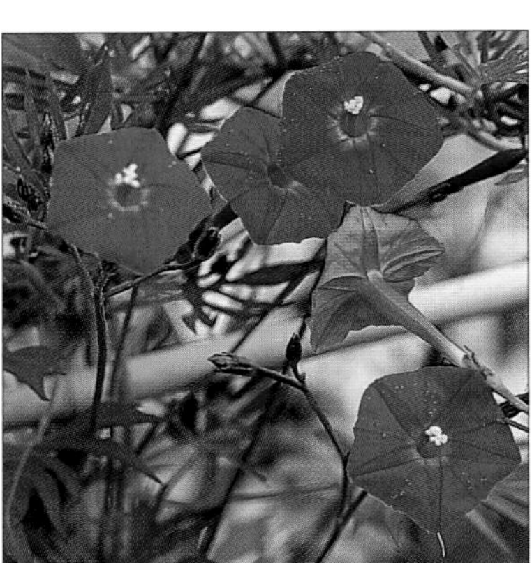

▲ *Quamoclit coccinea* : un liseron à fleurs rouge vif.

☞ ***Rechsteineria*** voir *Gesneria*.

◄ *Rehmannia elata* : de grandes fleurs tout l'été.

Rehmannia elata
REHMANNIA

  20 °C 0 °C 

Plante herbacée vivace, généralement cultivée comme une potée bisannuelle. On l'appelle aussi « digitale de Chine ».

Origine : forêts clairsemées de Chine.

Feuilles : de 10 à 15 cm de long, en rosettes, velues, profondément dentées et lobées.

Fleurs : de mai à octobre, le rehmannia développe des tiges courtes portant des fleurs campanulées, rose pourpré, à la gorge ponctuée de jaune.

Lumière : une exposition très claire, en évitant le soleil direct l'été, entre 10 h et 17 h.

Terre : terre de jardin, tourbe et sable, avec 15 % de fertilisant à base de fumier et d'algues.

Engrais : tous les 15 jours à partir d'avril, apportez un engrais liquide pour plantes fleuries.

Humidité de l'air : aérez la pièce aussi souvent que possible, pour améliorer l'hygrométrie.

Arrosage : tous les 2 jours pendant la floraison. Une fois par semaine en automne et en hiver. Augmentez les doses au printemps.

Rempotage : en mars, si la plante est à l'étroit.

Exigences particulières : la floraison est meilleure si la plante hiverne à 10 °C et au sec.

Dimensions : de 30 à 50 cm de haut en pot.

Multiplication : semis en mars, sous abri.

Longévité : les plantes de 2 ans fleurissent le mieux. Ensuite, mieux vaut éliminer la plante.

Ennemis et maladies : généralement aucun.

Espèces et variétés : *Rehmannia elata* est plus connu sous son ancienne appellation *R. angulata ; R. henryi*, à fleurs jaunes tachées de rouge.

Conseil Truffaut : l'excès d'arrosage est la principale cause d'échec. Ayez la main légère en hiver.

Reinwardtia indica
LIN JAUNE

  20 °C 7 °C 

Arbuste ou sous-arbrisseau proche des *Linum*, à port dressé, peu ramifié, cultivé en annuelle.

Origine : Inde, Pakistan, Birmanie, Chine.
Feuilles : de 5 à 8 cm de long, persistantes, elliptiques, finement dentées, vert foncé ou grisâtres.
Fleurs : de février à mai, le lin jaune porte des fleurs jaunes tubulaires, solitaires ou en bouquets.
Lumière : placez le lin jaune derrière une grande baie vitrée, en protégeant du soleil direct en été.
Terre : terre de bruyère, terreau pour géraniums.
Engrais : d'avril à octobre apportez tous les 15 jours un engrais pour plantes fleuries.
Humidité de l'air : le lin jaune prospère quand l'atmosphère est à la fois humide et bien ventilée. Brumisez la plante chaque jour, sans toucher aux fleurs. Placez la potée sur le balcon en été.
Arrosage : tous les 2 ou 3 jours ; le terreau ne doit jamais se dessécher entre janvier et août. Dès septembre, une fois par semaine suffit.
Rempotage : chaque année après la floraison.
Exigences particulières : pour bien fleurir, le lin jaune doit hiverner à 10 °C, dans une pièce claire.
Dimensions : de 30 à 50 cm de haut en pot.
Multiplication : bouturez en miniserre, à chaud, les pousses herbacées taillées après la floraison. Semis en godet, à 18 °C, en mars-avril.
Longévité : le lin jaune vieillissant mal et présentant des difficultés de conservation en hiver, on l'élimine généralement après la floraison.
Ennemis et maladies : rien de bien grave.
Espèces et variétés : *Reinwardtia indica*, la seule espèce commercialisée, est souvent proposé sous son ancienne appellation *R. trigyna*.
Conseil Truffaut : en avril, rabattez la plante des deux tiers pour lui garder un port compact.

▲ *Reinwardtia indica* : une petite plante arbustive qui nécessite un hivernage au frais pour bien fleurir.

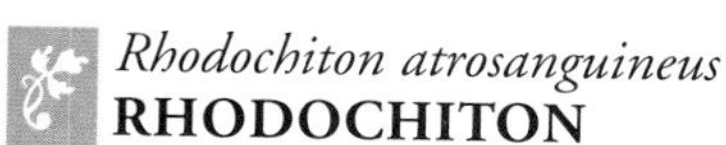

Rhodochiton atrosanguineus
RHODOCHITON

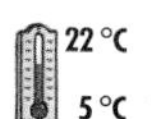

Vivace grimpante volubile, à tiges herbacées.
Origine : zones forestières du Mexique.
Feuilles : de 5 à 8 cm de long, caduques, cordiformes, très finement dentées sur les bords, portées par des pétioles qui vrillent autour du support.
Fleurs : de fin juin à mi-octobre, le rhodochiton se couvre d'étonnantes clochettes formées d'un calice en coupe renversée rose ou mauve et d'une corolle en entonnoir étroit bordeaux ou pourpre foncé.
Lumière : plein soleil pour obtenir des fleurs.
Terre : terreau pour géraniums, sable et 15 % de fertilisant organique à base de fumier et d'algues.
Engrais : de mai à août, apportez une fois par semaine un engrais liquide pour géraniums.
Humidité de l'air : arrosez le sol de la véranda quand la température dépasse 20 °C. Ne vaporisez pas le feuillage et encore moins les fleurs.
Arrosage : tous les 2 ou 3 jours en été. Maintenez le terreau à peine humide en hiver.
Rempotage : en mars, chaque année.
Exigences particulières : le rhodochiton est encore plus original quand il est cultivé dans des paniers suspendus. Sinon, tuteurez les tiges.
Dimensions : jusqu'à 3 m dans une saison.
Multiplication : semis à 18 °C en mars-avril.
Longévité : le rhodochiton est cultivé comme une annuelle, qui peut survivre 2 saisons en véranda.
Ennemis et maladies : généralement aucun.
Espèces et variétés : *Rhodochiton atrosanguineus* est couramment commercialisé sous son ancienne appellation de *R. volubile*.
Conseil Truffaut : taillez toutes les tiges des 2/3 après la floraison et hivernez en véranda.

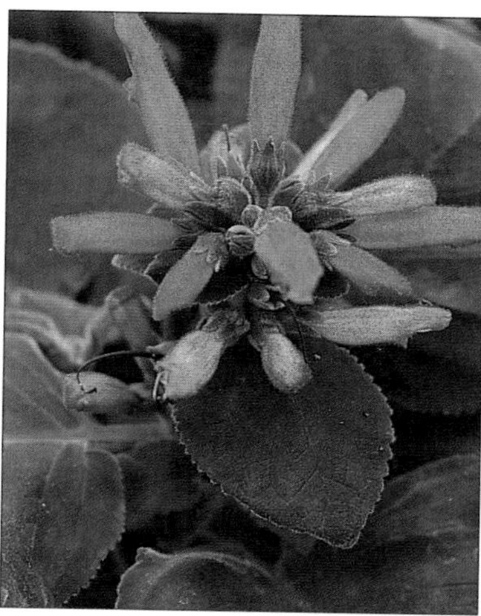

▲ *Rhodochiton atrosanguineus* : des fleurs étonnantes.

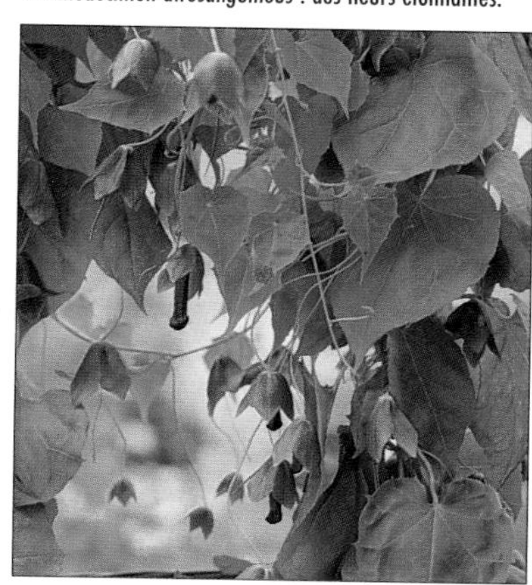

Rhodochiton atrosanguineus : une grimpante estivale. ▶

▲ *Rhododendron* x 'Kolibri' : une superbe pyramide.

▲ *Rhododendron simsii* x : l'azalée d'intérieur.

Rhododendron simsii x
AZALÉE D'INTÉRIEUR

18 °C
7 °C

Arbuste buissonnant, à port arrondi, dont on trouve des potées fleuries toute l'année.

Origine : Chine, Himalaya, Caucase.

Feuilles : de 5 cm de long, persistantes chez les espèces en pot, ovales, velues, vert très foncé.

Fleurs : coupes simples ou doubles, parfois ondulées, roses, rouges, blanches ou bicolores.

Lumière : sans soleil direct, mi-ombre en serre.

Terre : terre de bruyère pure.

Engrais : de février à juillet, apportez une fois par mois un engrais pour plantes de terre de bruyère.

Humidité de l'air : posez le pot sur un lit de graviers humides. Ne vaporisez que la face inférieure des feuilles et ne mouillez surtout pas les fleurs.

Arrosage : tous les 2 ou 3 jours durant la floraison. 1 à 2 fois par semaine le reste du temps.

Rempotage : chaque année au printemps, de préférence dans un pot plus large que profond.

Exigences particulières : l'azalée ne supporte pas les températures élevées. La floraison dure plus longtemps dans une pièce non chauffée. La survie de la plante passe par un hivernage en véranda.

Dimensions : de 25 cm à 1 m de haut en pot.

Multiplication : boutures de pousses terminales non florifères, en miniserre avec hormones et chaleur de fond (25 °C), à réserver aux spécialistes.

Longévité : rarement plus de quelques semaines dans la maison. De 3 à 7 ans dans une véranda.

Ennemis et maladies : le *phytophtora*, un champignon parasite qui dessèche les feuilles et les branches quand la plante est trop gorgée d'eau.

Espèces et variétés : *Rhododendron simsii* est à l'origine de centaines d'hybrides que l'on appelle généralement « azalées des fleuristes », déclinées en nombreux coloris.

Conseil Truffaut : pour conserver l'azalée, ne chauffez pas la pièce à plus de 15 °C. Un séjour estival au jardin à mi-ombre lui est profitable.

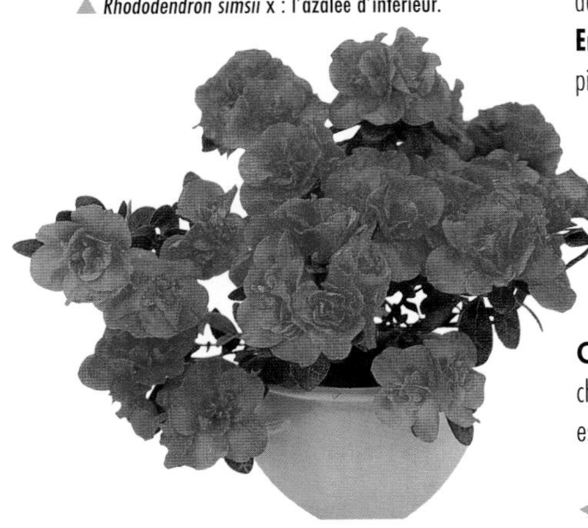
◄ *Rhododendron simsii* x : un très large choix de coloris.

Rosa spp.
ROSIER NAIN

18 °C
3 °C

Arbuste caduc, touffu, dont on a sélectionné des variétés compactes, très naines, qui se comportent bien en pot et résistent dans la maison.

Origine : hybrides aux parents chinois.

Feuilles : de 5 à 7 cm de long, composées de 5 à 7 folioles, vert brillant, légèrement dentées.

Fleurs : les rosiers nains vendus en pot portent des petites fleurs doubles aux pétales serrés, parfois retournés. Tous coloris sauf le noir et le bleu.

Lumière : plein soleil, mais non brûlant.

Terre : terreau pour rosiers ou terre végétale, avec 20 % de fertilisant organique à base de fumier.

Engrais : d'avril à septembre, apportez une fois par mois un engrais liquide pour rosiers.

Humidité de l'air : vaporisez le dessous des feuilles chaque jour dès que la température dépasse 15 °C, ou placez la potée sur le balcon.

Arrosage : deux ou trois fois par semaine, sans jamais laisser sécher la motte durant la floraison. Une fois par semaine en période de repos végétatif.

Rempotage : chaque année, en mars.

Exigences particulières : tous les rosiers nains doivent passer l'hiver au frais, mais hors gel. Ils meurent s'ils restent confinés à l'intérieur.

Dimensions : de 10 cm à 30 cm de haut.

Multiplication : les boutures sont réalisées *in vitro*, par les professionnels uniquement.

Longévité : pas plus de 3 semaines d'affilée dans la maison. Au moins 1 an en serre froide.

Ennemis et maladies : taches noires (marsonia), oïdium, pucerons, araignées rouges.

Espèces et variétés : les variétés de rosiers nains sont nombreuses. Le groupe des 'Meillandina' réussit bien en pot et tient assez longtemps à la maison ; 'Opalina', blanc au cœur jaune pâle, se distingue par un port rampant ; 'Gentle Touch', aux fleurs semi-doubles, légèrement parfumées, rose pâle est l'un des plus vendus ; 'Rosamini' est très buissonnant.

Conseil Truffaut : coupez régulièrement les fleurs fanées. En mars, taillez toutes les branches d'un tiers, pour ne pas laisser « filer » la plante.

Ruellia makoyana
RUELLIA

Sous-arbrisseau au port retombant, classé par certains botanistes dans le genre *Dipteracanthus.*

Origine : Brésil.

Feuilles : de 6 à 8 cm de long, elliptiques, légèrement dentées, veloutées, vert franc délicatement rehaussées par une nervure médiane blanc argenté, vert pâle ou jaune et un revers pourpré.

Fleurs : d'août à novembre, apparaissent à l'aisselle des feuilles supérieures des bouquets de fleurs étoilées rose pourpré de 10 cm de diamètre.

Lumière : vive, mais tamisée par un fin voilage, sinon, le feuillage perd ses beaux coloris.

Terre : terreau pour plantes vertes, additionné de 20 % de fertilisant organique à base de fumier.

Engrais : d'avril à septembre, apportez une fois par semaine un engrais liquide pour orchidées.

Humidité de l'air : le ruellia aime la moiteur. Ne vaporisez pas le feuillage duveteux, mais placez la plante près d'un humidificateur électrique ou à défaut sur un lit de billes d'argile humides.

Arrosage : tous les 2 ou 3 jours durant la croissance, car il ne faut pas laisser le terreau s'assécher complètement. Une petite sécheresse est supportée en dehors de la période de floraison. Durant le repos végétatif, arrosez une fois par semaine.

Rempotage : chaque année, au printemps.

Exigences particulières : le ruellia est mieux mis en valeur s'il est cultivé en suspension. Attention aux écarts brutaux de température et aux courants d'air froids qui peuvent lui être fatals.

Dimensions : 25 cm de haut, 50 cm de large.

Multiplication : bouturage de pousses latérales en avril ou mai, en miniserre, à l'étouffée, à 25 °C (difficile).

Longévité : pas plus de 3 ans, même en serre.

Ennemis et maladies : mouches blanches.

Espèces et variétés : *Ruellia devosiana* se distingue par ses fleurs blanches rayées de bleu.

Conseil Truffaut : après la floraison, offrez au ruellia un régime un peu plus sec pendant un mois, puis rabattez les tiges de moitié.

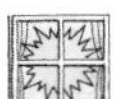

Russelia equisetiformis
PLANTE CORAIL

Plante vivace ou sous-arbrisseau à port souple, dont les rameaux très fins sont joliment arqués.

Origine : Mexique.

Feuilles : de 1,5 cm de long, elles sont réduites à l'état d'écailles et tombent assez rapidement.

Fleurs : de mai à octobre, apparaissent des tubes rouge écarlate de 3 cm de long, réunis en cymes pendantes, légères, gracieuses, aériennes.

Lumière : soleil direct, toute l'année.

Terre : terreau pour géranium, terre de jardin et sable, avec 10 % de fertilisant à base de fumier.

Engrais : d'avril à septembre, apportez, une fois tous les 10 jours, un engrais liquide pour plantes vertes ou fleuries.

Humidité de l'air : minimum 50 %. La plante corail nécessite des brumisations journalières, dès que la température dépasse 18 °C.

Arrosage : deux à trois fois par semaine en été quand la température dépasse 22 °C. Tous les 6 à 8 jours en moyenne le reste de l'année, y compris en hiver.

Rempotage : une fois par an, au printemps.

Exigences particulières : la plante corail est mieux mise en valeur dans une suspension. Elle apprécie un séjour estival dans le jardin, près d'une pièce d'eau par exemple ou sur le balcon.

Dimensions : jusqu'à 80 cm de long, en pot.

Multiplication : division des touffes en automne. Les tiges ont tendance à se marcotter naturellement : il suffit de détacher les rejets enracinés. Le bouturage est réservé aux professionnels.

Longévité : de 3 à 5 ans si l'hivernage est frais.

Ennemis et maladies : pratiquement aucun.

Espèces et variétés : le genre *Russelia* comporte environ 50 espèces. Seule *Russelia equisetiformis* (ou *juncea)* est couramment commercialisée.

Conseil Truffaut : seule une véranda (ou une serre) permet de conserver *Russelia* plus d'un été.

Russelia equisetiformis : tout en finesse et en élégance.

Rosa 'Meillandina' : un court séjour dans la maison.

Ruellia makoyana : on l'appelle *Dipteracanthus.*

Saintpaulia ionantha
SAINTPAULIA

Vivace herbacée persistante, formant une rosette veloutée. On l'appelle aussi : « violette d'Afrique » ou « violette d'Usambara ».

Origine : les premiers saintpaulias furent découverts au XIXe siècle, sur les pentes des montagnes d'Usambara, en Afrique du Sud.

Feuilles : de 2 à 6 cm de long, cordiformes, légèrement ondulées, épaisses et duveteuses, elles sont portées par des pétioles rougeâtres, velus, charnus.

Fleurs : au centre de la rosette, des tiges ramifiées portent des bouquets de petites violettes étoilées, dont les pétales simples ou doubles, parfois frisés, se déclinent du violet foncé au rose le plus pâle, en passant par le pourpre et le blanc. Certaines formes sont bicolores, avec stries ou liserés. Toutes sont rehaussées par un œil jaune vif.

Lumière : le saintpaulia continue de fleurir tant que la lumière reste vive. En été, installez-le à 3 ou 4 m de la fenêtre, puis rapprochez-le de la vitre au fur et à mesure que les jours raccourcissent et que la luminosité se réduit. N'exposez jamais aux rayons directs du soleil, sauf en hiver.

Terre : terreau tourbeux pour plantes à fleurs ou terre de bruyère et terreau de feuilles.

Engrais : toute l'année, apportez, une fois par mois, un engrais liquide pour plantes fleuries.

Humidité de l'air : le saintpaulia aime l'atmosphère moite de la salle de bains ou de la cuisine. Ne vaporisez jamais ses feuilles duveteuses qui sont très sensibles à la pourriture grise (botrytis).

Arrosage : versez l'eau au pied de la plante, jamais sur le cœur ou mieux, trempez le pot pendant 1/2 h pour qu'il s'imbibe bien. Ne laissez pas stagner l'eau en excès au fond de la soucoupe, les racines sont sensibles à l'asphyxie. Utilisez de préférence de l'eau non calcaire et tiède (22 °C).

Rempotage : dès que les nouvelles feuilles apparaissent plus petites que les anciennes. Choisissez un contenant d'une taille immédiatement supérieure, de préférence plus large que haut.

Exigences particulières : le saintpaulia dépérit quand la température descend de manière prolongée au-dessous de 12 °C.

Dimensions : de 5 à 15 cm de haut. De 6 à 40 cm de diamètre selon les variétés.

Multiplication : bouturage de feuille avec tout son pétiole. Enfoncez ce dernier jusqu'au limbe, dans un mélange de sable et de terreau humide ou simplement dans l'eau. La nouvelle plantule se forme à la base de la feuille mère. Coupez délicatement la vieille feuille, quand elle jaunit et replantez la bouture racinée dans du terreau neuf. Elle fleurira entre 6 et 12 mois plus tard.

Longévité : de quelques mois s'il est trop arrosé, à 5 ans, période après laquelle il faut renouveler la plante, qui commence à être épuisée.

Ennemis et maladies : pourriture des feuilles de la base. Feuilles déformées par un virus.

Espèces et variétés : on compte 20 espèces sauvages de saintpaulias. Les hybrideurs ont créé les 2000 cultivars actuels à partir du *Saintpaulia*

▲ *Saintpaulia ionantha* hybride : des feuilles veloutées.

◄ *Saintpaulia* 'His Promise', aux étonnants reflets jaunes.

▼ *Saintpaulia* 'Chimera' : étoilé.

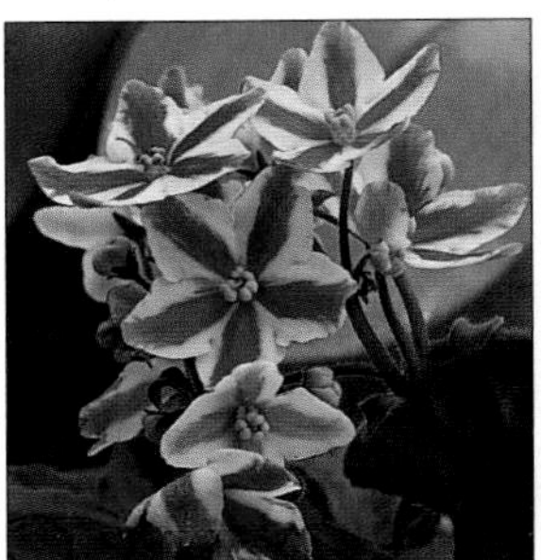

▼ *Saintpaulia* 'Lavender Delight' : frisé.

▼ *Saintpaulia* 'Francfort Raspberry'.

▼ *Saintpaulia* 'Summer Lighting'.

ionantha. Malheureusement, ils sont rarement présentés dans le commerce avec leur dénomination.

Conseil Truffaut : supprimez au fur et à mesure les tiges des fleurs fanées et les feuilles de la base, qui pourraient favoriser l'apparition de pourritures. Aidez à la formation des fleurs en éliminant les petites feuilles du centre de la rosette.

Sandersonia aurantiaca
SANDERSONIA

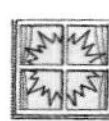  

Vivace volubile à souche rhizomateuse.

Origine : Afrique du Sud (Natal).

Feuilles : de 8 à 10 cm de long, persistantes, lancéolées, fines et étroites, d'un vert amande.

Fleurs : des tiges graciles portent, en été, des clochettes orange, retombantes, de 3 cm de long.

Lumière : le sandersonia apprécie le soleil direct, sauf aux heures les plus chaudes de l'été.

Terre : ajoutez 30 % de sable à du terreau pour plantes fleuries, afin d'assurer un drainage parfait.

Engrais : d'avril à septembre, apportez, une fois par mois, un engrais liquide pour plantes fleuries.

Humidité de l'air : pulvérisez le feuillage du sandersonia en été, après une forte chaleur.

Arrosage : une fois par semaine, en évitant un dessèchement prolongé de la terre. Maintenez le tubercule au sec durant tout le repos hivernal.

Rempotage : chaque année, au printemps, en installant la souche charnue à 10 cm de profondeur.

Exigences particulières : le sandersonia exige un support pour s'élever, sinon il s'affale ou grimpe naturellement sur les plantes voisines.

Dimensions : de 60 à 80 cm de haut.

Multiplication : division du rhizome en avril.

Longévité : 1 an, à moins de conserver le rhizome au sec et au frais durant tout l'hiver.

Ennemis et maladies : généralement aucun.

Espèces et variétés : Le genre *Sandersonia* se compose de la seule espèce *S. aurantiaca*.

Conseil Truffaut : certains amateurs cultivent le sandersonia en pleine terre, à partir du mois de mai. Il se comporte alors comme une plante annuelle, détruite à la première gelée.

☞ ***Scadoxus*** voir *Haemanthus*.

Schizanthus pinnatus
SCHIZANTHUS

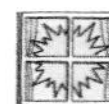 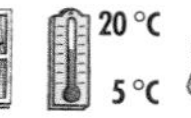 

Annuelle buissonnante, cultivée en potée éphémère pour la maison et appelée « orchidée du pauvre ».

Origine : Chili.

Feuilles : de 8 à 12 cm de long, vert moyen, très divisées comme une fronde de fougère.

Fleurs : de mai à septembre, chaque corolle, de 5 cm de diamètre, évoquant une orchidée, se décline dans des tons bicolores, dans les nuances du rouge au blanc, en passant par le jaune et le rose.

Lumière : plein soleil pour éviter l'étiolement des tiges. Voilez légèrement par temps très chaud.

Terre : terreau pour géraniums.

Engrais : de mai jusqu'à la fin de la floraison, apportez un engrais géraniums tous les 15 jours.

Humidité de l'air : l'atmosphère trop sèche des appartements fait brunir le bout des feuilles. Posez le pot sur un lit de graviers humide.

Arrosage : deux fois par semaine entre 15 et 20 °C. Tous les 2 ou 3 jours par temps très chaud.

Rempotage : repiquez les plantules issues de semis dans des pots de plus en plus grands, jusqu'à 20 cm pour la plante adulte.

Exigences particulières : le schizanthus supporte mal les températures trop élevées. Pour la culture d'intérieur, semez dès l'automne.

Dimensions : de 40 à 80 cm. Les plus grands sujets sont souples et doivent être tuteurés.

Multiplication : semis en octobre, en terrine.

Longévité : cette plante, annuelle, est obligatoirement jetée après la fin de la floraison.

Ennemis et maladies : généralement aucun.

Espèces et variétés : 'Mascarade', à grandes fleurs; *Schizanthus* x *wisetonensis*, nain, de 20 à 40 cm, convient idéalement pour des potées.

Conseil Truffaut : pour obtenir des schizanthus au port bien touffu, à partir du semis, pincez les jeunes pousses quand la plante atteint 10 cm de haut.

▲ *Sandersonia aurantiaca* : de très jolies clochettes.

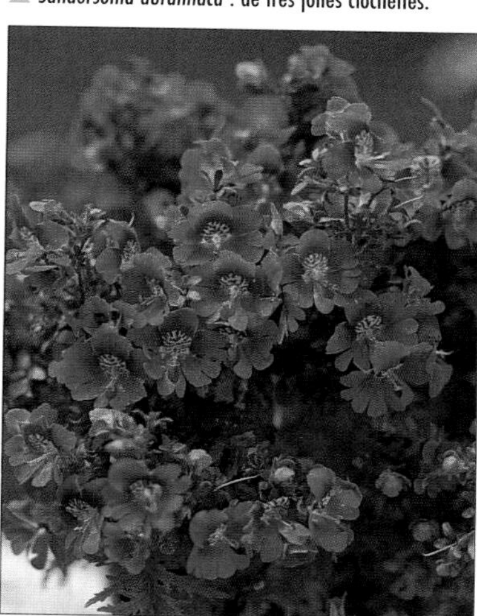

▲ *Schizanthus wisetonensis* hybride : une potée estivale.

Schizanthus hybridus : une grande richesse de coloris. ▶

▲ *Scutellaria costaricana* : des fleurs aux couleurs de feu.

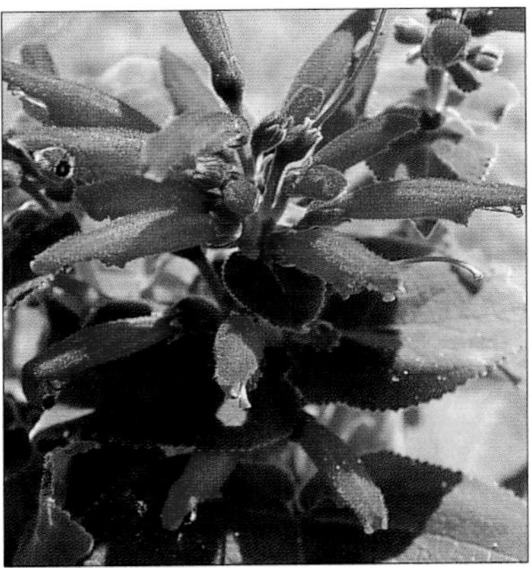

▲ *Gloxinia cardinalis* : des fleurs écarlates qui durent.

Scutellaria costaricana
SCUTELLAIRE

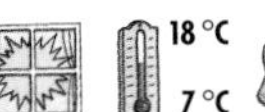

Sous-arbrisseau rhizomateux, buissonnant.

Origine : Costa Rica, Mexique.

Feuilles : de 12 à 15 cm de long, persistantes, ovales à oblongues, pointues, légèrement gaufrées, vert profond, portées par des tiges pourpres.

Fleurs : tout l'été, l'extrémité des tiges de l'année porte des grappes serrées, verticales, formées de fleurs tubulaires, rouge vif avec la gorge jaune.

Lumière : la scutellaire ne fleurit qu'en pleine lumière et s'étiole facilement si elle manque de clarté. Abritez-la des rayons directs du soleil en été.

Terre : terreau pour géraniums, sable et tourbe.

Engrais : d'avril à la fin de la floraison, apportez un engrais liquide tous les 15 jours.

Humidité de l'air : en plein été, bassinez copieusement le feuillage. Arrosez le sol de la véranda quand la température dépasse 20 °C.

Arrosage : à partir d'avril, le terreau ne doit jamais sécher. Limitez les apports d'eau à une fois par semaine à partir de septembre.

Rempotage : en avril si la plante a été conservée en hiver et que les racines sortent du pot.

Exigences particulières : la scutellaire ne résiste à l'hiver que dans une pièce fraîche (entre 10 et 12 °C), très bien éclairée.

Dimensions : de 40 à 60 cm de haut en pot.

Multiplication : boutures prélevées, en août, sur des tiges n'ayant pas fleuri (assez difficile).

Longévité : 3 ans si les conditions d'hivernage sont respectées. Mais il est plus facile de la cultiver en annuelle.

Ennemis et maladies : généralement aucun.

Espèces et variétés : sur les 300 espèces connues, seule *Scutellaria costaricana* est cultivée.

Conseil Truffaut : au sortir de l'hiver, rabattez les plantes à 10 cm de la base.

◄ *Sinningia speciosa* : des fleurs en boutons de rose.

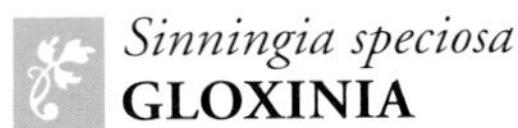

Sinningia speciosa
GLOXINIA

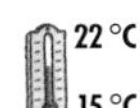

Vivace herbacée à souche rhizomateuse.

Origine : Brésil.

Feuilles : de 15 à 25 cm de long, ovales, veloutées, à bord festonné, disposées en rosette.

Fleurs : d'avril à août, de courtes tiges portent de 1 à 4 fleurs en imposantes clochettes dressées.

Lumière : le gloxinia demande une grande clarté pour fleurir, mais il craint le soleil direct.

Terre : terreau de feuilles et terre de bruyère.

Engrais : d'avril à septembre, apportez tous les 15 jours un engrais pour géraniums.

Humidité de l'air : minimum 50 %, mais ne vaporisez surtout pas les feuilles.

Arrosage : tous les 3 jours, par trempage du pot 10 min dans l'eau non calcaire. Ne laissez pas le terreau se dessécher complètement. Diminuez les arrosages après la floraison, en septembre. Maintenez au sec quand les feuilles sont mortes.

Rempotage : en avril, mettez les tubercules en végétation en les plaçant dans un substrat neuf.

Exigences particulières : conservez les tubercules au sec en hiver, dans l'obscurité, à 15 °C.

Dimensions : de 15 à 30 cm de haut.

Multiplication : division des tubercules ou semis au printemps. Boutures de feuilles, en été.

Longévité : les rhizomes peuvent vivre 3 ou 4 ans, mais ils produisent des plantes moins belles en vieillissant. Renouvelez les plantes chaque année.

Ennemis et maladies : thrips, pourriture.

Espèces et variétés : *Sinningia speciosa* se décline en centaines d'hybrides à grandes fleurs, rarement proposés avec leur nom ; *S. pussila* est une miniature de 5 cm de haut, qui donne de nombreux hybrides ; *S. cardinalis*, à petites fleurs tubulaires rouges, est encore souvent proposé sous son ancienne appellation *Rechsteineria cardinalis*. Il fleurit en général d'août à octobre.

Conseil Truffaut : plantez le tubercule de gloxinia de manière à ce qu'il affleure juste la surface du terreau. Il y a ainsi moins de risque de pourriture pour les nouvelles pousses.

Smithiantha x
SMITHIANTHA

  24 °C 12 °C 

Vivace rhizomateuse, proche des *Sinningia*.

Origine : Mexique.

Feuilles : de 12 à 20 cm de long, cordiformes, couvertes de poils denses pourpres, doux au toucher, aux nervures largement tachées de rouge.

Fleurs : en été, les tiges graciles portent au-dessus du feuillage des grappes de fleurs en tubes, de 3 à 4 cm de long, orange, jaunes ou roses.

Lumière : le smithiantha apprécie d'être placé entre 1 et 2 m d'une fenêtre bien éclairée.

Terre : terreau de feuilles, sable et tourbe blonde.

Engrais : d'avril à septembre, utilisez, pour chaque arrosage, un engrais liquide pour plantes fleuries (1 bouchon pour 10 litres d'eau).

Humidité de l'air : un minimum de 60 % est nécessaire pendant la période de croissance. Placez le pot sur un lit de graviers humides ou près d'un humidificateur électrique. Ne vaporisez pas.

Arrosage : en moyenne deux fois par semaine durant toute la période de croissance. Hivernez le rhizome complètement au sec.

Rempotage : chaque année, en mars, installez 3 rhizomes dans un pot de 15 cm de diamètre, en les enterrant de 1 cm seulement.

Exigences particulières : le smithiantha fane après la floraison. Il faut conserver le rhizome au sec, au frais (12 °C maximum) et à l'obscurité.

Dimensions : de 30 à 60 cm de haut.

Multiplication : division des rhizomes en mars.

Longévité : 3 ou 4 ans si les conditions d'hivernage sont bien respectées. Mais mieux vaut planter chaque année de nouveaux rhizomes sélectionnés.

Ennemis et maladies : parfois pucerons.

Espèces et variétés : il existe un nombre infini d'hybrides, la plupart ne portent pas de nom.

Conseil Truffaut : le smithiantha a besoin d'une chaleur soutenue, au moins 21 °C pendant toute la croissance. Pour le démarrage de la végétation, il est bon de placer les rhizomes sur la plaque de protection d'un radiateur ou dans une miniserre chauffante (jusqu'à 25 °C).

Solandra grandiflora
SOLANDRA

  24 °C 7 °C

Arbuste persistant, au port grimpant, ramifié, formant des tiges ligneuses très vigoureuses.

Origine : Mexique, Jamaïque, Colombie.

Feuilles : de 10 à 15 cm de long, ovales à elliptiques, épaisses, vertes et brillantes.

Fleurs : tout l'été, des coupes de 15 à 25 cm de diamètre, charnues, avec l'extrémité des pétales retournée, d'un jaune beurre frais et striées de pourpre, s'ouvrent largement. Elles émettent un parfum entêtant dès que la nuit tombe.

Lumière : une exposition très claire, même en plein soleil, est appréciée par le solandra.

Terre : terre de jardin sableuse, additionnée de terreau de feuilles et de 20 % d'un fertilisant organique à base de fumier et d'algues.

Engrais : d'avril à septembre, apportez tous les 15 jours un engrais liquide pour rosiers.

Humidité de l'air : aussi élevée que possible. Brumisez la plante tous les 2 jours durant la végétation et si la température dépasse 15 °C en hiver.

Arrosage : une fois par semaine durant la croissance. Tous les 4 jours pendant la floraison. Pas plus d'une fois tous les 10 jours en hiver.

Rempotage : chaque année, en avril.

Exigences particulières : le solandra a besoin d'un support solide pour s'élever.

Dimensions : jusqu'à 3 m en pot, de 6 à 8 m en pleine terre en serre, 12 m dans la nature.

Multiplication : boutures de tiges en août, en miniserre, avec hormones et chaleur de fond.

Longévité : plus de 10 ans en pleine terre en serre. Difficile de passer l'hiver en appartement.

Ennemis et maladies : pucerons, cochenilles.

Espèces et variétés : *Solandra nitida* (ou *maxima* ou *hartwegii*), jaune, strié de pourpre; *S. grandiflora*, à fleurs violettes, marquées de blanc.

Conseil Truffaut : lors du rempotage, taillez de la moitié de leur longueur les branches trop étalées ou celles qui se sont dégarnies de la base.

▲ *Sinningia* x : de très grosses fleurs aux coloris délicats.

▲ *Smithiantha* 'Orange King' : de gracieuses trompettes.

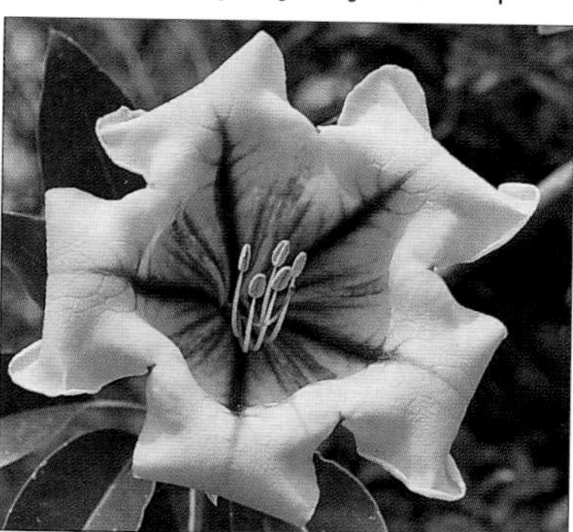

Solandra nitida : une liane aux fleurs énormes. ▶

Solanum jasminoides : un petit arbre semi-rustique.

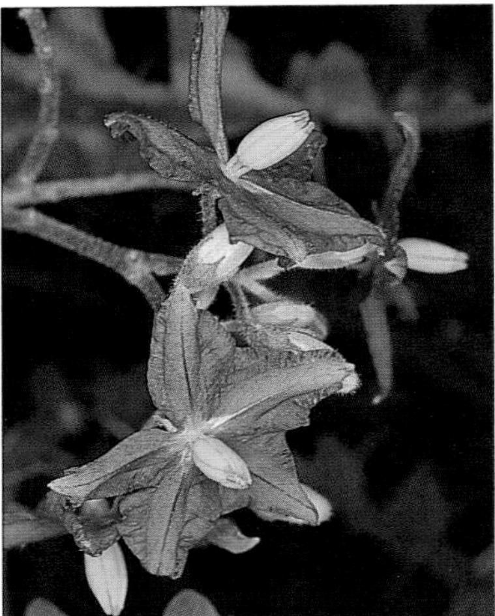

Solanum pyracanthum : des feuilles très épineuses.

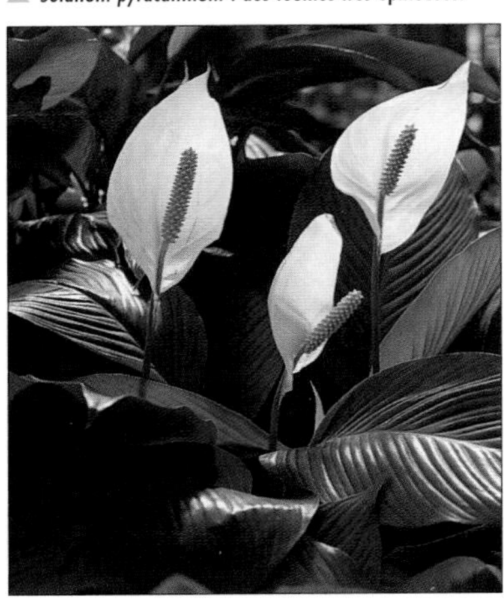

Spathiphyllum 'Mauna Loa' : un grand amateur d'eau.

Solanum jasminoides SOLANUM JASMIN

22 °C 2 °C

Arbuste semi-persistant sarmenteux, très ample.

Origine : Brésil ; introduit en 1838.

Feuilles : de 5 cm de long, découpées en trois ou cinq lobes, portées par de longs rameaux volubiles.

Fleurs : à partir de juillet et jusqu'aux gelées, le solanum jasmin se couvre de larges corymbes parfumés, formés de petites étoiles bleu pâle délavé, aux anthères dorées. Les fleurs rappellent celles de la pomme de terre, une plante cousine.

Lumière : plein soleil, toute l'année.

Terre : sable, terreau et tourbe blonde, enrichi de 20 % de fertilisant organique à base de fumier.

Engrais : d'avril à août, apportez une ou deux fois par mois un engrais liquide pour rosiers.

Humidité de l'air : une atmosphère sèche en été entraîne presque inévitablement le pullulement des acariens. Vaporisez le feuillage chaque soir.

Arrosage : tous les 2 ou 3 jours pendant la croissance et la floraison, réduit au minimum en hiver.

Rempotage : chaque année, en avril.

Exigences particulières : le solanum jasmin nécessite un treillage, une rambarde ou un solide tuteur en forme de pyramide pour s'élever. Les sujets conduits en tige demandent des tailles fréquentes pour conserver un port bien compact.

Dimensions : 6 m en pleine terre. 3 m en pot.

Multiplication : boutures demi-aoûtées en août-septembre, avec chaleur de fond (22 °C).

Longévité : de 2 à 5 ans en pot.

Ennemis et maladies : un feuillage taché en anneaux concentriques est l'œuvre d'un virus.

Espèces et variétés : 1 400 espèces connues. *Solanum jasminoides* 'Album', à fleurs blanches ; *S. pyracanthum*, buisson épineux au feuillage gris bleuté ; *S. rantonnetii*, bleu, buissonnant, lumineux.

Conseil Truffaut : en été, plantez le solanum jasmin en pleine terre dans un endroit abrité, au sud, il poussera très vite. Des températures de 5 à 7 °C en hiver assurent une floraison plus généreuse.

Spathiphyllum wallisii FLEUR DE LUNE

23 °C 10 °C

Vivace rhizomateuse persistante, bien touffue.

Origine : Amérique centrale et du Sud.

Feuilles : de 30 à 50 cm de long, lancéolées, vert vif brillant, arquées, portées par de longs pétioles.

Fleurs : toute l'année, des spathes blanc pur protègent les inflorescences en épi (spadice).

Lumière : le spathiphyllum supporte la mi-ombre, mais il gagne à séjourner une semaine par mois dans une pièce très éclairée, sans soleil direct.

Terre : terre de jardin, terreau et sable, avec 20 % de fertilisant organique à base de fumier.

Engrais : toute l'année, apportez un engrais pour plantes fleuries toutes les 4 à 5 semaines.

Humidité de l'air : minimum 50 %. L'air desséché par le chauffage central fait jaunir les feuilles. Vaporisez le feuillage, trois à quatre fois par semaine, avec de l'eau à température ambiante.

Arrosage : tous les 3 à 5 jours, le terreau ne doit pas sécher, mais le spathiphyllum redoute que ses racines baignent dans l'eau de la soucoupe.

Rempotage : de préférence au printemps, dès que la touffe occupe tout l'espace du pot.

Exigences particulières : ne déplacez pas le spathiphyllum trop souvent, il est casanier.

Dimensions : jusqu'à 1 m de haut et de large.

Multiplication : division des touffes, en avril.

Longévité : de 3 à 10 ans, à la maison.

Ennemis et maladies : pucerons sur la face inférieure des feuilles, cochenilles en hiver.

Espèces et variétés : il existe 36 espèces de spathiphyllums. La création d'hybrides a permis d'obtenir des sujets beaucoup plus résistants dans la maison et florifères toute l'année. 'Mauna Loa', vigoureux, à grandes fleurs. Feuillage large ; 'Sensation', à feuilles très larges ; 'Petite', une jolie miniature. *Spathiphyllum floribundum*, dont les feuilles ne dépassent pas 20 cm de long. Hampe florale arquée, spathes blanches de 7 cm de long.

Conseil Truffaut : tenez le spathiphyllum à l'abri des courants d'air frais, qui font brunir et se dessécher l'extrémité des feuilles.

Sprekelia formosissima
LIS DE SAINT-JACQUES

  22 °C 7 °C 

Vivace bulbeuse, à croissance assez rapide.
Origine : Mexique, Guatemala.
Feuilles : de 40 à 50 cm de long, rubanées, éparses, elles apparaissent juste après la floraison.
Fleurs : de 10 cm de diamètre, solitaires, de mai à juillet, rouge écarlate à cramoisi.
Lumière : plein soleil, non brûlant.
Terre : terre de jardin et sable, à parts égales.
Engrais : de la floraison jusqu'au dessèchement, apportez deux fois par mois un engrais liquide.
Humidité de l'air : minimum 50 %.
Arrosage : une à deux fois par semaine, d'avril jusqu'au jaunissement des feuilles, puis au sec.
Rempotage : tous les 2 ans, en septembre, après la floraison, sans agrandir le pot.
Exigences particulières : il faut 4 heures par jour de forte insolation au sprékélia pour bien fleurir.
Dimensions : jusqu'à 40 cm de haut.
Multiplication : séparation des caïeux en septembre, lors du rempotage.
Longévité : de 1 à 4 ans en pot dans la maison.
Ennemis et maladies : cochenilles farineuses.
Espèces et variétés : le genre *Sprekelia* ne comprend qu'une seule espèce : *S. formosissima*.
Conseil Truffaut : quand vous plantez le bulbe, laissez la partie supérieure dépasser un peu.

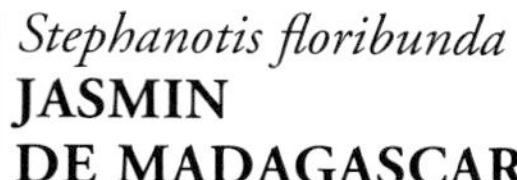

Stephanotis floribunda
JASMIN DE MADAGASCAR

 25 °C 14 °C 

Grimpante volubile persistante, à tiges ligneuses, pouvant devenir très vigoureuses.
Origine : Madagascar.
Feuilles : de 8 à 10 cm de long, persistantes, opposées, coriaces, vernissées, ovales, vert foncé.
Fleurs : de mai à septembre, grappes cireuses, blanc pur, tubulaires, s'ouvrant en 5 lobes. Leur parfum capiteux est perceptible à plusieurs mètres.
Lumière : assez vive, mais toujours voilée.
Terre : terre de bruyère et terre de jardin.
Engrais : une fois par mois, d'avril à fin août.
Humidité de l'air : pulvérisez trois fois par semaine le feuillage à l'eau douce.
Arrosage : tous les 3 jours, sans détremper la motte. Tous les 8 à 12 jours en hiver.
Rempotage : chaque année, en avril.
Exigences particulières : une période de sécheresse et de fraîcheur en hiver est indispensable à la formation des fleurs. Attention aux courants d'air.
Dimensions : 2,50 m en pot. 6 m en pleine terre.
Multiplication : boutures estivales (difficiles).
Longévité : de 1 à 10 ans, selon les arrosages et surtout le respect d'un bon hivernage.
Ennemis et maladies : cochenilles.
Espèces et variétés : sur la dizaine d'espèces connues, seul *Stephanotis floribunda* est commercialisé, parfois sous l'appellation *S. jasminoides*.
Conseil Truffaut : sitôt après l'achat, détachez les branches du jasmin de Madagascar enroulées autour de l'arceau et palissez-les sur un treillage.

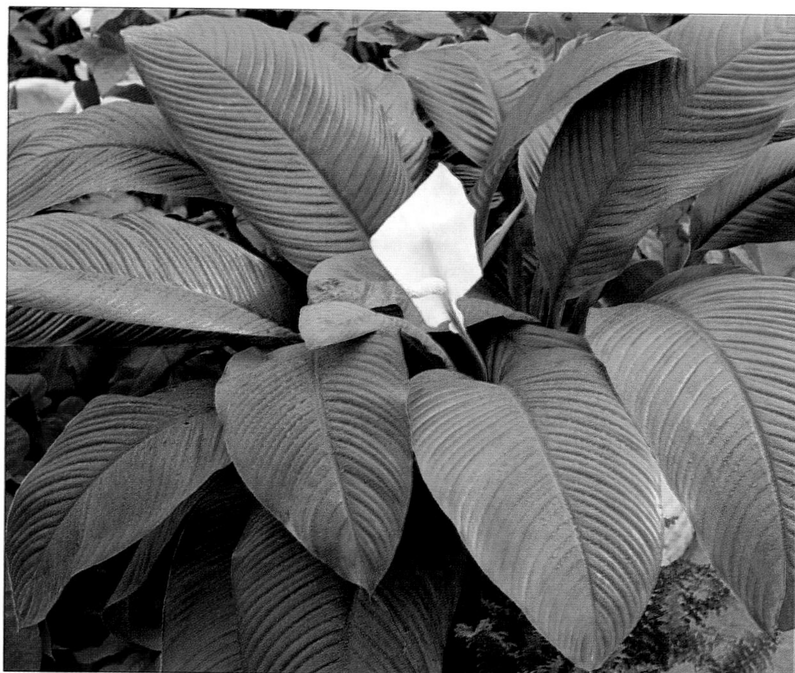

Spathiphyllum 'Sensation' : une croissance énorme.

Sprekelia formosa : aussi raffiné qu'une orchidée.

Stephanotis floribunda : un parfum d'exception.

Strelitzia reginae : une étonnante fleur multicolore.

Strelitzia juncea : des feuilles longues et fines.

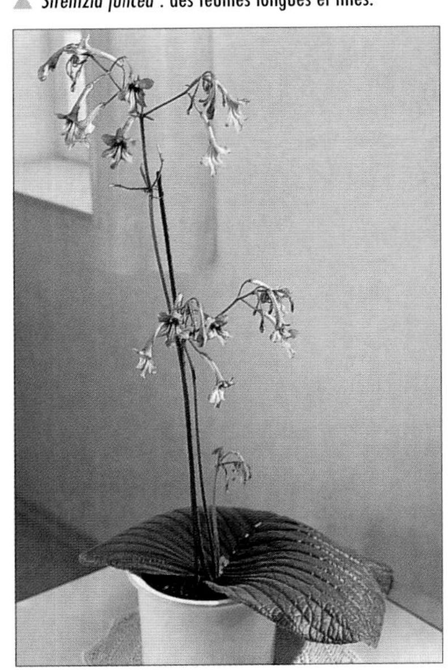

Strelitzia reginae
OISEAU DE PARADIS

Plante vivace persistante, à port très touffu.
Origine : Afrique du Sud.
Feuilles : de 30 à 40 cm de longueur, oblongues, vert bleuté, portées par de longs pétioles rigides.
Fleurs : d'avril à octobre, chaque hampe de 1 m de long porte une inflorescence formée d'une spathe pointue, vert lavé de pourpre, qui enveloppe un éventail de fleurs bleues et de bractées orange, en forme de fer de lance. L'ensemble évoque un oiseau exotique portant une huppe.
Lumière : de 4 à 6 heures de plein soleil par jour.
Terre : terreau, sable et terre de jardin, avec 20 % d'amendement organique à base de fumier.
Engrais : d'avril à octobre, apportez toutes les 3 semaines un engrais liquide pour plantes fleuries.
Humidité de l'air : vaporisez chaque jour si la température de la pièce dépasse 15 °C en hiver.
Arrosage : tous les 3 jours durant la croissance, tous les 10 à 15 jours pendant le repos hivernal.
Rempotage : chaque année, au printemps. Les racines volumineuses exigent un contenant assez grand. Leur vigueur peut faire éclater le pot.
Exigences particulières : une période de repos hivernal entre 7 et 12 °C, dans une pièce très bien éclairée, est indispensable pour obtenir une floraison.
Dimensions : jusqu'à 1,20 m de haut en pot.
Multiplication : division de touffe au printemps.
Longévité : de 3 à 5 ans en serre, en pot.
Ennemis et maladies : cochenilles.
Espèces et variétés : parmi les cinq espèces recensées, *Strelitzia reginae* est la plus fréquemment cultivée comme plante d'intérieur ; *S juncea*, à feuilles longues et fines, très touffu ; *S nicolaï*, aux fleurs blanches et bleues devient énorme.
Conseil Truffaut : si vous cultivez le strélitzia à partir d'un jeune plant, faites preuve de patience, car il faut attendre en moyenne 6 ans pour obtenir des fleurs. La plante se développe beaucoup mieux en pleine terre, dans une serre ou une véranda.

Streptocarpus wedlandii : une feuille unique, gaufrée.

Streptocarpus x *hybridus*
PRIMEVÈRE DU CAP

Vivace rhizomateuse formant une rosette.
Origine : Afrique du Sud, Kenya, Tanzanie.
Feuilles : de 20 à 35 cm de long, caduques, oblongues, vert mat, gaufrées, velues.
Fleurs : de mai à octobre, des bouquets de 3 à 5 fleurs très durables, aux coloris variés, sont portés par des tiges graciles au-dessus du feuillage.
Lumière : la floraison est excellente près d'une fenêtre, à l'est ou à l'ouest. Une exposition ombragée est appréciée de juin à septembre.
Terre : terreau de feuilles non tamisé, écorce compostée, sable et tourbe blonde.
Engrais : d'avril à septembre, apportez une fois par mois un engrais pour tomates ou pour fraisiers.
Humidité de l'air : l'atmosphère humide d'une salle de bains est bénéfique au streptocarpus.
Arrosage : à l'eau non calcaire, tous les 8 à 12 jours en hiver. Deux fois par semaine en été, sans jamais laisser la base du pot stagner dans l'eau.
Rempotage : chaque année, au printemps.
Exigences particulières : le streptocarpus ne supporte pas les pièces enfumées.
Dimensions : de 20 à 35 cm de large et de haut.
Multiplication : bouturage de feuilles, en miniserre, à l'étouffée, avec chauffage de fond (25 °C).
Longévité : de 1 à 3 ans. Ensuite, la plante devient moins belle et fleurit beaucoup moins.
Ennemis et maladies : pucerons.
Espèces et variétés : il existe 130 espèces de *Streptocarpus*, dont on cultive surtout des hybrides roses, rouges, blancs ou bleus. *S. wedlandii* et *S. grandis* sont des espèces étonnantes, assez régulièrement proposées, formant une énorme feuille unique et une longue inflorescence blanche, rose ou bleue, durant plusieurs mois. Monocarpiques, ces plantes meurent après avoir fleuri.
Conseil Truffaut : manipulez les streptocarpus avec précaution, car les feuilles cassent et s'abîment facilement. Arrosez en trempant le pot 15 minutes dans l'eau, car le feuillage a tendance à se tacher et à pourrir car il retient l'humidité.

Streptosolen jamesonii
STREPTOSOLEN

 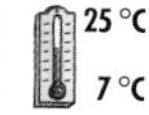 25 °C 7 °C 

Petit arbuste persistant, à port semi-rampant.

Origine : Colombie, Équateur, Pérou.

Feuilles : de 3 à 5 cm de long, ovales, vert foncé.

Fleurs : de mai à septembre, des grappes de fleurs tubulaires jaunes à orange, aux pétales lobés, se succèdent à l'extrémité des tiges.

Lumière : de 4 à 6 heures de plein soleil par jour.

Terre : terre de jardin sableuse et terreau.

Engrais : d'avril à août, apportez tous les 15 jours un engrais liquide pour rosiers.

Humidité de l'air : inutile de vaporiser, hormis en hiver si la température dépasse 15 °C.

Arrosage : tous les 2 à 4 jours durant la croissance. En hiver, laissez le terreau presque au sec.

Rempotage : chaque année, au printemps.

Exigences particulières : non taillé, le streptosolen prend un port rampant. Cultivez-le en suspension ou palissé contre un treillage.

Dimensions : jusqu'à 1,30 m en pot.

Multiplication : boutures de tige en août, avec hormones, ou marcottage en septembre.

Longévité : de 2 à 5 ans dans la véranda.

Ennemis et maladies : pucerons sur les plantes faibles ou nourries à l'engrais trop azoté.

Espèces et variétés : *Streptosolen jamesonii* est la seule espèce du genre.

Conseil Truffaut : rabattez toutes les tiges des trois quarts de leur longueur au début du printemps. Le streptosolen, appartenant à la famille des solanacées, il est toxique. Éloignez-le des enfants.

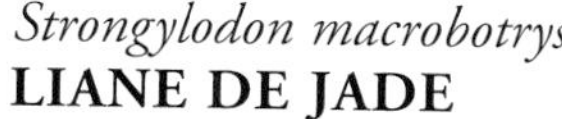

Strongylodon macrobotrys
LIANE DE JADE

 25 °C 15 °C 

Grimpante ligneuse, persistante, à palisser.

Origine : Philippines.

Feuilles : de 15 cm de long, coriaces, divisées en 3 folioles, ovales, elliptiques. Rose bronze à la naissance, elles évoluent vers le vert franc.

Fleurs : de janvier à mai, des grappes retombantes, de 40 à 90 cm de long, sont composées de fleurs en forme de bec de perroquet retourné, d'un vert jade unique dans le monde végétal.

Lumière : une serre légèrement ombragée aux heures chaudes convient à la liane de jade.

Terre : terreau de feuilles, sable et tourbe avec 20 % d'amendement organique à base de fumier.

Engrais : d'avril à septembre, apportez un engrais liquide pour rosiers tous les 15 à 20 jours.

Humidité de l'air : minimum 70 %. Vaporisez.

Arrosage : tous les 4 à 7 jours d'avril à septembre, tous les 8 à 12 jours en hiver.

Rempotage : chaque année, en avril.

Exigences particulières : la liane de jade ne prospère qu'en pleine terre dans une grande serre.

Dimensions : jusqu'à 2 m de hauteur en pot, plus de 10 m en pleine terre dans un jardin d'hiver.

Multiplication : semis en miniserre à 30 °C.

Longévité : de 5 à 10 ans en serre. Quelques mois seulement dans un appartement.

Ennemis et maladies : cochenilles.

Espèces et variétés : il existe une vingtaine d'espèces de *Strongylodon*, toutes assez rares.

Conseil Truffaut : prévoyez une armature solide (pergola, claustra) sur laquelle s'enrouleront les longues tiges volubiles de la liane de jade.

Streptocarpus hybride : des fleurs aux coloris variés.

Streptosolen jamesonii : à exposer en plein soleil.

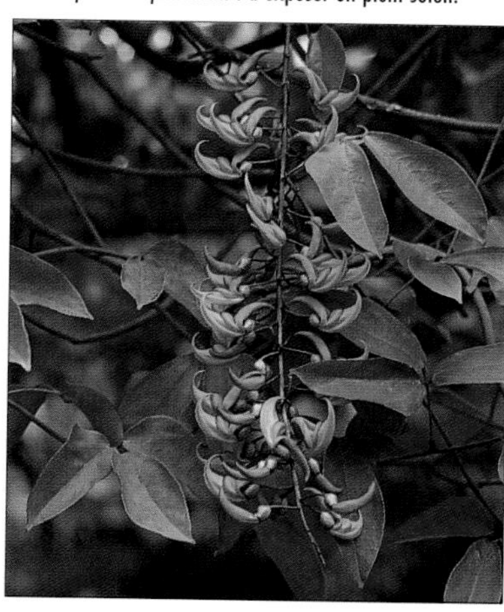

Strongylodon macrobotrys : une liane aux fleurs étranges.

T

▲ *Tabernaemontana divaricata* : très parfumé la nuit.

▲ *Thevetia peruviana* : beaucoup de finesse.

Tabernaemontana divaricata TABERNAEMONTANA

Arbuste persistant, buissonnant, très ramifié.

Origine : régions tropicales de l'Inde à la Chine.

Feuilles : de 10 à 15 cm de long, opposées, simples, ovales, pointues, ondulées, vert brillant.

Fleurs : blanches, tubulaires, à cinq pétales bien ouverts et légèrement tire-bouchonnés. Estivales, elles émettent un parfum capiteux le soir.

Lumière : le tabernaemontana apprécie de 3 à 5 heures de plein soleil, le matin de préférence.

Terre : sable, terreau, terre de jardin avec 15 % d'amendement organique à base de fumier.

Engrais : d'avril à octobre, apportez une fois par mois un engrais liquide pour plantes à fleurs.

Humidité de l'air : brumisez le tabernaemontana à l'eau non calcaire tous les deux ou trois jours quand la température dépasse 20 °C.

Arrosage : en moyenne une fois par semaine, les racines ne supportent pas de stagner dans l'eau, même une demi-journée. Peu d'eau en hiver.

Rempotage : chaque année en avril, seulement si les racines occupent tout le volume du pot.

Exigences particulières : le tabernaemontana sera sorti dans le jardin ou sur le balcon en été.

Dimensions : jusqu'à 1,50 m de haut en pot.

Multiplication : boutures herbacées en juin-juillet, en miniserre avec chauffage de fond (25 °C).

Longévité : de 3 à 6 mois en appartement. Plus de 5 ans s'il peut être hiverné en serre tempérée.

Ennemis et maladies : cochenilles, pucerons.

Espèces et variétés : parmi les 100 espèces identifiées, seul *Tabernaemontana divaricata* (ou *coronaria*) est couramment cultivé ; 'Flore Pleno', à fleurs doubles, qui évoquent celles du gardénia ; 'Variegata', à feuilles panachées de jaune et de vert.

Conseil Truffaut : sur la Côte d'Azur, le tabernaemontana résiste à l'extérieur avec un simple paillage hivernal, mais le sol doit être bien sec.

☞ ***Tamaya*** voir *Begonia*.

◄ *Thevetia jecotli* : de belles trompettes jaune d'or.

Thevetia peruviana THÉVÉTIA

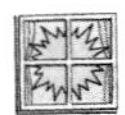

Arbuste persistant, à port ample et gracieux, appelé aussi *Thevetia neriifolia*.

Origine : Amérique du Sud, Caraïbes.

Feuilles : de 10 à 15 cm de long, épaisses, étroites, rubanées, vert foncé, lustrées.

Fleurs : d'avril à décembre, le thévétia épanouit des cornets évasés et retombants, de 5 à 7 cm de long, charnus, jaunes ou saumon. Les fleurs sont portées en bouquets à l'extrémité des rameaux.

Lumière : soleil direct si l'on évite les heures brûlantes du milieu de journée en été.

Terre : bien drainée. Ajoutez une poignée de sable à 10 litres de terreau de rempotage.

Engrais : dès que le thévétia émet de nouvelles pousses, au sortir de l'hiver, nourrissez-le une fois par mois jusqu'à septembre avec de l'engrais liquide pour plantes à fleurs.

Humidité de l'air : au moins 60 %. Brumisez le feuillage chaque jour durant la croissance.

Arrosage : une fois par semaine en moyenne. Tous les 3 jours en été s'il fait très chaud.

Rempotage : en avril, tous les 2 ans.

Exigences particulières : cultivé en pleine terre dans un jardin d'hiver, le thévétia finit par former un tronc et une ramure en ombrelle.

Dimensions : jusqu'à 2 m de haut en pot.

Multiplication : semis au printemps à 22 °C. Boutures herbacées en juin-juillet, en miniserre, à l'étouffée, avec chauffage de fond (24 °C).

Longévité : de 5 à 10 ans en serre. Rarement plus de 3 ans dans un appartement.

Ennemis et maladies : cochenilles, acariens.

Espèces et variétés : On connaît 8 espèces de *Thevetia*. *T. peruviana* est la plus connue ; 'Alba', à fleurs blanches, est plus rare ; *T. jecotli*, aux grandes trompettes jaunes, est une espèce peu répandue.

Conseil Truffaut : comme chez la plupart des plantes de la famille des apocynacées (la famille du laurier-rose), toutes les parties du thévétia sont toxiques. Ne laissez pas la plante à la portée des jeunes enfants. Placez-la en hauteur.

Thunbergia alata
SUZANNE AUX-YEUX-NOIRS

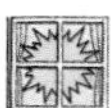  23 °C 7 °C 

Grimpante persistante, volubile, dont les tiges s'enroulent autour de leur support.

Origine : Afrique tropicale.

Feuilles : de 5 à 8 cm de long, triangulaires à ovales, pointues, largement dentées, vert clair.

Fleurs : de mai à septembre, les corolles tubulaires orange, jaunes, blanches ou roses s'évasent en 5 lobes aplatis. Le cœur de la fleur, très sombre, contraste fortement avec les pétales.

Lumière : plein soleil, même assez intense.

Terre : terreau pour géraniums, terre de jardin et sable, avec 20 % de compost de fumier.

Engrais : d'avril à septembre, apportez un engrais liquide pour géraniums, une fois tous les 3 arrosages, toujours sur une motte humide.

Humidité de l'air : brumisation inutile.

Arrosage : de deux à quatre fois par semaine, ne laissez pas le terreau se dessécher par temps chaud.

Rempotage : au début du printemps, dans un pot de 20 cm de diamètre minimum.

Exigences particulières : le thunbergia a besoin d'un treillage pour s'accrocher. Très vigoureux, il envahit rapidement son support. On peut aussi le cultiver en suspension dans un grand panier.

Dimensions : jusqu'à 3 m de haut en bac.

Multiplication : semis en février-mars, à chaud.

Longévité : la suzanne est souvent cultivée en annuelle. Pour la garder, il faut lui faire passer l'hiver dans une serre ou une véranda assez fraîche.

Ennemis et maladies : acariens, aleurodes.

Espèces et variétés : il existe une centaine d'espèces de *Thunbergia*. *T. grandiflora*, à fleurs bleu pâle à gorge jaune, de 10 cm de diamètre, dépasse 5 m de haut. Il est presque rustique sur la Côte d'Azur; *T. fragrans*, à fleurs blanc pur parfumées; *T. coccinea*, aux grappes de petites fleurs rouge-orangé; *T. gregorii*, à fleurs orange vif.

Conseil Truffaut : palissez régulièrement les pousses en les disposant en éventail sur le treillage, sinon la croissance devient vite désordonnée.

Tibouchina urvilleana
TIBOUCHINA

 23 °C 5 °C 

Petit arbuste persistant au port souple, étalé, appelé aussi *Tibouchina semidecandra*.

Origine : Brésil.

Feuilles : de 5 à 7 cm de long, ovales, pointues, veloutées, aux nervures bien marquées.

Fleurs : l'extrémité des rameaux porte, d'août à novembre, des fleurs de 7 à 10 cm de diamètre, à 5 pétales arrondis. Le type est d'un bleu violine très pur et intense, avec des étamines crochues.

Lumière : placez le tibouchina devant une fenêtre à l'ouest ou au sud, en tamisant les rayons du soleil en plein été par un fin voilage.

Terre : terre de bruyère, sable, terreau d'écorce et 15 % d'amendement organique à base de fumier.

Engrais : d'avril à octobre, apportez tous les 15 jours un engrais liquide pour rosiers.

Humidité de l'air : en été, posez le pot sur un lit de cailloux humides. Aérez souvent la pièce.

Arrosage : tous les 3 jours en moyenne durant la croissance. Une fois par semaine en hiver.

Rempotage : chaque année en avril. Un pot de 30 cm de diamètre pour un sujet de 1 m de haut.

Exigences particulières : sur la Côte d'Azur, le tibouchina peut pousser en pleine terre si l'on prend soin de protéger le pied à partir de 5 °C. Partout ailleurs, il doit être rentré en serre froide.

Dimensions : jusqu'à 2 m de haut en pot.

Multiplication : boutures herbacées en juin ou boutures semi-aoûtées en août-septembre, en mini-serre avec hormones et chaleur de fond (25 °C).

Longévité : quelques mois en appartement, de 5 à 10 ans dans une véranda assez fraîche en hiver.

Ennemis et maladies : araignées.

Espèces et variétés : sur les 350 espèces de *Tibouchina*, on cultive essentiellement *T. urvilleana* et les hybrides 'Elsa', à fleurs blanches rehaussées d'étamines violettes; 'Kathleen', à fleurs roses.

Conseil Truffaut : Le tibouchina a besoin d'un tuteur pour conserver un port bien érigé.

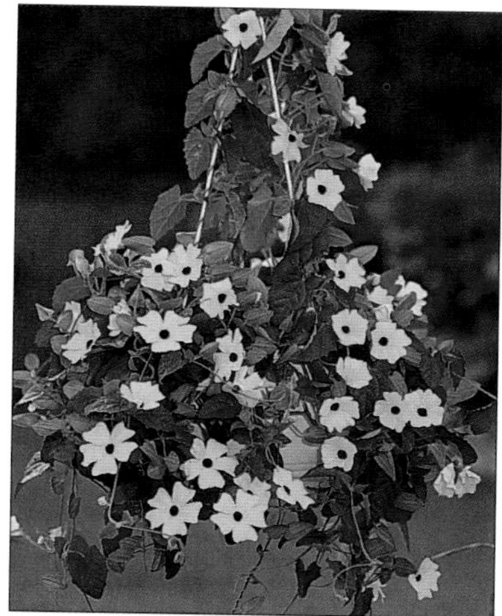

▲ *Thunbergia alata* réussit très bien en suspension.

▲ *Thunbergia grandiflora* : une liane de grande taille.

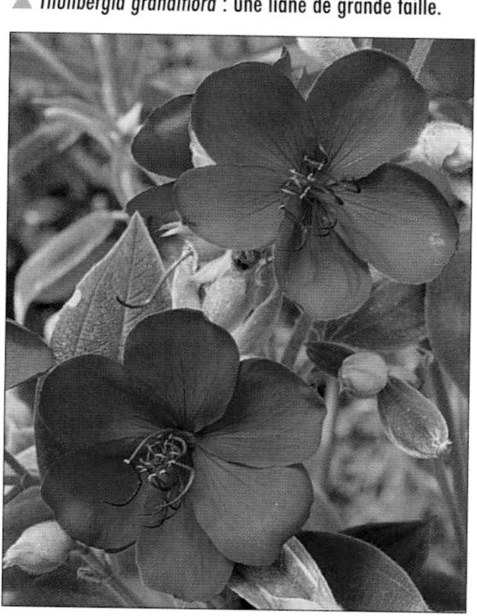

Tibouchina urvilleana : des étamines très étranges. ▶

Torenia : des petites fleurs estivales ravissantes.

Une jardinière de tulipes : le printemps à la maison.

Torenia fournieri
TORÉNIA

Plante annuelle érigée, formant un buisson.

Origine : Asie tropicale.

Feuilles : de 4 à 5 cm de long, ovales, étroites, pointues, très finement dentées, vert grisâtre.

Fleurs : de juillet à septembre, le torénia se couvre de fleurs tubulaires aux lèvres pourpres, rose magenta ou violettes, à la gorge plus claire.

Lumière : jamais de soleil direct.

Terre : terreau pour géraniums.

Engrais : à partir d'avril, apportez une fois par semaine un engrais liquide pour plantes fleuries, dilué à la moitié de la dose conseillée.

Humidité de l'air : le torénia craint l'air sec. Installez-le sur le balcon dès la fin mai.

Arrosage : tous les 2 ou 3 jours. Ne laissez pas le terreau se dessécher sur plus de 1 ou 2 cm.

Rempotage : inutile si la plante est achetée prête à fleurir. Les torénias de semis se rempotent en avril, dans un pot de 12 ou 15 cm de diamètre.

Exigences particulières : ouvrez la fenêtre, dès que la température ambiante dépasse 15 °C.

Dimensions : de 10 à 30 cm de haut.

Multiplication : semis en mars, en terrine à la maison. Repiquage des plantules à quatre feuilles.

Longévité : une saison, le torénia est annuel.

Ennemis et maladies : généralement aucun.

Espèces et variétés : 'Clown' est une série de cultivars assez compacts (20 cm) ; 'Panda' est une variété naine (10 cm).

Conseil Truffaut : pincez l'extrémité des jeunes pousses pour conserver à la plante un port trapu.

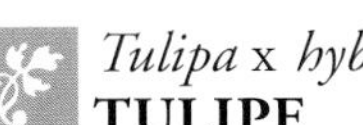

Tulipa x *hybrida*
TULIPE

Vivace bulbeuse à floraison printanière.

Origine : Turquie, Moyen-Orient.

Tulipe double hâtive 'Angélique', forcée en pot.

Feuilles : de 15 à 30 cm de long, étroites, oblongues, engainantes, pointues, vert mat.

Fleurs : les tiges rigides portent en hiver des fleurs solitaires, aux pétales en coupe.

Lumière : plein soleil jusqu'à l'éclosion des fleurs. Placez ensuite le pot à mi-ombre pour qu'elles durent un peu plus longtemps.

Terre : terreau et sable à parts égales.

Engrais : inutile, à moins de souhaiter réutiliser le bulbe. Dans ce cas, apportez un engrais liquide pour bulbes à fleurs, une fois par mois.

Humidité de l'air : sans exigence particulière.

Arrosage : tous les 6 jours. Toutes les plantes bulbeuses sont sensibles aux excès d'humidité.

Rempotage : en automne, plantez plusieurs bulbes à 10 cm de profondeur, espacés de 3 à 5 cm, dans un pot, une jardinière ou en coupe.

Exigences particulières : le bulbe de tulipe a besoin d'une période de froid (autour de 4 °C) pour fleurir. Stockez les oignons deux mois dans le bas du réfrigérateur ou plantez-les à l'automne dans un pot, que vous placerez sur le balcon. Une fois dans la maison, maintenez les tulipes dans le noir jusqu'à la sortie de la hampe florale.

Dimensions : de 20 à 70 cm de hauteur.

Multiplication : les plantes issues de semis mettent environ 6 ans pour fleurir. Séparation des bulbilles quand les feuilles jaunissent et fanent.

Longévité : les tulipes cultivées en pots sont en général éliminées après la floraison.

Ennemis et maladies : la pourriture du bulbe est le risque majeur. Elle est favorisée par un excès d'arrosage. Parfois, pucerons des racines.

Espèces et variétés : le genre *Tulipa* compte une centaine d'espèces et il existe plus de 4 000 variétés et cultivars, dont quelques centaines sont commercialisées. 'Flair', vermillon bordé de jaune strié, très hâtive, est l'une des meilleures pour le forçage en pot, de même que 'Angélique', une double hâtive, compacte ; Les tulipes botaniques *T. fosteriana, T. greigii* ou *T. kaufmanniana,* et leurs variétés, de même que *T. bakeri* 'Lilac Wonder' conviennent bien pour les jardinières et les potées.

Conseil Truffaut : installez les potées de tulipes pour la nuit sur le rebord de la fenêtre s'il ne gèle pas. Vous doublerez ainsi la durée de la floraison.

Veltheimia bracteata
VELTHEIMIA

Bulbeuse, appelée aussi *Veltheimia capensis.*

Origine : Afrique du Sud.

Feuilles : disposées en rosette, de 30 à 40 cm de long, rubanées, arrondies, vert foncé. Le bord du limbe est légèrement ondulé.

Fleurs : des tiges rigides de 40 cm de long portent, de janvier à mars, des épis formés de 20 à 60 fleurs tubulaires pendantes, brun-rose, tachées de jaune, qui durent plus de deux mois.

Lumière : au moins 3 heures de soleil par jour.

Terre : terreau géranium, sable et tourbe blonde.

Engrais : durant la croissance, apportez une fois par mois un engrais pour bulbes à fleurs.

Humidité de l'air : pas d'exigence particulière.

Arrosage : laissez la terre sécher sur 3 à 4 cm entre chaque arrosage. Au sec après la floraison.

Rempotage : plantez le bulbe en octobre, en laissant la pointe dépasser. Par la suite, rempotez tous les 2 ou 3 ans. Le veltheimia peut aussi se cultiver sur une carafe d'eau, comme une jacinthe.

Exigences particulières : le veltheimia demande du soleil et de la fraîcheur. Il apprécie une serre froide. Durant la période de croissance, assurez une température de 15 à 18 °C.

Dimensions : jusqu'à 50 cm de haut.

Multiplication : en octobre, détachez les bulbilles qui se sont formés autour du bulbe mère et rempotez-les individuellement.

Longévité : de 1 à 5 ans, selon l'hivernage.

Ennemis et maladies : la principale cause d'échec est la pourriture. Le bulbe y est très sensible, même pendant la période de repos estival.

Espèces et variétés : 'Rosalba', à fleurs crème lavé de rose est un peu moins courant.

Conseil Truffaut : choisissez dès le départ un pot suffisamment large (au moins 15 cm de diamètre) pour contenir le bulbe volumineux.

Zantedeschia aethiopica
ARUM D'ÉTHIOPIE

  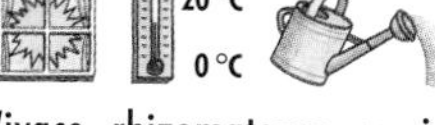

Vivace rhizomateuse semi-aquatique, vigoureuse, appelée parfois « calla ».

Origine : Afrique du Sud, Lesotho.

Feuilles : de 30 à 40 cm de long, en fer de lance, vert foncé, légèrement brillantes, parfois tachetées de jaune chez certaines espèces et variétés.

Fleurs : une large spathe blanche cireuse, de 20 cm de long, enveloppe un spadice jaune crème.

Lumière : plein soleil et chaleur sont indispensables pour obtenir la floraison.

Terre : terreau, tourbe, terre de jardin et sable avec 20 % de compost de fumier et d'algues.

Engrais : de janvier à mai, apportez une fois par semaine un engrais liquide pour plantes fleuries.

Humidité de l'air : vaporisez le feuillage dès que la température dépasse 18 °C.

Arrosage : maintenez la motte humide quand la plante est en pleine croissance. Après la floraison, réduisez fortement les arrosages jusqu'à ce que les feuilles sèchent. Conservez l'arum d'Éthiopie au sec pour un repos jusqu'en novembre.

Rempotage : chaque année, en novembre.

Exigences particulières : ne laissez pas l'eau stagner sous le pot, même si dans la nature l'arum d'Éthiopie pousse sur les berges des étangs.

Dimensions : de 50 à 90 cm de haut en pot et presque autant de large.

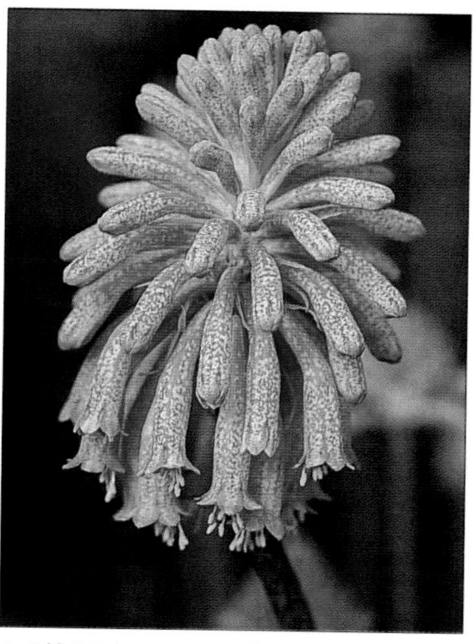

▲ *Veltheimia bracteata* : une inflorescence originale.

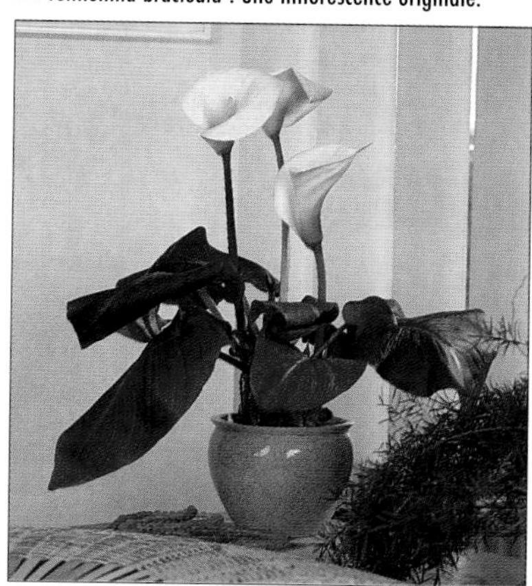

▲ *Zantedeschia aethiopica* : de grands cornets blancs.

Multiplication : les rejets formés autour du rhizome sont replantés à 5 cm de profondeur.

Longévité : de 1 à 3 ans en pot.

Ennemis et maladies : araignées rouges.

Espèces et variétés : de nouveaux cultivars se parent de spathes jaunes, rose saumoné ou rouge-orangé. 'Little Gem' (40 cm) est bien adapté à la culture en appartement; *Zantedeschia rehmannii*, aux splendides spathes rose tendre ou carmin; *Z. elliottiana*, à feuilles tachetées et spathes jaunes.

Conseil Truffaut : les arums d'Éthiopie peuvent être cultivés en pleine terre dans les jardins les plus protégés du littoral méditerranéen ou atlantique. Ils prennent alors d'imposantes proportions.

LES PLANTES À FRUITS

Dans le monde complexe des plantes supérieures, le fruit est l'aboutissement du cycle de la vie, la promesse d'une naissance, l'assurance de la pérennité de l'espèce. ❀ *C'est aussi une manne pour les animaux ou les humains qui s'en délectent. C'est l'image de la générosité et de la richesse de la nature. C'est l'occasion de partager un moment de plaisir et d'amitié.* ❀ *Objet de mille et une convoitises, le fruit bénéficie de protections complexes chez de nombreuses plantes, car il est vital pour leur survie. Il peut s'habiller d'une coque très dure ou épineuse, pour éviter d'être croqué par le premier venu. Dans certains cas, il va dégager une odeur pestilentielle ou une amertume qui découragera les plus affamés. Il peut aussi se parer de couleurs vives et brillantes, qui vont attirer tous les regards.* ❀ *Mais, dans le langage subtil et symbolique de la nature, cela signifie souvent : attention danger ! Une baie par trop voyante, alléchante avec sa teinte rouge vernissé, ou noir de jais, renferme souvent des substances toxiques. C'est la traduction concrète du mythe du « fruit défendu », une manière de nous dire : « ne cédez pas à la tentation ».* ❀

Ayant eu l'occasion, au fil des siècles, d'expérimenter « les bons et les méchants », l'être humain a sélectionné les fruits comestibles, sans oublier pour autant ceux qui nous ravissent par leur aspect et leurs couleurs. ❀ *Parmi les plantes à cultiver à la maison, les espèces à fruits décoratifs ne sont pas légion, mais elles jouent un rôle important en sortant du schéma ornemental classique : feuillage ou fleurs.* ❀ *Persistant souvent très longtemps, les fruits décoratifs sont une raison supplémentaire d'accueillir une plante dans la maison, et parfois de s'en régaler, comme les agrumes, qui sauront ravir nos sens.* ❀

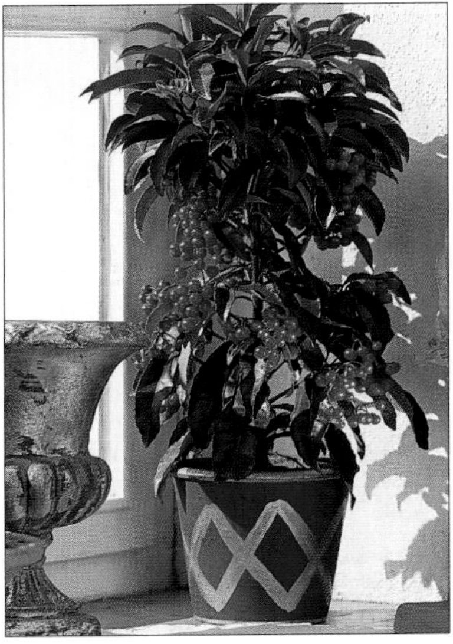

▲ *Ardisia crenata* : des baies rouges durant tout l'hiver.

▲ *Capsicum annuum* : le piment d'ornement, très vif.

Ardisia crenata ARDISIE

Petit arbuste de la famille des myrsinacées, aux branches clairsemées et au port étalé, apprécié pour ses baies rouges qui le décorent à Noël.

Origine : Asie du Sud-Est.

Feuilles : de 5 à 15 cm de long, très coriaces, oblongues et lancéolées, crénelées, effilées aux extrémités, vert sombre brillant dessus, vert plus clair et ponctué dessous.

Floraison : en juin, apparaissent de minuscules fleurs blanc rosé, odorantes, qui durent plusieurs mois. Elles donnent des baies de la taille d'un pois, rouge écarlate, persistant plusieurs mois, parfois jusqu'à la floraison suivante.

Lumière : tout près d'une fenêtre, pour un maximum d'éclairage, mais évitez le plein soleil en été.

Terre : un mélange de terre de jardin légère, de terreau de feuilles et de terre de bruyère fibreuse.

Engrais : de mars à août, apportez chaque semaine un engrais pour plantes fleuries, à la moitié de la concentration conseillée sur la boîte.

Humidité de l'air : vaporisez la plante chaque jour avec de l'eau à température ambiante, surtout avant la floraison et s'il fait plus de 15 °C.

Arrosage : tous les 3 à 5 jours durant la végétation, sans jamais détremper la motte. En hiver, une fois tous les 8 à 12 jours suffit.

Rempotage : au printemps, seulement si la plante se trouve à l'étroit.

Exigences particulières : l'ardisie apprécie la fraîcheur en hiver, et craint les courants d'air.

Dimensions : jusqu'à 1 m en pot.

Multiplication : semis, en terrine, des graines extraites des baies, à la fin de l'hiver ou au printemps. Repiquage en godet quand la plantule a formé 2 ou 3 feuilles. Le bouturage de tige, au printemps ou en été, est plus difficile et plus long.

Longévité : après 5 ans, l'ardisie se défraîchit.

Ennemis et maladies : parfois cochenilles.

◄ *Citrus mitis* : le calamondin, un agrume très en vogue.

Espèces et variétés : *Ardisia crenata* (ou *crispa*) est la seule espèce cultivée à l'intérieur. *Ardisia japonica* est un arbuste compact, pouvant être cultivé dans les jardins des régions côtières

Conseil Truffaut : vous pouvez aider la pollinisation en passant un pinceau d'une fleur à l'autre, et favoriser ainsi la formation des fruits.

Capsicum annuum PIMENT D'ORNEMENT

Proposée avec ses fruits en automne et en hiver, cette petite annuelle buissonnante apportant une note de couleurs dans la maison est très appréciée pour les décorations de fin d'année.

Origine : Amérique centrale et du Sud.

Feuilles : de 8 à 12 cm de long, vert soutenu, lancéolées, pointues, vert moyen.

Floraison : insignifiante, au printemps et en été. Elle est suivie de fruits en forme de petits cônes, plus ou moins cylindriques et pointus selon les variétés, qui changent de couleur au fur et à mesure qu'ils mûrissent, dans des tons toujours lumineux : violet, rouge, orange ou jaune.

Lumière : un long et fort ensoleillement est essentiel pour aboutir à la formation des fruits.

Terre : mélange de terre de jardin, de tourbe et de terreau de feuilles, additionné de 15 % d'un fertilisant organique à base de fumier et d'algues.

Engrais : d'avril à août, apportez chaque semaine, un engrais liquide pour plantes fleuries ou mélangez une cuillerée à café d'engrais en granulés pour fruits dans un pot de 12 cm de diamètre.

Humidité de l'air : en été, vaporisez les feuilles le soir après une journée de forte chaleur.

Arrosage : tous les 3 jours de mai à septembre, sans détremper la motte. Une fois par semaine quand la température est inférieure à 15 °C.

Rempotage : chaque jeune plant acheté au printemps s'installe dans un pot de 12 cm de diamètre.

Exigences particulières : l'air chaud et sec fait tomber les fruits. Il est préférable de ne pas dépasser les 20 °C en hiver.

Dimensions : de 20 à 50 cm de haut en pot.

Multiplication : par semis au début du printemps, en terrine, à chaud (22 à 25 °C), puis repiquage en godets individuels, quand les plantules ont développé 2 vraies feuilles (assez difficile).

Longévité : c'est une plante annuelle, à jeter une fois que les fruits se flétrissent et tombent.

Ennemis et maladies : pucerons et araignées rouges, oïdium, anthracnose et viroses diverses.

Espèces et variétés : on trouve des variétés à fruits ronds, d'autres à fruits longs, coniques ou en forme de cloche. Elles sont rarement dénommées.

Conseil Truffaut : comme pour toutes les plantes de la famille des Solanacées, les parties vertes du piment d'ornement sont toxiques. Les fruits sont comestibles, mais très piquants.

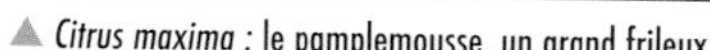

▲ *Citrus maxima* : le pamplemousse, un grand frileux.

Citrus spp.
AGRUMES

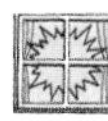  

Les orangers, citronniers, pamplemoussiers, mandariniers, et autres *Citrus*, forment la famille des agrumes. Ils portent des fruits souvent comestibles.

Origine : Asie du Sud-Est.

Feuilles : de 10 à 20 cm de long, persistantes, ovales plus ou moins larges, brillantes, vert foncé.

Floraison : les fleurs printanières et estivales blanches ou pourpres, parfumées, donnent en hiver des fruits sphériques ou ovoïdes, recouverts d'une peau épaisse jaune pâle à rouge orangé.

Lumière : toute l'année près d'une fenêtre exposée au sud, l'été à l'extérieur, en plein soleil.

Terre : terre de jardin non calcaire, sable, tourbe.

Engrais : au printemps, un apport d'engrais organique, puis durant la croissance, un spécial agrumes (riche en potasse) un arrosage sur deux.

Humidité de l'air : vaporisez le feuillage entre les arrosages et en hiver s'il fait plus de 15 °C.

Arrosage : tous les 10 à 15 jours pendant l'hivernage. Une fois par semaine durant la végétation, sans détremper ni laisser l'eau stagner sous le pot. Les agrumes sont très sensibles à la pourriture des racines. De l'eau calcaire ou trop froide peut entraîner une chlorose ou une chute des feuilles.

Rempotage : à la fin de l'hiver, mais vous pouvez vous contenter d'un simple surfaçage. Attendez au moins un mois avant d'apporter de l'engrais.

Exigences particulières : les agrumes demandent des conditions de culture régulières, avec un repos hivernal bien marqué, suivi d'une période de végétation. Le froid est nécessaire pour induire la floraison de l'année suivante. Installez la plante en serre, ou sur le balcon s'il ne risque pas de geler, avec la protection d'un voile d'hivernage. Une taille annuelle est nécessaire pour équilibrer la forme de l'arbuste et réduire les trop grandes pousses.

Dimensions : 1 à 2 m de haut en bac.

Multiplication : semis facile, mais les plantes obtenues donnent peu de fruits. Il faut les utiliser comme porte-greffe. Greffage en écusson en mai ou en fente en avril ou en septembre.

Longévité : une dizaine d'années en pot.

Ennemis et maladies : pucerons, cochenilles et acariens, surtout sur les plantes faibles.

Espèces et variétés : une douzaine d'espèces de *Citrus* peuvent être cultivées à l'intérieur. Le travail de sélection des professionnels permet de trouver des variétés bien adaptées à la culture en pot.

Conseil Truffaut : des bacs à roulettes permettent de mieux transporter les gros sujets. Évitez les réserves d'eau, les agrumes n'appréciant pas d'avoir en permanence « les pieds dans l'eau ».

▲ *Citrus reticulata* : la mandarine, rustique en Corse.

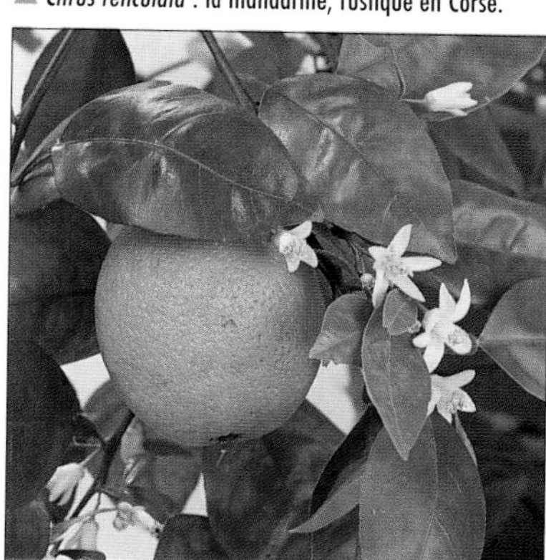

Citrus sinensis : l'orange et ses fleurs très parfumées. ▶

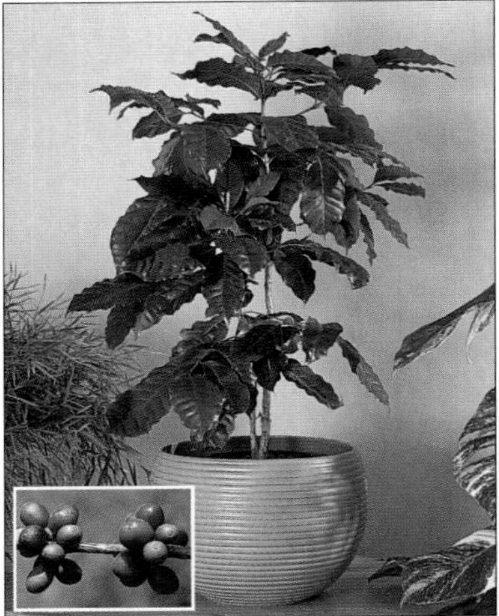

Coffea arabica (en médaillon, le grain de *C. robusta*).

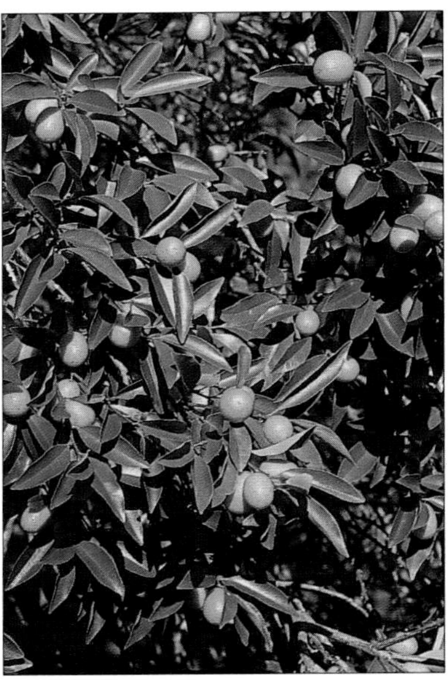

Fortunella margarita : le kumquat au goût acidulé.

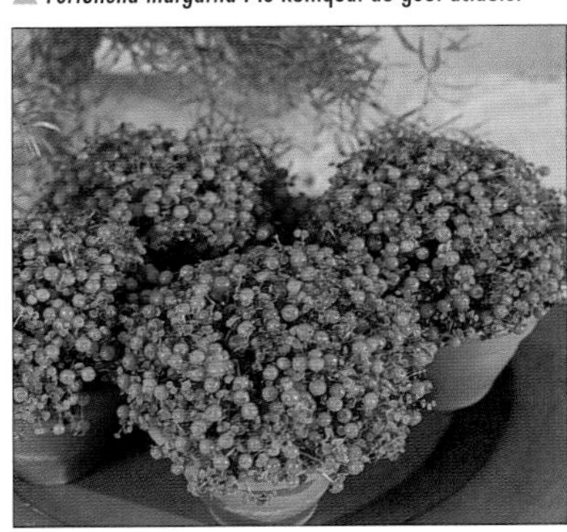

Nertera granadensis : la plante aux bonbons.

Coffea arabica CAFÉIER

Arbuste persistant, aux branches étagées, bien ramifiées, formant un tronc avec l'âge.

Origine : Afrique tropicale (Abyssinie).

Feuilles : de 20 à 30 cm de long, opposées, ovales, assez larges, bords ondulés, vert sombre, brillantes. Nervures nettement apparentes.

Floraison : de juin à octobre, fleurs blanches et parfumées en étoile, évoluant en baies vertes, puis rouges, contenant un ou deux grains de café.

Lumière : vive, mais à l'abri du soleil direct.

Terre : terre franche, sable et terreau de feuilles.

Engrais : d'avril à août, tous les 15 jours, apportez un engrais pour plantes vertes.

Humidité de l'air : au moins 50 %. Pulvérisez de l'eau sur les feuilles chaque jour, et installez le pot sur un lit de graviers humides, surtout l'hiver.

Arrosage : tous les 3 ou 4 jours, la motte ne doit jamais se dessécher complètement. En hiver, pas plus d'une fois par semaine.

Rempotage : au printemps, tous les 2 ans.

Exigences particulières : les courants d'air et les chutes brutales de température sont très nocifs.

Dimensions : de 80 cm à 1,20 m en pot.

Multiplication : bouturage de tiges en été, à l'étouffée, en miniserre avec hormones et chauffage de fond (difficile). Semis de grains de café vert, au printemps (croissance assez lente).

Longévité : après 3 à 5 ans, le caféier se dégarnit de la base et devient moins intéressant.

Ennemis et maladies : cochenilles et araignées rouges. Les pointes des feuilles qui brunissent signalent une atmosphère trop sèche.

Espèces et variétés : 'Variegata', à feuillage panaché; *Coffea arabica* 'Nana' est une forme naine, à la floraison plus précoce.

Conseil Truffaut : soyez patient, la plante ne fleurit qu'après 3 ou 4 ans. Les baies ne sont pas toujours faciles à obtenir en appartement. Un hivernage au frais est favorable à leur apparition.

Fortunella margarita KUMQUAT

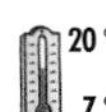

Petit arbuste persistant, proche des agrumes, très ramifié, épineux à la base des feuilles.

Origine : Chine, Japon.

Feuilles : de 10 cm de long, coriaces, ovales, vert brillant. Nervures très apparentes.

Floraison : au printemps et en été, les fleurs de 1 cm de long, blanches et parfumées, donnent des petits fruits ovales, de 2 à 3 cm de long, jaune orangé, qui se consomment avec la peau.

Lumière : en plein soleil dans le jardin de mai à octobre, ou toute l'année derrière une baie vitrée.

Terre : terreau de tourbe, sable et terre de jardin, avec 15 % de fertilisant à base de fumier.

Engrais : de mars à octobre, apportez un engrais liquide pour agrumes ou fraisier tous les 15 jours.

Humidité de l'air : vaporisez tous les jours en hiver si la température dépasse 15 °C.

Arrosage : avec une eau non calcaire, tous les 3 ou 4 jours en été. À partir de septembre, réduisez à un apport d'eau tous les 8 à 10 jours.

Rempotage : chaque année au printemps, puis tous les 2 ou 3 ans quand la plante dépasse 60 cm de haut. Surfacez les vieux sujets volumineux.

Exigences particulières : un arrêt végétatif marqué est indispensable pour la fructification.

Dimensions : de 80 cm à 1,50 m en pot.

Multiplication : semez les pépins dans une petite serre de multiplication chauffée. Les plantes obtenues ne fleuriront que dans 8 à 10 ans.

Longévité : une dizaine d'années en pot.

Ennemis et maladies : cochenilles, araignées rouges, taches foliaires par temps très humide.

Espèces et variétés : les fruits de *Fortunella japonica* sont ronds et jaune orangé, ceux de *Fortunella margarita,* ovales, plus foncés et plus acides; 'Variegata' a des feuilles panachées; *Fortunella hindisii* donne de tout petits fruits, gros comme des pois, et se prête à la nanification en bonsaï.

Conseil Truffaut : laissez les fruits un mois sur la plante avant de les consommer. Ils seront beaucoup plus savoureux, moins acides.

Nertera granadensis
BAIE-DE-CORAIL

 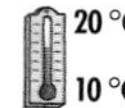 

Cette vivace forme une touffe étalée, comme de la mousse parsemée de bonbons orange.

Origine : Amérique centrale, Mexique.

Feuilles : de 0,50 cm de diamètre, rondes.

Floraison : au printemps, les petites fleurs blanc verdâtre passent quasiment inaperçues. Elles évoluent en baies orangées, de la taille d'un pois, couvrant toute la plante jusqu'à la fin de l'hiver.

Lumière : abondante, mais sans soleil direct.

Terre : tourbe, terre sableuse et terreau.

Engrais : de la floraison jusqu'à la formation des baies, apportez une fois par mois un engrais liquide pour plantes fleuries, déconcentré de moitié.

Humidité de l'air : placez le pot sur un lit de billes d'argile humides, mais ne vaporisez pas les feuilles, qui pourrissent assez facilement.

Arrosage : trempez la motte tous les 4 ou 5 jours durant la période de végétation, en laissant un peu sécher la terre entre deux arrosages.

Rempotage : inutile, la plante ne dure pas assez.

Exigences particulières : un repos hivernal au frais (12 °C) permet de conserver le Nertera.

Dimensions : 2 cm de haut, 20 cm de large.

Multiplication : semez en mars, à 15 °C, les graines récoltées dans les fruits bien mûrs.

Longévité : il est très difficile de garder le Nertera d'une année sur l'autre, excepté en serre froide.

Ennemis et maladies : pucerons, pourriture.

Espèces et variétés : on ne trouve que *Nertera granadensis*, parfois appelé *Nertera depressa*.

Conseil Truffaut : aérez durant la floraison, pour faciliter la fécondation et avoir beaucoup de fruits.

Solanum pseudocapsicum
POMMIER D'AMOUR

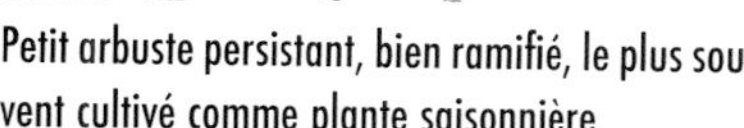

Petit arbuste persistant, bien ramifié, le plus souvent cultivé comme plante saisonnière.

Origine : Brésil, Uruguay.

Feuilles : de 5 à 8 cm de long, vert vif, elliptiques ou lancéolées, ondulées sur les bords.

Floraison : les fleurs blanc verdâtre, étoilées, apparaissent en mai-juin et évoluent en baies sphériques jaunes, oranges ou rouge vif, persistant une partie de l'hiver si la plante n'a pas trop chaud.

Lumière : placer le pommier d'amour près d'une fenêtre, au soleil, assure la longévité des baies.

Terre : terreau, sable et tourbe, enrichi de 10 % de fertilisant à base de fumier et d'algues.

Engrais : de mars à août, apportez un engrais liquide pour plantes fleuries tous les 15 jours.

Humidité de l'air : pulvérisez de l'eau quotidiennement sur le feuillage en hiver si la température dépasse 15 °C.

Arrosage : tous les 3 ou 4 jours de mai à septembre. Une fois tous les 8 à 10 jours en automne et en hiver, juste pour éviter le dessèchement.

Rempotage : chaque année au printemps, dans un pot à peine plus grand. À cette occasion, rabattez les tiges de la moitié de leur longueur.

Exigences particulières : pincez les jeunes plants pour favoriser la floraison.

Dimensions : de 30 à 40 cm de haut.

Multiplication : au printemps, semis en miniserre, à 20 °C. Repiquage précoce des plantules.

Longévité : il est très difficile de conserver un pommier d'amour après la fructification. On le cultive donc comme une plante annuelle.

Ennemis et maladies : pucerons, araignées rouges et mouches blanches s'il fait chaud et sec.

Espèces et variétés : *Solanum capsicastrum*, aux baies plus petites et au feuillage parfois panaché ; *Solanum melongena*, l'arbre-à-œufs, une variété blanche d'aubergine ; *Solanum nigrum guineense*, aux baies comestibles, d'un noir brillant ; *Solanum mammosum*, aux étranges fruits jaunes en forme de petits personnages ; *Solanum aviculare*, la pomme kangourou, aux fruits verts striés de jaune ; *Solanum laciniatum*, à fleurs bleues et fruits orange.

Conseil Truffaut : ne laissez pas les baies à la portée des enfants, elles sont toxiques, comme le reste des organes de cette Solanacée.

▲ *Solanum mammosum* : l'étrange pomme zombi.

▲ *Solanum nigrum guineense* : utilisé en pâtisserie.

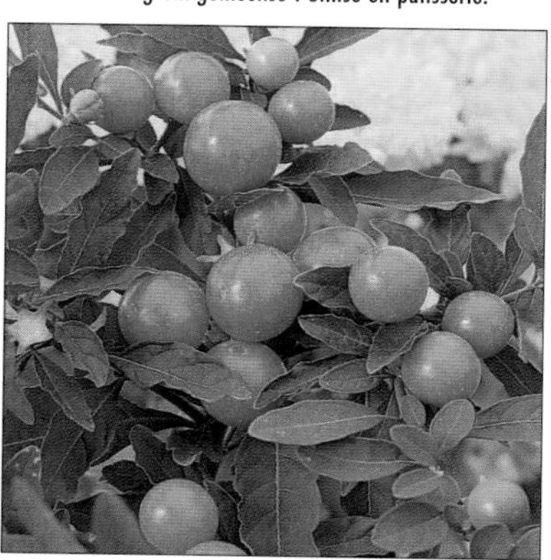

Solanum pseudocapsicum : le « pommier d'amour ». ▶

L E S   O R C H I D É E S

Considérée comme la fleur joyau, rare et précieuse, l'orchidée exerce une étrange fascination sur les amateurs de plantes. ❀ Le XIXe siècle connut un incroyable engouement pour les orchidées tropicales, que certains aventuriers recherchaient, au péril de leur vie, au plus profond des jungles les plus hostiles. ❀ Des collectionneurs fous se sont littéralement ruinés pour assouvir leur passion, consacrant des fortunes dans le but d'acquérir des raretés, qui avaient toutes les peines du monde à fleurir, même dans les plus belles serres de l'époque victorienne. ❀ Aujourd'hui, grâce à des techniques très élaborées qui permettent de les reproduire in vitro, les orchidées sont devenues accessibles à tous. Les méthodes de culture se sont affinées, les idées reçues ont disparu, effaçant l'image de la fleur inaccessible, vénérée dans l'écrin étouffant et moite d'une serre chaude. ❀ En sélectionnant certaines lignées, en réalisant d'innombrables hybridations, les horticulteurs ont réussi à obtenir des générations d'orchidées plus solides et surtout plus florifères, qui prospèrent dans nos intérieurs, sans nécessiter des soins extravagants. ❀ C'est ainsi que l'on trouve toute l'année dans les jardineries, une offre de plus en plus étendue d'orchidées, qui nous enchantent par l'opulence et la longévité de leur floraison. Plante cadeau par excellence, l'orchidée n'a rien perdu de sa superbe. ❀ Elle représente toujours la fleur d'exception, qui émerveille par la variété infinie de ses couleurs et qui surprend par la forme quasi animale, parfois presque inquiétante de sa fleur. ❀ Avec ses 22 000 espèces, la famille des orchidées est considérée aujourd'hui comme la plus riche et la plus variée du monde végétal. ❀ Et comme un très grand nombre d'entre elles acceptent volontiers de se croiser, les variétés se déclinent quasiment à l'infini, pour notre plus grand plaisir ❀

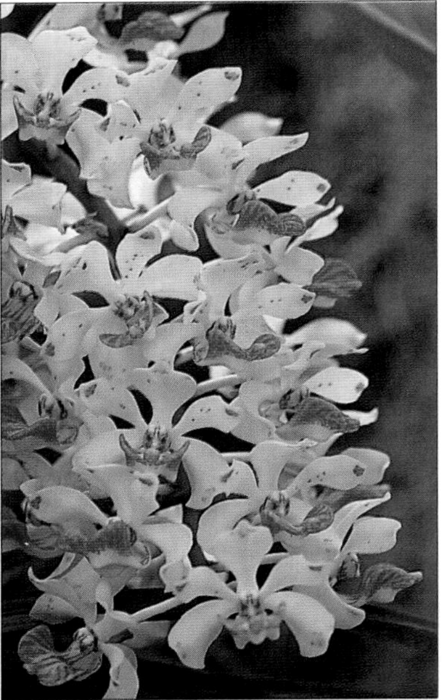

Aerides odorata : un parfum lourd, suave, épicé.

Angraecum eburneum : comme des araignées de cire.

Aerides spp. AERIDES

Proche des vandas, son nom évoque le mot « air », en témoignage de sa nature épiphyte.

Origine : Asie du Sud-Est, Inde, Népal, Chine.

Feuilles : de 20 à 30 cm de long, persistantes, charnues, allongées, portées sur une tige unique.

Floraison : au printemps et en été, les inflorescences retombantes, de 30 à 60 cm de long, sont formées de fleurs charnues, satinées, parfumées.

Lumière : soleil direct, sauf en plein été.

Terre : substrat aéré, pour orchidées épiphytes.

Engrais : au printemps, faites un apport hebdomadaire d'engrais liquide foliaire peu azoté.

Humidité de l'air : de 70 à 80 %. Vaporisez le feuillage deux fois par jour durant la croissance.

Arrosage : deux fois par semaine d'avril à septembre. Tous les 8 jours durant la dormance.

Rempotage : tous les 3 ou 4 ans, à toute époque de l'année sauf en hiver.

Exigences particulières : maintenez une forte humidité au niveau des racines aériennes.

Dimensions : touffe de 15 à 30 cm.

Multiplication : séparation des rejets qui se forment à la base, avec leurs racines aériennes.

Longévité : 1 an dans la maison, de 3 à 10 ans en serre. La floraison se prolonge 4 semaines.

Ennemis et maladies : pucerons, cochenilles.

Espèces et variétés : *Aerides odorata*, à fleurs mauves et blanches, est la plus courante des 40 espèces. On a créé des hybrides avec des vandas.

Conseil Truffaut : cultivez les aérides dans un panier ou un pot ajouré pour bien aérer les racines.

Angraecum spp. ANGRAECUM

Cette orchidée souvent imposante forme une tige et de grosses racines aériennes.

Angraecum sesquipedale : des fleurs de porcelaine.

Origine : Comores, Madagascar, Afrique de l'Est.

Feuilles : de 10 à 50 cm de long, imbriquées en éventail, linéaires, oblongues, assez rigides.

Fleurs : à diverses époques de l'année, blanches, vertes, cireuses, éperonnées, parfumées la nuit.

Lumière : exposez à l'ombre en été.

Terre : fragments de fougères et écorces de pin.

Engrais : de mars à octobre apportez un engrais liquide pour orchidées tous les 15 jours.

Humidité de l'air : de 70 à 80 % durant l'été. 60 % suffisent en hiver. Vaporisez souvent.

Arrosage : tous les 3 à 5 jours, toute l'année, en fonction de la température ambiante.

Rempotage : tous les 3 ans, au printemps.

Exigences particulières : pas de période de repos végétatif. Dépourvus de pseudobulbes, les angraecums sont sensibles à la sécheresse.

Dimensions : de 15 à 90 cm selon les espèces.

Multiplication : séparation des rejets.

Longévité : plus de 10 ans dans une serre tempérée. La floraison dure de 6 à 10 semaines

Ennemis et maladies : cochenilles.

Espèces et variétés : sur les 200 espèces, on cultive *Angraecum eburneum* aux fleurs hivernales de 5 à 6 cm de diamètre, *A. sesquipedale,* l'Étoile de Madagascar, aux fleurs blanc ivoire de 20 cm au moins, *A. distichum,* forme naine à fleur solitaire.

Conseil Truffaut : vaporisez le feuillage au moins une fois par jour. Cultivez en suspension.

Anguloa clowesii BERCEAU-DE-VÉNUS

Orchidée terrestre, caduque, à pseudobulbe conique. On l'appelle aussi « orchidée-tulipe ».

Origine : Colombie, Venezuela.

Feuilles : de 40 à 80 cm de long, plissées, lancéolées, sur des pseudobulbes très volumineux.

Floraison : d'avril à juin, corolles en coupe, de 10 cm de diamètre, charnues, concaves, jaune vif, solitaires, très odorantes, au labelle articulé, presque entièrement dissimulé par les pétales.

Lumière : près d'une fenêtre, sans soleil direct.

Terre : écorce, charbon de bois, perlite, tourbe.

Engrais : durant la croissance, apportez un engrais liquide pour orchidées tous les 3 arrosages.
Humidité de l'air : 60 % pendant la croissance, 40 % pendant le repos. Ne pas brumiser.
Arrosage : tous les 3 jours jusqu'à la chute des feuilles. Ensuite, tous les 10 à 12 jours.
Rempotage : chaque année, à la fin de l'hiver, dans un pot de plastique ou de terre cuite ajouré.
Exigences particulières : une nette différence de température entre le jour et la nuit et une fraîcheur hivernale permettent d'induire la floraison.
Dimensions : de 50 à 80 cm de haut.
Multiplication : division de touffe, en automne.
Longévité : de 3 à 10 ans. Floraison 1 mois.
Ennemis et maladies : pucerons, acariens.
Espèces et variétés : le genre *Anguloa* compte 10 espèces, dont les plus connues sont *Anguloa ruckerii*, épiphyte, à fleurs ocre tacheté de rouge et *Anguloa clowesii*, terrestre, à fleurs jaune vif.
Conseil Truffaut : la vaporisation tache les feuilles, placez les anguloas sur du gravier mouillé.

x *Angulocaste* ANGULOCASTE

Ce genre hybride, issu du croisement de lycastes et d'anguloas, donne des plantes remarquables.
Origine : création horticole à partir de parents provenant d'Amérique du Sud.
Feuilles : de 60 cm de long, caduques, lancéolées, souples, souvent repliées sur elles-mêmes.
Floraison : solitaire, charnue, ressemblant à une tulipe, la corolle, de 10 cm de diamètre, varie du blanc au crème en passant par le jaune.
Lumière : abondante mais filtrée, aussi bien pendant la végétation que durant la dormance.
Terre : écorce, vermiculite et tourbe concassée.
Engrais : d'avril à septembre apportez un engrais liquide pour orchidées tous les 15 jours, .
Humidité de l'air : 60 % pendant la végétation. 40 % suffisent quand les feuilles sont tombées.
Arrosage : deux fois par semaine durant la croissance, tous les 15 jours en hiver.
Rempotage : tous les 2 ans, en février-mars.
Exigences particulières : évitez les bassinages, qui favorisent les maladies cryptogamiques.
Dimensions : de 30 à 60 cm de haut et de large.
Multiplication : séparation des nouveaux pseudobulbes, au moment du rempotage.
Longévité : de 3 à 10 ans, en serre. La floraison dure de 4 à 6 semaines (au printemps).
Ennemis et maladies : acariens, s'il fait sec.
Espèces et variétés : il n'existe que des cultivars, qui ne portent pas toujours de noms.
Conseil Truffaut : respectez un arrêt de végétation strict, après la chute des feuilles.

Ascocentrum spp. ASCOCENTRUM

Cette orchidée miniature, épiphyte, a souvent été hybridée en Asie avec des vandas.
Origine : nord-est de l'Inde, Birmanie, Thaïlande.
Feuilles : de 8 à 12 cm de long, persistantes, rubanées, portées par une tige unique.
Floraison : en mai-juin, les bouquets sont formés de très nombreuses petites fleurs de couleur vive.
Lumière : devant une fenêtre, au soleil direct.
Terre : écorce, polystyrène, polyuréthane, perlite.
Engrais : d'avril à septembre, apportez un engrais liquide dilué à 50 % chaque semaine.
Humidité de l'air : de 70 à 80 %. Vaporisez.
Arrosage : tous les 3 ou 4 jours en été. Une fois par semaine en période hivernale.
Rempotage : tous les 3 ans, après la floraison.
Exigences particulières : surtout pas de courants d'air ni de chute brutale de la température.
Dimensions : de 10 à 15 cm de haut.
Multiplication : séparation des rejets de tige.
Longévité : de 1 à 5 ans, rarement plus.
Ennemis et maladies : pucerons et acariens.
Espèces et variétés : *Ascocentrum ampullaceum*, rose carminé ; les x *Ascocenda*, hybrides avec des vandas, ont des fleurs plus grandes, rouges, ou orangé.
Conseil Truffaut : l'ascocentrum nécessite un apport d'éclairage artificiel pour bien fleurir.

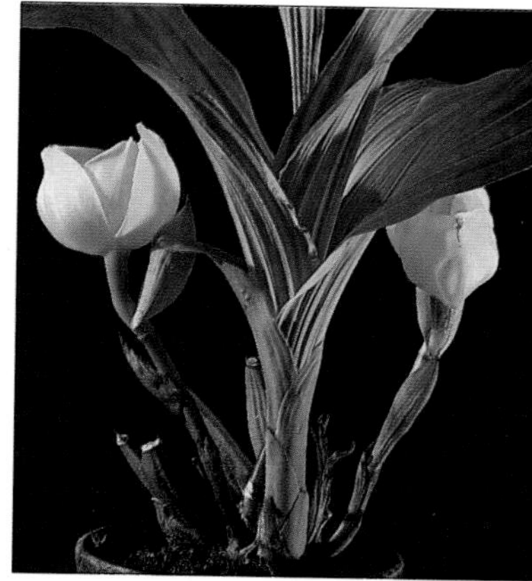
▲ *Anguloa clowesii* : la fleur, jaune citron, sent le chocolat.

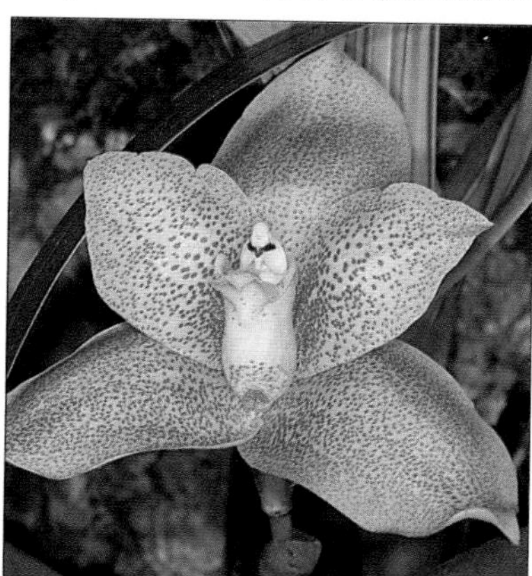
▲ x *Angulocaste* 'Rocket' : une fleur énorme, durable.

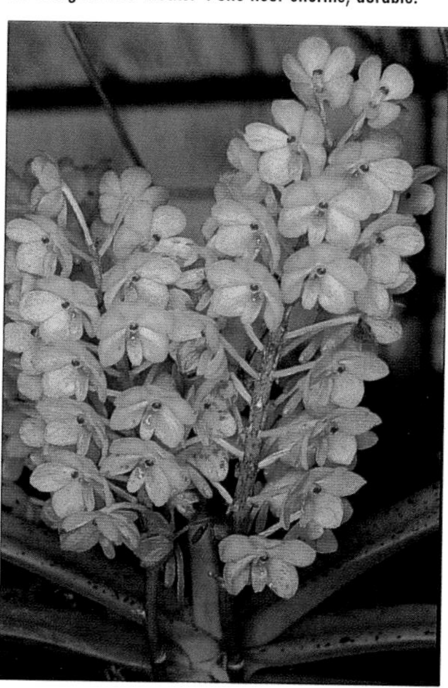
Ascocentrum hybride : des grappes très spectaculaires. ▶

Bifrenaria 'Haselmere' : un hybride chaleureux.

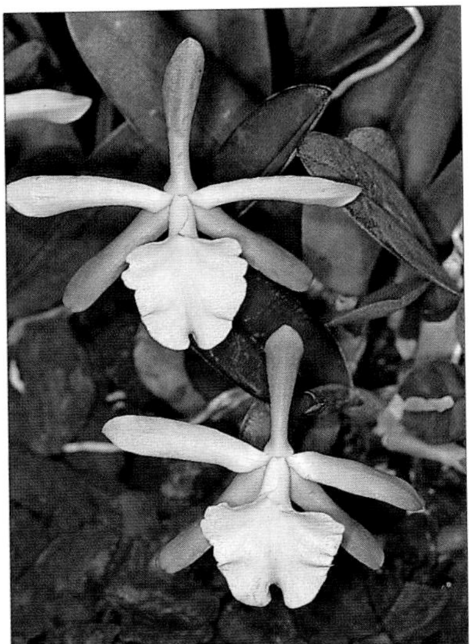

Brassavola glauca : une fleur au parfum délicat.

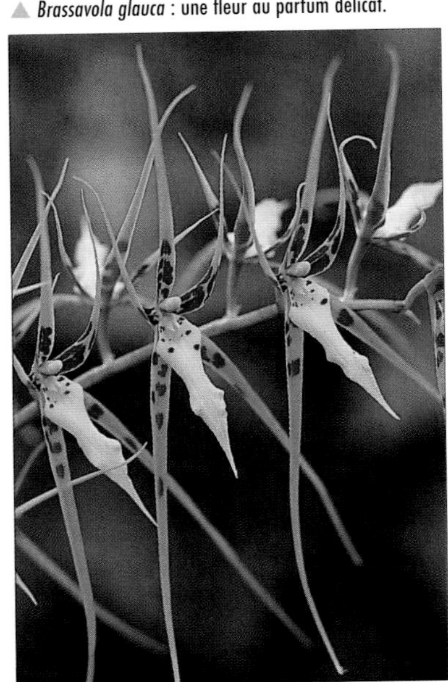

Brassia arcuigera : des fleurs gracieuses, aériennes.

Bifrenaria spp. BIFRÉNARIA

 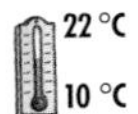

Orchidée épiphyte, proche des lycastes, d'une culture assez facile pour un débutant.

Origine : Amérique du Sud (Brésil).

Feuilles : de 30 cm de long, une sur chaque pseudo-bulbe, ces derniers étant serrés les uns contre les autres et sillonnés sur toute leur longueur.

Floraison : au printemps, solitaire ou par 2, charnue, de 7 à 8 cm de diamètre, très parfumée.

Lumière : devant une fenêtre, en plein soleil.

Terre : écorce de pin, polystyrène, vermiculite.

Engrais : d'avril à septembre, apportez un engrais liquide pour orchidées tous les 15 jours.

Humidité de l'air : de 70 à 80 %.

Arrosage : tous les 4 à 5 jours, durant la croissance. Tous les 15 jours en hiver.

Rempotage : tous les 3 ans, après la floraison.

Exigences particulières : laissez la plante au repos tout l'hiver, au frais (12 à 15 °C) et au sec.

Dimensions : de 30 à 50 cm de large.

Multiplication : séparation des pseudo-bulbes.

Longévité : de 3 à 5 ans, même à la maison.

Ennemis et maladies : pucerons, acariens.

Espèces et variétés : il existe 11 espèces et beaucoup d'hybrides, dont *Bifrenaria harrisoniae*, aux fleurs roses à ivoire avec le labelle rouge strié.

Conseil Truffaut : ne vaporisez pas les feuilles, mais maintenez l'hygrométrie en plaçant le pot sur une soucoupe remplie de billes d'argile humides.

Brassavola spp. BRASSAVOLA

C'est la première orchidée tropicale, introduite en Europe en 1698. Épiphyte, rhizomateuse.

Origine : Amérique du Sud, Antilles.

Feuilles : de 15 à 20 cm de long, charnues et pointues, une sur chaque pseudo-bulbe, long et mince.

Floraison : à toute époque de l'année, fleurs solitaires ou en petites grappes, fines, blanches à verdâtres, très parfumées, surtout la nuit.

Lumière : devant une fenêtre au sud.

Terre : racines de fougères, écorce de pin, gros polystyrène, polyuréthane et vermiculite.

Engrais : de mai à août, apportez un engrais liquide pour orchidées tous les 15 jours.

Humidité de l'air : de 70 à 80 %. Vaporisez.

Arrosage : tous les 3 jours d'avril à septembre. Tous les 8 à 12 jours le reste de l'année.

Rempotage : tous les 2 ans, courant avril.

Exigences particulières : une différence de 5 °C entre le jour et la nuit favorise la floraison.

Dimensions : de 30 à 45 cm de haut.

Multiplication : division du rhizome (délicat).

Longévité : quelques mois à la maison, jusqu'à 5 ans en serre. La floraison dure trois semaines.

Ennemis et maladies : pucerons, acariens.

Espèces et variétés : le genre *Brassavola* compte une vingtaine d'espèces ; *B. glauca*, à fleurs blanc et crème, *B. cucculata*, vert jaunâtre, *B. fragrans*, verdâtre, maculé de rose, et *B. nodosa*, vert et blanc, sont les plus répandues. Il existe de nombreux hybrides, notamment avec des cattléyas.

Conseil Truffaut : des paniers en lattes de bois, suspendus près du vitrage de la serre, assurent les meilleures conditions de réussite.

Brassia spp. BRASSIA

Plante épiphyte vigoureuse, rhizomateuse, appelée aussi « orchidée-araignée ».

Origine : Amérique tropicale.

Feuilles : les pseudo-bulbes aplatis portent de 1 à 3 feuilles de 30 cm de long.

Floraison : inflorescence aux pétales et aux sépales finement étirés, ressemblant un peu à une araignée. Fleurs vertes à jaunes, souvent odorantes.

Lumière : forte, mais à l'abri du soleil direct.

Terre : écorce de pin, polystyrène et sphagnum.

Engrais : d'avril à septembre, apportez tous les 15 jours un engrais liquide pour orchidées.

Humidité de l'air : minimum 60 %. Vaporisez.
Arrosage : tous les 3 ou 4 jours pendant la croissance, pas plus d'une fois par semaine en hiver.
Rempotage : tous les 2 ans, au printemps.
Exigences particulières : vaporisez le feuillage deux fois par jour, avec de l'eau non calcaire, dès que la température dépasse les 18 °C.
Dimensions : de 50 à 70 cm de haut.
Multiplication : séparation des pseudo-bulbes.
Longévité : au moins 3 ans, en serre.
Ennemis et maladies : cochenilles.
Espèces et variétés : on compte une cinquantaine d'espèces, dont les plus courantes sont *Brassia verrucosa,* aux fleurs vert clair, parsemées de macules vert foncé, *B. arcuigera*, qui étonne par ses pétales filiformes, *B. lawrenceana,* dont les fleurs atteignent 25 cm de long.
Conseil Truffaut : les brassias ayant formé des racines aériennes peuvent être accrochées sur une plaque d'écorce et cultivées en suspension.

Bulbophyllum spp.
BULBOPHYLLUM

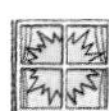

Orchidée épiphyte persistante, d'aspect très varié, formant des rhizomes traçants.
Origine : les régions tropicales du globe.
Feuilles : les pseudo-bulbes, arrondis ou anguleux, sont prolongés par 1 ou 2 feuilles coriaces, ovales, lancéolées, de 10 à 15 cm de long.
Floraison : solitaire ou en épi, sur un long pédoncule à la base des pseudo-bulbes. Les fleurs se caractérisent par leur étrange labelle articulé.
Lumière : soleil direct, sauf en plein été.
Terre : fragments de fougères, écorce de pin, polystyrène, polyuréthane et dolomie.
Engrais : d'avril à septembre, apportez un engrais pour orchidées bien dilué tous les 15 jours.
Humidité de l'air : 70 % en été, dans une pièce bien ventilée. De 50 à 60 % suffisent en hiver.
Arrosage : deux fois par semaine en moyenne durant la croissance. Le moins possible en hiver.
Rempotage : après la floraison, quand la plante déborde de son pot, soit environ tous les 3 ans.
Exigences particulières : manipulez les racines avec précaution lors du rempotage.
Dimensions : de 2 à 60 cm, selon les espèces.
Multiplication : séparation des pseudo-bulbes.
Longévité : 5 ans dans une véranda tempérée.
Ennemis et maladies : cochenilles, pucerons.
Espèces et variétés : c'est le genre d'orchidacées le plus diversifié, avec plus de 1 000 espèces. Certaines fleurs dégagent une odeur nauséabonde.
Conseil Truffaut : cultivez les bulbophyllums en panier suspendu, ou sur une plaque de liège.

Calanthe spp.
CALANTHE

Le nom de cette orchidée terrestre rhizomateuse signifie « belle fleur ».
Origine : Asie, Madagascar, Polynésie.
Feuilles : caduques ou persistantes, plissées, groupées par 2 à 6 sur des pseudo-bulbes oblongs.
Floraison : en grappes dressées, composées de fleurs roses à blanches, au labelle à 3 lobes.
Lumière : assez vive, mais pas de plein soleil.
Terre : tourbe, terreau de feuilles, écorce.
Engrais : inutile si le substrat comporte du terreau.
Humidité de l'air : au moins 60 %. Vaporisez.
Arrosage : deux fois par semaine durant la croissance, tous les 10 jours en hiver.
Rempotage : chaque année. En mai pour les calanthes caduques, en mars pour les persistantes.
Exigences particulières : hivernez les calanthes à feuilles caduques à 10 °C et au sec. Un semi-repos à 15-16 °C suffit aux espèces persistantes.
Dimensions : les inflorescences atteignent 1 m.
Multiplication : division de touffe au printemps.
Longévité : de 5 à 8 ans si l'hivernage est respecté. La floraison peut durer plusieurs mois.
Ennemis et maladies : pucerons, acariens.
Espèces et variétés : *Calanthe vestita*, à feuilles caduques, est une des plus faciles à réussir.
Conseil Truffaut : plantez les calanthes en coupe, les racines se développant surtout en surface.

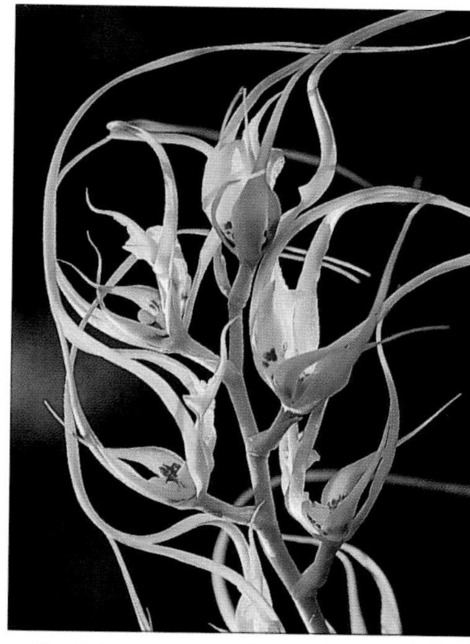
▲ *Brassia lawrenceana* : une étonnante floraison d'été.

▲ *Bulbophyllum cobbii* : des fleurs fantomatiques.

Calanthe vestita : un graphisme très travaillé. ▶

▲ *Cattleya* x *Laeoliocattleya* 'Stradivarius' : un coloris très lumineux, résultat d'une hybridation réussie.

Cattleya
CATTLEYA

Les cattleyas sont les « orchidées reines » pour la splendeur et la diversité de leurs fleurs généreuses, qui symbolisent l'image parfaite de toute la famille des orchidées. Le nom *Cattleya* est dû à un horticulteur britannique, William Cattley, qui les découvrit par hasard en 1818 parmi des mousses, dans une caisse envoyée du Brésil. Les cattleyas sont toutes dans la nature des orchidées épiphytes, poussant sur des arbres ou des rochers (lithophytes). Elles ont une croissance sympodiale, c'est-à-dire qu'elles produisent des tiges au pied de la pousse de l'année précédente et portent des pseudo-bulbes. Il s'agit d'un épaississement de la tige, qui emmagasine de l'eau et des substances nutritives de réserve. Reliés entre eux par un rhizome horizontal et souterrain, les pseudo-bulbes, en forme de massue, mesurent en moyenne de 10 à 20 cm, mais ils peuvent atteindre 1 m. Les cattleyas se divisent en deux catégories :

- ***le type labiata ou unifolié,*** qui n'émet qu'une feuille par pseudo-bulbe, et produit de 2 à 6 grandes fleurs, au labelle spectaculaire.
- ***le type brésilien ou bifolié,*** qui porte 2 ou 3 feuilles à l'extrémité de chaque pseudo-bulbe et de nombreuses petites fleurs réunies en grappes.

Les cattleyas sont pour la plupart magnifiquement colorés et dégagent souvent un parfum agréable, sucré, vanillé, très exotique.

Origine : forêts tropicales des montagnes d'Amérique centrale et du Sud, notamment la forêt amazonienne, entre 600 et 1 800 m d'altitude. *Cattleya loddigesii* a été la première espèce introduite en Europe, en 1815.

Feuilles : 1, 2 ou 3 limbes, de 10 à 20 cm de long, coriaces, plats, oblongs, érigés, naissent à l'extrémité de chaque pseudo-bulbe, et persistent même pendant le repos de végétation.

Floraison : à différentes époques de l'année selon les espèces, s'épanouissent de grandes fleurs à 3 sépales, 2 pétales plus grands et 1 labelle, en entonnoir, aplati, ondulé, frangé, coloré.

Lumière : les cattleyas apprécient d'être exposés derrière une vitre, au sud ou à l'ouest. Évitez le soleil brûlant en l'atténuant par un voilage.

Terre : un mélange classique pour orchidées épiphytes, à base de racines de fougères, de sphagnum, d'écorces de pin, de billes de polystyrène expansé et de mousse de polyuréthane.

Engrais : un seul apport par mois de mai à septembre, si le cattleya est cultivé dans des racines de fougères ; tous les 15 jours si on l'élève dans de l'écorce. L'engrais doit être bien azoté pendant la formation des pseudo-bulbes au printemps, puis riche en potassium pour induire la floraison.

Humidité de l'air : de 70 à 80 % d'hygrométrie à plus de 20 °C, de 50 à 60 % entre 14 et 18 °C. Une brumisation biquotidienne à l'eau non calcaire est indispensable pour maintenir une bonne hygrométrie, surtout pendant les fortes chaleurs.

Arrosage : en moyenne tous les 3 jours durant la croissance, surtout si la plante est cultivée dans de l'écorce, mais laissez légèrement sécher le substrat entre chaque arrosage. En hiver, contentez-vous

▼ *Cattleya bicolor* : un étonnant mélange.

▼ *Cattleya digbyana* : échevelé, barbu.

▼ *Cattleya fascelis* 'Orchid Jungle'.

▼ *Cattleya* 'Pink Elephant' : tacheté.

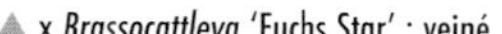

x *Brassocattleya* 'Fuchs Star' : veiné.

x *Laeliocattleya* 'Pomme d'or' : précieux.

x *Sophrolaeliocattleya* 'Anzac' : intense.

x *Sophrolaeliocattleya* : très chaleureux.

d'un apport d'eau hebdomadaire. Les cattleyas n'appréciant pas le calcaire, utilisez de l'eau de pluie ou ajoutez un décalcairisant à l'eau du robinet.

Rempotage : en avril, tous les 2 ans, dans un pot assez étroit. Il faut décentrer la plante, pour laisser le pseudo-bulbe frontal se développer et placer un tuteur pour maintenir la touffe. Attendez une dizaine de jours après le rempotage avant d'arroser.

Exigences particulières : une différence de température bien marquée (4 ou 5 °C) entre le jour et la nuit est indispensable à la floraison.

Dimensions : de 30 cm à 1,20 m.

Multiplication : par division, au moment de la reprise de la végétation, si la touffe a formé au moins 6 ou 8 pseudo-bulbes. Coupez le rhizome entre deux pseudo-bulbes et rempotez chaque partie.

Longévité : de 1 à 3 ans en appartement, jusqu'à 7 à 10 ans dans une serre ou une véranda.

Ennemis et maladies : l'excès d'eau et le manque de ventilation entraînent la pourriture noire des feuilles. Pucerons, thrips, cochenilles farineuses, acariens. Traitez préventivement.

Espèces et variétés : selon les botanistes, le genre *Cattleya* comprend de 40 à 65 espèces. Se croisant facilement (même naturellement), les cattleyas sont à l'origine de nombreux hybrides. Parmi les cattleyas botaniques : *Cattleya aurantiaca* bifolié, aux petites fleurs estivales orange ou jaunes ; *C. bicolor,* bifolié, aux fleurs parfumées, vert-brun ou vieux rose, avec un labelle étroit, rose-pourpre parfois bordé de blanc ; *C. bowringiana,* bifolié, aux pseudo-bulbes de 50 cm de long et fleurs rose-pourpre, au labelle plus foncé, marqué de blanc ; *C. digbyana,* aux fleurs frangées ; *C gaskelliana,* unifolié, compact, aux fleurs à sépales et pétales roses, avec un labelle ondulé, frangé de blanc, strié de fuchsia à gorge jaune-orangé, dégage un parfum léger, agréable ; *C guttata,* bifolié, à port élancé, feuillage légèrement moucheté et grappes de fleurs vert pomme, pointillées de marron, avec un labelle blanc et rose ; *C. labiata,* unifolié, au labelle rouge magenta strié de pourpre et ondulé, qui rehausse le ton rose ou blanc du reste de la fleur ; *C skinneri,* bifolié, vigoureux. Les hampes florales portent des bouquets de 10 à 15 fleurs pourpres, avec un labelle plus foncé et la gorge d'un blanc jaunâtre.

Les hybrides intergénériques portent un nom, précédé de la lettre x (indiquant un hybride) qui associe les genres de leurs parents. Ils se cultivent de la même façon, se montrant bien souvent plus faciles à réussir que les cattleyas botaniques : x *Laeliocattleya* (*Laelia* x *Cattleya*), à grandes fleurs très gracieuses aux coloris intenses et variés ; x *Sophrolaeliocattleya* (*Sophronitis* x *Laelia* x *Cattleya*) se décline souvent dans les teintes rouges ; x *Brassocattleya* (*Brassavola* x *Cattleya*), au labelle souvent frangé, du blanc pur au grenat et x *Brassolaeliocattleya* (*Brassavola* x *Laelia* x *Cattleya*), donnent des fleurs énormes, souvent dans les tons mauves. Des milliers de croisements ont vu le jour, tous plus beaux les uns que les autres.

Conseil Truffaut : n'exposez pas les cattleyas à un quelconque éclairage nocturne. Il est, pour certaines espèces, un inhibiteur de la floraison.

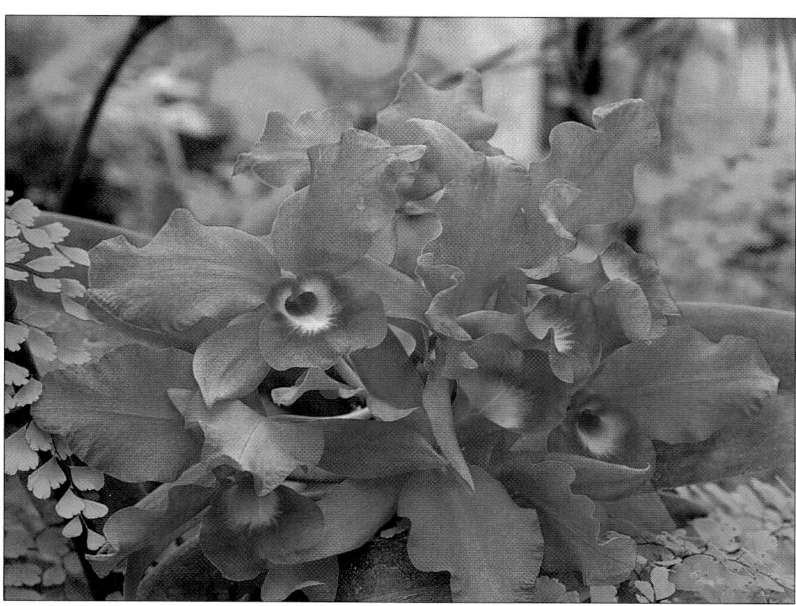

Cattleya skinneri : des fleurs de 10 cm de diamètre.

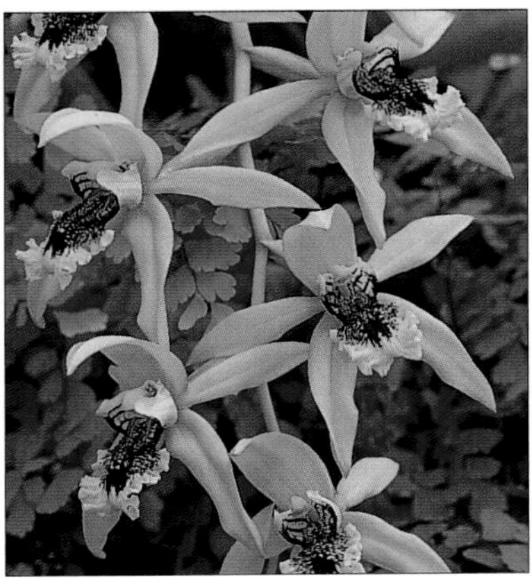

▲ *Coelogyne* x Burfordiense : une jolie forme hybride.

▲ *Coelogyne cristata* : de longues grappes parfumées.

Coelogyne spp
COELOGYNE

Ce genre regroupe une centaine d'espèces d'orchidées épiphytes ou terrestres, dont la forme, la couleur et le parfum des fleurs sont très variables.

Origine : Inde, Malaisie, Fidji, Nouvelle-Guinée.

Feuilles : 2 limbes, de 40 à 80 cm de long, elliptiques, coriaces, plats se développent à partir des pseud-obulbes, arrondis, elliptiques ou allongés.

Floraison : du printemps à l'été, des grappes de fleurs parfumées, souvent blanches mais aussi vertes ou jaunes, apparaissent au cœur de la touffe.

Lumière : forte pendant la croissance. Placez les coelogynes près d'une grande fenêtre, tout en atténuant la force du soleil avec un voilage translucide.

Terre : sphagnum, écorce de pin, polystyrène, fragments de fougère et charbon de bois.

Engrais : de mai à octobre, apportez une fois par mois un engrais liquide pour orchidées.

Humidité de l'air : environ 60 %, avec une bonne ventilation et des bassinages journaliers.

Arrosage : tous les 3 ou 4 jours durant la croissance, en veillant à ce que l'eau ne pénètre pas à l'intérieur, au cœur des pousses, ce qui les ferait pourrir. Tous les 6 à 8 jours, en hiver.

Rempotage : de préférence en suspension, au printemps, quand la plante se trouve très à l'étroit.

Exigences particulières : un repos hivernal à moins de 15 °C stimule la floraison. Les coelogynes n'aiment pas être déplacés.

Dimensions : de 30 à 80 cm de haut.

Multiplication : divisez les touffes lors du rempotage, en réunissant au moins 3 pseudo-bulbes.

Longévité : de 3 à 7 ans dans la maison.

Ennemis et maladies : acariens, pucerons.

Espèces et variétés : *Coelogyne cristata*, la plus facile à réussir à la maison. En hiver, fleurs blanches, parfumées, au labelle maculé de jaune d'or au centre ; *C. mayeriana*, au port retombant, porte une grappe de fleurs vertes au labelle marqué de noir. C'est l'une des rares orchidées à présenter du noir dans sa palette de couleurs ; *C. ovalis*, miniature aux petites fleurs jaune-vert, au labelle marqué de pourpre ; Parmi les hybrides, *C. Burfordiense* (*C. asperata* x *C. pandurata*), aux feuilles de 60 cm de long et fleurs vert pomme, au labelle marqué de noir.

Conseil Truffaut : certaines espèces plus frileuses comme *C. dayana*, *C. massangeana*, *C. nitida*, *C. pandurata*, *C. speciosa*, etc., nécessitent un minimum de 15 °C durant la période hivernale.

Cymbidium spp.
CYMBIDIUM

Ce genre regroupe de 50 à 120 espèces d'orchidées terrestres ou épiphytes, dont certaines étaient déjà cultivées il y a plusieurs siècles, en Chine et au Japon. Les cymbidiums sont aujourd'hui des orchidées couramment proposées.

Origine : Inde, Chine, Japon, Australie.

Feuilles : de 30 cm à 1 m de long, persistantes, rubanées, coriaces, arquées, vert clair, elles gainent les pseudo-bulbes souvent ovoïdes et ridés.

Floraison : plutôt hivernales, les inflorescences en épi peuvent compter jusqu'à 30 fleurs de 3 à

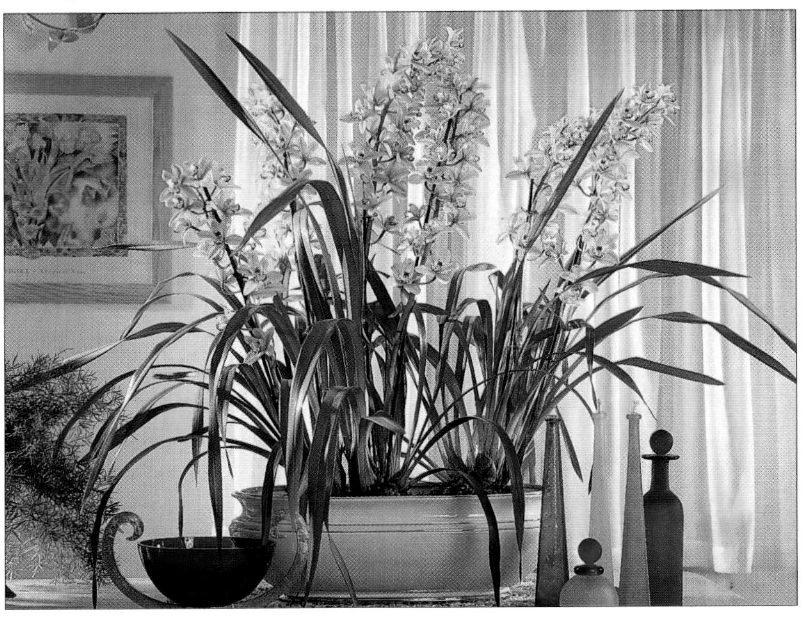

◄ *Cymbidium* x : une potée hivernale très spectaculaire.

▲ *Cymbidium* Amsbury 'Willows' : discret.

▲ *Cymbidium* 'Kent Bronze' : aérien.

▲ *Cymbidium* 'P. Stephan Youth' : chaud.

▲ *Cymbidium* 'Portlett Bay' : très raffiné.

10 cm de large. Sépales et pétales, ovales et pointus, sont identiques. Le sépale dorsal est souvent recourbé au-dessus du labelle charnu, incurvé.

Lumière : installez les cymbidiums devant une baie vitrée, en plein soleil, que vous voilerez durant la floraison. Si la lumière naturelle est faible, éclairez, surtout en hiver, avec des lampes pour plantes.

Terre : tourbe fibreuse concassée, terreau de feuilles fibreux, mousse de polyuréthane, écorce de pin, polystyrène expansé, vermiculite.

Engrais : d'avril à octobre, apportez tous les 2 arrosages un engrais liquide pour orchidées.

Humidité de l'air : minimum 40 %, dans une ambiance très ventilée. Pas d'humidité stagnante.

Arrosage : tous les 8 à 12 jours en hiver, si la température est inférieure à 10 °C. Une fois par semaine à 15 °C, tous les 4 jours au-dessus.

Rempotage : tous les 3 ou 4 ans, après la floraison. N'arrosez pas pendant 2 à 3 semaines.

Exigences particulières : des nuits fraîches, entre 10 et 14 °C, favorisent la formation des hampes florales. Maintenez le cymbidium entre 18 et 20 °C pendant la floraison.

Dimensions : de 30 cm à 1 m en moyenne, mais les hampes florales peuvent atteindre 1,50 m.

Multiplication : si la touffe a formé 6 pseudobulbes au moins, divisez lors du rempotage, en séparant des groupes de 2 ou 3 pseudo-bulbes munis de leurs feuilles. Coupez les racines mortes, raccourcissez les racines saines et empotez.

Longévité : de 3 à 7 ans à la maison. Durée de la floraison : de 6 semaines à 3 mois.

Ennemis et maladies : acariens, cochenilles.

Espèces et variétés : la majorité des cymbidiums proposés sont des hybrides. Parmi les formes botaniques, *Cymbidium devonianum*, épiphyte, aux grappes pendantes formées d'une vingtaine de fleurs brun foncé, fauves ou vert olive. Le labelle rose est souligné de deux taches violet foncé sur les côtés ; *C. eburneum*, épiphyte, aux petits pseudobulbes et fleurs blanches à labelle jaune ; *C. rubescens*, à petites fleurs rouges, bordées de blanc et labelle jaune tacheté de rouge ; *C. tracyanum*, épiphyte très étrange, avec ses fleurs en forme d'araignées jaune d'or et ponctuées de rouge.

Conseil Truffaut : installez les petites espèces à floraison pendante comme *Cymbidium devonianum* et *C. aloifolium* dans un panier suspendu. Sortez obligatoirement les cymbidiums hybrides dans le jardin de mai à octobre, afin qu'ils bénéficient des différences de température entre le jour et la nuit, pour induire correctement leur floraison.

▲ *Cymbidium devonianum* : un coloris très original.

▲ *Cymbidium rubescens* : peu courant, mais superbe.

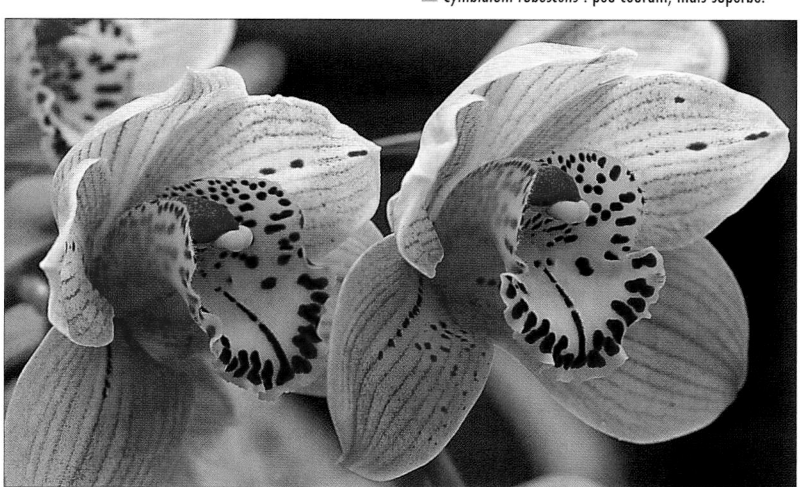
Cymbidium 'Alexandre The Bridge' : de grosses fleurs. ▶

Dendrobium nobile 'Cybele' : un très bel hybride.

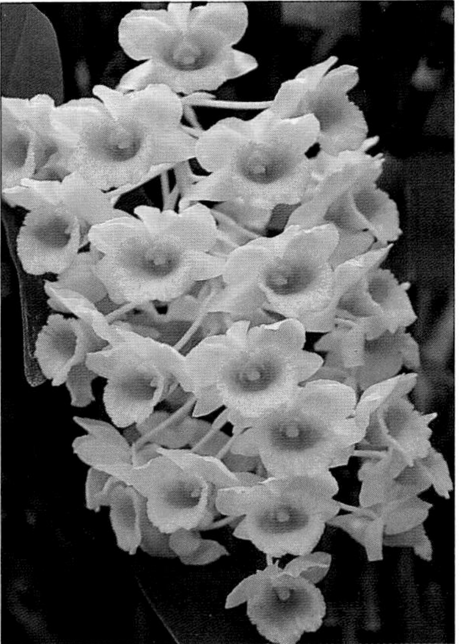

Dendrobium thyrsiflorum : spectaculaire et généreux.

Dendrobium albo-sanguineum : un bijou de collection.

Dendrobium spp. DENDROBIUM

Comptant de 900 à 1 500 espèces, c'est l'un des genres les plus diversifiés parmi les orchidées. Tous les dendrobiums sont épiphytes, leur nom signifiant « je vis sur les arbres ».

Origine : Inde, Birmanie, Thaïlande, Viêt Nam, Malaisie, Philippines, Nouvelle-Guinée, Australie, îles du Pacifique, jusqu'à 2 000 m d'altitude.

Feuilles : de 10 à 25 cm de long, plates ou cylindriques, tendres ou coriaces, persistantes ou caduques, portées le long des pseudo-bulbes ovoïdes ou fusiformes, lisses ou ridés, pendants ou érigés, naissant sur un petit rhizome.

Floraison : fleurs de forme très variable, mais avec des pétales et des sépales de mêmes dimensions, les deux sépales latéraux se réunissant à la base de la colonne pour former une sorte de menton.

Lumière : près d'une fenêtre pour un éclairage intense, mais à l'abri d'un soleil trop fort qui brûlerait les feuilles. Un éclairage artificiel est nécessaire durant l'hiver (4 heures par jour).

Terre : écorce de pin, racines de fougères, sphagnum, vermiculite et mousse de polyuréthane.

Engrais : d'avril à septembre, apportez tous les 15 jours un engrais liquide pour orchidées.

Humidité de l'air : minimum 60 %. Vaporisez chaque jour, sans laisser les gouttelettes d'eau stagner à l'aisselle des feuilles.

Arrosage : tous les 3 ou 4 jours durant la croissance. Chez les dendrobiums caducs, arrosez tous les 8 à 10 jours pendant le repos au frais (12 °C). Chaque semaine en hiver pour les autres.

Rempotage : tous les 3 ou 4 ans, dans un pot étroit ou un panier suspendu, lorsque la végétation a repris. Placez la plante à l'ombre et attendez 1 ou 2 semaines avant d'arroser.

Exigences particulières : une excellente aération des racines est indispensable.

Dimensions : de 15 à 60 cm selon les espèces.

Multiplication : détachez délicatement et rempotez les « keikis », ces plantules qui se développent parfois sur les pseudo-bulbes au niveau des anciens bourgeons. Bouturage de fragments de pseudo-bulbes dans du sable, à chaud (25 °C).

Longévité : quelques mois dans la maison. De 3 à 7 ans dans une serre ou une véranda.

Ennemis et maladies : pucerons, acariens.

Espèces et variétés : *Dendrobium aggregatum,* persistant, à fleurs jaunes en grappes retombantes ; *D. aphyllum,* caduc, à port retombant. De l'hiver au printemps, grappe de fleurs mauves au labelle ivoire ; *D. fimbriatum,* persistant, à fleurs jaunes ou orangé au labelle frangé ; *D. nobile,* caduc, aux fleurs veloutées, pourpre rosé à œil marron ; *D. phalaenopsis,* semi-persistant, à fleurs blanches et mauves ; *D. speciosum,* persistant, à fleurs blanches, parfumées ; *D. superbum,* caduque, aux grandes fleurs parfumées, rose violacé foncé, ondulées, à cultiver en suspension ; *D. thyrsiflorum,* persistant, forme au printemps une grappe spectaculaire, mais éphémère, de fleurs blanches au labelle orangé. Il existe aussi des milliers d'hybrides, principalement cultivés pour la fleur coupée.

Conseil Truffaut : les potées de dendrobiums, hautes mais étroites, sont rarement très stables. Cultivez plutôt ces plantes en suspension ou disposez quelques gros cailloux dans le fond du pot. Vous pouvez aussi placer le pot dans un cache-pot plus grand et remplir l'espace vide de gravillons. En serre, les dendrobiums réussissent, accrochés sur un morceau de fougère arborescente ou d'écorce.

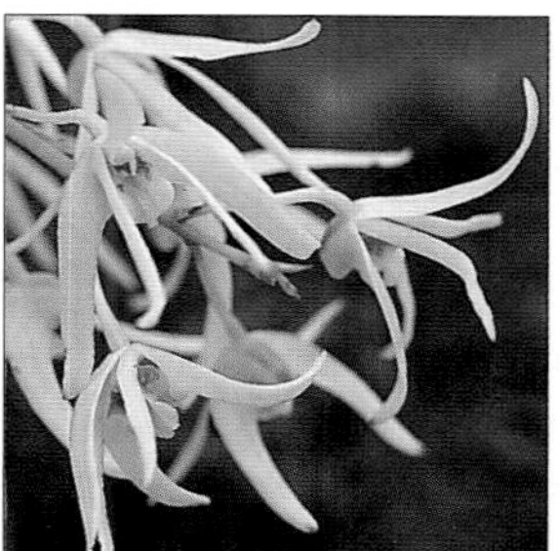

▲ *Dendrobium aemulum* : en finesse.

▲ *Dendrobium* x Carnet Beauty 'Jaka'.

▲ *Dendrobium phalaenopsis* 'Sonia'.

▲ *Dendrobium victoria reginae* : étoilé.

Disa
DISA

Bien que comptant de 100 à 200 espèces, les disas sont peu cultivés aujourd'hui, après avoir connu un grand succès au siècle dernier. Ce sont des orchidées terrestres, en général caduques, formant des tubercules souterrains et des stolons.

Origine : Afrique (sauf ouest) et Madagascar.

Feuilles : de 10 à 25 cm de long, lancéolées à ovales, disposées en rosette.

Floraison : en été, apparaissent des fleurs solitaires ou réunies en grappes portées sur des tiges érigées. Le sépale supérieur forme une sorte de cornet dressé que l'on peut confondre avec le labelle, qui est atrophié, tout comme les pétales.

Lumière : ne jamais exposer au soleil direct. Une ombre partielle durant l'été est bien appréciée.

Terre : tourbe, perlite ou vermiculite, sable de rivière et terreau forestier en mélange par quarts.

Engrais : toute l'année, apportez une fois par mois un engrais liquide pour orchidées.

Humidité de l'air : minimum 60%. Placez le pot sur des gravillons maintenus toujours humides.

Arrosage : tous les 4 ou 5 jours durant la croissance. Une fois par semaine en hiver. Attention à ne jamais laisser d'eau dans la soucoupe.

Rempotage : tous les ans, au début du printemps, de préférence dans un pot en terre cuite.

Exigences particulières : l'eau d'arrosage doit être non calcaire et ne pas contenir de chlore.

Dimensions : jusqu'à 90 cm de haut durant la floraison pour certains hybrides. Sinon, 30 cm.

Multiplication : division des tubercules lors du rempotage. Semis possible, mais difficile.

Longévité : à peine 1 an dans un appartement, De 3 à 5 ans dans une serre ou une véranda.

Ennemis et maladies : pucerons, cochenilles, acariens, taches sur les feuilles trop humides.

Espèces et variétés : *Disa uniflora*, originaire de la province du Cap, en Afrique du Sud, porte au printemps des fleurs de 10 cm de diamètre rouge vermillon. Il a donné naissance à nombre de générations d'hybrides à grandes fleurs, dont Kewensis, rose vif, et Kirstenbosch Pride, écarlate et orange

Conseil Truffaut : la difficulté consiste à tenir le substrat toujours humide durant la croissance, sans que les racines, sensibles à l'humidité, pourrissent.

▲ *Dendrobium aggregatum* ou *D. lindleyi* : lumineux.

▲ *Disa* x Kewensis : une merveille de raffinement.

Disa uniflora : une fleur énorme, très recherchée. ▶

▲ *Encyclia cordigera* : très proche des *Epidendrum*.

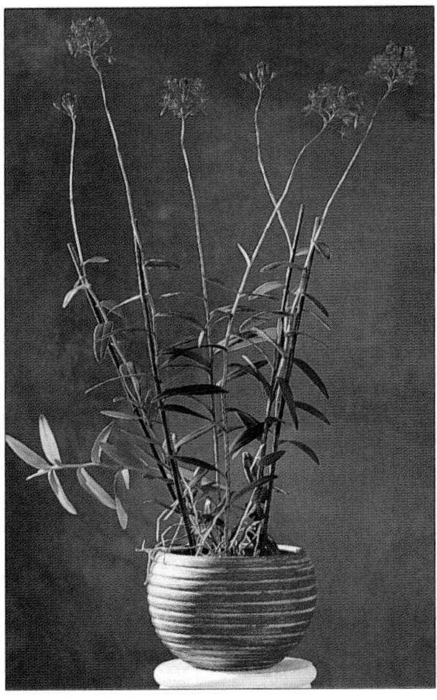

▲ *Epidendrum* x 'Rainbow' : une grâce très aérienne.

Encyclia spp.
ENCYCLIA

Ces orchidées épiphytes, pour la plupart persistantes, sont très proches de *Epidendrum*.

Origine : Amérique tropicale, Antilles.

Feuilles : de 15 à 35 cm de long, rubanées, portées par paire sur des pseudo-bulbes charnus.

Floraison : parfumée, avec un labelle se trouvant en position anormalement haute.

Lumière : forte, mais toujours filtrée, surtout pendant les heures chaudes de l'été.

Terre : écorces de pin, polystyrène expansé, mousse de polyuréthane et dolomie.

Engrais : d'avril à octobre, apportez, tous les 3 arrosages, un engrais liquide pour orchidées.

Humidité de l'air : minimum 70 %, plusieurs vaporisations quotidiennes sont indispensables.

Arrosage : deux fois par semaine d'avril à fin septembre. Une fois par semaine le reste de l'année.

Rempotage : tous les 3 ans, en mars-avril, quand la plante se trouve très déséquilibrée dans son pot.

Exigences particulières : décentrer la plante dans le pot pour lui laisser la place de se développer.

Dimensions : de 30 cm à 1,50 m de haut.

Multiplication : division des touffes (délicat).

Longévité : éphémère à la maison. De 2 à 5 ans dans une serre tempérée à l'ambiance humide.

Ennemis et maladies : pucerons, cochenilles.

Espèces et variétés : *E. cochleata*, à fleurs vert pâle, spiralées, labelle brun-pourpre ; *E. cordigera*, pourpre-brun et labelle blanc taché de magenta.

Conseil Truffaut : les petites espèces d'encyclia se plaisent sur des plaques de liège ou de fougères.

Epidendrum spp.
ÉPIDENDRON

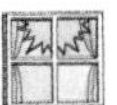  

On connaît 750 espèces de *Epidendrum*, dont le nom indique qu'elles vivent sur les arbres.

◄ *Laelia anceps* 'Guerro' : au bout de très longs pétioles.

Origine : Amérique tropicale.

Feuilles : de 10 à 20 cm de long, persistantes, portées au bout de pseudo-bulbes ovoïdes ou arrondis, ou sur une tige semblable à un roseau.

Floraison : des fleurs parfumées, réunies en bouquets sont portés à l'extrémité de la tige feuillée.

Lumière : vive, mais jamais de soleil direct.

Terre : écorce de pin, polystyrène, mousse de polyuréthane, sphagnum et dolomie.

Engrais : d'avril à septembre, apportez une fois par semaine un engrais liquide pour orchidées.

Humidité de l'air : minimum 60 %. Vaporisez le feuillage une à deux fois par jour, toute l'année.

Arrosage : les espèces à pseudo-bulbes s'arrosent tous les 5 à 8 jours selon la température ambiante. Les épidendrons à tiges nécessitent un apport tous les 3 jours en été, tous les 6 jours en hiver.

Rempotage : en mars-avril, tous les 2 ans.

Exigences particulières : tuteurez verticalement les tiges un peu faibles avec des bambous.

Dimensions : de 30 cm à 1 m de haut.

Multiplication : division des plus grosses touffes au moment du rempotage. Ne pas arroser.

Longévité : 1 an dans la maison, jusqu'à 7 ans dans une serre. La floraison dure plusieurs mois.

Ennemis et maladies : acariens et pucerons.

Espèces et variétés : *Epidendrum ciliare,* à fleurs jaune verdâtre ; *E. ibaguense*, à fleurs rouges. Les hybrides ont souvent des fleurs plus grandes.

Conseil Truffaut : placez les épidendrons en pleine lumière et dans une pièce fraîche durant l'hiver, afin d'obtenir une bonne floraison.

Laelia spp.
LAELIA

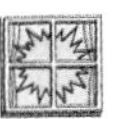  

Proches des cattleyas par leur aspect et leur floraison, les laelias se déclinent en 50 espèces.

Origine : Mexique, Brésil, Argentine.

Feuilles : de 15 à 30 cm de long, persistantes, rubanées, coriaces, portées solitaires ou par deux, sur des pseudo-bulbes ovoïdes, allongés.

Floraison : des inflorescences terminales, très colorées, naissent au sommet des pseudo-bulbes.

Lumière : placez les laelias devant une fenêtre orientée au sud, pour lui offrir le plein soleil.
Terre : écorce de pin, racines de fougères, polystyrène expansé, mousse de polyuréthane.
Engrais : d'avril à octobre, apportez tous les quinze jours un engrais liquide pour orchidées.
Humidité de l'air : minimum 70 %.
Arrosage : pas plus de deux fois par semaine, même par forte chaleur, à l'eau non calcaire.
Rempotage : en avril, tous les 2 ans.
Exigences particulières : en hiver, respectez une période de repos au frais et au sec.
Dimensions : de 20 à 75 cm de haut.
Multiplication : séparez les vieux pseudo-bulbes.
Longévité : 2 à 3 ans dans la maison. Jusqu'à 10 ans dans une serre tempérée ou en véranda.
Ennemis et maladies : virose, cochenilles.
Espèces et variétés : *Laelia anceps,* aux tiges de 60 cm, portant des petites fleurs lilas ; *L. cinnabarina,* aux grappes de fleurs rouge-orangé. De nombreux hybrides intergénériques ont été créés avec les cattleyas (x *Laeliocattleya*).
Conseil Truffaut : en serre humide, cultivez les laelias sur une écorce ou une plaque de liège.

Lycaste spp. LYCASTE

Ces orchidées épiphytes ou terrestres ont reçu leur nom en l'honneur de la fille de Priam, roi de Troie, réputée pour sa beauté.
Origine : Amérique tropicale, Mexique, Antilles.
Feuilles : des pseudo-bulbes très volumineux portent des feuilles de 30 à 60 cm de long, souvent caduques, lancéolées, plates, souples, plissées.
Floraison : avec leurs sépales bien ouverts et des pétales plus petits restant mi-clos, les fleurs des lycastes dépassent parfois 15 cm de diamètre.
Lumière : abondante, mais sans soleil direct.
Terre : écorce de pin, charbon de bois, perlite, tourbe fibreuse concassée et vermiculite.
Engrais : d'avril à septembre, apportez tous les 15 jours un engrais liquide pour orchidées.
Humidité de l'air : minimum 60 %.
Arrosage : une fois par semaine en moyenne.
Rempotage : tous les ans, à la fin de l'hiver.
Exigences particulières : un manque de lumière se traduit par un étiolement général de la plante. Ne pas vaporiser, cela tache les feuilles.
Dimensions : de 50 à 80 cm.
Multiplication : division des pseudo-bulbes.
Longévité : de 2 à 5 ans dans la maison.
Ennemis et maladies : acariens, aleurodes.
Espèces et variétés : on connaît 45 espèces, dont *Lycaste aromatica,* jaune, parfumée ; *L. cruenta,* orangé ; *L. skinneri,* blanc et rose.
Conseil Truffaut : une nette différence de température entre le jour et la nuit induit la floraison.

Masdevallia spp. MASDEVALLIA

Orchidées épiphytes ou terrestres, dont les fleurs, composées essentiellement par les sépales.
Origine : Amérique du Sud et centrale.
Feuilles : de 15 à 20 cm de long, persistantes, ovales, portées solitaires par une très courte tige.
Floraison : pétales très réduits et sépales soudés à la base forment une fleur assez étrange.
Lumière : plein soleil, mais non brûlant.
Terre : écorce de pin, charbon de bois, perlite, laine de roche, polystyrène et argile expansée.
Engrais : une ou deux fois par mois, toute l'année.
Humidité de l'air : minimum 60 %. Vaporisez.
Arrosage : deux fois par semaine, toute l'année.
Rempotage : tous les 2 ans, juste avant l'hiver.
Exigences particulières : pas de repos hivernal.
Dimensions : de 15 à 30 cm.
Multiplication : séparez et rempotez une partie de rhizome, avec ses feuilles, au printemps.
Longévité : plus de 5 ans dans une véranda.
Ennemis et maladies : pucerons, cochenilles.
Espèces et variétés : plus de 300 espèces, dont *Masdevallia coccinea,* rouge ; *M. ignea,* orange.
Conseil Truffaut : mieux vaut ne pas dépasser 18 °C, même en été. Ventilez bien la pièce.

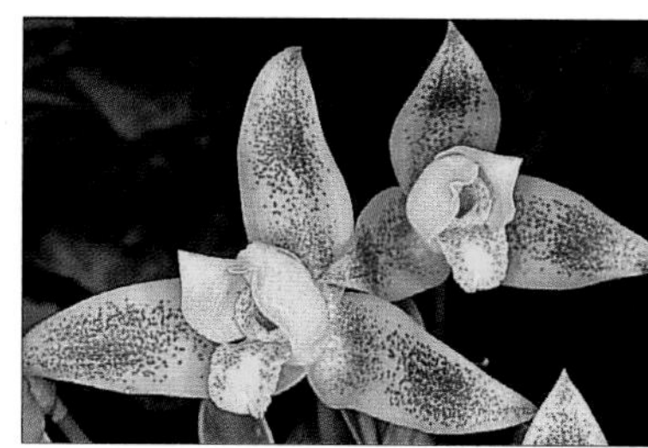

▲ *Lycaste* x 'Grogan' *(L. aromatica* x *L. deppei)* : superbe.

▲ *Masdevallia ignea* : une beauté diaphane.

Masdevallia prodigiosa : elle porte bien son nom. ▶

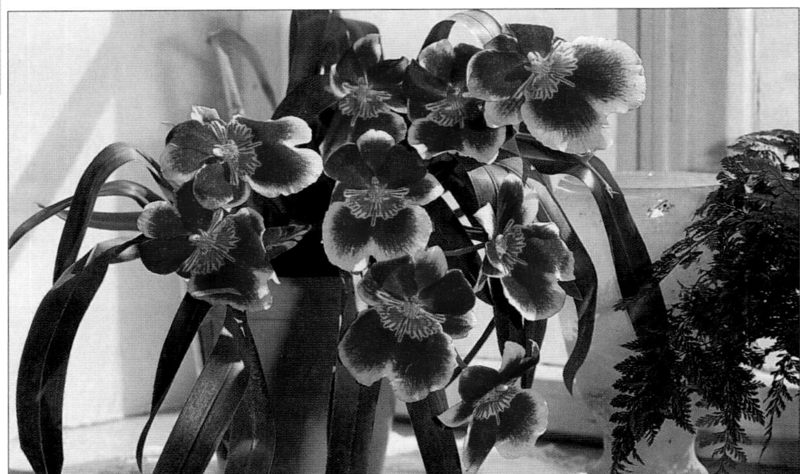

▲ Le *Miltonia* à fleurs de pensées est appelé *Miltoniopsis*.

▲ *Miltoniopsis* x 'Cellex Wasserfals' : comme un masque.

▲ *Miltonia clowesii* : une espèce originaire du Brésil.

◀ *Miltoniopsis vexillaria* x : de grandes fleurs très plates.

Miltonia spp. MILTONIA

Ces orchidées épiphytes, qui forment des pseudobulbes cylindriques et comprimés, fleurissent toute l'année, parfois à plusieurs reprises, épanouissant des fleurs souvent parfumées.

Origine : forêts chaudes et humides de l'Amérique centrale et du Sud, surtout le Brésil.

Feuilles : persistantes, de 15 à 30 cm de long. Les pseudobulbes qui se développent sur le rhizome traçant portent deux feuilles linéaires, oblongues, flexibles, vert jaunâtre.

Floraison : les fleurs solitaires ou groupées par six à dix dépassent 10 cm de diamètre. Les sépales et les pétales sont d'égales dimensions, le labelle souvent de couleur contrastée. Les pièces florales sont très étalées, parfois même tout à fait plates, à la différence de la plupart des autres orchidées.

Lumière : vive mais jamais directe, pour les espèces originaires du Brésil. Les *Miltonia* qui croissent dans les montagnes de Colombie préfèrent rester à l'ombre légère. Un excès de lumière peut entraîner le rougissement des feuilles.

Terre : mélange d'écorce de pin, de fragments de fougères, de polystyrène expansé et de perlite.

Engrais : apportez tous les quinze jours d'avril à septembre et une fois par mois le reste de l'année une demi-dose d'un engrais pour rhododendrons, ou un engrais liquide spécifique pour orchidées.

Humidité de l'air : entre 70 et 80 % sont nécessaires toute l'année, avec une bonne ventilation. Mais les espèces de montagne supportent une atmosphère plus sèche. Vaporisez et cultivez les plantes sur des gravillons humides en permanence.

Arrosage : tous les trois ou quatre jours durant la croissance, de préférence le matin, avec de l'eau non calcaire à température ambiante. Maintenez le substrat toujours humide. En cas de trop fort ou trop faible apport d'eau, les feuilles se plissent.

Rempotage : tous les ans ou tous les deux ans, en septembre, dans un pot aussi étroit que possible et de préférence en plastique, bien ajouré dessous.

Exigences particulières : abaissez la température aux environs de 15 °C durant l'hiver, afin de stimuler la formation des futures fleurs.

Dimensions : de 20 à 30 cm de haut et de large.

Multiplication : division des touffes au moment du rempotage, lorsque les nouveaux pseudobulbes ont tendance à se former en dehors du pot.

Longévité : de 1 à 5 ans en appartement, plus de 10 ans en serre. Les fleurs peuvent durer de 5 à 6 semaines, mais les fleurs coupées fanent vite.

Ennemis et maladies : la chute des boutons floraux ou leur fanaison prématurée peut être due à une atmosphère trop confinée. Une bonne aération est indispensable (avec un ventilateur).

Espèces et variétés : le genre *Miltonia* a été récemment tronqué de certaines espèces qui sont désormais classées dans le genre voisin *Miltoniopsis*. Ce dernier regroupe les plantes que l'on appelle les « orchidées-pensées » et qui ne portent qu'une feuille sur chaque pseudobulbe. *Miltonia* et *Miltoniopsis* sont des orchidées de culture courante, qui sont souvent confondues. Elles sont hybridées en permanence entre elles ou avec des genres voisins. Les hybrides obtenus épanouissent des fleurs de toute beauté, mais ils fleurissent plus facilement et se montrent plus résistants que les espèces botaniques. *Miltonia clowesii,* à fleurs automnales étoilées, pétales et sépales jaunes marqués de brun-rouge. Labelle en dégradé du rose foncé au blanc. *M. spectabilis*, à fleurs estivales roses ou rouges, dont le labelle porte trois marques jaunes à la base. *Miltoniopsis phalaenopsis*, à fleurs de 5 cm, blanches éclaboussées de rouge-pourpre sur le labelle.

Conseil Truffaut : vous pouvez fixer votre miltonia sur un morceau d'écorce et la laisser se développer ainsi librement en suspension. Pour assurer une meilleure humidité, interposez un peu de mousse entre les racines et le support.

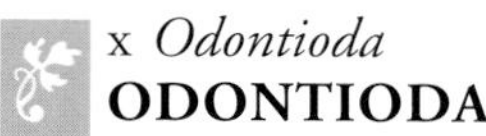

x *Odontioda*
ODONTIODA

Ces hybrides bigénériques d'obtention récente sont issus de croisement entre des *Odontoglossum* et des *Cochlioda*. Ce sont des plantes magnifiques qui se cultivent comme leurs parents, de préférence en serre froide.

Origine : les parents proviennent des forêts montagneuses d'Amérique centrale et du Sud.

Feuilles : persistantes, de 20 cm de long. Un rhizome porte des pseudobulbes ovoïdes, d'où partent deux feuilles linéaires, vert clair.

Floraison : les grappes portées sur de longs pédoncules arqués sont formées d'une douzaine de fleurs de 6 à 8 cm de diamètre, aux sépales et aux pétales rouge intense, rouge orangé ou tachetés de marron-rouge. Le labelle est également tacheté, dans les tons marron jaunâtre ou rougeâtre.

Lumière : vive, mais évitez le soleil direct qui procurerait trop de chaleur à la plante. Si les feuilles se pigmentent de rouge, réduisez l'éclairage.

Terre : un substrat de fine granulométrie, à base d'écorces de pin, de sable, de tourbe et de perlite.

Engrais : toute l'année, une fois par mois en diluant un engrais pour orchidées ou pour plantes de terre de bruyère, au quart du dosage conseillé.

Humidité de l'air : de 50 à 80 %, en assurant surtout une très bonne aération, avec éventuellement l'aide d'un petit ventilateur. Brumisez chaque jour quand la température dépasse 20 °C.

Arrosage : ne laissez pas le substrat sécher complètement pendant la croissance, au risque de voir les feuilles des x *Odontioda* prendre un aspect gondolé. Arrosez deux ou trois fois par semaine avec de l'eau non calcaire, à la température de la pièce.

Rempotage : tous les deux ans, au printemps ou à l'automne, dans un pot aussi étroit que possible.

Exigences particulières : comme leurs parents, ces orchidées sont des plantes de serre froide, qui ont besoin pour fleurir d'une différence de température de plusieurs degrés entre le jour et la nuit.

Dimensions : de 40 à 50 cm (feuillage).

Multiplication : division de la touffe trop volumineuse, au moment du rempotage.

Longévité : si on peut lui offrir une pièce claire et fraîche durant l'hiver, une x *Odontioda* pourra se conserver une dizaine d'années dans la maison.

Ennemis et maladies : pucerons.

Espèces et variétés : de très nombreuses formes hybrides aux couleurs étonnantes sont produites en permanence par les spécialistes. Très résistantes, elles comptent parmi les orchidées les plus faciles à réussir par des amateurs, même à la maison.

Conseil Truffaut : ces orchidées hybrides sont difficiles à multiplier et se reproduisent rarement fidèlement. Ne divisez les touffes qu'en cas de réelle nécessité et laissez-les plutôt se développer au maximum pour obtenir une plante importante qui pourra porter un grand nombre de fleurs. Ne déplacez pas une potée qui prospère bien.

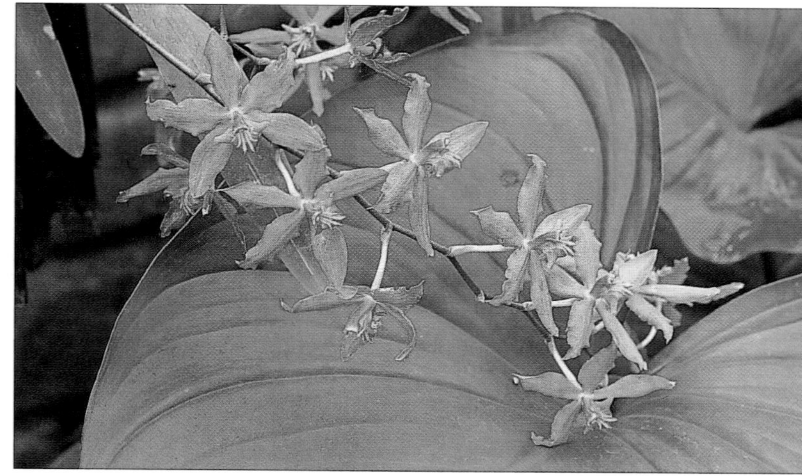

▲ x *Odontioda keighleyensis* : une merveille peu courante.

▲ x *Odontioda* : un coloris chaleureux et velouté.

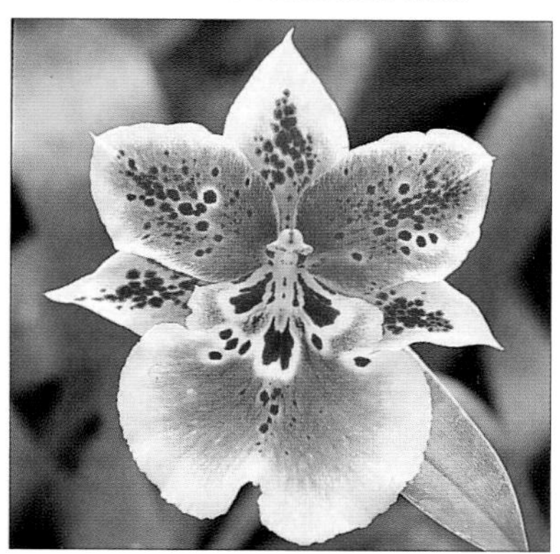

x *Odontioda* 'Vesta Charm' : une forme très originale. ▶

Odontoglossum cordatum étrange.

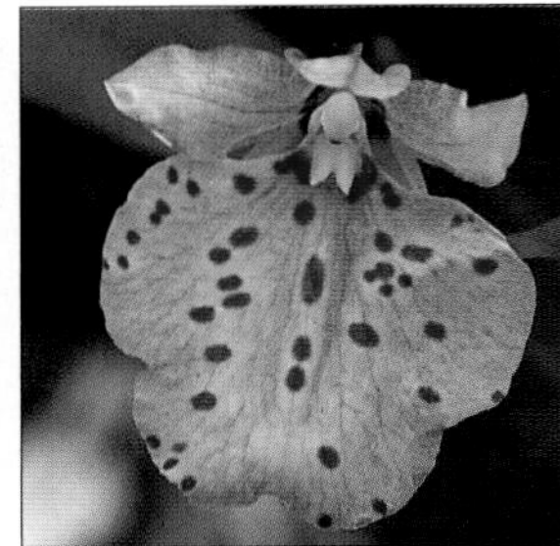
Odontoglossum majale : labelle géant.

Odontoglossum rosii : très contrasté.

Odontoglossum stellatum : aérien.

Odontoglossum 'Brutus' x 'Echanson' : chaleureux.

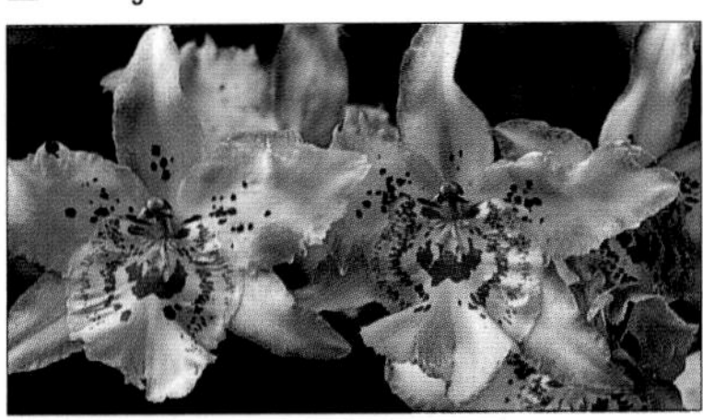
Odontoglossum x : des fleurs très spectaculaires.

Odontoglossum spp. ODONTO

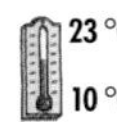

Les prolongements en forme de dents, portés à la base du labelle, ont donné son nom au genre *Odontoglossum*. Au début du siècle, ces orchidées coûtaient des sommes considérables. Elles ont été beaucoup utilisées pour les hybridations.

Origine : Amérique du Sud, du Mexique à la Bolivie, surtout en altitude (cordillère des Andes).

Feuilles : persistantes, de 15 à 50 cm de long. Des arrière-bulbes servent de réserve de nourriture aux pseudobulbes. Ces derniers, elliptiques et comprimés, donnent naissance à une ou deux feuilles, souples ou coriaces, d'un vert moyen.

Floraison : les fleurs inodores, de 6 à 10 cm de diamètre, sont regroupées sur une inflorescence dressée. Les sépales et les pétales sont généralement identiques, le labelle entier ou trilobé. Souvent mouchetées, les fleurs, de formes variées, évoluent du rouge au marron, en passant par le jaune, l'orange et le pourpre. Plusieurs hampes florales peuvent se développer sur la même plante : il est préférable de n'en garder qu'une seule.

Lumière : exposez l'odonto devant une fenêtre au nord ou à l'est, pour lui assurer une pleine lumière, assez douce, sans chaleur excessive.

Terre : sable, tourbe, écorce de pin et perlite, ou écorce, polystyrène et mousse de polyuréthanne.

Engrais : une demi-dose d'engrais liquide pour orchidées une fois par mois, toute l'année.

Odontoglossum uro-skinneri : des nuances cramoisies.

Humidité de l'air : de 60 à 80 %, avec une très bonne ventilation. Brumisez chaque jour.

Arrosage : tous les 2 à 4 jours; les racines ne doivent jamais sécher.

Rempotage : tous les 2 ans, à l'automne ou au printemps, dans un pot étroit.

Exigences particulières : les odontos apprécient de fortes différences de température entre le jour et la nuit, et supportent la fraîcheur en hiver.

Dimensions : de 10 cm à 1 m selon les espèces.

Multiplication : division de la touffe, ou séparation de groupes de trois arrière-bulbes.

Longévité : de 2 à 5 ans à la maison.

Ennemis et maladies : taches et pourriture d'origine cryptogamique et bactérienne.

Espèces et variétés : les quelque 200 espèces sont rarement proposées, sauf par les spécialistes. On cultive surtout les très nombreux hybrides, parfois croisés avec des genres voisins. Certaines espèces d'*Odontoglossum* sont dorénavant classées dans les genres *Lemboglossum* et *Rossioglossum*.

Conseil Truffaut : un arrosage régulier évite à la plante de prendre un aspect gondolé, peu esthétique, dès que les racines s'assèchent.

Oncidium ONCIDIUM

Avec plus de 450 espèces, le genre *Oncidium* est l'un des plus importants parmi les orchidées. Les plantes sont épiphytes, avec des fleurs caractérisées par la présence d'étranges petits tubercules à la base du labelle.

Origine : forêts d'Amérique centrale et tropicale, du niveau de la mer, jusqu'à 3 000 m d'altitude.

Feuilles : persistantes, de 10 à 50 cm de long, selon les espèces. Les pseudobulbes, ovoïdes, portent une grande feuille rigide ou deux petites souples. Il existe aussi des formes en touffes.

Floraison : le nombre des fleurs est très variable selon les espèces, depuis la forme solitaire jusqu'aux grappes qui en réunissent plusieurs centaines. La plupart sont jaune et brun, mais on rencontre aussi des oncidiums roses ou blancs. Les pétales et le sépale dorsal sont plus grands que les sépales latéraux, le labelle est toujours lobé.

Lumière : placez la plante derrière une fenêtre au sud ou à l'ouest. Une lumière insuffisante ne gêne pas la croissance, mais inhibe la floraison.

Terre : mélange d'écorce de pin et de racines de fougères, de granulométrie moyenne.

Engrais : pendant la croissance, fertilisez une fois par semaine avec un engrais pour orchidées. Il doit être faiblement dosé en azote pendant la floraison.

Humidité de l'air : en moyenne 60 %, avec une ventilation importante pour éviter la condensation. Les taches sur les fleurs ou la pourriture des feuilles témoignent d'un excès d'humidité.

Arrosage : tous les 3 à 5 jours, pour laisser le substrat s'assécher périodiquement.

Rempotage : tous les 2 ans, dans un pot en terre cuite. Placez la plante au bord du pot, en laissant un espace devant la pousse la plus récente.

Exigences particulières : pour les espèces aux pseudobulbes absents ou atrophiés, une période de repos doit être respectée après la floraison.

Dimensions : très variables, de quelques centimètres à plus de 1 m de haut (feuillage).

▲ *Oncidium tigrinum* x : un nuage d'or.

Multiplication : division des pseudobulbes au printemps, lors de l'apparition des nouvelles racines.

Longévité : de 1 à 5 ans dans une véranda.

Ennemis et maladies : acariens, cochenilles.

Espèces et variétés : *Oncidium tigrinum* et ses hybrides est le plus cultivé comme plante d'appartement. *O. ornithorrhynchum*, à fleurs roses, se cultive assez facilement. Les autres sont de petits bijoux réservés aux collectionneurs. Certains oncidiums sont désormais classés dans les genres *Cyrtochilum*, *Psychopsis* et *Psygmorchis*.

Conseil Truffaut : vous pouvez cultiver les plus petites espèces sur des plaques d'écorce, de liège ou de « fanjan », un support de fibres de fougères arborescentes, très résistant à la dégradation.

▼ *Oncidium papilio* : on l'appelle maintenant « *Psychopsis* ».

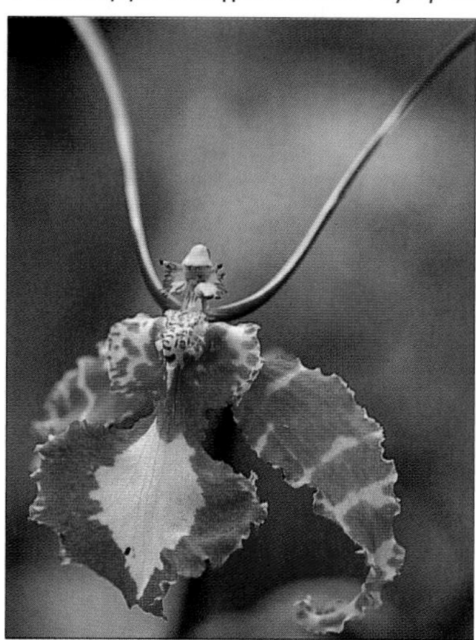

▼ *Oncidium bicallosum* : charnu.

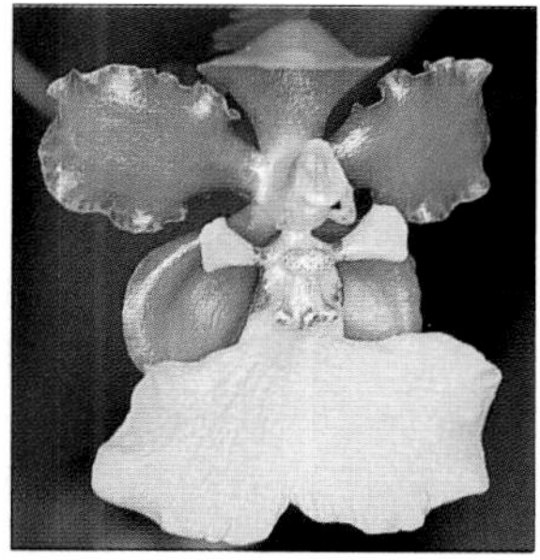

▼ *Oncidium carthagenense* : dentelé.

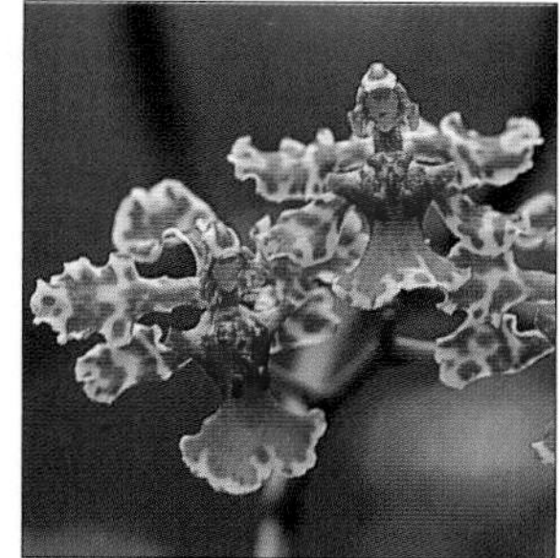

▼ *Oncidium* 'Golden Sunset' : lumineux.

▼ Hybride entre *Oncidium* et x *Odontioda*.

◀ *Paphiopedilum* x : l'orchidée du débutant.

Paphiopedilum
SABOT-DE-VÉNUS

Le nom populaire des *Paphiopedilum* vient de l'aspect très particulier du labelle, qui forme une poche, ou une sorte de sabot, dans sa partie antérieure. C'est en fait un « piège d'amour », dans lequel tombent les insectes, d'où ils repartent couverts de pollen, avant d'aller visiter d'autres fleurs qui seront ainsi mieux fécondées.

Le genre *Paphiopedilum* a longtemps été appelé « *Cypripedium* » et cette confusion est encore fréquente. Les *Cypripedium* sont d'autres orchidées, localisées dans les zones tempérées de l'hémisphère Nord. Dans la sous-famille des cypripédioidées, se trouvent aussi les *Phragmipedium* et les *Selenipedium*, genres américains. La plupart des *Paphiopedilum* sont des orchidées terrestres, quelques-unes sont épiphytes, ou même lithophytes (poussant sur des pierres).

Origine : Sud-Est asiatique. Du nord de l'Inde aux Philippines, Laos, Birmanie, Thaïlande.

Feuilles : persistantes, de 10 à 50 cm de long, en rosettes, acaules, et sans organes de réserve, elliptiques, vertes ou marbrées. Les feuilles engainent la hampe florale, et leurs bases se recouvrent. Les espèces à feuilles unies apprécient la fraîcheur, tandis que celles à feuilles marbrées, mouchetées ou « tessellées », préfèrent la chaleur.

Floraison : une fleur généralement unique, de 6 à 12 cm de diamètre, à consistance cireuse, apparaît selon les espèces, à différentes époques de l'année. Plusieurs floraisons se succèdent parfois au cours d'une même année. Certains *Paphiopedilum* portent des inflorescences de 3 à 5 fleurs. La fleur, très rarement odorante, est caractéristique avec un labelle en forme de sabot et le sépale dorsal très développé : pavillon.

Lumière : l'ombre est tolérée, puisque les *Paphiopedilum* poussent au niveau du sol dans les forêts tropicales. Mais pour obtenir une bonne floraison, placez les plantes derrière une fenêtre, et atténuez la lumière trop vive par un voilage. En hiver, de 2 à 4 heures d'éclairage artificiel avec des lampes « lumière du jour » favorisent la floraison.

Terre : un mélange d'écorce de pin de calibres variés, racines de fougères, polystyrène expansé, dolomie et 1/6 de charbon de bois. La dolomie permet de maintenir le pH au niveau de la neutralité, ce qui est important pour les *Paphiopedilum*.

Engrais : si le substrat est riche en matières organiques (racines de fougères), il est pratiquement inutile d'apporter de l'engrais. Dans un mélange à base d'écorces, apportez une à deux fois par mois un engrais pour orchidées. Dans un substrat totale-

▼ *Paphiopedilum* 'Aladin' : du charme.

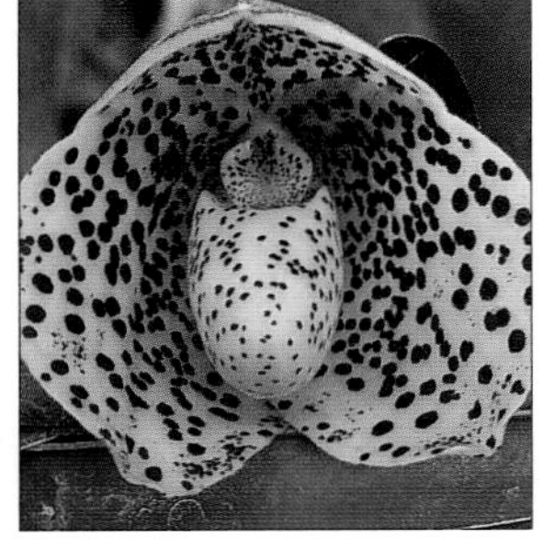

▼ *Paphiopedilum bellatulum* : gros nez.

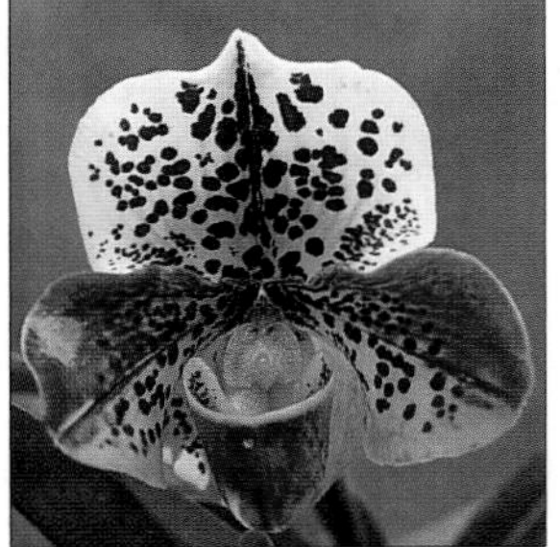

▼ *Paphiopedilum* 'Calvi' x 'Blendia'.

▼ *Paphiopedilum* x 'Curtisii Sanderae'.

▲ P. 'Emerald' x 'Voedoo Magic' : cramoisi.

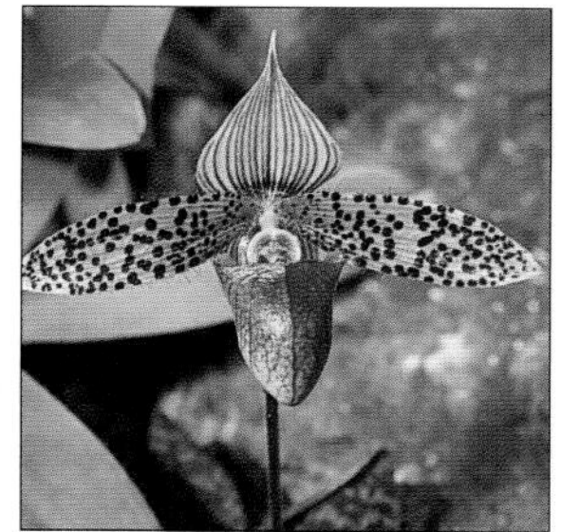
▲ *Paphiopedilum sukhakuli* : très étrange.

▲ *Paphiopedilum* 'Vanguard las Colinas'.

▲ *Paphiopedilum* 'Violène' : un ton délicat.

ment artificiel, choisissez plutôt un engrais universel 10/10/10. Dans tous les cas, n'oubliez pas d'arroser à l'eau claire avant de fertiliser.

Humidité de l'air : entre 60 et 70 % en été, de 50 à 60 % en hiver. Placez le pot sur une soucoupe remplie de graviers ou de billes d'argile maintenus constamment humides. Intercalez un morceau de carrelage fin, pour que le pot ne se renverse pas sur ce support instable.

Arrosage : ne jamais détremper. Arrosez le matin, avec de l'eau du robinet, une fois par semaine d'octobre à fin février, tous les 3 jours durant le reste de l'année. Ne versez pas d'eau dans la gaine des feuilles, qui ne doivent pas rester humides pendant la nuit, sous peine de pourrir.

Rempotage : tous les ans ou tous les 2 ans, après la floraison ou au printemps, dans un pot aussi exigu que possible.

Exigences particulières : une période de fraîcheur nocturne (maximum 15 °C) pendant 2 à 8 semaines en septembre et octobre, est nécessaire pour induire la floraison. N'hésitez pas à sortir la plante à l'extérieur à cette période, ou la placer en serre froide jusqu'à la formation des boutons floraux. Une baisse de la température nocturne vers la fin du printemps stimule une seconde floraison, au début de l'automne.

Dimensions : de 30 à 80 cm selon les espèces.

Multiplication : division de la touffe devenue grosse, dans le courant mai. Pour accélérer la cicatrisation des parties coupées, n'arrosez pas durant les 15 premiers jours, placez les plantes à une température constante de 18 à 20 °C.

Longévité : de 1 à 7 ans en appartement, plus de 10 ans en serre. Les fleurs durent jusqu'à 2 mois et même plus. La tenue des fleurs coupées dépasse 15 jours, si l'on a pris soin de les cueillir 8 jours après leur éclosion. Dans de bonnes conditions de culture, la floraison se produit chaque année.

Ennemis et maladies : la bactérie *Erwinia cypripedii* est responsable de la pourriture molle. Une bonne aération est indispensable pour s'en prémunir. Les araignées rouges sont aussi à craindre sur les espèces à feuilles minces.

Espèces et variétés : les quelque 60 espèces botaniques ont été beaucoup hybridées. Les hybrides sont en général plus faciles à réussir par les débutants que les formes « sauvages ». Pour les plus chevronnés, mais encore assez faciles à réussir : *Paphiopedilum appletonianum,* à fleurs fines, marron avec des dégradés de rose et de vert ; *P. bellatulum*, nain, à grosses fleurs blanches ou jaunes tachetées de brun ; *P. callosum*, aux fleurs marron, avec le pavillon largement strié de blanc ; *P. sukhakuli*, à fleurs automnales vert et pourpre, ponctuées de noir et pavillon strié de blanc. Les collectionneurs passionnés tenteront *P. haynaldianum*, à grandes fleurs brun et vert tachetées de rose et de marron. Et surtout *P. rotschildianum*, qui porte des « barbes » de 20 cm de long et dont on ne trouve plus que des hybrides, la forme botanique (originaire de Bornéo) étant strictement protégée.

Conseil Truffaut : le *Paphiopedilum* est l'une des orchidées les plus accommodantes. Choisissez-le pour vos premières expériences d'orchidophile. N'arrosez pas trop et vaporisez le feuillage à partir de 22 °C, en réglant le pulvérisateur sur la pulvérisation la plus fine, l'eau ne devant pas ruisseler.

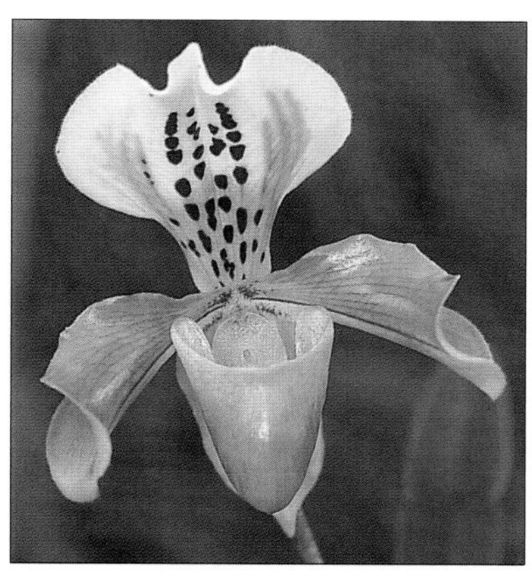
▲ *Paphiopedilum villosum* : une belle espèce asiatique.

▲ *Paphiopedilum* 'Wildroat' : de grosses fleurs cireuses.

Paphiopedilum x (*haynaldianum* x *rothschildianum*). ▶

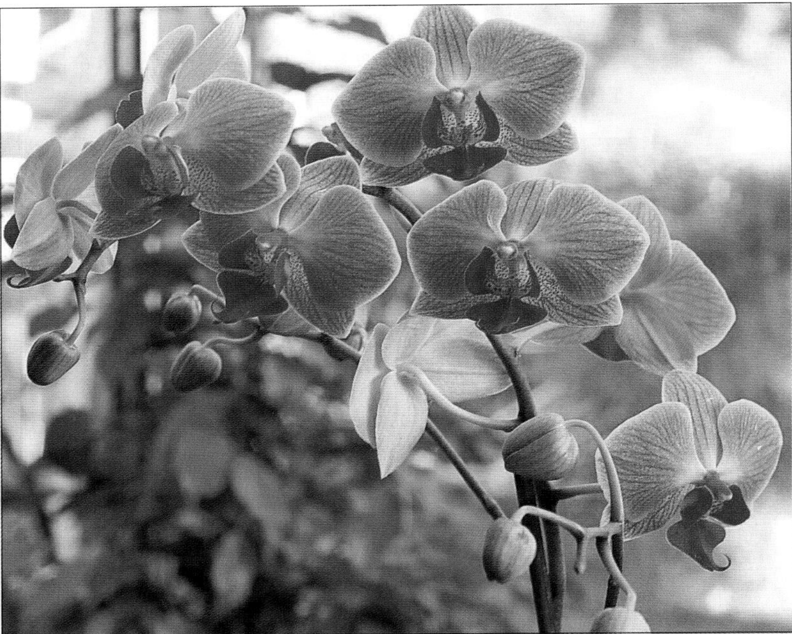

◀ *Phalaenopsis* x : il peut fleurir durant plusieurs mois.

▼ *Phalaenopsis* 'Joyau' : un des plus beaux hybrides.

Phalaenopsis
PHALÉNO

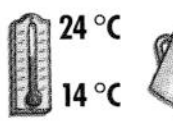

Le nom *Phalaenopsis* évoque la ressemblance des fleurs avec la phalène, un papillon de nuit. Ce sont des orchidées épiphytes, parfois lithophytes, c'est-à-dire poussant sur des rochers.

Origine : Asie du Sud-Est, Inde, Philippines et nord de l'Australie, dans les forêts humides et denses, à basse altitude (de 200 à 400 m).

Feuilles : les *Phalaenopsis* sont des orchidées monopodiales, c'est-à-dire qu'ils ne forment ni rhizome ni pseudobulbes, mais une tige principale érigée, à croissance continue. Les feuilles persistantes, de 10 à 30 cm de long, sont plates, coriaces, brillantes, vert uni ou mouchetées, et engainantes à la base. Elles forment une rosette, d'où naissent les tiges florales et des racines aériennes.

Floraison : à tout moment de l'année peut apparaître une hampe, souvent arquée, portant une dizaine de fleurs, de 3 à 6 cm de diamètre. Du blanc pur à toutes les nuances de rose, elles passent également par le mauve, l'orangé, le jaune. Les sépales et les pétales latéraux sont généralement semblables, parfois striés ou pointillés.

Lumière : placez vos *Phalaenopsis* devant une fenêtre orientée à l'est, afin qu'ils bénéficient d'une insolation modérée, mais d'un éclairage vif.

Terre : un mélange d'écorce de pin, de granulométrie variable selon la taille de la plante, avec de la mousse de polyuréthanne, de la tourbe fibreuse et du charbon de bois. Les *Phalaenopsis* nains poussent bien accrochés en épiphyte sur du liège.

Engrais : de mars à septembre, apportez une demi-dose d'engrais liquide pour azalées ou une dose normale d'engrais pour orchidées, tous les 15 jours, toujours sur un substrat déjà humide.

Humidité de l'air : de 60 à 80 %. Placez les pots sur un plateau contenant des graviers ou des billes d'argile, à moitié immergés. Brumisez le feuillage tous les jours, en veillant que l'eau ne ruisselle pas jusqu'au cœur de la rosette (risque de pourriture).

Arrosage : de préférence le matin, tous les 2 ou 3 jours en été, tous les 8 à 10 jours en hiver. Utilisez de l'eau plutôt tiède et non calcaire.

▼ *Phalaenopsis* 'Hymen' : une splendeur.

▼ *Phalaenopsis* 'Jumbo x G. de Préville'.

▼ *Phalaenopsis* 'Lady Amboin' : subtil.

▼ *Phalaenopsis* 'Le Fantasme' : magique.

▲ *Phalaenopsis lindenii* : la délicatesse.

▲ *Phalaenopsis lueddemanniana* x.

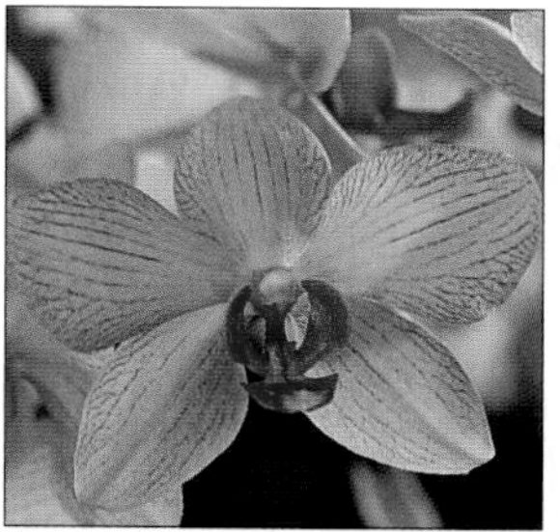
▲ *Phalaenopsis* 'Sarah' : chaude nuance.

▲ *Phalaenopsis* 'Sonentau' : spectaculaire.

Rempotage : tous les 2 ou 3 ans, au printemps ou au début de l'été. C'est une opération traumatisante pour les *Phalaenopsis*, dont les racines sont très fragiles, et adhèrent aux parois du contenant. Le rempotage s'avère indispensable, lorsque le pot est devenu trop petit, ou que le substrat s'est décomposé. Placez la plante bien au milieu de son nouveau contenant et ne taillez pas les racines.

Exigences particulières : des variations de température entre le jour et la nuit et un arrêt végétatif bien marqué après la floraison sont indispensables pour induire de nouvelles fleurs. Lorsque la plante porte des boutons, la température ne doit pas descendre en dessous de 15 °C, sinon ils risquent de se flétrir et de tomber avant épanouissement.

Dimensions : de 30 à 50 cm, en pot.

Multiplication : séparation et transplantation des keikis, ces jeunes plantules qui se développent sur la hampe florale elle-même. Pour provoquer leur formation, entourez d'un manchon de sphagnum humide quelques bourgeons bien apparents sur la hampe florale. Maintenez la plante au chaud, dans une atmosphère très humide. Lorsque les keikis se sont formés et ont produit des racines d'environ 5 cm, vous pouvez les couper et les empoter dans un substrat à la granulométrie fine.

Longévité : de 3 à 7 ans dans la maison. La floraison des *Phalaenopsis* peut se prolonger jusqu'à 6 mois, le plus souvent de janvier à juin. Les fleurs tiennent au moins 2 semaines en vase.

Ennemis et maladies : une attaque bactérienne d'*Erwinia cypripedii* provoque la pourriture molle. Divers champignons tachent les feuilles ou les fleurs (surtout le *Botrytis*). Traitez préventivement sans utiliser de produits en bombe qui sont mal tolérés. Utilisez toujours des outils très propres et assurez une bonne aération (sans courant d'air).

Espèces et variétés : on dénombre une cinquantaine d'espèces et plus de 5 000 hybrides, dont la généalogie très complexe peut remonter sur plus de 10 générations. Ces hybrides sont beaucoup plus faciles à cultiver en appartement. les espèces réussiront mieux en serre, notamment *Phalaenopsis amabilis,* à fleurs blanches et au labelle jaune et rose marqué de rouge ; *P. lueddemanniana*, à fleurs cireuses, blanches et labelle rose pourpre ; *P. violacea,* petit, parfumé, blanc, jaune et violet-pourpre, une merveille de délicatesse.

Conseil Truffaut : les hampes florales des grands *Phalaenopsis* ont tendance à plier sous le poids des fleurs. Plantez un tuteur au fond du pot et attachez-le à plusieurs endroits sur la hampe.

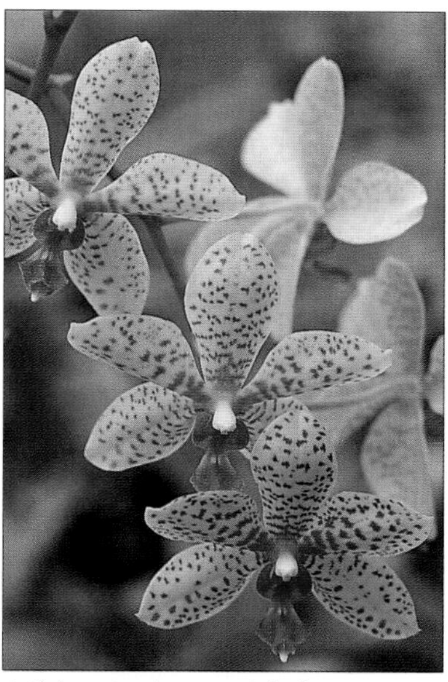
▲ *Phalaenopsis amboinensis* : très florifère.

Phalaenopsis miniata : petit, mais vraiment charmant. ▶

Phragmipedium hybride : de jolies fleurs en sabot.

Phragmipedium x grande : des fleurs de 30 cm de long.

Rhynchostylis retusa : des grappes de 30 cm de long.

Phragmipedium spp. SABOT-DE-VÉNUS

  23 °C 14 °C 

Proches des *Paphiopedilum*, ces orchidées terrestres ont un labelle en forme de sabot.

Origine : Amérique tropicale : Mexique, Pérou, Colombie, Équateur, Costa Rica, Panamà.

Feuilles : de 20 à 50 cm de long. Peu nombreuses, persistantes, plus allongées que celles de *Paphiopedilum*, elles engainent la hampe florale.

Floraison : le *Phragmipedium* se distingue du *Paphiopedilum* par la texture non cireuse des fleurs et par la forme de leurs pétales latéraux, souvent longs et retombants, parfois spiralés, toujours très spectaculaires. Très grandes fleurs.

Lumière : installez le *Phragmipedium* devant une fenêtre à l'est, pour qu'il bénéficie du soleil matinal, encore doux. Filtrez de mai à septembre.

Terre : mélange équilibré d'écorces de pin, de charbon de bois, de polystyrène expansé et de dolomie.

Engrais : une fois par mois, apportez une solution nutritive dosée à un bouchon d'engrais liquide pour plantes fleuries, dans 10 litres d'eau non calcaire.

Humidité de l'air : de 50 à 70 % toute l'année. Placez le pot sur un lit de billes d'argile expansée, maintenues bien humide. Complétez par des pulvérisations régulières à la température de la pièce.

Arrosage : deux fois par semaine, toute l'année, avec de l'eau du robinet, car le *Phragmipedium* ne possède pas de pseudobulbes lui permettant de constituer une réserve d'eau.

Rempotage : tous les 2 ans, dans un pot d'un diamètre juste supérieur à celui du précédent.

Exigences particulières : assurez une bonne aération, éventuellement à l'aide d'un ventilateur.

Dimensions : de 40 à 80 cm de haut en pot.

Multiplication : division des touffes avant le démarrage de la végétation (de novembre à mars).

Longévité : de 1 à 3 ans dans la maison, jusqu'à 5 ans en serre. Les floraisons successives se prolongent sans discontinuer sur plusieurs mois.

Ennemis et maladies : bactéries, acariens.

Espèces et variétés : *Phragmipedium caudatum* est le plus spectaculaire, avec ses pétales latéraux rouge pourpre, spiralés, qui peuvent dépasser 60 cm de long ; *P.* x *grande,* aux très longues feuilles, aux fleurs blanc jaunâtre, jaunes et vertes.

Conseil Truffaut : une différence de température de 5 °C entre le jour et la nuit, pendant la période hivernale, permet d'induire la future floraison.

Rhynchostylis spp. QUEUE-DE-RENARD

  24 °C 13 °C 

Orchidées épiphytes monopodiales, dont les grandes inflorescences, pendantes, compactes, leur valent le surnom de queue-de-renard.

Origine : de l'Inde à la Malaisie, Philippines.

Feuilles : de 20 à 30 cm de long, épaisses et rubanées, elles sont terminées par deux lobes inégaux et disposées en deux rangées autour d'une tige unique, assez courte.

Floraison : à toute époque de l'année, l'inflorescence dressée ou pendante, de 30 à 50 cm de long, est formée de nombreuses fleurs de 3 ou 4 cm de diamètre, épaisses, cireuses et très odorantes.

Lumière : placez le *Rhynchostylis* devant une fenêtre à l'ouest, protégée par un voilage filtrant les rayons trop ardents du soleil estival.

Terre : écorces de pin, racines de fougère, sphagnum, mousse de polyuréthanne, polystyrène expansé et charbon de bois, avec une bonne couche de tessons de poterie au fond du pot.

Engrais : de mars à octobre, apportez tous les 15 jours un engrais liquide pour orchidées.

Humidité de l'air : de 50 à 70 % selon la température ambiante. Vaporisez deux fois par jour.

Arrosage : deux fois par semaine toute l'année.

Rempotage : le moins souvent possible, en avril.

Exigences particulières : cultivez en panier suspendu pour laisser l'inflorescence retomber.

Dimensions : de 15 à 30 cm de haut.

Multiplication : séparation des rejets en avril.

Longévité : 3 ans dans la maison, de 5 à 8 ans en serre, si les rempotages sont faits délicatement.

Ennemis et maladies : acariens et pucerons.

Espèces et variétés : parmi les 6 espèces, on cultive surtout *Rhynchostylis gigantea*, aux fleurs blanc et rouge magenta, *R. retusa*, aux fleurs blanches, parfumées, en grappes de 30 cm de long.

Conseil Truffaut : le *Rhynchostylis* est une orchidée facile à réussir à la maison, à condition de ne pas le déplacer dès qu'un endroit lui convient.

Spathoglottis spp. SPATHOGLOTTIS

Cette orchidée terrestre, très vigoureuse, fait l'objet de cultures importantes en Asie du Sud-Est, surtout pour la fleur coupée.

Origine : Thaïlande, îles du Pacifique et Australie.

Feuilles : de 20 à 40 cm de long, souples, lancéolées à ovales, portées par des tiges cylindriques. Le spathoglottis ne forme pas de pseudobulbes.

Floraison : une longue hampe très fine apparaît au cœur des feuilles, portant à son extrémité un bouquet de petites fleurs étoilées rose plus ou moins vif, dont le labelle a une forme de langue.

Lumière : le plein soleil, légèrement voilé durant les heures les plus chaudes de l'été.

Terre : un substrat pour orchidées du commerce, additionné de 1/3 de tourbe fibreuse concassée.

Engrais : d'avril à septembre, apportez tous les 8 à 10 jours un engrais pour rhododendrons.

Humidité de l'air : minimum 60 %. Des vaporisations quotidiennes doivent être assurées toute l'année. Un humidificateur électrique est conseillé.

Arrosage : deux ou trois fois par semaine, afin de conserver le substrat légèrement humide.

Rempotage : tous les 2 ans, au printemps, dans un pot assez profond, car les racines sont longues.

Exigences particulières : une bonne aération est indispensable, mais sans courants d'air froid.

Dimensions : de 30 à 40 cm de haut en pot.

Multiplication : à réserver aux professionnels.

Longévité : de 2 à 5 ans, en serre chaude.

Ennemis et maladies : cochenilles, pucerons.

Espèces et variétés : il existe une quarantaine d'espèces dans la nature, mais seul *Spathoglottis plicata* à fleurs roses est cultivé en Europe.

Conseil Truffaut : un apport de lumière artificielle, de 4 à 6 heures par jour, entre novembre et mars, est indispensable pour obtenir une floraison.

Stanhopea spp. STANHOPEA

Orchidées épiphytes, à pseudobulbes coniques.

Origine : Amérique centrale tropicale.

Feuilles : chaque pseudobulbe porte une seule feuille de 30 à 40 cm de long, persistante, lancéolée, plissée, semi-rigide, assez large.

Floraison : la hampe née à la base des pseudobulbes s'infléchit vers le sol et traverse le compost, ressortant sous la plante avant de s'épanouir. Les fleurs charnues et très odorantes, d'aspect assez étrange, ne durent pas plus de 5 jours.

Lumière : placez la suspension près d'une grande baie exposée au nord, en lumière directe.

Terre : écorces de pin, tourbe, sphagnum, polystyrène expansé, avec un peu de dolomie.

Engrais : d'avril à septembre, apportez une fois par mois un engrais liquide pour orchidées.

Humidité de l'air : minimum 50 %. Ne vaporisez le feuillage que par temps très chaud.

Arrosage : tous les 3 ou 4 jours durant la période de croissance, pas plus d'une fois tous les 12 à 15 jours de novembre à fin février (repos total).

Rempotage : en avril, tous les 3 ou 4 ans.

Exigences particulières : plantez dans des paniers ajourés, ne comportant pas de lit de drainage, pour laisser les fleurs sortir par-dessous.

Dimensions : de 30 à 40 cm de haut.

Multiplication : séparation des pseudobulbes.

Longévité : de 3 à 5 ans, dans une véranda peu chauffée ou une pièce fraîche de la maison.

Ennemis et maladies : araignées rouges.

Espèces et variétés : on compte environ 30 espèces. *Stanhopea wardii*, aux fleurs estivales, jaune pâle tacheté de rouge, est la plus courante.

Conseil Truffaut : ne laissez pas sécher le substrat durant la période de végétation.

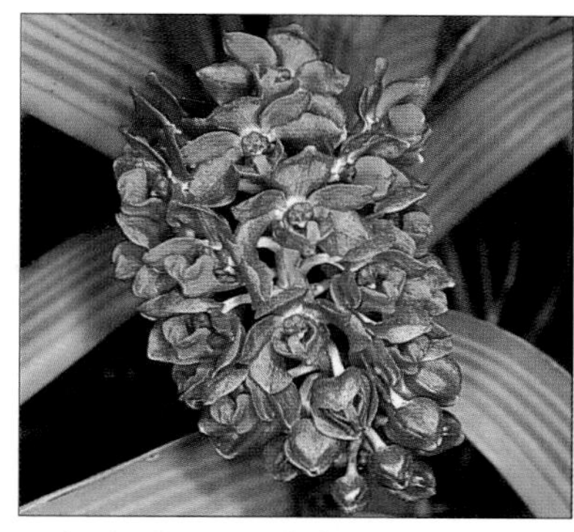

▲ *Rhynchostylis gigantea* : des fleurs bien parfumées.

▲ *Spathoglottis plicata* : de longues hampes gracieuses.

▲ *Stanhopea costaricensis* 'Saccata' : une fleur étrange.

Stanhopea wardii : à cultiver absolument en suspension. ▶

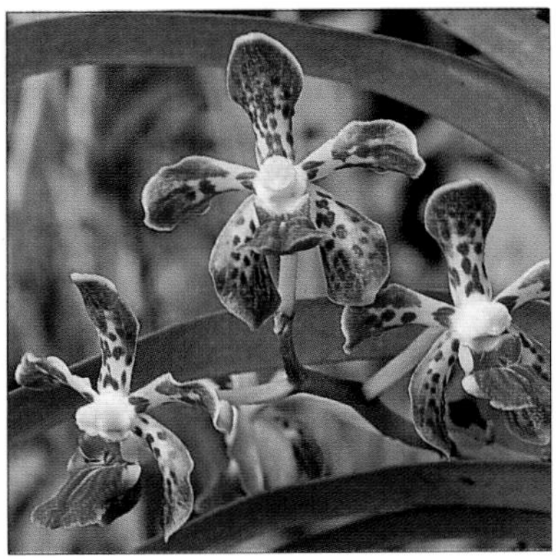

▲ *Vanda* hybride 'May May' : un coloris très tonique.

▲ *Vanda* hybride 'Triboulet'

Vanda teres : florifère. ▼

Vanda spp.
VANDA

25 °C / 15 °C

Ces orchidées monopodiales (dont la tige unique croît verticalement) peuvent prendre des proportions impressionnantes dans la nature. Elles sont épiphytes ou lithophytes.

Origine : Asie tropicale, depuis l'Inde jusqu'aux Philippines et au nord de l'Australie.

Feuilles : de 15 à 45 cm de long selon les espèces, plates, rubanées ou cylindriques.

Floraison : les pétales et les sépales se ressemblent, avec des coloris multiples, souvent mouchetés ou réticulés. Il existe des variétés bleu pur ou bleu ciel, fort appréciées des collectionneurs, car c'est une tonalité rare chez les orchidées.

Lumière : le plein soleil pour les vandas à feuilles cylindriques, qui ont même besoin d'un complément d'éclairage artificiel en hiver. Les espèces à feuilles plates se contentent d'un éclairage tamisé.

Terre : écorces de pin, charbon de bois, morceaux de brique et polystyrène expansé. Le substrat doit être très aéré pour une circulation d'air maximale. On peut aussi accrocher les vandas sur une plaque de fougère, ou même les installer sans substrat, dans une simple clayette ajourée, en bois.

Engrais : durant la croissance, apportez tous les 15 jours un engrais liquide pour orchidées.

Humidité de l'air : de 70 à 80 %. Une serre est indispensable pour la réussite des vandas. Vaporisez le feuillage au moins deux fois par jour.

Arrosage : tous les 3 jours en été. Environ une fois par semaine durant le repos végétatif.

Rempotage : tous les 3 ou 4 ans, seulement quand la plante déborde de son pot.

Exigences particulières : on distingue deux groupes : les vandas de plaine qui demandent une forte chaleur et les vandas d'altitude qui acceptent une serre tempérée. Une baisse de la température nocturne est toujours favorable à la floraison.

Dimensions : de 20 cm à 2 m, selon les espèces.

Multiplication : par prélèvement et rempotage des rejets pourvus de racines qui apparaissent sur la tige ou, pour les professionnels, par bouturage de la partie supérieure (tête).

Longévité : de quelques mois dans la maison à 5 ou 6 ans dans une serre, si la plante supporte bien les rempotages, toujours délicats.

Ennemis et maladies : pucerons, acariens.

Espèces et variétés : les 30 à 70 espèces recensées par les botanistes ont donné naissance à de très nombreux hybrides, dont des formes complexes croisées avec les genres *Arachnis, Ascocentrum, Aerides* et *Renanthera. Vanda teres* porte jusqu'à 20 fleurs de 10 cm de diamètre ; *Vanda coerulea*, à fleurs bleues, a été beaucoup hybridé.

Conseil Truffaut : laissez les racines aériennes se développer et vaporisez-les à l'engrais foliaire.

Vanilla spp.
VANILLE

Liane qui utilise ses racines adventives comme crampon, pour grimper. Les gousses sont utilisées dans les cuisines du monde entier.

Origine : Mexique, Antilles, Polynésie.

▼ *Vanda* x 'Lamel Yap' : très intense.

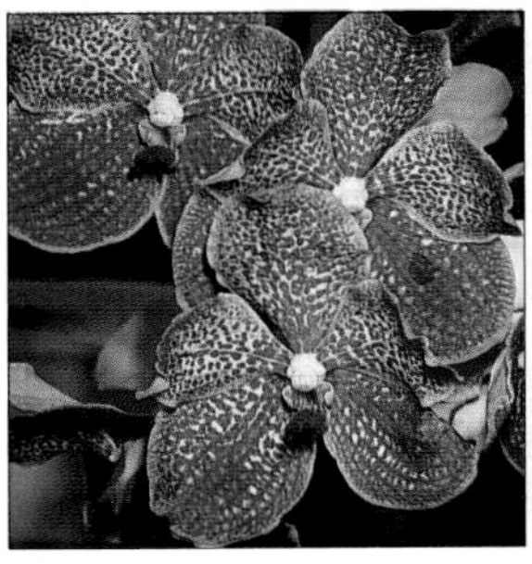

▼ *Vanda* 'Phairot' x 'Chantramon Tol'.

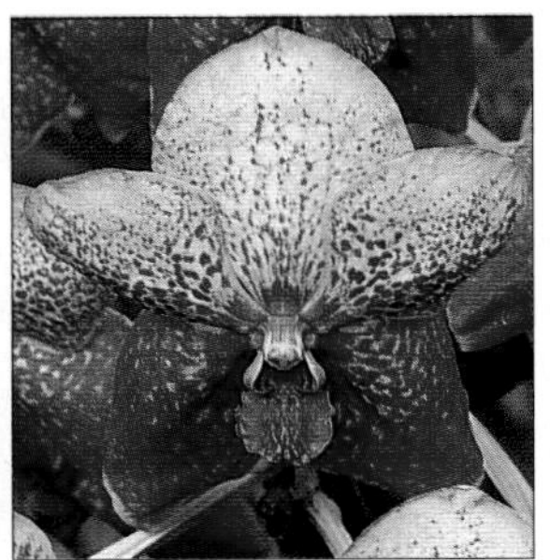

▼ *Vanda* x *rotschildiana* : spectaculaire.

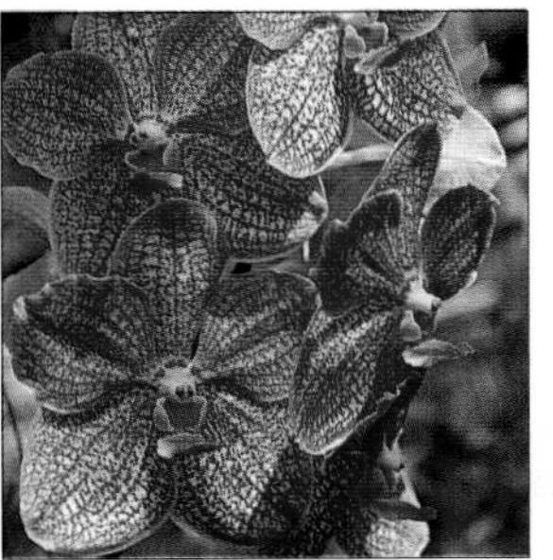

▼ *Vanda tricolor* var. *suavis* : parfumée.

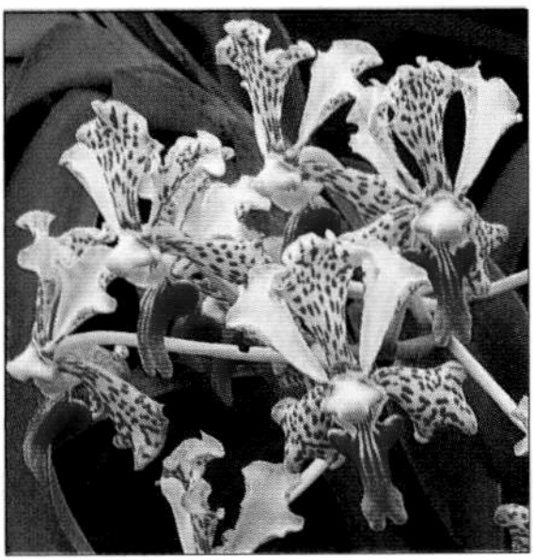

Feuilles : de 15 à 20 cm de long, allongées, plates, coriaces, portées sur toute la longueur de la tige monopodiale, cylindrique.
Floraison : inflorescence de 6 à 30 fleurs éphémères, aromatiques, de 6 à 8 cm de diamètre, d'aspect cireux. Après fécondation, naturelle ou artificiellement provoquée, le pédoncule de la fleur grossit et se transforme en une capsule allongée, que l'on appelle la « gousse de vanille ».
Lumière : intense, mais toujours filtrée.
Terre : mélange d'écorces de pin, de racines de polypode, de sphagnum, de polystyrène expansé, avec un peu de tourbe ou de terreau de feuilles.
Engrais : d'avril à septembre, apportez une fois par semaine un engrais liquide pour orchidées.
Humidité de l'air : de 70 à 80 %. L'utilisation d'un humidificateur électrique est indispensable.
Arrosage : de une à trois fois par semaine, selon la température ambiante et la saison.
Rempotage : tous les 2 ou 3 ans, pas plus.
Exigences particulières : laissez la vanille grimper naturellement le long d'un palmier.
Dimensions : plus de 30 m de long dans la nature ; de 1,50 à 3 m en pot, en serre.
Multiplication : bouturage de tige (difficile).
Longévité : de 1 à 3 ans dans la maison. Plus de 10 ans en serre, dans un grand pot.
Ennemis et maladies : fusariose, mildiou.
Espèces et variétés : sur les 110 espèces recensées de par le monde, une quinzaine produisent des fruits aromatiques, et trois seulement sont cultivées dans ce but, *Vanilla fragrans* ou *planifolia*, à fleurs vertes et jaunes, *V. pompona,* très vigoureuse, jaune, et *V. tahitensis,* à grandes fleurs jaunes.
Conseil Truffaut : en serre, cultivez les jeunes vanilles en suspension. Le mouvement de la sève vers le bas, plus lent, favorise la floraison.

Zygopetalum spp.
ZYGOPETALUM

Orchidées surtout terrestres, à gros pseudobulbes, dont le nom vient de la forme en joug des pétales, soudés à la base de la colonne.

Origine : Brésil, Colombie.
Feuilles : de 30 à 50 cm de long, portées par groupe de deux, à l'extrémité des pseudobulbes. Étroites, elles ont des nervures proéminentes et persistent plusieurs années.
Floraison : en hiver, la hampe florale se développe à la base du pseudobulbe de l'année précédente et porte un bouquet de 5 à 12 fleurs, de 5 à 8 cm de diamètre, à la délicieuse odeur de narcisse. Les sépales et les pétales sont presque semblables, plus ou moins mouchetés de rose.
Lumière : derrière une fenêtre au sud, en filtrant le soleil direct avec un voile translucide.
Terre : pour les zygopetalums terrestres, tourbe fibreuse concassée, sable, vermiculite et écorce de pin. Pour les épiphytes : écorce de pin, polystyrène expansé et racines de fougères.
Engrais : de mars à septembre, apportez tous les 15 jours un engrais liquide pour orchidées.
Humidité de l'air : entre 40 et 60 %, toujours avec une bonne ventilation. Ne vaporisez pas trop.
Arrosage : toutes les semaines pendant la croissance, avec de l'eau tiède non calcaire.
Rempotage : tous les 2 ans en été.
Exigences particulières : contrairement à beaucoup d'orchidées, les zygopetalums se cultivent dans des pots de grande taille.
Dimensions : de 30 à 60 cm de haut en pot.
Multiplication : division des touffes adultes, au moment du rempotage. Ne pas abîmer les racines.
Longévité : jusqu'à 3 ans dans un intérieur pas trop chauffé, de 3 à 7 ans en serre tempérée.
Ennemis et maladies : acariens par temps chaud et sec. Pucerons, mouches blanches.
Espèces et variétés : sur les 18 espèces connues, *Zygopetalum mackaii*, pourpre-brun rayé de vert, est le plus cultivé ; *Z. intermedium* est à la base de nombreux hybrides dont 'BG White Stonehurst', au labelle étalé, en éventail pourpre et blanc.
Conseil Truffaut : ne bassinez pas les feuilles, au risque de les tacher, et veillez à ce qu'il ne reste pas d'eau au creux des jeunes feuilles, pour éviter qu'elles ne pourrissent. Placez la potée sur un lit de gravillons maintenus humide en permanence.

Vanilla pompona : une vigueur exceptionnelle.

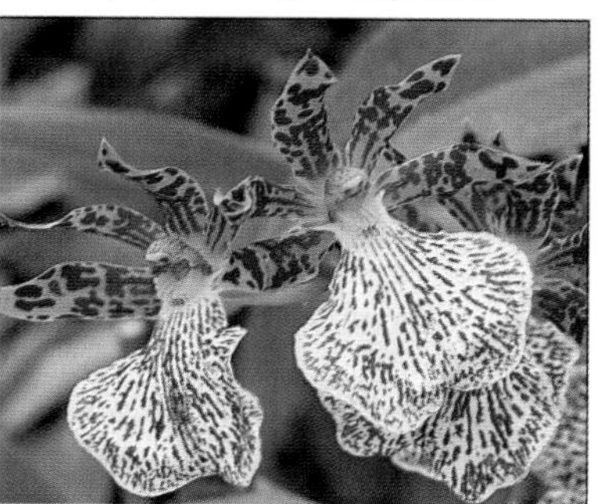

Zygopetalum intermedium : floraison en contraste.

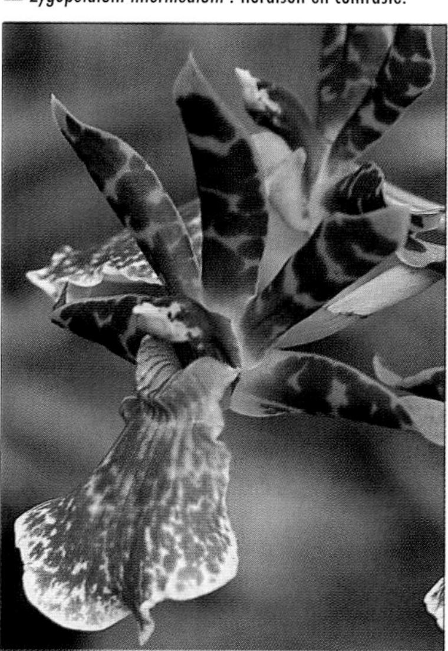

Zygopetalum ' BG White Stonehurst' : facile à réussir.

LES BROMÉLIACÉES

Plantes originales par leur aspect, leur floraison et leur mode de vie, les broméliacées forment une famille botanique particulière, constituée uniquement par des plantes d'origine tropicale. ❀ *Beaucoup d'entre elles ont fait l'objet de sélections horticoles longues et complexes, qui ont abouti à la prolifération de variétés aux inflorescences très colorées, grappes étranges et envoûtantes par leur forme, leur texture et leur grande longévité. D'une architecture complexe et d'une esthétique parfaite, ces fleurs apportent une note résolument contemporaine dans le décor de la maison.* ❀ *Mais, comme si le Créateur jaloux lui avait jeté quelque maléfice pour la punir de tant de beauté, la plante ne survit pas à l'éclat de sa fleur. Il faut attendre que la jeune pousse apparue au pied de la rosette devienne à son tour adulte pour admirer à nouveau la magie de cette merveilleuse floraison.* ❀ *Sur les quelque cinquante genres recensés dans la famille des broméliacées, tous, sauf un, sont originaires d'Amérique. L'exception qui confirme la règle est le* Pitcairnia feliciana, *découvert comme par erreur en Guinée, en 1938.* ❀ *Caractéristiques par leur feuillage en rosette, qui s'ouvre comme un entonnoir pour récupérer et stocker l'eau, les broméliacées sont de véritables réservoirs de liquide, pouvant contenir jusqu'à 5 litres chez les plus grandes espèces, comme le puya des Andes, qui atteint 3 m de haut.* ❀ *Cette particularité permet aux broméliacées de vivre dans des conditions parfois extrêmes et de montrer une étonnante résistance à la sécheresse. Certaines espèces sont d'ailleurs xérophytes, c'est-à-dire qu'elles poussent directement sur des rochers.* ❀ *Mais c'est accrochées aux branches des arbres, que l'on rencontre la grande majorité des broméliacées. Ce sont des épiphytes qui jouent les filles de l'air, dans l'étouffante moiteur des jungles les plus hostiles.* ❀ *Certaines, dont des tillandsias, ne possèdent même pas de racines, utilisant un ingénieux système de poils absorbants ou d'écailles (les trichomes) pour se gorger de l'humidité vitale. Mais la star de la famille est sans conteste l'ananas et son fruit délicieux, dont on dévore chaque année des millions de tonnes dans le monde, mais qui est également une très jolie plante pour la maison.* ❀

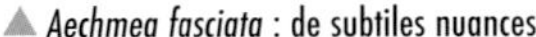
▲ *Aechmea fasciata* : de subtiles nuances.

▲ *Aechmea fendleri* : épineux et vaporeux.

▲ *Aechmea longifolia* : un subtil camaïeu.

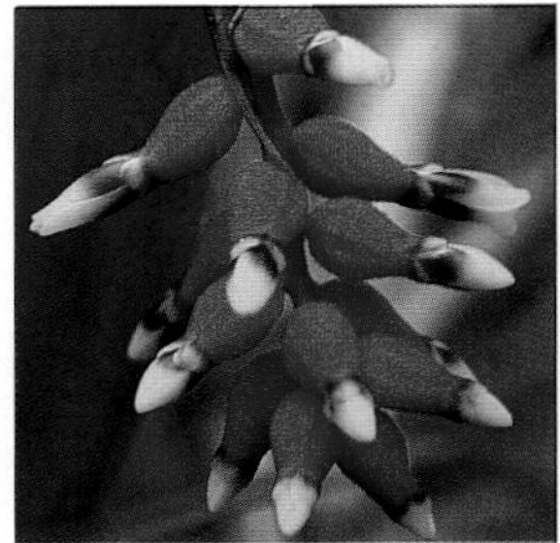
▲ *Aechmea racinae* : grappe pendante.

▲ *Aechmea chantinii* : feuilles tigrées, de 40 cm de long.

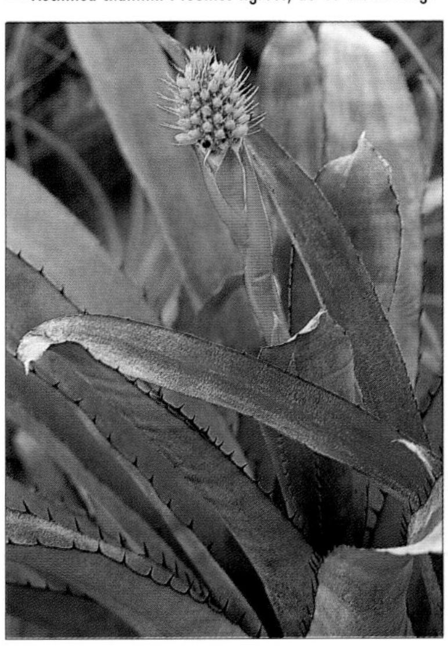
◄ *Aechmea pineliana* peut atteindre 80 cm de haut.

Aechmea spp. AECHMÉA

 23 °C 10 °C 

Le nom de ces vivaces épiphytes signifie « fer de lance » et évoque la forme pointue des bractées (feuilles transformées entourant les fleurs).

Origine : Brésil, Mexique, Antilles.

Feuilles : de 40 cm à 1 m de long, rigides, bordées de dents pointues, elles sont arquées et disposées en rosette, formant un entonnoir. Certaines sont colorées de gris, striées ou tachetées.

Floraison : les petites fleurs tubulaires éphémères apparaissent sur une grande inflorescence, formée de bractées diversement colorées, qui persistent pendant plusieurs mois. Les fruits charnus et colorés, durables, sont également décoratifs.

Lumière : placez les aechméas devant une fenêtre au sud ou à l'ouest, mais avec un voilage translucide pour tamiser le fort soleil.

Terre : mélange à parts égales de tourbe blonde, de terre de bruyère et de terreau de feuilles.

Engrais : d'avril à la fin d'août, apportez une fois par semaine, sur la terre du pot, un engrais pour plantes fleuries, dilué de moitié.

Humidité de l'air : l'aechméa supporte bien l'air sec de nos intérieurs. Un bassinage du feuillage est très apprécié quand il fait plus de 20 °C.

Arrosage : remplissez chaque mois le cœur de la rosette avec une eau non calcaire. Arrosez la terre une fois par semaine durant la végétation et tous les 10 à 12 jours de novembre à mars.

Rempotage : inutile pour les plantes fleuries. En revanche, on changera le pot des jeunes sujets chaque année, au printemps, jusqu'à la floraison.

Exigences particulières : ne laissez surtout pas d'eau stagner sous le pot.

Dimensions : jusqu'à 1 m de haut et de large.

Multiplication : détachez et empotez individuellement les rejets qui apparaissent à la base de la plante, quand ils atteignent 20 cm de haut.

Longévité : quelques mois après la floraison, la plante mère meurt. Les rejets demandent entre 3 et 5 ans pour former une inflorescence.

Ennemis et maladies : brunissement des feuilles en cas d'un arrosage excessif (pourriture).

Espèces et variétés : les 200 espèces sont pour la plupart épiphytes. *Aechmea fasciata,* à l'inflorescence rose, *A. fulgens,* rouge, sont les plus cultivés.

Conseil Truffaut : réunissez plusieurs sujets dans une grande coupe, sans les dépoter. Comblez avec des écorces de pin et de la mousse et vous obtiendrez une potée très spectaculaire.

Ananas spp. ANANAS

  23 °C 15 °C 

Vivaces persistantes, terrestres, produisant des fruits comestibles en forme de cônes.

Origine : Amérique du Sud (Brésil).

Feuilles : jusqu'à 1 m de long, effilées, aux bords munis de crochets acérés. Elles sont vert-gris ou vertes, bordées de jaune crème ou teintées de rose.

Floraison : petites fleurs et grandes bractées rougeâtres, se transformant en fruit rouge ou rose.

Lumière : l'ananas apprécie le plein soleil.
Terre : mélange par tiers de terreau de feuilles, de sable et de tourbe blonde, avec un bon drainage.
Engrais : d'avril à septembre, apportez tous les 15 jours un engrais liquide pour plantes fleuries, dilué à la moitié de la concentration conseillée sur le flacon, ou utilisez un engrais en bâtonnet.
Humidité de l'air : l'ananas résiste bien à la sécheresse de la maison, mais brumisez le feuillage quotidiennement par temps chaud.
Arrosage : une fois par semaine en imbibant bien la motte, durant la croissance et la période de floraison et de fructification. En hiver, laissez la terre sécher entre deux apports d'eau.
Rempotage : au printemps, uniquement les jeunes plantes n'ayant pas encore fleuri.
Exigences particulières : ne laissez pas l'eau stagner au cœur des feuilles, contrairement à la plupart des autres espèces de broméliacées.
Dimensions : 50 cm de haut et de large en pot.
Multiplication : séparation des rejets lorsqu'ils atteignent 20 cm de long. Bouturez à chaud (25 °C) la touffe de feuilles qui coiffe le fruit, dans un mélange de tourbe blonde et de sable.
Longévité : environ 3 ans.
Ennemis et maladies : cochenilles en hiver.
Espèces et variétés : il existe de très nombreux cultivars, mais, pour le décor de la maison, *Ananas bracteatus* 'Tricolor', aux feuilles à bords jaunes et fruits roses, et *A. comosus* 'Variegatus', similaire, mais à fruits rouges, sont les plus intéressants.
Conseil Truffaut : un excès d'humidité nuit beaucoup plus aux ananas que la sécheresse, ayez la main légère avec les arrosages.

Billbergia spp. BILLBERGIA

Vivace rhizomateuse persistante, épiphyte ou vivant sur des rochers (xérophyte). Les billbergias forment des rosettes volumineuses, assez serrées.
Origine : Amérique tropicale.

Feuilles : de 30 à 60 cm de long, étroites et rubanées, en lanières, plus ou moins rigides, colorées ou panachées, selon les espèces et les variétés.
Floraison : les petites fleurs tubulaires éphémères, bleues ou violettes, protégées par de grandes bractées rouges ou roses, sont réunies dans une inflorescence souvent retombante.
Lumière : devant une fenêtre sans soleil direct.
Terre : tourbe blonde, terreau de feuilles et sable.
Engrais : d'avril à septembre, apportez chaque semaine un engrais liquide pour orchidées.
Humidité de l'air : de 60 à 70 %. Vaporisez quotidiennement avec de l'eau non calcaire.
Arrosage : tous les 8 à 12 jours, en fonction de la température ambiante. Gare à l'eau stagnante.
Rempotage : au printemps, quand la touffe devient trop volumineuse ou serrée dans le pot.
Exigences particulières : laissez le billbergia former une touffe, il fleurira beaucoup mieux.
Dimensions : de 30 cm à 1 m en tous sens.
Multiplication : séparation des rejets.
Longévité : jusqu'à 5 ans.
Ennemis et maladies : cochenilles, pucerons.
Espèces et variétés : parmi les 60 espèces, la plus cultivée est *Billbergia nutans,* à la floraison retombante, parfois appelée « Pleurs de la Reine ».
Conseil Truffaut : votre billbergia appréciera d'être sorti en plein air à mi-ombre tout l'été.

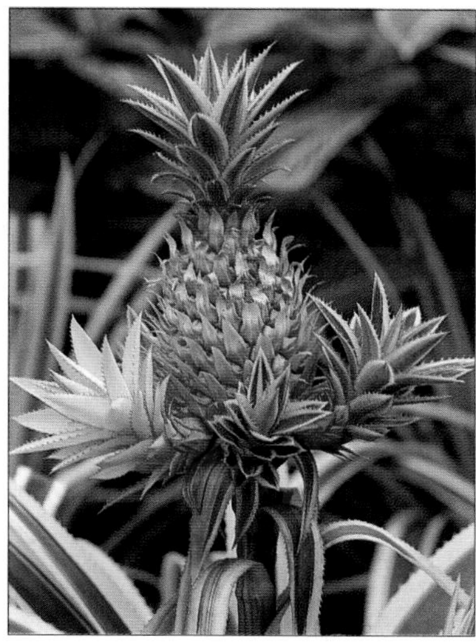

▲ *Ananas bracteatus* 'Tricolor' : un petit bijou coloré.

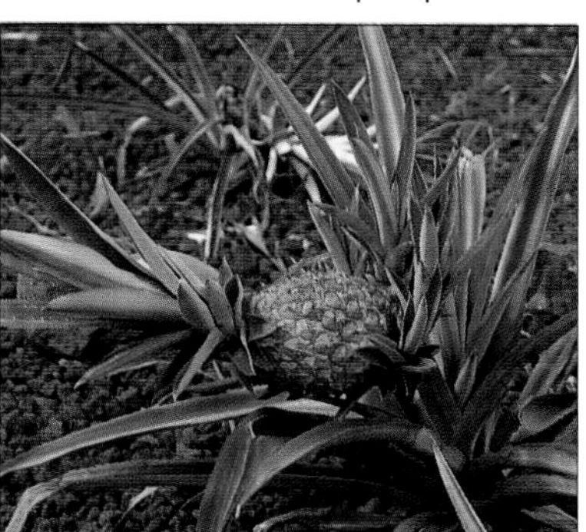

▲ *Ananas* 'Pernambaco' : un beau fruit à savourer.

Billbergia nutans 'Windii' : une touffe très généreuse. ▶

▲ *Cryptanthus bivittatus* var. *minor* : un port très étalé.

▲ *Cryptanthus zonatus* 'Zebrinus' : des feuilles tigrées.

Cryptanthus spp.
CRYPTANTHE

  25 °C 18 °C 

Vivace terrestre naine, couvre-sol, persistante. Son nom signifie que les fleurs sont cachées au cœur de la rosette de feuilles. Elle pousse dans les forêts sèches jusqu'à 1 600 m d'altitude.

Origine : est du Brésil.

Feuilles : de 15 à 30 cm de long, coriaces, à bord ondulé, formant une rosette épineuse. Elles sont très décoratives par leurs dessins et leurs couleurs.

Floraison : de petites fleurs solitaires, généralement blanches, insignifiantes, apparaissent en été.

Lumière : placez les cryptanthes devant une fenêtre, protégés du soleil direct de midi. Une situation mi-ombragée est également tolérée.

Terre : un mélange bien drainé, à parts égales de tourbe, terreau de feuilles, sable, mulch d'écorces.

Engrais : de mars à septembre, apportez tous les 15 jours un engrais liquide pour orchidées.

Humidité de l'air : au moins 60 %. Vaporisez la plante quotidiennement pour assurer une hygrométrie suffisante. Si les feuilles se recroquevillent, c'est un signe que l'air est trop sec.

Arrosage : deux fois par semaine en été, une seule fois le reste de l'année, avec de l'eau non calcaire.

Rempotage : inutile, car les racines ne se développent pas beaucoup et la croissance est lente.

Exigences particulières : les cryptanthes ne sont pas épiphytes comme beaucoup de broméliacées, ils nécessitent un vrai mélange terreux.

Dimensions : de 10 à 30 cm d'envergure.

Multiplication : séparez et rempotez dans une coupe les nombreux rejets émis par la plante.

Longévité : la plante meurt après la floraison. Un rejet pousse environ 3 à 4 ans avant de fleurir.

Ennemis et maladies : cochenilles des racines, araignées rouges, mouches blanches.

Espèces et variétés : il existe une vingtaine d'espèces difficiles à distinguer. De nombreux hybrides ont été obtenus, dont 'Pink Starlight' rayé de différentes nuances de rose, qui ressemble beaucoup à *Cryptanthus bivittatus* var. *minor*; *C. zonatus* 'Zebrinus', aux rayures irrégulières et transversales très marquées.

Conseil Truffaut : cultivez les cryptanthes dans un bocal, une bouteille ou un terrarium, où ils trouveront les conditions d'humidité qui leur plaisent.

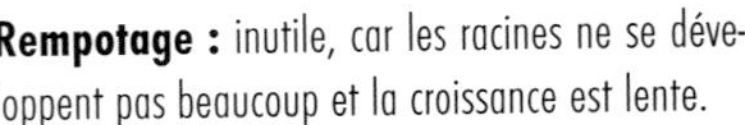

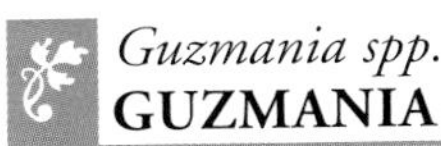

Guzmania spp.
GUZMANIA

  24 °C 15 °C 

Vivace épiphyte persistante, formant une rosette au cœur de laquelle s'élève une inflorescence accompagnée de bractées très colorées.

Origine : Amérique du Sud et centrale.

Feuilles : de 40 à 70 cm de long, étroites, unies ou rayées, elles s'imbriquent les unes dans les autres, formant la rosette typique des broméliacées.

Floraison : les fleurs, insignifiantes et éphémères, sont accompagnées de spectaculaires bractées colorées, formant une inflorescence étonnante.

Lumière : placez le guzmania devant une fenêtre, en le protégeant du soleil direct par un voilage. Une lumière trop vive ternit la couleur des bractées.

Terre : tourbe, sable et terreau de feuilles.

Engrais : toute l'année, apportez toutes les 2 à 3 semaines un engrais liquide pour orchidées.

◀ Les guzmanias hybrides restent en fleur plusieurs mois.

▲ *Guzmania conifera* : un épi très serré.

▲ *Guzmania scherzerianum* : éclatant.

▲ *Guzmania* x 'Tutti frutti' : très nuancé.

▲ *Guzmania musaica* : des œufs d'or.

Humidité de l'air : minimum 50 à 60 %. Vaporisez tous les jours s'il fait chaud.

Arrosage : maintenez toujours une petite réserve d'eau non calcaire au cœur de la rosette, complétée au printemps et en été par un arrosage une fois par semaine sur le mélange terreux.

Rempotage : uniquement pour les jeunes plants repiqués, au printemps, s'ils sont trop à l'étroit.

Exigences particulières : videz la rosette de l'eau qu'elle contient si la température descend au-dessous de 18 °C.

Dimensions : jusqu'à 75 cm de haut et 60 cm de large, avec une moyenne de 40 cm.

Multiplication : séparation et rempotage des rejets qui apparaissent à la base de la rosette. Il est également possible de réaliser un semis à chaud.

Longévité : comptez 3 ans avant la floraison, ensuite la plante meurt dans les 6 mois environ.

Ennemis et maladies : limaces et escargots.

Espèces et variétés : on recense 120 espèces et des centaines d'hybrides, surtout *Guzmania lingulata,* à feuilles tendres vert clair. Hampe aux bractées rouges, jaunes, orange ou blanches. Les autres formes sont plutôt des plantes de collection.

Conseil Truffaut : surtout pas de courants d'air.

Neoregelia NÉORÉGELIA

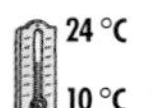

Vivace rhizomateuse épiphyte ou terrestre, dont la base des feuilles rougit lors de la floraison.

Origine : Amérique du Sud, dans les forêts tropicales, jusqu'à 1 600 m d'altitude.

Feuilles : de 30 à 70 cm de long, rubanées, coriaces, vertes ou bicolores, elles forment une rosette en entonnoir ou une étoile bien étalée.

Floraison : une inflorescence courte, plutôt plate, apparaît au centre de la rosette, accompagnée de bractées colorées. Les fleurs ne durent qu'une nuit.

Lumière : placez le néorégelia devant une fenêtre orientée au sud, en plein soleil, en le protégeant des rayons les plus vifs de l'été.

Terre : tourbe, terreau fibreux et sable.

Engrais : toute l'année, apportez tous les 15 jours un engrais liquide pour orchidées.

Humidité de l'air : minimum 60 %. Vaporisez quotidiennement la plante par temps chaud.

Arrosage : deux fois par semaine en été, tous les 6 à 8 jours le reste du temps. Remplissez d'eau tiède l'entonnoir que forme la rosette de feuilles.

Rempotage : seulement les rejets de la plante mère, après la floraison de cette dernière.

Exigences particulières : dépoussiérez le feuillage avec une éponge. Pas de lustrant.

Dimensions : de 60 cm à 1,50 m de large.

Multiplication : détachez et empotez les rejets qui émergent autour de la plante mère.

Longévité : de 2 à 3 ans avant la floraison.

Ennemis et maladies : attention à la pourriture, redoutable si la température est trop fraîche.

Espèces et variétés : sur les 70 espèces, la plus cultivée est *Neoregelia carolinae,* qui a donné de nombreux hybrides, dont 'Tricolor' à feuilles colorées. Les autres sont des plantes de collection.

Conseil Truffaut : les néorégelias offrent le meilleur effet lorsqu'ils sont vus par dessus.

▲ *Neoregelia carolinae* 'Tricolor' : un décor permanent.

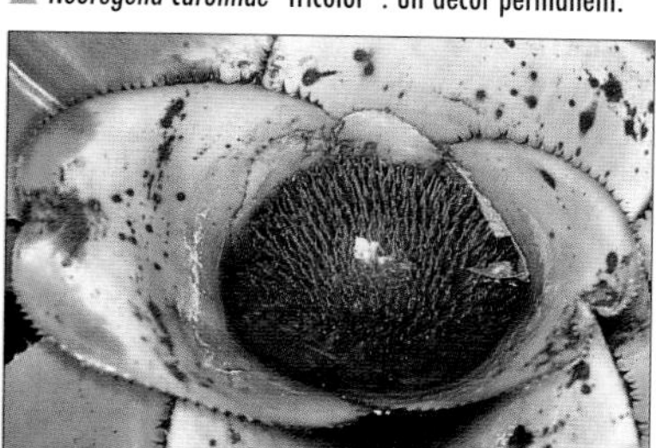
▲ *Neoregelia concentrica* atteint 90 cm de diamètre.

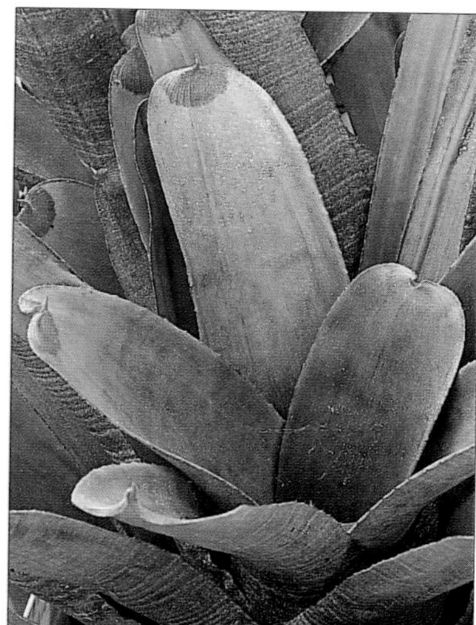
Neoregelia spectabilis : une grande rosette épineuse. ▶

▲ *Nidularium fulgens* hybride : des bractées très vives.

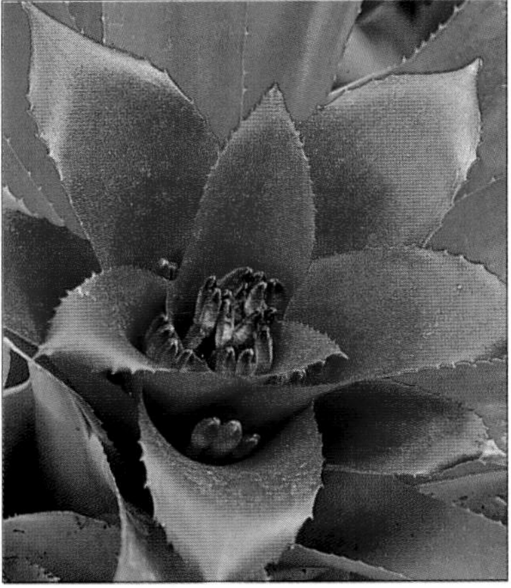

▲ *Nidularium lindenii* var *viride* : une plante de collection.

◀ *Nidularium scheremetiewii* 'Regel' : des coloris subtils.

Nidularium spp. NIDULARIUM

Vivace persistante épiphyte, formant une rosette bien étalée. Ce genre, très proche des *Neoregelia*, auxquels il est parfois rattaché, en diffère par son inflorescence, qui émerge du centre de la rosette.

Origine : forêts pluviales du Brésil et du bassin amazonien, jusqu'à 2 000 m d'altitude.

Feuilles : de 20 à 60 cm de long, coriaces, lustrées, à bords dentés, parfois rayées ou tachetées.

Floraison : un épi de petites fleurs rouges ou blanches, souligné par des bractées colorées.

Lumière : vive, mais sans soleil direct.

Terre : tourbe fibreuse, sable grossier, terreau de feuilles et écorces compostées en mélange équilibré.

Engrais : toute l'année, vaporisez une fois par semaine avec un engrais foliaire.

Humidité de l'air : de 60 à 70 %. Vaporisez.

Arrosage : laissez en permanence de l'eau non calcaire au cœur de la rosette. Mouillez copieusement le terreau chaque semaine, toute l'année.

Rempotage : les jeunes plantes, tous les 2 ans.

Exigences particulières : la lumière doit être assez intense, sinon les feuilles rayées ou colorées de certaines variétés verdissent. Éloignez les plantes des sources de chauffage qui dessèchent.

Dimensions : de 40 à 120 cm de diamètre.

Multiplication : séparez les rejets de la plante mère lorsqu'ils ont atteint 15 cm de diamètre. Ils fleuriront à leur tour au bout de 2 ou 3 ans de culture. Le semis est réservé aux professionnels.

Longévité : 3 ou 4 ans, puis la plante meurt quelques mois après la floraison.

Ennemis et maladies : si la plante est exposée longtemps à moins de 18 °C, arrosée avec de l'eau de ville ou plantée dans un substrat trop calcaire, il y a de forts risques de pourriture. La pointe des feuilles se dessèche si l'air est trop sec.

Espèces et variétés : sur les 25 espèces connues, fort peu sont cultivées pour l'intérieur. *Nidularium fulgens* et ses hybrides, au bouquet de bractées de diverses nuances de rouge, est le plus courant ; *N. regelioides, N. scheremetiewii, N. lindenii* sont des plantes de collection assez peu courantes, de même que *N. procerum* var. *kermesianum,* aux bractées rouges nuancées de jaune ; *N. billbergioides* ressemble un peu à un guzmania, avec sa hampe jaune, bien en évidence au-dessus des feuilles.

Conseil Truffaut : les nidulariums ont du mal à résister à la sécheresse de l'air de nos intérieurs. Vous obtiendrez de bons résultats en installant le pot dans un cache-pot rempli de sphagnum, maintenu constamment humide. L'achat d'un humidificateur électrique est tout à fait approprié.

Tillandsia spp. FILLE DE L'AIR

Vivace persistante dont les espèces à feuilles grises, épiphytes, n'ont pas besoin de terre et sont souvent proposées fixées sur une pierre, un morceau de bois ou une écorce. Les *Tillandsia* à feuilles vertes ou partiellement écailleuses sont terrestres et parfaits pour la culture en pot ou pour garnir une bouteille ou un terrarium.

Origine : Amérique tropicale et subtropicale.

▲ *Tillandsia andreana* : tout hérissé.

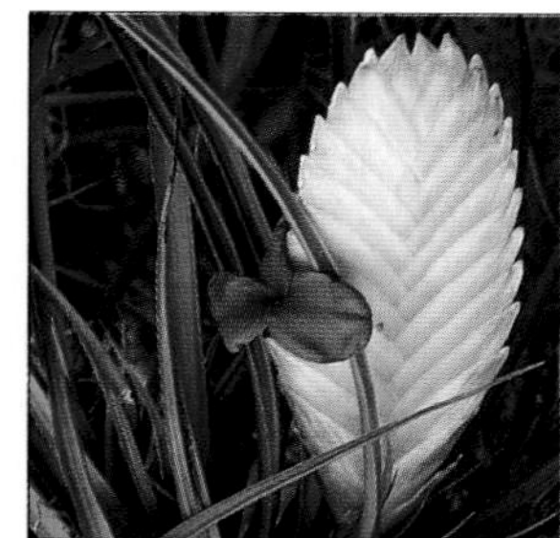

▲ *Tillandsia cyanea* : le plus commun.

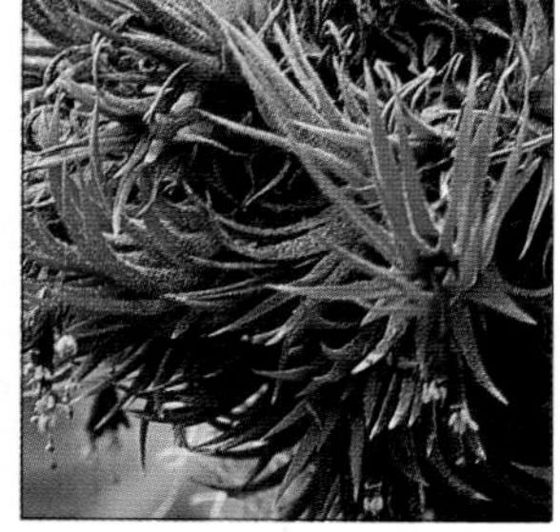

▲ *Tillandsia ionantha* : à suspendre.

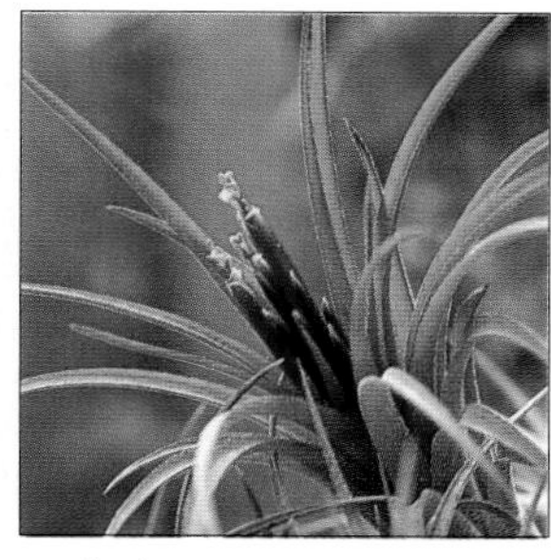

▲ *Tillandsia* x 'Victoriae' : très aérien.

Feuilles : très variables d'une espèce à l'autre. Étroites et très effilées, de 3 à 12 mm de large sur 5 à 25 cm de long, les feuilles grises sont couvertes d'écailles, capables de capter l'humidité ambiante. Les feuilles fines, partiellement écailleuses, de 20 à 40 cm de long, sont étroites, linéaires, semi-érigées, vert très foncé. Les feuilles lisses, plates, non épineuses, vert vif atteignent 40 cm de long.

Floraison : des fleurs tubulaires sont groupées en épi aplati porté sur une hampe courte. Chez certains tillandsias, l'inflorescence est accompagnée de bractées très colorées d'une grande longévité.

Lumière : vive, mais pas de soleil direct.

Terre : sable, tourbe fibreuse, terreau de feuilles et écorces pour les tillandsias verts. Suspendez les autres sur un support, sans aucun substrat.

Engrais : de mai à septembre, vaporisez tous les 15 jours avec un engrais foliaire.

Humidité de l'air : au moins 60 %, dès que la température atteint 15 °C.

Arrosage : inutile pour les formes épiphytes, mais vaporisez. Une fois par semaine pour les tillandsias cultivés en pot. Si la température est basse en hiver, maintenez presque au sec.

Rempotage : inutile pour les tillandsias à feuilles grises, tous les 2 ou 3 ans pour les autres.

Exigences particulières : une période de repos végétatif au frais durant l'hiver est très bénéfique.

Dimensions : 20 à 60 cm de long.

Multiplication : séparez les rejets lorsqu'ils ont atteint 7 à 8 cm de long.

Longévité : de 3 à 5 ans, avant que la plante ne meure, une fois sa floraison terminée.

Ennemis et maladies : parfois cochenilles.

Espèces et variétés : avec plus de 400 espèces, c'est le genre le plus riche de la famille des broméliacées. *Tillandsia cyanea* et *T. lindenii*, à fleurs bleues, sont les plus fréquemment vendus en pot ; *T. usneoides*, la « Barbe de vieillard », appelé aussi « Mousse espagnole », est le plus étonnant avec son enchevêtrement de tiges argentées qui poussent sans terre ; *T. dyeriana* est une plante nouvellement proposée, très élégante, qui porte des inflorescences très colorées, sur des pétioles graciles.

Conseil Truffaut : vérifiez que les tillandsias que vous achetez ont bien été multipliés par des horticulteurs, car beaucoup d'espèces, surtout les épiphytes, sont menacées dans leur habitat naturel.

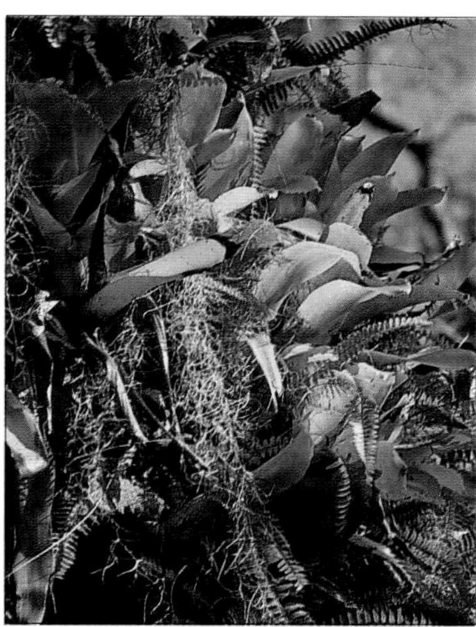

▲ *Tillandsia usneoides* : l'étonnante « Barbe de vieillard ».

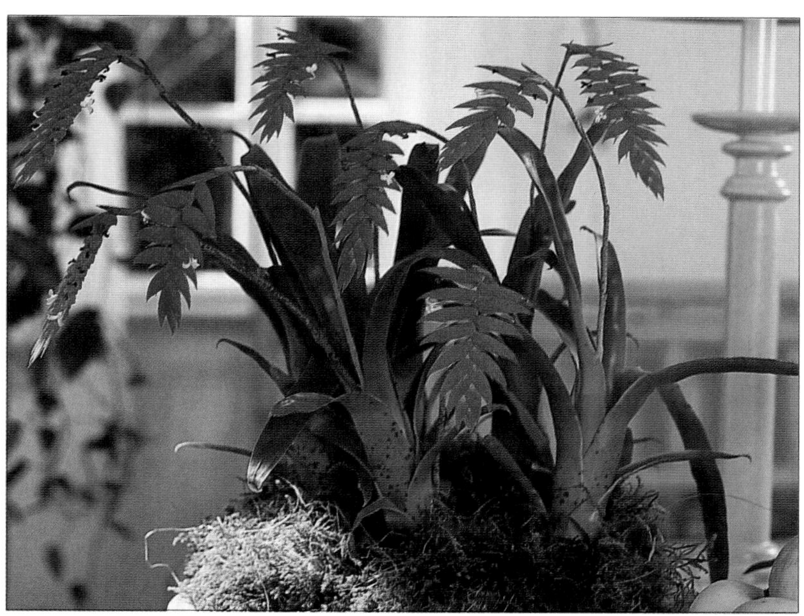

Tillandsia dyeriana : une espèce gracieuse et originale. ▶

Vriesea zamorensis : une hampe d'une grande finesse.

Vriesea gigantea peut atteindre 2 m, fleur comprise.

Vriesea x 'Poelmanii' : un bel épi rouge brillant.

Vriesea spp. VRIÉSÉA

24 °C
15 °C

Ces vivaces persistantes, principalement épiphytes, sont assez proches des *Tillandsia*, mais avec des feuilles généralement plus larges et moins coriaces. Les *Vriesea* forment toujours des rosettes de feuilles plates, allongées, rigides, non épineuses, au milieu desquelles émerge une haute tige surmontée d'un épi floral. Avec leur silhouette élancée, et leurs inflorescences très graphiques, les vriéséas s'intègrent particulièrement bien dans un décor intérieur moderne.

Origine : Mexique, Antilles, Brésil, Venezuela, Guyane, Pérou, Colombie, Équateur, dans les zones rocheuses et les forêts, jusqu'à 2 500 m d'altitude.

Feuilles : de 20 à 80 cm de long, linéaires, coriaces, recourbées dans leur partie supérieure, elles forment une rosette serrée avec un entonnoir central. Selon les espèces et les cultivars, les feuilles sont unies, rayées, tachetées ou marbrées.

Floraison : l'inflorescence est un épi, uni ou multicolore, simple ou ramifié, composé de toutes petites fleurs, jaunes ou blanchâtres, entourées de bractées rouges ou jaunes. Les fleurs se fanent très vite, mais les bractées persistent plusieurs mois, assurant l'aspect décoratif de cette belle plante.

Lumière : installez le vriéséa devant une fenêtre bien exposée, mais en le préservant du soleil direct, de mai à août, par un voilage translucide. Dans la nature, la plupart des vriéséas prospèrent sous une lumière atténuée par la frondaison des arbres.

Terre : préparez un mélange composé de deux parts de tourbe de sphaignes encore fibreuse, d'une part de terreau de feuilles et d'une part de sable. Pour qu'il soit bien drainé, versez du gravier ou des billes d'argile au fond du pot, et séparez-les du mélange terreux avec un morceau de feutre jardin.

Engrais : d'avril à octobre, vaporisez un engrais foliaire chaque semaine. Chez les jeunes plantes n'ayant pas encore fleuri, renforcez la fertilisation avec un apport mensuel d'engrais liquide pour orchidées. Vous pouvez aussi verser dans l'entonnoir formé par la rosette de feuilles une solution nutritive très diluée (un bouchon d'engrais pour plantes fleuries pour 10 litres d'eau). Les feuilles des vriéséas sont pourvues de cellules capables d'assimiler les matières organiques contenues dans le réceptacle central, ce qui apporte à la plante des compléments nécessaires à sa croissance. Les racines ont plutôt un rôle de fixation.

Humidité de l'air : minimum 60 à 70 %. Dès que la température dépasse 18 °C, vaporisez la plante tous les jours avec de l'eau douce en brumisation fine, en évitant de mouiller l'inflorescence. Vous pouvez aussi augmenter l'hygrométrie, en posant le pot sur une soucoupe remplie de sable, de gravillons ou de billes d'argile maintenus humides en permanence. Veillez à ce que la base du pot ne trempe pas directement dans l'eau.

Arrosage : remplissez la rosette d'eau non calcaire, à température ambiante, sauf en hiver où la plante doit être maintenue presque au sec. Durant la période de croissance, arrosez tous les 3 jours, avec une eau douce, non calcaire.

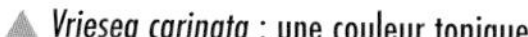

▲ *Vriesea carinata* : une couleur tonique.

▲ *Vriesea* x *mariae* : à gauche, la fleur.

▲ *Vriesea* x 'Poelmanii' : très gracieux.

▲ *Vriesea* x 'Tiffany' : des doigts d'or.

Rempotage : deux ans après avoir séparé les rejets, rempotez les jeunes plantes dans un mélange de terreau de feuilles, de tourbe de sphaignes et de brique concassée. Pour aider les rejets à s'enraciner avant de les couper, entourez leur base de mousse (sphagnum) maintenue humide, ou recouvrez-les d'un petit tas de tourbe. Maintenez ces jeunes cultures au chaud, à l'ombre et dans une atmosphère très humide.

Exigences particulières : il faut attendre en moyenne quatre ou cinq ans, c'est-à-dire plus longtemps que pour les autres broméliacées, avant que les rejets transplantés ne fleurissent à leur tour.

Dimensions : de 30 cm à 1 m de haut et de large en moyenne, mais *Vriesea imperialis*, le géant du genre, atteint de 3 à 5 m de haut.

Multiplication : séparez les rejets qui apparaissent au pied de la plante mère dès qu'ils ont atteint le tiers de la hauteur de la plante adulte. Empotez-les dans un mélange contenant deux fois plus de sable que le substrat contenant les plantes adultes. On peut aussi multiplier les vriéséas par semis. Il est assez rare que les graines parviennent à maturité dans les conditions normales de nos intérieurs. Les graines ailées sont éparpillées à la surface d'un mélange très léger de fibres de fougères, de sable et de sphagnum. La germination demande trois semaines dans une miniserre à 25 °C. Après 3 ou 4 mois, quand les plantules portent deux ou trois feuilles, repiquez-les en terrine puis, un an après, en godets individuels.

Longévité : après la floraison, la rosette de feuilles survit un an ou deux. Il faut obligatoirement repiquer les rejets pour continuer le cycle.

Ennemis et maladies : le dessèchement et le brunissement du bout des feuilles signalent une atmosphère trop sèche. Vous pouvez couper proprement les extrémités sèches. Veillez par la suite à maintenir une bonne hygrométrie ambiante. La pourriture de la plante est la conséquence d'une température trop basse. Des cochenilles peuvent se manifester, mais elles sont rares. Traitez obligatoirement votre plante avec un insecticide en aérosol, en respectant une distance de pulvérisation d'au moins 50 cm, afin de ne pas brûler les feuilles.

Espèces et variétés : le genre *Vriesea* compte 250 espèces. *Vriesea splendens*, à feuilles rayées transversalement, porte un grand épi plat, rouge vif. C'est le plus couramment proposé. Les horticulteurs ont produit de nombreux hybrides, moins délicats à cultiver que les espèces botaniques. Certains portent des épis multicolores plus ou moins ramifiés. *V. hieroglyphica*, aux feuilles vert pâle rayées transversalement, est une des plus belles espèces.

Conseil Truffaut : vous pouvez vous inspirer de la nature et installer les vriéséas sur un vieux tronc ramifié. Dépotez chaque plante, entourez les racines de mousse, et attachez-les à l'aide d'un fil plastifié, de raphia synthétique ou d'une bande ajourée en plastique. Pulvérisez la plante quotidiennement et laissez un peu d'eau dans la rosette.

Pour favoriser la floraison de toutes les broméliacées, vous pouvez placer la plante adulte dans une miniserre ou sous un sac plastique hermétique, avec deux ou trois pommes tranchées en morceaux. En se décomposant, la pomme va dégager de l'éthylène, qui stimule la floraison.

▲ *Vriesea ospinea* : une rareté resplendissante.

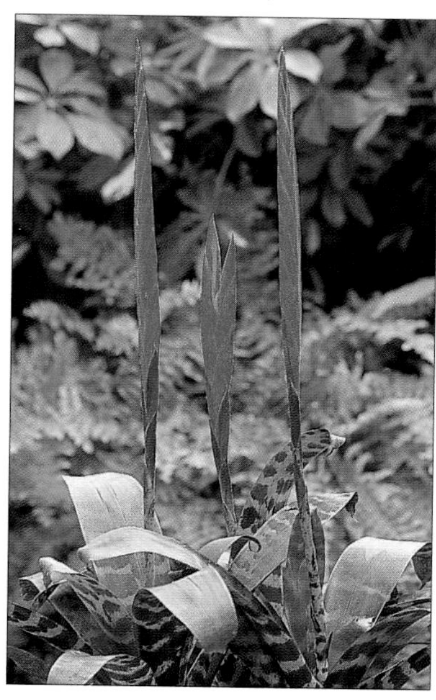

Vriesea splendens : le plus couramment cultivé. ▶

LES PLANTES CARNIVORES

Le mythe de la plante tueuse a beau avoir été détruit depuis longtemps et ramené à ses justes proportions, il reste toujours aussi tenace. ❧ *Les plantes carnivores symbolisent à merveille l'impression de mystère et d'étrangeté que suscite la nature sauvage. Elles nous subjuguent par leur ingéniosité, leur parfaite adaptation à un milieu hostile et tout simplement par leur beauté.* ❧ *Pour dire vrai, mieux vaut parler de plantes insectivores que de carnivores. L'idée reprise parfois dans certaines publicités à sensation, voulant que l'on nourrisse ses plantes avec des morceaux de viande fraîche est tout aussi mensongère que stupide. Les plantes insectivores ne sont pas les monstres assoiffés de sang qu'ont imaginés les auteurs de science-fiction.* ❧ *Pourtant, si l'on devait se retrouver dans un scénario du genre : « Chéri, j'ai rétréci le jardinier » et que, par la fantaisie d'un savant fou, nous nous retrouvions subitement réduits à la taille d'un moucheron, le problème serait tout autre.* ❧ *Le piège à loup que constitue la feuille-mâchoire de la dionée, le puits-oubliette du népenthès ou de la sarracenia, la glu des tentacules de la drosera seraient autant de menaces réelles et d'une rare efficacité.* ❧

Si un beau jour, quelques plantes se sont mises à « manger », ou plutôt à « digérer » des insectes, c'est tout simplement pour survivre à un environnement hostile où le sol est si pauvre ou tellement acide qu'il empêche les plantes d'assimiler leurs éléments nutritifs par la voie normale des racines. ❧ *Ne trouvant pas de quoi satisfaire à leurs besoins en sels minéraux et en oligoéléments, ces plantes ont évolué jusqu'à être capable d'extraire le nécessaire de la matière organique.* ❧ *C'est ainsi qu'elles en sont venues à piéger des êtres vivants, qui leur assurent le complément nutritif indispensable.* ❧

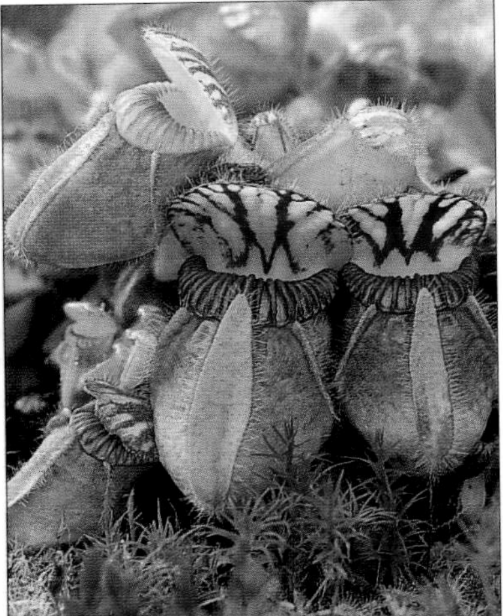
Cephalotus follicularis : des urnes courtes et colorées.

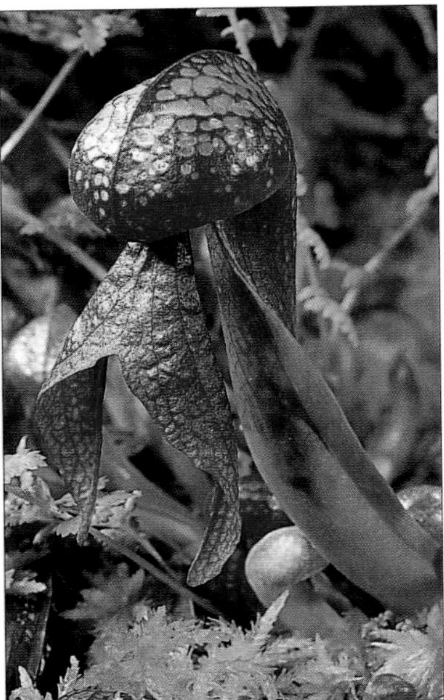
Darlingtonia californica : on l'appelle la « plante cobra ».

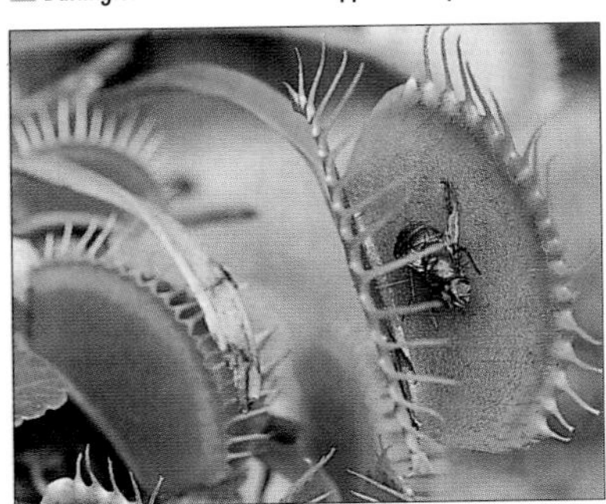

Cephalotus follicularis
CEPHALOTUS

Plante vivace herbacée, formant des urnes renflées, coiffées d'un petit couvercle immobile.

Origine : marécages du sud-ouest de l'Australie.

Feuilles : persistantes, ovales, plates au printemps; évoluant en forme d'urne qui constitue un piège passif contenant un liquide attractif.

Fleurs : de 3 à 5 mm de long, blanches, en bouquets d'une centaine, s'épanouissant en été, à l'extrémité d'un pédoncule de 50 à 60 cm de haut.

Lumière : maximale pour une belle coloration des urnes, tout en évitant le soleil trop brûlant.

Terre : sphaigne, tourbe fibreuse et sable.

Engrais : ne pas fertiliser.

Humidité de l'air : au moins 70 %.

Arrosage : tous les 2 ou 3 jours, à l'eau de pluie de mai à septembre. Tous les 5 à 6 jours ensuite.

Rempotage : au printemps, quand les jeunes ne parviennent pas à la dimension des anciennes.

Exigences particulières : maintenez la plante en repos, à 3 ou 4 °C durant un mois en hiver, et laissez sécher légèrement le substrat en surface.

Dimensions : de 5 à 8 cm de haut.

Multiplication : semis à l'étouffée, à 18 °C, au printemps, ou division des pousses secondaires.

Longévité : quelques mois à la maison de 2 à 5 ans dans un terrarium ou en serre tempérée.

Ennemis et maladies : pucerons et botrytis.

Espèces et variétés : *Cephalotus follicularis*, seule espèce du genre, est assez peu courant.

Conseil Truffaut : utilisez plutôt une coupe large et peu profonde, pour obtenir une belle touffe.

Darlingtonia californica
DARLINGTONIA

Plante vivace, dont les pièges en urnes courbées et incurvées évoquent une tête de cobra.

Dionaea muscipula : un piège à loup fort redoutable.

Origine : Oregon, Californie.

Feuilles : tubulaires, vertes, recourbées, avec un opercule bifide, comme une langue de serpent.

Fleurs : solitaires, de mai à juillet, en clochettes retombantes, à sépales verts et pétales bruns.

Lumière : mi-ombre, jamais de soleil direct.

Terre : tourbe blonde pure ou sphagnum vivant.

Engrais : ne pas fertiliser.

Humidité de l'air : plus de 70 %.

Arrosage : pulvérisez de l'eau de pluie chaque jour sur la plante et le substrat.

Rempotage : au printemps, seulement si la plante commence à déborder de son pot.

Exigences particulières : la darlingtonia supporte mal la chaleur en été, ombragez-la bien. Respectez en hiver, une période de repos entre 5 et 10 °C, en arrosant seulement tous les 5 à 7 jours.

Dimensions : de 40 cm à 1 m selon les espèces.

Multiplication : semis au printemps dans de la tourbe humide sans enterrer les graines. Division.

Longévité : quelques mois dans la maison. De 2 à 5 ans dans un terrarium, en serre froide.

Ennemis et maladies : cochenilles, oïdium.

Espèces et variétés : *Darlingtonia californica* est la seule espèce du genre.

Conseil Truffaut : plante marécageuse, la darlingtonia peut être plantée près d'un bassin et rester l'hiver dans le jardin, sous un petit châssis.

Dionaea muscipula
ATTRAPE-MOUCHES

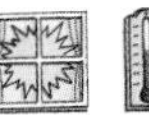

Plante vivace, dont les feuilles-pièges, agissant comme une trappe, se referment sur sa proie et l'écrasent doucement, avant de la digérer.

Origine : Caroline, New Jersey et Virginie (U.S.A).

Feuilles : de 3 à 8 cm de long, persistantes, en forme de mâchoire, rougeâtres en été.

Fleurs : en mai-juin, de 1 à 15 fleurs blanches de 1 cm de diamètre, portées au sommet d'une tige.

Lumière : soleil direct non brûlant.

Terre : tourbe blonde, sphaigne et sable.

Engrais : ne pas fertiliser.

Humidité de l'air : au moins 50 %.

Arrosage : trempez le pot dans une soucoupe pleine d'eau de pluie tous les 3 jours. Pas plus d'une fois par semaine durant l'hiver.
Rempotage : tous les 2 ans, courant avril.
Exigences particulières : la dionée formant des pseudo-bulbes souterrains, elle peut disparaître entièrement en hiver, puis repartir au printemps.
Dimensions : de 10 à 25 cm de haut et de large.
Multiplication : semis à 15 °C au printemps. Bouturage des feuilles ou des écailles du pseudo-bulbe, en juin, en miniserre à l'étouffée.
Longévité : de 1 à 3 ans à la maison.
Ennemis et maladies : pucerons.
Espèces et variétés : *Dionaea muscipula* est la seule espèce du genre, une plante assez courante.
Conseil Truffaut : arrosez la dionée par trempage du pot afin d'éviter de mouiller les feuilles.

Drosera ssp.
DROSERA

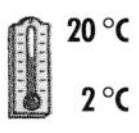
20 °C
2 °C

Vivace dont les feuilles engluent les insectes puis s'enroulent sur leurs proies pour les digérer.
Origine : cosmopolite, y compris la France.
Feuilles : de 1 à 6 cm de long, plates, rondes ou filiformes, vertes ou roses, garnies de poils gluants.
Fleurs : de 1 cm de diamètre, à 5 pétales, elles apparaissent du printemps à la fin de l'été, solitaires ou en bouquets, blanches, roses ou mauves.
Lumière : intense, mais sans soleil direct.
Terre : tourbe blonde, vermiculite et sable.
Engrais : ne pas fertiliser.
Humidité de l'air : de 60 à 90 %.
Arrosage : laissez baigner la base du pot dans de l'eau de pluie de mai à septembre. Maintenez le substrat à peine humide le reste de l'année.
Rempotage : au printemps, dans une coupe.
Exigences particulières : évitez de mouiller le feuillage lors des arrosages. Ne pas vaporiser.
Dimensions : de 1 cm à 1,50 m de long, pour certaines espèces rares, formant des sortes de lianes.
Multiplication : au printemps, semis, à 15 °C. Bouturage de feuilles ou séparation de rejets.
Longévité : de 1 à 3 ans, en pot, à la maison.
Ennemis et maladies : pucerons et botrytis.
Espèces et variétés : il existe plus de 100 espèces et de nombreux hybrides. *Drosera capensis* à longues feuilles est la plus souvent proposée.
Conseil Truffaut : maintenez la température et l'arrosage constants, le drosera n'hiverne pas.

Heliamphora ssp.
HELIAMPHORA

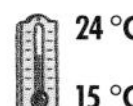
24 °C
15 °C

Plante vivace piégeant les insectes dans des cornets aux parois glissantes, au fond rempli d'eau.
Origine : Venezuela, Guyane.
Feuilles : de 10 à 15 cm de long, en cornet ouvert, surmonté d'une petite languette en forme de cuillère, vert ou teinté de rouge.
Fleurs : de février à octobre, blanc rosé, inodores.
Lumière : vive, avec soleil direct, non brûlant.
Terre : sphagnum, tourbe fibreuse et vermiculite.
Engrais : la plante ne les supporte pas.
Humidité de l'air : au moins 70 %.
Arrosage : quotidien, voire plusieurs fois par jour en été. Tous les 2 ou 3 jours en hiver.
Rempotage : chaque année au printemps.
Exigences particulières : le plein soleil favorise la croissance et la coloration des feuilles.
Dimensions : de 10 à 30 cm de haut et de large.
Multiplication : d'avril à début juillet, séparation des petites plantes qui se sont développées autour de la touffe principale.
Longévité : moins de 1 an dans la maison, jusqu'à 5 ans dans un terrarium en serre chaude.
Ennemis et maladies : pucerons et botrytis.
Espèces et variétés : sur les 5 espèces que renferme le genre *Heliamphora, H. heterodoxa, H. nutans* et *H. minor* sont les plus faciles à réussir. Certains spécialistes proposent aussi parfois des hybrides horticoles aux feuilles plus colorées ou aux fleurs plus grandes que celles des parents.
Conseil Truffaut : l'heliamphora pousse toute l'année. Il est inutile de lui faire subir un arrêt végétatif très marqué durant l'hiver.

▲ *Drosera aliciae* : des feuilles bordées de tentacules.

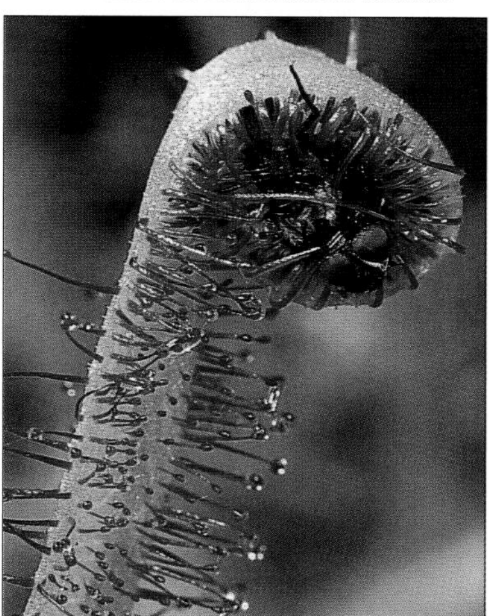
▲ *Drosera capensis* : elle s'enroule autour de l'insecte.

Heliamphora minor : un puits dont on ne ressort pas. ▶

▲ Les Népenthès réussissent bien mieux en suspension.

▲ *Nepenthes* x *coccinea* : un hybride aux urnes pourpres.

◀ *Nepenthes pervillei* : une multitude d'urnes translucides.

Nepenthes spp.
NÉPENTHÈS

25 °C
8 °C

Plante vivace terrestre, épiphyte ou grimpante, portant des pièges passifs en forme d'urnes à l'extrémité des feuilles.

Origine : on rencontre des népenthès dans toutes les régions indo-pacifiques, comprises entre les Seychelles au nord, Madagascar à l'ouest et la Nouvelle-Calédonie à l'est, avec une concentration importante d'espèces en Malaisie, à Bornéo, à Sumatra, aux Philippines, à Java et en Papouasie-Nouvelle-Guinée. Les népenthès poussent sur le sol forestier, sur les rochers, dans le sable du littoral ou accrochés sur les arbres. La plupart des espèces se concentrent dans les régions humides, mais certaines supportent une alternance saisonnière sèche et humide.

Feuilles : de 20 à 60 cm de long, oblongues, vertes ou jaune-vert. La nervure principale se prolonge au-delà du limbe, en une sorte de vrille qui se termine par l'urne-piège de 5 à 35 cm de haut. L'urne, de forme plus ou moins cylindrique, est renflée à la base et surmontée d'une sorte de couvercle immobile : l'opercule. L'embouchure est entourée d'un col lisse et luisant, qui attire et sert de « toboggan » aux insectes qui sont précipités dans l'urne. Des excroissances pointues débordent largement autour de la bouche de l'urne, formant le péristome, qui empêche la fuite des insectes pris au piège. Les urnes de la base de la plante diffèrent souvent de celles situées près du sommet : plus cylindriques, elles sont parfois garnies d'ailettes. L'intérieur du piège est tapissé de poils raides, dirigés vers le bas, qui font barrage à toute velléité d'évasion de la proie. Un liquide digestif se trouve au fond de l'urne.

Fleurs : les népenthès sont dioïques. Fleurs mâles et fleurs femelles poussent sur des plantes différentes. Groupées en bouquets, elles sont petites, pourvues de 4 sépales, mais apétales, les deux sexes restant difficiles à distinguer.

Lumière : contrairement à une idée répandue, les népenthès ne vivent pas sous le couvert de la jungle, mais affectionnent les situations dégagées ; leur biotope étant une grande partie de l'année dans le brouillard, il faut les protéger des fortes insolations par un voile léger.

Terre : 40 % de tourbe blonde, 40 % de perlite et 20 % de vermiculite ou de polystyrène expansé.

Engrais : de mars à octobre, arrosez tous les 10 jours avec un engrais liquide pour orchidées. Maintenez l'apport une fois par mois en hiver.

Humidité de l'air : de 70 à 90 %. Brumisez très régulièrement les feuilles en fonction de la température ambiante. Utilisez de l'eau de pluie ou une eau non calcaire que vous aurez laissée reposer plusieurs jours à la lumière, dans la pièce où vit la plante. Craignant les appartements, trop secs, les népenthès ne réussissent qu'en serre ou en véranda.

Arrosage : tous les 2 jours durant la période de végétation, pour maintenir le substrat humide en permanence; mais ne laissez pas d'eau stagner dans la soucoupe. Utilisez de l'eau déminéralisée, de l'eau de pluie ou une eau de source contenant très peu de minéraux (résidus à sec < 50 mg/l). Veillez à ce que la température de l'eau soit au moins équivalente à celle de la pièce. En hiver, réduisez l'arrosage à une ou deux fois par semaine.

Rempotage : tous les 2 ans, au printemps, de préférence en pots de terre assez profonds. Laissez tremper les pots neufs durant 24 h dans l'eau avant utilisation pour qu'ils s'imbibent d'humidité.

Exigences particulières : selon l'altitude à laquelle ils vivent dans la nature, les népenthès résistent à des températures variables. Certains, tels *Nepenthes rajah* ou *N. ventricosa,* supportent un minimum de 8 à 10 °C, de même que les formes hybrides couramment proposées dans le commerce. Pour les espèces plus tropicales, le minimum nocturne est de 15 °C. Durant la journée, la température ne doit pas descendre au-dessous de 21 °C, de 24 à 25 °C étant appréciés dans une serre.

▲ *Nepenthes bicalcarata* : ventru.

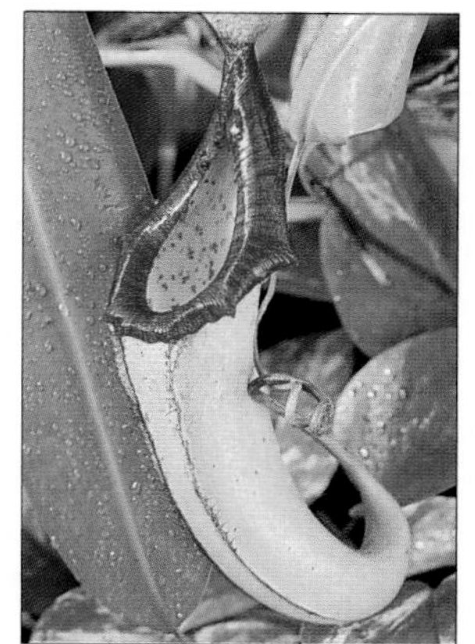
▲ *Nepenthes* x : en corne d'abondance.

▲ *Nepenthes stenophylla* : mimétique.

▲ *Nepenthes villosa* : velu, écarlate.

Dimensions : de 30 à 60 cm pour les sujets cultivés en pots ; jusqu'à plus de 20 m dans la nature, pour *Nepenthes ampullaria*.

Multiplication : bouturage de tiges au printemps, à l'étouffée, à chaud (25 à 27 °C). Marcottage aérien des longues tiges des népenthès grimpants de juin à septembre. Un peu d'hormones d'enracinement et une forte humidité du substrat et de l'air permettent l'obtention rapide de racines.

Longévité : quelques mois dans la maison. De 2 à 5 ans dans une véranda.

Ennemis et maladies : pucerons et cochenilles parasitent les plantes souffrant de sécheresse ou affaiblies par des engrais trop riches en azote. Les insecticides du commerce étant mal tolérés (bombes ou huiles), mieux vaut éliminer les premières cochenilles repérées, en les frottant avec un coton imprégné de savon de Marseille.

Espèces et variétés : plus de 70 espèces ont été recensées, auxquelles s'ajoutent de nombreuses variétés et hybrides d'origine naturelle ou horticole. *Nepenthes bicalcarata,* originaire du nord-ouest de Bornéo, pousse dans les marécages à moins de 1 000 m d'altitude. Ses feuilles peuvent mesurer jusqu'à 60 cm de long, avec des urnes de 5 à 13 cm de haut. *N. stenophylla* pousse vers 2 000 m d'altitude à Bornéo ; ses urnes étroites, de 15 à 20 cm de long, sont vert strié de pourpre. *N. villosa* pousse dans la région du Sabah, à Bornéo ; les urnes, de 5 à 12 cm de diamètre et de 20 cm de long, se caractérisent par leur péristome très charnu, rouge. *N. rajah,* originaire du mont Kinabalu à Bornéo, développe les plus grandes urnes, capables de digérer un rat ou un oiseau. *N. albomarginata* a des urnes atteignant la longueur d'une main. *N. pervillei,* originaire des Seychelles, se reconnaît facilement à ses urnes renflées au milieu. Les hybrides sont plus couramment proposés dans les jardineries, notamment *N.* x *coccinea,* une forme aux urnes rouges, multipliée *in vitro.* Citons aussi la variété 'Île de France', aux urnes vertes teintées de rose, dont le col assez large est strié de rouge.

Conseil Truffaut : le népenthès ne connaît pas de vraie période de repos. Maintenez des conditions de culture stables, tout en laissant le substrat sécher légèrement en hiver, si la température de la pièce est inférieure à 16 °C.

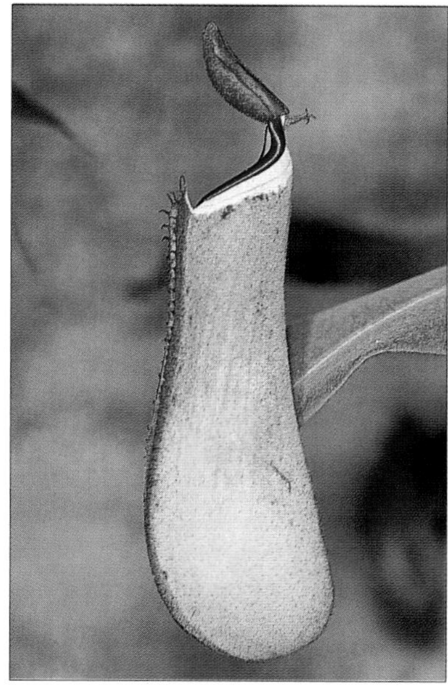
▲ *Nepenthes albomarginata* : une coloration très subtile.

Nepenthes rajah : dans son biotope de Bornéo. ▶

Pinguicula grandiflora : papier tue-mouches vivant.

Pinguicula sethos : une floraison délicate en été.

Pinguicula spp. GRASSETTE

Cette vivace ressemble un peu à une primevère auricule. Ses feuilles collantes immobilisent les insectes, puis s'enroulent lentement sur elles-mêmes pour les digérer.

Origine : régions tempérées ou arctiques de l'hémisphère Nord, Amérique centrale, Argentine, Caraïbes et régions tropicales et subtropicales.

Feuilles : de 3 à 10 cm de long, vertes, jaune-vert, parfois rosées. Ovales, arrondies ou oblongues, plates, plus ou moins ondulées, souvent assez larges et enroulées sur les bords, elles constituent une rosette plaquée au sol. Certaines grassettes produisent, après la floraison, des feuilles de forme différente (plantes hétérophylles).

Fleurs : le plus souvent printanières, elles sont solitaires, de couleur vive (roses, blanches, bleues, jaunes, violettes ou pourpres), portées sur des tiges fines. Certains *Pinguicula,* d'origine tropicale, fleurissent une deuxième fois durant l'été.

Lumière : jamais de soleil direct. La plupart des grassettes apprécient une situation ombragée.

Pinguicula agnata : peu courante, mais très florifère.

Terre : les espèces les plus courantes poussent indifféremment sur un sol acide ou alcalin, composé de 2/3 de vermiculite et de 1/3 de tourbe brune pas trop broyée. Sphagnum, tourbe blonde fibreuse et sable non calcaire en mélange conviennent aussi.

Engrais : ne pas fertiliser, la concentration en sels minéraux pouvant être fatale à la plante.

Humidité de l'air : minimum 75 %.

Arrosage : maintenez la base du pot en permanence dans un peu d'eau durant la belle saison. D'octobre à mars, 2 arrosages par semaine suffisent.

Rempotage : chaque année, au début du printemps, lorsque la plante reprend sa croissance.

Exigences particulières : les grassettes tropicales pourrissent souvent en hiver. Un traitement préventif avec un fongicide de synthèse peut donner des résultats. Mais mieux vaut réduire la température autour de 10 °C, ainsi que les apports d'eau.

Dimensions : 5 à 15 cm de haut (feuilles). Les hampes florales peuvent atteindre 60 cm.

Multiplication : séparation à la fin de l'été des rosettes apparaissant autour de la plante mère.

Longévité : quelques mois dans la maison. De 1 à 3 ans dans un terrarium ou en serre froide.

Ennemis et maladies : pucerons, acariens.

Espèces et variétés : 45 espèces ont été recensées, ainsi que de nombreux hybrides. *Pinguicula grandiflora,* originaire de l'Europe de l'Ouest, est une des plus faciles et des plus spectaculaires, avec ses fleurs bleu foncé ; *P. sethos,* aux fleurs roses à cœur blanc, ressemble beaucoup à *P. moranensis* (ou *caudata*), originaire du Mexique ; *P. agnata* est une espèce rare, aux feuilles légèrement rougeâtres, qui produit une abondance de fleurs blanches.

Conseil Truffaut : abaissez toujours la température nocturne de 3 à 5 °C.

Sarracenia spp. SARRACÉNIA

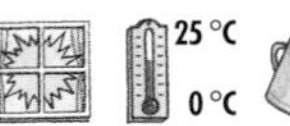

Plante vivace dont les feuilles en forme de cornet ou de trompette, surmontées d'un large col plus ou moins ondulé ou simulant une ébauche de couvercle, forment des pièges passifs.

Origine : Amérique du Nord. Du Canada (lac Great Slave) à Boston et de Washington à Houston.
Feuilles : de 10 cm à 1 m de long, enroulées, formant un cornet vertical ou prostré contre le sol et réunies en touffes. Chez certaines espèces, les feuilles-pièges disparaissent, en hiver, pour laisser la place à des feuilles plates (plantes hétérophylles).
Fleurs : de 3 à 8 cm de diamètre, au printemps, solitaires, portées par une tige pouvant dépasser 70 cm de haut. Souvent pendantes, les fleurs sont composées de 5 sépales et de 5 pétales plus longs. Elles sont colorées de rouge, de jaune, de rose, d'orange ou de brun et durent longtemps.
Lumière : le plein soleil toute l'année. Les sarracénias peuvent supporter de très fortes chaleurs.
Terre : moitié de tourbe blonde, 1/4 de vermiculite et 1/4 de polystyrène expansé. Ou sphagnum, tourbe blonde fibreuse et perlite, à parts égales.
Engrais : ne pas fertiliser, la sarracénia doit pousser, comme toutes les carnivores, dans un milieu carencé en éléments minéraux.
Humidité de l'air : 50% minimum. Ne pas vaporiser pour éviter de tacher les feuilles.
Arrosage : de mai à septembre, laissez tremper la base du pot en permanence dans un peu d'eau de pluie. D'octobre à avril, arrosez tous les 5 jours, juste pour maintenir le substrat légèrement humide.
Rempotage : tous les 2 ans. Utilisez des pots assez grands et plutôt profonds, pour permettre un bon développement du rhizome.
Exigences particulières : bien que les sarracénias supportent des petites gelées de courte durée dans leur milieu naturel, la température, en hiver, ne doit pas descendre au-dessous de 5 °C pour tous les spécimens cultivés en pot.

▲ *Sarracenia psittacina* : une masse de pièges en urnes.

Dimensions : de 10 cm à 1 m de hauteur.
Multiplication : division de touffe au printemps.
Longévité : de 2 à 5 ans, en serre froide.
Ennemis et maladies : pucerons et cochenilles en été (parfois aussi sur les rhizomes souterrains). Botrytis (pourriture) en hiver.
Espèces et variétés : 8 espèces et des dizaines d'hybrides sont répertoriés. *Sarracenia psittacina* forme des urnes prostrées sur le sol, se terminant comme un bec de perroquet ; *S. purpurea* est rouge pourpre ; *S. flava* fleurit jaune ; *S. leucophylla*, a des urnes tachetées de blanc ; *S. purpurea* est veloutée, foncée, presque noire.
Conseil Truffaut : les sarracénias embellissent au fil des années. Évitez de les diviser trop souvent et laissez les touffes prospérer dans de grands pots.

▼ *Sarracenia* x *swaniana* : une superbe ponctuation.

▼ L'étrange floraison de la sarracénia.

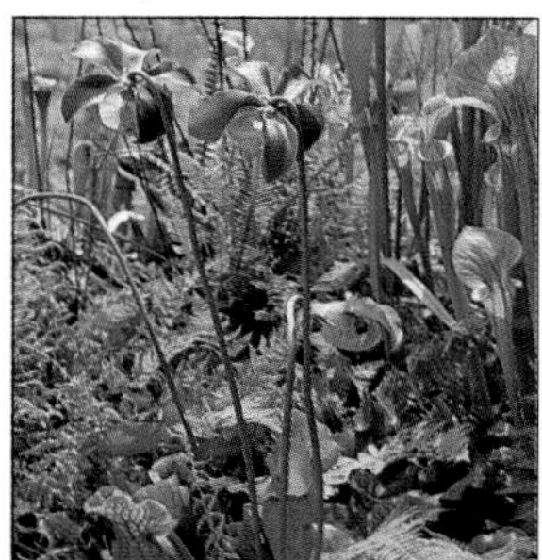

▼ *Sarracenia leucophylla* : taché de blanc.

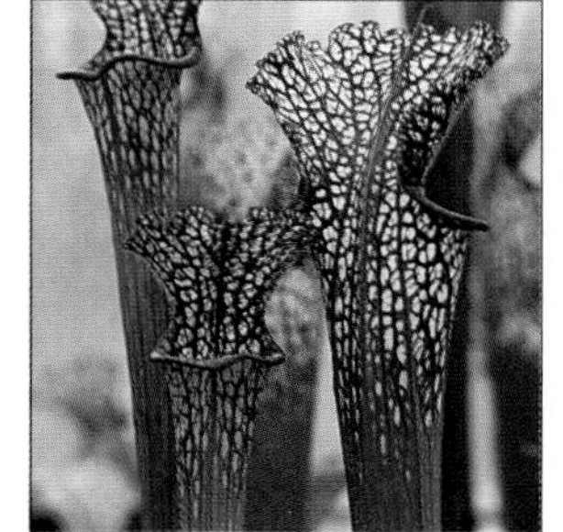

▼ *Sarracenia purpurea* : presque noire.

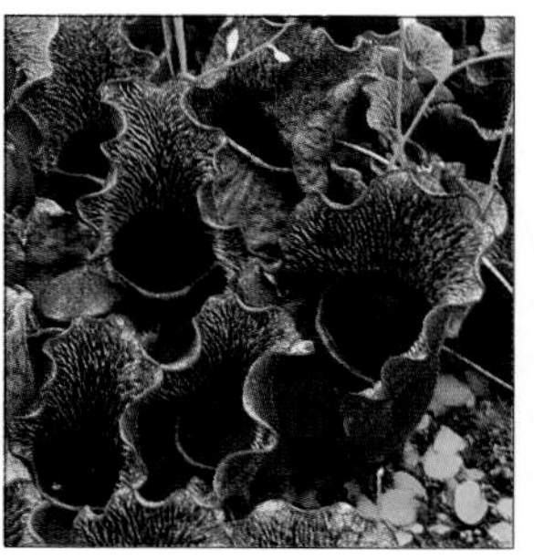

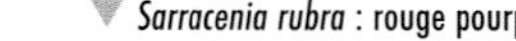

▼ *Sarracenia rubra* : rouge pourpre.

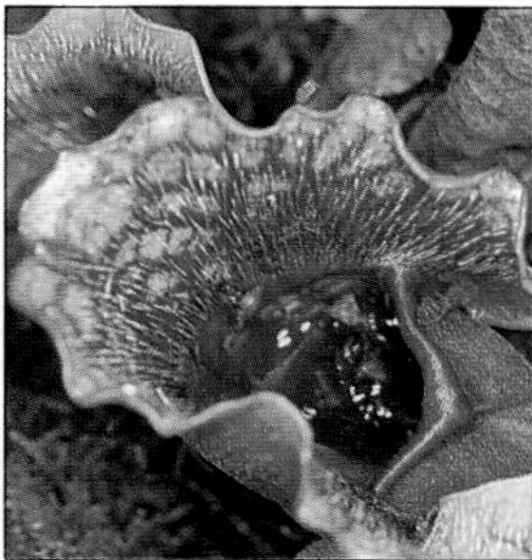

LES BONSAÏS D'INTÉRIEUR

Les bonsaïs, dont la traduction littérale signifie « arbres en pots » et non pas arbres nains, comme on le dit souvent à tort, sont la représentation idéalisée et magnifiée des caprices de la nature. ❧ *Arbres vénérables à la ramure profondément tourmentée par le poids des années, conquérants de l'impossible dont les racines tentent de s'accrocher à la roche hostile, rebelles valeureux qui résistent à la fureur des vents et des intempéries, les bonsaïs ont une histoire.* ❧ *Ils la racontent, tout en sublimant leurs défauts, pour nous séduire dans leur délicate harmonie, se déclinant dans un rare équilibre et un raffinement qui troublent notre âme et stimulent notre sens artistique. Dignes des plus beaux chefs-d'œuvre de l'art, les bonsaïs sont des sculptures vivantes, façonnées par l'homme dans sa recherche constante de communion avec la nature.* ❧ *Allant au-delà des seules considérations esthétiques, la culture des bonsaïs nous fait entrer dans l'intimité complexe de ces arbres que l'on tente de faire prospérer dans des conditions difficiles, mais acceptables. Loin de l'idée de la torture ou de la contrainte, l'art du bonsaï met en scène toutes les valeurs premières du monde végétal valorisé.* ❧ *Cultiver un bonsaï, c'est observer le comportement d'un arbre, entrer dans son intimité, accepter ses défauts et les magnifier, pour qu'il devienne un être d'exception qui fera l'admiration de tous, et surtout apprendre à le comprendre et à le respecter.* ❧ *C'est pour cela que les bonsaïs d'intérieur sont uniquement des espèces tropicales ou subtropicales et que les érables, les pins, les chênes et autres se doivent de rester au jardin.* ❧

Araucaria heterophylla d'une dizaine d'années.

Araucaria heterophylla ARAUCARIA

Conifère persistant, à port érigé, non rustique.

Origine : Océanie et Amérique du Sud.

Feuilles : les aiguilles vert franc, souples, fines, peu piquantes, se recouvrent les unes les autres et sont portées par des branches horizontales.

Fleurs : les conifères ne forment pas de fleurs.

Lumière : un éclairage intense, sans soleil direct. Sortez la plante l'été, à mi-ombre sur une terrasse.

Terre : terre de bruyère, terreau, terre de jardin et sable de rivière en mélange à parts égales.

Engrais : apportez une pincée de sang desséché au printemps (seulement si l'arbre n'a pas été rempoté) et un engrais complet à l'automne.

Humidité de l'air : vaporisez le feuillage quotidiennement et même deux fois par jour en été.

Arrosage : laissez la terre sécher sur 1 cm entre deux arrosages. Surtout pas d'eau stagnante.

Rempotage : dans un pot plat ou peu profond, tous les 2 ans, en avril. Taillez les racines de moitié.

Exigences particulières : dépoussiérez l'arbre pour éviter le jaunissement des feuilles.

Dimensions : de 25 à 30 cm à 10 ans, pour un bonsaï.

Multiplication : semis au printemps ou bouturage à chaud.

Longévité : plus de 50 ans.

Ennemis et maladies : cochenilles.

Espèces et variétés : *Araucaria heterophylla* est le seul cultivé comme bonsaï.

Conseil Truffaut : en avril-mai, pincez l'extrémité des branches pour les raccourcir.

Bambusa ventricosa BAMBOU

Graminée dont les chaumes lignifiés portent des renflements étonnants.

Bambusa ventricosa aime l'humidité.

Les plantes illustrées proviennent du musée du Bonsaï de Châtenay-Malabry.

Origine : Asie subtropicale.

Feuilles : de 4 à 7 cm de long, persistantes, linéaires, fines, à la texture de papier.

Fleurs : les bambous fleurissent très rarement.

Lumière : forte, en évitant toutefois le soleil direct de 11 h à 17 h durant l'été.

Terre : terre franche, terreau et sable de rivière.

Engrais : en juin et septembre, une pincée d'engrais organique. En avril, un engrais gazon.

Humidité de l'air : vaporisez tous les jours.

Arrosage : tous les 2 à 5 jours selon la température. L'eau ne doit pas stagner sous le pot.

Rempotage : tous les 3 ans, dans un pot large.

Exigences particulières : installez le pot sur un plateau rempli de pouzzolane maintenue humide en permanence. Ne pas tailler (c'est une herbe).

Dimensions : de 30 à 50 cm de haut en bonsaï.

Multiplication : séparation au printemps d'un morceau de rhizome muni d'une tige de 2 ans.

Longévité : plus de 40 ans en bonsaï.

Ennemis et maladies : cochenilles farineuses.

Espèces et variétés : *Bambusa ventricosa* aux tiges annelées avec des entre-nœuds renflés.

Conseil Truffaut : supprimez les rejets qui sortent de terre, chaque année au printemps.

Bougainvillea spectabilis BOUGAINVILLÉE

Liane buissonnante, formant un tronc avec l'âge.

Origine : Brésil.

Feuilles : de 3 à 7 cm de long, simples, persistantes, portées par des branches épineuses.

Fleurs : trois bractées, roses, mauves ou violettes entourent des petites fleurs insignifiantes en été.

Lumière : de 4 à 6 h de plein soleil par jour.

Terre : terre de bruyère, terreau, terre de jardin et sable de rivière, en mélange à parts égales.

Engrais : d'avril à juillet, apportez une fois par moi un engrais liquide « bonsaïs ».

Humidité de l'air : vaporisez le feuillage tous les jours tant que la plante n'est pas en fleur.

Arrosage : tous les 3 à 6 jours, la bougainvillée perdant ses feuilles quand elle est trop arrosée.

Rempotage : tous les 2 ans, dans une coupe profonde, en supprimant la moitié des racines.
Exigences particulières : gare aux courants d'air ! La fraîcheur, en hiver, stimule la floraison.
Dimensions : 50 cm à 10 ans, pour un bonsaï.
Multiplication : bouturage de jeunes rameaux au printemps, à chaud avec hormones.
Longévité : au moins 15 ans, avec de bons soins.
Ennemis et maladies : la chlorose fait jaunir les feuilles. Les cochenilles sont très fréquentes.
Espèces et variétés : *Bougainvillea* 'Mini-Thaï' compact, aux abondantes bractées violet-pourpre.
Conseil Truffaut : juste après la floraison, pincez toutes les branches de la moitié de leur longueur.

Carmona microphylla
CARMONA

Arbre à port ramifié, dont l'écorce grise se fissure chez les sujets âgés.
Origine : Chine et Japon.
Feuilles : de 1 à 2 cm de long, persistantes, ovales, velues sur le dessus, vert clair dessous.
Fleurs : blanches, minuscules, odorantes, en juin.
Lumière : toujours filtrée même en hiver, mais aussi intense que possible. Mi-ombre en été.
Terre : terre de bruyère, terre de jardin, sable de rivière et terreau de feuilles, à parts égales.
Engrais : de mars à juin, apportez une fois par mois un engrais liquide « bonsaï ».
Humidité de l'air : placez le pot sur des cailloux humides. Pulvérisez le feuillage chaque jour.
Arrosage : tous les 3 à 6 jours selon la température ambiante. Arrosez peu après la taille.
Rempotage : tous les 2 ans, en avril, en supprimant la moitié du volume des racines.
Exigences particulières : le carmona apprécie un séjour à l'extérieur à mi-ombre durant l'été.
Dimensions : de 30 à 80 cm pour un bonsaï.
Multiplication : bouturage difficile, à chaud et à l'étouffée, avec hormones, au printemps.
Longévité : plus de 70 ans en bonsaï.
Ennemis et maladies : cochenilles en hiver, pucerons, chlorose, araignées jaunes en été.
Espèces et variétés : *Carmona microphylla*, parfois appelé *Ehretia*, est la seule espèce cultivée.
Conseil Truffaut : orientez les branches aoûtées en les entourant avec du fil de cuivre qui sera laissé en place durant 6 à 8 semaines.

Crassula arborescens
ARBRE DE JADE

Plante succulente buissonnante, à port tortueux.
Origine : Afrique du Sud.
Feuilles : de 2 à 3 cm de long, persistantes, ovales, charnues, portées par des tiges épaisses et gorgées de sève, vert argenté moucheté de rouge.
Fleurs : l'extrémité des tiges porte au printemps de petites grappes plates de fleurs blanc rosé.
Lumière : plein soleil toute l'année.
Terre : terre de jardin, sable de rivière, terre de bruyère et terreau d'écorce, à parts égales.
Engrais : en mai, juin et septembre, faites un apport d'engrais liquide « bonsaï ».
Humidité de l'air : vaporisez à partir de 20 °C.
Arrosage : une fois tous les 15 jours en hiver, tous les 5 ou 6 jours en été.
Rempotage : tous les 2 ans, dans un pot profond. Taillez les racines d'un tiers de leur longueur.
Exigences particulières : lors du ligaturage, protégez l'écorce avec du liège, car les feuilles et les tiges du *Crassula* sont cassantes.
Dimensions : de 20 cm à 50 cm.
Multiplication : bouturage de jeunes pousses dans du sable à peine humide.
Longévité : plus de 50 ans.
Ennemis et maladies : taches et pourriture sur les feuilles et les tiges, si l'humidité est excessive.
Espèces et variétés : *Crassula portulacea* (ou *C. argentea*) se distingue par des tiges très épaisses et des feuilles plus larges.
Conseil Truffaut : pincez les jeunes tiges pour provoquer des ramifications et bien équilibrer les proportions de la plante.

▲ *Bougainvillea spectabilis* : style Nejikan, 18 ans.

▲ *Carmona microphylla* : style Nejikan, 35 ans.

Crassula arborescens, 10 ans, en touffe buissonnante. ▶

▲ *Cycas revoluta* : 10 ans et une souche très compacte.

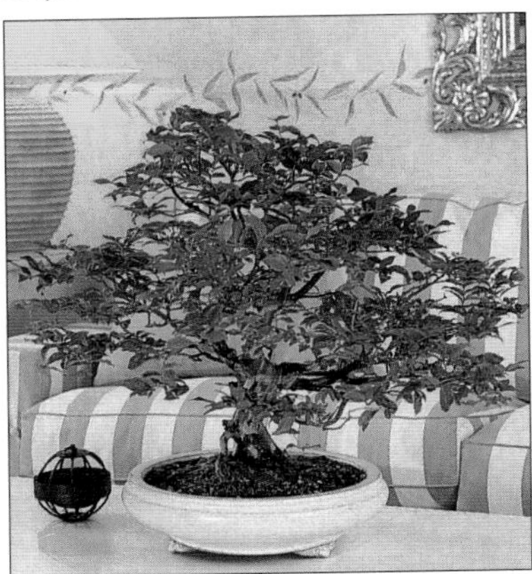

▲ *Eugenia cauliflora* : 30 ans, une superbe ramure.

Cycas revoluta
CYCAS, SAGOUTIER

25 °C
12 °C

Plante à tronc trapu, prenant un port de palmier.

Origine : régions tropicales et subtropicales du Japon, de Chine et de Malaisie.

Feuilles : le tronc (stipe) subligneux et presque conique, formé par les bases des pétioles, porte des feuilles épineuses, semblables à des palmes, avec une nervure centrale coriace et marquée.

Fleurs : les fleurs mâles et femelles, en forme de cône, sont portées par des sujets différents.

Lumière : plein soleil à l'intérieur. De mai à octobre, sortez le cycas dehors à mi-ombre.

Terre : terre de jardin, tourbe et sable de rivière.

Engrais : en mai, juin et septembre, apportez une dose d'engrais complet liquide organique.

Humidité de l'air : à partir de 18 °C, pulvérisez quotidiennement le feuillage à l'eau douce.

Arrosage : tous les 6 à 15 jours, selon la température ambiante. L'excès d'humidité est mortel.

Rempotage : tous les 3 ans, en avril, dans une poterie peu profonde, de préférence ronde.

Exigences particulières : brossez le tronc pour éliminer la mousse qui s'y développe.

Dimensions : de 25 à 70 cm en bonsaï.

Multiplication : séparation, au printemps, des rejets latéraux émis par la plante.

Longévité : plus de 100 ans.

Ennemis et maladies : cochenilles sur la nervure.

Espèces et variétés : il existe une quinzaine d'espèces. *Cycas revoluta* est le seul proposé en bonsaï.

Conseil Truffaut : coupez à la base du tronc les feuilles jaunissantes. Un pot bleu est superbe.

◄ *Ficus retusa* : 16 ans, style Kabudachi.

Eugenia uniflora
EUGÉNIE

25 °C
16 °C

Arbre ramifié, dont l'écorce se desquame.

Origine : régions tropicales et subtropicales.

Feuilles : de 3 à 4 cm de long, persistantes, simples, ovales, pointues, bronze à la naissance.

Fleurs : en été, des petites fleurs blanches, en panicules, apparaissent à l'extrémité des rameaux.

Lumière : intense, mais protégez l'eugénie du soleil direct en milieu de journée durant l'été.

Terre : terre végétale et terreau, allégés avec une poignée de sable de rivière par litre de mélange.

Engrais : au printemps et en automne, apportez une fois par mois un engrais « bonsaïs ».

Humidité de l'air : brumisez quotidiennement le feuillage. Placez le pot sur des graviers humides.

Arrosage : trempez complètement la motte une fois par semaine. Attendez que les jeunes pousses se fripent un peu avant d'arroser à nouveau.

Rempotage : tous les 2 ou 3 ans, dans une coupe peu profonde, de préférence ronde.

Exigences particulières : évitez les chutes brutales de température et le manque de lumière.

Dimensions : de 20 à 50 cm en bonsaï.

Multiplication : semis et bouturage (difficile).

Longévité : plus de 50 ans.

Ennemis et maladies : mouches blanches.

Espèces et variétés : *Eugenia uniflora*, à l'écorce lisse ; *E. myrtifolia*, aux rameaux acajou et au tronc tacheté ; *E. cauliflora*, au port très étalé avec un tronc à l'écorce brun fauve.

Conseil Truffaut : entre mars et octobre, pincez 3 à 4 fois les jeunes pousses à 2 feuilles.

Ficus retusa
FIGUIER TROPICAL

25 °C
16 °C

Arbre ramifié, formant des racines aériennes.

Origine : régions tropicales et subtropicales.

Feuilles : de 3 à 7 cm de long, persistantes, oblongues, pointues, coriaces, vert foncé.

Fleurs : le ficus ne fleurit pas dans la maison.
Lumière : plein soleil, sauf en été.
Terre : terre de jardin, sable de rivière, terreau d'écorce et terre de bruyère à parts égales.
Engrais : au printemps et en automne, deux apports d'engrais organique à un mois d'intervalle.
Humidité de l'air : bassinez le feuillage tous les jours et même deux fois par jour en été.
Arrosage : une fois par semaine en hiver, tous les 2 à 4 jours durant la période de croissance.
Rempotage : tous les 2 ans au printemps, dans une céramique assez profonde et rectangulaire.
Exigences particulières : la croissance étant rapide, pincez fréquemment les jeunes pousses.
Dimensions : de 25 à 80 cm en bonsaï.
Multiplication : bouturage à l'étouffée des tiges, même assez âgées ou marcottage aérien.
Longévité : plus de 100 ans.
Ennemis et maladies : cochenilles, thrips.
Espèces et variétés : *Ficus retusa,* au tronc tortueux et aux nombreuses racines aériennes est le plus souvent proposé comme bonsaï d'intérieur.
Conseil Truffaut : après la taille de rameaux de diamètre important, mastiquez les plaies.

Murraya paniculata
MURRAYA

Arbre au port ramifié, régulier, élégant.
Origine : Inde et Asie tropicale.
Feuilles : de 7 à 10 cm de long, persistantes, composées de nombreuses folioles ovales.
Fleurs : blanches et parfumées solitaires, au printemps, suivies par des baies rouges en août.
Lumière : une excellente luminosité est nécessaire, mais il faut éviter le plein soleil brûlant.
Terre : terre végétale, tourbe et sable de rivière.
Engrais : au printemps et à l'automne, alternez une fois par mois un engrais organique et un engrais complet liquide minéral pour bonsaïs.
Humidité de l'air : brumisez le feuillage chaque jour avec de l'eau à la température ambiante.
Arrosage : tous les 3 à 6 jours selon la température ambiante. La motte doit rester humide.
Rempotage : tous les 2 ans, au printemps, dans un pot plutôt plat, ovale ou rectangulaire. Taillez les racines de la moitié de leur longueur.
Exigences particulières : évitez les atmosphères confinées et les courants d'air.
Dimensions : de 25 à 80 cm en bonsaï.
Multiplication : bouturage à chaud (difficile).
Longévité : plus de 150 ans.
Ennemis et maladies : aleurodes en hiver.
Espèces et variétés : *Murraya paniculata* est le plus couramment proposé. *M. exotica,* à grandes fleurs blanches au parfum de jasmin.
Conseil Truffaut : toute l'année, taillez à 2 yeux tout rameau qui a produit 4 ou 5 feuilles.

Podocarpus makii
PODOCARPUS

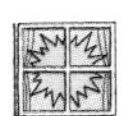

Conifère buissonnant et ramifié.
Origine : Chine.
Feuilles : de 4 à 7 cm de long, persistantes, linéaires, lancéolées, vert assez foncé.
Fleurs : les conifères ne forment pas de fleurs.
Lumière : 3 à 4 heures par jour de soleil doux.
Terre : terre de jardin, terreau d'écorce, sable de rivière et terre de bruyère à parts égales.
Engrais : au printemps et à l'automne, apportez deux fois un engrais liquide « bonsaïs ».
Humidité de l'air : vaporisez chaque jour.
Arrosage : tous les 4 à 6 jours, chaque fois que la motte est un peu sèche, baignez le pot.
Rempotage : tous les 2 ou 3 ans, en juin.
Exigences particulières : le podocarpus a besoin d'être ligaturé pour sa formation.
Dimensions : de 10 à 50 cm en bonsaï.
Multiplication : semis ou bouturage (difficile).
Longévité : plus de 100 ans.
Ennemis et maladies : cochenilles farineuses.
Espèces et variétés : *Podocarpus makii* est le seul proposé pour la culture en bonsaï.
Conseil Truffaut : pincez les jeunes pousses mais ne coupez pas les feuilles.

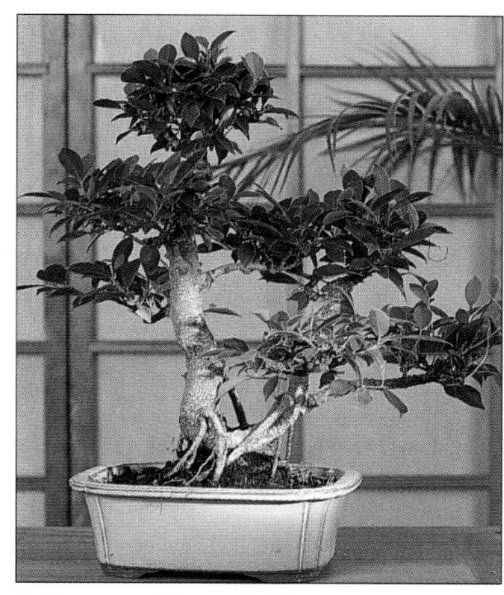

▲ *Ficus retusa* : 23 ans, style Sokan.

▲ *Murraya paniculata* : 45 ans, style Chokkan.

Podocarpus makii : 20 ans, style Nejikan. ▶

Les plantes illustrées proviennent du musée du Bonsaï de Châtenay-Malabry.

▲ *Rhododendron lateritium* : 70 ans, style Sokan.

▲ *Rhododendron* hybride : 26 ans, style Chokkan.

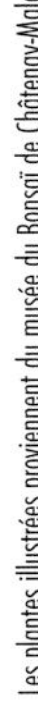
Les plantes illustrées proviennent du musée du Bonsaï de Châtenay-Malabry.

Rhododendron spp.
RHODODENDRON

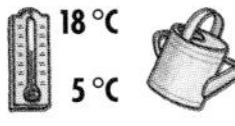

Arbuste florifère, à port ramifié appelé surtout « azalée ».

Origine : Japon, Chine, Inde.

Feuilles : de 3 à 5 cm de long, persistantes ou semi-persistantes, ovales.

Fleurs : au printemps, grandes corolles campanulées, violettes, rouges, blanches ou roses.

Lumière : mi-ombre ou soleil très doux.

Terre : terre de bruyère et terreau acide.

Engrais : avant et après la floraison, apportez une fois par mois un engrais liquide pour rhododendrons ou pour orchidées.

Humidité de l'air : brumisez le feuillage deux fois par jour, sauf pendant la floraison.

Arrosage : tous les 2 à 5 jours. Ne laissez jamais la motte se dessécher totalement.

Rempotage : fin mai, tous les 2 ans.

Exigences particulières : l'eau calcaire du robinet est mal acceptée. Utilisez un décalcairisant.

Dimensions : de 10 à 50 cm en bonsaï.

Multiplication : semis ou bouturage (délicat).

Longévité : parfois plus de 100 ans.

Ennemis et maladies : jaunissement.

Espèces et variétés : *Rhododendron lateritium* (ou *R. indicum*), au feuillage semi-persistant, est très courant. *R. impeditum,* à petites feuilles.

Conseil Truffaut : après la floraison, pincez les rameaux encore tendres. Les bonsaïs d'azalées sont conservés en véranda durant l'hiver et la floraison, puis sortis obligatoirement dans le jardin.

Sageretia theezans
SAGÉRÉTIA

Arbuste aux branches grêles, dont l'écorce s'exfolie joliment chez les sujets âgés.

Origine : Chine, Java.

◀ *Sageretia theezans* : 85 ans, style Tachiki.

Feuilles : de 1 à 2 cm de long, persistantes, ovales, finement dentées, opposées.

Fleurs : blanc verdâtre, insignifiantes.

Lumière : plein soleil, pas trop brûlant. Placez le sagérétia à l'extérieur, à partir de la mi-mai.

Terre : terre de jardin, sable de rivière et terreau.

Engrais : un apport d'engrais liquide « bonsaïs » en avril, mai, juin, septembre et octobre.

Humidité de l'air : posez la coupe sur un plateau de graviers humides. Vaporisez matin et soir.

Arrosage : tous les 3 à 5 jours. La motte doit rester humide, mais vérifiez l'efficacité du drainage.

Rempotage : en avril-mai, tous les 2 ans, dans une coupe assez plate. Taillez la moitié des racines.

Exigences particulières : le sagérétia souffre en hiver si la température dépasse les 16 °C.

Dimensions : de 15 à 50 cm en bonsaï.

Multiplication : bouturage au printemps.

Longévité : plus de 100 ans.

Ennemis et maladies : pucerons, aleurodes.

Espèces et variétés : seul *Sageretia theezans* en provenance de Chine est cultivé comme bonsaï.

Conseil Truffaut : taillez au fur et à mesure de la croissance en gardant seulement deux paires de feuilles sur chaque rameau. Éliminez les fleurs.

Schefflera spp.
SCHEFFLERA

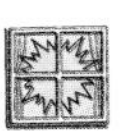
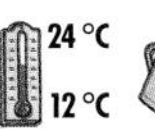

Arbuste aux tiges souples, au port très peu ramifié, formant de nombreuses racines aériennes.

Origine : Nouvelle-Guinée, Java, Taiwan.

Feuilles : persistantes. Des pétioles de 10 à 15 cm portent des feuilles palmées, composées de 6 à 10 folioles épaisses et souples, vert brillant.

Fleurs : rares, petites, vertes, sans grand attrait.

Lumière : au moins 3 h par jour au soleil direct, même si l'ombre est bien tolérée.

Terre : terre franche, sable de rivière et terreau.

Engrais : en avril et mai, une pincée d'engrais organique en poudre. En juin, septembre, octobre et janvier, arrosez une fois à l'engrais liquide.

Humidité de l'air : vaporisez le feuillage quand la température ambiante dépasse 18 °C.

Arrosage : en moyenne une fois par semaine, la sécheresse réduit la dimension des feuilles.
Rempotage : en mars, tous les 2 ans, dans une céramique plutôt large, plate et bleue.
Exigences particulières : l'arbre jeune a du mal à se ramifier. Il faut le pincer régulièrement.
Dimensions : de 30 à 60 cm en bonsaï.
Multiplication : bouturage dans l'eau.
Longévité : de 10 à 50 ans.
Ennemis et maladies : cochenilles, pucerons et acariens sont fréquents sur les plantes affaiblies.
Espèces et variétés : *Schefflera arboricola* (ou *Heptapleurum*) et *S. actinophylla* (ou *Brassaia*) d'aspect très semblable sont souvent confondus.
Conseil Truffaut : défeuillez le scheffléra totalement tous les 3 ans en juin pour qu'il forme des petites feuilles, plus élégantes chez un bonsaï.

Serissa japonica
NEIGE DE JUIN

Arbuste à port ramifié et au tronc tortueux.
Origine : Inde, Chine, Japon.
Feuilles : de 1 à 3 cm de long, persistantes, ovales, portées par des rameaux malodorants.
Fleurs : de mai à septembre, succession de minuscules fleurs blanches ou roses, plutôt solitaires.
Lumière : douce, près d'une fenêtre à l'est.
Terre : terre de jardin, terre de bruyère et sable.
Engrais : un apport par mois au printemps.
Humidité de l'air : brumisez matin et soir. Aérez car le sérissa est sensible à la pourriture.
Arrosage : la terre doit rester humide durant 4 à 5 jours par semaine. Tout excès d'eau est fatal.
Rempotage : en mars-avril, tous les 2 ans, dans une coupe creuse. Taillez la moitié des racines.
Exigences particulières : en hiver, réduisez l'arrosage. Température maximale de 15 °C.
Dimensions : de 25 à 70 cm en bonsaï.
Multiplication : bouturage de rameaux (même âgés) au printemps, dans du sable humide.
Longévité : de 5 à 50 ans.
Ennemis et maladies : la pourriture des racines est l'une des causes d'échec les plus fréquentes.
Espèces et variétés : il existe des variétés panachées de crème et de vert, ou bordées de jaune.
Conseil Truffaut : supprimez régulièrement les rejets qui naissent de la base du tronc, afin de conserver au sérissa la forme d'un petit arbre.

Ulmus parvifolia
ORME DE CHINE

Arbre trapu formant un tronc très esthétique.
Origine : Chine, Corée, Japon.
Feuilles : de 1 à 2 cm de long, presque persistantes, vert foncé brillant et légèrement dentées.
Fleurs : en octobre, les fleurs insignifiantes donneront en mai des samares ailées vert jaune.
Lumière : plein soleil, mais non brûlant.
Terre : 2/3 de terre végétale et 1/3 de sable.
Engrais : apportez un engrais organique en granulés, au printemps et à l'automne.
Humidité de l'air : vaporisez le feuillage matin et soir, dès que la température dépasse les 15 °C.
Arrosage : tous les 2 ou 3 jours en été. Réduisez la fréquence et la dose de moitié en hiver.
Rempotage : en mars, tous les 2 ans, dans une terrine peu profonde. Taillez la moitié des racines.
Exigences particulières : hivernez l'orme entre 5 et 10 °C. Il ne résiste pas au gel, surtout en pot.
Dimensions : de 25 à 70 cm en bonsaï.
Multiplication : semis, après une stratification des graines au froid. Bouturage (difficile).
Longévité : de 10 à 70 ans.
Ennemis et maladies : pucerons, acariens; l'orme de Chine n'est pas atteint par la graphiose.
Espèces et variétés : *Ulmus parvifolia* est le seul pouvant être considéré comme un bonsaï d'intérieur. Il peut être cultivé dehors dans le Midi.
Conseil Truffaut : l'orme demandant une bonne aération, ouvrez la fenêtre dès que le temps le permet. Un séjour au jardin pendant la belle saison, sous une mi-ombre légère, sera apprécié. Pour favoriser la formation d'un tronc épais, défoliez totalement l'arbre en juin, tous les 3 ans.

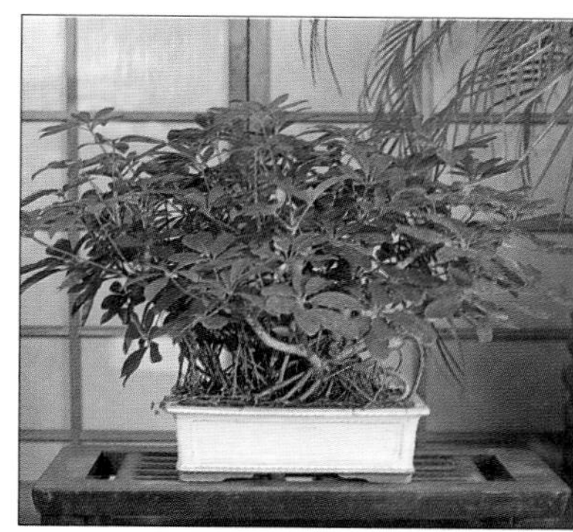

▲ *Schefflera* : 30 ans, style Kabudashi.

▲ *Serissa japonica* : 30 ans, style Tachiki.

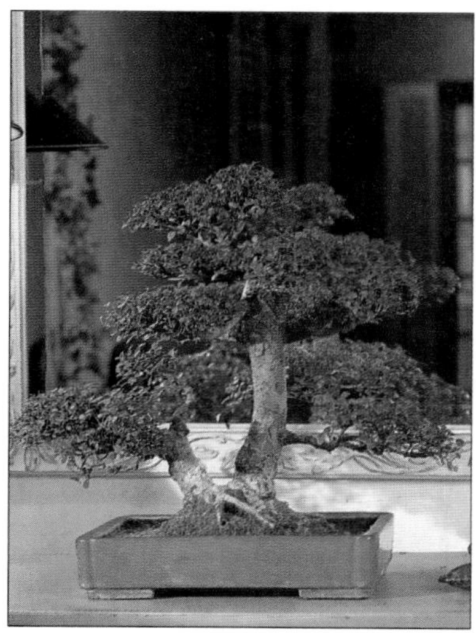

Ulmus parvifolia var. *chinensis* : 45 ans, style Sokan. ▶

LES PALMIERS ET LES CYCAS

Évocateurs des contrées enchanteresses où ils ombragent des plages de rêve, les palmiers bercent tous nos rêves d'exotisme. ❧ *Plantes très anciennes, les palmiers appartiennent à la famille botanique des palmacées, plutôt désignée aujourd'hui sous le nom d'arécacées. Les palmiers se déclinent en deux cent douze genres et près de deux mille huit cents espèces, la plupart d'origine tropicale. Le palmier se distingue dans son mode de croissance avec son bourgeon terminal unique où se concentre la vie de la plante.* ❧ *Autre originalité, la tige du palmier (ou stipe) ne s'accroît pas en largeur de façon concentrique comme le tronc des arbres.* ❧ *En revanche, elle porte souvent des cicatrices foliaires bien nettes, qui donnent au « tronc » cet aspect légèrement ondulé ou rugueux, si décoratif. Les palmiers sont des plantes extraordinaires qui ont joué un rôle capital dans le développement économique et culturel de l'humanité.* ❧ *C'est le cas du cocotier, dont les habitants de la Polynésie et de diverses îles du Pacifique tirent une grande partie de leur subsistance, construisant avec celui-ci leurs habitations et leurs embarcations, tissant des vêtements et des coiffes avec les palmes et se nourrissant de la noix.* ❧ *Le dattier, le palmier à huile, le raphia sont également d'une importance majeure pour beaucoup de pays. Mais les palmiers sont aussi et surtout appréciés pour leurs qualités ornementales.* ❧ *Ils forment d'adorables petits arbres, qui vivent longtemps en pot et font partie du décor de base de nos intérieurs.* ❧ *Les cycadacées, plantes beaucoup plus primitives puisqu'elles ne forment pas de fleurs, seront aussi présentées dans ce chapitre, en raison de leur ressemblance curieuse avec les palmiers.* ❧

Archontophoenix cunninghamiana : des palmes souples.

Brahea armata : d'étonnants reflets bleu métallique.

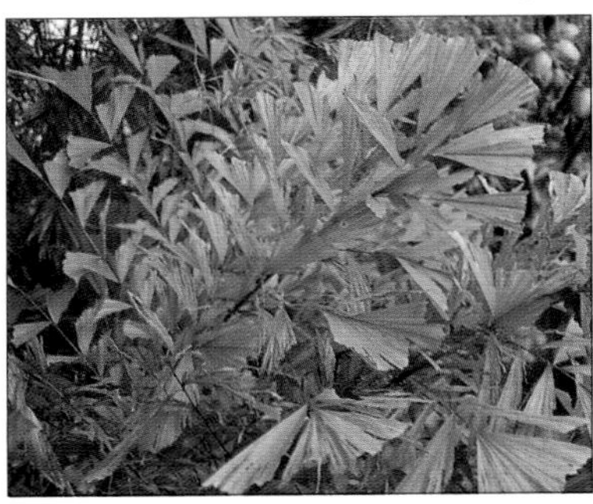

Archontophoenix cunninghamiana PALMIER ROYAL

Palmier monoïque à stipe bien droit, annelé.

Origine : Australie (Queensland).

Feuilles : de 1 à 2 m de long, pennées vert franc ou gris-vert, arquées avec élégance.

Fleurs : grappes pendantes de fleurs mauves, suivies par des fruits rouges.

Lumière : soleil direct, mais non brûlant.

Terre : terre de jardin, terreau et sable, allégés par 10 % de polystyrène.

Engrais : apportez une fois par an un engrais pour plantes vertes, en granulés à action lente.

Humidité de l'air : au moins 60 % sinon les palmes jaunissent. Vaporisez quotidiennement.

Arrosage : tous les 4 à 8 jours selon la température ambiante. Ne pas laisser la terre se dessécher.

Rempotage : tous les 2 ans, en nettoyant les dépôt de sels minéraux sur les bords du pot.

Exigences particulières : le palmier royal apprécie une certaine fraîcheur nocturne en hiver.

Dimensions : de 1,50 à 4 m en pot.

Multiplication : semis à chaud de graines fraîches, après trempage 24 h dans l'eau tiède.

Longévité : de 2 à 4 ans dans la maison.

Ennemis et maladies : cochenilles en hiver et araignées rouges en été, sur les plantes affaiblies.

Espèces et variétés : la seconde espèce du genre, *Archontophoenix alexandrae,* est rarement proposée pour la culture en pot (trop vigoureux).

Conseil Truffaut : lors du transport, protégez le bourgeon terminal, seul point de croissance.

 *Brahea armata* PALMIER BLEU

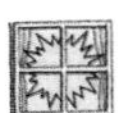  

Palmier à stipe unique annelé couvert de fibres.

Origine : Californie, Mexique.

Feuilles : le stipe gris, épais, porte une couronne de feuilles de 1 m de long, en éventail, très coriaces, bleutées, couvertes d'une pruine cireuse argentée et armées d'une rangée d'épines sur le pétiole.

Fleurs : en été, les inflorescences qui mesurent parfois plus de 4 m n'apparaissent que sur les sujets de pleine terre. Fleurs blanc crème à jaune.

Lumière : pleine lumière, non brûlante.

Terre : le drainage doit être parfait. Mélangez à parts égales de la terre de jardin légère, du terreau pour cactées et du terreau de rempotage. Ajoutez 1 litre de vermiculite pour 10 litres de mélange.

Engrais : d'avril à septembre, apportez tous les 15 jours un engrais liquide « plantes vertes ».

Humidité de l'air : le palmier bleu est solide, contentez-vous de passer une éponge humide sur les feuilles une fois par mois, pour les nettoyer.

Arrosage : laissez sécher le terreau sur 5 ou 6 cm entre deux apports d'eau, chaque fois très copieux.

Rempotage : tous les 2 ans, au printemps, dans un pot de taille immédiatement supérieure.

Exigences particulières : ce palmier est l'un des seuls à avoir résisté, en pleine terre, aux froids de 1985 à Montpellier (-10 °C). Hivernez au frais.

Dimensions : de 50 cm à 1,80 m en pot, la croissance est lente durant les 7 ou 8 premières années.

Multiplication : semis au printemps en miniserre chauffée à 25 °C. Faites tremper les graines.

Longévité : au moins 10 ans en pot.

Ennemis et maladies : généralement aucun.

Espèces et variétés : *Brahea edulis,* à la couronne très fournie, est cultivé sur la Côte d'Azur. *B. brandegeei,* au stipe mince, est plus frileux.

Conseil Truffaut : le brahéa demandant une forte chaleur pour assurer une bonne croissance, ne le sortez pas au jardin avant juillet.

Caryota urens : un feuillage joliment découpé.

Caryota urens PALMIER CÉLERI

Palmier monocarpique à stipe robuste annelé, couvert de la base fibreuse des vieilles feuilles. Le vin de palme est produit avec ses fruits.

Origine : Inde, Sri Lanka, Malaisie.

Feuilles : une couronne de feuilles de 1 à 3 m de long, bipennées (les seules chez les palmiers).
Fleurs : les inflorescences pendantes de 1 à 3 m apparaissent chez les sujets âgés. Les fleurs vertes sont suivies de fruits rouges. L'arbre meurt après la floraison, laissant la place à un ou plusieurs rejets.
Lumière : les jeunes sujets préfèrent la mi-ombre.
Terre : sable, terreau de feuilles et terre de jardin.
Engrais : tous les 15 jours d'avril à septembre, apportez un engrais liquide « agrumes ».
Humidité de l'air : toute l'année, brumisez la plante systématiquement tous les 2 jours.
Arrosage : une fois par semaine (deux fois moins en hiver) très abondant à chaque fois.
Rempotage : une fois tous les 2 ans, en juin.
Exigences particulières : le palmier céleri déteste les chutes brutales de température.
Dimensions : de 1 à 3 m, en pot.
Multiplication : semis (réservé aux spécialistes).
Longévité : de 2 à 5 ans, en pot.
Ennemis et maladies : araignées rouges.
Espèces et variétés : *Caryota mitis*, le « palmier queue-de-poisson », aux folioles triangulaires, découpées. Port élégant, troncs multiples.
Conseil Truffaut : pour éviter que les *Caryota* paraissent souffreteux, il faut les planter en pleine terre dans un grand jardin d'hiver bien chauffé.

Chamaedorea elegans
PALMIER NAIN

Palmier formant une touffe et un stipe annelé.
Origine : Mexique, Guatemala.
Feuilles : de 30 à 60 cm de long, engainantes à la base, pennées, à folioles lancéolées.
Fleurs : ce palmier dioïque fleurit bien dans la maison, et porte des grappes ramifiées jaune orangé.
Lumière : pas de soleil direct. Placez le palmier nain derrière une fenêtre voilée, à l'est ou au nord.
Terre : terre de bruyère et terre de jardin acide.
Engrais : au printemps et à l'automne, apportez un engrais universel riche en oligoéléments.
Humidité de l'air : vaporisez une fois par jour avec de l'eau à température ambiante.
Arrosage : en moyenne une à deux fois par semaine. Ne jamais noyer la motte.
Rempotage : tous les 2 ou 3 ans, en avril.
Exigences particulières : le palmier nain apprécie d'être associé à d'autres plantes dans un bac.
Dimensions : de 40 cm à 1 m, en pot.
Multiplication : semis à chaud au printemps.
Longévité : de 5 à 15 ans dans la maison.
Ennemis et maladies : cochenilles et acariens.
Espèces et variétés : *Chamaedorea metallica*, aux palmes bleutées, plissées aux reflets métalliques.
Conseil Truffaut : groupez trois jeunes plantes dans un pot, pour un effet décoratif immédiat.

Chamaerops humilis
DOUM

Palmier trapu formant une touffe, au stipe recouvert de fibres brunes.
Origine : pourtour méditerranéen.
Feuilles : de 40 à 80 cm de long, rondes, en éventail, vert-gris, réunies en touffe compacte.
Fleurs : jaunes, sans intérêt décoratif.
Lumière : plein soleil, toute l'année.
Terre : terre de jardin, sable et terreau.
Engrais : d'avril à octobre, apportez un engrais liquide « conifères » tous les 15 jours.
Humidité de l'air : le doum se contente de l'hygrométrie ambiante. Dépoussiérez les feuilles une fois par mois en les douchant.
Arrosage : une fois par semaine en été. Tous les 10 à 20 jours en hiver, selon la température.
Rempotage : en mars-avril, tous les 2 ans.
Exigences particulières : le doum ne supporte pas de rester les pieds dans l'eau. Videz la soucoupe.
Dimensions : de 50 cm à 1 m, en pot.
Multiplication : semis, levée en 3 ou 4 mois.
Longévité : de 3 à 7 ans, en pot à la maison.
Ennemis et maladies : généralement aucun.
Espèces et variétés : il n'existe qu'une espèce.
Conseil Truffaut : les racines très vigoureuses peuvent faire éclater le pot, rempotez avant.

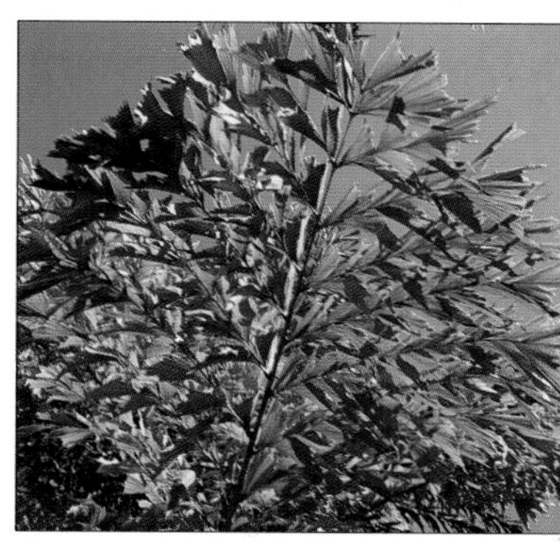

▲ *Caryota mitis* : c'est le palmier « queue-de-poisson ».

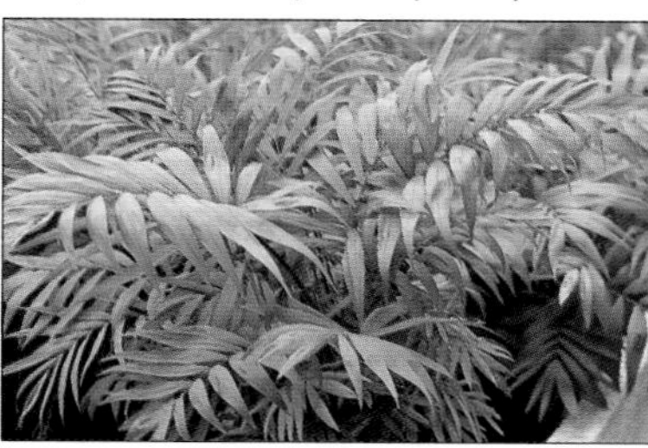

▲ *Chamaedorea elegans* : appelé aussi *Neanthe bella*.

▲ *Chamaedorea metallica* : des palmes bifides, originales.

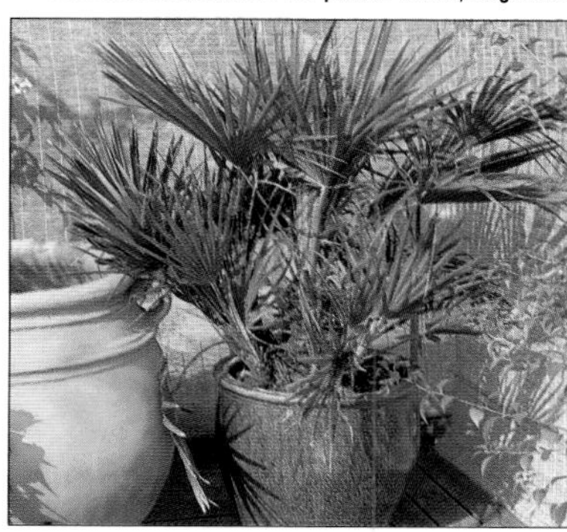

Chamaerops humilis : rustique dans les régions côtières. ▶

Chrysalidocarpus lutescens : on l'appelle aussi aréca.

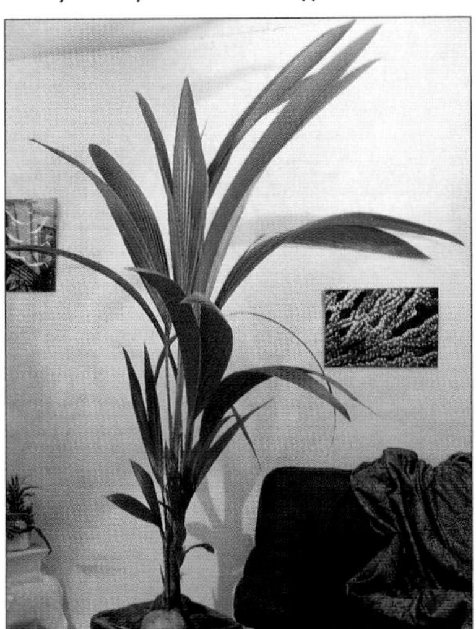
Cocos nucifera : une jeune pousse de cocotier.

Cycas revoluta : une plante « préhistorique » et solide.

Chrysalidocarpus lutescens ARÉCA

 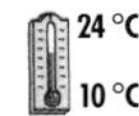 24 °C 10 °C 

Palmier formant une touffe, appelé aussi *Dypsis*.

Origine : Madagascar.

Feuilles : de 1 à 3 m de long, pennées, arquées, d'un beau vert brillant, avec le pétiole jaunâtre.

Fleurs : en été, panicules de fleurs crème ou jaunes, suivies par des fruits violet foncé.

Lumière : très vive. Le plein soleil est toléré.

Terre : sable, terre végétale et terreau de feuilles.

Engrais : alternez tous les 15 jours des engrais solubles « plantes vertes » et « rosiers ».

Humidité de l'air : au moins 50 %. Posez le pot sur un lit de cailloux humides et vaporisez les feuilles tous les jours, en insistant sur le dessous.

Arrosage : une à deux fois par semaine très copieux. Ne jamais laisser le terreau se dessécher.

Rempotage : tous les 2 ans au printemps. Pour les gros sujets, un surfaçage annuel suffit.

Exigences particulières : l'ambiance moite d'un jardin d'hiver est très appréciée.

Dimensions : de 1,50 à 4 m en pot.

Multiplication : semis après trempage des graines, germination en 2 mois. Séparez les rejets latéraux qui se forment autour de la touffe.

Longévité : de 3 à 8 ans dans la maison.

Ennemis et maladies : cochenilles.

Espèces et variétés : il existe une vingtaine d'espèces de *Chrysalidocarpus*. *C. lutescens* est pratiquement le seul du genre à être cultivé à l'intérieur.

Conseil Truffaut : groupez plusieurs jeunes palmiers dans le même pot, pour un meilleur effet.

Cocos nucifera COCOTIER

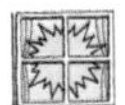 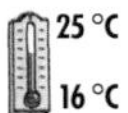 25 °C 16 °C 

Palmier dont le tronc unique se forme rarement chez les sujets cultivés dans la maison.

Origine : régions côtières tropicales.

Feuilles : les jeunes palmes sont minces, fines, assez raides, de 1 à 2 m de long, bien découpées.

Fleurs : pas de floraison en appartement.

Lumière : plein soleil toute l'année.

Terre : terreau fibreux, sable et terre de bruyère.

Engrais : en avril, juin, août et octobre, apportez un engrais liquide « agrumes » ou « bonsaïs ».

Humidité de l'air : minimum 70 % sinon les pointes des palmes brunissent et les feuilles entières sèchent. Brumisez le feuillage trois à quatre fois par jour et posez le pot sur des graviers humides.

Arrosage : ne laissez pas les racines sécher. En été, 3 arrosages par semaine conviennent.

Rempotage : sitôt après l'achat, puis tous les 2 ans, au printemps, sans enterrer totalement la noix.

Exigences particulières : le cocotier demande une bonne aération, sans courants d'air frais.

Dimensions : jusqu'à 3 m en pot.

Multiplication : les professionnels parviennent à faire germer les noix en 5 mois, à chaud.

Longévité : rarement plus de 2 ou 3 ans, en pot.

Ennemis et maladies : un excès d'arrosage fait pourrir le stipe et les racines. Cochenilles.

Espèces et variétés : le genre *Cocos* ne comprend qu'une seule espèce. Le palmier parfois commercialisé sous l'appellation *Cocos weddeliana* se nomme en réalité *Microcoelum weddelianum.*

Conseil Truffaut : le cocotier doit être considéré comme une curiosité relativement éphémère, seuls les jeunes sujets étant vraiment beaux en pot.

Cycas revoluta CYCAS

  25 °C 5 °C 

Plante primitive, dioïque, à la croissance très lente, souvent appelée « fougère-palmier ».

Origine : îles Ryūkyū, au sud du Japon.

Feuilles : persistantes, de 50 cm à 1,50 m de long, les palmes sont raides et piquantes, coriaces, d'un vert brillant et disposées en rosette.

Fleurs : les inflorescences en cônes unisexués, souvent laineux, se forment au cœur de la touffe.

Lumière : plein soleil. En été, sortez le pot dehors, près d'un arbre au feuillage léger.

Terre : terre de jardin, allégée par 10 % de sable.
Engrais : en juin et septembre, apportez un engrais riche en potasse et en oligoéléments.
Humidité de l'air : vaporisez le feuillage une fois par semaine pour le dépoussiérer.
Arrosage : tous les 4 à 6 jours durant la croissance. Pas plus d'une fois tous les 8 jours en hiver.
Rempotage : tous les 3 ans dans le courant du printemps. Surfacez le pot chaque année.
Exigences particulières : le cycas supporte de faibles gelées quand il est cultivé en pleine terre.
Dimensions : de 50 cm à 2 m en pot.
Multiplication : semis réservé aux spécialistes. Séparation des rejets à la base de la plante mère.
Longévité : jusqu'à plus de 100 ans.
Ennemis et maladies : généralement aucun.
Espèces et variétés : des 15 espèces recensées, seul *Cycas revoluta* est couramment proposé.
Conseil Truffaut : faites hiverner le cycas au frais (maximum 15 °C) dans une pièce très claire.

Dioon edule
DIOON

Plante primitive ressemblant à un cycas, mais appartenant à la famille des zamiacées.
Origine : Honduras, Mexique.
Feuilles : les palmes de 1 à 2 m de long sont recouvertes d'un duvet blanc laineux, puis deviennent coriaces. Pinnules courtes (20 cm), piquantes.
Fleurs : la plante, dioïque, produit des cônes unisexués de 30 cm, couverts de poils gris argenté.
Lumière : plein soleil, toute l'année.
Terre : terre de jardin, avec 10 % de sable.
Engrais : en avril et en septembre, apportez un engrais « bonsaïs » ou « conifères ».
Humidité de l'air : vaporisez le feuillage tous les 2 ou 3 jours à partir de 18 °C.
Arrosage : une fois par semaine, très abondant. Tous les 10 jours en hiver. Videz la soucoupe.
Rempotage : en avril, tous les 2 ans.
Exigences particulières : le dioon n'aime pas avoir le cœur de la rosette mouillé. Arrosez au pied.
Dimensions : jusqu'à 2 m de haut, en pot.
Multiplication : séparation des rejets latéraux.
Longévité : plus de 10 ans en pot, en véranda.
Ennemis et maladies : généralement aucun.
Espèces et variétés : *Dioon edule* var. *angustifolia*, à feuilles et pinnules plus courtes.
Conseil Truffaut : tournez le pot chaque semaine d'un quart de tour, pour que le bouquet foliaire conserve un port bien symétrique.

Encephalartos spp.
ENCÉPHALARTOS

Plante primitive ressemblant à un cycas, mais appartenant à la famille des zamiacées.
Origine : Afrique centrale et australe.
Feuilles : persistantes, de 60 cm à 2 m, portées par le stipe épais. Elles sont pennées, avec des pinnules courtes, coriaces, épineuses, dentées.
Fleurs : la plante dioïque forme au cœur des feuilles de gros cônes unisexués, vert olive.
Lumière : mi-ombre légère, toute l'année.
Terre : sable et terre de jardin non calcaire.
Engrais : des granulés, une fois par an, en mai.
Humidité de l'air : nettoyez les feuilles une fois par mois avec une éponge humide.
Arrosage : laissez sécher le terreau sur 6 ou 7 cm entre 2 arrosages. Videz toujours la soucoupe.
Rempotage : en avril, tous les 2 ou 3 ans, seulement quand les racines garnissent tout le pot.
Exigences particulières : le développement est bien meilleur chez les sujets plantés en pleine terre.
Dimensions : de 1 à 2 m en pot.
Multiplication : semis ou division (délicat).
Longévité : jusqu'à plus de 100 ans.
Ennemis et maladies : cochenilles.
Espèces et variétés : il existe 25 espèces d'*Encephalartos*. *E. ferox*, aux pinnules larges et piquantes comme celles d'un houx, cônes rouge grenat. *E. princeps*, aux feuilles bleutées.
Conseil Truffaut : ne laissez jamais l'encéphalartos en plein soleil l'été, surtout dans les régions méditerranéennes, cela dessèche les pinnules.

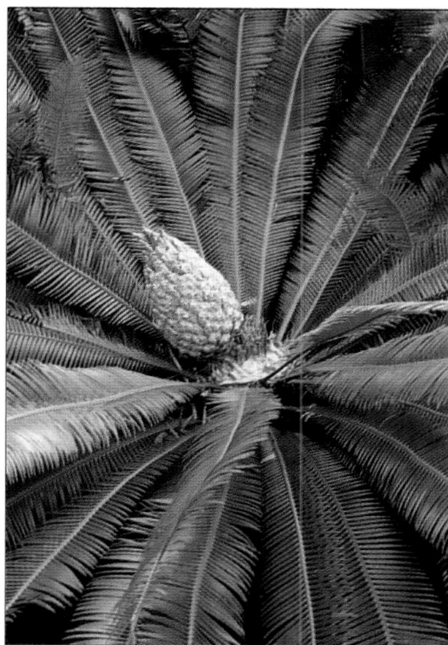
▲ *Dioon edule* : un proche parent des cycas.

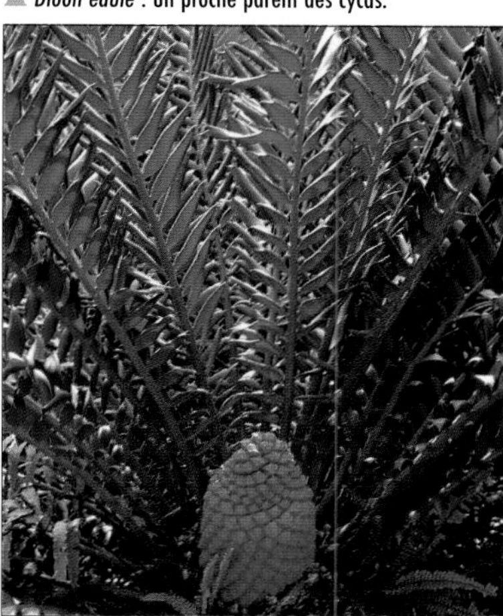
▲ *Encephalartos ferox* : des feuilles très épineuses.

Encephalartos princeps : un port ample, en couronne. ▶

Howea forsteriana : on l'appelle couramment kentia.

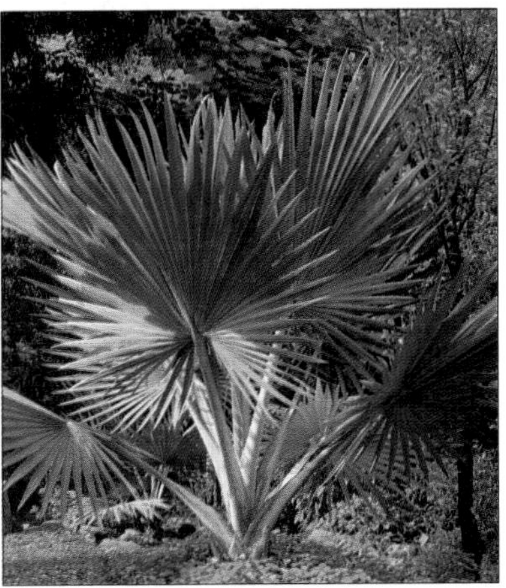
Latania loddigesii : de superbes palmes bleutées.

Howea forsteriana KENTIA

Palmier formant un bouquet de feuilles arquées.

Origine : île de Lord Howe, à 1 000 km au sud-est de l'Australie (plante rare dans le milieu naturel).

Feuilles : palmes souples, de 1 à 2 m de long, vert foncé, aux pinnules étroites et effilées.

Fleurs : sur les sujets adultes apparaissent des inflorescences non ramifiées, de 1 m de long.

Lumière : le kentia apprécie les grandes baies vitrées, exposées au sud-est et voilées en été.

Terre : terre de jardin non calcaire, sable de rivière et terreau de feuilles, en mélange à parts égales.

Engrais : d'avril à octobre, apportez deux fois par mois un engrais liquide « agrumes ».

Humidité de l'air : minimum 50 %. Un court séjour dehors, sous la pluie, est apprécié en été.

Arrosage : 2 ou 3 fois par semaine en été. En hiver, laissez sécher le terreau sur 5 ou 6 cm.

Rempotage : chaque année, au printemps. Surfacez les gros sujets début mars et fin août.

Exigences particulières : le kentia craint les atmosphères confinées, les pièces enfumées, les courants d'air froids et l'eau stagnante.

Dimensions : de 1,50 à 3 m, en pot.

Multiplication : semis en miniserre chauffante (au moins 26 °C), après trempage des graines.

Longévité : de 5 à 20 ans dans la maison.

Ennemis et maladies : cochenilles et acariens.

Espèces et variétés : seul *Howea forsteriana* est cultivé comme plante d'intérieur.

Conseil Truffaut : coupez les pointes desséchées à quelques millimètres de la partie verte.

Latania loddigesii LATANIER

Grand palmier à stipe vertical, annelé.

Origine : îles Mascareignes (Maurice).

Licuala grandis : des éventails presque parfaits.

Feuilles : de 80 cm à 1,50 m, les pinnules, presque coriaces, sont réunies au moins par vingt, en éventail au bout d'un pétiole épais.

Fleurs : les inflorescences dioïques n'apparaissent pratiquement jamais sur des plantes en pot.

Lumière : plein soleil assez doux. Rapprochez le latanier d'une fenêtre à l'ouest ou au sud-ouest.

Terre : terre de jardin légère et terreau de feuilles.

Engrais : d'avril à septembre, apportez chaque mois un engrais liquide riche en oligoéléments.

Humidité de l'air : minimum 60 %. Brumisez les palmes tous les jours, surtout en hiver.

Arrosage : une fois par semaine, très abondant. Tous les 3 ou 4 jours quand il fait plus de 20 °C.

Rempotage : en avril, chaque année.

Exigences particulières : un drainage parfait est vital. Placez une couche de billes d'argile de 5 cm d'épaisseur au fond du pot, lors du rempotage.

Dimensions : de 1 à 3 m, en pot.

Multiplication : semis à chaud (27 °C) en miniserre. Les graines germent en 2 mois.

Longévité : de 5 à 10 ans dans la maison.

Ennemis et maladies : les araignées rouges prolifèrent si l'atmosphère est trop sèche.

Espèces et variétés : il existe trois espèces de *Latania*. *L. loddigesii*, aux feuilles bleutées, est communément cultivé comme palmier d'intérieur.

Conseil Truffaut : installez le latanier dehors, en été. Sa croissance sera plus vigoureuse.

Licuala grandis LICUALA

 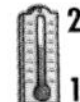 

Palmier formant souvent une touffe. La base fibreuse des feuilles recouvre le stipe.

Origine : forêts primaires et zones marécageuses d'Australie et des Nouvelles-Hébrides.

Feuilles : les palmes de 60 cm à 1 m sont composées de pinnules disposées en éventail et presque toutes attachées les unes aux autres, ce qui leur donne un aspect de grande feuille arrondie régulièrement plissée et découpée sur le pourtour.

Fleurs : le licuala ne forme pratiquement jamais à l'intérieur ses longs épis blanc verdâtre.

Lumière : choisissez l'emplacement le mieux éclairé de la maison, mais voilez légèrement la fenêtre entre juin et septembre.
Terre : terre de jardin riche et légère, terreau pour plantes vertes et sable de rivière, additionné de 10 % de vermiculite ou de billes de polystyrène expansé, pour obtenir un drainage optimal.
Engrais : de mars à juillet, apportez une fois par mois un engrais liquide « bonsaïs ».
Humidité de l'air : minimum 70 %. Le licuala présente presque toujours des marques de dessèchement à la périphérie des palmes. Pulvérisez le feuillage à l'eau tiède aussi souvent que possible et installez le pot sur un lit de graviers humides.
Arrosage : tous les 4 ou 5 jours durant la croissance, très copieux à chaque fois. En moyenne une fois par semaine durant la période hivernale.
Rempotage : en mars, seulement si les racines occupent tout le volume du pot.
Exigences particulières : le licuala a besoin d'une atmosphère confinée, comme celle que l'on obtient en serre chaude. Rassemblez plusieurs plantes autour de lui, pour qu'il bénéficie de l'humidité due à la transpiration naturelle.
Dimensions : de 1 à 3 m, en pot.
Multiplication : semis en miniserre à 25 °C. Les graines demandent entre 3 et 6 mois pour germer.
Longévité : pas plus de 3 ans dans la maison. En pleine terre, en serre chaude, plus de 10 ans.
Ennemis et maladies : les araignées rouges apparaissent quand l'air est trop sec.
Espèces et variétés : des 108 espèces connues, seuls les jeunes sujets de *Licuala grandis* sont proposés comme plantes d'intérieur.
Conseil Truffaut : n'exposez pas le licuala au vent ou à des courants d'air, cela provoque le déchirement et le dessèchement des palmes.

Livistona chinensis
LIVISTONA

Palmier de croissance lente, formant un stipe unique et des pétioles épineux assez rigides.
Origine : Chine, Japon, Taiwan.
Feuilles : de 1 à 2 m de long, les palmes sont constituées de pinnules minces et souples, disposées en éventail, d'un beau vert clair. Les pétioles portent des épines brunes. Sur les sujets adultes, l'extrémité des pinnules retombe gracieusement.
Fleurs : sur les sujets adultes, des inflorescences ramifiées de 1 m de long sont formées de fleurs crème, et suivies par des fruits bleu foncé.
Lumière : évitez absolument le soleil direct de juin à septembre, car cela fait jaunir les feuilles.
Terre : terre de jardin et terreau, avec 20 % de fertilisant organique à base de fumier et d'algues.
Engrais : d'avril à septembre, apportez tous les 15 jours un engrais soluble « tomates ».
Humidité de l'air : le livistona supporte bien l'atmosphère de nos intérieurs. Passez une éponge humide sur les feuilles une fois par semaine.
Arrosage : en moyenne une à deux fois par semaine. Laissez la terre sécher superficiellement entre 2 arrosages. Videz la soucoupe.
Rempotage : au printemps, uniquement si la plante se trouve déséquilibrée ou très à l'étroit.
Exigences particulières : *Livistona chinensis* est rustique sur la côte méditerranéenne. En pleine terre, il a résisté au redoutable hiver 1985/1986.
Dimensions : de 60 cm à 2 m en pot.
Multiplication : semis à 25 °C en miniserre au printemps, après trempage des graines. La germination demande environ 6 semaines.
Longévité : au moins 5 ans dans la maison, à condition de ne pas dépasser 15 °C en hiver.
Ennemis et maladies : araignées rouges en été, cochenilles en hiver, les attaques signalent en général que les plantes sont affaiblies.
Espèces et variétés : on connaît 28 espèces de *Livistona*. *L. australis*, le chou palmiste, à la croissance très lente, peut résister à - 8 °C. Il se cultive en pleine terre sur la Côte d'Azur et dépasse 15 m de haut. *L. rotundifolia*, aux pinnules très nombreuses, et aux feuilles presque rondes, peut dépasser 10 m dans une serre. Plus frileux, il ne doit pas être exposé à moins de 13 °C.
Conseil Truffaut : coupez les anciens pétioles brunis pour conserver à la plante un aspect soigné.

▲ *Licuala grandis* : ses palmes laissent filtrer la lumière.

▲ *Livistona rotundifolia* : des pétioles longs et rigides.

Livistona chinensis : solide, mais de croissance lente. ▶

Phœnix canariensis : il apprécie un séjour au jardin.

Phœnix roebelenii : beaucoup de charme et d'élégance.

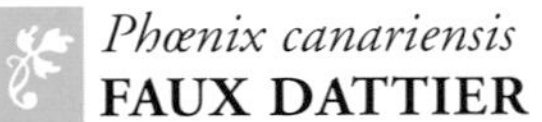

Phœnix canariensis FAUX DATTIER

Palmier à stipe unique, droit et strié.

Origine : îles Canaries.

Feuilles : le rachis de plus de 1 m de long porte de nombreuses pinnules, courtes et rigides.

Fleurs : dioïques, les phœnix ne fleurissent pas avant 10 ans. Fleurs mâles crème, fleurs femelles jaune orangé. Fruits parfois comestibles.

Lumière : plein soleil durant toute l'année.

Terre : terre de jardin, sable et terreau.

Engrais : en mars, mai, juillet et octobre, apportez une dose d'engrais liquide « plantes vertes ».

Humidité de l'air : minimum 40 %.

Arrosage : en été, deux ou trois fois par semaine, en hiver tous les 10 jours, très copieusement.

Rempotage : au printemps, dans un contenant d'au moins 30 cm de profondeur.

Exigences particulières : le dattier des Canaries doit hiverner à 10 °C et à la lumière.

Dimensions : jusqu'à 5 m en pot.

Multiplication : semis après trempage des graines, qui germent en moins de 2 mois.

Longévité : plus de 10 ans dans la maison.

Ennemis et maladies : pourriture du bourgeon. *Fusarium* (bayoud), *Phytophthora* et cochenilles.

Espèces et variétés : on a recensé 17 espèces de *Phœnix. P. dactylifera*, se cultive comme plante d'intérieur quand il est jeune. *P. roebelenii*, très élégant, atteint 3 m de haut.

Conseil Truffaut : éloignez les phœnix des endroits passagers ou des jeunes enfants car la base des palmes porte de redoutables épines.

Rhapis excelsa RHAPIS

Palmier rhizomateux, formant une touffe.

Origine : sud de la Chine.

◄ *Rhapis excelsa* : un palmier solide et très compact.

Feuilles : les stipes minces, inclinés, rappellent des cannes de bambous. Ils portent des bouquets de feuilles épaisses, palmées, divisées en une dizaines de pinnules, aux extrémités dentelées.

Fleurs : épis courts, de fleurs crème, en été.

Lumière : indirecte. Un séjour en été, à l'ombre d'un arbre au feuillage léger, est très apprécié.

Terre : terre de jardin et terreau à parts égales.

Engrais : de mars à octobre, apportez chaque mois un engrais liquide « agrumes ».

Humidité de l'air : une ou deux fois par semaine, brumisez le feuillage à l'eau douce.

Arrosage : tous les 3 ou 4 jours durant la croissance, tous les 10 jours en période hivernale.

Rempotage : au printemps, seulement quand les nouvelles tiges semblent déborder du pot.

Exigences particulières : le rhapis préfère vivre un peu à l'étroit. Un contenant trop large favorise l'apparition de pourriture au niveau du collet.

Dimensions : de 1 à 2 m de haut, en pot.

Multiplication : division des touffes trop denses.

Longévité : plus de 10 ans en pot, à la maison.

Ennemis et maladies : différents champignons provoquent la mort du bourgeon terminal.

Espèces et variétés : 12 espèces de *Rhapis* sont recensées. *R. humilis* 'Variegata', nain, aux feuilles plissées et panachées, ressemble à un bambou.

Conseil Truffaut : si le bout des feuilles brunit, il s'agit d'un manque de lumière ou d'un excès d'eau.

Trachycarpus fortunei TRACHYCARPUS

Palmier de zone tempérée, à stipe unique.

Origine : centre de la Chine et nord de l'Inde où il pousse jusqu'à 2 400 m d'altitude.

Feuilles : le stipe, couvert d'une épaisse couche de fibres brunes, porte un bouquet de feuilles en éventail, de 60 cm de long, au pétiole coupant.

Fleurs : dioïques, réunies au début de l'été en courtes inflorescences jaune orangé.

Lumière : soleil direct. Prévoyez un voile léger aux heures les plus chaudes de l'été.

Terre : terre de jardin et terreau à parts égales.

Engrais : de mars à septembre, apportez une fois par mois un engrais soluble pour rosiers, la magnésie étant appréciée par le trachycarpus.
Humidité de l'air : minimum 40 %. Des séjours à l'extérieur, sous la pluie, entre avril et octobre sont appréciés. En hiver, quand le chauffage fonctionne, pulvérisez le feuillage une fois par jour.
Arrosage : tous les 3 jours en été, pour conserver une terre toujours un peu humide. Quand la température descend en dessous de 12 °C, un arrosage tous les 10 à 12 jours est suffisant.
Rempotage : tous les ans en mars, jusqu'à utiliser des pots de 40 cm de diamètre. Par la suite, surfacez sur 5 cm, en mars et en septembre.
Exigences particulières : en pleine terre, le trachycarpus supporte - 10 °C. C'est le plus rustique de tous les palmiers, il peut tenir dans le jardin.
Dimensions : jusqu'à 3 m de haut en pot.
Multiplication : semis au printemps à 24 °C. Après trempage, les graines germent en 2 mois.
Longévité : plus de 10 ans en pot, à condition de l'hiverner au frais, sinon il se dessèche rapidement.
Ennemis et maladies : généralement aucun.
Espèces et variétés : parmi les 6 espèces connues de *Trachycarpus, T. fortunei* est le plus cultivé; 'Takyl', au revers des feuilles presque blanc; 'Wagnerianus', à feuilles plus courtes et au port plus compact; 'Nanus' ne forme pratiquement pas de stipe, feuilles de 30 cm; *T. martianus* est un peu plus sensible au froid. Son aspect est plus exotique avec de larges palmes en éventail, à moitié divisées.
Conseil Truffaut : douchez généreusement le trachycarpus le soir, après de fortes chaleurs.

Washingtonia filifera
WASHINGTONIA

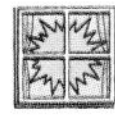
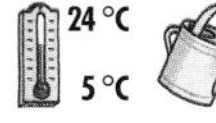

Palmier à stipe unique dont la partie supérieure est recouverte par les anciennes feuilles sèches.
Origine : Californie, Arizona, Mexique.
Feuilles : chez l'adulte, le stipe très épais, élargi vers la base, porte un bouquet de grandes feuilles en éventail, garnies de fibres beige bouclées. Les pétioles rigides sont munis de redoutables épines.
Fleurs : les longues inflorescences ramifiées, crème ou rosées, dépassent du bouquet de feuilles.
Lumière : plein soleil, même pour les jeunes sujets. Une serre froide ou une véranda permettent le plein épanouissement du washingtonia.
Terre : terre de jardin légère, terreau de feuilles et sable de rivière. Le washingtonia marque une préférence pour les substrats légèrement alcalins.
Engrais : de mars à octobre, apportez chaque mois un engrais liquide « plantes vertes ».
Humidité de l'air : minimum 40 %. Pulvérisez le feuillage une fois par mois, pour le dépoussiérer.
Arrosage : le washingtonia aime les terres plutôt sèches. En été, arrosez en moyenne une fois par semaine, mais très copieusement. En hiver, limitez les apports d'eau à une fois tous les 10 à 15 jours, selon la température ambiante.
Rempotage : tous les ans au printemps, dans un pot plus profond que large.
Exigences particulières : le washingtonia aime le grand air. Sortez-le dans le jardin ou sur la terrasse de mai à octobre. En pleine terre, il supporte - 5 °C, ce qui permet de le cultiver dans les jardins de la Côte d'Azur. Un hivernage à 15 °C maximum est indispensable, sinon le feuillage se dessèche.
Dimensions : de 1 à 4 m en pot.
Multiplication : semis à 24 °C au printemps, après trempage des graines durant toute une nuit.
Longévité : plus de 10 ans, en pot et en serre.
Ennemis et maladies : pourriture du bourgeon terminal; *Phytophthora* (pourriture du collet) si la terre est compacte ou les arrosages trop abondants.
Espèces et variétés : on connaît seulement deux espèces de *Washingtonia*.
W. robusta originaire du nord du Mexique est un palmier gracile, au stipe plus fin, et à la couronne plus lâche. On note l'absence presque totale de fils sur les feuilles. Les fleurs rose crème peuvent former des panicules de 3 m de long. Il est un peu plus sensible au froid que *W. filifera* (minimum 8 °C).
Conseil Truffaut : n'installez pas le washingtonia près d'un endroit passager ou à la portée des jeunes enfants, car ses épines peuvent blesser.

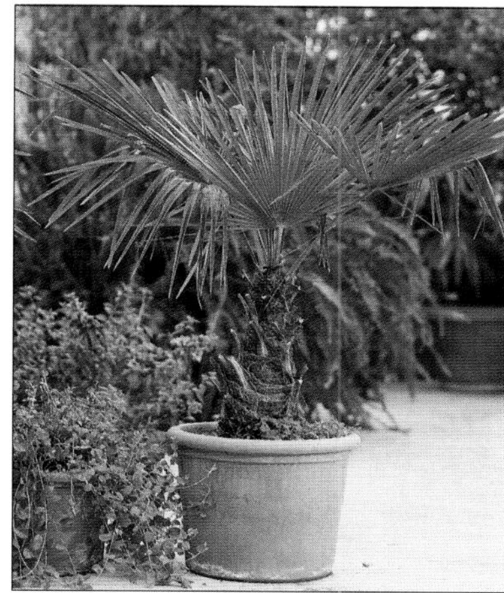
▲ *Trachycarpus fortunei* : le moins frileux des palmiers.

▲ *Washingtonia filifera* : des palmes tout échevelées.

Washingtonia robusta : harmonieux, mais un peu rigide. ▶

LES CACTÉES ET LES PLANTES GRASSES

En dépit de son aspect de hérisson végétal, dont la parure acérée n'a rien de bien engageant, le cactus dégage pourtant un pouvoir de séduction quasi irrésistible. ✿ Comme tout ce qui a le goût du fruit défendu, cet être rébarbatif attise notre curiosité. Pour quelles obscures raisons dame Nature a-t-elle paré ce corps obèse et souvent difforme d'une armure aussi redoutable ? Tout simplement parce qu'une silhouette globuleuse est celle qui offre la plus petite surface extérieure, c'est géométrique. ✿ Or, la majorité des cactus habite des zones arides et désertiques, où la survie passe par la recherche et la sauvegarde de l'eau. ✿ Si le cactus est épais, renflé, bedonnant, c'est parce que ses tissus sont capables de se gorger de liquide à la moindre pluie. S'il est tout rond, bombé, ballonné, c'est pour offrir une moindre surface à l'ardeur des rayons du soleil, qui cherchent à s'emparer de ses précieuses réserves aqueuses. ✿ Quant à ses redoutables aiguillons, ils constituent l'évolution logique du feuillage pour réduire sa surface de contact avec le milieu hostile et, dans le même temps, une armure bien efficace pour échapper à l'appétit des herbivores, qui, dans ces régions, ont bien peu de choses à se mettre sous la dent. ✿ Si le terme « cactus » est souvent utilisé de façon générique, il serait préférable de le réserver aux seules plantes de la famille des cactacées, qui, soit dit en passant, sont toutes d'origine américaine. Les autres, que l'on nomme couramment des « plantes grasses », devraient être désignées sous le terme de « succulentes », qui signifie « plantes gorgées de sucs », ce qu'elles sont dans la réalité. ✿ Avec ces belles du désert, entrez dans un monde passionnant où formes et couleurs rivalisent d'étrangeté pour vous séduire, sans trop exiger de vous. ✿

A

▲ *Acanthocalycium peitscherianum* : il vient d'Argentine.

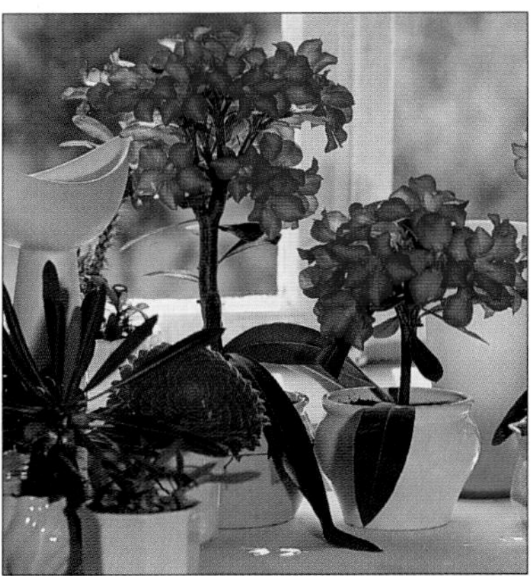

▲ *Adenium obesum* : une floraison de toute beauté.

Acanthocalycium spp. ACANTHOCALYCIUM

  25 °C 5 °C 

Petits cactus, désormais classés dans le genre *Echinopsis*, très appréciés pour leur floraison.

Origine : régions montagneuses d'Argentine.

Feuilles : chaque aréole comprend de 5 à 10 aiguillons radiaux, bruns plus ou moins foncés entourant souvent un aiguillon central plus long.

Fleurs : diurnes, d'août à novembre, rouges, oranges, jaunes ou blanches selon les espèces.

Lumière : plein soleil, même très ardent.

Terre : terreau, tourbe et sable grossier.

Engrais : entre mai et août, faites 3 apports d'engrais liquide « cactées ».

Humidité de l'air : brumisez légèrement le soir en été après la chaleur, pour simuler la rosée.

Arrosage : tous les 15 jours de mars à mai, une fois par semaine en été. Au sec après la floraison.

Rempotage : tous les 2 ans au printemps.

Exigences particulières : une certaine fraîcheur hivernale (10 °C) et beaucoup de lumière.

Dimensions : de 5 à 15 cm de haut et de large.

Multiplication : semis à chaud (20 °C) en terrine dans du sable, au début du printemps.

Longévité : de 3 à 8 ans dans la maison.

Ennemis et maladies : cochenilles.

Espèces et variétés : *Acanthocalycium peitscherianum*; *A. klimpelianum* à fleurs blanches; *A. aurantiacum*; *A. glaucum*, d'un jaune orangé très vif.

Conseil Truffaut : placez ces cactus sous une fenêtre de toit au sud, pour qu'ils fleurissent.

Adenium obesum ROSE DU DÉSERT

  24 °C 13 °C 

Plante grasse à caudex, souvent dégarnie.

Origine : Afrique de l'Est, sud de l'Arabie.

Feuilles : de 8 à 12 cm de long, caduques, ovales, portées à l'extrémité des branches dénudées.

Fleurs : solitaires ou en bouquets de 10 à 15 cm de diamètre, elles ressemblent à celles des lauriers-roses : roses, rouges, blanches ou bicolores.

Lumière : plein soleil, avec une bonne aération.

Terre : terre de jardin, sable et tourbe blonde.

Engrais : 2 à 3 fois durant l'été, apportez un engrais liquide pour plantes grasses ou cactées.

Humidité de l'air : plutôt faible.

Arrosage : tous les 10 à 15 jours de mars à septembre, une fois par mois en octobre, novembre et février, maintenir au sec en décembre-janvier.

Rempotage : au printemps, tous les 2 ans.

Exigences particulières : un repos hivernal.

Dimensions : 20 cm à 5 ans, 50 cm à 10-12 ans.

Multiplication : semis au printemps à 20 °C, bouture de branche non feuillée en été, à chaud.

Longévité : plus de 10 ans, en serre froide.

Ennemis et maladies : pucerons.

Espèces et variétés : parmi les 5 espèces connues, seul *Adenium obesum* est régulièrement cultivé.

Conseil Truffaut : la sève qui s'écoule lorsque l'on taille la plante peut causer des irritations de la peau. Évitez tout contact avec les yeux.

◀ *Aeonium tabuliforme* : originaire des îles Canaries.

Aeonium spp. AEONIUM

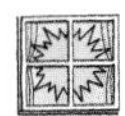 24 °C 5 °C 

Plantes succulentes aux feuilles regroupées en rosettes circulaires. Tiges souvent contournées.

Origine : îles Canaries et bassin méditerranéen.

Feuilles : de 10 à 20 cm de long, persistantes, spatulées, glabres ou ciliées, vertes ou pourpres.

Fleurs : au printemps, grappes jaunes, roses, rouges ou blanches, réunies au milieu des rosettes.

Lumière : directe sans être brûlante, surtout pour les variétés à feuillage pourpre.

Terre : terreau pour cactées assez riche.

Engrais : entre septembre et mars, apportez 3 ou 4 fois un engrais liquide « cactées ».

Humidité de l'air : 50 % minimum. S'il fait sec, la plante se montre plus sensible aux cochenilles.

Arrosage : 1 à 3 fois par mois durant l'hiver, le printemps et l'automne. Au sec en été.

Rempotage : chaque année, au printemps.

Exigences particulières : respectez un repos estival (la saison sèche du milieu naturel).
Dimensions : de 30 à 60 cm dans la maison, jusqu'à 1,20 m dans la véranda ou en plein air.
Multiplication : semis à 20 °C au printemps, bouturage des rosettes en été.
Longévité : la rosette ou la plante qui viennent de fleurir dépérissent pendant la maturation des graines, au minimum à la fin de la 3e année.
Ennemis et maladies : pucerons, cochenilles.
Espèces et variétés : *Aeonium arboreum*, le plus spectaculaire ; 'Atropurpureum' à feuilles pourpres ; 'Schwartzkopf', presque noir ; 'Albovariegatum', marginé de crème avec des reflets roses ; *Aeonium tabuliforme*, aux rosettes plates de feuilles ciliées.
Conseil Truffaut : assoiffez l'aeonium car cela l'incite à produire des racines aériennes sur les tiges. Coupez et rempotez l'extrémité des tiges munies de racines pour obtenir de nouvelles plantes.

Agave spp. AGAVE

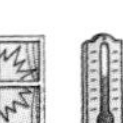

Plantes succulentes formant une rosette régulière et d'énormes hampes florales.
Origine : Amérique centrale, Antilles.
Feuilles : allongées, triangulaires, plus ou moins creusées, aux bords lisses ou dentés. Elles sont terminées par un aiguillon acéré (sauf *Agave attenuata*). Chez certaines espèces, on observe des marques blanches, des panachures marginales ou centrales, ou une teinte bleue ou grise.
Fleurs : en clochette ou en entonnoir, réunies en inflorescences sur des tiges pouvant atteindre plusieurs mètres de haut. La floraison n'intervient parfois qu'à un âge très avancé (minimum 10 ans).
Lumière : abondante, plein soleil. Installez vos agaves en plein air dès la mi-mai.
Terre : terre de jardin, sable grossier, tourbe.
Engrais : durant l'été, faites 2 ou 3 apports d'engrais pour cactées, pauvre en azote.
Humidité de l'air : sans exigence spéciale.
Arrosage : une fois par mois en hiver, tous les 7 à 10 jours en été. Pas d'eau au cœur des rosettes.
Rempotage : une fois par an, en avril, pour les espèces à croissance rapide, sinon tous les 2 ans.
Exigences particulières : un hivernage au frais (8 °C) et un maximum de lumière.
Dimensions : de 15 cm à 1,50 m de large.
Multiplication : séparation et empotage des rejets enracinés. Bouturage des rejets non racinés, dans un mélange de terreau et de 80 % de sable grossier. Semis à 20 °C au début du printemps.
Longévité : les agaves sont monocarpiques, la plante meurt après la floraison (après 10 à 40 ans).
Ennemis et maladies : cochenilles à bouclier.
Espèces et variétés : on connaît plus de 200 espèces. *Agave americana*, à feuilles bleutées, presque naturalisé dans le Midi ; 'Variegata', marginé de jaune ; 'Mediopicta', marqué d'une ligne crème au centre des feuilles ; *A. stricta*, à feuilles étroites réparties en une boule parfaite ; *A. victoriae-reginae* et *A. ferdinandi-regis*, avec des marques blanches qui sillonnent les feuilles ; *A. parviflora* et *A. filifera*, couverts de fils blancs ondulés ; *A. parryi*, d'un magnifique gris bleuté, résiste en pleine terre aux hivers de l'est de la France ; *A. attenuata* ne possède pas d'aiguillons, son inflorescence en col de cygne est une pure merveille ; *A. ferox*, aux feuilles larges portant de terribles dents brunes épineuses ; *A. horrida*, aux feuilles elliptiques, lancéolées portant des dents acérées ; *A. ghiesbreghtii*, aux feuilles ovales, larges, très pointues, bordées de dents blanches ; *A. pumila*, nain pendant une dizaine d'années, gris verdâtre marginé de blanc, sa floraison est inconnue ; *A. pygmae*, aux feuilles larges, plates, aux longues dents blanches, ressemblant à celles des requins.
Conseil Truffaut : rempotez au plus vite dans un mélange plus riche les agaves que vous venez d'acheter car ils sont souvent cultivés dans la tourbe pure. Utilisez un pot de terre cuite de diamètre équivalent au précédent. Attendez l'apparition de nouvelles pousses pour arroser. N'installez pas d'agave sur la terrasse ou près des passages, leur aiguillon terminal pouvant infliger de sérieuses blessures. Vous pouvez aussi supprimer cette pointe ou y piquer un bouchon.

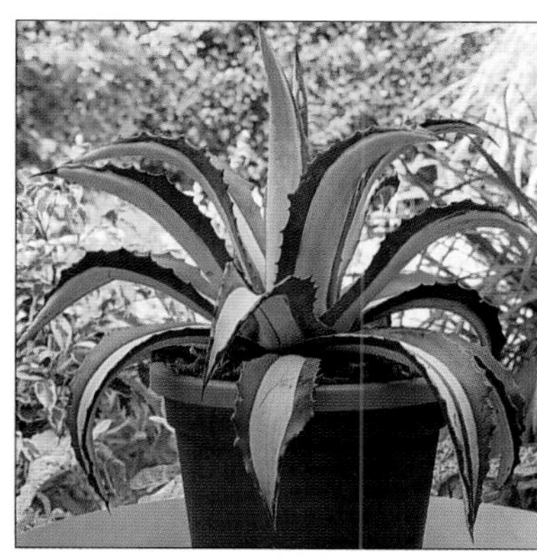

▲ *Agave americana* 'Mediopicta' : joliment panaché.

▲ *Agave filifera* : il se pare de filaments blancs.

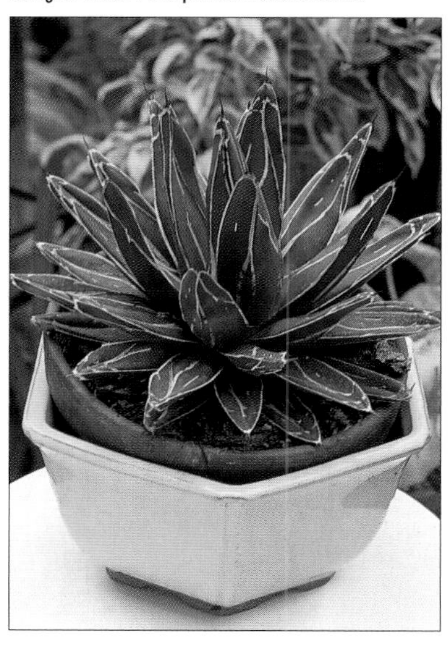

Agave victoriae reginae : une rosette très graphique. ▶

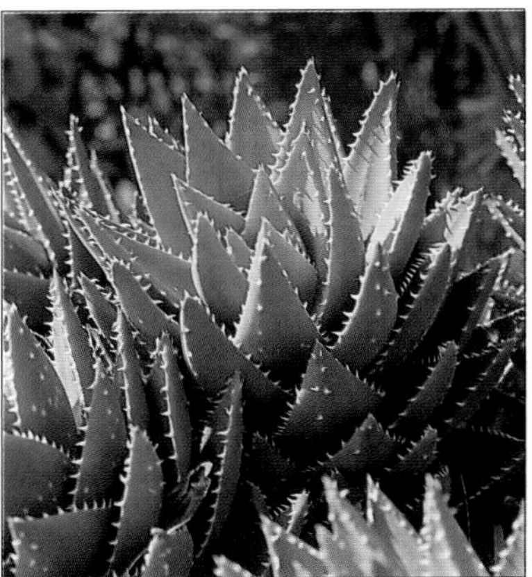
Aloe brevifolia : il forme des touffes compactes.

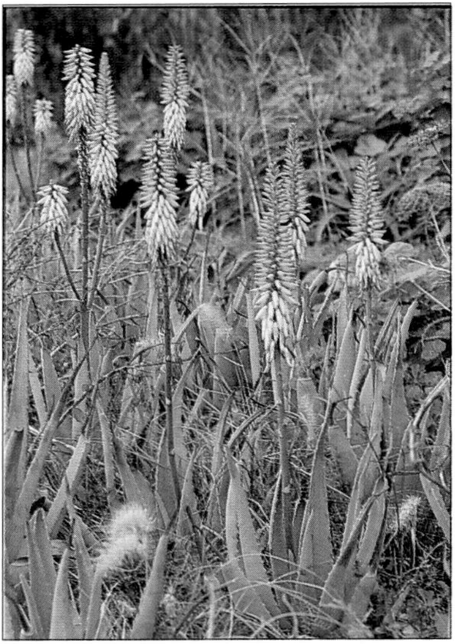
Aloe barbadensis ou Aloe vera : atteint 50 cm de haut.

Aloe spp.
ALOÈS

Succulentes arbustives formant des rosettes un peu épineuses. Floraison chaque année.

Origine : îles du Cap-Vert, Afrique.

Feuilles : longues, plus ou moins triangulaires, elles sont disposées sur une tige verticale, pouvant, chez certaines espèces, former un véritable tronc. Les bords sont lisses ou garnis de dents plus ou moins pointues. Vertes ou bleutées, les feuilles peuvent aussi être marbrées ou zébrées, ou présenter de petites pustules blanchâtres.

Fleurs : tubulaires, estivales, oranges, rouges, jaunes ou vertes, en épis plus ou moins allongés.

Lumière : soleil direct, pas trop brûlant.

Terre : terre de jardin, sable grossier et perlite.

Engrais : pas plus de 3 ou 4 apports d'engrais liquide « cactées » durant la période de végétation.

Humidité de l'air : faible.

Arrosage : une fois par semaine durant la croissance, une à deux fois par mois durant le repos.

Rempotage : selon la croissance, tous les ans ou tous les 2 ans, au tout début du printemps.

Exigences particulières : ne laissez pas d'eau s'accumuler à la base des rosettes par temps pluvieux sur les plantes placées à l'extérieur.

Dimensions : de 10 à 50 cm pour les aloès d'intérieur courants, jusqu'à 2 m pour certains.

Multiplication : semis à 20 °C en avril dans du sable, ou séparation des rejets latéraux en mai.

Longévité : de 5 à 20 ans, en pot, à la maison.

Ennemis et maladies : cochenilles à bouclier.

Espèces et variétés : *Aloe barbadensis* ou *A. vera* aux feuilles gris-vert, dressées, aux vertus médicinales ; *A. brevifolia*, aux colonies de rosettes ornées de petites pointes blanchâtres ; *A. variegata* aux rosettes zébrées ; *A. erinacea*, aux nombreuses épines, blanches, brunes ou noires.

Conseil Truffaut : si les feuilles d'un aloès rougissent, c'est le signe que la terre devient trop pauvre ou trop sèche. Il est temps de rempoter.

Aporocactus flagelliformis : très florifère en suspension.

Aporocactus flagelliformis
QUEUE-DE-RAT

Cactus épiphyte à port retombant, formant de belles suspensions très florifères.

Origine : forêts d'altitude du Mexique.

Feuilles : les aiguilles courtes sont réparties tout autour des tiges cylindriques, grêles, vert grisâtre.

Fleurs : rose foncé ou rouge-pourpre, elles s'épanouissent au printemps sur les pousses de l'année précédente. Chez les jeunes sujets, la floraison est concentrée au sommet de la plante.

Lumière : abondante mais sans soleil direct. Il réussit à l'ombre mais fleurit moins.

Terre : terreau pour cactées, enrichi de 10 % d'un fertilisant organique à base de fumier et d'algues.

Engrais : dès la fin de la floraison, apportez une fois par mois un engrais « tomates », riche en potasse.

Humidité de l'air : n'hésitez pas à brumiser lorsque la température dépasse les 20 °C.

Arrosage : tous les 6 à 10 jours durant la croissance. Tous les 15 à 20 jours en hiver.

Rempotage : tous les 2 ans au printemps.

Exigences particulières : le cactus queue-de-rat aime les situations dégagées et bien ventilées.

Dimensions : plus de 1 m de long.

Multiplication : semis au printemps, à 20 °C, des petits fruits formés après la floraison. Bouturage en été des extrémités de tiges.

Longévité : plus de 10 ans dans la maison.

Ennemis et maladies : cochenilles.

Espèces et variétés : *Aporocactus flagelliformis*, aux fleurs doubles rose foncé ; *A. martianus*, aux fleurs rouge orangé.

Conseil Truffaut : coupez le tiers inférieur des plus longues pousses pour favoriser la floraison.

Ariocarpus spp.
ARIOCARPUS

Étonnants cactus non épineux formant une étoile coriace. Ils sont protégés dans la nature.

Origine : sud du Texas et Mexique.
Feuilles : plante aphylle (sans feuilles). Les organes aériens sont des tubercules répartis en rosette autour d'une racine souterraine importante.
Fleurs : diurnes, blanches, jaunes, rouges ou roses en automne, au centre des rosettes.
Lumière : importante, si possible le plein soleil.
Terre : ajoutez de 20 à 30 % de gypse pilé à du terreau pour cactées du commerce.
Engrais : ne pas fertiliser.
Humidité de l'air : la plus faible possible.
Arrosage : une fois en été, tous les 15 à 20 jours au début de l'automne qui correspond à la période de croissance. Maintenir au sec durant l'hiver.
Rempotage : tous les 3 à 5 ans, dans un pot profond pour que la racine puisse bien se développer.
Exigences particulières : l'ariocarpus apprécie les sols assez calcaires et craint l'humidité.
Dimensions : la croissance est désespérément lente : 15 cm de diamètre à 50 ans !
Multiplication : par semis. Les graines demandent un fort écart de température entre le jour et la nuit pour lever. Attendez 3 ans avant de repiquer.
Longévité : plus de 20 ans, s'il reste au sec.
Ennemis et maladies : cochenilles.
Espèces et variétés : 6 espèces sont répertoriées. *Ariocarpus retusus*, aux tubercules vert-gris, fleurs blanches; *A. fissuratus*, aux tubercules très serrés autour de la couronne, fleurs roses; *A. trigonus*, aux larges tubercules triangulaires brun chocolat.
Conseil Truffaut : les ariocarpus semés demandent plus de 10 ans avant de fleurir. Une greffe sur un *Pereskiopsis* permet d'obtenir une floraison après 3 ans, mais souvent la plante se déforme.

Astrophytum spp. BONNET-D'ÉVÊQUE

Ces cactées de forme très compacte, étoilée, forment d'énormes fleurs spectaculaires.
Origine : sud du Texas, Mexique.
Feuilles : aiguilles brunes et plus ou moins cassantes, raides ou recourbées. Deux espèces ainsi que plusieurs hybrides ne portent pas d'aiguillons.
Fleurs : de 5 à 10 cm de diamètre, diurnes, jaunes, elles apparaissent du printemps en été au sommet du cactus. Fruit écailleux, laineux.
Lumière : abondante, si possible le plein soleil.
Terre : ajoutez environ 10 % de granite pilé à un mélange de sable grossier et de terreau de feuilles.
Engrais : une fois par mois d'avril à septembre, apportez un engrais « cactées » pauvre en azote.
Humidité de l'air : la plus réduite possible.
Arrosage : deux fois par mois de mars à septembre, laissez au sec durant l'automne et l'hiver.
Rempotage : tous les 2 ans, pour les jeunes sujets, tous les 3 ou 4 ans pour les plantes adultes.
Exigences particulières : pour une croissance régulière, les bonnets-d'évêque préfèrent une lumière verticale (provenant d'une fenêtre de toit).
Dimensions : *Astrophytum ornatum* et *A. capricorne* atteignent 30 cm de haut, les autres 15 cm.
Multiplication : semis au printemps à plus de 20 °C, la levée se produit en 48 h.
Longévité : plus de 20 ans, au sec et au frais.
Ennemis et maladies : cochenilles à bouclier.
Espèces et variétés : le genre *Astrophytum* compte 6 espèces et de nombreux hybrides. *A. myriostigma* est le plus apprécié pour sa forme en bonnet-d'évêque, son absence d'épines, et sa belle couleur argentée, énormes fleurs jaune clair ; *A. ornatum*, aux courtes épines sur la partie supérieure, montre une coloration argentée à la ponctuation plus ou moins intense selon les sujets ; *A. capricorne*, curieux avec ses épines recourbées qui semblent envelopper la tige, énormes fleurs en entonnoir, jaunes à cœur rouge, parfumées ; var. *minus*, couvert de pruine blanche, ne dépasse pas 12 cm de haut; *Astrophytum asterias* ressemble à un squelette d'oursin, grisâtre, sans épines. Il gagne à être greffé. Il existe de nombreux hybrides.
Conseil Truffaut : s'ils ont une forme plutôt arrondie dans leur jeune âge, les astrophytums finissent par s'allonger et adopter une forme colonnaire. Certains *Astrophytum ornatum* prennent une silhouette vrillée particulièrement remarquable. Soyez patients, la plupart des bonnets-d'évêque ne fleurissent pas avant 10 ans.

▲ *Ariocarpus retusus* : un cactus étoilé, non épineux.

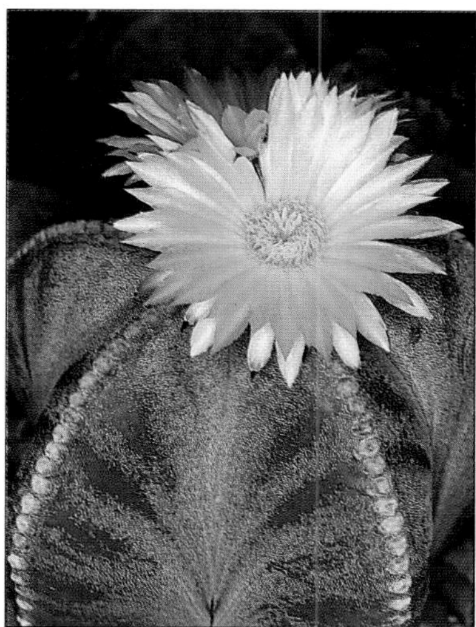

▲ *Astrophytum myriostigma* : des fleurs exceptionnelles.

Astrophytum ornatum : il attend 10 ans pour fleurir. ▶

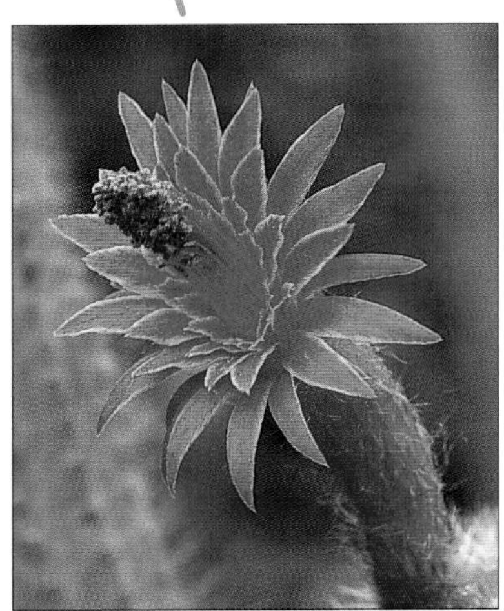

▲ *Borzicactus roseiflorus* : originaire des Andes.

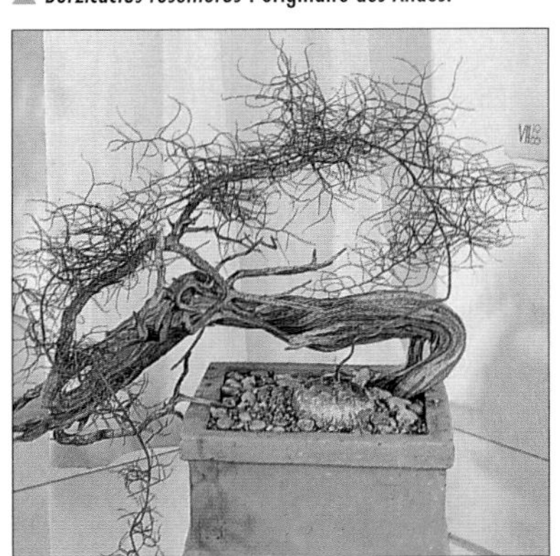

◀ *Bowiea volubilis* : une plante à l'aspect très étrange.

Borzicactus spp. BORZICACTUS

Curieux cactus aux tiges cylindriques dressées ou rampantes. On les classe parmi les *Oreocereus*.

Origine : Pérou, Chili.

Feuilles : les aiguillons jaunâtres de 1 à 4 cm de long sont portés par des aréoles. On en compte de 8 à 40 radiaux et de 1 à 3 centraux.

Fleurs : de 5 à 8 cm de diamètre, diurnes, estivales, rouges ou roses, quelquefois tubulaires.

Lumière : plein soleil ou mi-ombre légère.

Terre : terreau pour cactées et 20 % de sable.

Engrais : incorporez un engrais en granulés pour cactées ou pour rosiers lors du rempotage.

Humidité de l'air : faible, mais aérez bien.

Arrosage : tous les 15 jours d'avril à septembre, une fois par mois en automne, presque rien en hiver.

Rempotage : en avril, tous les 2 ans. Chaque année pour les espèces rampantes ou retombantes.

Exigences particulières : une sortie estivale dans le jardin favorise la floraison.

Dimensions : de 60 cm à 3 m selon les espèces.

Multiplication : semis au printemps à 20 °C.

Longévité : de 7 à 15 ans, dans la maison.

Ennemis et maladies : cochenilles.

Espèces et variétés : *Borzicactus roseiflorus*, au port rampant, fleurs rose lilas ; *B. celsianus*, couvert d'une laine blanche, fleurs rose pourpre.

Conseil Truffaut : choisissez des coupes plus larges que profondes, afin d'assurer une bonne stabilité aux borzicactus, dont le port est souvent étalé.

Bowiea volubilis BOWIEA

 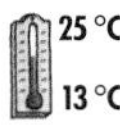

Curieuses plantes grasses de la famille des liliacées, formant un bulbe plus ou moins enterré.

Origine : Afrique du Sud.

Feuilles : éphémères et minuscules (1 mm), elles apparaissent au tout début de la végétation puis tombent dès que poussent les tiges vertes très fines, spiralées, dépourvues de feuilles.

Fleurs : diurnes, à 6 pétales blanc verdâtre, presque insignifiantes, en été.

Lumière : vive mais sans soleil direct.

Terre : terreau standard pour cactées.

Engrais : une ou deux fois durant la végétation apportez un engrais « cactées » dilué de moitié.

Humidité de l'air : assez sèche, surtout l'hiver.

Arrosage : tous les 10 jours environ, uniquement lorsque la ou les tiges sont présentes.

Rempotage : tous les 2 ans, au printemps.

Exigences particulières : un ou plusieurs tuteurs permettront aux branches volubiles de se déployer sans former un entrelacs confus.

Dimensions : jusqu'à 2 m de long, en pot.

Multiplication : transplantation des divisions du bulbe. Semis au printemps à 22 °C.

Longévité : plus de 10 ans, les plus gros sujets avec un bulbe étrange, sont les plus décoratifs.

Ennemis et maladies : cochenilles et pucerons.

Espèces et variétés : *Bowiea volubilis* parvient à former un « pseudo-bonsaï », très décoratif.

Conseil Truffaut : couvrez la surface du pot d'un lit de gravillons clairs, afin de bien faire ressortir la partie aérienne verte du bulbe. Attention de ne pas mouiller le bulbe (pourriture des peaux externes).

Cephalocereus senilis BARBE DE VIEILLARD

Ce cactus dressé porte une pilosité blanche, concentrée parfois seulement au sommet.

Origine : Mexique (Hidalgo, Guanajuato).

Feuilles : les aiguillons gris sont dissimulés parmi des poils blanc argenté d'aspect soyeux.

Fleurs : nocturnes, blanc jaunâtre ou jaune pâle ; en été, elles se forment sur un « céphalium ».

Lumière : plein soleil, toute l'année.

Terre : terreau standard pour cactées, additionné de 25 % de calcaire finement broyé.

Engrais : de mars à septembre, apportez une fois par mois un engrais liquide « cactées ».

Humidité de l'air : très sec, surtout en hiver.
Arrosage : une fois par semaine durant la croissance, aucun apport d'eau en hiver.
Rempotage : tous les 2 ans, au printemps.
Exigences particulières : une lumière verticale (provenant d'une fenêtre de toit) est appréciée.
Dimensions : 30 cm en 10 ans.
Multiplication : semis à 20°C, en mars-avril.
Longévité : plusieurs siècles dans la nature.
Ennemis et maladies : cochenilles des racines.
Espèces et variétés : *Cephalocereus senilis* est la plus connue des 3 espèces du genre.
Conseil Truffaut : à l'aide d'un séchoir à cheveux (réglé en position « air froid »), dépoussiérez régulièrement les poils blancs. Lavez-les et peignez-les pour leur redonner un bel aspect soyeux.

Cereus spp. CACTUS CIERGE

Grands cactus dressés, en forme de cierge, caractérisés par la couleur bleuté de certaines espèces et par les fleurs de très grand diamètre.
Origine : Argentine, sud du Brésil, Uruguay.
Feuilles : de longs aiguillons acérés, réunis par 4 à 10 sur des aréoles parfois laineuses.
Fleurs : nocturnes, en coupe ou en entonnoir de juin à septembre, elles atteignent 25 cm.
Lumière : si possible le plein soleil.
Terre : terreau ordinaire pour cactées.
Engrais : de mai à septembre, apportez un engrais liquide « cactées » une fois par mois.
Humidité de l'air : faible, mais aérez bien.
Arrosage : 2 à 3 fois par mois du printemps au début de l'automne. Gardez presque sec en hiver.
Rempotage : tous les 2 ou 3 ans, en choisissant un pot bien stable, les sujets adultes étant lourds.
Exigences particulières : augmentez l'acidité du terreau, en ajoutant 15 % de tourbe blonde.
Dimensions : de 1 m à 1,5 m environ, en 10 ans.
Multiplication : semis à 20°C au printemps, ou par bouturage des jeunes pousses latérales.
Longévité : de 20 à 30 ans en moyenne.
Ennemis et maladies : cochenilles.
Espèces et variétés : sur les 25 espèces connues, *Cereus peruvianus (C. urugayanus)*, et surtout sa forme 'Monstruosus', à la silhouette contournée est le plus cultivé ; *C. azureus*, à tiges bleues.
Conseil Truffaut : un hivernage au frais (10 °C) est indispensable pour obtenir une floraison.

Ceropegia linearis CHAÎNE DES CŒURS

Petite plante succulente à tiges très grêles.
Origine : Afrique du Sud, Zimbabwe.
Feuilles : de 1 à 2 cm de long, opposées, épaisses, gris-vert dessus, pourpre au revers. Tiges pendantes.
Fleurs : de 1 à 2 cm de long, en forme de lanterne, solitaires, vert rosé, en été.
Lumière : vive mais sans soleil direct.
Terre : terre franche, tourbe et terreau de feuilles à parts égales, avec 15 % de sable grossier.
Engrais : au printemps et en été, apportez 3 ou 4 fois un engrais « cactées » dilué de moitié.
Humidité de l'air : de 40 à 50 %, pas plus.
Arrosage : 2 ou 3 fois par mois au printemps et en été, tous les 20 à 30 jours durant l'hiver.
Rempotage : tous les 3 ou 4 ans ; le céropégia appréciant de rester à l'étroit dans un petit pot.
Exigences particulières : attention ! les tiges sont très cassantes. Gare aux excès d'eau !
Dimensions : jusqu'à 1,20 m.
Multiplication : semis au printemps à 20 °C. Pour *Ceropegia woodii,* séparation des bulbilles qui se forment le long des tiges au contact du sol.
Longévité : renouvelez la plante tous les 5 ans.
Ennemis et maladies : pucerons, acariens.
Espèces et variétés : *Ceropegia linearis spp. woodii,* « la chaîne des cœurs », dont les feuilles marbrées de gris semblent enfilées comme des perles sur des tiges fines mais solides comme du crin.
Conseil Truffaut : cultivez le céropégia en suspension ou en bordure d'un bac. Ses tiges retomberont gracieusement le long du pot, habillant le cache-pot d'une manière tout à fait naturelle.

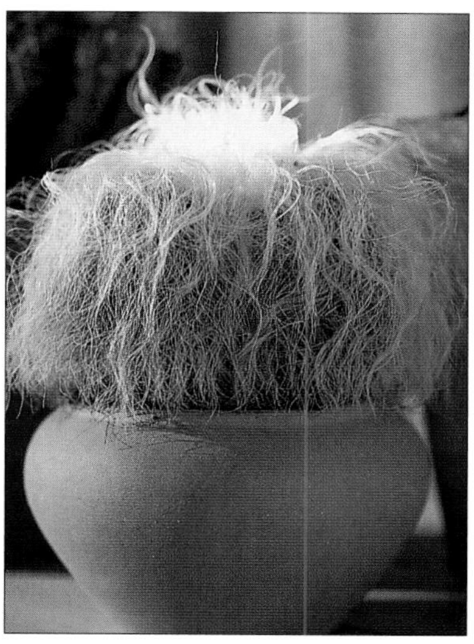

▲ *Cephalocereus senilis* : comme une barbe de vieillard.

▲ *Cereus peruvianus* 'Monstruosus' : des fleurs géantes.

Ceropegia linearis : des tiges très graciles, retombantes. ▶

▲ *Chamaecereus silvestrii* : un coussin très florifère.

▲ *Cleistocactus stausii var fricii* : soyeux, mais piquant.

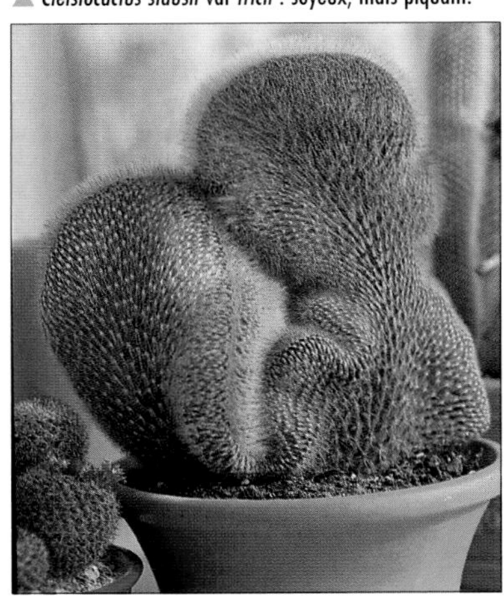

Chamaecereus silvestrii CACTUS CORNICHON

 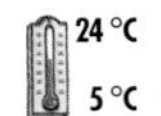 

Cactus nain, prostré, formant une touffe compacte. Il est aussi appelé : *Echinopsis chamaecereus, Cereus silvestris, Lobivia silvestris.*

Origine : Argentine (Salta, Tucumán).

Feuilles : de 10 à 15 aiguilles fragiles, brunes, sont portées par des aréoles sur des tiges vert pâle.

Fleurs : diurnes, en été, en forme d'entonnoir de 5 à 7 cm de long, rouge orangé.

Lumière : le plein soleil, une partie de la journée.

Terre : terreau pour cactées du commerce.

Engrais : d'avril à septembre, apportez une fois par mois un engrais liquide « cactées ».

Humidité de l'air : sèche, surtout en hiver.

Arrosage : tous les 7 à 10 jours durant la période de croissance, tous les 15 à 20 jours en hiver.

Rempotage : tous les 2 ans, dans une coupe.

Exigences particulières : évitez de bousculer la plante car les tiges sont très cassantes.

Dimensions : de 30 à 50 cm de large.

Multiplication : semis au printemps à 21°C et par séparation des jeunes pousses latérales.

Longévité : au moins 10 ans en pot.

Ennemis et maladies : cochenilles.

Espèces et variétés : *Chamaecereus silvestris* est l'unique espèce de ce genre, désormais classé par les botanistes parmi les *Echinopsis*.

Conseil Truffaut : pour mieux mettre en valeur la couleur des tiges, recouvrez la surface du substrat d'une couche de fins cailloux blancs.

Cleistocactus spp. CLEISTOCACTUS

Cactus colonnaire érigé ou prostré, dont les fleurs tubulaires ne s'ouvrent pas.

Origine : Pérou, Bolivie, Paraguay, Argentine, Brésil et Uruguay, jusqu'à 3 000 m d'altitude.

◄ *Cleistocactus jujuyensis* : des fleurs tubulaires fermées.

Feuilles : les aiguillons blancs, beiges ou dorés, forment une couverture dense sur les tiges, donnant la couleur dominante du cactus.

Fleurs : diurnes, en été, le plus souvent tubulaires, ou en entonnoir, rouges, oranges ou roses, sur des sujets d'au moins 4 ans.

Lumière : plein soleil, toute l'année.

Terre : terreau pour cactées du commerce.

Engrais : d'avril à septembre, apportez une fois par mois un engrais « cactées » dilué de moitié.

Humidité de l'air : sèche, surtout durant l'hiver.

Arrosage : hebdomadaire au printemps et en été, aucun apport d'eau pendant l'hiver.

Rempotage : chaque année en mars pour les jeunes sujets, tous les 2 ans pour les adultes.

Exigences particulières : disposez une bonne couche drainante de gravillons au fond des pots.

Dimensions : de 50 cm à 1,50 m en pot.

Multiplication : semis au printemps à 20°C, ou bouturage des extrémités de tiges en été.

Longévité : au moins 5 à 8 ans, en pot.

Ennemis et maladies : pucerons, pourriture.

Espèces et variétés : le genre *Cleistocactus* comprend 50 espèces. *C. strausii*, aux tiges de 4 à 5 cm d'épaisseur, verticales, qui semblent recouvertes de soies blanches, fleurs roses ; *C. brookei*, étalé, ressemble à un serpent, fleurs orange ; *C. jujuyensis*, aux aiguillons blancs, fleurs tubulaires rouge clair.

Conseil Truffaut : seule la culture en pleine terre dans une serre garantit une floraison abondante.

Cotyledon spp. COTYLÉDON

Plante succulente reconnaissable à leurs grandes feuilles en forme de cuillère. Certaines espèces sont rattachées au genre *Adromischus*.

Origine : de l'Arabie à l'Afrique du Sud.

Feuilles : charnues, épaisses, arrondies, gris bleuté ou vertes, glabres ou velues selon les espèces. Elles sont toujours disposées par paires.

Fleurs : allongées, parfois tubulaires, orange, rouges ou jaunes, groupées en panicules à l'extrémité des branches, généralement à la fin de l'été.

Lumière : abondante, mais sans soleil direct.
Terre : terreau pour cactées avec 15 % de terre de jardin pour les espèces à feuilles glabres ou 20 % de gravillons pour les cotylédons à feuilles velues.
Engrais : d'avril à septembre, apportez tous les 15 jours un engrais « cactées », dilué de moitié.
Humidité de l'air : ambiante durant l'été, très sèche en hiver, surtout pour les espèces velues.
Arrosage : une fois par semaine d'avril à septembre, pas d'eau de novembre à janvier. Une fois tous les 15 jours le reste de l'année.
Rempotage : en mars, dans une coupe large.
Exigences particulières : ne mouillez pas les feuilles sous piene d'avoir des pourritures.
Dimensions : de 30 à 70 cm de haut et de large.
Multiplication : facile par bouturage de tiges ou de feuilles, au début de l'été.
Longévité : de 3 à 5 ans, guère plus.
Ennemis et maladies : cochenilles, pourriture.
Espèces et variétés : le genre *Cotyledon* comprend 9 espèces. *C. orbiculata*, à grandes feuilles argentées, plus ou moins bordées de rouge en plein soleil; *C. undulata*, aux feuilles à bord ondulé; *C. tomentosa* et *C. ladysmithensis*, à feuilles en forme de « patte d'ours », épaisses, recouvertes d'un fin duvet, très sensibles aux excès d'eau.
Conseil Truffaut : isolez le collet des plantes de l'humidité, en recouvrant la surface du substrat avec une couche de gravillons fins. N'hésitez pas à supprimer quelques feuilles pour mettre en valeur la silhouette de *Cotyledon orbiculata*.

Crassula spp. CRASSULA

Plantes succulentes, très charnues, à port arborescent, ressemblant à des bonsaïs.
Origine : Asie, Madagascar, Afrique du Sud.
Feuilles : de 3 à 7 cm de long, opposées, ovales, lancéolées, en losange, épaisses, argentées, plombées ou bien vertes selon les espèces.
Fleurs : de 1 à 3 cm de diamètre, tubulaires ou étoilées, groupées en bouquets blanc rosé, au sommet des rameaux, de la fin de l'été jusqu'en hiver.
Lumière : abondante pour les crassulas à feuilles argentées. Mi-ombre pour celles à feuilles vertes.
Terre : sable de rivière, tourbe blonde, terre de jardin et terreau de feuilles à parts égales.
Engrais : tous les 15 jours, d'avril à septembre, apportez un engrais « cactées » dilué de moitié.
Humidité de l'air : la sécheresse est appréciée.
Arrosage : une fois par semaine d'avril à septembre, au sec complet en décembre-janvier, toutes les 3 semaines entre ces deux périodes.
Rempotage : chaque année au printemps, afin d'obtenir une croissance assez rapide.
Exigences particulières : couvrez la surface du pot d'une couche de gravillons, pour éviter la pourriture des branches basses au contact du terreau.
Dimensions : de 10 cm à 2 m selon les espèces.
Multiplication : facile par boutures de feuilles ou de tiges en été. Quand l'atmosphère est très sèche, les tiges produisent naturellement des racines, ce qui facilite encore le bouturage.
Longévité : jusqu'à 25 ou 30 ans, en pot.
Ennemis et maladies : cochenilles.
Espèces et variétés : on compte environ 150 espèces de *Crassula*. *C. ovata*, « l'arbre de Jade », une forme arborescente au tronc puissant et aux feuilles bordées de rouge; *C. arborescens*, arborescent, à plus grandes feuilles argentées, bordées de bordeaux; *C. falcata*, à feuilles allongées; ressemblant à des lames de poignard, inflorescences orange et volumineuses; *C. tetragona*, buisson compact, à tiges cylindriques portant des feuilles allongées; *C. schmidtii*, aux nombreuses petites fleurs roses; *C. lycopodioides*, à longues tiges, aux feuilles triangulaires imbriquées; *C. marnieriana*, compacte, naine, donnant l'impression d'un collier de perles charnues enfilées sur la tige.
Conseil Truffaut : vous pouvez rassembler plusieurs crassulas de petit développement dans une seule grande coupe, pour composer un ensemble nuancé sur le plan des couleurs et des formes. Cultivez les plus grandes espèces en isolé dans une belle poterie, afin de bien mettre en valeur leur silhouette arbustive étonnante.

Cotyledon undulata : des feuilles épaisses, bleutées.

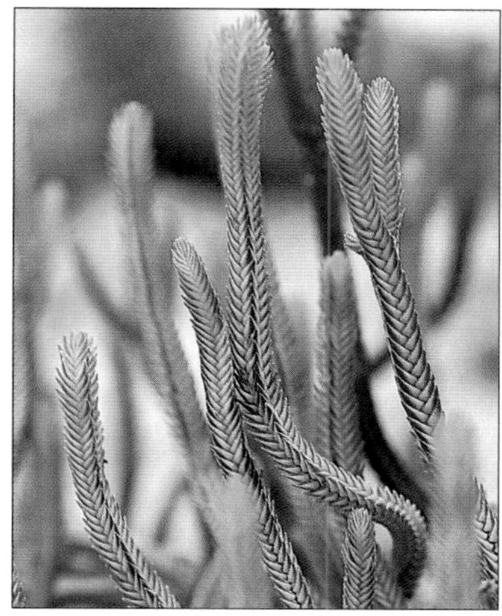

Crassula lycopodioides : des tiges fines, serpentiformes.

Crassula arborescens : un buisson très ramifié.

▲ *Echeveria gibbiflora* var. *metallica* : un pourpre bleuté.

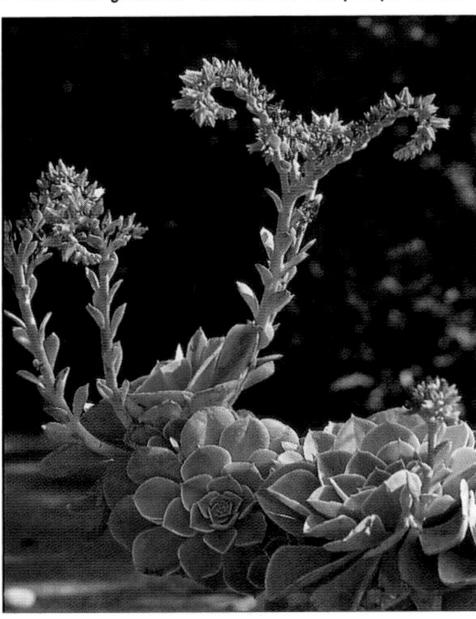

▲ *Echeveria derenbergii* : des rosettes très compactes.

◄ *Echeveria setosa* : couvert d'un doux velours.

Echeveria spp. ÉCHEVÉRIA

24 °C – 7 °C

Appelées populairement « artichauts », certaines de ces succulentes sont utilisées en mosaïculture.

Origine : Texas, Mexique, cordillère des Andes.

Feuilles : triangulaires ou en losange allongé, creuses, renflées ou de section presque cylindrique. Glabres, recouvertes de pruine, ou très velues.

Fleurs : en clochette ou en entonnoir, jaunes ou orange, les fleurs sont réunies au sommet d'une tige, au printemps ou en été.

Lumière : le plein soleil est apprécié toute l'année.

Terre : terre franche, terreau et gravier fin ou terreau pour cactées du commerce.

Engrais : d'avril à septembre, apportez une fois par mois un engrais « cactées » dilué de moitié.

Humidité de l'air : les espèces velues préfèrent les endroits bien secs. Ne jamais vaporiser.

Arrosage : une fois par semaine de mai à fin septembre, deux fois par mois jusqu'à mi-novembre, puis une à deux fois au cours de l'hiver.

Rempotage : chaque année en avril, dans un pot plus large de 2 à 4 cm que le précédent.

Exigences particulières : n'arrosez pas sur le feuillage car cela occasionne des pourritures.

Dimensions : de 10 à 40 cm de haut et de large.

Multiplication : semis au début du printemps, à 15-20 °C ou bouturage des feuilles dans du sable.

Longévité : de 3 à 7 ans. Chez certaines espèces, la rosette principale meurt après la floraison.

Ennemis et maladies : cochenilles.

Espèces et variétés : le genre *Echeveria* se décline en 150 espèces. *E. glauca,* aux feuilles bleues, est très utilisé pour les massifs d'été; *E. metallica*, à la somptueuse couleur violacée; *E. derenbergii* fleurit jaune en abondance et constitue de belles touffes compactes; *E. setosa*, à feuilles velues vert tendre en été, qui rosissent en hiver.

Conseil Truffaut : placez vos échevérias en plein air vers la fin mai. Enterrez la base des pots, les plantes prendront alors de belles proportions.

Echinocactus spp. CACTUS OURSIN

25 °C – 5 °C

Appelés « coussins de belle-mère », ces cactus sphériques sont particulièrement épineux.

Origine : sud-ouest des États-Unis, Mexique.

Feuilles : aiguillons dorés, bruns ou rougeâtres réunis sur des aréoles plus ou moins laineuses, le long des côtes très nettement délimitées.

Fleurs : diurnes, jaunes, roses ou rouges selon les espèces, elles s'épanouissent au sommet du cactus sur une partie recouverte de duvet.

Lumière : plein soleil, toute l'année.

Terre : terreau pour cactées du commerce, avec 20 % de sable grossier. Surfacez le mélange d'une couche de gravillons, pour éviter que le substrat ne se colle sous les aiguilles lors d'un arrosage.

Engrais : d'avril à septembre, apportez toutes les 3 semaines un engrais liquide « cactées ».

Humidité de l'air : normale; un air très sec entraîne l'aplatissement des côtes durant l'hiver.

Arrosage : une fois par semaine de juin à septembre, tous les 15 jours au printemps, ne donnez pratiquement pas d'eau durant l'hiver.

Rempotage : tous les 2 ans. L'opération est délicate à cause de la densité des aiguilles acérées.

Exigences particulières : tournez régulièrement les échinocactus pour qu'ils reçoivent une lumière homogène, gage d'une forme régulière.

Dimensions : jusqu'à 80 cm de diamètre (15 cm de haut et de large à 10 ans).

Multiplication : semis, à 20 °C, au printemps.

Longévité : parfois jusqu'à plus de 100 ans.

Ennemis et maladies : cochenilles.

Espèces et variétés : le genre *Echinocactus* se décline en 6 à 15 espèces selon les botanistes. *E. grusonii,* de forme sphérique régulière, aux aiguillons jaune d'or; var. *albispina* a des aiguillons blancs; *E. parryi,* compact, aux très longs aiguillons.

Conseil Truffaut : débarrassez une fois par mois votre échinocactus de la poussière qui s'accumule dans les côtes, à l'aide d'un séchoir à cheveux réglé en position « air frais ». Durant l'été, exposez la plante de temps en temps sous la pluie.

Echinocereus spp.
CIERGE OURSIN

Ces petits cactus surprennent par le diamètre de leurs fleurs. Le genre *Echinocereus* regroupe les plantes appelées anciennement *Wilcoxia*.

Origine : sud et sud-ouest des USA, Mexique.

Feuilles : aiguillons rares ou très nombreux selon les espèces. Le plus souvent blancs, ils se teintent parfois de rouge ou de rose chez les jeunes sujets.

Fleurs : diurnes, en étoiles atteignant parfois 15 cm de diamètre, jaunes, roses, rouges ou orange, les fleurs s'épanouissent au sommet des tiges, en général au début de l'été.

Lumière : vive et très ensoleillée.

Terre : terreau pour cactées du commerce.

Engrais : d'avril à octobre, apportez chaque mois un engrais « cactées », dilué de moitié.

Humidité de l'air : la plus sèche possible.

Arrosage : tous les 8 à 10 jours, du printemps au début de l'automne, toutes les 3 semaines durant la mauvaise saison. Les espèces les plus épineuses sont très sensibles à la pourriture.

Rempotage : tous les 2 ans, en prenant garde à ne pas désolidariser la touffe.

Exigences particulières : la floraison ne se produit que chez les sujets bénéficiant d'une température toujours supérieure à 10 °C.

Dimensions : environ 15 cm de haut à 10 ans.

Multiplication : semis à 21 °C au printemps, ou bouturage d'extrémité de tiges en été.

Longévité : jusqu'à 40 ou 50 ans, même en pot.

Ennemis et maladies : cochenilles à bouclier.

Espèces et variétés : on recense 45 espèces dans le genre *Echinocereus; E. armatus*, aux fleurs très spectaculaires, parfois plus grandes que le cactus lui-même; *E. triglochidiatus,* aux belles touffes de tiges bleutées peu épineuses; *E. engelmanii*, aux tiges cylindriques à aiguillons blancs, fleurs roses; *E. fendleri*, nain, globuleux, aux fleurs violettes plus larges que le cactus lui-même.

Conseil Truffaut : laissez s'accumuler les rejets au pied pour former de très belles touffes, d'un effet exceptionnel lorsque débute la floraison.

Echinofossulocactus spp.
ÉCHINOFOSSULOCACTUS

Ces cactus portent des côtes ondulées qui leur donnent beaucoup de personnalité. *Stenocactus* est une dénomination synonyme.

Origine : plaines du Mexique.

Feuilles : des aiguillons brunâtres, rouges ou blancs, l'aiguillon central d'une aréole étant plus long et plus épais que les radiaux.

Fleurs : diurnes, solitaires ou groupées en bouquets au sommet des plantes. Blanches, jaunes, roses ou rouges, unies ou bicolores, elles apparaissent chez les sujets de plus de 5 cm de diamètre.

Lumière : forte, mais abritée du plein soleil.

Terre : terreau pour cactées du commerce allégé par 25 % de gravillons fins ou de sable grossier.

Engrais : d'avril à octobre, tous les 3 arrosages, apportez un engrais liquide « cactées ».

Humidité de l'air : la plus faible possible.

Arrosage : uniquement au printemps et en été, toutes les 2 semaines. Hivernage au sec total.

Rempotage : tous les 2 ou 3 ans, de préférence dans une coupe pour que les racines s'étalent bien.

Exigences particulières : veillez à une répartition régulière de la lumière (fenêtre de toit).

Dimensions : environ 15 cm à 10 ans.

Multiplication : semis à 21 °C au printemps.

Longévité : jusqu'à 25 ou 30 ans, même en pot.

Ennemis et maladies : pucerons.

Espèces et variétés : le genre *Echinofossulocactus* compte une trentaine d'espèces. *E. crispatus* var. *esperaza*, aux côtes bien ondulées vert sombre, contrastant avec les aiguillons clairs; *E. multicostatus* var. *lloydii*, aux longues aiguilles blanches et ses très belles fleurs roses; *E. albatus*, aux longs aiguillons centraux, fleurs blanc crème; *E. crispatus*, aux très nombreuses côtes ondulées vert sombre, fleurs rose pâle.

Conseil Truffaut : disposez ces « plantes bijoux » en évidence pour que l'on puisse bien observer leur silhouette tourmentée très étonnante.

▲ *Echinocactus grusonii* : le « coussin de belle-mère ».

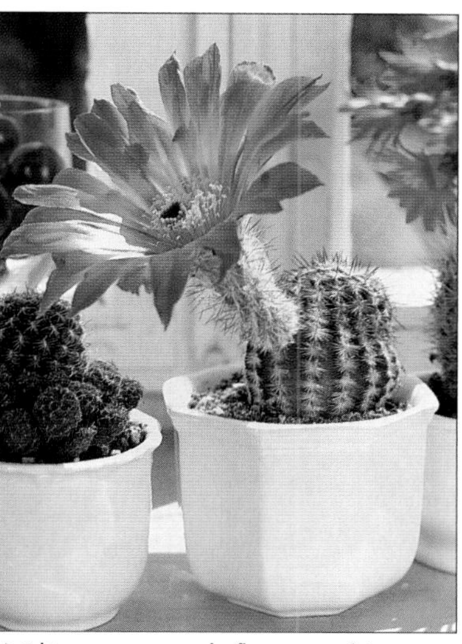

▲ *Echinocereus armatus* : des fleurs spectaculaires.

Echinofossulocactus crispatus var. *esperaza* : original. ▶

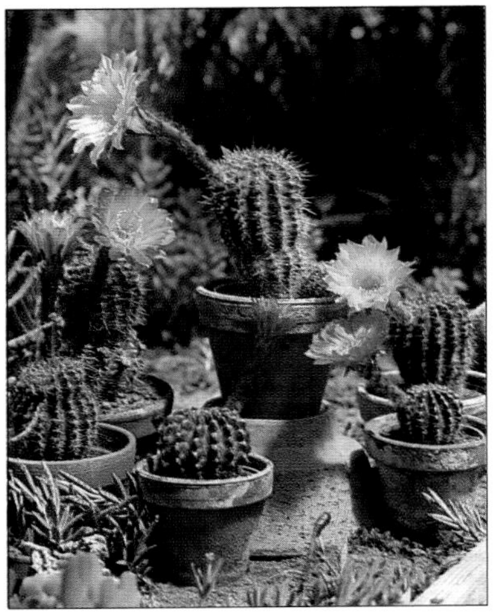

▲ *Echinopsis* hybride : de grandes fleurs très colorées.

▲ *Echinopsis oxygona* : des fleurs de 15 cm de diamètre.

Echinopsis spp. ÉCHINOPSIS

Ces cactus globuleux fleurissent même dans leur jeune âge, du printemps à la fin de l'été.

Origine : Argentine, Chili, Équateur, Pérou.

Feuilles : le corps côtelé porte des aiguillons de dimensions et de couleurs variables.

Fleurs : grandes, étoilées, blanches, jaunes, rouges ou pourpres. Les fleurs sont diurnes chez les échinopsis poussant en altitude, nocturnes et blanches ou rose tendre pour les espèces de plaine.

Lumière : en plein soleil toute l'année.

Terre : terreau pour cactées du commerce.

Engrais : d'avril à septembre, apportez une fois par mois un engrais liquide « cactées ».

Humidité de l'air : la plus faible possible.

Arrosage : une fois par semaine, du printemps au milieu de l'automne. Au sec durant tout l'hiver.

Rempotage : en avril, tous les 2 ans.

Exigences particulières : un séjour dans le jardin de mai à octobre est très profitable.

Dimensions : de 10 à 50 cm, pousse lente.

Multiplication : semis à 21°C en mars-avril, séparation des rejets latéraux ou bouturage des pousses secondaires au printemps.

Longévité : de 10 à 15 ans au moins.

Ennemis et maladies : cochenilles.

Espèces et variétés : *Echinopsis scopulicola*, un des plus grands, souvent utilisé comme porte-greffe, inerme, fleurs de 15 cm de diamètre; *E. oxygona*, à grandes fleurs blanches, nocturnes; *E. chamaecereus* var. *lutea*, au corps blanc jaunâtre, doit absolument être greffé; *E. cardesiana*, nain, globuleux, à grandes fleurs rose magenta; *E. eyriesii* var. *rosea*, au corps cylindrique fortement côtelé, portant de très petits aiguillons, fleurs roses; *E. klingeriana*, globuleux, nain, fleurs blanches; *E. semidenudata*, à peine épineux, fleurs nocturnes, blanches.

Conseil Truffaut : seul un hivernage dans des conditions de grande fraîcheur (de 5 à 10 °C) peut garantir une floraison des échinopsis.

◄ *Epiphyllum* 'Peacolkii' : un bel hybride à grandes fleurs.

Epiphyllum spp. ÉPIPHYLLUM

Cactées épiphytes, formant des fleurs énormes qui leur valent le nom de « cactus orchidées ».

Origine : Mexique, Argentine, Antilles.

Feuilles : il s'agit en réalité de phylloclades, tiges aplaties qui réalisent la photosynthèse à la place des feuilles. Longues et pendantes, elles sont dentelées ou crénelées et non épineuses.

Fleurs : certaines espèces s'ouvrent la nuit et produisent un parfum suave et puissant. Chez les hybrides, les fleurs énormes aux coloris variés restent épanouies plusieurs jours.

Lumière : vive, mais sans soleil direct.

Terre : tourbe blonde et terreau de feuilles.

Engrais : d'avril à septembre, apportez tous les 15 jours un engrais liquide « orchidées ».

Humidité de l'air : sans importance.

Arrosage : une à deux fois par semaine durant la croissance. Tous les 8 à 10 jours en hiver.

Rempotage : tous les 2 ou 3 ans, au printemps.

Exigences particulières : une température élevée durant l'été induit une floraison de qualité.

Dimensions : plusieurs mètres. Les tiges trop longues cassent et bourgeonnent aussitôt.

Multiplication : boutures de 20 à 25 cm de long, en juin-juillet. Coupez-les « en biais », de manière à former un angle avec la nervure centrale.

Longévité : rajeunissez les plantes, en les bouturant tous les 3 à 5 ans.

Ennemis et maladies : pucerons, cochenilles.

Espèces et variétés : le genre *Epiphyllum* compte une vingtaine d'espèces. *E. crenatum* et *E. anguliger*, à grandes fleurs blanc crème; *E. oxypetalum*, à fleurs blanches parfumées. On cultive surtout des hybrides comme 'Peacolkii', rouge vif, 'Fantasy', rouge clair, 'El Presidente', vermillon, 'Tassel' rose, très double, etc. Certains produisent des fleurs qui dépassent 30 cm de diamètre.

Conseil Truffaut : associez ces cactées épiphytes avec des orchidées; elles réclament des conditions de culture similaires, appréciant des brumisations régulières sur le feuillage par temps chaud.

Eriocactus spp.
ÉRIOCACTUS

Ces cactus de forme globuleuse régulière, aux côtes bien marquées, sont réunis aux *Notocactus*, genre désormais dénommé *Parodia*.

Origine : Brésil, Uruguay, Paraguay.

Feuilles : les aiguillons blanchâtres de 8 à 10 mm de long sont portés par des aréoles plus ou moins laineuses, tout le long des côtes.

Fleurs : diurnes, jaune citron, apparaissant au sommet du cactus, au printemps ou en été.

Lumière : forte et si possible verticale (fenêtre de toit). Sinon, tournez régulièrement la plante pour qu'elle conserve une forme bien compacte.

Terre : terreau pour cactées du commerce.

Engrais : de mai à septembre, faites 3 ou 4 apports d'engrais liquide « cactées ».

Humidité de l'air : de préférence assez faible.

Arrosage : une fois par semaine d'avril à septembre, tous les 15 à 20 jours durant l'hiver.

Rempotage : tous les 2 ans, au printemps.

Exigences particulières : utilisez une coupe plus large que profonde car les ériocactus bourgeonnent et forment des touffes toujours plus belles.

Dimensions : au maximum 30 cm de haut.

Multiplication : semis à 20°C, en mai.

Longévité : parfois jusqu'à 80 ou 100 ans.

Ennemis et maladies : cochenilles, pucerons.

Espèces et variétés : *Eriocactus magnificus* forme des globes vert grisâtre sur lesquels ressortent bien les côtes blanches.

Conseil Truffaut : dès les premiers rempotages, n'hésitez pas à installer votre *Eriocactus magnifica* dans un pot plus large que la normale, afin de l'inciter à former plus rapidement une belle colonie.

Espostoa spp.
CACTUS LAINEUX

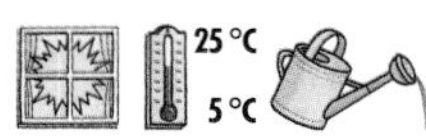

Ces cactus dressés, couverts d'épines laineuses, se ramifient, prenant la forme d'un candélabre.

Origine : Équateur, Bolivie, montagnes du Pérou.

Feuilles : nombreux aiguillons portés sur des aréoles laineuses. L'aiguillon central est plus long.

Fleurs : nocturnes, blanches, jaunes ou pourpres, elles apparaissent sur un céphalium lorsque les plantes atteignent au moins 1 m de haut.

Lumière : plein soleil, toute l'année.

Terre : terreau pour cactées, additionné de 20 % de petits gravillons pour améliorer le drainage.

Engrais : d'avril à septembre, apportez tous les 15 jours un engrais liquide « cactées ».

Humidité de l'air : faible, surtout l'hiver.

Arrosage : tous les 8 à 10 jours au printemps et en été, tous les 15 jours en automne et pas plus de 1 ou 2 arrosages légers durant l'hiver.

Rempotage : tous les 2 ans, au printemps.

Exigences particulières : une bonne ventilation évitera le dépôt de poussière entre les aiguillons.

Dimensions : de 15 à 20 cm vers 10 ans.

Multiplication : semis à 20 °C au printemps.

Longévité : plusieurs dizaines d'années en pot.

Ennemis et maladies : pourriture des racines.

Espèces et variétés : le genre *Espostoa* comprend 10 espèces. *E. lanata*, en belles colonnes blanches qui peuvent dépasser 2 m en pot. Elles se ramifient dès la base, constituant des touffes spectaculaires. Fleurs blanches chez les sujets de plus de 1 m de haut, fruits rouges ressemblant à de grosses fraises. Cette espèce se rencontre dans la nature en compagnie de broméliacées ; *E. melanostele*, plus petit, plus laineux, à aiguillons dorés, fleurit la nuit vers l'âge de 15 ans environ. Il peut résister en pleine terre à une faible gelée ; *E. senilis*, tout blanc, se ramifie beaucoup, s'épanouissant comme un buisson, fleurs pourpres, en été.

Conseil Truffaut : dépoussiérez de temps à autre vos *Espostoa* à l'aide d'un séchoir à cheveux réglé sur « air frais ». Exposez-les au moins une fois au cours de l'été, sous une fine pluie tiède, de manière à humidifier naturellement les soies qui recouvrent les tiges. Laissez sécher parfaitement la plante avant de la rentrer. Recouvrez la surface des pots d'une fine couche de petits gravillons afin d'éviter de tacher la base des tiges avec du terreau.

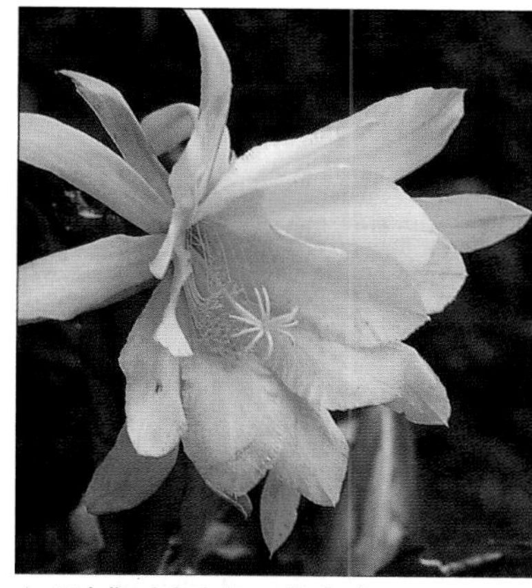

▲ *Epiphyllum* hybride 'Reward' : des fleurs énormes.

▲ *Eriocactus magnificus* : des aréoles laineuses.

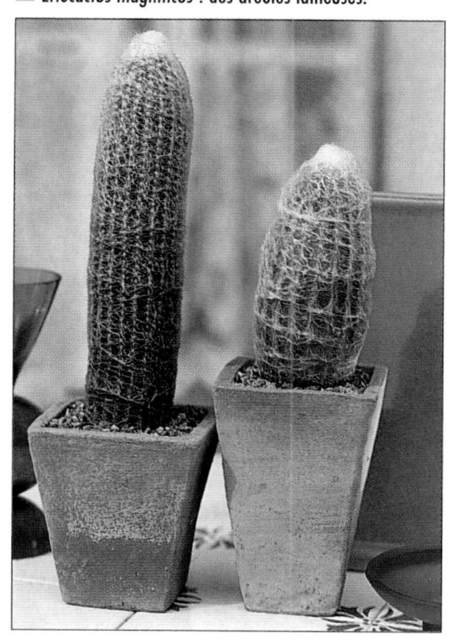

Espostoa melanostele : des aiguillons jaune d'or. ▶

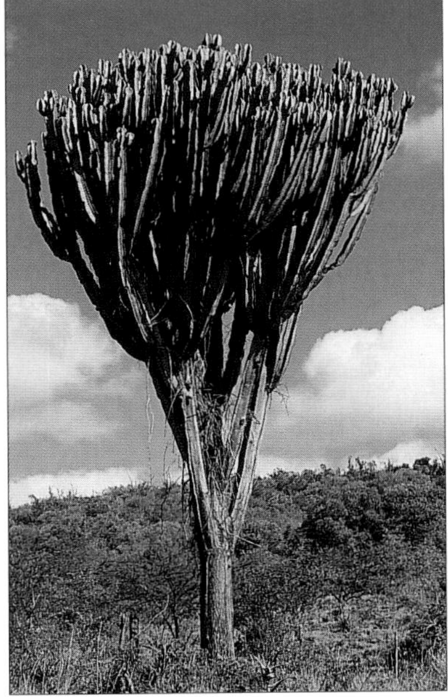

▲ *Euphorbia candelabrum.* *Euphorbia milii.* ▼

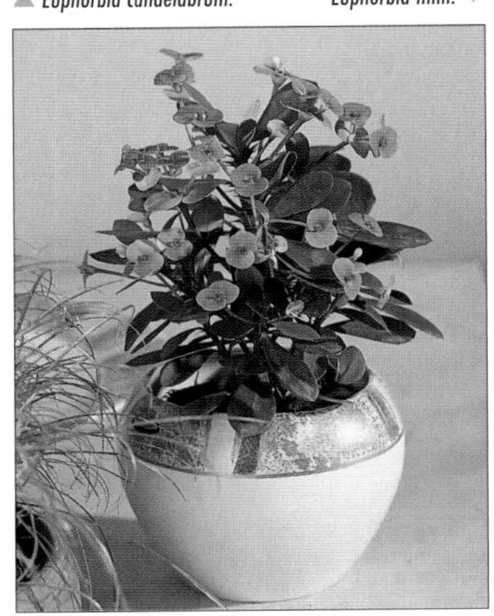

Euphorbia spp. EUPHORBE

25 °C 7 °C

Se déclinant en plus de 2 000 espèces, les euphorbes prennent des apparences très diverses, ressemblant à des cactus, des buissons, des arbres. Certaines sont très épineuses et d'autres totalement glabres. Beaucoup fleurissent généreusement tandis que d'autres ne s'épanouissent que de façon épisodique. C'est la floraison qui permet de reconnaître les membres de la famille des euphorbiacées, ainsi que le liquide blanc toxique (latex), qui s'écoule à la moindre blessure d'une tige ou d'une feuille.

Origine : dans la majorité des régions tropicales et subtropicales, mais surtout en Afrique.

Feuilles : beaucoup d'espèces portent de vraies feuilles, qui restent toute une saison sur la plante ou seulement quelques semaines. Les tiges et leurs excroissances (les angles) assurent la fonction chlorophyllienne. Les épines sont produites par l'épiderme des tiges et ne sont pas des feuilles transformées en aiguillons comme chez les cactées.

Fleurs : ce qui ressemble à une fleur est en réalité une inflorescence particulière, le « cyathe ». Il est composé de vraies fleurs (une femelle et plusieurs mâles n'ayant qu'une seule étamine), et de bractées (feuilles transformées), plus ou moins grandes et plus ou moins colorées. Plusieurs cyathes sont en général regroupés en une inflorescence, elle-même parfois garnie de bractées colorées et sécrétant le nectar qui attire les insectes pollinisateurs. La floraison dure longtemps, parfois plusieurs mois. Une euphorbe ne peut se féconder elle-même et il faut posséder plusieurs plantes de la même espèce afin d'obtenir des graines.

Lumière : importante. Les euphorbes aiment les situations ensoleillées. Les plantes de couleur claire et en particulier les variétés à feuillage panaché craignent le très fort soleil, qui occasionne des brûlures de l'épiderme. Les euphorbes arborescentes et celles à croissance verticale poussent mieux lorsque la lumière vient du dessus, dans une véranda ou dans une chambre munie d'une fenêtre de toit.

Terre : utilisez un bon terreau de rempotage auquel vous mélangerez 25 % de petits gravillons, afin d'augmenter la porosité et le drainage. Pour les plantes de grande taille, lourdes et parfois difficiles à stabiliser, incorporez des cailloux au substrat, de manière à bien lester la motte.

Engrais : d'avril à septembre, apportez une fois par mois un engrais « cactées ». Une fertilisation régulière donne des plantes plus homogènes.

Humidité de l'air : évitez les atmosphères trop sèches durant l'hiver (éloignez les plantes des radiateurs). En mai, faites profiter vos euphorbes d'une petite pluie fine et tiède, afin de bien les nettoyer mais ne les laissez pas dehors plusieurs jours de suite par temps humide. Une pluie persistante risque d'entraîner des pourritures.

Arrosage : une fois par semaine de mai à septembre afin d'encourager une croissance vigoureuse. Augmentez le rythme des arrosages avec l'élévation de la température ambiante. En automne et à partir de la fin de l'hiver, arrosez seulement tous les 15 jours. De décembre à février, arrosez très peu, juste assez pour empêcher les tiges de se rider (environ une fois par mois).

▼ *Euphorbia baumeriana* : très épineuse.

▼ *Euphorbia coerulescens* : buissonnante.

▼ *Euphorbia neriifolia* : arbustive.

▼ *Euphorbia resinifera* : tapissante.

Euphorbia echinus : bien ramifiée.

Euphorbia fruticosa : des fleurs d'or.

Euphorbia obesa : une sphère rigide.

Euphorbia splendens : très florifère.

Rempotage : tous les ans au printemps, pour les jeunes sujets dont la croissance est vigoureuse. Si le volume du pot ne permet pas de compenser la hauteur ou le développement d'un sujet, lestez-le, en déposant un morceau de brique au fond du pot avant d'y installer la plante.

Exigences particulières : une homogénéité dans les températures et le rythme d'arrosage favorise une pousse régulière. Des à-coups dans la croissance peuvent entraîner des irrégularités dans la silhouette et nuire à la beauté des sujets.

Dimensions : de 15 cm de haut et de large chez les sujets globuleux, à 3 m, en pot, pour les espèces arborescentes. On peut toujours tailler les spécimens devenant trop encombrants, mais cela a pour conséquence d'entraîner une ramification des tiges et souvent une croissance encore plus vigoureuse des nouvelles pousses !

Multiplication : les graines étant rares, on propage les euphorbes par séparation de rejets et par bouturage. Les boutures sont prélevées de préférence au sommet d'une tige vigoureuse, et coupées au niveau d'un étranglement. Attendez 2 ou 3 jours que la plaie de coupe ait formé un cal de cicatrisation, avant de les mettre à raciner dans un pot rempli d'un mélange de tourbe et de sable. Pour arrêter l'écoulement du latex sur les parties mutilées, versez-y un peu d'eau tiède, ou recouvrez-les d'une fine pellicule de poivre en poudre.

Longévité : elle varie selon les espèces mais dépasse en général 10 ans dans la maison, pour atteindre de 50 à 70 ans dans le meilleur des cas.

Ennemis et maladies : les cochenilles s'incrustent au niveau des épines ou entre les côtes, dans des endroits inaccessibles. On peut essayer de les enlever avec une brosse à dents trempée dans du savon de Marseille, en renouvelant les nettoyages régulièrement. Une augmentation de l'humidité ambiante permet aussi de juguler les invasions, mais il faut prendre garde de ne pas entraîner la formation de pourritures qui s'installent surtout sur les « articulations » et au niveau des ramifications.

Espèces et variétés : parmi les 2 000 espèces que compte le genre *Euphorbia*, les 3/5, soit environ 1 200 espèces, sont des plantes succulentes. Parmi les plus populaires en culture, *Euphorbia milii*, buisson de tiges grises, plus ou moins ramifiées, épineuses, portant des feuilles durant une grande partie de l'année. Les fleurs, rouges, jaunes ou rose vif, se succèdent d'avril à septembre, var. *splendens*, plus connue sous le nom « épine du Christ » a un port plus prostré ; *E. candelabrum* forme en Afrique de véritables arbres pouvant atteindre 20 m de haut. En pot, elle se montre vigoureuse et se ramifie bien, tout comme *E. canariensis*, dont les hautes tiges gris bleuté s'élèvent parfaitement à la verticale. En pot, *E. resinifera* et *E. submammillaris* forment de grosses touffes de petites tiges dressées vert grisé, munies d'épines de 1 cm de long, dont le sommet se couvre d'inflorescences jaunes. Les tiges anguleuses de *E. coerulescens* sont d'un beau vert bleuté et sont terminées par des inflorescences jaune vif ; *E. baumeriana* et *E. echinus* ressemblent davantage à des cactus, avec leurs tiges presque cylindriques et plus ou moins verticales. Une des plus curieuses, *E. obesa*, forme un globe de 15 cm de diamètre totalement dépourvu d'épines et ressemblant à un melon ; *E. trigona*, dressé et ramifié comme un cactus cierge est facilement reconnaissable aux feuilles qui poussent vers le sommet des tiges au printemps. Elle est souvent disponible en plusieurs variétés, dont une magnifique forme panachée de crème et une autre rouge-pourpre.

Conseil Truffaut : les euphorbes sont des plantes fascinantes par leurs formes et leur diversité, mais le latex blanc qui s'écoule à la moindre blessure peut occasionner de sérieuses brûlures de la peau chez les personnes les plus sensibles, ainsi que de graves lésions oculaires au moindre contact avec la rétine. Évitez de les cultiver là où jouent de jeunes enfants et veillez à placer les espèces épineuses loin des zones passagères.

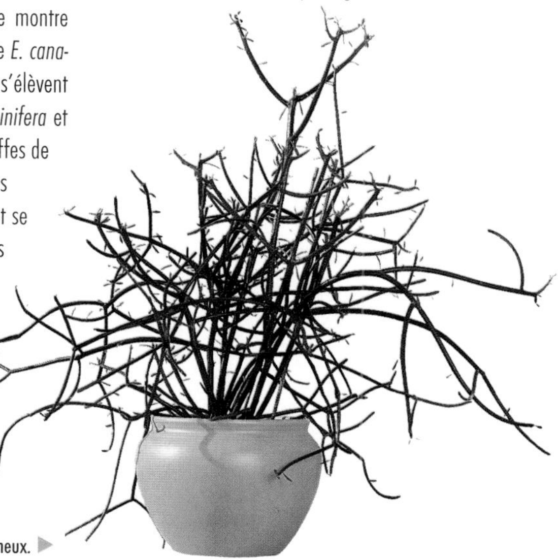
Euphorbia tirucalli : un buisson épineux.

Faucaria spp. FAUCARIA

Plantes succulentes formant des touffes compactes de petites rosettes, dont les feuilles épaisses et dentées évoquent des mâchoires.

Origine : Afrique du Sud (province du Cap).

Feuilles : semi-cylindriques ou triangulaires, épaisses, garnies de petites dents sur les bords.

Fleurs : jaunes, diurnes, ressemblant à des marguerites, les fleurs apparaissent en automne, au milieu des rosettes âgées de 2 ans.

Lumière : plein soleil pour un port très serré.

Terre : terreau pour cactées du commerce.

Engrais : d'avril à septembre, apportez une fois par mois un engrais « cactées » dilué de moitié.

Humidité de l'air : plutôt assez faible.

Arrosage : tous les 15 jours, d'avril à octobre, toutes les 6 semaines durant l'hiver.

Rempotage : chaque année, au printemps.

Exigences particulières : veillez à ne pas mouiller la base des feuilles lors des arrosages.

Dimensions : de 10 à 15 cm, vers 10 ans.

Multiplication : séparation de rosettes enracinées. Boutures de feuilles ou de fragments de tiges.

Longévité : de 3 à 5 ans, en pot, à la maison.

Ennemis et maladies : pourriture, pucerons.

Espèces et variétés : *Faucaria tigrina,* aux feuilles bordées de longues dents souples; *F. tuberculosa,* aux petits tubercules blancs sur les feuilles.

Conseil Truffaut : disposez une couche de petits cailloux sombres sur le pot afin d'augmenter un peu la température du substrat durant l'été, ce qui encourage la floraison automnale.

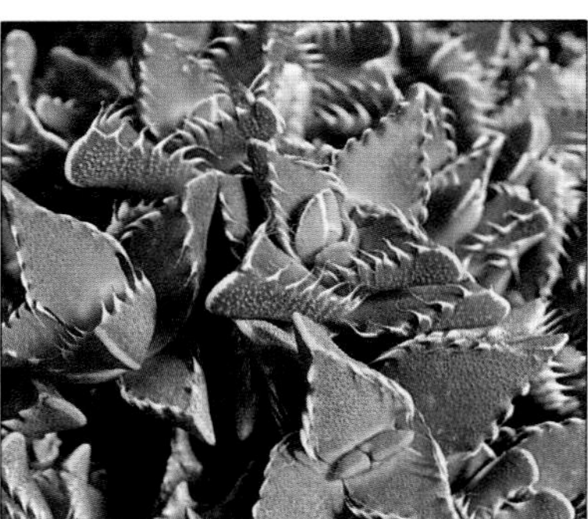

▲ *Faucaria tigrina* : des feuilles bordées de dents souples.

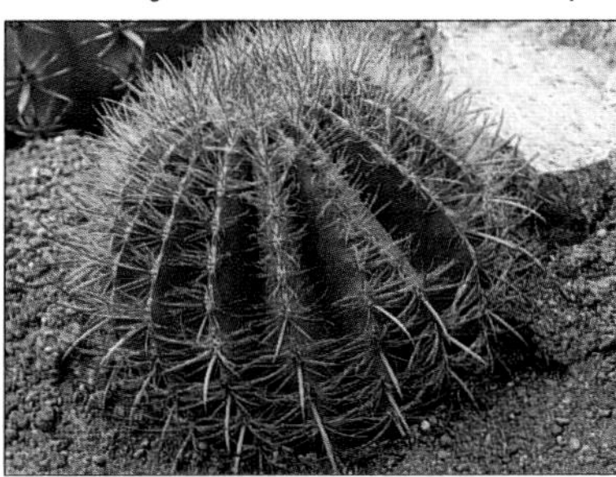

▲ *Ferocactus pilosus* : des aiguillons très acérés.

Ferocactus spp. FÉROCACTUS

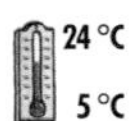

Comme le laisse deviner leur nom, ces cactus arrondis portent des aiguilles redoutables.

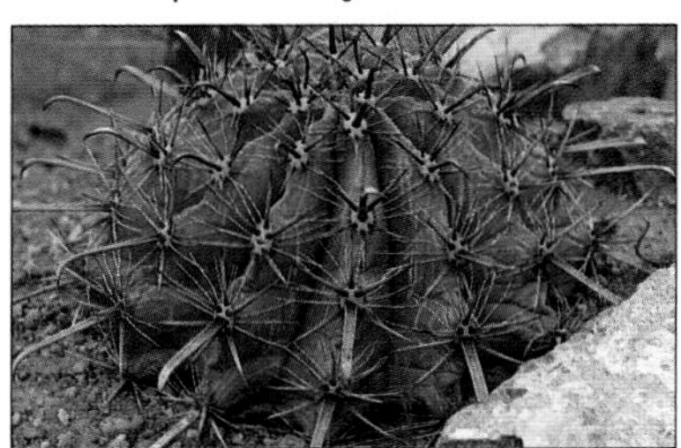

◀ *Ferocactus acanthodes* : en été, des fleurs campanulées.

Origine : sud des U.S.A, Mexique, Guatemala.

Feuilles : les aiguillons sont portés par des aréoles le long des côtes. Blanchâtres ou rosés, ils sont souvent recourbés à leur extrémité.

Fleurs : en couronne, jaunes, orange, roses ou pourpres, portées près du sommet durant l'été.

Lumière : contre une fenêtre ensoleillée.

Terre : terreau pour cactées du commerce, additionné de 15 % de gravillons fins.

Engrais : apportez un engrais liquide pour cactées une fois par mois, entre avril et septembre.

Humidité de l'air : ce n'est pas un problème.

Arrosage : tous les 15 jours d'avril à septembre, une fois par mois en automne, rien en hiver.

Rempotage : tous les 2 ans, au printemps.

Exigences particulières : pendant la floraison, les férocactus sécrètent une substance pour attirer les fourmis qui transportent le pollen d'une plante à l'autre. Nettoyez cette « glu » après la floraison afin d'éviter l'apparition des moisissures.

Dimensions : 15 cm de haut à 10 ans.

Multiplication : semis au printemps, à 15 °C.

Longévité : plusieurs dizaines d'années.

Ennemis et maladies : cochenilles.

Espèces et variétés : le genre *Ferocactus* compte une trentaine d'espèces. *F. pilosus,* aux grandes épines près de la base; *F. wislizenii,* vigoureux, à fleurs orange et superbes aiguillons rougeâtres recourbés; *F. latispinus,* aux aiguillons bruns très larges, sur des côtes régulières bien dessinées; *F. stainesii,* aux aiguillons très fins, rouge vif; *F. chrysacanthus,* très acéré, aux aiguillons recourbés, jaune doré; *F. emoryi,* dont l'aiguillon central atteint 10 cm de long, fleurs rouges; *F. glaucescens,* vert glauque, aux aiguillons jaune clair, fleurs jaunes.

Conseil Truffaut : manipulez les férocactus avec précaution lors des rempotages, sans endommager les aiguilles qui ne repoussent pas si on les casse.

Gasteria spp. GASTÉRIA

Plantes succulentes dont les feuilles coriaces ressemblent à des « langues de chat ».

Origine : Namibie, Afrique du Sud.
Feuilles : allongées, étroites, arrondies ou pointues à l'extrémité, vert foncé ou zébrées de bandes argentées, parfois ornées de petits tubercules blanchâtres ou argentés, très rigides.
Fleurs : en clochettes retombantes, orangées ou rougeâtres, portées en épis ou en petites panicules.
Lumière : vive mais protégée du soleil direct.
Terre : terreau pour cactées du commerce.
Engrais : d'avril à septembre, apportez une fois par mois un engrais « cactées » dilué de moitié.
Humidité de l'air : sans importance.
Arrosage : chaque semaine de mai à septembre, une fois par mois en octobre, novembre, mars et avril, au sec complet de décembre à février.
Rempotage : en avril, tous les 2 ou 3 ans.
Exigences particulières : enlevez les feuilles desséchées à la base des plantes afin qu'elles ne servent pas de refuge à des cochenilles ou des pucerons.
Dimensions : maximum 30 cm en tous sens.
Multiplication : facile par division des touffes ou séparation des rejets au milieu du printemps.
Longévité : plus de 10 ans, en pot, à la maison.
Ennemis et maladies : pucerons (assez rares).
Espèces et variétés : *Gasteria obtusa*, aux longues feuilles en « langues de chat », plus ou moins argentées ; *G. batesiana*, aux feuilles plus pointues ; *G. beckeri*, aux feuilles très larges à la base, de forme triangulaire ; *G. carinnata* var. *verrucosa*, aux feuilles empilées les unes sur les autres, ornées de milliers de petits points blancs.
Conseil Truffaut : composez de belles potées en associant les gastérias avec des plantes plus rondes : *Echeveria* ou *Pachyphytum oviferum*.

Gymnocalycium spp. GYMNOCALYCIUM

Ces petits cactus globuleux, aux côtes bosselées, produisent de très grandes fleurs soyeuses, qui font tout leur charme. Le bouton floral est couvert d'écailles. Gros fruits ovoïdes.
Origine : Amérique du Sud (sud du Brésil, Argentine, Uruguay, Paraguay, Bolivie).
Feuilles : les aiguillons le plus souvent légèrement recourbés et de couleur claire contrastent avec le vert foncé, olive ou brunâtre de la tige.
Fleurs : de 4 à 7 cm de diamètre, portées au sommet du cactus. Roses, rouges ou blanc rosé, elles sont diurnes et apparaissent entre mai et août.
Lumière : vive mais sans soleil direct. Dans la nature, ces cactus vivent sous d'autres plantes.
Terre : terreau pour cactées du commerce.
Engrais : une fois par mois, d'avril à septembre, apportez un engrais « cactées » dilué de moitié.
Humidité de l'air : assez sèche durant l'hiver.
Arrosage : tous les 7 à 10 jours au printemps et en été, une fois par mois en automne, rien en hiver.
Rempotage : en avril, tous les 2 ou 3 ans.
Exigences particulières : les fleurs ont besoin d'une forte lumière pour bien s'épanouir.
Dimensions : 25 cm de haut pour 40 cm de large constituent un maximum (en moyenne 10 cm).
Multiplication : semis à la fin de l'hiver, à 20 °C, ou séparation des rejets au printemps.
Longévité : certains spécimens, formant de véritables colonies peuvent atteindre plus de 80 ans.
Ennemis et maladies : cochenilles.
Espèces et variétés : on compte environ 70 espèces de *Gymnocalycium*. *G. multiflorum*, aux très grandes fleurs, au sommet d'un globe découpé en segments réguliers et peu épineux ; *G. ragonesi*, un des plus florifères, produit plusieurs fleurs blanches à la fois ; *G. baryanum* porte 3 ou 5 gros aiguillons incurvés, fleurs blanc nacré ; *G. bicolor*, aux grandes aréoles laineuses, fleurs rose crème, ombrées de plus foncé ; *G. capillaense*, très aplati, en partie enterré, avec 5 très gros aiguillons, fleurs blanc rosé ; *G. tilcarense*, assez gros (30 cm), aiguillons noirs et gris, fleurs blanc rosé ; *G. mihanovichii* est très connu sous ses formes à tiges rouges ('Red Top'), roses, jaunes, violettes ou blanches. Il s'agit de mutations dépourvues de chlorophylle, qui doivent être greffées sur d'autres cactus colonnaires pour qu'elles puissent se développer.
Conseil Truffaut : les formes colorées ont besoin du plein soleil pour assurer leur développement et d'arrosages un peu plus fréquents.

▲ *Gasteria beckeri* : des feuilles épaisses, triangulaires.

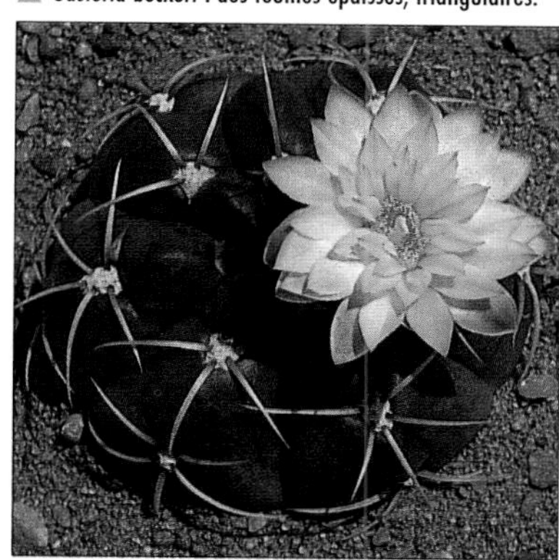

▲ *Gymnocalycium multiflorum* : une floraison ravissante.

▲ *Gymnocalycium ragonesii* : des fleurs à longs tubes.

Gymnocalycium mihanovichii : des cactus multicolores. ▶

Haworthia spp.
HAWORTHIA

Ces plantes très populaires ressemblent pour la plupart à des agaves ou des aloès miniatures, mais il existe des espèces d'aspect étrange.

Origine : Afrique du Sud, Namibie.

Feuilles : très variables : allongées et pointues, triangulaires et épaisses, en écailles effilées, ou ressemblant à des pierres. Les feuilles sont plus ou moins fortement imbriquées en rosettes sur les tiges courtes, ou en manchon sur les tiges longues. Beaucoup sont ornées de rugosités blanches.

Fleurs : petites et blanches, elles s'épanouissent en mai-juin, portées par des petites hampes.

Lumière : vive, en évitant le plein soleil.

Terre : sable de rivière, tourbe blonde et terreau de feuilles, en mélange à parts égales.

Engrais : d'avril à septembre, apportez une fois par mois un engrais « cactées » dilué de moitié.

Humidité de l'air : sans importance.

Arrosage : une fois par semaine du printemps au milieu de l'automne, toutes les 2 ou 3 semaines durant la mauvaise saison.

Rempotage : au printemps, tous les 2 ou 3 ans.

Exigences particulières : les *Haworthia* sont des plantes très robustes, veillez simplement à éviter les excès d'eau et les substrats trop compacts.

Dimensions : de 5 à 15 cm de haut, et jusqu'à 60 cm à 1 m de large pour les formes vigoureuses.

Multiplication : très facile par séparation des jeunes rosettes, de début mai à mi-août.

Longévité : les rosettes dépérissent parfois après la floraison, mais des rejets les renouvellent.

Ennemis et maladies : cochenilles.

Espèces et variétés : *Haworthia attenuata* et *H. fasciata*, très proches avec leurs feuilles triangulaires striées de blanc; *H. asperula, H. venosa, H. cymbiformis, H. cuspidata, H. emelyae, H. mutica, H. retusa* et *H. tessellata*, aux feuilles larges et épaisses, disposées en étoiles et bien plaquées sur le sol. *H. chalwininii* et *H. coarctata*, aux pousses allongées et souples, qui rappellent celles de certains sédums. *H. pumila, H. venosa* et *H. cymbiformis*, forment des touffes pouvant atteindre 1 m de diamètre. *H. maughanii* et *H. truncata*, aux feuilles tronquées, qui ressemblent à des dents d'éléphant, vivent en partie enterrés.

Conseil Truffaut : utilisez les haworthias les plus vigoureux en guise de plante couvre-sol au pied d'un yucca d'appartement ou d'une plante grasse de grande dimension, c'est très esthétique.

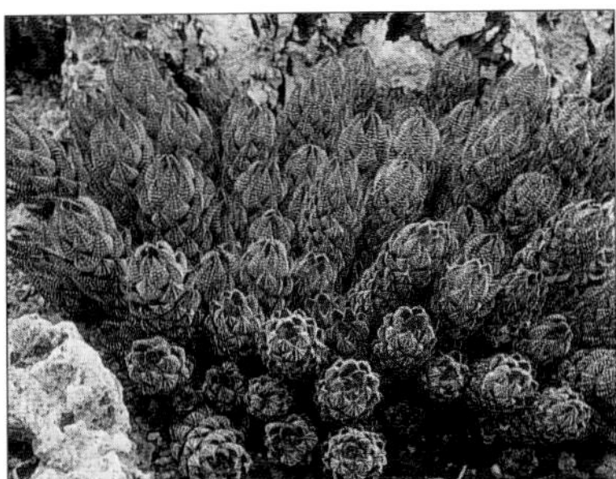

▲ *Haworthia chalwinii* : une forme naine, assez rare.

▲ *Haworthia mutica* : des feuilles en triangles parfaits.

◀ *Haworthia fasciata* var. *clariperla* : le plus répandu.

Hoodia spp.
HOODIA

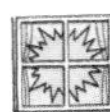

Ces asclépiadacées assez peu courantes forment des tiges dressées et de couleur vert grisâtre.

Origine : Afrique du Sud (Karoo, province du Cap), Angola, Namibie, Botswana.

Feuilles : des épines solitaires se développent au sommet de durs tubercules, hérissant les tiges.

Fleurs : une large corolle simple et claire, mouchetée de jaune, de brun ou de rouge, s'épanouit en été au sommet des tiges, dégageant une odeur de viande avariée (pollinisation par les mouches).

Lumière : le plein soleil voilé aux heures chaudes.

Terre : terreau pour cactées du commerce.

Engrais : d'avril à octobre, apportez une fois par mois un engrais liquide « cactées ».

Humidité de l'air : la plus faible possible.

Arrosage : une fois tous les 10 à 15 jours d'avril à septembre, une fois par mois le reste du temps.

Rempotage : en avril, tous les 2 ans.

Exigences particulières : pas de température inférieure à 10 °C qui favorise la pourriture.

Dimensions : de 20 à 45 cm, en pot.

Multiplication : semis au printemps à 20 °C ou greffage sur *Stapelia* ou tubercule de *Ceropegia*.

Longévité : jusqu'à 30 ou 40 ans.

Ennemis et maladies : aucun.

Espèces et variétés : *Hoodia passiflora*, aux grandes corolles en coupe vieux rose; *H. gordonii*, aux belles tiges bleutées rampantes, puis verticales.

Conseil Truffaut : le dosage léger de l'arrosage et une ambiance sèche sont les clés du succès.

Huernia spp.
HUERNIA

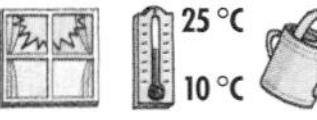

Ces asclépiadacées rampantes forment d'étranges fleurs en étoiles aux couleurs inhabituelles.

Origine : de l'Éthiopie à l'Afrique du Sud.

Feuilles : réduites à des écailles, qui tombent dès qu'elles se sont développées.

Fleurs : les corolles en étoiles larges à 5 pointes sont ornées de stries ou de pointillés très originaux. Situées à la base des jeunes pousses, au ras du sol, les fleurs émettent une odeur nauséabonde pour attirer les insectes pollinisateurs.

Lumière : évitez le plein soleil derrière une vitre.

Terre : tourbe blonde, sable et terreau de feuilles.

Engrais : d'avril à septembre, apportez une fois par mois un engrais « cactées », dilué de moitié.

Humidité de l'air : la plus faible possible.

Arrosage : tous les 15 jours au printemps et en été, une fois par mois en automne et au début du printemps, aucun apport d'eau pendant l'hiver.

Rempotage : en avril, tous les 2-3 ans.

Exigences particulières : des coupes larges et peu profondes permettent aux huernias d'étaler leurs racines et de former de belles touffes.

Dimensions : jusqu'à 15 cm de haut.

Multiplication : semis en avril à 22 °C ou bouturage de tiges de mai à juillet, en miniserre.

Longévité : plus de 10 ans, les touffes se renouvellent constamment, en formant des rejets.

Ennemis et maladies : rien à signaler.

Espèces et variétés : *Huernia zebrina*, aux fleurs rayées de pourpre; *H. striata*, aux fleurs vert de jade, rayées de bordeaux; *H. quinta* et *H. humilis*, à fleurs claires ornées de lignes disposées en cercle autour du cœur de la corolle. La forme de la fleur change au fil des jours selon que les pointes font saillie ou se recourbent vers l'arrière. *H. aspera*, aux petites fleurs brun rougeâtre, peu odorantes; *H. hystrix*, très épineux, aux fleurs brun-pourpre très foncé tirant sur le lie-de-vin.

Conseil Truffaut : mieux vaut cultiver les huernias en serre que dans la maison, à cause de l'odeur de décomposition assez nauséabonde que dégagent les fleurs épanouies.

Hylocereus spp.
PRINCESSE DE LA NUIT

Grands cactus souvent grimpants, aux tiges triangulaires peu épineuses. Les fleurs nocturnes sont pollinisées par les chauves-souris.

Origine : Amérique centrale, Antilles.

Feuilles : les tiges portent parfois des aréoles sur lesquelles s'insèrent des aiguillons très courts.

Fleurs : de 20 à 30 cm de diamètre, souvent parfumées, jaunes ou blanches, en été.

Lumière : indirecte ou tamisée, mais assez vive.

Terre : terre de bruyère fibreuse ou un mélange de tourbe, de terreau de feuilles et de sable de rivière.

Engrais : d'avril à octobre, apportez une fois par mois un engrais liquide « orchidées ».

Humidité de l'air : au moins 50 % de mai à septembre, vaporisez tous les 2 jours avec de l'eau douce à température ambiante. En hiver, limitez les brumisations à une ou deux fois par semaine.

Arrosage : tous les 3 ou 4 jours au printemps et en été, sans que le substrat reste gorgé d'eau. Une fois par semaine en automne et en hiver.

Rempotage : en avril, tous les 2 ans.

Exigences particulières : il faut prévoir un support pour les longues tiges sarmenteuses. Un joli treillage de bambous est idéal.

Dimensions : 1 à 2 m de haut, même en pot.

Multiplication : bouturage de tiges au printemps, en miniserre, à 25 °C.

Longévité : guère plus de 5 ans en pot, plus de 10 ans en pleine terre, en serre.

Ennemis et maladies : cochenilles.

Espèces et variétés : le genre *Hylocereus* compte 25 espèces. *H. purpusii*, grimpant, à grandes fleurs au centre blanc et au pourtour jaune; *H. undatus*, épiphyte, très branchu, fleurs énormes, jaunes à l'extérieur, blanches au centre.

Conseil Truffaut : la floraison n'est vraiment importante que chez les sujets de plus de 5 ans, cultivés en pleine terre dans une serre tempérée. Les fruits roses ou rouges sont comestibles.

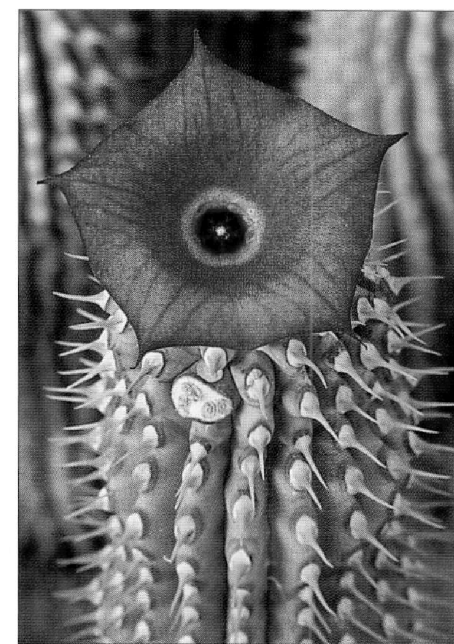

▲ *Hoodia passiflora* : des fleurs en coupes étonnantes.

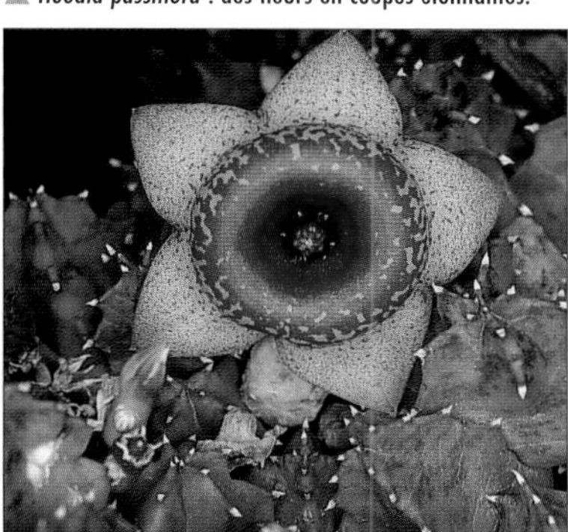

▲ *Huernia humilis* : des étoiles vraiment magnifiques.

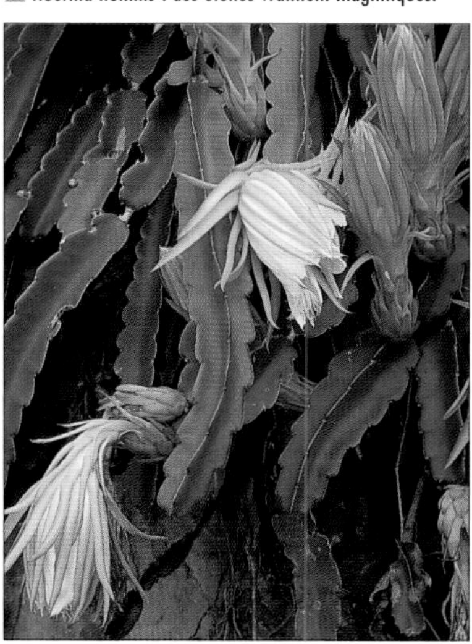

Hylocereus undatus : des fleurs énormes durant la nuit. ▶

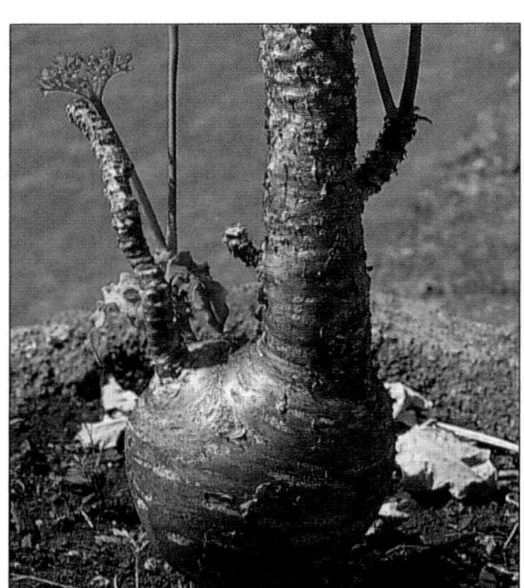

▲ *Jatropha podagrica* : un corps en forme de bouteille.

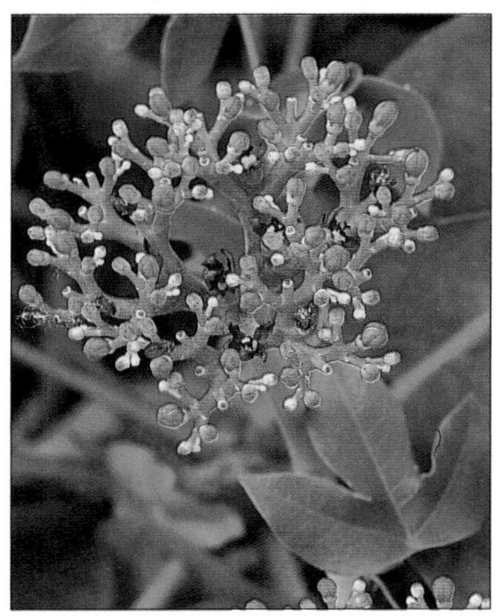

◄ *Jatropha podagrica* : des fleurs d'un joli rose corail.

Jatropha podagrica
PLANTE BOUTEILLE

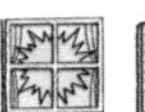

Facilement reconnaissable à son tronc renflé à la base, cette plante succulente à feuilles caduques est une proche parente des euphorbes.

Origine : Amérique centrale, Caraïbes.

Feuilles : de 20 à 30 cm de diamètre, palmées, profondément lobées ou cordiformes. Elles tombent quand la lumière faiblit et qu'il fait plus sec.

Fleurs : diurnes, en cymes groupées par trois, portées à l'extrémité d'une tige non feuillée, rouge corail ou orangé, durant tout l'été.

Lumière : plein soleil non, brûlant.

Terre : sable de rivière, tourbe blonde et terreau de feuilles, avec 25 % de petits gravillons.

Engrais : d'avril à septembre, apportez une fois par mois un engrais liquide « cactées ».

Humidité de l'air : plus sèche l'hiver que l'été.

Arrosage : tous les 7 à 10 jours au printemps et en été, une fois par mois en automne, rien en hiver.

Rempotage : en avril, tous les 2 ans.

Exigences particulières : le jatropha nécessite un repos végétatif bien marqué en hiver.

Dimensions : de 30 cm à 1 m dans la maison.

Multiplication : semis au printemps, à 24 °C.

Longévité : plus de 15 ans, le pied renflé devient de plus en plus spectaculaire avec l'âge.

Ennemis et maladies : cochenilles.

Espèces et variétés : *Jatropha podagrica*, étonnant avec son tronc renflé à la base. C'est l'espèce la plus facile à cultiver, à condition de lui offrir beaucoup de chaleur ; *J. berlandieri*, dont les feuilles ressemblent à celles d'un marronnier, d'une jolie couleur vert bleuté. Tronc court et globuleux.

Conseil Truffaut : choisissez pour les rempotages un pot assez profond, de manière à loger sans problème les épaisses racines charnues. Attention ! le latex blanc qui s'écoule des plaies occasionnées par un choc ou simplement par la chute d'une feuille est très toxique. Évitez tout contact avec les yeux et les muqueuses.

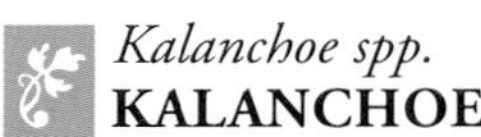

Kalanchoe spp.
KALANCHOE

Ces plantes succulentes d'aspect très divers sont appréciées pour leur feuillage ou pour leur floraison de longue durée. Les horticulteurs ont développé de nombreux hybrides qui réclament peu de soins. Le genre *Bryophyllum* est désormais rattaché aux *Kalanchoe*.

Origine : Les 130 espèces se rencontrent dans toutes les régions subtropicales et semi-désertiques, de la péninsule Arabique, à l'Afrique du Sud. Les *Kalanchoe* rencontrés en Asie, en Australie et en Amérique tropicale sont des espèces naturalisées.

Feuilles : de formes et de dimensions très variables, glabres ou velues, beaucoup sont zébrées au revers. Quelques espèces développent sur le bord des limbes de petites plantules qui tombent au moindre choc et s'enracinent très rapidement (plantes vivipares).

Fleurs : diurnes, la base des pétales est soudée en un tube plus ou moins long et enfermé à la base dans un calice parfois décoratif. Les fleurs peuvent être réunies en cymes dressées ou retomber comme de petites clochettes. Les nombreux boutons ne s'épanouissent pas en même temps, ce qui prolonge parfois la floraison pendant plusieurs mois.

Lumière : forte sans être trop vive. Le plein soleil fait rougir les feuilles ou provoque des brûlures.

Terre : un terreau « géraniums » allégé par 30 % de petits gravillons afin d'améliorer le drainage.

Engrais : pour les potées fleuries, utilisez un engrais « plantes à fleurs », en diluant la dose recommandée par deux. Pour les espèces à feuillage, optez pour un engrais « cactées ». Fertilisez une fois par mois d'avril à octobre.

Humidité de l'air : normale. Les espèces à feuilles velues craignent la moiteur car elles pourrissent facilement lorsque de l'eau de condensation stagne entre les poils très fins.

Arrosage : une à deux fois par semaine, du printemps au milieu de l'automne, puis une à deux fois par mois environ. En hiver, le substrat ne doit jamais se dessécher totalement.

Rempotage : une fois par an pour les espèces à grand développement, dans un contenant assez lourd pour compenser la hauteur et le volume parfois important. Les pots en terre sont préférables.

Exigences particulières : supprimez les tiges défleuries dès que la majorité des fleurs est fanée cela encourage la formation de nouvelles hampes.

Dimensions : bien soignés, certains kalanchoe à fleur peuvent dépasser 50 cm de haut et de large. Plusieurs espèces atteignent couramment 1,50 m à 2 m de hauteur, même en appartement.

Multiplication : très simple pour les espèces produisant de jeunes pousses sur les feuilles, puisqu'il suffit de les déposer à la surface d'un pot. Les autres kalanchoes se multiplient facilement par boutures de tiges, munies d'une ou deux feuilles.

Longévité : 5 à 6 ans est un âge moyen au-delà duquel il faut rajeunir la plupart des espèces, en les bouturant ou en séparant de jeunes éclats. Les kalanchoes arbustifs à grandes feuilles vivent plus de 10 ans en pot, dans la maison.

Ennemis et maladies : pucerons et cochenilles, surtout chez les espèces à croissance lente. Les potées fleuries sont sensibles à l'oïdium et montrent parfois des taches noires sur les feuilles.

Espèces et variétés : *Kalanchoe blossfeldiana* est proposé sous de multiples formes hybrides, que l'on parvient à faire fleurir tout au long de l'année; *K.* 'Tessa' est présenté en suspension, couvert de clochettes roses qui durent plusieurs semaines, pourvu que les variations de température ne soient pas brutales; *K. daigremontiana* et *K. tubiflora (K. delagoensis)* portent des petites plantules sur le bord des larges feuilles; *K. beharensis*, aux grandes feuilles triangulaires épaisses revêtues d'un fin velours; *K. fedtschenkoi*, aux touffes ramifiées et rampantes, formées de rosettes de feuilles plates gris bleuté; fleurs abondantes rose-brun; *K. longiflora*, aux feuilles teintées d'orangé, fleurs jaunes; *K. rubinea*, à l'intérieur des feuilles rouge.

Conseil Truffaut : veillez en arrosant les kalanchoes à ne pas déposer d'eau à la base des feuilles, ni au centre des touffes; cela provoque le développement de champignons (taches noires).

▲ *Kalanchoe* 'Tessa' : un hybride dont les innombrables clochettes retombantes apparaissent dès la fin de l'hiver.

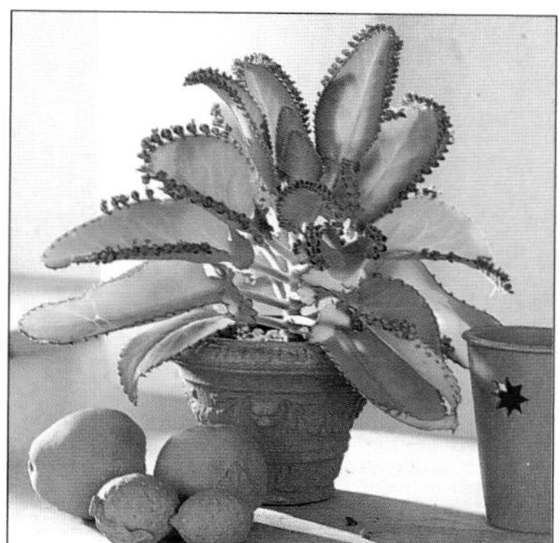

▲ *Kalanchoe daigremontiana* : appelé aussi *Bryophyllum*.

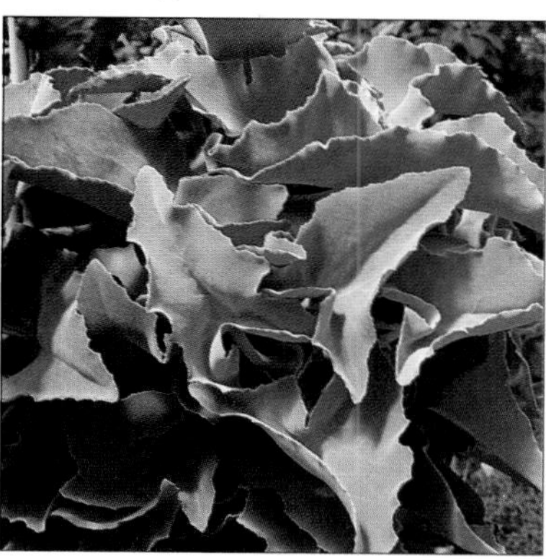

▲ *Kalanchoe beharensis* : des feuilles au velours argenté.

Kalanchoe blossfeldiana : une plante fleurie, très facile. ▶

Lemaireocereus spp.
LEMAIREOCÉRÉUS

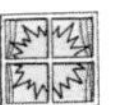 25 °C 12 °C 

Ces grands cactus arborescents ou colonnaires ont été depuis peu répartis dans les genres *Neobuxbaumia, Pachycereus* et *Stenocereus.*

Origine : Mexique (Puebla, Oxaca), Guatemala.

Feuilles : des aiguillons fins et cassants, bruns ou blancs, sont portés par des aréoles le long des côtes aux arêtes très prononcées.

Fleurs : nocturnes, roses, rouges ou blanches, de 3 à 5 cm de diamètre, durant l'été.

Lumière : plein soleil toute l'année.

Terre : terreau « cactées » du commerce avec 25 % de gravillons fins pour aérer le substrat.

Engrais : d'avril à septembre, apportez une fois par mois un engrais « cactées » dilué de moitié.

Humidité de l'air : la plus sèche possible.

Arrosage : tous les 15 jours, du printemps au début de l'automne, rien le reste du temps.

Rempotage : en avril, tous les 2 ans.

Exigences particulières : un hivernage, au sec complet bien marqué, est indispensable.

Dimensions : de 1 m à 2 m de haut, en pot.

Multiplication : semis à 20 °C, en mars.

Longévité : plus de 80 ans, au sec.

Ennemis et maladies : cochenilles à bouclier.

Espèces et variétés : *Lemaireocereus marginatus* et *L. euphorbioïdes*, colonnaires vert tendre, parfois teintés de rouge, avec 8 à 10 côtes profondes, fleurs allongées de 8 à 10 cm de long.

Conseil Truffaut : les plus grands spécimens nécessitent une plantation en pleine terre, en serre.

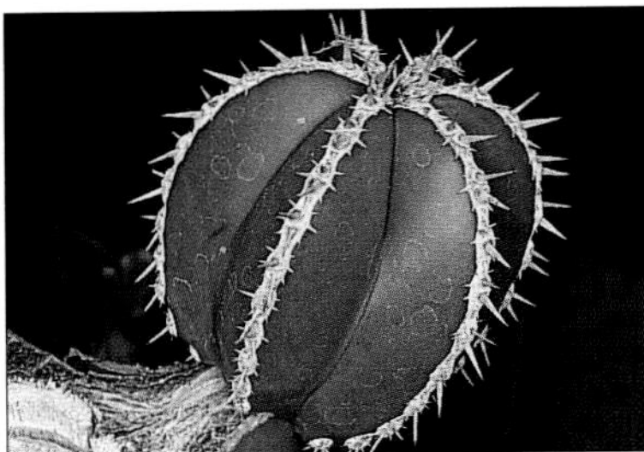

▲ *Lemaireocereus marginatus* : de belles lignes blanches.

▲ *Lithops hookeri* var. *marginata* : une étoile d'or.

▲ *Lithops lesliei* 'Albinica' : une plante très mimétique.

Lithops spp.
PLANTE CAILLOU

 25 °C 5 °C 

Plantes succulentes au corps globuleux, séparé en deux parties au milieu desquelles se forme une fleur étoilée, surdimensionnée.

◀ *Lithops marmorata* : une fleur au cœur d'un caillou.

Origine : Namibie, Afrique du Sud.

Feuilles : au nombre de deux, renflées, en cône inversé (la pointe dans le sol) plus ou moins bombées sur la face supérieure. Cette dernière est tapissée de cellules translucides qui filtrent la lumière et ornées de taches colorées et de motifs qui permettent de distinguer les espèces. Les feuilles disparaissent presque totalement durant l'hiver.

Fleurs : d'août à octobre, blanches ou jaunes, semblables à des marguerites de 2 à 3 cm de diamètre, solitaires ou réunies en paires.

Lumière : plein soleil toute l'année.

Terre : sable de rivière, gravillons fins, tourbe blonde et terreau de feuilles.

Engrais : de juillet à novembre, apportez une fois par mois un engrais « cactées » dilué de moitié.

Humidité de l'air : très faible, surtout en hiver.

Arrosage : tous les 15 jours en été et en automne. Rien durant les autres saisons.

Rempotage : en mars, tous les 3 ou 4 ans.

Exigences particulières : respectez scrupuleusement le cycle végétatif particulier de ces plantes. Un arrosage à contre-saison les fait mourir.

Dimensions : 20 cm d'étalement en 10 ans.

Multiplication : semis des petits fruits qui succèdent aux fleurs, à 20 °C au début de l'été. Séparation des nouvelles pousses sur les touffes âgées.

Longévité : de 1 à 15 ans, en pot, en serre.

Ennemis et maladies : pucerons.

Espèces et variétés : le genre *Lithops* compte 35 espèces très proches. *L. marginata, L. dorothaea, L. marmorata* et *L. lesliei* sont souvent commercialisés sans dénomination précise.

Conseil Truffaut : groupez plusieurs plantes cailloux dans une coupe et couvrez la surface du terreau avec des cailloux, de manière à bien mettre en évidence le mimétisme des plantes.

Lobivia spp.
LOBIVIA

 25 °C 5 °C 

Ces petits cactus globuleux, classés aujourd'hui dans le genre *Echinopsis*, se parent de fleurs énormes, aux couleurs chaudes.

Origine : Bolivie, Argentine, Pérou.
Feuilles : les aiguillons bruns devenant grisâtres ou blanchâtres sont portés sur de nombreuses aréoles serrées sur les côtes. L'aiguillon central atteint 10 cm de long chez certaines espèces.
Fleurs : diurnes, en été, blanches, jaunes, orange, rouges ou roses au sommet des petits globes. De 3 à 5 cm de diamètre, elles sont parfois de dimensions supérieures à celles de la plante.
Lumière : plein soleil toute l'année.
Terre : terreau pour cactées du commerce.
Engrais : d'avril à septembre, apportez une fois par mois un engrais liquide « cactées ».
Humidité de l'air : faible, surtout en hiver.
Arrosage : tous les 10 à 15 jours au printemps et en été, réduire en automne, au sec en hiver.
Rempotage : tous les 2 ans, remplacez totalement l'ancien substrat, sans blesser les racines.
Exigences particulières : brossez régulièrement les lobivias avec un pinceau pour les dépoussiérer et éliminer les éventuelles cochenilles.
Dimensions : de 10 à 20 cm à l'âge adulte.
Multiplication : semis à 22 °C, au printemps.
Longévité : de 5 à 15 ans, si les conditions de sécheresse hivernale sont bien respectées.
Ennemis et maladies : cochenilles.
Espèces et variétés : *Lobivia deeziana*, aux fleurs de différentes nuances selon l'origine géographique des sous-espèces ; *L. tiegeliana* épanouit plusieurs fleurs rose violacé en même temps. *L. marsoneri*, à fleurs jaune ocre, plus foncées au revers des pétales ; *L. backbergii*, à fleurs rouges ; *L. chrysantha*, à très grandes fleurs jaune orangé ; *L. ferox*, aux épines très érigées, fleurs blanches.
Conseil Truffaut : groupez plusieurs espèces dans une coupe pour renforcer l'impact coloré de la floraison, malheureusement assez éphémère.

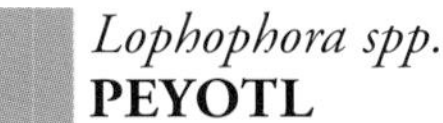

Lophophora spp. PEYOTL

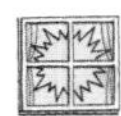

Cactus sphérique, vert bleuté, aplati au sommet et dépourvus d'aiguillons à l'âge adulte.
Origine : sud du Texas, nord et est du Mexique.
Feuilles : quelques aiguillons fins et courts, seulement chez les jeunes sujets, sont remplacés par des poils chez les plantes plus âgées.
Fleurs : diurnes, de 2 à 3 cm de diamètre, roses ou blanches, restant épanouies durant 2 ou 3 jours seulement.
Lumière : plein soleil.
Terre : terre de jardin, sable grossier, terreau, pouzzolane et gypse pilé.
Engrais : d'avril à octobre, apportez tous les 2 mois un engrais liquide « cactées ».
Humidité de l'air : la plus sèche possible, surtout pendant la période de repos hivernal.
Arrosage : tous les 10 à 15 jours au printemps et en été, une à deux fois durant l'automne, pas la moindre goutte d'eau en hiver.
Rempotage : en avril, tous les 2 ou 3 ans.
Exigences particulières : les peyotls développent une racine épaisse et profonde, aussi doivent-ils être cultivés dans des pots profonds en dépit de leur petite taille. Les boîtes de conserve métalliques donnent d'excellents résultats.
Dimensions : de 5 à 8 cm de haut, pour 20 à 30 cm de diamètre à 10 ans.
Multiplication : semis entre 19 et 24 °C, en miniserre, dans du sable, au printemps.
Longévité : plusieurs dizaines d'années en pot.
Ennemis et maladies : aucun.
Espèces et variétés : il existe seulement 2 espèces de *Lophophora,* mais chacune possède de multiples variétés naturelles. *L. williamsii*, la plus connue, au corps couvert de grandes écailles un peu comme la carapace d'une tortue. L'espèce type produit des fleurs roses, var. *diffusa*, des fleurs blanches ; var. *caespitosa* forme des coussins compacts qui fleurissent rarement ; var. *fricii*, aplati, avec le centre concave, fleurs rouges.
Conseil Truffaut : lavez-vous bien les mains après avoir manipulé ces cactées car leur sève a des propriétés toxiques et hallucinogènes.

▲ *Lobivia deesziana* : une floraison exceptionnelle.

▲ *Lobivia tiegeliana* var. *distefanoiana* : spectaculaire.

Lophophora diffusa : un étrange cactus à pousse lente. ▶

Mammillaria spp. MAMMILAIRE

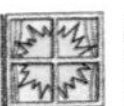

Petits cactus globuleux ou dressés très appréciés pour leur floraison abondante qui apparaît facilement même chez les jeunes sujets.

Origine : essentiellement le Mexique.

Feuilles : aiguillons portés par des aréoles au sommet de tubercules plus ou moins prononcés. Certaines espèces portent une ou deux aiguilles centrales plus longues que les autres et recourbées.

Fleurs : de 0,5 à 1 cm de diamètre, diurnes, s'épanouissant en couronne au sommet des tiges. La floraison débute au printemps chez la plupart des espèces et se prolonge plusieurs semaines.

Lumière : plein soleil, toute l'année.

Terre : terreau pour cactées du commerce.

Engrais : d'avril à septembre, apportez une fois par mois un engrais liquide « cactées ».

Humidité de l'air : la plus faible possible.

Arrosage : tous les 15 jours du printemps au début de l'automne, pas d'eau durant l'hiver.

Rempotage : en mars, tous les 2 ou 3 ans.

Exigences particulières : ces cactus peu frileux fleurissent mieux lorsqu'ils passent l'été en plein air, dans un endroit bien ensoleillé.

Dimensions : de 15 à 30 cm de haut.

Multiplication : semis au printemps, à 20 °C dans du sable. Séparation des jeunes pousses latérales au début de l'été.

Longévité : de 15 à 20 ans, en pot, à la maison.

Ennemis et maladies : cochenilles.

Espèces et variétés : on recense 150 espèces de *Mammillaria. M. zeilmanniana*, très commun, fleurit déjà sur des jeunes plantes de 2 à 3 cm de haut ; *M. baumiii*, aux petites fleurs jaunes ; *M. blossfeldiana*, à fleurs blanches marquées d'une ligne rose au milieu ; *M. chionocephala*, très étonnant, alterne des séries d'aréoles laineuses et des glabres ; *M. albicans*, aux aiguillons blancs, fleurs blanc nacré ; *M. barbata*, aux longs aiguillons brun doré, fleurs jaune paille ; *M. mazatalensis*, d'aspect très variable, aux fleurs rouge carmin ; *M. microcarpa*, cylindrique, forme une touffe, fleurs rose pourpré ; *M. meridionalis*, aux fleurs bicolores crème et rose ; *M. spinosissima*, aux aiguillons blanchâtres et fleurs rose pourpré,...

Conseil Truffaut : créez une composition uniquement avec des mammilaires, ce sont les cactus les plus faciles à réussir par un débutant.

▲ *Mammillaria baumii* : un fort parfum de citron.

◄ *Mammillaria microcarpa* : un véritable hérisson.

Melocactus spp. MÉLOCACTUS

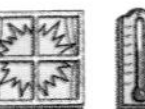

Ces cactées globuleuses ou cylindriques se reconnaissent à la zone circulaire (céphalium), plus ou moins bombée et duveteuse, qui se développe au sommet des plantes.

Origine : Brésil, Antilles, Cuba, Mexique, Pérou.

Feuilles : des aiguillons de 1 à 4 cm de long, blanchâtres ou rosés, sont portés par des aréoles plus ou moins serrées le long des côtes.

Fleurs : diurnes, rose vif, éphémères (6 h), elles s'épanouissent au sommet du cactus durant l'été.

▼ *Mammillaria mazatanensis* : en touffe.

▼ *Mammillaria meridionalis* : très acéré.

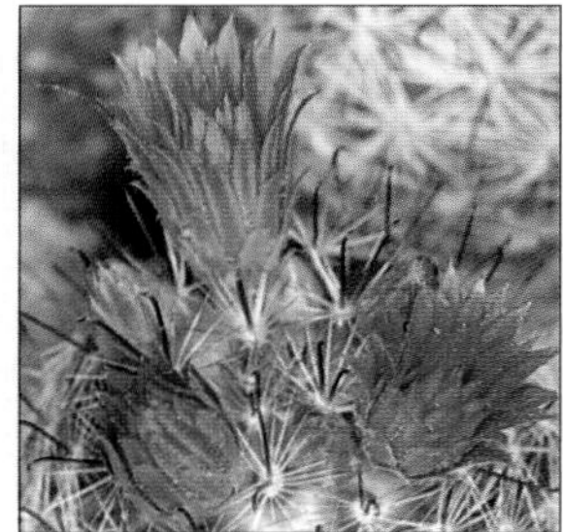

▼ *Mammillaria spinosissima* : ton variable.

▼ *Mammillaria zeilmanniana* var. *albiflora*.

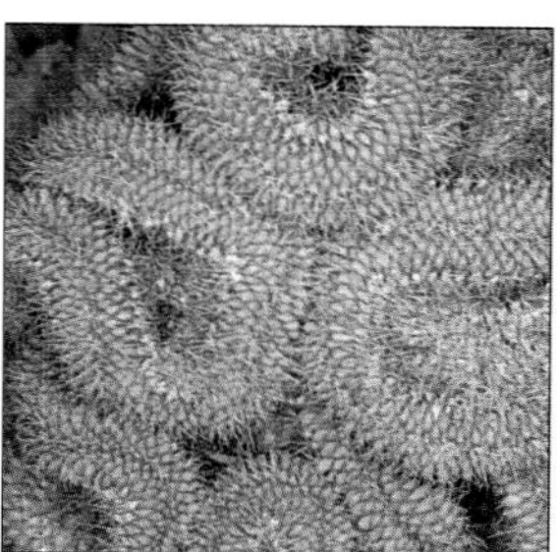
Mammillaria compressa : forme cristée.

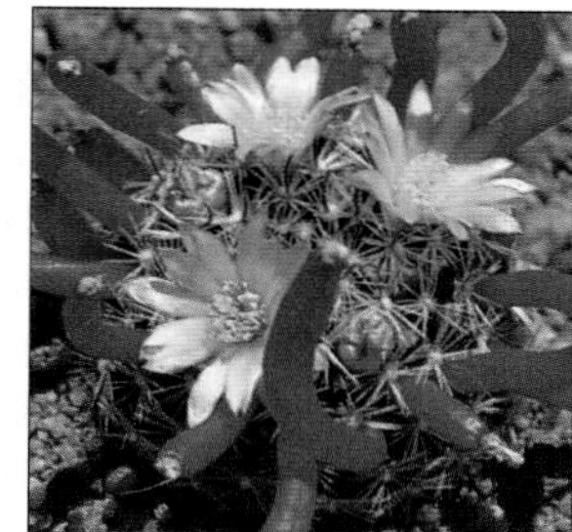
Mammillaria haehneliana : fruits rouges.

Mammillaria pilcayensis : cylindrique.

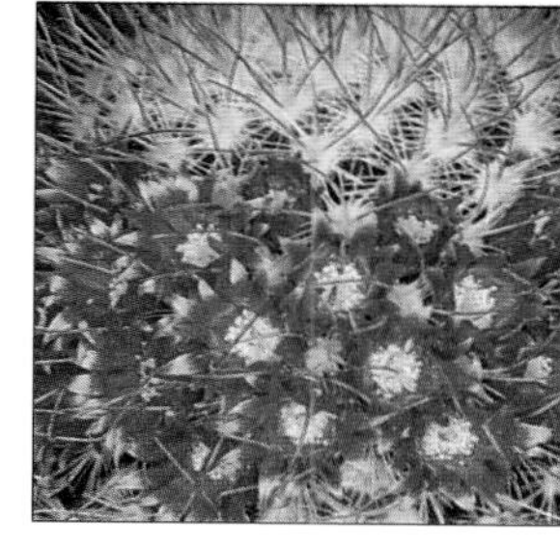
Mammillaria rekoi var. leptacantha.

Lumière : plein soleil toute l'année.
Terre : sable de rivière et terre de bruyère.
Engrais : d'avril à octobre, apportez une fois par mois un engrais liquide « cactées ».
Humidité de l'air : la plus faible possible.
Arrosage : une fois par mois au printemps et en été, pas la moindre goutte d'eau en hiver.
Rempotage : tous les 2 ans pour les jeunes plantes, tous les 3 ou 4 ans pour les adultes.
Exigences particulières : les mélocactus sont assez frileux et craignent l'humidité.
Dimensions : de 15 cm à 1 m de hauteur pour 15 à 20 cm de diamètre, à 10 ans.
Multiplication : semis au printemps à 22 °C.
Longévité : de 25 à 30 ans, bien au sec.
Ennemis et maladies : aucun.
Espèces et variétés : *Melocactus communis (M. intortus)*, au céphalium orné de soies rouges; *M. lanssensianus*, au corps vert grisâtre; *M. azureus*, franchement glauque; *M. albicephalus*, au grand céphalium cylindrique blanc, laineux; *M. ernestii*, au céphalium rouge sombre, laineux, ...
Conseil Truffaut : les sujets montrant une zone pileuse bien distincte sont considérés comme adultes. Leur diamètre n'augmente plus, seul le céphalium continue à se développer.

Myrtillocactus
CACTUS MYRTILLE

Ces cactus dressés aux épines bien espacées sont appréciés pour leur belle couleur bleutée.
Origine : Mexique, Guatemala.
Feuilles : les aiguillons sont portés par groupes de 3 à 6 sur des aréoles bien espacées. L'aiguille centrale est plus longue et plus foncée.
Fleurs : diurnes, de 2 à 3 cm de diamètre, blanc jaunâtre, en été, avec des étamines proéminentes. Elles sont rapidement suivies de petits fruits noir violacé rappelant des myrtilles ou des olives.
Lumière : le plein soleil en toute saison.
Terre : terreau pour cactées du commerce.
Engrais : d'avril à septembre, apportez une fois par mois un engrais liquide « cactées ».
Humidité de l'air : la plus faible possible.
Arrosage : deux fois par mois, du printemps au début de l'automne, pratiquement rien ensuite.
Rempotage : tous les 2 ans, dans un pot aussi large que haut pour assurer une bonne stabilité.
Exigences particulières : ces cactus assez robustes peuvent vivre à l'extérieur durant l'été.
Dimensions : de 1 à 2 m de haut, en pot.
Multiplication : semis au printemps à 22 °C. Boutures d'extrémité de tige de mai à juillet.
Longévité : plusieurs dizaines d'années, en pot.
Ennemis et maladies : cochenilles.
Espèces et variétés : des 4 espèces connues, *Myrtillocactus geometrizans* est la plus courante, surtout la forme var. *cristata* aux tissus torturés. On l'apprécie pour le relief particulier de ses côtes, sa couleur bleutée et sa croissance rapide.
Conseil Truffaut : les cactus myrtille surprennent par leur poids important relativement à leur taille. Il s'avère donc nécessaire de lester les pots avec une brique ou un gros caillou, de manière à ce que les plantes élevées gardent bien leur équilibre.

Melocactus communis : un gros céphalium dressé.

Myrtillocactus geometrizans var. cristata : contourné.

N

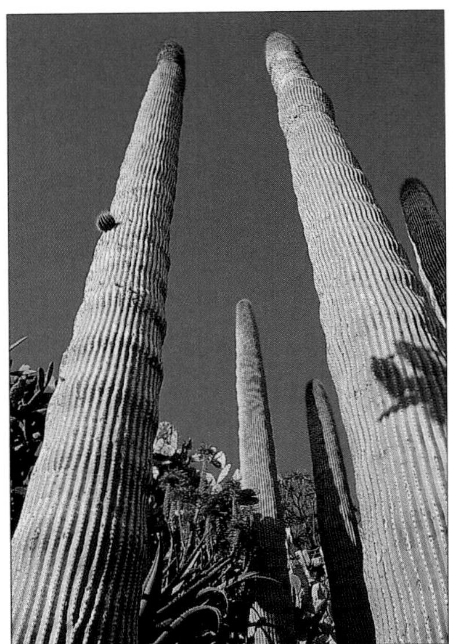

▲ *Neobuxbaumia polylopha* : un cierge géant.

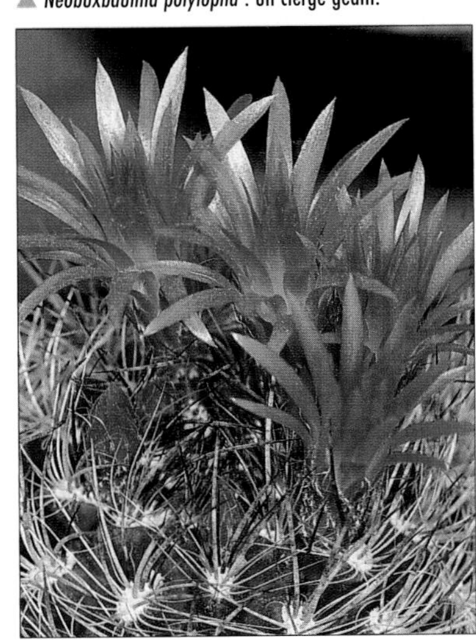

Neobuxbaumia spp.
NEOBUXBAUMIA

25 °C
10 °C

Ces grands cactus cierges forment des côtes régulières et poussent assez rapidement.

Origine : Mexique.

Feuilles : les petits aiguillons fragiles, jaunes, sont regroupés en grand nombre sur des aréoles assez serrées disposées sur la tranche des côtes.

Fleurs : nocturnes, blanches, roses ou rouges, en été, uniquement sur les grands sujets.

Lumière : plein soleil direct, toute l'année.

Terre : mélange ordinaire pour cactées avec 30 % de petits gravillons, afin d'améliorer le drainage.

Engrais : de mai à septembre, apportez une fois par mois un engrais « cactées » dilué de moitié.

Humidité de l'air : faible, même durant l'été.

Arrosage : une fois toutes les 2 ou 3 semaines d'avril à octobre, pas d'eau le reste du temps.

Rempotage : en avril, tous les 2 ou 3 ans.

Exigences particulières : les *Neobuxbaumia* résistent à -5 °C en pleine terre, dans un sol sec.

Dimensions : de 1,5 à 3 m, en bac.

Multiplication : semis à 20 °C, au printemps.

Longévité : jusqu'à plus de 80 ans.

Ennemis et maladies : cochenilles.

Espèces et variétés : *Neobuxbaumia euphorbioides*, aux très belles tiges vert tendre ; *N. polylopha*, aux petits aiguillons, forme de gigantesques colonnes parfaitement verticales.

Conseil Truffaut : offrez un éclairage vertical aux néobuxbaumias afin qu'ils poussent bien droit.

Neoporteria spp.
NÉOPORTÉRIA

25 °C
10 °C

Ces petits cactus fleurissent pour la plupart sans demander beaucoup d'attention. Ils sont désormais rattachés au genre *Eriosyce* (qui regroupe aussi les *Islaya* et les *Neochilenia*).

◀ *Neoporteria nidus* var. *senilis* : laineux et florifère.

Origine : régions côtières du Chili, sud du Pérou, ouest de l'Argentine.

Feuilles : les petits aiguillons souvent blanchâtres sont portés par des aréoles plus ou moins serrées le long des côtes ou au sommet de tubercules. Ces derniers sont parfois disposés en spirales régulières du plus bel effet.

Fleurs : diurnes, en été, solitaires ou groupées par 2 ou 3, les fleurs s'épanouissent sur la couronne ou à proximité. Blanches, roses, jaunes, ou rouges, elles sont souvent plus foncées au revers.

Lumière : plein soleil toute l'année.

Terre : terreau pour cactées du commerce.

Engrais : de mai à octobre, apportez une fois par mois un engrais « cactées » dilué de moitié.

Humidité de l'air : faible, toute l'année.

Arrosage : tous les 15 jours d'avril à octobre, pas une goutte d'eau en dehors de cette période.

Rempotage : en mars, tous les 2 ou 3 ans.

Exigences particulières : les néoportérias n'apprécient guère les fortes averses orageuses durant l'été. En plein air, abritez-les sous un châssis.

Dimensions : jusqu'à 15 à 20 cm de hauteur pour les espèces à tige cylindrique, et 25 cm de diamètre pour les formes globuleuses.

Multiplication : semis à 20 °C, en mai-juin.

Longévité : de 25 à 30 ans, en moyenne.

Ennemis et maladies : cochenilles.

Espèces et variétés : *Neoporteria nidus* var. *senilis*, aux aiguilles très fines, accompagnées de poils soyeux blanchâtres, fleurs roses ; *N. umadeave*, aux aiguillons dressés vers le haut, fleurs jaunes ; *N. villosa*, à côtes spiralées, fleurs rouges.

Conseil Truffaut : associez les néoportérias à des mammilaires, les lobivias et des rebutias pour composer une belle coupe très florifère.

Nolina recurvata
PIED D'ÉLÉPHANT

24 °C
8 °C

Cet arbuste succulent appartient à la même famille que l'agave. Son écorce ridée et son pied renflé lui ont valu son nom populaire. Le genre *Nolina* regroupe les *Beaucarnea* et les *Calibanus*.

Origine : du sud des États-Unis au Guatemala.
Feuilles : jusqu'à 1,80 m de long, étroites, rubanées, souples, en touffes au sommet des tiges.
Fleurs : petites, formées de 6 pétales blanc teinté de mauve et réunies en panicules terminales en été.
Lumière : vive, sans soleil direct.
Terre : terre de bruyère et terreau « plantes vertes », allégé avec 30 % de gravillons fins.
Engrais : inutile. Mieux vaut surfacer en avril.
Humidité de l'air : minimum 50 %.
Arrosage : tous les 6 à 10 jours au printemps et en été. Tous les 15 jours le reste de l'année.
Rempotage : en mars-avril, tous les 2 ou 3 ans, attention de ne pas endommager les racines.
Exigences particulières : vaporisez le feuillage quand la température dépasse 20 °C.
Dimensions : la croissance en pot est très lente, les sujets de plus de 1,50 m sont exceptionnels.
Multiplication : semis en avril, à 20 °C ou séparation de rejets de mars à juin.
Longévité : rarement plus de 12 à 15 ans, en pot.
Ennemis et maladies : cochenilles, acariens.
Espèces et variétés : *Nolina recurvata* faisait partie du genre *Beaucarnea*. On trouve surtout de jeunes sujets; les spécimens âgés, au tronc très large, atteignent des prix élevés, car la plante est désormais protégée dans la nature. *N. bigelowii* et *microcarpa* forment des rosettes touffues au faible intérêt décoratif; *Nolina hookeri (Calibanus)* est une curiosité au tronc sphérique portant des touffes de feuilles filiformes vert bleuté.
Conseil Truffaut : le pied d'éléphant est une plante idéale dans un intérieur moderne, au décor « design ». Placez-le dans un pot large et peu profond, à la manière des bonsaïs et recouvrez la surface du sol de gravillons ou de petits galets polis.

Notocactus spp.
NOTOCACTUS

Ces cactus désormais classés parmi les *Parodia* prennent une forme globuleuse ou sphérique. Ils sont surtout attrayants pour leur floraison, en étoiles de très grande dimension.

Origine : Argentine, Uruguay, sud du Brésil, Paraguay, jusqu'à 2 000 m d'altitude.
Feuilles : les aiguillons grisâtres ou blanchâtres sont portés par des aréoles plus ou moins serrées.
Fleurs : diurnes, en été, solitaires ou groupées par 2 ou 3 dans la partie haute des tiges.
Lumière : intense, mais pas de plein soleil.
Terre : terre de bruyère, sable de rivière, perlite, tourbe blonde et terreau.
Engrais : de mai à septembre, apportez toutes les 6 semaines un engrais liquide pour cactées, dilué de moitié.
Humidité de l'air : sans grande importance.
Arrosage : tous les 15 jours, au printemps et en été, 3 fois au cours de l'automne et de l'hiver.
Rempotage : en avril, tous les 2 ou 3 ans.
Exigences particulières : un séjour en extérieur est très bénéfique, à condition d'abriter les notocactus des pluies dans les régions humides.
Dimensions : de 15 et 20 cm de diamètre représentent un maximum pour beaucoup d'espèces globuleuses. Les notocactus à tiges dressées s'élèvent jusqu'à 50 ou 60 cm, même en pot.
Multiplication : semis à 20 °C, dans du sable, en miniserre, au printemps ou en été.
Longévité : ces cactus à pousse très lente vivent en pot jusqu'à 50 ans, s'ils sont bien cultivés.
Ennemis et maladies : pucerons.
Espèces et variétés : *Notocactus leninghausii*, aux tiges dressées caractéristiques par leur aspect « boudiné » dû aux marques de croissance; *N. werdermannianus*, globuleux, à grandes fleurs blanches; *N. purpureus*, à fleurs rose pourpré, de 5 cm de diamètre; *N. allosiphon*, arrondi, à grandes fleurs jaune pâle; *N. arachnites*, aux grandes étoiles jaune nacré; *N. clavicepots*, à fleurs jaune d'or, corps épais formant des rejets; *N. concinnus*, à fleurs jaune orangé, très compact; *N. crassigibbus*, aux énormes fleurs blanches ou jaune clair; *N. haselbergii*, à fleurs variant de l'orangé au vermillon; *N. roseoluteus*, à fleurs rose saumoné.
Conseil Truffaut : une plantation en pleine terre dans un jardin d'hiver assure une meilleure croissance et garantit une floraison abondante.

▲ *Nolina recurvata* : un jeune sujet en devenir.

▲ *Nolina recurvata* : on l'appelle aussi *Beaucarnea*.

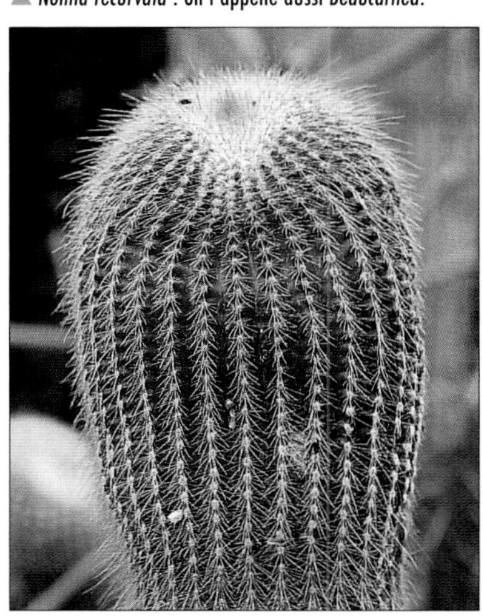

Notocactus leninghausii : des aiguillons couleur miel. ▶

Opuntia spp.
OPONCE

Raquettes, figuier de Barbarie, oreille de Mickey, les *Opuntia* ne comptent plus leurs noms populaires. Beaucoup possèdent des tiges ovales et aplaties. Certains *Opuntia* sont presque rustiques et peuvent, jusque dans la région parisienne, être cultivés en plein air, en rocaille.

Origine : du Canada à l'Argentine et au Chili, mais c'est le Mexique qui abrite le plus d'espèces.

Feuilles : des aiguillons portés par des aréoles. Beaucoup d'oponces produisent des glochides, sortes d'aiguilles munies de barbes, très difficiles à retirer de la peau, certaines possèdent des feuilles en écailles, qui tombent après s'être développées.

Fleurs : sur les plantes parvenues à maturité, les fleurs s'épanouissent du printemps à l'automne, sur la « tranche » des articles ou au beau milieu de ceux-ci. Elles sont roses, orange ou jaunes.

Lumière : le plein soleil en toute saison.

Terre : terreau pour cactées du commerce.

Engrais : d'avril à septembre, apportez une fois par mois un engrais liquide « cactées ».

Humidité de l'air : plutôt faible, surtout pour les espèces couvertes d'aiguillons ou de soies.

Arrosage : une fois par mois environ, du printemps au milieu de l'automne, rien en hiver.

Rempotage : tous les 3 ou 4 ans, car les racines n'apprécient pas d'être dérangées trop souvent. Choisissez des pots très larges et peu profonds.

Exigences particulières : seule la culture en pleine terre permet aux grandes oponces de se développer pleinement et de bien fleurir.

Dimensions : très variables, certaines espèces sont plutôt rampantes, d'autres atteignant les proportions d'un grand arbuste ou d'un petit arbre.

Multiplication : semis à 22 °C, au printemps, des nombreuses graines extraites des fruits qui se développent après la floraison. Laissez tremper la semence 24 h dans l'eau tiède pour améliorer la germination. Chaque article (oreille) constitue aussi une bouture potentielle.

Longévité : au moins 5 à 10 ans, en pot.

Ennemis et maladies : cochenilles.

Espèces et variétés : on compte plus de 200 espèces. *Opuntia ficus indica,* le figuier de Barbarie est intéressant pour ses fruits comestibles, mais son grand développement le rend incompatible avec un intérieur; *O. tunicata*, aux tiges cylindriques entièrement recouvertes d'aiguilles blanches; *O. basilaris*, dont les raquettes bleutées s'harmonisent avec les aiguilles rousses; *O. microdasys,* aux petites raquettes vertes, décorées d'aréoles rousses ou blanches (chez la variété *albispina*), et dépourvues d'aiguilles (mais pas de glochides !); *O. invista*, aux aiguillons rougeâtres; *O. macrocentra*, aux articles qui se croisent; *O. bergeriana*, aux articles étroits, fleurs rouges; *O. longispina*, à port rampant, grands aiguillons blancs, larges fleurs orange; *O. stenopetala*, aux nombreuses petites fleurs rouge orangé, etc.

Conseil Truffaut : placez les oponces hors d'atteinte des enfants et loin des principaux axes de circulation de la maison. Sortez les plus beaux spécimens dans un patio ou dans une cour durant l'été.

▲ *Opuntia basilaris* : une jolie couleur gris bleuté.

◀ *Opuntia violacea* : un contraste avec les fleurs jaunes.

▼ *Opuntia ficus indica* : figuier de Barbarie.

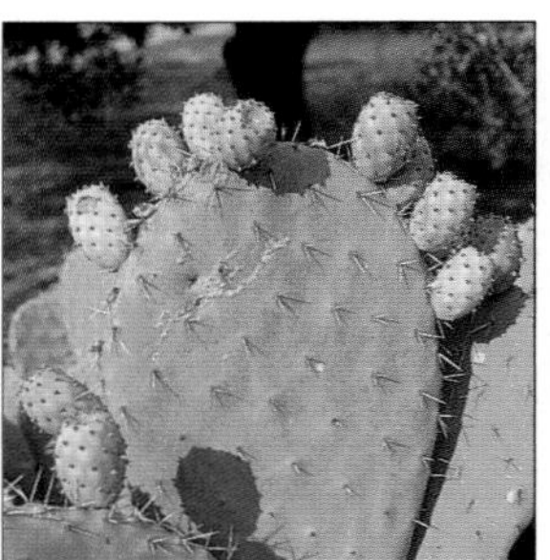

▼ *Opuntia invicta* : terriblement épineux.

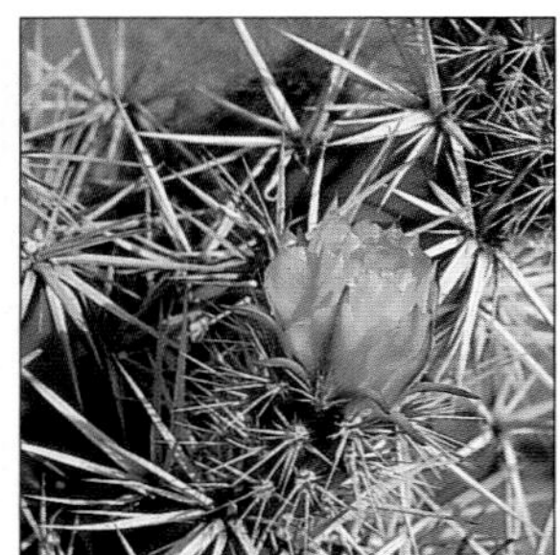

▼ *Opuntia macrocentra* : grandes fleurs.

▼ *Opuntia tunicata* : impénétrable.

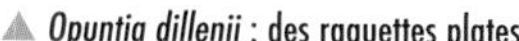
▲ *Opuntia dillenii* : des raquettes plates.

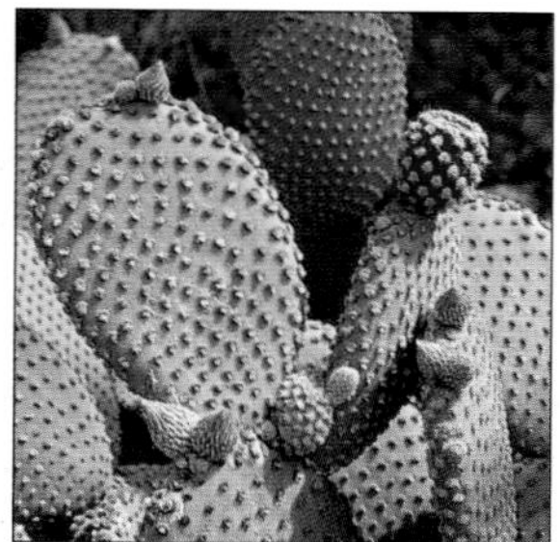
▲ *Opuntia microdasys* : doux en apparence.

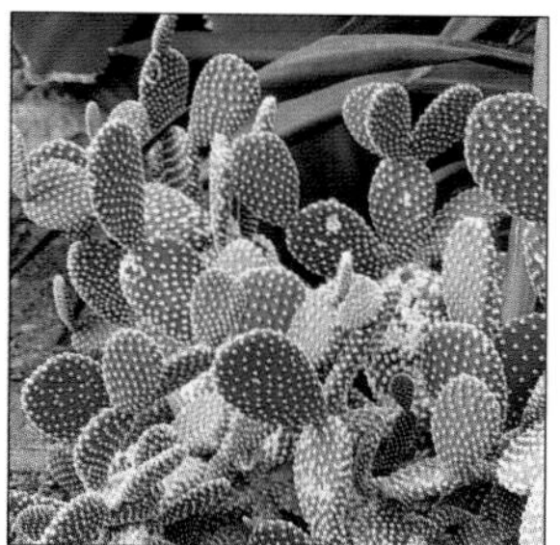
▲ *Opuntia microdasys* var. *albispina*.

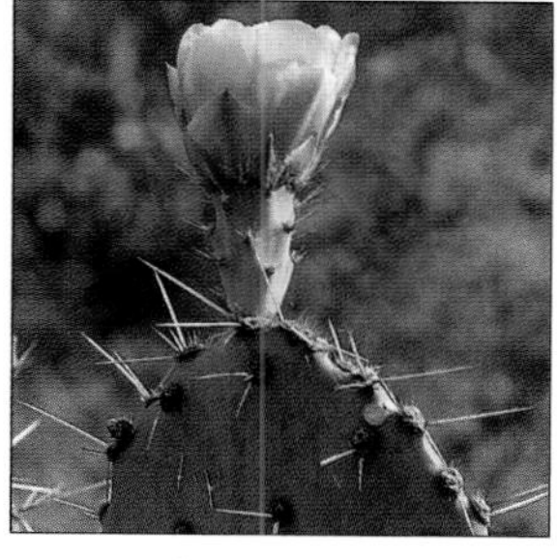
▲ *Opuntia phaeacantha* : longs piquants.

Oreocereus spp. CIERGE DES MONTAGNES

Ces cactus forment des touffes de tiges dressées, plus ou moins couvertes de pilosité blanche.

Origine : jusqu'à 4 200 m dans les Andes.

Feuilles : les aiguillons sont portés par des aréoles plus ou moins laineuses, selon les espèces et l'altitude à laquelle elles se développent. Cette pilosité les protège à la fois des excès de chaleur dus à l'ensoleillement intense, et des températures nocturnes pouvant avoisiner 0 °C.

Fleurs : diurnes, tubulaires, le plus souvent rouges, elles s'épanouissent au sommet des tiges, uniquement sur les plantes adultes.

Lumière : plein soleil toute l'année. En appartement, placez les cierges de montagne sous une fenêtre de toit ou près d'une baie vitrée. Tournez régulièrement la potée pour que toutes les faces du cactus reçoivent la même quantité de lumière.

Terre : terreau pour cactées du commerce, additionné de 20 % de petits cailloux calcaires.

Engrais : d'avril à octobre, apportez une fois par mois un engrais liquide « cactées ».

Humidité de l'air : faible. Veillez à ce que ces *Oreocereus* soient installés dans un endroit bien ventilé. Les espèces à forte pilosité sont très sensibles à la pourriture si l'atmosphère est humide.

Arrosage : tous les 7 à 10 jours, du printemps à la fin de l'été. Espacez progressivement les apports d'eau, pour ne plus arroser du tout à partir de novembre et jusqu'à la mi-mars.

Rempotage : en avril, tous les ans pour les jeunes plantes, puis tous les 3 ou 4 ans pour les sujets âgés et volumineux.

Exigences particulières : en dessous de 10 °C, les *Oreocereus* cessent leur croissance. Ils doivent être alors placés totalement au sec pour éviter l'apparition de pourriture. Fraîcheur et humidité laissent de vilaines cicatrices qui enlaidissent les sujets et nuisent à la régularité de leur silhouette.

Dimensions : de 15 cm à 2 m de haut, en pot.

Multiplication : semis à 20 °C, au printemps.

Longévité : plusieurs dizaines d'années.

Ennemis et maladies : cochenilles.

Espèces et variétés : on recense une dizaine d'espèces dont *Oreocereus celsianus,* aux tiges abondamment recouvertes de poils blanc ; *O. trollii* lui ressemble tout en étant plus compact (il ne dépasse pas 1 m de haut). Ces deux espèces ont besoin de beaucoup de soleil. *O. hendriksenianus* paraît plus hirsute, car ses épines très longues dépassent de la protection soyeuse. Les fleurs rose foncé tranchent sur la couleur blanche de la pilosité ; *O. doelzianus*, entièrement recouvert de soies blanches, fleurs terminales rouge carmin ; *O. fossulatus*, colonnaire, aux tiges bosselées portant des mèches blanches, fleurs violet pourpre ; *O. varicolor* forme un buisson ramifié depuis la base.

Conseil Truffaut : la floraison est parfois très longue à venir, mais les cierges de montagne sont surtout appréciés pour leur étonnante texture. Étalez des petits cailloux ou galets sombres à la surface des pots. Ils accumuleront de la chaleur qu'ils restitueront à la plante durant la nuit.

▲ *Oreocereus hendriksenianus* : des mamelons hérissés.

Oreocereus trollii : laineux, mais redoutablement armé. ▶

▲ *Pachyphytum oviferum* : charnu et dodu à souhait !

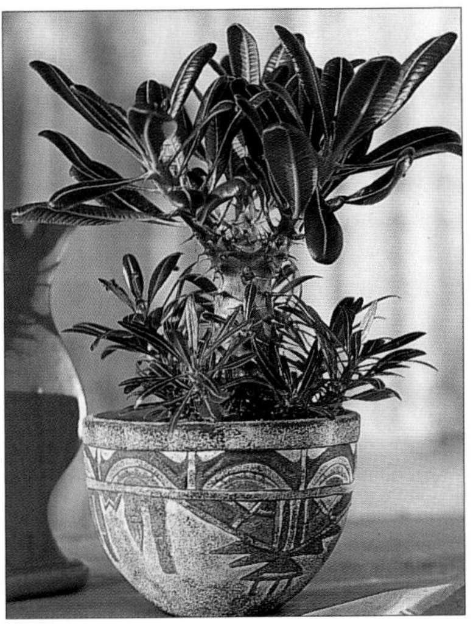

▲ *Pachypodium rosulatum* : c'est le « cactus palmier ».

Pachyphytum spp. PLANTE DRAGÉE

25 °C / 5 °C

Apparentées aux *Echeveria*, ces plantes succulentes ont des feuilles renflées, toutes lisses.

Origine : régions arides du Mexique.

Feuilles : renflées, plus ou moins allongées, de section circulaire. Elles sont vertes, ou glauques, parfois recouvertes d'une pruine satinée.

Fleurs : diurnes, en petites clochettes, réunies sur des hampes, au cœur des rosettes, au printemps.

Lumière : abondante mais sans soleil direct.

Terre : terreau pour cactées du commerce.

Engrais : une fois par mois, de mai à août, apportez un engrais liquide « cactées » peu concentré.

Humidité de l'air : évitez toute condensation sur les feuilles durant l'hiver.

Arrosage : tous les 6 ou 7 jours d'avril à septembre, une fois par mois en octobre et en mars, pas du tout d'eau le reste du temps.

Rempotage : en avril, tous les 2 ans.

Exigences particulières : évitez de toucher les feuilles car les traces de doigts marquent.

Dimensions : de 15 à 50 cm de haut, en pot.

Multiplication : semis au printemps à 22 °C, ou par bouturage de feuilles au début de l'été.

Longévité : de 2 à 5 ans, en pot à la maison.

Ennemis et maladies : aucun.

Espèces et variétés : *Pachyphytum oviferum*, aux grosses feuilles blanchâtres qui évoquent des dragées ; *P. viride*, à feuilles plus allongées, brunes.

Conseil Truffaut : placez les plantes dragées au pied de cactées épineuses pour créer de jolis contrastes ou parmi des galets diversement colorés.

Pachypodium spp. CACTUS PALMIER

 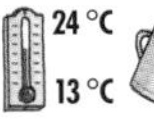 

24 °C / 13 °C

Ni cactus, ni palmiers auxquels ils ressemblent, ces arbres épineux sont parents des lauriers-roses (apocynacées). Ils forment des buissons aux troncs et aux branches épaisses, épineuses, portant à leur extrémité des bouquets de feuilles d'un très beau vert. Fleurs parfumées.

◄ *Pachypodium brevicaule* : nain, très aplati, une curiosité.

Origine : Madagascar, Afrique du Sud, Namibie.

Feuilles : oblongues, coriaces et lisses sur la face supérieure, les feuilles sont persistantes chez les espèces arborescentes, caduques chez les autres.

Fleurs : diurnes, estivales, blanches, roses, jaunes ou rouges, les fleurs forment des bouquets au sommet des tiges des plantes de plus de 10 ans.

Lumière : plein soleil, sans problème.

Terre : terreau pour cactées du commerce.

Engrais : une fois par mois de juin à septembre, apportez un engrais « cactées » dilué de moitié.

Humidité de l'air : faible, toute l'année.

Arrosage : une fois toutes les 2 ou 3 semaines environ entre mai et octobre, ensuite rien.

Rempotage : en avril, tous les 3 ou 4 ans.

Exigences particulières : les *Pachypodium* se montrent très sensibles à la pourriture.

Dimensions : de 30 cm à 1,50 m en pot.

Multiplication : semis à 22 °C ou bouturage de rameaux prélevés au début de l'été.

Longévité : de 3 à 15 ans, dans la maison.

Ennemis et maladies : pucerons.

Espèces et variétés : *Pachypodium lamerei*, aux fleurs blanches à cœur jaune, parfumées. *P. rosulatum*, au port arborescent, avec la base du tronc renflé ; fleurs jaune canari, en février, avant l'apparition des feuilles ; *P. brevicaule*, dont la souche ressemble à une grosse pomme de terre grisâtre ; fleurs jaunes. Plante rare dans la nature.

Conseil Truffaut : un grand sujet est plus facile à conserver qu'une jeune plante. Ne vous inquiétez pas si une grande partie ou la totalité des feuilles tombent à l'entrée de l'hiver.

Parodia spp. PARODIA

25 °C / 5 °C

Ces cactus presque tous globulaires produisent des fleurs généreuses et vivement colorées, sur le sommet de la plante souvent laineux.

Origine : Colombie, Argentine, Bolivie, Brésil, Paraguay, Uruguay, jusqu'à 3 600 m d'altitude.
Feuilles : les aiguillons sont portés par des aréoles plus ou moins laineuses, le long des côtes ou sur chaque tubercule.
Fleurs : au printemps et en été, jaune doré, roses ou rouges, diurnes, les fleurs se développent dans la région sommitale du cactus, solitaires ou en groupes pouvant compter une dizaine de corolles.
Lumière : le plein soleil est préférable.
Terre : terreau pour cactées du commerce.
Engrais : de mai à septembre, apportez une fois par mois un engrais « cactées » dilué de moitié.
Humidité de l'air : une légère brumisation de temps à autre, même au cours de l'hiver.
Arrosage : tous les 10 à 15 jours, d'avril à octobre, une fois par mois le reste du temps.
Rempotage : en mars, tous les 2 ans.
Exigences particulières : un substrat bien équilibré, à la fois drainant mais assez consistant, est le secret de la réussite.
Dimensions : de 15 à 30 cm de haut.
Multiplication : semis au printemps, à 22 °C.
Longévité : plusieurs dizaines d'années en pot.
Ennemis et maladies : cochenilles et pucerons.
Espèces et variétés : parmi la cinquantaine d'espèces réunies dans ce genre, *Parodia mammulosa, P. formosa, P. chrysacanthion, P. brevihamata, P. hausteiniana, P. microsperma, P. mutabilis, P. setifera,* à fleurs jaunes ; *P. andreae, P. bilbaoensis, P. comosa, P. herzogii, P. mairanana, P. weberiana,* à fleurs orange ; *P. compressa, P. lauii, P. otuyensis, P. nivosa, P. sanguiniflora, P. schuetziana, P. stuemeri, P. subterranea,* à fleurs rouges,...
Conseil Truffaut : choisissez de préférence des plantes qui présentent déjà plusieurs pousses, elles formeront plus vite une touffe florifère.

Pereskia spp.
PÉRESKIA

Ces cactus arbustifs forment des buissons ramifiés, portant des feuilles oblongues, coriaces, qui les font ressembler à certains ficus.

Origine : Floride, Brésil, Argentine, Caraïbes.
Feuilles : des tiges succulentes, ligneuses, aux aiguillons épars, portent des feuilles lancéolées à ovales, souvent persistantes, de 6 à 10 cm de long.
Fleurs : diurnes, en forme de coupe, de 4 à 5 cm de diamètre, les fleurs s'épanouissent en petits bouquets axillaires ou terminaux, tout au long de l'été.
Lumière : vive en évitant le plein soleil.
Terre : tourbe blonde, sable et terreau de feuilles.
Engrais : de mai à septembre, apportez toutes les 4 à 6 semaines un engrais liquide « cactées ».
Humidité de l'air : sans réelle importance.
Arrosage : tous les 10 à 15 jours, de mai à septembre, une fois par mois en automne et en hiver.
Rempotage : chaque année en mars, pendant 5 ans, le temps que l'arbuste se forme. Ensuite tous les 3 ou 4 ans, avec un surfaçage annuel.
Exigences particulières : le froid et l'humidité combinés entraînent rapidement la pourriture.
Dimensions : 1 à 2 m de haut pour 1 m de large, pour les plantes d'une dizaine d'années.
Multiplication : semis au printemps à 20 °C. Bouturage, en juin-juillet, d'extrémité ou de tronçons de tige, dans un mélange de sable et de tourbe.
Longévité : en appartement, les plantes de plus de 10 ans deviennent inesthétiques et dégingandées. Il faut les renouveler à partir de boutures.
Ennemis et maladies : cochenilles et pucerons.
Espèces et variétés : on compte 16 espèces dans le genre *Pereskia. P. aculeata* (la groseille des Barbades) est surtout proposé dans la forme 'Godseffiana', aux jeunes feuilles rosées qui deviennent plus ou moins pourprées à maturité, grandes fleurs blanches à étamines jaune d'or ; *P. bahiensis,* assez épineux, à fleurs roses ; *P. nemorosa,* à feuilles de 10 cm de long, et bouquets de fleurs rose pâle de mai à août ; *P. grandifolia (Rhodocactus grandifolius),* aux feuilles de 10 à 20 cm de long, fleurs en corymbes rose pourpre.
Conseil Truffaut : n'hésitez pas à tailler le péreskia afin de lui donner une forme aérée, bien proportionnée. Stoppez l'écoulement de latex blanc, en pulvérisant de l'eau tiède sur les plaies. Évitez le contact de cette sève avec la peau et les yeux.

▲ *Parodia herzogii* : une floraison admirable.

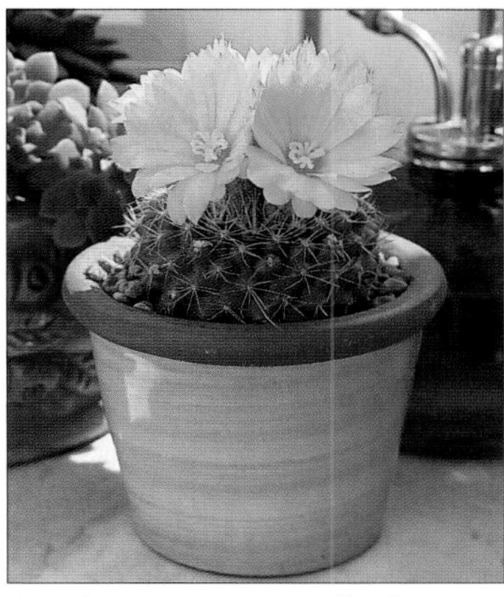

▲ *Parodia comarapana* : épineux aux fleurs lumineuses.

Pereskia aculeata 'Godseffiana' : le seul cactus à feuilles. ▶

Rebutia spp. REBUTIA

25 °C
5 °C

Ces petits cactus à la floraison abondante et spectaculaire ont aussi été appelés *Aylostera, Mediolobivia, Sulcorebutia* et *Weingartia*.

Origine : Bolivie, nord de l'Argentine, jusqu'à 3 600 m d'altitude.

Feuilles : des aiguillons fins et fragiles sont portés sur des aréoles, au sommet de tubercules.

Fleurs : diurnes, en été, roses, orange, jaunes ou rouges, elles s'épanouissent sur les aréoles.

Lumière : vive, le plus possible ensoleillée.

Terre : terreau pour cactées du commerce.

Engrais : de début mai à fin août, apportez une fois par mois un engrais liquide « cactées ».

Humidité de l'air : la plus faible possible.

Arrosage : une à deux fois par mois de mai à septembre, laissez au sec le reste du temps.

Rempotage : en avril, tous les 2 ans. Un pot étroit semble favorable à une bonne floraison.

Exigences particulières : dans la maison, placez les rebutias dans un endroit bien aéré, afin d'éviter tout risque de pourriture.

Dimensions : jusqu'à 10 cm de haut et de large.

Multiplication : semis au printemps à 20 °C. Séparation de rejets au début de l'été.

Longévité : plusieurs dizaines d'années.

Ennemis et maladies : cochenilles.

Espèces et variétés : parmi les 70 espèces connues, *Rebutia espinosae, R. narvaecensis, R. perplexa*, à fleurs roses, *R. albiflora*, à fleurs blanc rosé, *R. aureiflora, R. marsoneri*, à fleurs jaunes, *R. camargoensis, R. krainziana, R. huasiensis*, à fleurs rouges; *R. fiebrigii, R. euanthema, R. flavistyla, R. heliosa, R. kieslingii, R. muscula*, à fleurs orange,...

Conseil Truffaut : pour mettre en valeur la floraison généreuse des rebutias, laissez les plantes déborder légèrement de leur pot.

▲ *Rebutia espinosae* : une couronne de fleurs roses.

◄ *Rebutia muscula* : une boule laineuse et florifère.

Rhipsalidopsis spp. CACTUS DE PÂQUES

24 °C
12 °C

Cactus épiphytes à tiges plates et retombantes. On les distingue des *Schlumbergera* très proches à leurs fleurs en étoile, plus précoces. Les botanistes les dénomment désormais *Hatiora*.

Origine : forêts et zones rocheuses du Brésil.

Feuilles : quelques fines épines sont disposées sur de rares aréoles le long des tiges, vertes, aplaties et crénelées. Ces dernières sont « articulées » en segments de 3 à 7 cm de long.

Fleurs : diurnes, étoilées, de 3 à 5 cm de diamètre, roses ou rouges, les fleurs apparaissent au printemps, à l'extrémité des segments.

Lumière : vive mais sans soleil direct. Une exposition contre une fenêtre au nord est idéale.

Terre : terreau, terre de bruyère et perlite.

Engrais : de mars à septembre, apportez une fois par mois un engrais liquide « orchidées ».

Humidité de l'air : au moins 50 %; brumisez le feuillage tous les 2 ou 3 jours par temps sec.

Arrosage : tous les 5 à 7 jours, de mars à septembre, sans que la motte reste gorgée d'eau. Tous les 8 à 10 jours durant le repos hivernal.

Rempotage : en mars-avril, tous les 2 ans.

Exigences particulières : évitez de mouiller les fleurs pendant leur épanouissement.

Dimensions : de 15 à 20 cm de haut et de large.

Multiplication : bouturage de segments de tiges après la floraison, dans un substrat sableux.

Longévité : de 3 à 10 ans, en pot.

Ennemis et maladies : cochenilles.

Espèces et variétés : *Rhipsalidopsis rosea*, aux corolles rose vif retombantes, dont les pétales sont légèrement retroussés comme les toitures des pagodes; *R. gaertneri*, à fleurs rouge orangé. On cultive aussi diverses formes hybrides.

Conseil Truffaut : les cactus de Pâques sont des plantes de « jours courts », qui ont besoin d'obscurité pendant au moins 12 h au début du printemps. Une fois les boutons floraux formés, exposez les plantes à la lumière et ne les dérangez plus, car les boutons tombent assez facilement.

Rhipsalis spp.
CACTUS JONC

Ces cactus épiphytes, buissonnants, forment des tiges retombantes qui ressemblent à du gui chez certaines espèces.

Origine : Brésil, Argentine, Uruguay.

Feuilles : absentes ou, chez certaines espèces, quelques aiguillons sur des aréoles discrètes.

Fleurs : diurnes, minuscules, blanchâtres ou rosées. Baies, noires, rouges ou blanches.

Lumière : vive, sans soleil direct. L'idéal est de suspendre les rhipsalis devant une fenêtre au nord.

Terre : substrat pour orchidées additionné pour moitié de terreau de feuilles assez fibreux.

Engrais : apportez 3 ou 4 fois durant l'été un engrais liquide « orchidées ».

Humidité de l'air : par temps chaud, brumisez les rhipsalis tous les 2 ou 3 jours.

Arrosage : tous les 5 à 7 jours durant la croissance, tous les 10 à 12 jours en hiver.

Rempotage : en avril, tous les 2 ans.

Exigences particulières : les rhipsalis craignent les courants d'air, surtout durant l'hiver.

Dimensions : de 15 à 30 cm vers 5 ans, de 50 cm à 1 m en 10 ans, même en pot.

Multiplication : bouturage de fragments de tiges au début de l'été, dans de la terre de bruyère.

Longévité : de 7 à 30 ans, dans la maison.

Ennemis et maladies : cochenilles.

Espèces et variétés : *Rhipsalis micrantha*, et *R. capilliformis*, en larges touffes de fines tiges vertes articulées. *R. floccosa*, aux fruits en petites boules blanches et translucides rappelant celles du gui.

Conseil Truffaut : les rhipsalis vivent très bien avec les orchidées et les broméliacées.

Rochea spp.
ROCHEA

Plantes succulentes assez vigoureuses, regroupées depuis peu dans le genre *Crassula*.

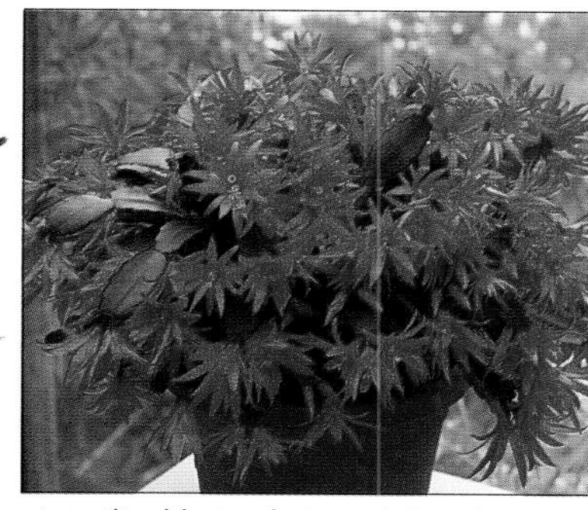

◄ ▲ *Rhipsalidopsis* x : les 'cactus de Pâques'.

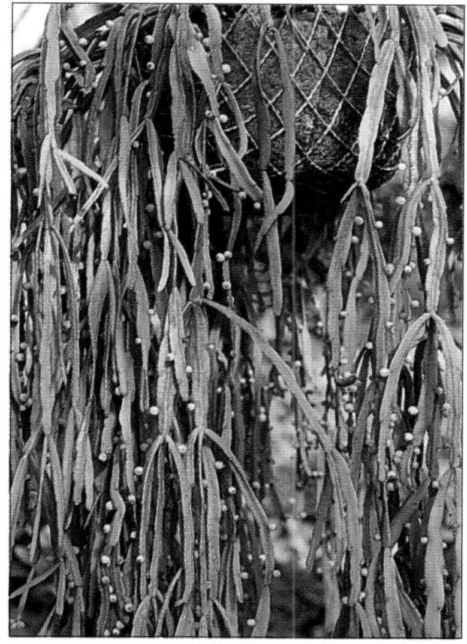

▲ *Rhipsalis micrantha* : à cultiver en panier suspendu.

Origine : Afrique du Sud.

Feuilles : vertes ou glauques, assez allongées, la base étant enserrée dans celle de la feuille opposée.

Fleurs : diurnes, et groupées au sommet des tiges roses ou rouges, à cinq pétales soudés en tube.

Lumière : vive mais sans soleil direct.

Terre : terreau pour cactées du commerce.

Engrais : de mai à août, apportez une fois par mois un engrais liquide « cactées ».

Humidité de l'air : assez faible.

Arrosage : une fois par semaine d'avril à septembre, chaque mois en automne, rien en hiver.

Rempotage : en mars, tous les 2 ans.

Exigences particulières : raccourcissez les tiges en enlevant les deux tiers supérieurs dès la fin de l'hiver, pour obtenir des plantes plus florifères.

Dimensions : de 30 à 70 cm de haut, en pot.

Multiplication : bouturage de tronçons de tiges au début de l'été, dans un mélange sableux.

Longévité : de 5 à 15 ans, en pot à la maison.

Ennemis et maladies : cochenilles et pucerons.

Espèces et variétés : *Rochea coccinea*, aux fleurs d'un beau rouge lavé de blanc au centre des pétales ; *R. falcata*, aux feuilles courbées comme la lame d'une faux ; *R. longifolia*, à feuilles très allongées et belles inflorescences rouge corail.

Conseil Truffaut : placez les *Rochea* dans des pots plutôt verticaux car une partie des branches a tendance à s'arquer ou à retomber gracieusement.

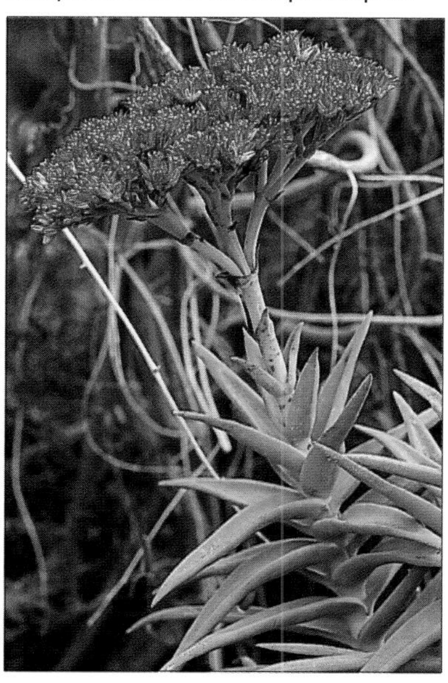

Rochea longifolia : un buisson succulent, très florifère. ►

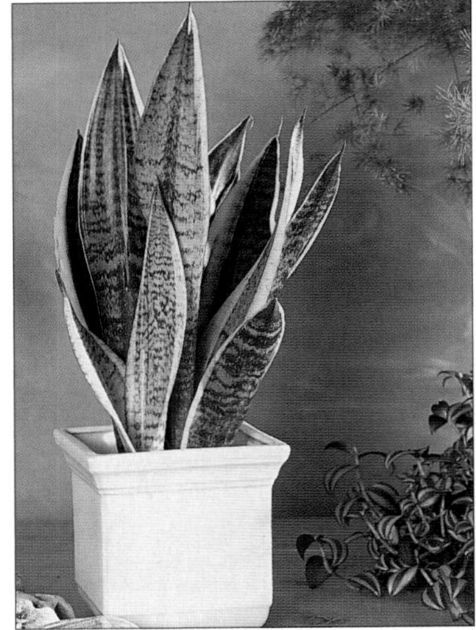

▲ *Sansevieria trifasciata* 'Laurentii' : elle réussit partout.

Sansevieria spp.
LANGUE DE BELLE-MÈRE

Ces vivaces rhizomateuses aux feuilles succulentes font partie de la famille des agaves.

Origine : Kenya, Madagascar, Namibie, Angola.
Feuilles : lancéolées, pointues à l'extrémité, plates ou cylindriques, plus ou moins verticales, formant une rosette serrée, vertes ou marquées de gris argenté, mais il existe des variétés panachées.
Fleurs : de 0,5 à 1 cm de long, blanches, parfumées, réunies en épis, au printemps, sur les adultes.
Lumière : vive, sans soleil direct trop brûlant.
Terre : terreau « géraniums » allégé de 30 % de sable grossier, afin d'améliorer le drainage.
Engrais : de mai à septembre, apportez une fois par mois un engrais liquide « cactées ».
Humidité de l'air : sans réelle importance.
Arrosage : tous les 12 à 15 jours de mars à octobre, toutes les 4 semaines le reste du temps.
Rempotage : en mars, tous les 3 ou 4 ans.
Exigences particulières : plantez de préférence les sansevières dans une jardinière afin qu'elles puissent développer leurs rhizomes confortablement.
Dimensions : de 80 cm à 1,20 m de haut en 10 ans, pour les espèces les plus vigoureuses.
Multiplication : séparation des jeunes rejets au printemps. Le bouturage de tronçons de feuilles est facile, mais ne reproduit pas les marges jaunes.
Longévité : plusieurs dizaines d'années.
Ennemis et maladies : cochenilles.
Espèces et variétés : *Sansevieria trifasciata*, aux longues feuilles plates; 'Laurentii', marginé de jaune; 'Golden Hahnii', nain aux feuilles écartées, bordées de jaune crème, convient dans un endroit ombragé; 'Twist', aux feuilles curieusement contournées; *S. cylindrica,* aux feuilles enroulées sur elles-mêmes, presque cylindriques, assez rare.
Conseil Truffaut : plantez la sansevière en compagnie de plantes grasses à la silhouette arrondie, afin de créer une composition rythmée.

◄ *Sansevieria* 'Twist' : une nouveauté à feuilles vrillées.

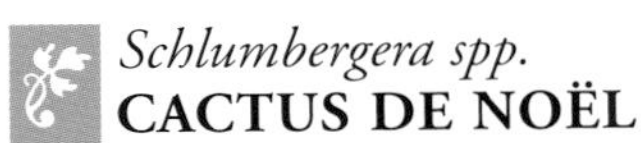

Schlumbergera spp.
CACTUS DE NOËL

Ces cactus au port retombant offrent une floraison abondante au cœur de l'hiver.

Origine : forêts tropicales au sud-est du Brésil.
Feuilles : les aiguillons ont quasiment disparu chez les formes hybrides habituellement cultivées.
Fleurs : diurnes, rouges ou roses, les fleurs s'épanouissent de décembre à mars, à l'extrémité des segments terminaux, rouges, pourpres, roses, blanches.
Lumière : vive mais sans soleil direct. Une fenêtre orientée vers le nord convient bien.
Terre : un substrat pour orchidées, mélangé par moitié avec du terreau de feuilles.
Engrais : de juin à octobre, apportez une fois par mois un engrais liquide « cactées ».
Humidité de l'air : minimum 40 %. Brumisez de temps en temps durant l'hiver (à plus de 16 °C).
Arrosage : tous les 3 à 5 jours de juin à septembre et durant la floraison, une fois par semaine d'octobre à décembre, tous les 15 jours après la fanaison et jusqu'à la fin du printemps.
Rempotage : en mars-avril, tous les 3 ou 4 ans.
Exigences particulières : dès que les boutons sont formés, ne déplacez plus les plantes et maintenez une température régulière.
Dimensions : de 30 à 40 cm de haut et de large.
Multiplication : bouturage de segments en mars.
Longévité : de 15 à 20 ans.
Ennemis et maladies : cochenilles.
Espèces et variétés : il existe 6 espèces de *Schlumbergera,* mais on cultive surtout des hybrides de *S. truncata*, rarement dénommés.
Conseil Truffaut : installez les cactus de Noël sur une étagère, pour admirer leur port retombant.

Sedum spp.
ORPIN

Ces succulentes, parfois rustiques, ont des espèces exotiques qui se plaisent à l'intérieur.

Origine : Mexique, Guatemala.
Feuilles : oblongues ou rondes, épaisses, charnues, elles ressemblent parfois à des écailles.
Fleurs : étoilées, jaunes, blanches ou rouges, au sommet des nouvelles pousses, au printemps.
Lumière : vive, mais sans soleil direct violent.
Terre : 1/3 de terreau et 2/3 de sable grossier.
Engrais : de mai à septembre, apportez toutes les 5 à 6 semaines un engrais « plantes vertes ».
Humidité de l'air : sans importance.
Arrosage : une fois par semaine de mars à octobre, une fois par mois durant l'hiver.
Rempotage : en mars, tous les 2 ou 3 ans.
Exigences particulières : ne laissez jamais le terreau se dessécher totalement car cela entraîne, chez certaines espèces, une chute des feuilles.
Dimensions : de 10 cm à 1 m selon les espèces.
Multiplication : bouturage de fragments de tiges ou de feuilles, au printemps ou en été.
Longévité : de 3 à 7 ans, en pot.
Ennemis et maladies : cochenilles.
Espèces et variétés : *Sedum morganianum*, à port retombant et feuilles épaisses vert bleuté est la plus belle espèce pour l'intérieur; *S. batalae*, aux rosettes gris-bleu imbriquées, fleurs blanches; *S. dendroideum*, au port arbustif, feuilles épaisses en rosettes, fleurs jaunes; *S. linearifolium* 'Variegatum', au feuillage clair, tapissant ou retombant; *S. lucidum*, buissonnant, compact, à feuilles arrondies teintées de rouge, fleurs blanches; *S. tahlii*, rampant, feuilles en forme de petits œufs rouge-brun, fleurs jaunes; *S. suaveolens*, en rosettes gris bleuté, fleurs blanches, etc.
Conseil Truffaut : mélangez plusieurs espèces retombantes dans une seule coupe suspendue.

Selenicereus spp.
CIERGE DE LA LUNE

Ce cactus épiphyte à port rampant, grimpant ou retombant développe d'énormes fleurs la nuit.

Origine : Mexique, Jamaïque, Cuba, Haïti.
Feuilles : de courts aiguillons sont répartis sur des aréoles régulièrement espacées sur les tiges.
Fleurs : de 20 à 30 cm de diamètre, blanc pur, avec les pétales externes crème, les fleurs s'épanouissent le temps d'une nuit, exhalant un parfum vanillé exceptionnel, destiné à attirer les papillons de nuit qui assurent la pollinisation. Une plante adulte peut porter jusqu'à 20 fleurs. Les gros fruits ovoïdes qui suivent la floraison sont comestibles.
Lumière : vive, mais jamais de soleil direct.
Terre : un substrat pour orchidées, en mélange à parts égales avec du terreau de feuilles.
Engrais : de mai à septembre, apportez une fois par mois un engrais liquide « cactées ».
Humidité de l'air : minimum 50 %. Il faut brumiser tous les 2 à 4 jours pour humidifier les racines aériennes qui se développent le long des tiges.
Arrosage : tous les 4 à 6 jours de mai à septembre, tous les 7 à 10 jours en hiver. Utilisez une eau non calcaire, à la température de la pièce.
Rempotage : tous les 3 ou 4 ans, au printemps.
Exigences particulières : une baisse progressive de la température de 3 à 5 °C durant la nuit est favorable à la floraison.
Dimensions : de 75 cm à 3 m, en bac.
Multiplication : bouturage très facile de morceaux de tiges, à l'étouffée, en miniserre.
Longévité : de 3 à 7 ans, en pot.
Ennemis et maladies : cochenilles à bouclier.
Espèces et variétés : on compte une vingtaine d'espèces de *Selenicereus*. *S. grandiflorus*, le plus spectaculaire, est aussi le plus couramment proposé dans le commerce. Ses fleurs peuvent atteindre 30 cm de diamètre, mais la floraison n'apparaît pas sur les plantes de moins de 2 m de haut; *S. spinulosus*, aux fleurs de 20 cm de diamètre en été, dès que les plantes atteignent l'âge de 5 ans; *S. testudo (S. diabolicus)*, à port arbustif, fleurs diurnes de 20 cm de diamètre; *S. anthocyanus*, à port retombant, fleurs jaunâtres de 10 à 15 cm; *S. hamatus*, aux fleurs blanches qui atteignent 35 cm.
Conseil Truffaut : dès que les boutons floraux commencent à se former, la température ne doit pas descendre sous les 15 °C. Le cierge de la lune atteint son plein épanouissement seulement s'il est planté en pleine terre dans un jardin d'hiver.

▲ *Schlumbergera* hybride : des fleurs pour Noël.

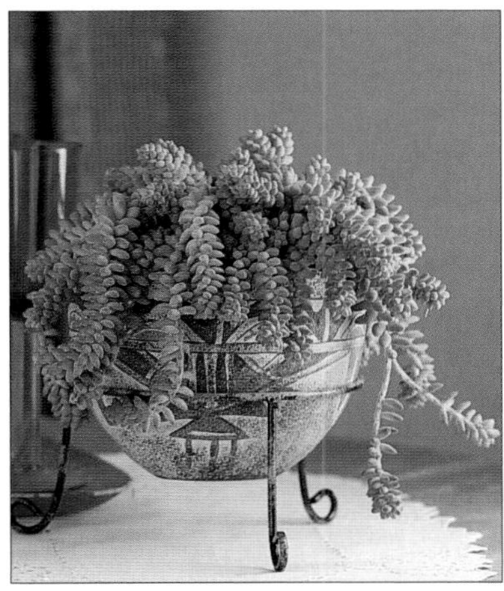
▲ *Sedum morganianum* : beaucoup d'allure en suspension.

Selenicereus grandiflorus : une énorme fleur nocturne. ▶

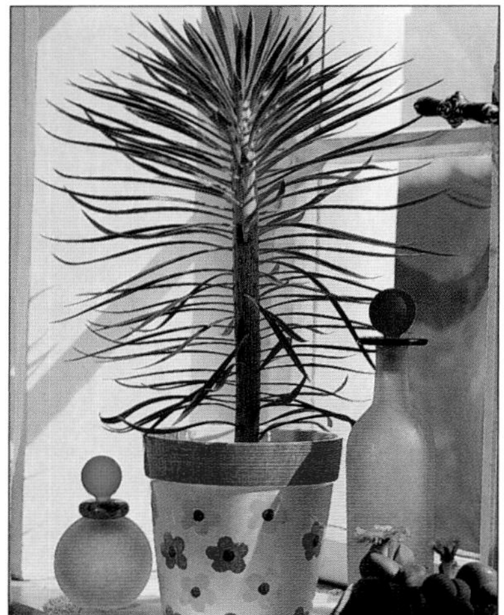
Senecio kleinia : un étonnant arbuste succulent.

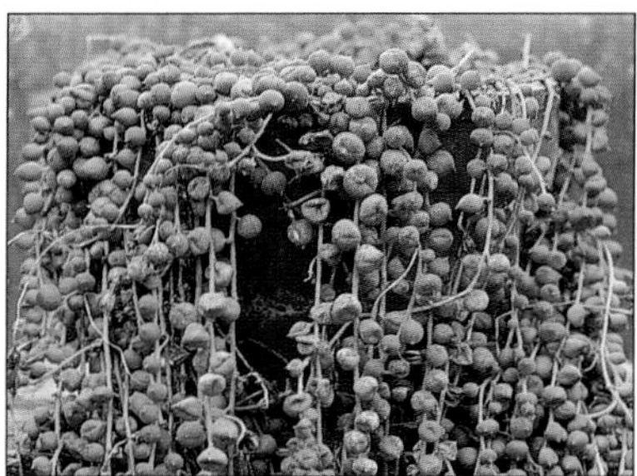
Senecio rowleyanus : une petite potée à suspendre.

Senecio spp. SÉNEÇON

  24 °C 7 °C 

Plante succulente rampante ou arbustive.
Origine : Afrique du Sud, Namibie, Maroc.
Feuilles : de longues tiges minces portent des feuilles globuleuses, vert bleuté, grosses comme de petits grains de raisin. Chez les formes arbustives, les feuilles sont linéaires, cylindriques, charnues.
Fleurs : jaunes, blanc jaunâtre ou roses, en été.
Lumière : plein soleil, mais évitez les rayons trop ardents entre 11 heures et 16 heures en été.
Terre : moitié terre végétale, moitié terre à cactées.
Engrais : trois fois dans la saison, en avril, juin et août, apportez un engrais liquide « cactées ».
Humidité de l'air : sans réelle importance.
Arrosage : tous les 4 à 6 jours, d'avril à septembre. En hiver, maintenez le terreau presque sec.
Rempotage : en avril, tous les 3 ou 4 ans.
Exigences particulières : la plante ne fleurit bien que si elle bénéficie d'un repos hivernal au frais (10 °C) et d'une température estivale suffisamment élevée (au moins 23 °C).
Dimensions : les tiges rampantes peuvent atteindre 90 cm de long, les arbustes 1,50 m.
Multiplication : des fragments de tiges s'enracinent très facilement dans du sable à peine humide.
Longévité : plus de 10 ans.
Ennemis et maladies : pucerons, limaces.
Espèces et variétés : on compte plus de 1 000 espèces de *Senecio. S. macroglossus* évoque un lierre aux feuilles épaisses; *S. kleinia*, au port arbustif et à longues feuilles linéaires presque horizontales; *S. rowleyanus*, rampant, retombant, aux feuilles sphériques; *S. citriformis*, aux feuilles fusiformes, qui ressemblent à de minuscules citrons; *S. ficoides*, arbustif, à feuilles vert bleuté, fleurs blanc jaunâtre; *S. scaposus*, aux rosettes cylindriques.
Conseil Truffaut : plantez les séneçons rampants dans une coupe plus large que profonde, car le système racinaire est superficiel. Tuteurez bien les formes arbustives (aussi appelées kleinias).

Stapelia commutata var. hesperidum : l'étoile noire.

Stapelia spp. STAPÉLIA

 24 °C 10 °C 

Plantes succulentes basses, buissonnantes, dont certaines sont classées dans le genre *Orbea*.
Origine : Afrique du Sud, Namibie, Botswana.
Feuilles : les tiges épaisses, quadrangulaires, portent des feuilles atrophiées, formant des sortes de dents grossières. Certaines tiges sont épineuses.
Fleurs : les corolles charnues, étoilées, à 5 pétales, ressemblent à des étoiles de mer pourpres, vertes, brunes, crème, parfois tachetées de pourpre et de blanc ou velues. Leur odeur désagréable attire les mouches qui les pollinisent.
Lumière : plein soleil toute l'année.
Terre : terreau et sable grossier ou gravillons.
Engrais : apportez trois fois dans la belle saison un engrais liquide « cactées ».
Humidité de l'air : la plus faible possible.
Arrosage : ne laissez jamais le terreau se dessécher car les tiges se flétrissent irrémédiablement.
Rempotage : tous les 2 ou 3 ans, en avril, dans des pots stables, plus larges que profonds.
Exigences particulières : les stapélias apprécient de passer l'hiver à 10 °C.
Dimensions : jusqu'à 30 cm de haut et de large.
Multiplication : semis en mars, ou bouturage de l'extrémité des tiges en été, en miniserre.
Longévité : plus de 10 ans dans une serre.
Ennemis et maladies : cochenilles farineuses.
Espèces et variétés : on recense 43 espèces de *Stapelia. S. hirsuta*, aux fleurs brun-rouge couvertes de poils courts et doux, est la plus facile à cultiver; *S. commutata*, aux tiges épineuses, fleurs noires; *S. flavopurpurea*, à fleurs vertes au cœur rouge; *S. gigantea*, aux fleurs atteignant 40 cm de diamètre, jaune clair strié de rouge; *S. grandiflora*, aux fleurs de 15 cm de diamètre rose foncé à brun pourpré, d'aspect variable; *S. mutabilis (Orbea mutabilis)*, aux fleurs de 5 cm rouge vineux au centre jaune; *S. pulvinata*, aux fleurs velues rouge-brun, etc.
Conseil Truffaut : pour réussir les boutures de stapélia, laissez sécher les sections prélevées durant 4 ou 5 jours avant de les planter.

Stenocereus thurberi STÉNOCÉRÉUS

  25 °C 10 °C 

Grand cactus en forme de cierge étroit.

Origine : Mexique, Venezuela, îles Vierges.

Feuilles : les tiges forment des colonnes épaisses, munies d'aiguillons rigides de 3 ou 4 cm de long, portés sur des aréoles feutrées.

Fleurs : de 4 à 7 cm de longueur, roses, rouges ou blanches. Fruit écailleux, rouge, comestible.

Lumière : plein soleil impérativement.

Terre : terreau pour cactées du commerce.

Engrais : deux ou trois fois de mai à juillet, apportez un engrais liquide « cactées ».

Humidité de l'air : la plus sèche possible.

Arrosage : une fois par semaine durant la croissance, pratiquement pas d'eau en hiver.

Rempotage : tous les 2 à 4 ans selon la vitesse de croissance. Surfacez les gros sujets en mai.

Exigences particulières : sortez les sténocéréus durant l'été. Ils peuvent rester toute l'année dehors dans les jardins abrités de la Côte d'Azur.

Dimensions : jusqu'à 2 m en pot.

Multiplication : semis à 22 °C au printemps.

Longévité : dans les jardins botaniques, les plus vieux exemplaires atteignent 100 ans.

Ennemis et maladies : taches noires.

Espèces et variétés : on compte 25 espèces de *Stenocereus*. *S. griseus,* à l'épiderme grisâtre, fleurs roses ; *S. pruinosus,* vert bleuté, fleurs blanc rosé ; *S. marginatus,* à tiges grisâtres, fleurs rouges.

Conseil Truffaut : installez la plante dans des pots lourds et stables, plus larges que profonds.

Sulcorebutia spp. RÉBUTIA

 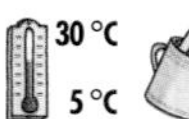 30 °C 5 °C 

Petites cactées globuleuses très florifères, désormais rattachées par les botanistes au genre *Rebutia,* mais qui s'en distinguent par des aréoles creuses et allongées.

Origine : Bolivie, jusqu'à 3 500 m d'altitude.

Feuilles : le coussin arrondi, hémisphérique, est recouvert d'un réseau dense et parfaitement géométrique de fins aiguillons blancs.

Fleurs : de nombreuses corolles aux couleurs vives s'ouvrent le matin et se referment le soir au printemps. Elles fanent après une semaine de vie.

Lumière : plein soleil direct toute l'année.

Terre : terreau pour cactées du commerce.

Engrais : utilisez trois fois dans la saison un engrais « fraisiers », dilué de moitié.

Humidité de l'air : la plus sèche possible.

Arrosage : laissez sécher le terreau sur 2 cm, avant d'apporter à nouveau de l'eau. En hiver, interrompez presque complètement les arrosages.

Rempotage : au printemps, tous les ans, dans une terrine ou une coupe plate et large.

Exigences particulières : les rébutias supportent les températures caniculaires (30 °C), à condition de retrouver un peu de fraîcheur la nuit.

Dimensions : maximum de 12 à 15 cm de haut.

Multiplication : séparation, au printemps, des rejets qui se forment à la base de la touffe. Semis facile à 22 °C en avril. La levée est rapide, mais la croissance des jeunes plantes très lente.

Longévité : plus de 10 ans, à la maison.

Ennemis et maladies : araignées rouges par temps très chaud. Cochenilles farineuses l'hiver.

Espèces et variétés : on comptait 40 espèces de *Sulcorebutia* avant que les botanistes ne remanient le genre. Outre les espèces illustrées ci-contre, *S. breviflora, S. candiae, S. menesesii,* à fleurs jaunes ; *S. caniguerali*i, à fleurs orange ; *S. crispata, S. glomerispina,* à fleurs roses sont vraiment superbes.

Conseil Truffaut : en hiver, conservez les rébutias dans une véranda entre 5 et 12 °C.

▼ *Sulcorebutia flavissima* : une superbe couronne fleurie.

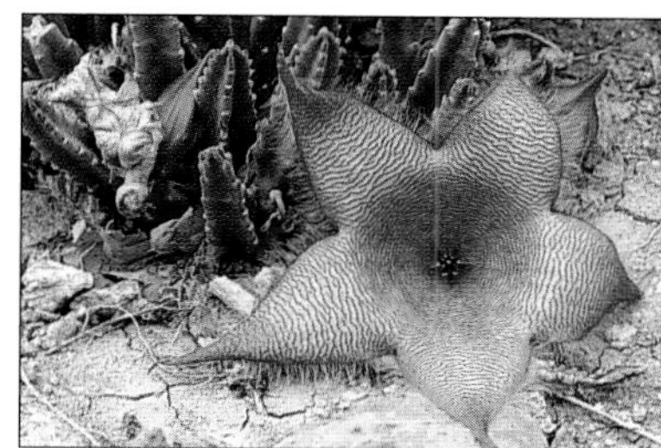

▲ *Stapelia grandiflora.* ▼ *Stenocereus thurberi.*

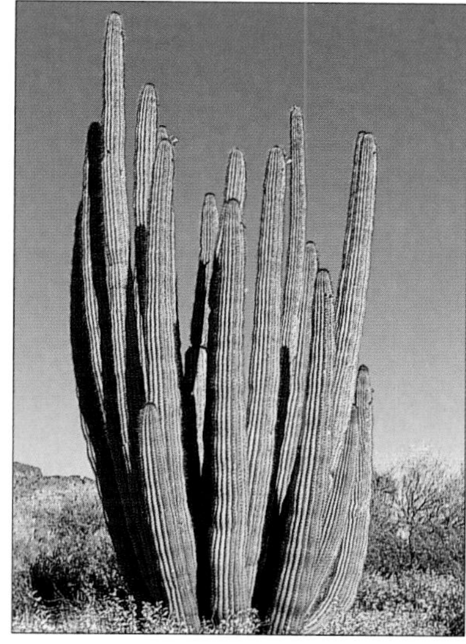

▼ *Sulcorebutia arenacea* : une mosaïque très graphique.

▼ *Sulcorebutia glomericeta* : tout velouté, à fleurs d'or.

 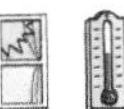 

Thelocactus matudae
THÉLOCACTUS

25 °C – 8 °C

Cactus globuleux.

Origine : Mexique, dans les forêts humides.

Feuilles : ce cactus forme une tige épaisse et cylindrique de 15 cm de diamètre environ, aux mamelons quadrangulaires de 2 cm de haut, portant chacun un bouquet d'aiguillons piquants.

Fleurs : en été, les corolles de 6 à 8 cm de diamètre et largement ouvertes apparaissent vers le sommet du cactus. Elles sont rose violet intense, rehaussées par un bouquet d'étamines jaune d'or.

Lumière : une lumière généreuse mais indirecte.

Terre : terreau pour cactées du commerce allégé par 20 % de gypse broyé.

Engrais : d'avril à septembre, apportez deux fois par mois un engrais « tomates » dilué de moitié.

Humidité de l'air : sans importance.

Arrosage : une fois par semaine durant la belle saison. D'octobre à avril, une fois par mois, le thélocactus effectuant une période de repos marqué.

Rempotage : en mars-avril, tous les 2 ans, dans une coupe plus large que profonde.

Exigences particulières : entre octobre et mars, conservez le thélocactus au frais (10 °C).

Dimensions : de 10 à 15 cm de haut et de large.

Multiplication : semis à 22 °C au printemps.

Longévité : plus de 20 ans, en pot à la maison.

Ennemis et maladies : cochenilles farineuses.

Espèces et variétés : *Thelocactus rinconensis; T. bicolor,* aux grandes fleurs rose dragée.

Conseil Truffaut : les épines se cassent dans la peau : prenez des gants pour manipuler la plante.

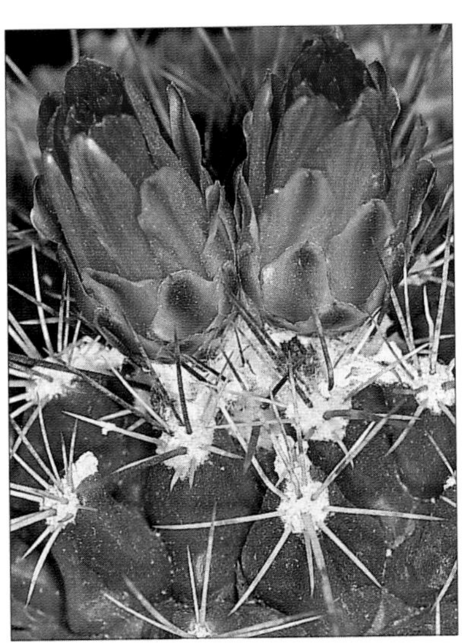

▲ *Thelocactus matudae* : de gros mamelons coniques.

Trichocereus spachianus
ÉCHINOPSIS

25 °C – 3 °C

Cactus côtelé, échevelé, à port dressé ou étalé, récemment classé dans le genre *Echinopsis*.

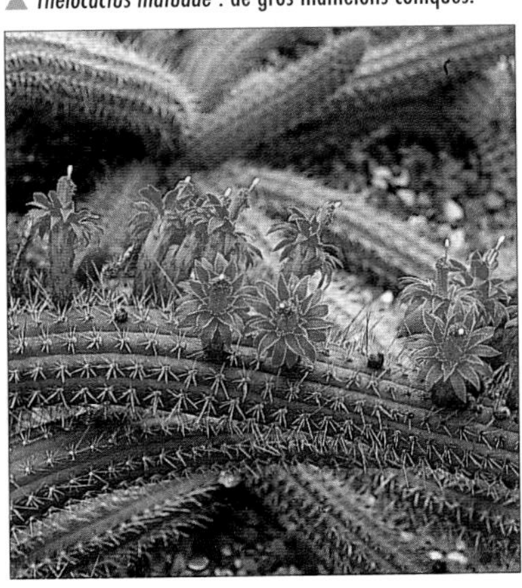

◄ *Trichocereus spachianus* : un grand cactus rampant.

Origine : Argentine, Pérou, Équateur, Bolivie.

Feuilles : le tronc de forme cylindrique est marqué par des côtes verticales munies d'aréoles, portant des aiguillons fins mais acérés.

Fleurs : la plante adulte porte en été des fleurs blanches de 15 à 20 cm de diamètre.

Lumière : un fort ensoleillement direct.

Terre : terreau de feuilles et sable grossier à parts égales ou terreau à cactées du commerce.

Engrais : une fois par mois, d'avril à octobre, apportez un engrais liquide « cactées ».

Humidité de l'air : aussi sec que possible.

Arrosage : une fois par semaine durant la croissance, toujours au pied de la plante. Pas plus d'une fois tous les 20 à 30 jours d'octobre à mars.

Rempotage : en avril, tous les 2 ans.

Exigences particulières : pour une belle floraison, respectez un repos hivernal entre 5 et 10 °C.

Dimensions : jusqu'à 1 m en 10 ans.

Multiplication : séparation des rejets de la base au printemps. Semis à 20 °C en avril.

Longévité : au moins 10 ans.

Ennemis et maladies : cochenilles farineuses.

Espèces et variétés : *Trichocereus atacamensis,* aux aréoles blanches, fleurs blanc rosé ; *T. candicans,* rampant, à fleurs blanches au parfum de jasmin ; *T. huascha,* rampant, à fleurs jaunes ; *T. strigosus,* rampant à grandes fleurs blanches.

Conseil Truffaut : le trichocéréus est très sensible aux excès d'eau. Quand la terre reste trop longtemps humide, la plante se flétrit et pourrit.

Wilcoxia albiflora
ÉCHINOCÉRÉUS

25 °C – 5 °C

Cactus à port grêle et ramifié, désormais appelé par les botanistes *Echinocereus leucanthus*.

Origine : Mexique.

Feuilles : les fines tiges cylindriques, aux reflets pourpres, portent des côtes hérissées d'aiguillons radiaux blanc argenté, les centraux étant noirs.

Fleurs : l'extrémité des tiges porte à la fin du printemps des fleurs blanches de 4 cm de diamètre.

Lumière : vive, mais à l'abri du soleil direct.

Terre : un mélange de terreau de feuilles et de sable de rivière assez grossier, par moitié.
Engrais : d'avril à août, faites 4 apports d'engrais liquide « fraisiers » ou « tomates ».
Humidité de l'air : plus l'atmosphère est sèche et chaude, meilleure est la croissance de la plante.
Arrosage : attendez au moins 10 jours entre chaque apport d'eau, même en plein été. De novembre à mars, inutile d'arroser.
Rempotage : en avril, tous les 2 ans, dans une coupe large, munie d'un bon trou de drainage.
Exigences particulières : le *Wilcoxia* n'aime pas être arrosé en pluie. Un arrosoir au bec fin est pratique pour arroser juste au pied de la plante.
Dimensions : de 20 à 30 cm de long.
Multiplication : semis à 22 °C au printemps.
Longévité : de 8 à 10 ans, en pot à la maison.
Ennemis et maladies : araignées rouges.
Espèces et variétés : *Wilcoxia viperina*, aux fleurs rouge framboise ; *W. schmollii*, aux fleurs rose tendre ; *W. kroenleinii*, aux fleurs saumon.
Conseil Truffaut : tous les 3 ans, coupez les vieilles tiges qui ont déjà fleuri afin de conserver à la plante un aspect plus trapu et de provoquer l'apparition de nouvelles ramifications florifères.

Yucca spp.
YUCCA

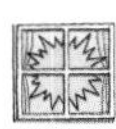

24 °C
8 °C

Arbuste ou petit arbre formant un tronc ramifié, à feuillage persistant, coriace, rigide.
Origine : Californie, Arizona, Mexique, Antilles.
Feuilles : de 30 cm à 1 m de long, épaisses, linéaires, allongées, terminées par une pointe redoutable, les feuilles sont disposées en rosettes.
Fleurs : le yucca ne fleurit presque jamais à l'intérieur. En plein air, il produit d'imposantes grappes dressées de clochettes blanc crème.
Lumière : plein soleil, même très intense.
Terre : terreau, terre de jardin et sable de rivière.
Engrais : de mai à septembre, apportez tous les 15 jours un engrais « plantes vertes » dilué.
Humidité de l'air : le yucca s'adapte à l'atmosphère de nos appartements. Une douche hebdomadaire le rafraîchit et le dépoussière bien.
Arrosage : tous les 5 à 7 jours en été, le terreau devant se dessécher sur 5 ou 6 cm. En hiver, une fois tous les 10 à 12 jours est suffisant.
Rempotage : dès l'achat, si le pot n'assure pas une bonne stabilité à la plante ou si le yucca est cultivé dans de la tourbe pure. Tous les 2 à 4 ans ensuite, en fonction de la rapidité de croissance.
Exigences particulières : les yuccas aiment passer l'hiver au frais (10 °C), dans une véranda.
Dimensions : de 50 cm à 2 m de haut.
Multiplication : bouturage (délicat), séparation des rejets au printemps, en miniserre, à 25 °C.
Longévité : jusqu'à 15 ans, en pot à la maison.
Ennemis et maladies : *Botrytis*, cochenilles.
Espèces et variétés : *Yucca aloifolia* est presque rustique, feuilles très acérées ; *Y. elephantipes*, le plus commun comme plante d'intérieur, à feuilles plus souples et tronc décoratif, 'Variegata' est une forme à feuillage panaché ; *Y. rostrata* forme un bouquet de feuilles semi-rigides, très fines ; *Y. brevifolia* forme un arbuste ramifié, mais sa croissance est très lente, feuilles aussi acérées que des épées ; *Y. whipplei*, sans tige (acaule), grosse rosette gris bleuté, feuilles très acérées.
Conseil Truffaut : en été, sortez le yucca sur le balcon, il gagnera en vigueur.

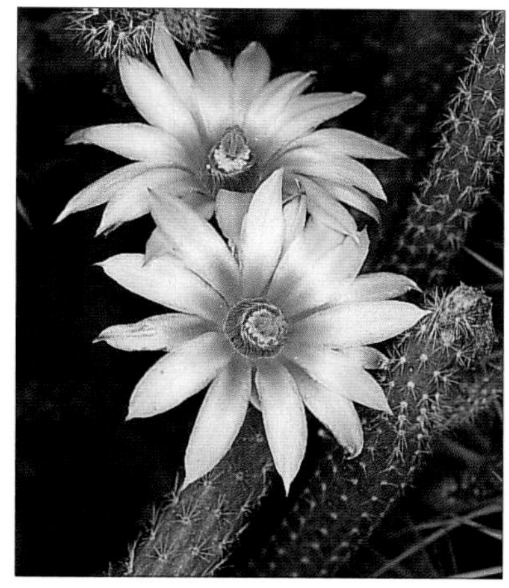

▲ *Wilcoxia albiflora* : fleurs blanches et tiges grêles.

▲ *Yucca aloifolia* 'Marginata' : des feuilles panachées.

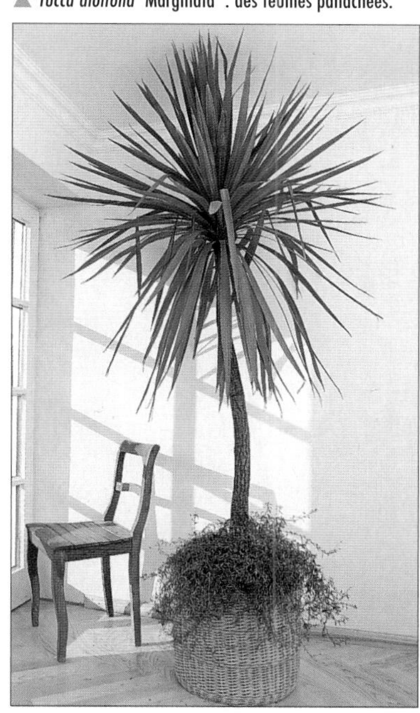

▲ *Yucca elephantipes* : un solide arbre d'intérieur.

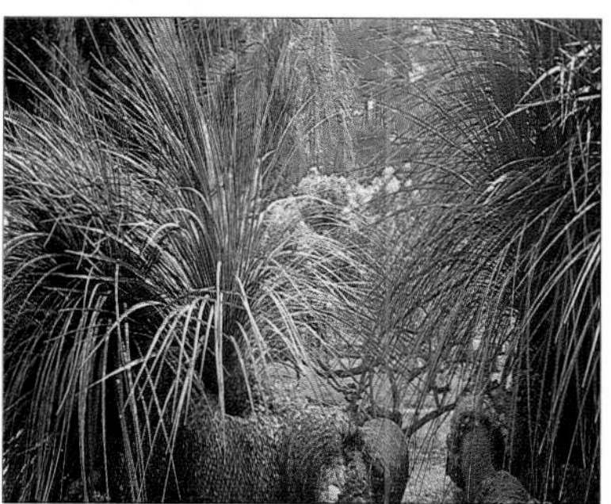

Yucca rostrata : sortez-le dans le jardin en été. ▶

6

LES PLANTES D'INTÉRIEUR AU FIL DES MOIS

Janvier

Au cœur de l'hiver, la maison se transforme en un nid douillet où il faut trouver le bon équilibre entre luminosité, température et arrosage. Les plantes sont pour la plupart en repos végétatif. Respectez leur dormance en ayant la main légère avec l'arrosoir. Évitez les courants d'air froid et rapprochez les pots des fenêtres pour qu'ils bénéficient de la plus forte luminosité possible.

▲ Parez la maison d'un joli décor printanier avec les bulbes forcés. Narcisses et jacinthes accompagnent un anthurium.

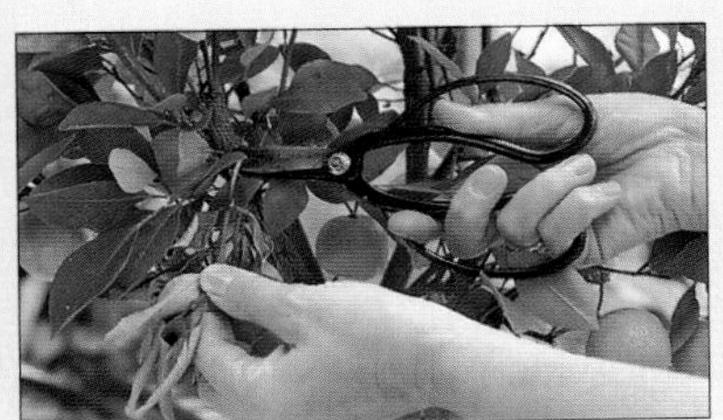

▲ Des ciseaux à bonsaïs pour couper les rameaux secs.

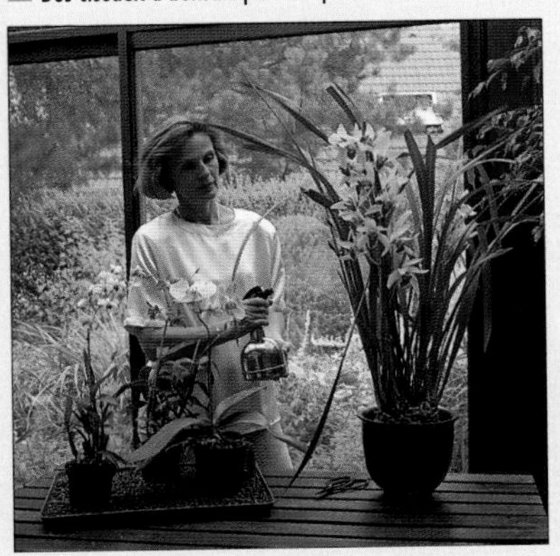

◀ Brumisation quotidienne pour le cymbidium (orchidée).

Arroser

• Espacez les apports d'eau et réduisez les quantités. La terre doit sécher entre 2 arrosages. Videz les soucoupes 20 min après.
• Arrosez cactées et plantes grasses tous les 10 à 12 jours dans une pièce chaude, toutes les 3 semaines dans une pièce fraîche.

Tailler

• Utilisez des ciseaux de fleuriste ou un petit sécateur pour couper les pousses sèches. Raccourcissez celles qui s'allongent démesurément par manque de lumière.
• Coupez l'extrémité brunie et sèche des feuilles de vos plantes vertes, sans toucher à la partie verte qui continuerait de s'abîmer.

À NE PAS OUBLIER

- Aérez sans exposer les plantes à l'air froid.
- Ne donnez de l'engrais qu'aux plantes fleuries ou s'apprêtant à fleurir.
- Vaporisez régulièrement le feuillage des plantes fleuries, sans mouiller les fleurs.
- Placez près des fenêtres les potées de bulbes forcés à l'obscurité, dès que les tiges florales commencent à être bien visibles.
- Examinez vos plantes pour détecter au plus vite les parasites ou les maladies.

Humidifier l'air

• Augmentez l'hygrométrie par des vaporisations d'eau douce et tiède sur les feuilles.
• Groupez les pots sur un lit de billes d'argile trempant dans un peu d'eau, pour limiter les effets desséchants du chauffage.

Février

Les jours commencent à rallonger, les plantes d'intérieur vont doucement reprendre de l'activité. Il est temps de procéder à une grande toilette générale et surtout de changer la terre et les pots de la plupart des plantes.

Nettoyer

• Éliminez la poussière qui obstrue les pores en passant une éponge humide sur les grandes feuilles et en douchant les petites feuilles.
• Dépoussiérez les cactus avec un pinceau.
• Bassinez le feuillage des palmiers, en insistant sur le revers des feuilles, pour les nettoyer et décourager les attaques d'araignées rouges.
• Lustrez les plantes à feuillage épais.

Préparer et soigner

• Prévoyez les rempotages printaniers : achetez les pots ou les bacs nécessaires, les terreaux appropriés, les billes d'argile pour le drainage, les soucoupes, les tuteurs, l'engrais.
• Préparez dès maintenant les mélanges terreaux (substrats) en vue des rempotages.
• Éliminez les cochenilles manuellement ou par un traitement spécifique. Coupez les pousses couvertes d'oïdium desséchées.

À NE PAS OUBLIER

- Baissez le chauffage de quelques degrés la nuit, vos plantes se porteront mieux.
- Ne bassinez pas le feuillage des plantes duveteuses (saintpaulia, bégonia).
- Faites pivoter les pots des plantes vertes pour assurer un éclairement uniforme.
- Bassinez quotidiennement les bonsaïs.
- Prolongez la floraison du poinsettia en plaçant la potée dans une pièce fraîche.

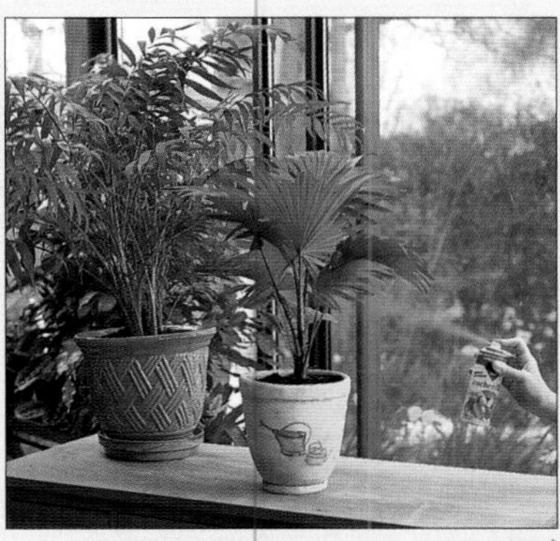

▲ Traitez les palmiers contre les cochenilles.

• Transportez avec précaution les plantes que vous achetez. Enveloppez les pots dans des cartons, du papier journal ou du plastique à bulles.
• C'est le moment d'acheter : primevères, azalées, cyclamens. Ils fleuriront plus longtemps si vous pouvez les placer chaque nuit dans une pièce fraîche.

L'amaryllis (*Hippeastrum*) fleurit en ce moment. ▶

SEMIS DE FOUGÈRES

Les spores de vos fougères d'intérieur : ptéris ou adiantum peuvent être semées. Attendez que les sporanges, petites capsules orangées ou vert bleuté placées sous les frondes, soient prêts à libérer les spores en fine poudre. Récoltez-les sur une feuille de papier ou une petite plaque de verre, en tapotant la fronde ou en grattant le sporange. Remplissez un pot ou une terrine de terreau pour semis et dispersez finement les spores en surface. Humidifiez le terreau à l'aide d'un vaporisateur. Abritez la culture sous une miniserre, dans un endroit lumineux, sans soleil direct. Une mousse verte apparaît à la surface du terreau après quelques semaines. Il s'agit des prothalles, qui renferment les cellules reproductrices. Repiquez en godets des fragments de cette mousse verte, en les disposant en surface. Maintenez la culture dans une miniserre, avec une bonne humidité, jusqu'à ce qu'apparaissent des plantules (entre trois et huit semaines). Rempotez individuellement chaque jeune fougère quand elles mesurera de 3 à 5 cm de haut.

▼ *Prélevez des spores de ptéris.*

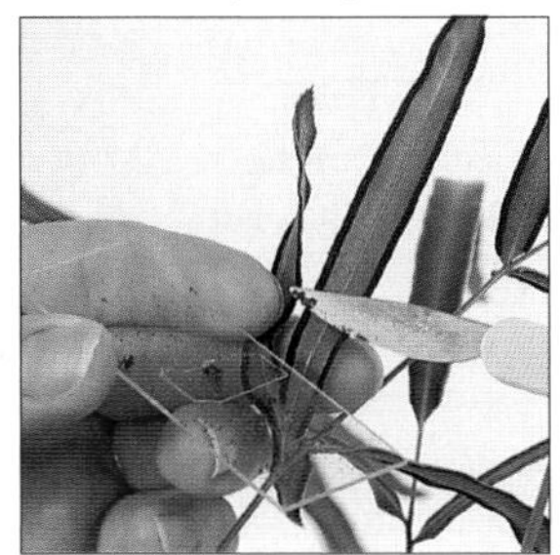

▼ *Éparpillez les spores sur la terrine.*

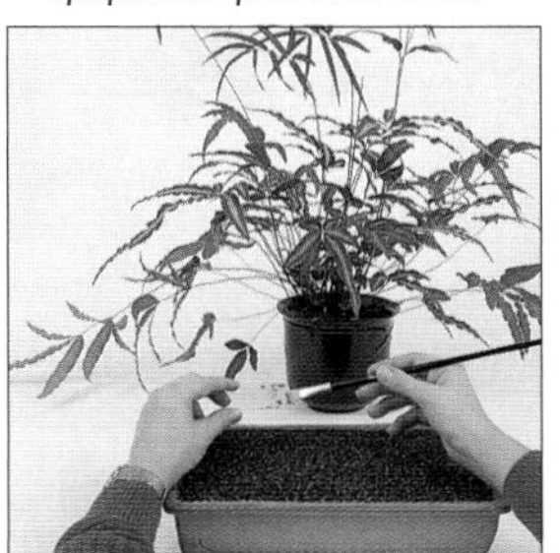

▼ *Arrosez à l'aide d'un vaporisateur.*

Mars

Avec le retour du printemps, la luminosité augmente. Les plantes de la maison reprennent leur croissance et demandent plus d'attention. Augmentez l'arrosage, fertilisez, traitez et commencez à multiplier vos espèces préférées.

▲ De très nombreuses espèces d'orchidées fleurissent dès le mois de mars, enrichissez votre collection.

À NE PAS OUBLIER

- Taillez court le poinsettia défleuri et rempotez-le si le terreau semble appauvri.
- Lors du rempotage, divisez les touffes qui se trouvent à l'étroit dans leur pot.
- Aérez régulièrement la maison, mais évitez aux plantes les courants d'air froid ou les brusques variations de température.
- Taillez les plantes grimpantes dégarnies et palissez les longues tiges sur un support.
- Surfacez les grands bacs avec du terreau.

Acheter

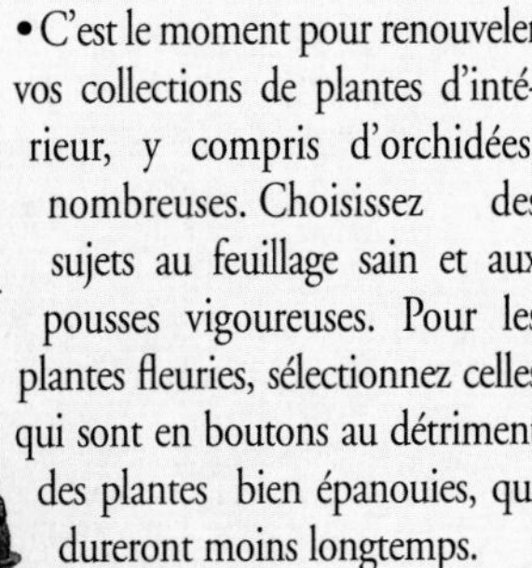

◄ La patate douce pousse dans l'eau.

• C'est le moment pour renouveler vos collections de plantes d'intérieur, y compris d'orchidées, nombreuses. Choisissez des sujets au feuillage sain et aux pousses vigoureuses. Pour les plantes fleuries, sélectionnez celles qui sont en boutons au détriment des plantes bien épanouies, qui dureront moins longtemps.

• Lorsque vous choisissez une plante d'intérieur, assurez-vous que vous pouvez lui offrir un emplacement qui correspondra à ses besoins, surtout en matière de lumière.

• Retrouvez l'esprit « collection » en regroupant dans un même emplacement des orchidées, ou bien des cactées et plantes grasses, ou encore des variétés de saintpaulia…

• Prévoyez soucoupe ou cache-pot lorsque vous achetez une nouvelle plante d'intérieur.

Arroser

• Augmentez progressivement les arrosages pour atteindre deux fois par semaine chez les espèces les plus avides d'eau.

• Dès que les boutons floraux du clivia sont formés, arrosez-le une fois par semaine.

• Reprenez en douceur les arrosages des cactées et plantes grasses, en évitant tout excès.

• Utilisez de l'eau non calcaire pour arroser azalée, gardénia, fougères et orchidées.

• N'arrosez pas avec de l'eau froide. Elle doit être à la température de la pièce.

Nourrir

• Reprenez vers le milieu du mois les apports d'engrais réguliers, d'abord faiblement dosés.

• N'apportez jamais d'engrais sur un terreau sec ou sur une plante assoiffée. Arrosez d'abord à l'eau claire.

• Pour les plantes délicates comme les fougères et les orchidées, diluez l'engrais à 50 % de la concentration préconisée sur les emballages.

• Attendez un mois et demi à deux mois avant de reprendre les apports d'engrais si vous venez de rempoter la plante.

• Utilisez un engrais spécifique pour les orchidées, les bonsaïs, les cactées, les agrumes.

▲ Rabattez sévèrement toutes les tiges du poinsettia.

Semer

• Essayez les semis de fruits exotiques comme les agrumes, les dattes, les litchis, les papayes.
• Une miniserre chauffante est idéale pour réussir les semis. Ne la placez pas au soleil.
• Semez à chaud : bégonia, impatiens, coléus, sensitive, bananier, cactus, passiflore…
• Utilisez le vaporisateur et non l'arrosoir pour humidifiez les semis sans les bouleverser.
• Si vous ne disposez pas de terreau de semis, utilisez un mélange à parts égales de tourbe blonde et de sable ou de vermiculite.

Rempoter

• Rempotez les plantes vertes qui se trouvent à l'étroit dans leur pot ou dont la terre n'a pas été changée depuis plus de 2 ans.
• Attendez la fin de la floraison pour rempoter les plantes qui fleurissent actuellement.
• Rempotez les streptocarpus avant qu'ils ne forment leurs premiers boutons floraux.
• Ne rempotez les cactus que s'ils sont déséquilibrés ou très à l'étroit dans leur pot.

▲ À découvrir en ce moment : *Streptocarpus grandis.*

• Choisissez un pot un peu plus grand pour rempoter une jeune plante en pleine croissance. Conservez le même pot pour un sujet parvenu à complète maturité.
• Rempotez les orchidées ayant déjà fleuri, quand elles débordent de leur pot. Utilisez un mélange de culture spécial, sans terre.

Planter

• Composez des bacs associant plusieurs plantes vertes et fleuries. Choisissez des espèces qui présentent les mêmes exigences en matière de lumière et d'arrosage.
• Pour égayer vos compositions de plantes vertes, ajoutez un ou plusieurs sujets fleuris. Placez-les dans le bac sans les sortir de leur pot, afin de les renouveler facilement.
• Un tubercule de patate douce ou d'igname dont la base est immergée dans un vase à jacinthe donne une jolie plante volubile.

Bonsaïs

• Deux fois par semaine, immergez le pot des petits bonsaïs dans une cuvette d'eau claire pour bien imbiber leur substrat.
• Commencez le rempotage des bonsaïs d'intérieur, sachant qu'ils peuvent rester dans leur coupe entre 2 et 3 ans.
• Utilisez une fourchette pour démêler délicatement les racines avant de les tailler.

REMPOTAGE

Réunissez sur une table le matériel nécessaire : pots, soucoupes, terreau de rempotage, sable, tourbe, vermiculite, terre de jardin, billes d'argile pour le drainage, sécateur pour une taille éventuelle des tiges ou des racines, arrosoir à pomme fine et plantes à rempoter.

Étalez une couche drainante de 2 à 3 cm d'épaisseur, puis versez du terreau, de façon à ce que la partie supérieure de la motte parvienne au même niveau que dans son pot d'origine. Sortez la plante du pot en tapotant sur le bord. Grattez un peu de l'ancien terreau en surface et sur les côtés de la motte, démêlez les racines, puis centrez la plante dans le nouveau pot. Comblez avec le substrat approprié, en tassant avec les doigts. Le niveau du terreau doit arriver à environ 1 cm du rebord du pot avant l'arrosage. Arrosez très copieusement.

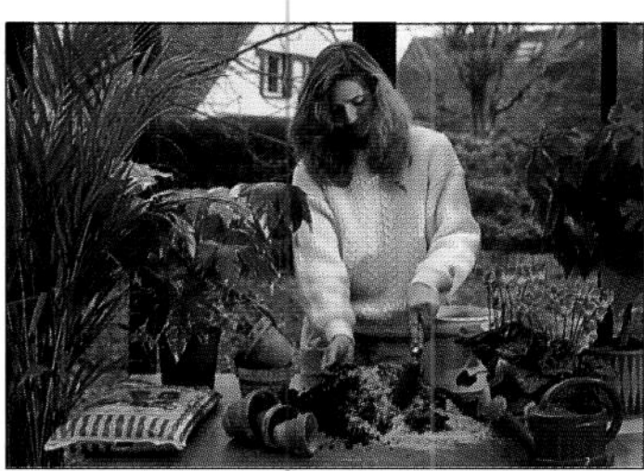

▲ *Rempotage d'un Fatsia. Préparez le substrat.*

▲ *Dépotez la plante sans abîmer les racines.*

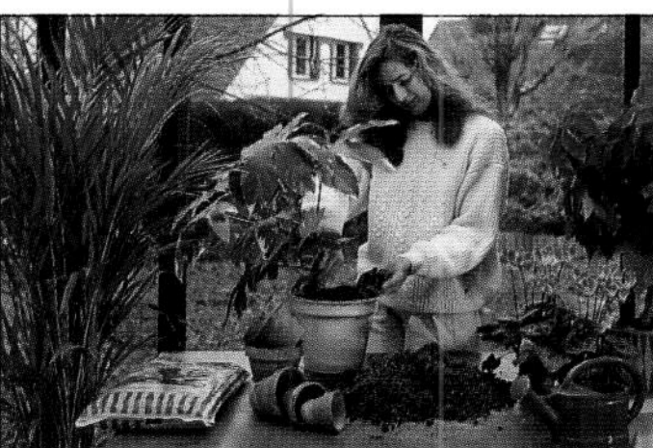

▲ *Utilisez un pot plus grand et du terreau neuf.*

Avril

Avec le printemps les plantes se remettent à pousser et le soleil à briller. Attention aux coups de chaleur derrière les vitres ! L'offre s'élargit dans les jardineries et c'est l'occasion de profiter d'une profusion de plantes fleuries. Arrosez plus généreusement.

▲ Avril est le mois de la floraison du cactus de Pâques (*Rhipsalidopsis* x), et des lithopes (plantes cailloux).

À NE PAS OUBLIER

- Taillez ou même rabattez les plantes vertes qui ont souffert durant l'hiver.
- Tuteurez ou palissez les plantes grimpantes.
- Rajeunissez les caoutchoucs, cordylines, dieffenbachias, dracaenas et yuccas dégarnis grâce à un marcottage aérien.
- Éloignez des fenêtres les plantes qui ne demandent pas une lumière très vive.
- Reprenez des apports réguliers d'engrais liquide bien dilué, en moyenne une fois tous les 2 ou 3 arrosages.

◀ Cet asparagus aux racines en chignon doit être rempoté.

Nettoyer

• Nettoyez une fois par mois avec une éponge humide les grandes feuilles lustrées, qui attirent irrésistiblement la poussière.
• Supprimez les feuilles jaunies, les pousses faibles et évaluez les besoins de rempotage.
• Si vous détectez des parasites, traitez immédiatement avec un insecticide prêt à l'emploi, en insistant sous les feuilles.
• Profitez des rempotages pour nettoyer les cache-pots, avec une eau légèrement javellisée.
• Par temps très doux et pluie fine, sortez vos plantes vertes pour une douche rafraîchissante et nettoyante. Laissez le feuillage s'égoutter avant de remettre les plantes en place.
• Les traces blanchâtres sur les feuilles, dues au calcaire, s'éliminent bien avec une éponge.

Acheter

• Beaucoup de plantes nouvelles vous sont proposées en ce moment. Exigez du vendeur qu'il vous précise leurs besoins (arrosage, lumière, température, type de substrat…)
• Pour créer un jardin en bouteille, achetez des jeunes sujets de plantes vertes appréciant une ambiance humide : fougère, piléa, pépéromia, sélaginelle, fittonia, et *Ficus pumila.*

Patienter

• Il est encore trop tôt dans la plupart des régions pour sortir les grandes plantes vertes et les plantes d'orangerie sur la terrasse. Attendez le milieu du mois prochain.
• Ne repiquez pas les semis de mars avant que les plantules n'atteignent 3 cm de haut. Attention à ne pas casser la tige, très frêle.

BOUTURAGE DE FEUILLES DE BÉGONIA

Les bégonias à feuillage décoratif comme les rex ou les croix-de-fer sont faciles à multiplier à partir de feuilles dont on incise la partie inférieure des nervures. De nouvelles plantes se développent au niveau des incisions. Choisissez une jeune feuille saine (la plante ne doit pas a souffert récemment de la sécheresse). Posez la face supérieure sur une planche à découper. Avec une lame de rasoir ou un greffoir bien affûté, pratiquez des incisions transversales, d'environ 1 mm de profondeur, sur plusieurs nervures. Remplissez une terrine de terreau de semis et posez dessus, les feuilles, face supérieure vers le haut. Maintenez les feuilles en place avec des épingles à cheveux ou des petits arceaux métalliques. Humidifiez le terreau en plongeant la base de la terrine dans l'eau, puis couvrez la terrine d'un plastique transparent. Maintenez une ambiance humide et une lumière tamisée. En 6 à 8 semaines apparaissent des plantules, qui seront détachées et rempotées.

▼ *Incisez superficiellement les nervures.*

▼ *Maintenez la feuille avec une épingle.*

▼ *Couvrez la terrine avec une cloche.*

Nourrir

• Si vous n'êtes pas toujours très attentif à vos plantes, ayez recours à l'engrais en bâtonnets. Enfoncez-en un dans le terreau, à la périphérie du pot. Vous serez « tranquille » durant 4 à 10 semaines selon les produits.
• Des apports d'engrais toutes les 3 semaines suffisent en règle générale pour les palmiers.
• Utilisez un engrais spécifique pour les agrumes, fortement dosé en potassium, afin de stimuler la floraison et la fructification.

Bouturer

• Bouturez dans l'eau de jeunes pousses vigoureuses d'impatiens, de syngonium, de misère, de papyrus, de pothos, d'hypoestes, etc.
• Quelques gouttes d'un engrais organique ajoutées dans l'eau du bouturage augmentent sensiblement les chances de succès.
• Bouturez pousses ou feuilles de crassula. Laissez sécher la partie à bouturer durant 24 à 48 heures avant de le repiquer dans un substrat de sable et de tourbe blonde.
• Lors du repiquage des boutures enracinées, groupez-en plusieurs dans un grand pot ou dans une coupe, pour obtenir plus rapidement une touffe bien fournie.
• N'exposez jamais les boutures au plein soleil derrière une vitre, elles sécheraient.

Tailler

• Pincez l'extrémité des petites plantes à feuillage décoratif que vous avez achetées le mois dernier, afin de provoquer des ramifications et d'obtenir une touffe buissonnante.
• Rajeunissez un yucca ou une cordyline dégarnie en coupant ou en sciant le tronc assez bas, juste au-dessus du point d'attache d'une ancienne feuille (renflement). De nouvelles feuilles apparaîtront au niveau de la coupe ou à la base de la tige.

Vérifier

• Veillez à ce que l'eau ne stagne pas dans les cache-pots après l'arrosage.
• Assurez-vous que les plantes toxiques (dieffenbachia, anthurium, croton, laurier rose...) ou les espèces à feuillage piquant ou acéré ne sont pas à portée de main des enfants.
• Supprimez les liens trop serrés.

▲ Placez le bâtonnet d'engrais sur le bord du pot.

Arrosez deux fois par semaine les bonsaïs d'intérieur. ▶

Mai

Il fait maintenant plus doux, la température augmente dans la maison. Il est temps de sortir les plantes les moins frileuses pour un séjour sur le balcon ou dans le jardin qui se prolongera jusqu'en automne. Surveillez aussi les parasites, qui se multiplient très vite.

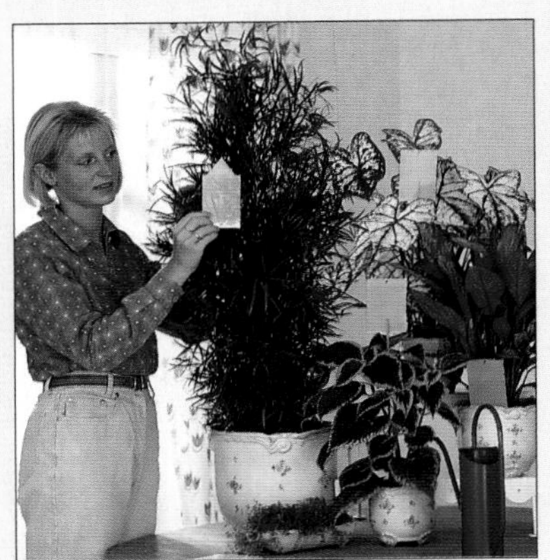

▲ Piégez les aleurodes avec des plaques collantes jaunes.

▲ Une jolie collection de saison : *Miltonia* x, *Neoregelia* x, *Passiflora caerulea, Adiantum raddianum, Saintpaulia ionantha.*

Acheter

• Adoptez diverses petites plantes tapissantes et retombantes (lierre, helxine, *Ficus pumila*…) pour habiller la surface des pots des grandes plantes dressées : ficus, palmier, yucca, etc.
• C'est l'époque des hibiscus. Choisissez un sujet portant déjà quelques fleurs épanouies, pour être sûr de son coloris. Il doit être bien ramifié, compact, avoir un feuillage brillant et être garni de nombreux boutons floraux.
• Ne résistez pas à l'étonnante plante-crevette *(Beloperone guttata)*, qui fleurit sans difficulté presque tout au long de l'année, et à la passiflore, qui vous ravira durant tout l'été.
• Pour une situation assez peu lumineuse, essayez le spathiphyllum, robuste, élégant, peu exigeant en lumière.

◀ *Fortunella japonica* 'Variegata' fructifie en ce moment.

Planter

• Essayez l'hydroculture pour les plantes que vous avez bouturées dans l'eau.
• Renouvelez ou modifiez vos compositions lorsque certaines plantes périclitent et que d'autres se révèlent trop encombrantes. Changez le terreau, rempotez individuellement les grands sujets, plantez de nouvelles acquisitions ou des boutures enracinées.

Tailler

• N'hésitez pas à tailler plusieurs fois dans l'année les tiges retombantes ou grimpantes qui manquent de vigueur ou qui se dégarnissent à la base. Coupez au-dessus d'une feuille.
• Supprimez sans attendre toutes les brindilles sèches, les pousses faibles ou mal placées des *Ficus benjamina* et *Schefflera actinophylla.*

Arroser

• Adaptez le rythme des arrosages aux fluctuations de la température. En période chaude, arrosez tous les 2 jours.
• Plongez un doigt dans le terreau pour tester les besoins en eau des plantes. Arrosez si le terreau paraît sec sur 2 à 3 cm.

Surveiller

• Les mouches blanches (aleurodes) pullulent surtout dans la serre ou la véranda. Piégez-les avec des plaques jaunes enduites de glu, qui les attirent irrésistiblement.

À NE PAS OUBLIER

- Ombragez la véranda ou la serre.
- Protégez les bonsaïs du plein soleil.
- Par temps chaud, augmentez l'humidité de l'air par des vaporisations quotidiennes d'eau tiède et douce sur le feuillage.
- Repiquez les boutures enracinées.
- Ne mouillez pas les feuillages exposés au soleil. Ils pourraient souffrir de brûlures par effet de loupe des gouttelettes.
- Rempotez les plantes nouvellement achetées une fois la floraison terminée.

• Bassinez abondamment deux fois par jour, pendant 2 semaines, le feuillage, dessus et dessous, des plantes envahies par les araignées rouges.
• Les pucerons sont assez fréquents. Coupez et jetez les pousses atteintes, puis effectuez 3 traitements insecticide à 6 jours d'intervalle.
• Inspectez périodiquement les plantes qui ont été attaquées par des cochenilles, pour éliminer aussitôt celles qui réapparaissent.

Orchidées

• Ne coupez pas à la base la hampe florale du phalaenopsis quand les fleurs sont fanées, car elle peut bourgeonner et porter de nouvelles fleurs. Supprimez les fleurs individuelles.
• Bassinez quotidiennement le feuillage, sans mouiller les fleurs et le cœur de la touffe.
• Arrosez les paniers lattés des orchidées épiphytes en les immergeant deux fois par semaine, durant une dizaine de minutes, dans une cuvette d'eau douce, à 20 °C minimum.
• Éliminez les cochenilles qui attaquent vos orchidées en les décollant une à une avec la pointe d'un couteau, car ces plantes ne supportent pas les traitements huileux.

Plantes grasses

• Rempotez le beaucarnéa dans un pot large et peu profond, de préférence en terre cuite, pour lui assurer une bonne stabilité.
• Vers la fin du mois, vous pouvez commencer à sortir cactées et plantes grasses sur la terrasse. Ne les exposez pas aussitôt au plein soleil, mais laissez-les s'acclimater à mi-ombre, à l'abri de la pluie.
• Préférez les pots en terre plutôt qu'en plastique pour le rempotage des plantes grasses. Ils sont plus poreux et plus harmonieux.
• Arrosez pour favoriser la croissance, mais attendez que le terreau soit sec sur 4 à 5 cm.
• Bouturez les cactus qui s'allongent de façon démesurée. Attendez que la plaie de coupe soit cicatrisée avant de planter la bouture.

L'hydroculture remplace la terre par des billes d'argile. ▶

CRÉATION D'UNE COUPE POUR LA FÊTE DES MÈRES

Préparez avec vos enfants une composition de plantes vertes et fleuries, un cadeau personnalisé qui sera à coup sûr apprécié pour la fête des mères ! Associez des feuillages colorés et panachés des hypoestes, *Ficus pumila*, chlorophytum et ptéris, avec les fleurs et les fruits colorés des exacums, calcéolaires, bégonias, azalées. Pour que la coupe dure longtemps, les plantes doivent avoir à peu près les mêmes besoins en matière de chaleur, de lumière et d'arrosage. Choisissez une grande coupe ou un bac décoratif pouvant accueillir au moins 3 à 5 petites plantes. Assurez un bon drainage avec un lit de billes d'argile. Remplissez la coupe jusqu'à mi-hauteur avec du terreau de rempotage, à la fois riche et fibreux. Disposez les plantes en associant joliment les couleurs et les formes, mais en veillant à ce que les espèces les plus hautes soient placées à l'arrière. Mettez-les en place en commençant par le centre ou l'arrière-plan de la composition. Inclinez vers l'extérieur les plantes placées sur la périphérie afin qu'elles retombent. Comblez avec le terreau, tassez et arrosez bien.

▲ *Remplissez la coupe avec le terreau.*

▲ *Dépotez, mettez en place et plantez.*

▲ *Tassez et arrosez pour terminer.*

Juin

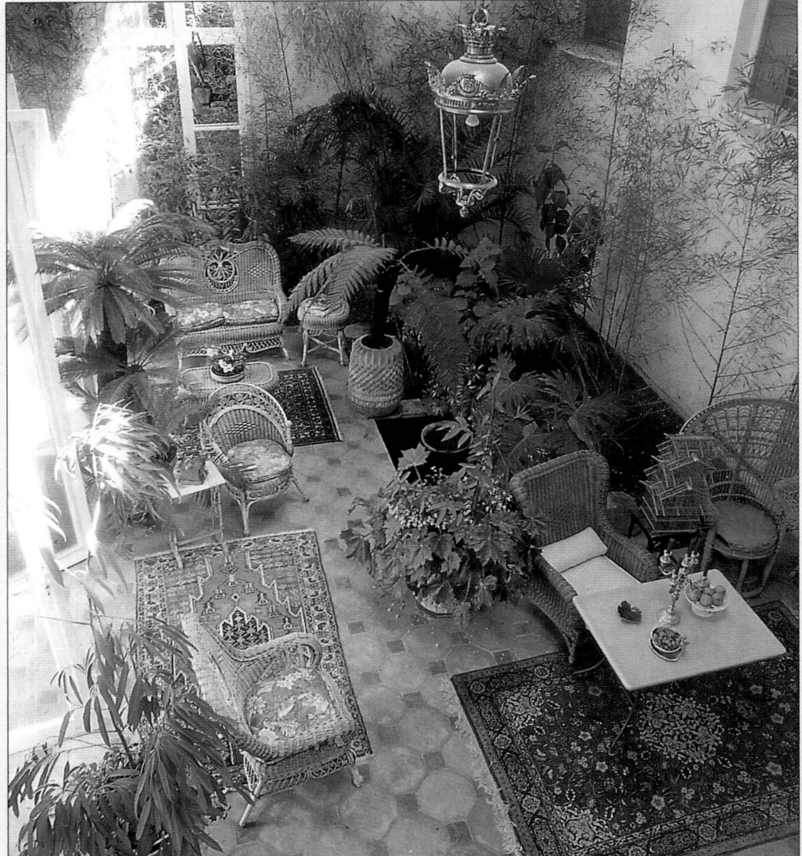

▲ Aérez le jardin d'hiver dès qu'il fait chaud. Ici : *Ficus longifolia, Dicksonia antartica, Cycas revoluta*, bégonia, bambou.

En ce début d'été, lumière et chaleur favorisent une croissance vigoureuse de vos plantes d'intérieur. Aidez-les à prendre de la luxuriance en augmentant l'humidité de l'air par des vaporisations répétées.
Les plantes méditerranéennes et les espèces les moins frileuses vont maintenant passer la belle saison sur le balcon ou au jardin.

▲ Sortez les plantes les moins frileuses dans le jardin.

À NE PAS OUBLIER

- ❋ Modulez les apports d'engrais, les plantes fleuries étant souvent plus « gourmandes » que les plantes vertes.
- ❋ Sortez l'azalée au jardin, à l'ombre.
- ❋ Essayez le greffage des cactus.
- ❋ Surfacez les grandes plantes que vous n'avez pas rempotées au printemps.
- ❋ Étiquetez vos nouvelles acquisitions ou notez bien leur nom sur un carnet.

Vérifier

• Palissez, sans trop les serrer, les tiges des plantes grimpantes au fur et à mesure de leur croissance pour éviter les enchevêtrements.
• Contrôlez la bonne tenue des tuteurs quand les tiges s'alourdissent. Renforcez-les au besoin.
• Ombragez la véranda et les fenêtres donnant au sud. Assurez une bonne aération.
• Des plantes serrées sont plus sensibles aux maladies. L'air doit circuler entre les pots.

Humidifier l'air

• Plus la température est élevée, plus les plantes apprécient une atmosphère humide.
• Multipliez les vaporisations par temps chaud, réduisez-les quand le temps fraîchit. Ne mouillez pas les feuilles veloutées.
• Si vous vous absentez quelques jours, placez les pots dans un grand bac de tourbe humide, qui assurera aux plantes fraîcheur et humidité.
• Posez les pots sur des gravillons mouillés.

Surveiller

• La chlorose provoque le jaunissement entre les nervures si l'eau d'arrosage est trop calcaire. Utilisez un décalcairisant et un engrais riche en fer pour empêcher cette carence.
• La pourriture grise est favorisée par une ambiance humide et confinée. Les plantes s'affaissent et se couvrent de moisissure grise.

Nourrir

• Ne donnez pas l'engrais en pleine chaleur, mais tôt dans la matinée ou tard le soir.
• Attendez de 6 à 8 semaines pour reprendre les apports d'engrais après le rempotage, 15 jours après un surfaçage.
• Ne versez pas l'engrais sur un terreau sec, la forte concentration en sels minéraux pourrait brûler les racines et faire brunir le feuillage.
• Inutile de donner de l'engrais à une plante malade, commencez par la soigner.

Arroser

• Pour « récupérer » une plante assoiffée, plongez le pot avec sa motte dans une cuvette d'eau durant au moins une demi-heure.
• L'arrosage à l'eau froide favorise l'oïdium.
• Une fois par semaine arrosez toutes les plantes par trempage du pot durant une demi-heure. C'est le seul moyen pour imbiber complètement un substrat riche en tourbe.

Bonsaïs

• Qu'ils restent dans la maison ou sortent sur la terrasse en été, prévoyez un ombrage pour protéger vos bonsaïs d'intérieur du plein soleil.
• Arrosez jusqu'à deux fois par jour par temps de canicule, mais ne laissez jamais l'eau stagner dans la soucoupe.
• Par temps chaud, bassinez matin et soir le feuillage des bonsaïs. Dans la serre ou la véranda, mouillez aussi les allées et les tablettes pour augmenter l'humidité de l'air.

Tailler

• Pincez à plusieurs reprises les plantes dont les tiges « filent » vite en longueur : impatiens, lierres, hypoestes, passiflores...
• Supprimez quelques tiges lorsque la plante devient trop dense et enchevêtrée.
• Raccourcissez ou supprimez les tiges mal placées de vos arbres d'intérieur : scheffléra, ficus, radermachéra, philo...

Pincez les extrémités de tige des impatiens pour les faire ramifier et favoriser la floraison. ▶

▼ Ombragez l'intérieur de la serre par temps chaud.

INSECTES ET RAVAGEURS

Inspectez régulièrement le feuillage de vos plantes pour détecter le plus tôt possible la présence d'ennemis. Avec la chaleur, ils se multiplient rapidement, gagnent les plantes voisines et sont ensuite difficiles à éliminer. Alors que s'il sont repérés à temps, les dégâts sont limités et les traitements réduits. Enlevez les premiers pucerons, décollez les cochenilles, augmentez l'humidité pour chasser les araignées rouges. À titre préventif, vous pouvez aussi enfoncer dans les pots des bâtonnets nutritifs et insecticides. Verts ou noirs, les pucerons envahissent les jeunes pousses, allant jusqu'à recouvrir entièrement la tige. Les cochenilles, immobiles sous un bouclier brun ou un amas cotonneux blanchâtre, se trouvent le long des tiges ou sous les feuilles. Les acariens ou araignées rouges, invisibles à l'œil nu, se repèrent à de très fines toiles tendues entre les rameaux, à des ponctuations sur les feuilles, qui ensuite sèchent et prennent des reflets plombés. Les mouches blanches (aleurodes) sont aussi des ravageurs fréquents et très envahissants.

▼ *Dégâts d'acariens sur un agrume.*

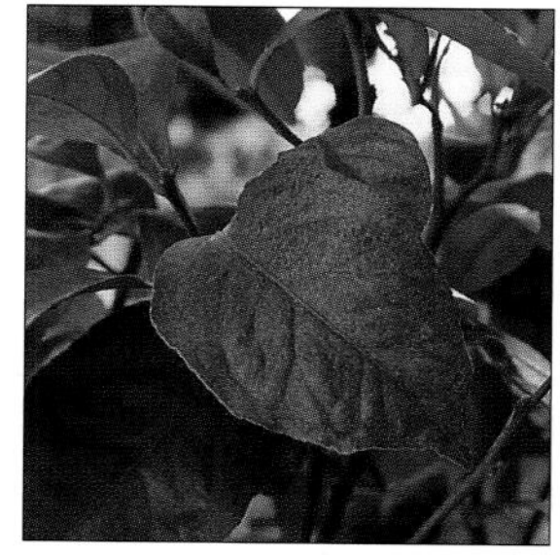

▼ *Pucerons noirs sur un* Abutilon x.

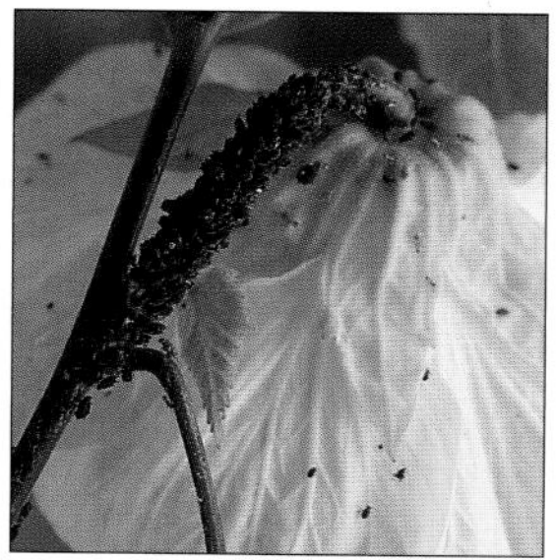

▼ *Fertilisez et traitez dans un même geste.*

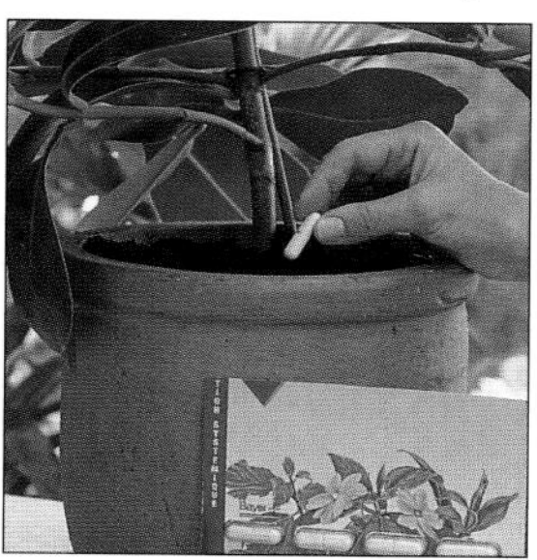

Juillet

La période des vacances est souvent redoutable pour les plantes d'intérieur que l'on abandonne sans vergogne. Il y a pourtant des solutions efficaces et simples pour qu'elles supportent le mieux possible votre absence. Sortez celles qui apprécient un séjour dehors. Taillez et traitez si nécessaire pour stimuler vigueur et floraison et installez un système d'arrosage automatique.

▲ Les plantes fleuries sont les reines de l'été : bougainvillée, laurier-rose, *Hibiscus x rosa sinensis,* kalanchoe.

À NE PAS OUBLIER

- Assurez ombrage et aération aux orchidées.
- En période pluvieuse, videz les soucoupes des plantes qui sont installées dehors.
- Arrosez tous les 2 jours par temps chaud.
- Donnez aux bonsaïs un engrais spécifique à diffusion lente et arrosez-les chaque jour.
- Bassinez matin et soir les fougères, dont les frondes brunissent quand l'air est sec.
- Continuez à faire des boutures si vous ne vous absentez pas, car il faut les surveiller.

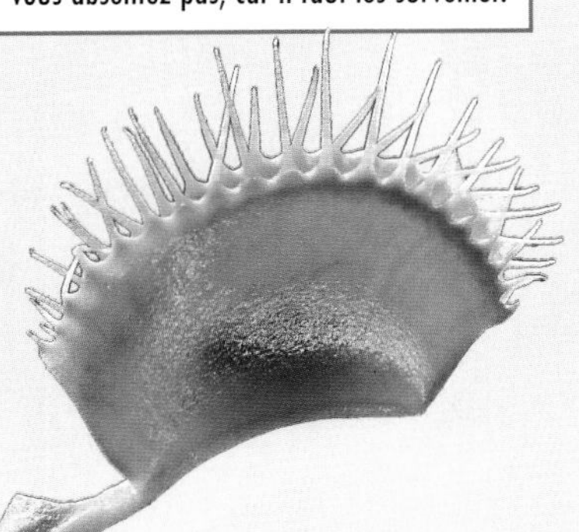

Préparer les vacances

• Prévoyez l'arrosage durant votre absence : système d'alimentation automatique avec réserve d'eau, mèches trempant dans l'eau…
• Regroupez toutes les plantes qui restent dans la maison dans un endroit clair, mais pas exposé au soleil direct.
• Décrochez les suspensions qui sèchent très vite et qui nécessitent un arrosage par jour.
• Faites un apport d'engrais un jour ou deux avant de partir en vacances.
• Supprimez les fleurs et les boutons floraux pour limiter les besoins des plantes fleuries.
• Confiez vos bonsaïs à un spécialiste, à un ami connaisseur ou à un fleuriste.
• Étalez de la tourbe ou de l'écorce à la surface des grands pots, pour limiter l'évaporation.

◄ La *Dionaea muscipula* est un bon achat du moment.

Sortir les plantes au jardin

• Durant votre absence, n'hésitez pas à installer dans le jardin, sous une ombre légère, la plupart de vos plantes vertes et fleuries.
• Ne sortez pas : les feuillages duveteux ou gaufrés qui craignent la pluie, les feuillages fragiles qui se déchirent (caladium, dieffenbachia), les petits pots instables.
• Maintenez l'amaryllis dehors et au sec, jusqu'à ce que le feuillage jaunisse.

Bouturer

• Bouturez dans l'eau : coléus, bégonias à feuillage, schefflera. Ajoutez un morceau de charbon de bois pour que l'eau reste claire.
• Repiquez à plat, dans un terreau léger, des tronçons de tige de : cordyline, dracaena, dieffenbachia, yucca. Couvrez la culture.

Août

◀ Supprimez les pousses inutiles ou en surnombre sur les bonsaïs.

Nettoyer

• Douchez les feuillages poussiéreux et séchez-les avec un chiffon doux.

• Au retour des vacances, inspectez chaque pot. Supprimez les fleurs fanées, les feuilles sèches, les pousses mal placées. Vérifiez l'absence de parasites ou de maladies.

• Brossez les cactus avec un pinceau pour les dépoussiérer. Par temps de canicule, offrez-leur une brumisation légère le soir.

▼ Un cône en terre cuite arrose la plante en permanence.

Août demande une surveillance constante des plantes, des arrosages abondants et des brumisations fréquentes.
Au retour des vacances, profitez des opérations promotionnelles dans les jardineries, pour renouveler votre collection.

Préparer

• Cessez les arrosages quand les feuilles de l'amaryllis jaunissent et tombent. Rentrez le pot au frais et au sec jusqu'à l'automne.

• Palissez les tiges de la passiflore qui se sont beaucoup développées durant l'été.

• Rectifiez la silhouette des bonsaïs : supprimez les rameaux qui apparaissent à la base du tronc et les pousses en surnombre.

• Rentrez les plantes les plus fragiles qui ont passé la période des vacances dehors. Profitez-en pour nettoyer les soucoupes et les cache-pots, et tailler les feuillages exubérants.

• Rempotez les boutures enracinées qui se trouvent à l'étroit dans leur petit pot.

▼ Par temps très chaud, vaporisez aussi les cactées.

BOUTURAGE DE TIGES

Bouturez des rameaux de vos plantes préférées : ficus, croton, abutilon... Remplissez godets ou terrines de terreau pour semis ou d'un mélange de sable et de tourbe blonde. Choisissez des pousses d'extrémité, de préférence non fleuries. Coupez-les sous le point d'attache d'une feuille. Supprimez les feuilles inférieures, et la moitié du limbe des grandes feuilles terminales. Si la tige est ligneuse (dure), trempez la base dans de la poudre d'hormones, pour favoriser l'enracinement. Enfoncez la bouture d'un tiers dans le terreau. Arrosez.

▲ *Réduisez le feuillage* (Streptocarpus saxorum).

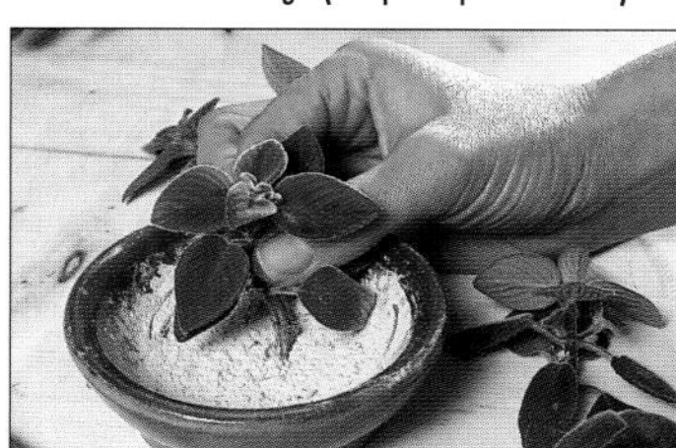

▲ *Plongez la base de la bouture dans des hormones.*

▲ *Plantez 3 boutures dans un pot de 10 cm.*

Septembre

L'été tire doucement sa révérence et c'est aussi la rentrée pour les plantes d'intérieur qui ont passé l'été dehors. Le meilleur emplacement dans la maison est la proximité d'une fenêtre dans une pièce pas trop chaude. Complétez votre décor avec de nouvelles plantes, car le choix est très large en ce moment. Réduisez peu à peu l'arrosage et la fertilisation.

▲ Créez des ensembles personnalisés avec des cache-pots décorés. Ici : *Beaucarnea recurvata, Yucca elephantipes, Hoya.*

Culture en vase d'un bulbe d'amaryllis (*Hippeastrum*). ▶

◀ Nettoyage des feuilles de ficus avec de la bière.

Acheter

• Pensez aux plantes à baies colorées pour égayer la maison en automne : nertera, piment d'ornement, solanum, calamondin.

• Vous recherchez des plantes pour des situations faiblement éclairées : essayez le clivia et le spathiphyllum pour les plantes fleuries, et les feuillages vernissés ou panachés des aglaonéma, aspidistra, cissus, syngonium, fatshédéra, et philodendron grimpant.

• C'est le moment de faire votre sélection de bulbes à forcer pour une floraison de fin d'année. Choisissez ceux qui ont spécialement été préparés pour cette culture.

• Ajoutez un éclairage d'appoint dans les parties les plus sombres de la maison, en les équipant d'ampoules « lumière du jour ».

Fougères

• Coupez à la base les frondes sèches, douchez finement le feuillage pour le nettoyer.

• Utilisez une eau non calcaire, à la température ambiante, pour les arrosages comme pour les vaporisations.

• Pour entretenir une hygrométrie élevée autour des fougères posez-les sur un grand plateau creux, tapissé de billes d'argile trempant en permanence dans un peu d'eau.

Nettoyer

• Grattez superficiellement le terreau des pots que vous rentrez dans la maison pour faciliter la pénétration de l'arrosage. Nettoyez les soucoupes pour éliminer escargots et cloportes.

• Dépoussiérez les feuilles lustrées avec un chiffon humide imbibé d'eau ou de bière.

JARDIN EN BOUTEILLE

La fin de l'été est un bon moment pour composer un décor dans une bonbonne ou une grande bouteille. Choisissez des petites plantes : fougère, sélaginelle, fittonia, piléa, pépéromia... Évitez les bonbonnes en verre teinté, qui gêne la pénétration de la lumière et trouble le spectre solaire. Étalez au fond une couche de 3 cm de billes d'argile de petit calibre, pour le drainage, plus quelques petits morceaux de charbon de bois (aux propriétés antiseptiques). Ajoutez le terreau en le versant, si nécessaire, dans un entonnoir. Aménagez un léger dôme au centre pour donner du relief aux plantations. Utilisez comme outils de plantation des baguettes chinoises, une fourchette ou une cuillère fixée à l'extrémité d'un bambou. Disposez les plantes en commençant par la périphérie du décor, puis couvrez le terreau de mousse ou de cailloux. Arrosez en laissant l'eau ruisseler sur les parois. L'entretien se limite à l'arrosage quand le terreau sèche en surface, au nettoyage des parois de la bouteille avec une petite éponge et à la taille des sujets trop vigoureux.

▼ *Une lame de rasoir ôte les algues.*

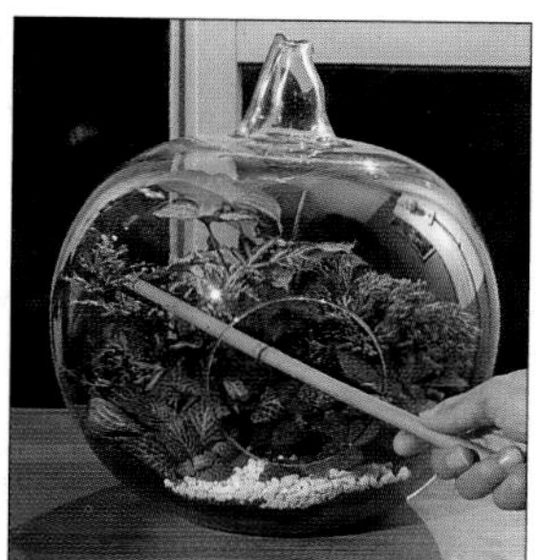

▼ *Dépoussiérage avec un coton.*

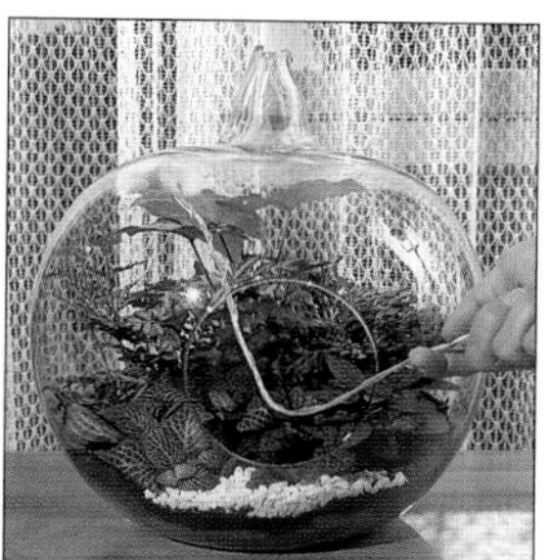

▼ *L'arrosage doit être parcimonieux.*

Planter

• Rempotez immédiatement dans un bon mélange les plantes que vous venez d'acheter.
• Plantez un bulbe d'amaryllis dans un vase spécial ou dans un pot profond et stable, rempli de terreau de rempotage sableux.
• N'hésitez pas à combler les vides dans les grands bacs à réserve d'eau ou à remplacer des plantes affaiblies par des plantes fleuries.

Tailler

• Raccourcissez les tiges qui retombent des suspensions si elles gênent le passage.
• Supprimez toute pousse verte qui se développe sur une plante à feuillage panaché, pour éviter que la forme verte ne domine.
• Taillez légèrement les crassulas formés en bonsaï, pour éclaircir le feuillage.

Vérifier

• Le poinsettia demande pour refleurir une période d'au moins 6 à 8 semaines de jours courts, avec plus de douze heures ininterrompues d'obscurité. Placez la plante le soir dans un placard ou sous un carton.
• Un feuillage affaissé peut être le signe d'un manque d'eau, facile à diagnostiquer, ou au contraire d'un excès d'eau. Si la motte est détrempée, égouttez-la en la pressant dans du papier absorbant ou dans un torchon. Rempotez, puis laissez la plante « récupérer » sans arrosage pendant au moins un mois.
• Cessez progressivement d'arroser le caladium pour que le feuillage sèche et que le tubercule observe une période de repos.

Cactées

• Réduisez la fréquence des arrosages.
• Choisissez la situation la plus lumineuse possible pour les cactus qui ont passé l'été dehors. Évitez de les rentrer brutalement dans une pièce chaude.
• Supprimez une à une les fleurs fanées et vérifiez l'absence de cochenilles.
• Sur un appui de fenêtre, faites bouger les pots d'un quart de tour par semaine, pour assurer un éclairement uniforme.
• Cessez les apports d'engrais pour les plantes grasses et les cactées.

À NE PAS OUBLIER

❋ Pour les plantes vertes, espacez les apports d'engrais et réduisez l'arrosage en fin de mois.
❋ Empotez les premiers bulbes à forcer.
❋ Procédez à une taille de nettoyage des grandes plantes avant de les rentrer.
❋ Enlevez les dispositifs d'ombrage, ouvrez les voilages pour laisser entrer la lumière.
❋ Repérez les plantes nouvelles dans les jardineries ; renseignez-vous sur leurs exigences et les particularités de leur culture.

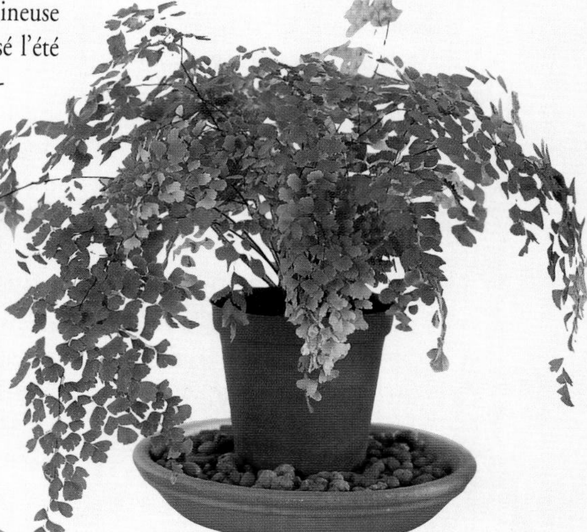

Posez le capillaire sur des graviers humides. ▶

Octobre

L'automne arrive et il est temps de rentrer les dernières plantes qui se trouvent encore sur le balcon ou dans le jardin. C'est le moment des tout derniers apports d'engrais pour les plantes à feuillage. La mise en route du chauffage va assécher l'atmosphère dans la maison. Augmentez l'humidité de l'air par des vaporisations fréquentes sur le feuillage.

▲ Rempotez les boutures qui ont été réalisées durant l'été. Utilisez de jolis pots pour créer un ensemble décoratif.

À NE PAS OUBLIER

- Rapprochez toutes les plantes des fenêtres.
- Assurez au clivia une période de repos, entre 10 et 15 °C, jusqu'à ce qu'apparaissent les hampes florales.
- Réduisez la fréquence des arrosages, de nombreuses plantes entrant en semi-repos.
- Regroupez les plantes ayant les mêmes besoins en ce qui concerne la lumière.
- Maintenez dans la maison une température proche de 20 °C.

Acheter

• Les amaryllis achetés en début de croissance doivent d'abord former une hampe florale. Si des feuilles se développent en premier, il y a peu de chances d'obtenir une floraison.
• Réalisez une composition de feuillages panachés, en groupant dans une large coupe plusieurs boutures racinées ou des jeunes plantes vendues en godets.

◀ L'amaryllis est en croissance.

Nettoyer

• Ne laissez pas les feuillages duveteux se couvrir de poussière. Frottez-les avec un pinceau doux et large, en soutenant les grandes feuilles par dessous, avec le plat de la main.
• Nettoyez avec une éponge humide les feuilles vernissées du jasmin de Madagascar, puis palissez les tiges qui se sont allongées pendant l'été. Ne taillez pas avant la floraison.
• Coupez les inflorescences sèches du spathiphyllum et essuyez ou baignez de temps à autre le feuillage vernissé.
• Supprimez les nombreuses feuilles abîmées que portent les cymbidiums (orchidées) après leur séjour estival dans le jardin.

Palmiers

• Lors des arrosages, ne mouillez pas le bourgeon terminal, sensible à la pourriture.
• Pour l'hiver, installez tous les palmiers dans une pièce très lumineuse. Arrosez-les une fois par semaine, sans que l'eau ne stagne dessous.
• Nombre de palmiers supportent mal l'air sec des intérieurs en hiver et sont d'autant plus exposés aux attaques d'araignées rouges : maintenez une humidité de l'air élevée par des vaporisations d'eau, en insistant sous les feuilles. Traitez préventivement chaque mois.
• Ne placez pas les jeunes palmiers sur un lieu de passage, le feuillage étant assez fragile.

Attendre

• Espacez les plantations de bulbes sur quelques semaines pour décaler les floraisons.

FORÇAGE DES BULBES À FLEURS

Achetez des bulbes préparés pour le forçage : jacinthes, crocus, narcisses, tulipes botaniques ou hâtives pour obtenir des floraisons en plein hiver. Les narcisses multiflores sont mis à forcer dans un récipient étanche garni de billes d'argile. Remplissez d'eau jusqu'à quelques millimètres sous la base des bulbes, puis exposez le récipient à la lumière jusqu'à la floraison.

Les autres espèces demandent une période d'obscurité et de fraîcheur pour fleurir. Plantez-les en pots, en laissant dépasser l'extrémité des bulbes, ou en vase pour les jacinthes. Couvrez les récipients de papier aluminium ou d'un sac plastique noir et mettez-les au frais, hors gel (cave, garage, bac à légumes du réfrigérateur). Humidifiez régulièrement le terreau. Installez les potées à la lumière, entre 18 et 20 °C, quand les boutons floraux commencent à poindre.

▲ *Placez le bulbe de jacinthe à fleur d'eau.*

▲ *Le bulbe de crocus doit pointer par l'orifice du pot.*

▲ *Les narcisses réussissent dans des billes d'argile.*

• Évitez de changer d'emplacement ou de faire pivoter le pot d'une plante prête à fleurir. Une nouvelle orientation suffit parfois à faire tomber les boutons floraux.

• Mieux vaut attendre le printemps pour tailler sévèrement le tilleul d'appartement (*Sparmannia africana*), mais vous pouvez déjà raccourcir les tiges trop encombrantes.

Orchidées

• Rempotez les cattleyas qui terminent leur floraison quand ils sont trop à l'étroit.

• Rentrez les cymbidiums qui vont fleurir en automne. Essayez de leur assurer une température nocturne plus fraîche de 4 à 5 °C.

• Maintenez le phalaenopsis dans une ambiance un peu plus fraîche (entre 15 et 18 °C) pendant 1 mois ou 2, pour favoriser une nouvelle floraison.

• Installez toutes les orchidées près d'une fenêtre, pour qu'elles bénéficient en hiver d'une lumière vive et d'écarts de température.

• Entretenez une ambiance humide autour des orchidées en vaporisant de l'eau douce, tiédie, sur le feuillage. Posez les pots sur un lit de gravillons trempant dans un peu d'eau.

• Dans une véranda, accrochez les orchidées épiphytes sur une plaque de liège que vous disposerez sur un vieux tronc d'arbre pour composer un décor très original.

• Vaporisez les racines aériennes.

▼ Arrosez par trempage les pots de nertéra.

▲ Placez le *Dracaena marginata à 1 m* d'une grande baie.

Nourrir

• Faites un dernier apport d'engrais, puis interrompez la fertilisation jusqu'en février, sauf pour les plantes fleuries ou prêtes à fleurir, comme le saintpaulia, les orchidées, etc.

• N'utilisez plus en cette saison de bâtonnets nutritifs, qui effectuent une fertilisation de longue durée. Préférez l'engrais liquide.

• Si la température ambiante dépasse 20 °C, un apport d'engrais peut être prévu une fois par mois, car la croissance continue.

Arroser

• Les plantes tapissantes à feuillage fin et fragile comme le nertéra ou l'helxine (*Soleirolia*) seront arrosées en versant l'eau dans la soucoupe ou en trempant les trois quarts du pot dans l'eau, car il ne faut pas mouiller les feuilles.

• Les plantes résistent mieux à la sécheresse qu'aux excès d'arrosage. 2 apports d'eau par semaine constituent un maximum en cette saison (pour les plantes fleuries).

• S'il fait plus de 20 °C dans la maison, maintenez le cœur de la rosette de feuilles des broméliacées (aechmaa, billbergia, guzmania, vriesea, nidularium) rempli d'eau, mais ne mouillez pas trop le terreau.

Novembre

En cette fin d'automne, laissez les plantes profiter du plus de lumière possible derrière les fenêtres et surtout épargnez-leur les courants d'air froid. Groupez plusieurs espèces, mais sans trop les serrer car le contact entre les feuilles favorise la pourriture. Soyez attentif au développement de taches de toutes sortes, car les maladies sont redoutables en ce moment.

À NE PAS OUBLIER

- Utilisez un décalcairisant, avant d'arroser gardénias, camélias, orangers, fougères.
- Aérez la surface du terreau avec une petite griffe si elle est compactée.
- Conserver les tubercules de caladium dans la tourbe sèche, à 15 °C minimum.
- Arrosez très peu les cactus, surtout s'ils sont placés dans une

▲ La véranda jardin d'hiver est le lieu idéal pour conserver les plantes, avec une température minimum de 10 °C.

▲ Arrosez les orchidées à l'eau non calcaire.

▲ Éliminez manuellement les cochenilles *(Asplenium)*.

Surveiller

• Si vous repérez des cochenilles sur une plante, grattez les petits boucliers un à un avec un coton imbibé d'alcool à 60 °. Mieux vaut ensuite isoler la plante durant quelques semaines et la traiter plusieurs fois.

• Ne mouillez pas les feuillages duveteux ou charnus qui pourrissent facilement, surtout si la température est fraîche. Versez l'eau dans la soucoupe et videz celle-ci une demi-heure après, pour éviter tout excès d'humidité.

• L'azalée perd ses boutons floraux, si la température dépasse 18 °C.

◄ Groupez les plantes dans une composition décorative.

Arroser

• Laissez sécher le substrat fibreux des orchidées entre les arrosages, mais entretenez en permanence une atmosphère humide.

• Augmentez les arrosages de l'amaryllis au fur et à mesure de son développement.

• Plantez dans une coupe étanche, acores, scirpes et papyrus pour créer une scène presque aquatique, très facile à arroser ! Utilisez un terreau pour plantes aquatiques, couvrez de gravillons, puis maintenez en permanence quelques centimètres d'eau dans le fond.

• Augmentez les arrosages du cactus de Noël quand les boutons sont formés. Ne le déplacez plus, sous peine de voir les fleurs tomber.

Décembre

Nous voici plongés dans l'hiver avec des jours courts, une faible luminosité, un air chauffé souvent trop sec pour vos plantes d'intérieur. Utilisez un humidificateur électrique pour augmenter l'hygrométrie, vous en bénéficierez également…

▲ Une belle idée de décoration pour vos tables de Noël avec : amaryllis, ardisia et saintpaulia.

Préparer

• Composez un décor de Noël en rouge et vert avec : poinsettias, amaryllis rouges, ardisias et des feuillages sombres vernissés.
• Semez des pépins de fruits exotiques (dattes et agrumes surtout) dans une miniserre.
• Laissez impérativement tiédir l'eau du robinet avant d'arroser vos plantes.
• Si vous groupez des plantes pour les rapprocher de la lumière ou mieux mettre en valeur des contrastes de feuillage, ne serrez pas trop les pots afin que l'air circule bien.

Nettoyer

• Les taches collantes sous la floraison de l'hoya (fleur-de-porcelaine) sont dues au nectar des fleurs, et non à la présence de parasites suceurs de sève. Passez une éponge humide.
• Supprimez régulièrement les feuilles sèches ou jaunies, recoupez les pousses étiolées ou affaiblies pour que vos plantes restent belles.
• Lustrez les feuilles épaisses et brillantes une fois par mois avec un produit en bombe.

Le calamondin est sujet à la chute des boutons. ▶

À NE PAS OUBLIER

- Aérez en milieu de journée, en déplaçant les plantes pour leur éviter l'air froid.
- Augmentez l'humidité de l'air, sans trop mouiller les feuillages.
- Rapprochez les potées de bulbes de la lumière dès que les pousses sont formées.
- Accordez aux plantes une petite baisse de température nocturne, très bénéfique.

Le glossaire du jardin d'intérieur

Comme tous les domaines scientifiques ou techniques, le jardinage, même avec les plantes de la maison, s'exprime avec des mots qui ne font pas toujours partie du langage courant, mais qui ont l'avantage de définir précisément les choses. Voici la traduction de ce vocabulaire un peu singulier…

Acaricide : produit de traitement ayant une action spécifique sur les acariens (araignées rouges).

Acaule : désigne une plante dépourvue de tige (saintpaulia, streptocarpus).

Acidité : état d'un sol pauvre en calcaire, dont la réaction chimique révèle un pH inférieur à 6,5. C'est le cas, par exemple, de la tourbe ou de la terre de bruyère. L'inverse est l'« alcalinité ». Les plantes d'intérieur apprécient des substrats légèrement acides.

• **Adventif :** qualifie un organe qui apparaît dans une position inhabituelle, par exemple les racines aériennes du philodendron ou du syngonium.

• **Alcalin :** on dit aussi basique. Ce terme désigne un sol dont le pH est supérieur à 7,5. C'est souvent l'indication d'une terre contenant du calcaire actif. À l'opposé, on parle de sol acide.

• **Annuel :** caractérise les plantes dont le cycle végétatif complet se déroule sur une même année. Les annuelles sont semées au printemps et meurent à l'automne. Certaines plantes d'intérieur sont annuelles ou cultivées comme telles : browalle, capsicum, exacum, etc.

Bassinage : synonyme de brumisation, c'est l'action de pulvériser de l'eau sur le feuillage des plantes pour les rafraîchir. Le bassinage est aussi utilisé à l'intérieur pour augmenter l'humidité atmosphérique (hygrométrie).

• **Biotope :** milieu naturel dans lequel se développe une espèce particulière.

• **Bourgeon :** appelé aussi « œil », c'est l'organe couvert d'écailles qui se transforme en pousse ou en fleur.

• **Bractée :** feuille souvent colorée qui accompagne des fleurs peu spectaculaires comme chez la bougainvillée, le poinsettia, les broméliacées, etc.

• **Brumisation :** action de pulvériser de l'eau en fin brouillard sur une plante pour lui offrir une ambiance humide.

• **Buissonnant :** se dit d'un végétal très ramifié, au port trapu et touffu, dont la forme rappelle celle d'un buisson.

Caduc : caractérise un végétal qui perd ses feuilles en automne. Parmi les plantes de la maison, le caladium, le jatropha sont caducs. L'antonyme est « persistant ».

• **Capillarité :** phénomène physique permettant aux liquides de s'élever dans des tubes très fins. La sève remonte par capillarité dans les vaisseaux des tissus d'une plante. Les bacs à réserve d'eau s'alimentent grâce à ce phénomène.

• **Carence :** absence ou insuffisance dans le sol d'une substance vitale pour la plante, qui entraîne un trouble physiologique plus ou moins grave.

• **Cespiteux :** qualifie des plantes qui forment des touffes à partir d'un bourgeonnement ou de rhizomes courts et serrés. C'est le cas de nombreux cactus.

• **Chaleur de fond :** action de chauffer le sol d'une terrine ou d'un pot en le plaçant dans une miniserre munie de résistances chauffantes ou en le posant sur la plaque protectrice d'un radiateur. Le chauffage de fond est nécessaire à la reprise de certaines boutures ou à la germination des semis de plantes frileuses.

• **Chevelu :** définit l'ensemble des racines fines et ramifiées d'une plante, formant une sorte de chevelure.

• **Chignon :** formation de racines qui s'enroulent au fond d'un pot, formant un amalgame compact. Au moment du rempotage, il est indispensable de couper une partie du chignon.

• **Chlorophylle :** substance de couleur verte contenue dans les feuilles et les tiges. Elle capte l'énergie lumineuse et l'utilise, ainsi que le gaz carbonique de l'air, pour transformer les substances minérales puisées par les racines en matières organiques assimilables par les plantes (c'est la photosynthèse).

• **Contenant :** terme générique utilisé pour désigner les pots, les bacs, les jardinières et tous les récipients servant à la culture des végétaux dans la maison.

• **Cryptogamique :** terme utilisé pour désigner les maladies transmises par un champignon. On les combat avec un traitement « fongicide ».

• **Cultivar :** nom donné à une plante issue d'une sélection horticole. Dans le langage courant, on dit « variétés ».

Dioïque : caractérise une plante dont les fleurs unisexuées sont portées par des pieds séparés. On trouve donc des plantes mâles et des plantes femelles, comme chez les dattiers.

Diviser : opération de multiplication des plantes à souche vivace, qui consiste à couper l'ensemble de la touffe en plusieurs morceaux, chacun d'eux étant pourvu de racines et de bourgeons, et à les rempoter ensuite individuellement.

• **Drainage :** système permettant l'évacuation des eaux d'arrosage en excès. Le pot doit comporter un trou de drainage. Un lit de drainage constitué de gravillons ou de billes d'argile est placé au fond.

Ébourgeonner : intervention qui consiste à éliminer une jeune pousse inutile ou mal placée.

• **Éboutonner :** opération visant à supprimer des boutons floraux pour obtenir des fleurs plus grosses (sur les hibiscus).

• **Éclaircir :** éliminer les plants apparus en surnombre lors d'un semis.

• **Éclat :** morceau de plante obtenu lors de la division d'une souche de vivace.

• **Entre-nœud :** partie de la tige située dans l'intervalle de deux feuilles. Des intervalles réguliers sont le signe d'une bonne santé. Des entre-nœuds très courts signalent une plante qui a été sans doute nanifiée artificiellement.

• **Épiphyte :** plante poussant sur un autre végétal, mais l'utilisant uniquement comme support, au contraire des parasites qui s'en nourrissent. Orchidées et broméliacées sont souvent épiphytes.

• **Espèce :** terme botanique définissant une plante que l'on trouve dans la nature. Le nom d'espèce suit toujours le nom de genre et précède le nom de la variété ou du cultivar.

• **Étêter :** opération qui consiste à couper la tige principale d'une plante, pour réduire sa croissance ou la faire ramifier. Avec les plantes herbacées, on utilise plutôt le terme « pincer ».

• **Étiolée :** désigne une plante au feuillage décoloré et dont les tiges s'allongent démesurément, à la suite d'un manque de lumière.

• **Étouffée :** méthode de bouturage consistant à placer les fragments de plante dans une atmosphère confinée.

Fertile : caractérise un substrat contenant une proportion suffisante de matières nutritives pour assurer la croissance des plantes.

• **Fertilisant :** produit utile aux plantes et ayant une action sur leur croissance. Ce terme peut désigner un engrais, mais aussi un amendement à base de fumier.

• **Fertiliser :** action de « nourrir » les plantes en leur apportant de l'engrais.

• **Fleuron :** terme désignant chaque élément constitutif d'une inflorescence.

• **Fongicide :** produit de traitement utilisé pour la lutte contre les maladies provoquées par des champignons parasites.

• **Forçage :** opération qui consiste à produire des plantes en avance sur leur période de végétation normale.

Gélif : qualifie un végétal qui ne résiste pas au gel. Les plantes de la maison sont toutes gélives.

• **Genre :** terme botanique désignant un ensemble d'espèces qui présentent des caractères communs.

• **Godet :** contenant de petites dimensions utilisé pour la culture de jeunes plantes pendant un temps très court, le plus souvent après le repiquage.

• **Grimpant :** désigne une plante qui monte le long d'un support quelconque par ses propres moyens (crampons, vrilles, ventouses, tiges volubiles). Les plantes qui demandent à être attachées sont dites « sarmenteuses ».

Habiller : intervention qui consiste à supprimer une partie du feuillage et des racines lors du bouturage ou de la plantation.

• **Herbacée :** désigne une plante dont les tissus souples présentent la texture de l'herbe : fittonia, hypoestes, saintpaulia, pépéromia, chlorophytum, etc.

• **Hivernage :** chez les plantes d'intérieur, c'est la période de dormance durant laquelle les arrosages sont réduits, les apports d'engrais arrêtés et la température de la pièce diminuée.

• **Humidification :** action de rendre un substrat humide, par arrosage, par pulvérisation, ou par imbibition.

• **Humus :** produit résultant de la décomposition dans le sol des matières organiques par des micro-organismes. Le terreau est généralement riche en humus.

• **Hybridation :** action de croiser deux plantes pour obtenir une nouvelle variété possédant les caractères des deux parents. Beaucoup d'orchidées cultivées à la maison sont issues d'hybridations.

• **Hybride :** désigne une plante issue du croisement de genres, d'espèces ou de variétés de caractères différents du point de vue génétique. Un hybride s'écrit toujours précédé de la lettre « x ».

• **Hydroculture :** méthode de culture sans terre, où les racines des plantes sont plongées en permanence dans une solution nutritive diluée, le substrat étant remplacé par des billes d'argile expansée (culture hydroponique).

Inflorescence : désigne un ensemble de fleurs regroupées en une entité spécifique : grappe, cyme, panicule, ombelle, corymbe, etc.

• **Insecticide :** produit destiné à la lutte contre les insectes ravageurs des cultures.

• **Insectivore :** terminologie appropriée pour désigner les plantes « carnivores ».

Matière organique : produit issu de la décomposition d'êtres vivants, en particulier des végétaux. Le terreau contient une proportion importante de matière organique, bénéfique à la croissance des plantes.

• **Méristème :** tissu de croissance des végétaux, dont on peut bouturer des cellules pour obtenir de nouvelles plantes. Les orchidées sont ainsi reproduites.
• **Microclimat :** conditions atmosphériques particulières régnant dans une zone de superficie restreinte. Chaque pièce de l'appartement constitue un microclimat bien spécifique.
• **Micro-organisme :** être microscopique (bactérie, protozoaire) présent dans le sol. Certains agissent positivement sur la transformation de la matière organique, d'autres sont pathogènes.

Nain : qualifie une plante de petite taille. Beaucoup de plantes de la maison sont naturellement naines. Les nouvelles variétés de ficus, 'Natasha' ou 'Danielle' sont naines.
• **Nœud :** renflement naturel d'une tige au point d'articulation d'une feuille.

Œil : bourgeon qui va former une branche ou une fleur. Dans ce dernier cas, on parle de « bouton ».
• **Oignon :** autre nom donné communément à un bulbe ou à un cormus.
• **Ombelle :** inflorescence en forme de parasol, dont les constituants sont tous attachés en un même point et s'alignent ensuite à la même hauteur. C'est le cas des *Ixora* et des *Haemanthus.*

Palisser : action d'attacher une plante sur un support, en général de forme plate et large (éventail).
• **Panaché :** qualifie une feuille ou une fleur portant deux couleurs différentes.
• **Panachure :** maladie virale entraînant la décoloration d'un organe de la plante ou un effet panaché, parfois décoratif.
• **Panicule :** inflorescence de forme triangulaire dont les ramifications se raccourcissent vers le sommet (yucca).
• **Pédicelle :** nom donné au support d'une fleur sur la hampe florale, dans les inflorescences composées.
• **Pédoncule :** nom donné au support d'une fleur ou d'un fruit, lorsqu'il est solitaire. On parle aussi de « hampe » pour la fleur et de « queue » pour le fruit.
• **Penné :** qualificatif qui désigne des feuilles composées dont les folioles sont bien réparties autour de l'axe (rachis).
• **Pétiole :** nom donné au support d'une feuille. On dit aussi « queue ».
• **pH :** signifie « potentiel Hydrogène ». Il s'agit d'une échelle de notation pour indiquer le taux d'acidité ou d'alcalinité d'un sol. Elle va de 0 (le plus acide) à 14 (le plus alcalin). En pratique, une valeur comprise entre 6 et 7 est idéale pour la culture des plantes de la maison.
• **Photosynthèse :** opération par laquelle la plante synthétise, sous l'action de la lumière et grâce à la chlorophylle, les matières minérales puisées dans le sol par les racines (assimilation chlorophyllienne).
• **Phytosanitaire :** qui est destiné à la protection des plantes (traitement).
• **Pincement :** action qui consiste à supprimer la partie terminale d'une tige ou d'un rameau pour provoquer leur ramification ou la formation des fleurs.
• **Pistil :** organe femelle des plantes situé le plus souvent au centre de la fleur. Il est constitué du style et du stigmate.
• **Plant :** jeune végétal issu d'un semis et destiné à être repiqué ou replanté.
• **Plantule :** qualifie une jeune plante issue de la germination d'une graine.
• **Poil absorbant :** fibre unicellulaire située à l'extrémité des racines, qui sert à pomper l'eau et les sels minéraux.
• **Pollen :** poudre constituée de grains minuscules produits par les anthères des étamines et contenant la partie reproductrice mâle de la fleur (gamète).
• **Pollinisation :** action par laquelle le pollen d'une étamine est porté sur le pistil d'une fleur pour la féconder.
• **Port :** indique la silhouette générale d'un végétal. Il peut être étalé, rampant, fastigié, pleureur, retombant, grimpant, buissonnant, ramifié, etc.
• **Pot :** récipient plus haut que large, dans lequel on cultive les plantes. Les pots sont désignés par un nombre qui indique leur diamètre intérieur en centimètres avec, en règle générale, une graduation de 2 en 2 cm.
• **Potée :** terminologie fréquente pour désigner une plante fleurie en pot.
• **Pousse :** jeune rameau en cours d'évolution. Ce terme désigne plus généralement tous ceux nés dans la même année.
• **Préventif :** qualifie un traitement réalisé dans le but d'empêcher l'invasion des plantes par les insectes et les maladies.
• **Pseudobulbe :** organe de réserve renflé produit par la souche rhizomateuse de certaines orchidées (*Cymbidium, Odontoglossum,* etc.). Les feuilles se forment à l'extrémité du pseudobulbe.
• **Pulvérisation :** méthode de traitement des plantes consistant à répartir sous forme de fines gouttelettes, à l'aide d'un pulvérisateur, un produit phytosanitaire liquide sur les cultures.
• **Pyréthrinoïdes :** substances de synthèse dérivées des composants du pyrèthre. Elles constituent aujourd'hui les insecticides les plus utilisés pour les traitements des plantes de la maison.

Rabattre : intervention de taille importante, qui consiste à couper une branche ou un rameau sur son point de départ, pour provoquer la formation de nouvelles pousses.
• **Rachis :** nom donné à l'axe qui porte, de chaque côté, des ramifications courtes ou les folioles d'une feuille composée.
• **Raciner :** déformation du verbe s'enraciner. On l'utilise pour tout ce qui concerne la multiplication végétative des plantes (bouturage et marcottage).
• **Radiculaire :** qui se rapporte aux racines (système radiculaire).
• **Rajeunir :** intervention de taille consistant à éliminer les vieilles branches, afin de privilégier la croissance ou le développement des plus jeunes pousses.

• **Raphia :** fibre extraite d'un palmier et que l'on utilise comme lien ou ligature, à la fois souple et solide.

• **Rameau :** pousse secondaire située sur une branche principale. Il est « à bois » lorsqu'il porte des feuilles, « à fruit » lorsqu'il est couvert de fleurs et de fruits.

• **Ravageur :** désigne tout animal commettant des dégâts dans les cultures, qu'il s'agisse d'insectes, d'acariens, de limaces, d'oiseaux ou de rongeurs.

• **Rempotage :** action consistant à transférer une plante d'un récipient à un autre, souvent parce qu'elle se trouve à l'étroit. Le rempotage s'avère aussi nécessaire quand le terreau est épuisé.

• **Repiquage :** opération qui consiste à transplanter une jeune plante issue d'un semis dans un pot ou une terrine.

• **Repos :** période d'arrêt de la végétation qui correspond le plus souvent à l'hiver et pendant laquelle les plantes ne se développent plus. Les espèces cultivées en pots ne sont pratiquement plus arrosées pendant le repos.

• **Reprise :** indique le moment où une plante manifeste une croissance après avoir été transplantée, bouturée, repiquée, greffée ou rempotée.

• **Réserve d'eau :** partie étanche d'un bac ou d'un pot dans laquelle est conservée de l'eau qui alimente la plante par un système de mèches ou de toiles.

• **Résistivité :** mesure obligatoire de la teneur des éléments minéraux contenus dans un terreau du commerce.

• **Réticulé :** qualifie un organe végétal couvert de lignes entrecroisées comme les mailles d'un filet.

• **Retombant :** qualifie le port descendant d'une plante aux rameaux souples. Synonyme de « pleureur ».

• **Rhizome :** tige horizontale située au ras du sol ou souterraine, ressemblant à une racine et qui sert à la propagation de la plante (iris, par exemple).

• **Rustique :** qualifie une plante qui s'adapte aux conditions climatiques sous lesquelles elle est cultivée. On a tendance à considérer comme « rustiques » les plantes résistant au gel.

Sable : composant naturel des sols siliceux, constitué de fines particules qui n'adhèrent pas entre elles. On utilise beaucoup le sable de rivière pour alléger et drainer les substrats.

• **Sarmenteux :** désigne le port grêle et souple des tiges longues et flexibles de certaines plantes qui, une fois palissées, prennent l'aspect de grimpantes (plumbago, syngonium, clérodendron, etc.).

• **Semi-aoûté :** qualifie un rameau qui se trouve au stade intermédiaire entre l'état herbacé (tendre) et l'état ligneux (bois).

• **Sépale :** organe végétatif ressemblant souvent à une petite feuille et qui entoure le bouton floral. Certains sépales colorés se confondent avec les pétales.

• **Spadice :** inflorescence en forme de tube compact dont le rachis charnu porte des fleurs insérées sur lui. Le spadice est caractéristique des aracées (*Anthurium*, philo, *Spathiphyllum*).

• **Spathe :** membrane souvent charnue et colorée, qui accompagne ou entoure un spadice (arum, *Zantedeschia*).

• **Spp. :** abréviation de *species plurima*, indiquant que plusieurs espèces du même genre sont concernées par une même description.

• **Substrat :** mélange de matériaux aux propriétés complémentaires, dans lequel on cultive les plantes en pots.

• **Succulente :** terme le plus approprié pour désigner les « plantes grasses ».

• **Suffrutescent :** nom donné au port d'un végétal ligneux, de petite taille et au développement étalé ou rampant.

• **Support de culture :** appellation officielle des terreaux et substrats divers vendus dans le commerce et dans lesquels on cultive directement les plantes.

• **Surfacer :** remplacement de la terre de surface dans un contenant, lorsqu'il est impossible ou difficile de dépoter.

• **Suspension :** terme utilisé pour désigner une plante accrochée à une potence.

• **Systémique :** qualifie un produit de traitement qui est absorbé par une plante et véhiculé par la sève. Très utile contre les pucerons et certaines maladies.

Taille : opération consistant à couper diverses parties d'un végétal pour lui donner une forme, faciliter sa floraison ou sa mise à fruits.

• **Terre franche :** désigne une bonne terre de jardin bien équilibrée. On dit aussi parfois « terre végétale », mais ce terme est assez galvaudé et peu qualitatif.

• **Terreau :** produit provenant de la décomposition de diverses matières organiques. Les terreaux du commerce proposent des compositions adaptées à différentes cultures et contiennent souvent des matériaux artificiels (pouzzolane, perlite). Un bon terreau doit comporter au moins trois matières différentes.

• **Terrine :** récipient rectangulaire peu profond, en terre cuite ou en plastique, utilisé pour les semis, les repiquages, la culture des bonsaïs ou des cactées.

• **Tête :** extrémité de la pousse terminale d'une plante ou de la cime d'un arbre.

• **Touffe :** plante formant une rosette qui émet plusieurs rejets, pour former une masse compacte et homogène.

• **Tourbe :** produit obtenu après la décomposition de mousses (sphaignes) et de joncs dans un milieu non aérien. On l'utilise dans la fabrication des terreaux.

• **Tuteur :** pièce de bois, de métal ou de plastique destinée à servir de soutien aux tiges aériennes d'une plante haute.

Variété : nom donné à une plante qui diffère légèrement de l'espèce type. Lorsqu'elle est obtenue artificiellement, on parle de cultivar. Si elle ne peut être multipliée que par un mode végétatif, on l'appelle clone.

• **Vivace :** plante qui vit plus d'un an, refleurissant et fructifiant plusieurs fois.

Index général

Les chiffres en romain renvoient aux noms des principales plantes et aux principaux thèmes et techniques traités dans l'ouvrage ; les chiffres en gras renvoient aux thèmes qui font l'objet d'un développement important. Les parenthèses concernent les rubriques suivantes : (D), « IDÉES DÉCO » ; (G), « LES BONS GESTES » ; (T), « astuce Truffaut » ; (E), « les petits textes encadrés ».

D

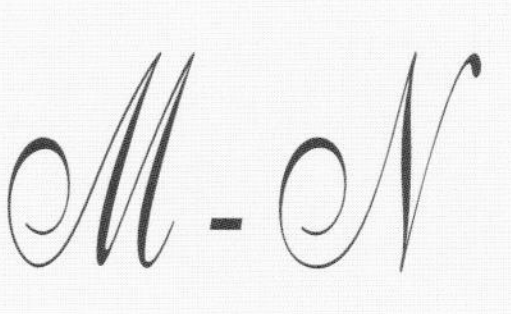

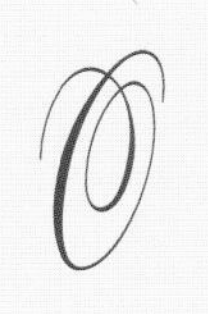

Quelques idées de plantes en pot et de décors colorés pour embellir les pièces de la maison

Crédits Photographiques

Toutes les photos illustrant ce livre ont été fournies par l'agence MAP/Mise au Point (10, boulevard Louise Michel 91030 Évry Cedex) avec la participation des photographes suivants :

Pierre Aversenq : *170 (2), 172, 176, 177, 234, 487.* - **D. Bernardin :** *171, 173.* - **Anne Breuil :** *152, 171, 174, 175, 178 (2), 179, 235.* - **A. ETM Breuil :** *165.* - **BURKE Communication :** *66.* - **Alizée Chopin :** *490.* - **Arnaud Descat :** *ph. de couverture, 8,10 (2), 12 (2), 20, 22 (2), 24 (2), 28 (2), 29, 34, 40 (2), 42 (2), 47, 50, 52, 60 (2), 69, 70, 72, 73, 74, 88,90, 91, 93, 94 (2), 96, 97, 100, 101, 102, 113, 130, 140, 146, 147, 160, 161, 169 (2), 172, 174, 176, 179 (2), 182 (2), 183, 189, 192, 199, 200, 201 (2), 202, 214, 219, 232, 236, 239, 248, 249 (2), 250 (2), 251 (2), 252 (2), 253 (2), 254 (6), 255 (3), 256 (5), 257 (4), 258 (2), 259 (3), 260 (5), 261 (2), 262 (3), 263, 264, 265 (4), 266 (2), 267 (2), 268 (2), 269 (4), 270 (2), 271 (3), 272 (3), 273, 274, 278, 276, 277 (2), 279 (3), 280 (3), 281 (2), 282, 283 (2), 284 (3), 285 (5), 286 (6), 287 (2), 288 (2), 289, 290, 291 (4), 293, 294, 295 (3), 296 (2), 297, 298 (3), 299 (2), 301 (2), 306 (2), 307 (2), 308 (2), 309 (2), 310 (2), 311 (2), 312, 314 (2), 317, 318, 319, 320 (2), 321, 326, 327 (2), 323, 324, 325 (2), 328 (3), 330 (2), 331 (2), 333, 334 (4), 336, 337, 338, 339, 340, 341 (2), 342 (2), 347, 348 (2), 350, 351, 352 (2), 353, 355, 356 (4), 359, 360, 361 (2), 367, 371, 373 (3), 376 (3), 377, 378, 379 (3), 375, 380, 381 (4),382 (2), 383, 384 (3), 385 (6), 386 (2), 387, 389 (2), 390 (6), 391 (3), 392 (3), 393 (3), 394 (5), 395 (6), 396, 397 (2), 398 (4), 399 (3), 400, 402 (6), 403, 404 (2), 405 (5), 406 (3), 407 (3), 408 (2), 409 (5), 410, 411, 412 (2), 413, 414 (2), 415 (5), 416, 417 (3), 429 (2), 430, 437, 440, 441, 442, 443, 444 (2), 446 (3), 448, 449, 450, 451 (4), 452 (2), 453, 454, 455, 456, 458 (2), 463, 465 (2), 467, 468, 469 (2), 471, 472 (2).* - **Frédéric Didillon :** *dos de couverture, 4, 38, 52, 84, 200, 222-223, 248, 249, 256, 280, 281, 299, 303, 309, 310, 315, 347, 351, 357, 374, 383 (3), 407, 409, 445, 447, 461.* - **M. Duyck :** *172, 173.* - **François Gager :** *15, 16, 21, 22, 29, 58, 59 (2), 73, 74, 89, 91, 93, 131, 139.* - **Jean-Yves Grospas :** *292, 380, 383, 390, 412, 413, 460, 464, 465, 473, 474, 488.* - **Alain Guerrier :** *147, 264, 329, 331, 372, 388, 443, 464, 466.* - **Fred Lamarque :** *28, 36 (2), 46 (2), 84, 111 (2), 114, 118, 119 (5), 120-121 (6), 122-123 (6), 124 (3), 125 (2), 129, 142 (7), 149, 159 (2), 164, 166, 189, 192 (2), 193 (2), 194, 202 (2), 214, 218 (4), 219 (2), 221, 227, 230, 246, 275 (2), 289, 290, 293, 313, 324, 337, 368, 463, 470, 487, 490, 494.* - **J. Lode :** *448, 453, 459, 460, 461 (2), 471, 473 (2).* - **Romain Mage :** *465.* - **Nicole et Patrick Mioulane :** *ph. de couverture, 4 (2), 5 (2), 6-7, 10, 11 (3), 12, 13 (2), 16, 18, 19 (2), 20, 21 (2), 22, 23 (2), 24, 25 (2), 26, 27 (2), 28, 29, 30, 31, 33, 34 (2), 35, 36 (2), 38 (2), 39 (2), 42 (2), 43 (4), 45, 46 (2), 47, 48 (2), 49 (2), 50, 51 (2), 52, 53 (2), 54 (2), 55, 56, 57 (3), 58 (2), 59, 60 (2), 61 (2), 62, 63, 64, 66, 67, 68 (2), 72 (2), 73, 74, 75 (3), 78, 79, 83, 84, 85, 86, 87, 88, 89, 91, 92, 94, 95 (3), 96 (2), 97 (2), 98 (2), 99, 100, 101 (2), 102, 103, 104-105, 106, 107, 108, 109, 110 (2), 111 (2), 112 (4), 113, 115 (2), 116 (2), 117 (6), 118, 125, 126, 127 (6), 128 (4), 129 (3), 131, 132, 134 (2), 136, 137, 138, 139, 140, 142, 144 (2), 145, 146, 147, 148 (3), 149 (3), 150, 151, 153 (3), 154 (3), 156 (2), 157 (3), 159 (2), 160 (2), 162 (2), 163 (4), 164, 165 (2), 166, 167 (4), 168 (2), 170, 171, 173 (2), 174, 176, 177 (2), 178, 180-181 (6), 182, 183 (2), 184-185 (6), 186-187 (5), 188 (3), 190-191 (8), 192 (2), 193, 195 (3), 196 (2), 197 (4), 198, 201, 202, 203 (4), 204-205 (6), 206, 207 (4), 208, 209 (5), 210-211 (7), 212 (4), 213 (3), 214, 215 (3), 216-217 (8), 218, 220, 221, 224,225, 226, 229, 230, 232, 233, 234, 235, 238 (2), 239, 240, 241, 242-243, 250, 252, 253, 254, 257, 258, 260, 263 (2), 264, 266, 267, 269, 270, 273, 275, 276, 277, 278, 283, 285, 287, 288, 294, 291, 292 (2), 293, 297 (2), 298, 299, 300, 301, 304, 307 (2), 308, 310 (3), 312 (2), 313 (2), 315, 316, 317, 319, 320, 322 (2), 324, 326(2), 329, 330, 332 (6), 333 (5), 334, 340 (2), 343 (2), 344 (2), 347, 349 (2), 353, 355, 356, 359, 360, 361, 362, 363 (3), 364 (2), 366, 372, 377 (2), 378 (2), 380 (3), 381, 383, 385, 387 (2), 388 (2), 389, 391 (3), 392, 393 (3), 394, 396, 397 (2), 398 (2), 401, 403, 405, 407, 413, 415, 416 (2), 417 (3), 418, 419, 420 (2), 421 (3), 422 (3), 423 (3), 424 (3), 425 (3), 426-427 (2), 428, 429, 430, 431 (3), 432, 433 (2), 434, 435, 439 (3), 440, 441 (2), 445 (2), 447, 449, 450 (3), 452, 454 (2), 455 (2), 456, 457, 458 (2), 459, 460 (4), 461 (2), 462 (2), 464 (3), 465, 466, 469, 473 (2), 474, 475, 478 (3), 479 (4), 482, 483 (5), 484, 486 (2), 487 (3), 489, 491 (3), 492, 493 (4), 494 (3), 495.* - **Yann Monel :** *89, 97, 428, 461, 464-465, 475.* - **Clive Nichols :** *345, 365, 383, 398.* - **Éric Ossart :** *336, 371, 450.* - **J.-P. Soulier :** *3, 14, 17.* - **Friedrich Strauss :** *ph. de couverture (2) et 4e de couverture, 9, 14 (2), 15, 18 (2), 20 (2), 21 (2), 23, 25, 26 (2), 27, 31, 32 (2), 35 (2), 37 (3), 39, 40, 41 (3), 44 (2), 47 (2), 48, 49, 50, 51 (2), 53 (2), 56 (2), 58, 62, 64 (2), 65 (3), 68 (2), 69, 70 (2), 71, 72, 76, 77, 78, 79 (2), 80-81 (6), 82, 84 (2), 88, 90, 108, 109 (2), 111, 113, 114, 115 (2), 132 (2), 138, 146, 152, 153, 157, 158 (2), 161, 165 (2), 173, 175, 189 (3), 197, 198, 199 (3), 201 (2), 202, 206, 207, 208, 212, 214 (2), 218, 220, 224, 225, 226, 227, 228 (2), 229, 231 (2), 233, 237, 240, 241, 244, 245, 248, 251, 252, 253, 267, 268, 273, 274, 275, 276, 278, 279, 282, 283, 290, 289, 296, 364, 365 (2), 403, 404, 405, 407, 408, 414, 334, 300, 302, 304, 305 (3), 306, 311, 315, 316 (2), 317, 318 (2), 319, 321 (2), 322, 323 (2), 325, 327 (2), 328, 329, 335 (2), 336 (2), 337, 338, 339 (2), 341, 345 (2), 346 (2), 347, 348, 349, 350 (2), 351, 354 (3), 355, 356, 357 (2), 358 (2), 359, 360, 362 (2), 366 (2), 367, 369, 370 (3), 371, 372 (2), 382, 386, 388, 392, 393, 396, 428, 429, 430, 432 (2), 433, 434 (2), 435 (2), 436, 438 (3), 442, 443, 444, 447, 448, 449, 450, 451, 453 (2), 459, 457 (3), 463, 466, 467 (2), 468, 469, 470, 471, 472, 475 (2), 479, 480-481(7), 482, 484 (2), 485, 488, 489 (5), 490, 491, 492, 493, 495.* - **Truffaut :** *270.* - **Didier Willery :** *13, 19, 51, 61 (2), 69, 71 (2), 77, 90.*

Remerciements

Nous tenons tout particulièrement à remercier les propriétaires de maisons et de vérandas
qui nous ont aimablement ouvert leurs portes
et permis de réaliser les photos d'ambiance qui illustrent cet ouvrage :

Dominique et Nicolas Angel, Île-de-France. – Butchart gardens, Canada. – Annie Chazottes, Bourgogne. – Marie-José Degas, Aquitaine. – Alain Delavie, Île-de-France. – Catherine Delprat, Île-de-France. – Sylvie Diarté, Paris. – Fondation Young, Jersey. – Jardin botanique de Montréal, Canada. – Jardin des serres d'Auteuil, Paris. – Knighshayes Court, Angleterre. – Meubles de Tonge, Show-room de l'avenue de Malakoff à Paris. – Nicole et Patrick Mioulane, Île-de-France.

Tous nos remerciements également aux professionnels suivants,
qui nous ont permis de photographier les plantes de leurs collections :

Bonsaïs Rémy Samson, Châtenay-Malabry. – Jardin des serres d'Auteuil, Paris. – Orchidées Marcel Lecoufle, Boissy-Saint-Léger. – Orchidées Vacherot & Lecoufle, Boissy-Saint-Léger. – Plantassistance, Rungis. – Truffaut, La Ville-du-Bois. – Truffaut, Servon.

Les Jardineries Truffaut

Truffaut **Amiens,** RN 29, 80330 Longueau.
Truffaut **Angoulême*,** Centre commercial Auchan, 16400 La Couronne.
Truffaut **Châtenay-Malabry,** 72 avenue Roger Salengro, 92290 Châtenay-Malabry.
Truffaut **Deauville,** route de Paris, 14800 Deauville.
Truffaut **Gisors*,** route de Paris, 27140 Gisors.
Truffaut **Herblay,** RN 14, La Patte d'Oie, 95480 Pierrelaye.
Truffaut **La Rochelle*,** Centre commercial Beaulieu, 17285 Puilboreau-Beaulieu Cedex.
Truffaut **La Ville-du-Bois,** RN 20, 91620 La Ville-du-Bois.
Truffaut **Le Mans,** Centre commercial Carrefour, rue Robert Collet, 72100 Le Mans.
Truffaut **Les Ulis*,** ZA de Courtabœuf, 22, avenue des Andes, 91940 Les Ulis.
Truffaut **Lorient*,** Centre commercial Keryado K2, 56100 Lorient.
Truffaut **Moisselles,** RN 1, Direction la Croix-Verte, 95570 Baillet-en-France.
Truffaut **Mulhouse,** Zone commerciale Pôle 430, rue de la Forêt, 68270 Wittenheim.
Truffaut **Nantes,** 258, route de Vannes, 44700 Orvault.
Truffaut **Nîmes,** ZAC du Mas des abeilles, 400, rue Michel Debré, 30900 Nîmes.
Truffaut **Orléans,** route de Sandillon, 45650 Saint-Jean-le-Blanc.
Truffaut **Paris Seine Rive gauche,** 85, quai de la Gare, 75013 Paris (métro : quai de la Gare).
Truffaut **Parly 2,** Centre commercial Parly 2, Local poste 633, 78158 Le Chesnay Cedex.
Truffaut **Pau-Lons,** ZAC du Mail, route de Bordeaux, 64140 Lons.
Truffaut **Plaisir,** RN 12, ZAC de Sainte-Apolline, 78370 Plaisir.
Truffaut **Ponthierry,** RN 7, 77310 Saint-Fargeau-Ponthierry.
Truffaut **Puiseux-Pontoise,** A 15, (Sortie 13), 95650 Puiseaux-Pontoise.
Truffaut **Quentin-Flore,** Zone commerciale Cora, 02100 Saint-Quentin.
Truffaut **Quimper*,** Centre commercial Continent, 29000 Quimper.
Truffaut **Rennes,** Centre Alma, allée d'Ukraine, 35048 Rennes Cedex.
Truffaut **Saint-Gervais,** la Patte d'Oie, Saint-Gervais-la-Forêt, 41350 Vineuil.
Truffaut **Saint-Malo,** Centre commercial Cora, Le Moulin du Domaine, 35430 Saint Jouan-des-Guérets.
Truffaut **Saint-Maximin,** Centre commercial Cora, RN 16, 60740 Saint-Maximin.
Truffaut **Servon,** RN 19, Ferme de Servon, 77170 Servon.
Truffaut **Toulouse Nord,** Centre commercial Gramont, chemin de Gabardie, 31200 Toulouse.
Truffaut **Tours Sud,** Centre commercial Auchan, 5, rue du Professeur Maupas, 37170 Chambray-les-Tours.
Truffaut **Vélizy 2,** face Centre commercial Vélizy 2, 41 bis, avenue de l'Europe, 78140 Vélizy-Villacoublay.
Truffaut **Villeparisis,** RN3, route de Villevaudé, 77270 Villeparisis.

(Partenaires indépendants)*

Pour connaître à tout moment les adresses, plan d'accès et horaires d'ouverture, de toutes les Jardineries composez le **36 14 code Truffaut**
Pour tous renseignements, remarques et suggestions, écrivez à :

TRUFFAUT
Service Consommateurs
Parc Léonard de Vinci,
Avenue des Parcs, CP 8015 Lisses,
91008 Évry Cedex